Malena

Vertaald door Heyo W. Alting, Sophie Brinkman en Ester van Buuren

Almudena Grandes

Malena

1996   Prometheus   Amsterdam

Deze publicatie is mede mogelijk gemaakt door de Dirección General del Libro y Bibliotecas van het Spaanse ministerie voor Cultuur.

Oorspronkelijke titel *Malena es un nombre de tango*
© 1994 Almudena Grandes
© 1996 Nederlandse vertaling Uitgeverij Prometheus,
Heyo W. Alting, Sophie Brinkman en Ester van Buuren
Omslagontwerp Gerard Hadders
Omslagillustratie *Jeune fille à la chemise blanche* van Balthus
Foto achterplat Jerry Bauer
ISBN 90 5333 522 6

Opgedragen aan mijn vader,
de nagedachtenis van mijn moeder
en mijn legendarische overgrootvader Moisés Grandes

Ik haat en ik heb lief.
Ik voel beide dingen en lijd.

Catullus

Er is geen zwaardere last dan een lichtzinnige vrouw.

Miguel de Cervantes

De herinnering is niet meer dan een andere manier van uitvinden.

Eduardo Mendicutti

Er zijn in wezen drie soorten vrouwen:
hoeren, moeders en moordwijven

Bigas Luna

I

Voor ik over de drempel stapte, stond ik stil om het groteske beeldhouwwerk te bewonderen, dat rijkelijk op de voorgevel en vooral rondom de hoofdingang was aangebracht. Boven de deur ontdekte ik, tussen een wirwar van afgebrokkelde griffioenen en jongetjes in wellustige houdingen, het jaartal 1500 en de naam Hareton Earnshaw.

Emily Brontë, *De woeste hoogten*

Pacita had groene ogen, die altijd geopend waren en, net als ik, de lippen van een indiaanse, die elkaar bij het sluiten nauwelijks beroerden, waardoor in de mondhoeken voldoende ruimte bleef om een smal straaltje wit speeksel door te laten dat traag omlaag droop en soms op de rand van haar kin verdroogde. Ze was overweldigend mooi, de knapste van de dochters van mijn grootmoeder, met dik, golvend kastanjebruin haar, een eigenaardige neus, volmaakte contouren en een lange, weelderige hals, van een arrogante schoonheid en onberispelijk van lijn, die de strenge sierlijkheid van de kaak verbond met de gespannen weekheid van een karamelkleurig decolleté waaraan de nooit door haar gekozen groteske jurken van een vrouw die zich bewust is van haar lichaam een onwerkelijke en wrede betekenis verleenden. Ik heb haar nooit zien staan, maar haar beweeglijke, stevige benen, de robuustheid die de glans nuanceerde van een paar nylonkousen die nooit werden blootgesteld aan enige beschadiging, verdienden niet het lot waartoe ze voor altijd gedoemd waren door het onverbiddelijke syndroom met een Engelse naam dat haar geestelijke ontwikkeling had stilgezet toen ze nog niet eens had geleerd hoe ze haar hoofd rechtop moest houden. Sinds die tijd was er niets veranderd en zou er nooit meer iets veranderen voor die eeuwige baby van drie maanden. Pacita was inmiddels vierentwintig jaar, maar haar vader was de enige die haar Paz noemde.

Ik had me verstopt achter de wilde kastanje en herinner me de kleine, stekelige bollen die zich tussen de bladeren lieten zien, zodat het lente of misschien het begin van de zomer moet zijn geweest, en ik denk dat ik bijna negen, misschien tien was, maar ik weet zeker dat het zondag was, want op zondag ging mama na de mis van twaalf uur voor een aperitief met ons naar het huis van mijn grootouders, een donker, naargeestig herenhuis dat drie verdiepingen en een tuin had en aan de paseo General Martínez Campos stond, bijna op de hoek met de calle de Zurbano, en dat nu het Spaanse hoofdkantoor is van een Belgische bank. Wanneer het mooi weer was, zat Pacita altijd in de schaduw van de vijgenboom in een speciale rolstoel, vastgebonden met drie riemen, een over haar borst, een om haar middel en de derde, de dikste, tussen deze laatste en het uiteinde van de zitting om te voorkomen dat ze weg zou glijden en op de grond zou vallen. Haar silhouet was nauwelijks te onderscheiden tussen de spijlen van het ijzeren hek en ik staarde in die richting en concentreerde mijn blik op het grind, de enige plaats waar ik er zeker van was dat ik haar niet kon zien, en probeerde, verhit en knalrood, de sporen te verbergen van een wekelijkse marteling, van de onverklaarbare schaamte die mijn lichaam in vuur en vlam zette terwijl ik luisterde naar het schaamteloze concert van woordjes dat mijn moeder en mijn zusje, net als alle andere vrouwen van de familie, in koor wijdde aan mijn arme tante, dat logge, zwakzinnige wezen dat hen niet kon zien terwijl ze de wereld aanschouwde met haar twee groene ogen, die altijd geopend en altijd van een overweldigende schoonheid en leegte waren.

'Hallo!' zei mijn moeder, alsof ze verrukt was over een toevallige ontmoeting, en ze trok gezichten en klakte ritmisch met haar tong tegen haar gehemelte zoals je doet om de aandacht te trekken van echte baby's, kinderen die kijken en tijdens het kijken luisteren en tijdens het luisteren leren. 'Hallo, Pacita, lieverd! Hoe is het met je, schatje? Wat een prachtige dag, hè? Wat wil je nog meer, de hele ochtend in de zon!'

'Pacita, Pacita!' riep Reina tegen haar, haar hoofd van de ene naar de andere kant bewegend. 'Koekoek… kiekeboe! Koekoek… kiekeboe!'

En ze pakten haar hand, streelden haar knieën, knepen haar in haar wangen, trokken haar rok recht, gaven haar kleine klapjes, speelden Naar bed, naar bed, zei Duimelot, en glimlachten voortdurend alsof ze bijzonder ingenomen waren met zichzelf, bijzonder tevreden dat ze deden wat gedaan behoorde te worden, terwijl ik van een afstand naar hen keek en deed alsof ik er niet bij hoorde in de hoop dat het zou lukken, maar het lukte nooit.

'Malena!' Er kwam altijd een moment waarop mijn moeder haar hoofd omdraaide om te kijken waar ik was. 'Zeg je niets tegen Pacita?'

'Hallo, Pacita,' zong ik dan, waarbij mijn stem zonder dat ik het wilde zwakker werd tot er niets anders overbleef dan een lachwekkend gefluister. 'Hoe gaat het, Pacita? Hoe gaat het?'

En ook ik pakte haar hand, die altijd koud was, en altijd vochtig, en plakkerig van speeksel en een stinkend mengsel van pap en geparfumeerde crème, en ik keek in haar ogen en beefde van angst door wat ik daar zag, en ik voelde me zo schuldig over de egoïstische afkeer die Pacita bij me opriep dat ik vervolgens, elke zondagochtend met meer hevigheid, met meer hartstocht dan ooit, tot de Heilige Maagd bad om dat kleine persoonlijke wonder, en gedurende de rest van de ochtend, terwijl ik als een gevangene in dat afschuwelijke huis verbleef, bad ik zonder ophouden, altijd in stilte, Heilige Maria, Moeder van God, als u dit voor mij doet zal ik u nooit van mijn leven meer iets vragen, toe, voor u is het toch geen enkele moeite… Mijn neefjes hoefden Pacita niet te groeten, hoefden haar niet te kussen en niet te strelen; ze raakten haar nooit aan.

Maar die ochtend, terwijl ik verscholen zat in de schaduw van de wilde kastanje, bad ik niet meer, was het niet nodig om te bidden. Híj zat in een stoel, naast zijn dochter, en zijn aanwezigheid, een kracht die machtiger was dan de wind, machtiger dan de regen of de kou die mijn tante gedurende de hele winter naar haar kamer verbanden, had, vanaf het begin, een eind gemaakt aan de profane ceremonie van de zondagen en me blootgesteld aan een groter gevaar, een gevaar waarvan de risico's niet te overzien waren, want van alle dingen die mij bang maakten in het grote huis aan de Martínez Campos, was zijn gedaante veruit het angstaanjagendst. Mijn grootvader Pedro was precies zestig jaar eerder geboren dan ik, en hij was slecht. Niemand had me er ooit iets over gezegd en niemand had me ooit uitgelegd waarom, maar zolang ik me kon herinneren had ik met de lucht die bittere waarheid ingeademd, die gefluisterd werd door de meubelen, bevestigd werd door de geuren, verspreid werd door de bomen; zelfs de grond leek te kraken onder zijn schoenzolen om me op tijd te waarschuwen voor de nabijheid van deze vreemde man, die te lang was, te stijf, te streng, te grijs, te nors, te sterk en te hoogmoedig om onder de angstaanjagende streep van twee scherpe, brede, borstelige en zuiver witte wenkbrauwen een zo vermoeide blik in zijn ogen te hebben.

Mijn grootvader was niet stom, maar sprak nooit. Hij deed nauwelijks een mond open wanneer de kinderlijke last van zijn goede opvoeding gedurende een moment de plaats innam van zijn volwassen roeping van vleesgeworden spook, en wanneer hij ons in de gang tegenkwam, groette hij ons, en als hem niets anders overbleef dan afscheid van ons te nemen, nam hij afscheid, maar hij nam nooit deel aan de gesprekken, riep ons nooit, kuste ons nooit en kwam nooit op bezoek. Hij bracht het grootste deel van zijn tijd door met Pacita, die schim die niet in staat was zijn zwijgen op waarde te schatten, en zijn leven was minstens zo mysterieus als zijn reputatie duister was. Af en toe, voor we het huis verlieten, waarschuwde mama ons dat haar vader op reis was, maar ze gaf nooit meer aanwijzingen, noemde nooit de plaats van zijn bestemming of de datum van zijn terugkomst, dit geheel in tegenstelling tot wat er gebeurde met de eeuwige vakanties van haar tweelingzuster, mijn tante Magda, het andere lid van de familie dat het leven reizend doorbracht, maar van wie we altijd wisten waar ze was, want dat kondigde ze aan voor ze vertrok en vervolgens stuurde ze ansichtkaarten en bij haar terugkeer bracht ze zelfs cadeautjes mee. Maar hij kon al weken in Madrid zijn zonder dat wij het wisten, want hij bracht zijn dagen door in zijn werkkamer op de eerste verdieping en liet zich alleen beneden zien wanneer het tijd was om te eten, en dat alleen wanneer hij niet met Paz at, in afzondering. Nu zat hij naast haar en staarde voor zich uit zonder zijn ogen op een concreet punt te richten, en ik bestudeerde hem, wachtend op een moment van onoplettendheid, de eerste gelegenheid die zich zou voordoen om dwars door de tuin naar de woonkamer te rennen waar, te oordelen naar het geroezemoes dat uit de halfgeopende ramen ontsnapte, mijn ouders en mijn zusje met de rest van de familie een trouwdag, verjaardag of sterfdag van iemand vierden. Van de tortilla is natuurlijk al niets meer over, dacht ik, terwijl ik bitter betreurde dat ik, zoals elke zondag, was achtergebleven, zodat de anderen, sneller dan gewoonlijk, het huis hadden kunnen binnengaan zonder te merken dat ze mij hadden achtergelaten, overgeleverd aan de toorn van die verschrikkelijke man. Maar ineengedoken achter de wilde kastanje voelde ik me zo veilig dat ik de eerste keer dat ik hem hoorde niet kon geloven dat hij het was die tegen mij sprak.

'Waarom zit je daar verstopt, Malena? Kom eens hier, vooruit.'

Ik weet zeker dat hij tot op dat moment nog nooit zo veel woorden in één keer tot mij had gericht, maar ik gaf geen antwoord, ik bewoog me niet, ik ademde niet eens. De stem die ik zojuist had gehoord, had voor mij een bekende en tegelijkertijd vreemde klank, zoals die van de bakker of die van de busconducteur, van die mensen die je gedurende je hele leven elke dag kunt zien, maar die je nooit meer dan op zijn hoogst een stuk of tien zinnen hoort uitspreken die bijna altijd hetzelfde zijn. De zinnen die over de lippen van mijn grootvader kwamen, waren altijd hetzelfde en kwamen lang niet aan de tien: hallo, geef me een kus, hier heb je een lolly, ga naar je moeder, dag. De nieuwigheid maakte me doodsbang.

'Weet je welk dier het domste dier van de schepping is?' vervolgde hij met luide en heldere stem, waarmee hij de code doorbrak die hij zichzelf had opgelegd en waar hij zich tot op dat moment strikt aan had gehouden. 'Ik zal het je vertellen. Het is de kip. En weet je waarom?'

'Nee,' antwoordde ik met een dun stemmetje van achter de kastanjeboom, zonder al te voorschijn te durven komen.

'Omdat een kip die voor een stuk gaas staat dat ongeveer zo breed is als die boom, terwijl aan de andere kant een graankorrel ligt, de rest van zijn leven zijn snavel op het ijzerdraad zal breken en nooit op het idee zal komen om het obstakel heen te lopen en zo het voer te bereiken. Daarom is de kip het domste dier.'

Ik stak langzaam mijn linkerbeen uit en deed mijn ogen dicht. Toen ik ze weer opende, stond ik voor mijn grootvader, die me met een licht gefronst voorhoofd aankeek, en ik had er rennend vandoor kunnen gaan, ik had om de stoel van Pacita heen kunnen lopen voor hij de tijd had gehad om zich te realiseren wat er gebeurde, maar ik deed het niet, want ik wist wel zeker dat ze de hele tortilla al opgegeten hadden en bovendien was ik niet meer bang van hem.

'Ik ben geen kip,' bevestigde ik.

'Dat is duidelijk,' zei hij, en hij glimlachte tegen me en ik weet absoluut zeker dat het de eerste keer was dat hij tegen mij glimlachte. 'Maar je bent wel een beetje laf, want je verstopt je voor mij.'

'Niet voor jou,' mompelde ik. Het was een halve leugen en tegelijkertijd een halve waarheid. 'Maar voor...'

Ik wees met mijn vinger naar Pacita en zijn gezicht vertrok van verbazing.

'Voor Paz?' vroeg hij, na een korte stilte. 'Ben je bang voor Paz? Meen je dat?'

'Ja, ik... Ik vind haar een beetje eng, want ik weet niet goed waar ze naar kijkt of wat ze denkt, en ik weet wel dat ze niet denkt, maar... En bovendien...' Ik praatte heel langzaam, mijn blik op de grond gericht, en merkte dat het zweet in mijn handen stond en dat mijn lippen trilden terwijl ik haastig op zoek was naar onmogelijke woorden, woorden die mij niet belachelijk zouden maken en hem geen pijn zouden doen. 'Ik weet wel dat het slecht van me is, heel slecht, verschrikkelijk, maar ze geeft me ook een gevoel van... Geen afschuw, maar... een beetje...' Ten slotte moest ik erkennen dat ik het moeilijk slechter kon aanpakken en besloot ik met dat domme compliment te komen, die grove troost. 'Maar ze is heel knap, hè, dat is ze wel. Mama zegt het altijd en het is waar dat Pacita echt heel knap is.'

Mijn grootvader ontving mijn onbeholpen liefdadigheid met een schaterlach, en ik weet absoluut zeker dat ik hem nog nooit eerder had zien lachen.

'Jíj bent in elk geval knap, prinses,' zei hij, en hij strekte een hand uit waar ik de mijne zonder enige aarzeling in legde. 'Kom hier.' Hij trok me naar zich toe en zette me op zijn knieën. 'Kijk eens naar haar. Ze zal je nooit kwaad kunnen doen, ze zal nooit iemand kwaad doen. Degenen voor wie je bang moet zijn, Malena, zijn de anderen, degenen die denken, degenen bij wie je moet raden in welke richting ze kijken. Dat zijn degenen die altijd precies de andere kant op kijken dan jij denkt. Ik geloof trouwens dat ik wel begrepen heb wat je wilt zeggen, maar ik denk niet dat het erg slecht is, en niet eens gewoon slecht. Ik zou zelfs willen zeggen dat het goed is. Mij bevalt het in elk geval.'

'Maar jij bent altijd bij haar, en mama zegt dat je dingen tegen haar moet zeggen en lief moet zijn, en dat je moet doen alsof je heel blij bent haar te zien, zodat de mensen die hier wonen tevreden zijn. Niet voor haar, begrijp je, maar voor grootmoeder en voor jou, en dat... dat kan ik niet, ik kijk naar haar en... Ik weet niet, maar ik denk dat ze het helemaal niet leuk zou vinden als ze het zou weten, want ze is veel ouder dan wij en ze is altijd zo mooi aangekleed, met die hakken en sieraden en zo... en ze is tenslotte geen baby. Het spijt me, maar ik kan haar niet behandelen zoals zij doen. Ik hoop dat je niet boos wordt, maar ik ben nooit blij om haar te zien.'

Toen pakte hij me bij mijn schouders en draaide me naar zich toe om me in mijn ogen te kunnen kijken, en ik realiseerde me dat hij, hoewel hij nooit tegen me had gepraat, hoewel hij nooit tegen me had geglimlacht, hoewel ik hem nooit eerder had zien lachen, me al vaak, al heel vaak op die manier had aangekeken. Daarna trok hij me tegen zijn borst, legde zijn armen om me heen en liet zijn harde, knokige wang tegen mijn rechterslaap rusten.

'Ze vindt het heerlijk om te gaan wandelen,' zei hij, 'maar je grootmoeder neemt haar nooit mee omdat ze liever niet met haar gezien wordt. Ik ben degene die altijd met haar gaat wandelen, en als ze hier is, gaat Magda mee. Het is trouwens tijd.'

'Ik ga met je mee, als je wilt,' zei ik, na een tijdje, want Pacita bezorgde me nog steeds een gevoel van angst, en afschuw, maar hij gaf me warmte, hij had me in één gebaar zo veel warmte gegeven als ik nog nooit had gekregen, en niemand had me ooit gezegd dat ik hem beviel, en hij had dat wel gedaan, en me zelfs prinses genoemd.

Voor we vertrokken, parkeerde hij de stoel onder het afdak van de garage en ging het huis binnen. Ik dacht dat hij alleen tegen mijn moeder wilde zeggen dat hij me meenam voor een wandeling, maar hij kwam met een hele berg spullen terug. Zonder een woord te zeggen, drukte hij een wattenbolletje in de inhoud van een wit plastic potje dat hij in zijn zak had en verwijderde met een paar flinke halen de make-up van de lippen, wangen en oogleden van Pacita. Hij deed haar oorbellen af, twee kleine bloemen van briljanten en saffieren, haar ringen en haar parelsnoer en stopte alles in een fluwelen zakje, dat hij via de opening van een raampje in de garage onder een dakpan verborg. Daarna legde hij een deken over zijn dochter en legde haar armen daarop, en toen voelde ik een stekende pijn in mijn enkel.

'Lénny!' gilde ik. De hond van mijn grootmoeder, een minuscule Yorkshire Terriër met lang, kastanjebruin haar dat op zijn voorhoofd bijeengebonden was met een rood strikje, sprong als een onuitstaanbare en furieuze vlo om me heen, blijkbaar zeer tevreden omdat hij via mijn hielen het verplichte eerbetoon had bewezen waaraan hij bezoekers altijd onderwierp.

'Geef hem een schop,' zei mijn grootvader met kalme stem, terwijl hij de stoel van de rem zette.

'Maar… nee, dat kan ik niet,' antwoordde ik, en ik schudde mijn hoofd. 'Je mag honden niet mishandelen…'

'Honden… ja, maar dat is geen hond, het is een rat. Geef hem een schop.'

Een ogenblik keek ik hem besluiteloos aan. Toen strekte ik mijn been en haalde uit met mijn voet, waarbij ik mijn best deed niet al mijn kracht op hem los te laten, en daar vloog Lenny door de lucht, kwam in zijn val in botsing met een pilaar en ging er op volle snelheid vandoor. Ik moest zo hard lachen, dat ik me voor ik uitgelachen was al heel vervelend voelde, maar ik keek hem aan en hij stelde me gerust, hij glimlachte. Later, toen we al op het trottoir stonden, aan de andere kant van het half openstaande hek, werd hij ernstig en dempte zijn stem om mij een raadsel voor te leggen dat ik nog niet kon begrijpen.

'Heb je gemerkt dat alle anderen binnenblijven?'

Ik wist niet meteen wat ik moest zeggen, alsof ik bang was voor een list, een valstrik, die op de loer lag achter een vraag die zo gemakkelijk te beantwoorden leek, maar ik had de durf om te reageren voor hij tijd had mijn verwarring op te merken.

'Natuurlijk,' zei ik, en pas toen deed hij het hek dicht.

'Kom, klim maar op de dwarsbalk,' bood hij aan en hij wees naar de metalen stang die aan de achterkant de twee wielen met elkaar verbond, 'en houd je met je handen aan de stoel vast. Goed zo, op die manier word je niet moe.'

Hij duwde de stoel voor zich uit en we gingen op weg, waarbij we langzaam van een lichte helling gleden. Ik voelde de warme lucht in mijn gezicht, mijn haar danste, de zon leek tevreden en ik was dat ook.

De volgende zondag zag ik mijn grootvader niet. Een week later ontmoette ik hem bij binnenkomst in de hal van zijn huis, waar hij met gedempte stem met twee goedgeklede, zeer ernstige heren stond te praten. Mama groette hem, 'hallo, papa', maar liep gewoon door, en Reina liep achter haar aan, haar ogen op de grond gericht. Ik durfde geen woord te zeggen, maar toen ik ter hoogte van hem was gekomen, keek ik hem aan. Hij glimlachte en knipoogde, maar ook hij zei niets, en vanaf dat moment ging het altijd zo. Wanneer we niet alleen waren, beschermde mijn wijze grootvader mij door middel van een kolossale muur, opgetrokken uit de gefingeerde stenen van zijn onverschilligheid.

Ik houd niet van jam, maar als er niets anders is voor het ontbijt geef ik, in deze volgorde, de voorkeur aan aardbeienjam, frambozenjam en bosbessenjam, zoals de meeste mensen die ik ken. Mijn zusje Reina houdt alleen van bittere sinaasappelmarmelade. Toen we nog klein waren en met de familie van mijn moeder de zomer doorbrachten in een landhuis van mijn grootvader in La Vera, bij Cáceres, maakte het kindermeisje soms een speciaal nagerecht voor ons klaar, een geschilde sinaasappel – het vruchtvlees in twee, drie, vier keer met zorg van zijn omhulsel ontdaan, waarbij eerst de schil verdween, dan de compacte, geelachtige vezellaag waar volgens de artsen de vitaminen huizen, tot ten slotte het gaas van witte aders te zien was dat de druk van het sap weerstaat – die ze in dunne schijven sneed, als de bloemblaadjes van een bloem op een bord rangschikte en dan begoot met een scheutje olijfolie en bestrooide met fijne suiker. Het goudgele sap dat glanzend op het aardewerk lag, nadat ik, zo langzaam mogelijk, het zoetzure vlees had gegeten van die zalige vrucht die altijd te snel op was, was de heilzaamste balsem die ik ooit heb gekend, het niet te overtreffen geneesmiddel voor elk verdriet, de krachtigste schakel tussen mijn voeten en de aarde, een wereld die me sinaasappels gaf en suiker, en groene, maagdelijke olijven, een goddelijke naam, de code van mijn leven. Reina hield niet van zo'n vettig dessert, dat zo goedkoop was, zo'n vulgair wonder. Het heeft jaren geduurd voor ik ontdekte dat het juist die geelachtige schil is die een sinaasappel bitter maakt, de schil die het kindermeisje zo zorgvuldig verwijderde zonder ooit het spinnenweb te beschadigen dat het sappige, door de zon beschenen vlees beschermt tegen de bedreiging door die witte bitterheid, dat gezwel van het droge en vreemde. Het beste zit van binnen, zei ze glimlachend, terwijl ik toekeek en mijn begerige mond al op voorhand een troebele stroom speeksel afscheidde. Ik heb altijd van het binnenste gehouden, van de zoetste en zoutste smaken, van vuurwerk en maanloze nachten, van griezelverhalen en liefdesfilms, van klinkende woorden en oude ideeën. Ik vraag niet meer dan kleine, alledaagse wonderen, zoals bepaalde eenvoudige nagerechten, en ik geef de voorkeur aan aardbeienjam, zoals de meeste mensen die ik ken, maar het is nog maar kort geleden dat ik ontdekte dat ik daardoor niet gewoontjes ben. Het heeft me mijn hele leven gekost om te leren dat het onderscheid niet verborgen ligt in de bittere schil van sinaasappels.

Ik heb de leeftijd van Jezus en een zeer gedistingeerde tweelingzuster die geen spoken verzamelt en nooit op mij heeft geleken. Het enige, echter, wat ik gedurende mijn hele kindertijd wilde, was op haar lijken, en misschien komt het wel daardoor dat Reina, toen we nog klein waren – ik kan me de precieze datum of de leeftijd die we toen hadden niet herinneren – een eigen, geheim spel uitvond dat nooit ophield, want we speelden het elke dag, op elk uur en in de werkelijke tijd van ons eigen leven. Elke ochtend bij het opstaan was ik Malena en was ik Maria, was ik goed en was ik slecht, was ik mezelf en was ik tegelijkertijd dat wat Reina – en met haar mijn moeder, mijn tantes, het kindermeisje, mijn leraressen, mijn vriendinnen, de wereld, en ver voorbij de grenzen daarvan het hele universum, en de mysterieuze hand die alle dingen stuurt – wilde dat ik zou zijn, en nooit wist ik wanneer ik een nieuwe fout zou maken, wanneer het alarm af zou gaan, wanneer er een nieuwe tegenspraak zou worden ontdekt tussen het meisje dat ik was en het meisje dat ik moest zijn. Ik sprong uit bed, trok mijn schooluniform aan, waste mijn gezicht, poetste mijn tanden, ging zitten om te ontbijten en wachtte tot ze mij een naam zou geven. Er waren dagen waarop ze geen andere naam uitsprak dan de mijne en dan voelde ik me niet zozeer blij of tevreden, maar vooral in harmonie met mezelf. Op andere dagen noemde ze mij al voor we de deur uitgingen Maria, omdat mijn blouse uit mijn rok hing, of omdat ik boter van mijn mes had gelikt, of omdat ik vergeten was mijn haar te kammen of omdat ik mijn boeken slordig in mijn schooltas had gestopt en uit een van de hoeken een verkreukeld stuk papier stak. Wanneer we 's middags thuiskwamen ging ik altijd op mijn bed liggen en liet zij zich vanaf haar bed langzaam zakken tot ze op de vloer zat om zich daarna, heel zachtjes, zijdelings op te richten en ik haar hoofd omhoog zag komen, maar pas later, jaren later, was ik in staat haar bewegingen volledig te reconstrueren en besefte ik dat ze op haar knieën ging zitten om tegen mij te praten.

'Maria,' zei ze die zondagmiddag tegen mij, op dat klaaglijke toontje dat ook gebruikt werd door sommige nonnen op school, de ergsten, wanneer ze zich tot mij richtten met een stem die het onmogelijk maakte te voorzien dat ik voor straf niet naar buiten zou mogen in de pauze, 'maar Maria, meisje, denk je daar dan niet bij na? Die arme mama is heel verdrietig. Hoe kon je het in je hoofd halen om met grootvader de straat op te gaan? Wat heeft hij voor je gekocht?'

'Niets,' antwoordde ik. 'Hij heeft niets voor me gekocht. We hebben alleen met Pacita gewandeld.'

'En hij heeft je nergens op getrakteerd?' Ik schudde mijn hoofd. 'Echt niet?' Ik schudde opnieuw mijn hoofd. 'Hij heeft je geen wijn met gazeuse gegeven? Grootmoeder heeft ons verteld dat hij het leuk vindt om kinderen wijn te geven, dat zou beschaafd zijn, stel je voor, hij lijkt wel gek, en je weet dat mama niet wil dat wij wijn drinken, zelfs niet met water… Grootmoeder was ook heel boos. Je hebt je dus slecht gedragen, Maria. Vooruit, sta op. Als je belooft dat je het nooit meer zult doen, help ik je met het huiswerk.'

Dus begon ik weer te bidden, begon ik de Heilige Maagd weer te vragen om dat wonder, dat haar geen moeite zou kosten terwijl het mijn leven voor altijd in orde zou maken, en heel langzaam, biddend, stond ik op van mijn bed, en biddend zette ik me schrap voor een nieuwe martelronde, voor die absurde, belachelijke, ongelooflijk stomme problemen, die niet eens echte problemen waren, want geen enkele idioot zal er ooit iets aan hebben om te weten hoeveel gram tweeënvijftig liter melk weegt, want iedereen koopt melk per liter en niemand ooit per gram, en doordat ik bleef bidden, snapte ik het niet, en ik bleef mezelf Maria noemen bij het oplossen van de eerste som, en de tweede, en de vijftiende, steeds Maria, zoals die ondankbare stiefmoeder die nooit naar me wilde luisteren, die luie, blanke maagd, die zo verschilde van de heerlijke, maagdelijke olijven, die vrouw die niet van me hield omdat ze, net als mijn zusje, waarschijnlijk de voorkeur gaf aan de bittere vezels van de opoffering boven het zoete vlees van de sinaasappels.

Toen ik opkeek, was ik ervan overtuigd dat zuster Gloria haar verschrikkelijke wenkbrauwen alleen voor mij fronste. Ik perste mijn vingers rond de steel van de bloem en voelde hoe mijn huid zich kleurde met groen bloed. De stevige, rechte, bijna krakende steel, die ik nauwelijks twee uur daarvoor uit de vaas in de eetkamer had gepakt, vouwde zich nu uitgeput en slap dubbel als een te lang gekookte asperge achter een bloemknop die ziek was van duizeligheid en waarvan de bloemblaadjes op een verontrustende manier naar de vloer leken te verlangen. De rij bewoog zich naar voren en ik probeerde me te verbergen achter het lichaam van Reina, maar zuster Gloria verloor me niet uit het oog, en haar wenkbrauwen, twee afschrikwekkende zwarte strepen die de hardheid accentueerden van een gezicht dat niet in staat was tot enige nuance, bevonden zich inmiddels zo dicht bij elkaar dat ze op het punt leken te staan zich voor altijd te verenigen. Ik zong zo hard mogelijk om de paniek te verdrijven die die roofvogel in me opriep en keek recht voor me uit. Boven de schouder van mijn zusje zag ik een frisse gladiool, overladen met witte bloemen en stijf rechtop als de bajonet van een soldaat, volmaakt. Morgen neem ik een gladiool, zei ik bij mezelf, hoewel de aronskelk die tussen mijn handen verslapte het precieze evenbeeld was van de bloem die Reina de ochtend daarvoor mee naar school had genomen. Alle bloemen knakten bij mij, vroeger of later; ik verpletterde ze tussen mijn schrijfmappen, ze vielen in het gangpad van de bus en een meisje ging erop staan, of ze braken gewoon in mijn hand doormidden wanneer ik mijn arm bewoog om iemand te groeten – lelies, aronskelken, rozen, anjers, de soort maakte niet uit. Ik ben nooit oplettend geweest, maar dat voorjaar leek de hele natuur tegen mij samen te spannen.

Ik veronderstelde dat het de Heilige Maagd niet zo veel zou uitmaken, en toen ik schatte dat ik me dicht genoeg bij het altaar bevond om het doeltreffend te laten zijn, begon ik in stilte, met zeer snel bewegende lippen te bidden. Ik ben ervan overtuigd dat niemand ooit met meer geloof, met meer ijver heeft gebeden voor een zaak die zo absurd was als de mijne, maar ik was toen niet ouder dan elf en kon nog in de grote wonderen geloven. Ik had niet zo veel hoop, want ik wist heel goed dat ik die gift waar ik zo wanhopig naar verlangde nooit zou verkrijgen zonder een goddelijk ingrijpen, maar ofschoon de hemel zich niet boven mijn hoofd had geopend en hoewel ik voorvoelde dat dit ook nooit zou gebeuren, bleef ik bidden en bad ik die ochtend, zoals elke ochtend, tot ik de grove, misvormde nabootsing bereikte van een wolk in een stuk hemelsblauw geschilderd hout, legde de resten van mijn offer aan een paar minuscule voeten die de maan konden betreden zonder haar te beschadigen en liep in het kielzog van mijn zuster Reina nog altijd biddend naar de deur.

Zuster Gloria stond tegen een deurpost geleund en hield me met een eenvoudige beweging van haar uitgestrekte arm tegen. Ik was zo verdiept in mijn gebed, dat het me moeite kostte om te reageren en dat maakte de zaak alleen maar erger.

'Hier blijven, Magdalena... Het is nog maar de zeventiende, maar de Mariamaand is voor jou afgelopen, is dat duidelijk? Vanaf morgen ga jij, terwijl de anderen hier zijn, boven in de klas een uur leren. Ik zal je een taak geven. En zorg dat je voortaan oplet, want ik begin genoeg te krijgen van je gebrek aan aandacht. Ik denk dat je het speelt... Je begrijpt wat ik bedoel, niet?'

'Ja, zuster.' Ik feliciteerde mezelf omdat ik niet alleen met ja had geantwoord, hoewel ik, alsof het in de lucht geschreven stond, al een verschrikkelijk lange kolom van vierkantswortels voor me zag en me afvroeg hoe ik daar onderuit moest komen. Ik heb vierkantswortels nooit kunnen oplossen en ik begrijp ze niet.

'Deze maand eren we onze geliefde Moeder, maar wat de Heilige Maagd verdient zijn bloemen, het symbool van onze zuiverheid, en geen groenten.'

'Ja, zuster.'

'Ik weet niet waarom je zo bent, ik begrijp het niet... Je zou een voorbeeld kunnen nemen aan je zusje.'

'Ja, zuster.'

Toen kwam Reina tussenbeide, met de verbazingwekkende vastberadenheid die ze slechts af en toe liet doorschemeren.

'Neemt u mij niet kwalijk, zuster, maar als we hier blijven staan, komen we te laat in de klas.'

De wenkbrauwen fronsten zich opnieuw, alsof zij het waren en niet de ogen van die Medusa die mij van onder tot boven opnamen, op zoek naar een of andere nog onontdekte zonde.

'En stop je blouse in je rok!'

'Ja, zuster.'

Ze veranderde licht van houding en maakte een beweging met haar hoofd om mij te verstaan te geven dat ons gesprek beëindigd was, maar ik was ziek van angst en durfde me nog niet te bewegen.

'Mag ik gaan, zuster?'

Reina begon aan mij te trekken voor er antwoord kwam. Toen we een paar passen verwijderd waren, legde ze een arm om mijn schouder en wreef met haar koude hand over mijn gezicht alsof ze mijn wangen wat koelte wilde geven, wilde reinigen van de schaamte die mijn huid tot in zijn diepste wortels kleurde.

'Maak je niet zo zenuwachtig, Malena.' Haar stem klonk scherp en precies, als die van een baby die leert praten, en alleen door mijn naam uit te spreken, liet Reina me weten dat ze aan mijn kant stond. 'Die heks kan je niets doen, begrijp je? Papa en mama betalen om ons hier te laten zijn, en wat zij het belangrijkst vinden is het geld. Dat gedoe over de bloemen is onzin, er gebeurt niets, echt niet…'

De meisjes die ons door de gang tegemoet liepen, bekeken ons met nieuwsgierigheid en een vaag solidair medeleven, een bijna universeel gevoel dat binnen de muren van dat gevaarlijke gebouw, dat omheind was als een gevangenis, de plaats innam van echte kameraadschap. Ik kan me voorstellen dat we een nogal merkwaardig paar vormden, ik met mijn ongekamde haar, mijn blouse uit mijn rok, veel langer en sterker dan zij en met een behuild gezicht, en Reina, klein en bleek, met haar glimmende schoenen en een stem die de woorden leek af te breken voor ze waren uitgesproken, die mij ondersteunde. Het contrast tussen dat beeld en het tegenovergestelde, dat veel logischer leek, maakte dat ik me nog slechter voelde.

'Bovendien is tante Magda hier ook en ben jij haar petekind. Ze zou nooit toestaan dat ze je van school sturen… Ik heb haar trouwens al dagen niet gezien. Ze zit niet meer bij de deur, dat is vreemd, vind je niet?'

Ik bleef stokstijf staan en maakte me los uit de omarming van mijn zusje om haar recht aan te kijken, en een nieuw gevoel, onrust gemengd met wat onzekerheid, verbande mijn lerares, met al haar dreigementen, in één klap naar het rijk van de angsten die nog konden wachten. Ik kon 's avonds nauwelijks in slaap komen doordat ik zocht naar het antwoord dat ik haar op die vraag zou kunnen geven en ik had nog geen leugen gevonden die overtuigend genoeg was. Reina stond me al achterdochtig aan te kijken, alsof ze nooit zo'n trage reactie van mij had verwacht, en terwijl ik mijn lippen bewoog om tijd te winnen, beloonde het toeval mijn trouw met het geluid van de bel die opriep voor de eerste les.

Toen ik achter mijn lessenaar ging zitten, zag de wereld er al veel beter uit. Gedurende mijn hele kindertijd had de aandacht van Reina altijd onmiddellijk een verzachtend effect op mijn wonden gehad, alsof haar kracht ze sloot voor ze zich volledig geopend hadden. Tenslotte hield de straf ook een beloning in, want het was allesbehalve een genoegen om een uur lang, half slapend, ingeklemd tussen de andere leerlingen, in een hal die veranderd was in een kapel, met een bloem in je hand vrome liederen te moeten zingen. 's Middags zou ik Reina vragen of ze me wilde leren hoe ik vierkantswortels moest maken en ze zou niet weigeren; misschien zou ik het begrijpen als zij het me uitlegde, en wat Magda betreft, deed ik niets slechts, want in werkelijkheid was mijn geheim bijna onbenullig… Toen verscheen zuster Gloria in de deuropening, en ik dacht dat de hemel zich onmiddellijk verduisterde, hoewel door de ramen een krachtige meizon naar binnen bleef schijnen. Ik was vergeten dat het woensdag was en dat we al het eerste uur rekenen hadden. Ik probeerde zonder van mijn stoel op te staan mijn blouse in mijn rok te stoppen en deed zonder enig resultaat een beroep op de onwaarschijnlijke geest van de logica van verzamelingen.

Terwijl ik de monsterlijke reeks van grote V's met een staart overschreef, die in een adembenemend tempo het schoolbord bevuilden, vond ik zonder enige moeite het ritme van mijn gebed terug, dat nooit veranderde, en vervolgde het in een bijna onwaarneembaar geprevel, waarbij ik wel mijn lippen bewoog om het meer effect te laten hebben, want ik was tot de conclusie gekomen dat ik het wonder die ochtend meer dan ooit tevoren nodig had en ik voelde dat ik me niet vergiste: Heilige Maria, Moeder van God, als u dit voor mij doet zal ik u nooit van mijn leven meer iets vragen, het kost u geen enkele moeite, u kunt het doen, Heilige Maagd, alstublieft, maak een jongen van mij, toe, zo moeilijk is het niet, verander me in een jongen, want ik ben anders dan Reina en, eerlijk waar, Heilige Maagd, hoe hard ik mijn best ook doe, ik ben niet geschikt om een meisje te zijn…

Ik heb het overschrijven van die vierkantswortels nooit afgemaakt. Er waren nog geen tien minuten van de les verstreken toen de moeder-overste zich met een paar klopjes op de deur aankondigde, haar hoofd naar binnen stak en in de keurige, zwijgende gebarentaal die alle nonnen gebruikten onze lerares naar zich toe riep. Ze knikte instemmend door haar kin even te buigen, maar haar gezicht, dat verhit was door de razernij waarmee ze het schoolbord volkraste om die verwenste getallen van krijt neer te zetten, werd bleek – we zagen het allemaal. Het bezoek van de moeder-overste, dat mysterieuze wezen in habijt, dat zich nooit verwaardigde om van de derde verdieping omlaag te komen behalve om aanwezig te zijn bij de mis ter gelegenheid van de verjaardag van de stichteres, kon maar één reden hebben. Er was iets ergs gebeurd, iets heel, heel ergs, misschien een definitieve of op zijn minst tijdelijke verwijdering.

We luisterden naar de gebruikelijke waarschuwingen – ga door met deze sommen, stil zijn, iedereen op zijn stoel, op het bord mag niets worden uitgeveegd, als iemand praat of opstaat zal de klassenvertegenwoordigster haar naam opschrijven en mij die later geven, ik ben zo terug – en waren alleen. Na twee of drie minuten van absolute stilte, voor een deel uit voorzorg en voor een deel als gevolg van de verrassing die veroorzaakt werd door het plotseling ontbreken van een autoriteit, barstte het rumoer los, en mijn zusje, ook dat jaar klassenvertegenwoordigster, deed niets om het te onderdrukken, want ze was net zo opgewonden als de rest. Maar de gebeurtenissen volgden elkaar razendsnel op. Rocío Izquierdo, een arm kind dat zelfs de kleinste leugen nog niet goed wist te brengen, was nog niet klaar met het vertellen van een dom verhaal over tabletten chocolade die uit de voorraadkast verdwenen waren, toen zuster Gloria plotseling terug was en zonder om stilte te vragen, zonder de wanorde in de klas ook maar op te merken – de stoelen gescheiden van de tafels, de leerlingen verspreid in groepjes, Cristina Fernández die een broodje at, Reina die in flagrant delict rechtop stond – een arm in mijn richting stak en, bijna met haar vinger wijzend, mijn naam sprak.

'Magdalena Montero, kom mee.'

Wanneer ik me probeer te herinneren wat er daarna gebeurde, weigert mijn geheugen me duidelijke beelden te geven en hult werkelijkheid, personen en zaken in een soort grijze nevel die ik voor die tijd alleen uit dromen kende. Dan zie ik de gezichten van mijn klasgenoten, sprakeloos en verbijsterd, alsof hun vlees van gelei zou zijn, alsof het zou kunnen krimpen en uitzetten en voortdurend van vorm veranderen, hoewel ik niet met zekerheid kan zeggen dat ik hen op dat moment ook zo zag. Ik wisselde een vochtige blik uit met Reina, en misschien is mijn herinnering wel goed, want ik was nog nooit zo dicht bij een catastrofe geweest en al mijn zintuigen lieten me in de steek. Ik trilde van top tot teen, maar de angst verhinderde niet dat ik in beweging kwam, versnelde mijn bewegingen eerder, en toen ik zuster Gloria bereikte, toen zij de deur sloot en ik me in de gang bevond, geïsoleerd van mijn klasgenoten, gescheiden van mijn zusje, met geweld naar vijandig gebied verbannen, was het nog erger. De muren, de metalen kasten waarin we 's morgens onze jassen hingen, de planten die de hoeken sierden, waren weliswaar niet grijs, maar ik kan me hun kleur niet herinneren. Het habijt van mijn lerares deed er een eeuw over om plechtig over elk van de plavuizen van het terras te strijken, die bezaaid waren met witte vlekken en mij niet meer aan boterhamworst deden denken, en de lucht stonk naar schoonmaakmiddel, die walgelijke geur van zindelijkheid, die in de winter de effecten van de verwarming verzwakte en mij verhinderde warm te worden. Ik wilde praten, vragen wat er gebeurd was, me verontschuldigen voor het beledigen van de Heilige Maagd met mijn verminkte bloemen; ik wilde me op mijn knieën werpen en om vergeving vragen of juist verdorven genieten van mijn noodlottige rol van slachtoffer, maar mijn benen waarschuwden me dat ze moe waren en steeds vermoeider raakten en de randen van mijn nagels deden pijn alsof het ze moeite kostte om zich in te passen in mijn vingers; ik voelde me wel in staat woorden te formuleren, maar niet om ze uit te spreken en ik hield mijn lippen op elkaar, Heilige Maagd, u bent niet goed, of, nou ja, misschien bent u wel goed, maar u houdt niet van mij, want als u van mij hield zou u mij in een jongen veranderen en zou alles veel gemakkelijker zijn, dan zou ik veel gelukkiger zijn, ik zou alles veel beter doen als ik een jongen was…

Mijn verwijten hadden nog niet de vorm van een smeekbede aangenomen toen de non, die niet had gezegd waar we heen gingen, stilstond voor een deur die ik nog nooit was doorgegaan en deze opende zonder zich om te draaien om mij aan te kijken. Het kwam niet in me op om het plastic bordje te lezen dat op het matglas was geplakt, maar het zien van een echte woonkamer, met banken en fauteuils rond een glazen tafel, een sofa met een sprei erover en zelfs een televisietoestel in een hoek, bracht me tot rust nog voor ik de gestalte van mijn moeder zag, die achter in de kamer stond en tegen mij glimlachte, haar bontjas als een kleurige vlek tussen het overweldigende witte gordijn van de habijten die haar omringden. Even had ik het gevoel dat ik de echte wereld had verlaten, dat ik een onzichtbare tunnel was doorgegaan die zonder enige waarschuwing uitmondde op een tweelingplaneet, die echter anders was, een ruimte zonder meubelen van formica waar het aroma van vers gezette koffie de weerzinwekkende geur verdrong van bleekwater en schoonmaakmiddelen waarvan ik me voor altijd had bevrijd, tot ik aan de wand een vrij groot bord – LERARESSENKAMER – zag en na een hele rij bekende namen te hebben gelezen, moest aannemen dat ik niet meer dan een paar meter gang had doorgelopen. Zuster Gloria bleef glimlachend naast mij staan. Misschien had ze de hele weg wel geglimlacht; ik had niet eerder naar haar durven kijken.

'Ik word toch niet van school verwijderd?' vroeg ik zachtjes, opdat niemand anders het zou horen.

'Praat geen onzin!'

Mijn lichaam ontspande zich onmiddellijk, het bloed stroomde beetje bij beetje terug naar mijn hersenen. Ik wilde een bijna theatrale zucht slaken, liet mijn hele gewicht op mijn rechtervoet rusten en zocht, alsof ik zonder me daarvan bewust te zijn en buiten mijn wil via een ver weg begraven snoer werd ingeschakeld, met mijn ogen naar Magda, maar ik zag haar niet. De stem van mijn moeder, die mij op een matte toon die ik uit honderden tonen zou hebben herkend bij zich riep, wekte het bange vermoeden in me op dat die bijeenkomst niets te maken had met haar functie van voorzitter van het comité van ex-leerlingen, en mijn gevoel van rust ging in rook op voor ik ook maar de gelegenheid had gekregen om het te ervaren. Mijn angst maakte zonder overgang plaats voor verwarring en ik wist niet welk van de twee gevoelens het onaangenaamst was.

Ik was echter blij mijn moeder te zien. Haar aanwezigheid tijdens schooluren kwam me voor als dat kleine geschenk dat de onverteerbare droge massa van een goedkoop broodje, dat gebakken is zonder amandelen of oranjebloesemwater, plotseling draaglijk en zelfs zoet maakt. Ik was niet intern op school en woonde op enige afstand, waardoor ik het grootste deel van mijn dagen doorbracht in de ingewanden van die kolos van rode baksteen, die mij 's morgens om kwart over negen opslokte en me pas om halfzes 's middags weer uitbraakte. Daardoor had ik, zoals waarschijnlijk de meerderheid van de kinderen die onderworpen waren aan eenzelfde afmattende routine, het gevoel dat ik in twee huizen woonde, dat ik twee levens leidde, die niet alleen verschillend, maar tegengesteld en zelfs onverenigbaar waren, en mijn moeder, die tot de wereld behoorde van het warme bed en het overvloedige ontbijt van de weekenden, leek daar, op dat ongebruikelijke tijdstip te zijn om mij te onthullen dat dergelijke geneugten deel uitmaakten van een machtiger, veel duurzamer werkelijkheid dan die van de muren die ons omringden, want zij kon op een zo delicaat moment als dat naar de school komen om mij te redden, maar de school kon nooit in haar domein binnendringen. Gesteund door deze plezierige theorie liep ik naar haar toe en begroette haar met een kus, vlak bij haar oor, waar nog een spoortje van haar parfum te ruiken was, maar zij pakte me bij mijn polsen en vroeg me, zo afstandelijk dat het ten overstaan van zulke ongewenste getuigen beschamend voor me was, naast haar te gaan zitten.

'Luister goed naar mij, Malena, want er is iets ergs gebeurd. We zitten met een heel groot probleem. Magda is verdwenen. Ze is zonder enige waarschuwing weggegaan, begrijp je? En we hebben haar niet kunnen vinden. We weten niets van haar.'

'We hadden haar nooit moeten toelaten, Reina, je weet dat ik er altijd tegen ben geweest.' Moeder-overste richtte zich tot mijn moeder, die vele jaren daarvoor haar leerling was geweest. 'Een vrouw die jarenlang zo'n werelds leven heeft geleid... Ik wist dat het niet goed kon gaan.'

Mama keek haar aan en vroeg met een gebaar in haar richting om stilte. Al mijn illusies waren nu verdwenen. Ik begon te begrijpen dat ik me tegenover een soort tribunaal bevond en kon de verleiding om me te verdedigen niet weerstaan, hoewel ik nog nergens van beschuldigd was.

'Nou ja, ze is volwassen, niet. Ze kan toch doen waar ze zin in heeft.'

'Zeg niet zulke domme dingen, Malena!' Nu was het mijn moeder die zich voor mij schaamde. 'Jouw tante is een non, ze heeft de gelofte afgelegd en kan geen beslissingen voor zichzelf nemen. Ze maakt deel uit van een gemeenschap, daar heeft ze zelf voor gekozen. Luister naar me. Voor ze wegging heeft Magda twee brieven geschreven, een aan grootmoeder en een aan mij, twee afschuwelijke brieven die vol staan met onzin, alsof ze haar verstand heeft verloren. Ik heb ze zelfs niet aan moeder-overste laten zien, dus je kunt je wel voorstellen hoe erg het is. In de brief die ik gekregen heb, heeft ze het veel over jou. Ze heeft jou altijd anders behandeld dan haar andere neefjes en nichtjes, dat weet je, je bent een bijzonder meisje voor haar. Ik denk dat ze je een beetje ziet als de dochter die ze nooit zal hebben...'

'Moge God je verhoren!'

Mama liet die perverse opmerking van zuster Gloria over haar kant gaan en ging door. Ze zag er nog kalm uit.

'Daarom dacht ik, dachten wij, de zusters en ik, dat het misschien wel zo is dat... Goed, Reina heeft me verteld dat jullie tijdens de pauze veel praatten, klopt dat? Het is mogelijk dat ze... je iets heeft verteld of dat je iets nieuws of vreemds hebt opgemerkt. We hebben al gezocht in het huis in Almansilla, we hebben al haar vriendinnen gebeld, we hebben zelfs don Javier, de notaris van grootvader benaderd, voor het geval ze naar zijn kantoor was geweest om een document, een testament of zoiets te tekenen... Niemand weet iets. Sinds vijf dagen heeft niemand haar gezien en heeft niemand haar gesproken, maar ze heeft al haar geld van de bank gehaald en we moeten haar vinden. Als ze Spanje heeft verlaten, bijvoorbeeld onder een andere naam, zul je haar nooit terugzien.'

Het was die tweede persoon die mij op mijn hoede deed zijn, want mama had de meervoudsvorm kunnen gebruiken, waar ze tijdens haar verhaal tot vervelens toe voor had gekozen, of een beroep kunnen doen op mijn medeleven door in de eerste persoon te praten, ze was tenslotte de tweelingzus van Magda en degene die haar afwezigheid het meest moest betreuren, maar ze had 'je' gezegd en daarmee voor een formule gekozen die aan chantage deed denken, en terwijl ik al bijna besloten had de waarheid te vertellen, veranderde ik van mening. Die tweede persoon maakte een eind aan mijn verwarring, verpulverde in één klap de verstikkende atmosfeer die alleen gecreëerd was voor mij, om mijn kinderlijke schuldgevoelens op te wekken, en maakte me tegelijkertijd duidelijk dat iedereen ervan uit leek te gaan dat ik de enige persoon op de hele wereld was die om de verdwijning van Magda zou kunnen treuren, alsof wij samen tot een aparte soort behoorden. Ik ontweek de blik van mijn moeder. Ik hield van haar, ik was haar gehoorzaamheid verschuldigd en eenmaal volwassen wilde ik een vrouw zijn zoals zij was, een vrouw als Reina, maar haar zuster reflecteerde mij als een spiegel en gebroken spiegels brengen ongeluk. Nu weet ik dat ik, als ik Magda had verkocht, iets veel ergers zou hebben gedaan dan mijn eigen ziel verkopen, maar toen durfde ik alleen maar tegen mezelf te zeggen dat ik om mijn tante gaf, dat ik veel om haar gaf en dat ze mij altijd nodig leek te hebben, en mama, die om te beginnen geen idee had van de krampen die mij van binnen verscheurden, had me voor dat moment nog nooit nodig gehad en bleef me intussen voorzichtig en met haar uitstekende techniek ondervragen.

'Vertel me, Malena… weet je waar Magda is?' Gedurende een ogenblik zag ik in haar ogen dezelfde fonkeling als in de blik van mijn zusje wanneer ze mij Maria noemde, die blik die een duister en sluw mechanisme in werking zette waarmee ik nooit had leren omgaan. 'Heeft ze je iets verteld wat ons kan helpen haar te vinden?'

Ik keek naar mijn moeder en dacht aan het gezicht van Magda zoals ik dat de laatste keer had gezien, toen ze me glimlachend had gevraagd of ze mij kon vertrouwen, en misschien begon ik toen een idee te krijgen van de betekenis van de merkwaardige vraag die grootvader mij had gesteld voor het huis aan de Martínez Campos, misschien begon ik toen te vermoeden dat ik die zondagochtend al had gekozen, dat ik veel meer had geaccepteerd dan het glas wijn met gazeuse dat hij me, in de heilige naam der beschaving, met bescheidenheid had aangeboden en dat ik met kleine slokjes had geleegd, franjes van een verbaasde en begerige luiheid, op een terras op de plaza de Chamberí.

'Nee, mama,' zei ik met een stem die veel zuiverder was dan mijn geweten. 'Ik weet niets.'

'Ben je daar zeker van?'

'Ja, ze vertelt me geen belangrijke dingen.'

'Goed dan… Geef me een kus. Vooruit, je kunt terug naar de klas.'

De ontmoedigde uitdrukking op haar gezicht overtuigde me ervan dat ik hun laatste hoop was geweest. Vanaf dat moment bad ik niet meer tot de Heilige Maagd zonder haar, terzijde, te vragen mijn tante Magda te beschermen.

Zelfs Interpol, waar mijn grootouders pas na lang aarzelen een beroep op deden, wist geen spoor van Magda te vinden, maar ik denk niet dat de verdienste aan de Maagd Maria kan worden toegeschreven want ze heeft mij tenslotte nooit in een jongen veranderd. Ik moet erkennen dat zuster Gloria, in een naïeve poging, denk ik, om mij te belonen voor mijn bedrieglijke samenwerking met de vijand, als tegenprestatie afzag van het doorvoeren van de aangekondigde sancties, en tot de laatste dag van mei was er elke ochtend een andere bloem, altijd wit, die om de een of andere reden tussen mijn vingers verwelkte. Het leven ging verder alsof er niets was gebeurd, en ik volgde dit voorbeeld al snel, waarbij ik de zo gewelddadige voortekenen negeerde.

In strikte overeenstemming met de tweede persoon die mijn moeder zich in ons gesprek had laten ontvallen, wist haar eigen familie het zonder grote tekenen van verdriet zonder Magda te stellen, in elk geval naar buiten toe, en dat was het enige niveau waar ik toegang toe had. Mijn grootmoeder leek erin te berusten dat ze acht in plaats van negen kinderen had en op een gegeven moment herinnerde ze mijn moeder er zelfs op vrolijke toon aan dat zij tenslotte altijd had gezegd dat ze liever alleen in plaats van in gezelschap was geboren. Ik had die opmerking niet gehoord, maar mijn zusje had het mij, geschokt tot in het diepst van haar ziel, verteld. In die tijd droomden Reina en ik ervan dat we op een dag met twee broers zouden trouwen – een openbaar project waarvan ik jarenlang in het geheim dacht dat ik het in de war zou sturen met mijn vaste voornemen een jongen te worden – om altijd bij elkaar te kunnen blijven, en we zwoeren elkaar dat we allebei liever zouden sterven dan verwijderd van de ander te moeten leven. Ik weet niet of zij oprecht was, ik was het wel.

Reina en ik waren een tweeling, maar dat was niet te zien. In tegenstelling tot mama en Magda, die zonder identiek te zijn verbazingwekkend veel op elkaar leken, hadden wij het voorrecht genoten twee individuele placenta's in dezelfde donkere en vochtige baarmoeder te bezetten, waardoor de gelijkenis tussen ons niet veel verder ging dan die van zusjes van verschillende leeftijd. Niemand wist wie van ons tweeën de oudste was, want hoewel ik een kwartier later was geboren, een omstandigheid die gewoonlijk een eind maakt aan het twijfelachtige prestige van de eerstgeborene, was het Reina geweest die de bevalling voor de termijn verstreken was in gang had gezet toen ze zich op de grens bevond van de mogelijkheid tot overleven. De artsen verklaarden dat ik me als een eerzuchtige en egoïstische foetus had gedragen door het grootste deel te verslinden van de voedingsstoffen die het organisme van mijn moeder voor ons tweeën produceerde, die ik mij gulzig had toegeëigend ten koste van de zwakkere foetus, tot deze zich in de zevende maand van de zwangerschap vrijwel zonder voedselbronnen bevond en alle alarmlichten werden ontstoken om een einde te bespoedigen waar niemand bijzonder optimistisch over was. Vervolgens kreeg de stevigste en krachtigste baby de naam Reina, terwijl het zwakke wezentje dat in de couveuse terechtkwam en voor haar leven vocht, terwijl ik al thuis was – lekker ingestopt in mijn wieg en zelfs met gaatjes en gouden oorbelletjes in mijn oren – nog niet eens een naam had. Wekenlang durfde niemand te voorspellen dat het op een dag nodig zou zijn haar een naam te geven, maar na een aantal bescheiden tekenen waarin alleen mama met alle geweld symptomen van verbetering wilde zien, begon een proces van herstel dat zo spectaculair was dat we op de foto's die ter gelegenheid van ons eerste levenstrimester werden gemaakt al samen verschijnen, ik dik en stralend, met een glanzende huid en een strik in mijn haar, zij kaal en tenger, haar magere lichaam zwevend, verloren in de ruimte van de luier, en één hand voortdurend voor haar gezicht om het tegen de flits te beschermen, alsof de camera haar herinnerde aan al die onderzoeksapparaten die haar zo hadden gemarteld tijdens haar verblijf in het ziekenhuis, gedurende het proces waarin één voor één alle letsels werden uitgesloten die ze had kunnen oplopen door haar pijnlijke aankomst in deze wereld. Onze moeder, die intussen, alsof ze wist dat ik voldoende zou hebben aan een zuigfles en de zorgen van een kindermeisje, dag en nacht aan haar zijde was gebleven om haar elke drie uur de borst te geven, besloot, voordat beiden naar huis kwamen, dat zij het zou zijn en niet ik die haar eigen naam zou dragen, dit in een symbolische poging die minuscule worm, die nog enkele dagen een sterk verlangen naar de dood vertoonde, naar haar kant, de kant van het leven te trekken. En hoewel ze mij jaren later, toen ik dat verhaal eindelijk te horen kreeg, verzekerde dat ze die merkwaardige beslissing had genomen omdat de verpleegsters, bij gebrek aan andere instructies, mijn zusje vanaf het begin spontaan hadden gedoopt met de enige naam die ze kenden, de hare, die zodoende nog op haar status stond toen ik nog niet eens een bezoek aan de kinderarts had gebracht, heb ik altijd geweten dat haar versie niet meer was dan een excuus, en ik heb het haar nooit verweten omdat zij voor ze haar eerste liefkozing kreeg al zo veel obstakels had moeten overwinnen dat ze de naam Reina meer verdiende dan ik.

Doordat het zo lang geleden begonnen is, kan niemand zich herinneren sinds wanneer er in elke generatie van mijn moeders familie op zijn minst één vrouw was die Reina werd genoemd. Ook herinnert niemand zich waar de lijn van Magdalena's, die misschien wel met mij zal uitsterven, zijn oorsprong heeft gevonden, maar het schijnt dat de gewoonte om de overdracht van de naam via de weg van de doop te bevestigen ouder is dan de aflossing van de Ramona's en Leonora's, die lang geleden zo veelvuldig voorkwamen in de stamboom van de familie, zodat twee parallelle ketens van naamgenotes, grootmoeders en kleindochters, tantes en nichtjes, met systematisch verweven schakels – de grootmoeders zijn op hun beurt kleindochters geweest en de kleindochters zullen moeders worden, en de tantes zijn dochters, en de nichtjes grootmoeders – al eeuwenlang door mijn familienaam kronkelen en deze verzekeren van een continuïteit die net zo absurd is en net zo onbegrijpelijk als die berekeningen die stellen dat ze de onschuldige dans van de sterren aan het firmament voor altijd voorspellen.

Uiteindelijk noemde ik mezelf Magdalena omdat me geen andere oplossing overbleef en ondersteunde Magda me om dezelfde reden boven de doopvont, en niemand had haar gevraagd of ze belangstelling had om aan die ceremonie deel te nemen, en hoewel zij al bij voorbaat had gesteld dat ze haar plaats met plezier zou afstaan aan een vrouw met meer verdiensten was er toen ik geboren werd geen andere levende Magdalena in de familie, waardoor haar mening op dat moment niet meer telde dan de mijne. Mijn grootmoeder was de peetmoeder van Reina, zoals mijn overgrootmoeder die van mijn moeder was geweest, en liep met mijn zusje aan de hand naar het altaar, want de doop was zo lang mogelijk uitgesteld, in de, na twee jaar wachten gefrustreerde, hoop dat ze zou groeien en wat gewicht zou krijgen en er min of meer zou gaan uitzien als ik. Magda liet mij echter alleen de treden opklimmen, maar ik viel en had een schram op mijn voorhoofd, waardoor ik op alle foto's besmeurd ben met mercurochroom en eruitzie als een *ceomo*, zoals Juana, het kindermeisje van mijn moeder, opmerkte, op haar manier het opschrift *Ecce Homo* verspaansend van een beschilderde Christus in de kerk van haar dorp, een afgelegen plaats in Cáceres, die Pedrofernández de Alcántara heet, net als mijn grootvader maar dan alles aan elkaar.

Het was dat gegeven, dat altijd verhuld was in indirecte toespelingen van diezelfde Juana, en niet de erfelijke, hysterische razernij, die zelfs doorging tot in de eigennamen, waaruit ik opmaakte dat we misschien wel rijk waren, dit nog voor we naar school gingen, waar ik een definitief bewijs vond in de plaat met de naam van mijn grootmoeder – "Reina Osorio de Fernández de Alcántara donavit" – die een van de vleugels van de kapel domineerde. Bij uitzondering was mijn conclusie juist. Mijn grootvader, die een achterneef was van zijn vrouw, had veel minder geld gehad dan mijn overgrootvader, die op zijn beurt veel armer was geweest dan mijn betovergrootvader, die er niet in was geslaagd meer dan een deel vast te houden van het grote fortuin dat zijn vader hem had nagelaten, maar ondanks dat was hij nog immens rijk geweest. In zijn huis was een verzameling voorwerpen te vinden die ik nooit bij mij thuis had gezien, zoals het zilveren servies in de vitrine van de eetkamer, dat te oordelen naar de bijna moederlijke zorgen die mijn grootmoeder en al haar dochters eraan wijdden ook de naam Reina verdiende, en dat anders van kleur was, met een koperachtige weerspiegeling en een matte glans die het soms op goud deed lijken. Paulina, de kokkin, vertelde me op een kerstochtend, terwijl ik gebruik maakte van een van haar vele momenten van onoplettendheid om op de marmeren plaat boven de oven te klimmen en gefascineerd toe te kijken hoe ze met een klein mes en een geweldige handigheid kippenborsten, hardgekookte eieren en plakken rauwe ham in piepkleine stukjes sneed, die later, aan tafel, gegeven zouden worden bij de jaarlijkse muntsoep, dat het uiterlijk van de soepterrine, die door haar slechts enkele uren eerder was opgepoetst, te danken was aan het feit dat deze vele eeuwen geleden was geslagen, want het servies kwam, net als al het geld van mijn familie, uit Amerika, maar het was heel oud, ongeveer uit de tijd van Columbus en Hernán Cortés.

Deze opmerking – die ik beschouwde als een indiscretie van Paulina, tot Reina op mijn nerveuze ontboezeming reageerde met een argwanende blik, alsof ze stomverbaasd was dat ik dit verhaal al niet tientallen keren had gehoord – veranderde voor altijd mijn relatie met het huis aan de Martínez Campos doordat het een nieuwe betekenis gaf aan de onbegrijpelijke leegte die zich altijd in mijn maag installeerde wanneer we de zware, bewerkte houten deuren doorgingen. Ik heb het nooit aan iemand toevertrouwd, maar tot ik acht of negen jaar was had ik het gevoel dat die muren, die tot aan het plafond bedekt waren met schilderijen, tapijten en ingelijste manuscripten, zich over mij heen bogen alsof ze levend waren, terwijl de dikke vloerkleden op een perverse manier het geluid van mijn stappen absorbeerden opdat niemand mij te hulp zou kunnen komen als ik daar ter plekke dood neer zou vallen, voor altijd ingesloten door die bewegende muren. Later ontdekte ik dat al die angsten voortkwamen uit de vrees die mijn grootvader mij eerst inboezemde, en die hij vervolgens wegnam, maar geen enkele dosis van de liefde die ik voor de eigenaar begon te voelen besmette ooit de muren van dat huis. Het dienstmeisje, dat witte handschoenen droeg, was voortdurend bezig met het dichttrekken van de gordijnen, ook al was het een prachtige dag, en bewoog zich zonder ook maar het geringste geluid te maken met de berekende bewegingen van een sierlijke kat, die haar naar mijn mening meer deden lijken op een slecht gecamoufleerde spionne. Paulina, de kokkin, gaf ons viscouverts, hoewel het hoofdgerecht uit gegrilde gamba's bestond, en stortte zich met verschrikkelijke kreten op mijn stoel om mij met een zilveren lepel, die ze altijd in de aanslag had, op mijn hand te slaan wanneer ze mij het beest met mijn vingers zag pellen met de bedoeling de kop uit te zuigen, omdat ik dat het lekkerst vind. Mijn grootmoeder Reina, die haar leven doorbracht met Lenny in haar armen, die ze kamde en kusjes op zijn snuit gaf, noemde mij Lenita, en als ze haar mond niet opendeed om zich te beklagen, deed ze het om gedurende hele ochtenden samen met mijn moeder commentaar te geven op het tijdschrift *Hola*, waarbij ze bij elke pagina bleven stilstaan om kritiek te leveren op het nieuwe kapsel van Carmencita of hun lof te zingen op de elegantie van Gracia Patricia, alsof de belanghebbenden hun mening ook maar enigszins op prijs zouden stellen.

'Hé, grootmoeder!' zei ik op een dag. 'Je kent ze toch helemaal niet…'
Voor ze antwoordde keek ze me zeer verbaasd aan.

'Veel van die mensen ken ik, meisje.'

Daarna kreeg ik een klap van mijn moeder omdat ik hé tegen grootmoeder had gezegd, en van dat soort dingen werd ik bijzonder zenuwachtig. Ik bracht heel wat meer uren in die situatie door dan in het rustige gezelschap van grootmoeder Soledad, de moeder van papa, die alleen, zonder hond en zonder dienstmeisjes, in een veel kleiner appartement dan dat van ons woonde en ons in de namiddag chocoladebrood gaf in plaats van theegebak, een zoetigheid waar ik toen al niets aan vond. Ik vroeg mijn vader een keer waarom we twee keer zo vaak bij grootmoeder Reina op bezoek gingen als bij haar en hij antwoordde glimlachend dat dat normaal was omdat dochters meer naar hun moeder toe trekken dan zoons. Ik accepteerde die verklaring zonder haar goed te begrijpen, zoals ik alles accepteerde wat over zijn lippen kwam, maar steeds wanneer ik de kans kreeg ging ik met hem naar het huis van zijn moeder. Ik stelde me gerust met de gedachte dat alles in orde was omdat het tenslotte logisch was dat ik, een jongen die door een of andere mysterieuze vergissing als meisje was geboren, meer naar mijn vader zou trekken, en hechtte geen enkele betekenis aan het feit dat hij een bijzonder knappe man was, een veel fascinerender wezen dan al die anderen voor wie ik later zou bezwijken.

Hij kende echter precies de grenzen van zijn verpletterende verleidingskunst. Ik herinner me dat iedereen, mannen en vrouwen, tegelijkertijd naar hem keken wanneer hij, toen we klein waren, met aan elke hand een kind, een of andere winkel, een restaurant of zelfs de school binnenkwam. Hij had dan de gewoonte ons op luide toon aan te sporen – vooruit, meisjes, kom op! – alsof we iets aan het doen waren en weigerden daarmee door te gaan, en richtte zijn blik dan omlaag om de tevreden glimlach te verbergen die zijn gezicht deed glanzen. Een seconde later liet hij ons los en gaf ons met een gebaar toestemming ons te verwijderen, terwijl hij achterbleef, een diepe zucht slaakte en een laatste blik in onze richting wierp, die zoveel betekende als: zo ben ik, ik maak ze in paren. Omdat hij nooit van techniek veranderde, neem ik aan dat hij er succes mee had. Reina en ik verlieten de supermarkten altijd beladen met kleine cadeautjes, snoepjes, ballonnen, zakjes met plaatjes, die de cassières ons aanboden met een afwezige blik en een glimlach die altijd gericht was op papa, en we waren altijd de laatsten die van verjaardagsfeestjes vertrokken doordat de moeders van onze vriendinnetjes de verleiding nooit konden weerstaan om hem uit te nodigen voor een drankje, een aanbod waar hij altijd op inging. Mijn tantes feliciteerden mijn moeder met haar echtgenoot die zo zorgzaam was en zo'n goede vader, een man die altijd klaarstond om ons te brengen en te halen, zelfs wanneer dat niet absoluut nodig was, maar ze waren zo volhardend in hun loftuitingen, vooral wanneer hij aanwezig was, dat ik denk dat ze heel goed wisten hoe hij van die situatie profiteerde. Wij, de kinderen, die zo op elkaar leken en zo goed gekleed waren, altijd in dezelfde kleren, sloegen voor hem twee vliegen in één klap, want aan de ene kant ontnamen we zijn veroveringstochten voor een deel hun agressieve karakter en tegelijkertijd verhulden we ze voor de ogen van mijn arme moeder, die zo in beslag werd genomen door haar jaloezie dat ze zelfs niet zag wat zo duidelijk te zien was. In de loop der tijd begon ik hem er zelfs van te verdenken dat het versieren voor hem misschien gemakkelijker was met een kind aan elke hand dan met zijn handen in zijn zakken, want hij was zo knap dat je er bang van werd.

Hij ging wel graag naar het huis aan de Martínez Campos, hoewel dat scenario niet bepaald in zijn voordeel was, ten minste niet in mijn ogen, die zo gewend waren hem met een mengeling van liefde, bewondering en een zekere verstikkende bezitsdrang te bekijken – de afschuwelijke afhankelijkheid die ik later, toen hij geen ruimte meer had om mij angstig te maken, zou herkennen als een van de elementen van het verlangen van volwassenen – en die liever niet hadden gezien hoe hij glaasjes inschonk voor iedereen, kusjes gaf aan mijn grootmoeder of met enthousiasme over voetbalwedstrijden praatte waar hij thuis nooit naar keek. Het was alsof dat huis de natuurlijke orde der dingen ondermijnde en van mijn moeder een frivole, praatzieke vrouw maakte, alleen maar om mijn vader te beroven van het buitengewone zelfvertrouwen waarover hij in elke andere omgeving wist te beschikken, een onverwacht breekbare steen die bij de geringste, nog niet eens boosaardige, maar gewoon koele toespeling van de kant van mijn grootvader, die gelukkig, dat wel, zijn mond over het algemeen niet opendeed, als een gipsen geraamte barstte en in stukken op de grond viel.

Maar het grote Amerikaanse epos dat de onthulling van Paulina als een verrassingsgeschenk in mijn handen had gelegd, verlichtte de sombere vertrekken van dat vertrouwde vagevuur met een andere kleur, met dezelfde scherpe en felle tinten die net op de zoom vielen van het hemd van die trieste, opeenvolgende Fernández de Alcántara's, met zwart haar, zwarte ogen, een zwarte baard, een zwart pak, een zwarte mantel en zwarte laarzen, wier portretten netjes op een rij aan de muren hingen en mij op de gedachte brachten dat het werkelijke leven, het Leven met een hoofdletter, nog steeds klopte achter de ruwe penseelstreken die een of andere onbekende en energieke Peruaanse schilder op die doeken had gezet zodat ik ze, honderden jaren later, eindelijk met sympathie zou kunnen bekijken. Daar waren ze, mijn betbetbetovergrootvaders, moedig tot in de zelfmoord, geducht tot in de afschrikking, overwinnaars in verloren gevechten, neerknielend in het zand om in naam van de koningin en met haar vlag in de lansschoen het paradijselijke, tropische strand te veroveren, om met twee dozijn dapperen zo'n miljoen indianen te onderwerpen die op hun paarden huilden als wolven rond een cirkel van huifkarren die op weg waren naar het wilde Westen, om het goud van zijne majesteit te verdedigen tegen de laffe aanvallen van Engelse piraten, ze op het glanzend geboende dek van hun galjoenen op de knieën te dwingen en ze net boven hun strot een aai te geven met het scherp van hun zwaard – en nu, Garfio, verrader, zul je in één enkele termijn al je schulden aan mij betalen – om zich een weg door het oerwoud te banen en met drie of vier giftige pijlen in de schouder – curare voor ons, ha, ha – steden te stichten, om in een smerige kroeg met hun vuisten de eer van hun dame te verdedigen of uiteindelijk een bijzonder knappe inheemse met verrassend blauwe ogen te kiezen, die ze meenamen naar hun tent om veel meer te verwekken dan het einde van een film – een ononderbroken lijn van vlees en bloed, die, zoals de zaken ervoor stonden, zou uitmonden in de precieze proporties van Maria Magdalena Montero Fernández de Alcántara of, nauwkeuriger gezegd, in mij.

Ik had zo veel plezier in het bedenken van hun geschiedenis, dat ik voor ik het besefte gebieden aan het verkennen was waar ik me tot op dat moment nooit in mijn eentje had durven wagen. Ik vermaakte me met het turen naar de gezichten van al die melancholieke veroveraars, op zoek naar een of andere familietrek, de spleetogen van mijn neef Pedro, de kin van oom Tomás, of een moedervlek op de rug van een hand, precies op de plaats waar een kleine, zwarte vlek de uniforme blankheid onderbrak van de huid van mijn moeder, en ik gaf ze bijnamen, Francisco de Opschepper, want hij stond daar te poseren met zijn handen in zijn zij en een brutale grijns om zijn gekrulde lippen, Louis de Droevige, want in zijn ogen zag ik een vochtige glans die op de nabijheid van tranen wees, Fernando III de Vrek, want dat moest hij wel geweest zijn, en behoorlijk ook, te oordelen naar de sjofele mantel die hij droeg, en bovenal mijn favoriet, Rodrigo de Slachter, die zich voor de schilder opgetuigd leek te hebben met alle sieraden die maar in Cuzco te vinden waren, medailles, hangers, broches, gouden spelden en edelstenen, allemaal zo dicht op elkaar hangend dat ze op zijn nauwsluitende wambuis van rood om een plaats leken te vechten, en een compositie vormden die alleen vergelijkbaar was met de voorstelling die gratis werd geboden door Teófila, de slagersvrouw van Almansilla, wanneer ze, elke zomer, op de dag van de Heilige Maagd, de helling naar de kerk beklom en zo langzaam mogelijk liep om te zorgen dat alle buren haar goed zouden zien, met een gemene glimlach rond haar mond en behangen met al het goud van Extremadura, alsof ze zo, van onder tot boven gepantserd, met nog meer brutaliteit de dreigende blikken kon incasseren van de vrouwen die haar, wanneer ze voorbijkwam, schreeuwend beledigden terwijl ze emmers vuil water uit het raam gooiden. Hoewel dit gevecht nooit was opgenomen in het feestprogramma, was het zo traditioneel geworden dat zelfs het kindermeisje Juana het een keer had gewaagd eraan deel te nemen – dacht je soms dat ik jaloers was, slet? Een goudmijn als die van jou heb ik tussen mijn benen, lelijke hoer, ik hoop dat je nog eens iets oploopt! – met als gevolg dat Reina en ik het in onze broek deden van het lachen, mama furieus was en grootmoeder doodsbleek op een muurtje moest gaan zitten om even uit te rusten, want het was algemeen bekend dat de wereld wat grootmoeder betreft geschapen was zonder Teófila en nog steeds zonder haar ronddraaide, en dat ging zo ver dat ze in de auto naar het naburige dorp reed om haar vlees in een slechtere en veel kleinere winkel te kopen.

Misschien dat ook grootvader – die die dag tijdens het eten van pure spraakzaamheid stomvervelend was, de meest onvoorstelbare onderwerpen aansneed en zelfs moppen vertelde, hoewel ze allemaal zo oud waren dat hij geen moment wist te bereiken dat de lachsalvo's van zijn publiek het getier nuanceerden dat afkomstig was van de verdieping daarboven, waar zijn vrouw, die zogenaamd onwel was, met zo veel gezondheid in beide benen door haar slaapkamer stampte dat de lamp in de eetkamer bewoog alsof we op een schip zaten en van het ene moment op het andere op onze hoofden dreigde te storten – door Rodrigo de Slachter herinnerd werd aan de Teófila van betere tijden, dat knappe en vrolijke meisje dat nauwelijks nog te herkennen was onder de scherpe, veel te vroeg uitgeteerde gelaatstrekken van de volwassen vrouw die Juana voor iedereen hoorbaar en alleen om mijn grootmoeder wreed te vernederen van repliek had gediend met de woorden – ach ja, je weet wel, sommigen krijgen te veel en anderen te weinig…! Ik ken iemand die beter een beetje meer hoer had kunnen zijn en minder naar de bergen had kunnen lopen om tijm te zoeken voor de la waarin ze haar onderbroeken bewaart, want ze is zo'n uitgedroogde trut dat ze haar man zelfs op kerstnacht het huis uitgooide! – want op een goede dag was het schilderij van zijn plaats op de overloop van de eerste verdieping verdwenen en belandde in zijn werkkamer, waar het uitstekend gezelschap was voor het paar Alvaro de Fat en Maria de Bazige, een jonge vrouw met mooie, exotische indiaanse trekken, maar te oordelen naar haar uitdrukking net zo gemeen als haar minnaar.

Ik hield me daar op een middag met mijn favoriet bezig toen grootvader onverwacht verscheen, en omdat we alleen waren kwam hij van achteren op mij af lopen en in plaats van de bekende lolly en schouderklopjes van andere middagen te geven, legde hij zijn handen op mijn schouders en gaf me een kus op mijn haar.

'Vertel eens, vind je hem mooi?' vroeg hij.

'Ja,' antwoordde ik, en vervolgde voor ik me realiseerde dat ik een blunder maakte: 'Hij lijkt op Teófila, de slagersvrouw.'

Maar in plaats van boos op me te worden of op zijn minst even te zwijgen, barstte hij in lachen uit en ging achter zijn schrijftafel zitten om mij vanaf die plaats glimlachend te blijven aankijken, misschien kon dat omdat hij toen al weduwnaar was, ik weet het nog goed, er was meer dan een jaar voorbijgegaan sinds Magda uit het klooster was verdwenen.

'Ja? Hoe is het mogelijk.'

'Ja, maar dat komt niet door het gezicht of zo, maar door de sieraden. Teófila draagt altijd veel sieraden.'

Hij knikte instemmend en mompelde iets voor zich uit, alsof ik plotseling in lucht was veranderd.

'Dat klopt, ze had nooit vertrouwen in geld, alleen in goud, arme vrouw… Arme Reina.'

Ik zei niets. Ik wist niet wat ik moest zeggen want hij kon geen andere Reina bedoelen dan grootmoeder. Hij leek erg moe en sloot zijn ogen. Omdat het me niet goed leek naar hem te blijven kijken, richtte ik mijn blik weer op het schilderij, en met de herinnering aan de schaal gevulde eieren, die onaangeroerd midden op de tafel bleef staan op die dag van de Heilige Maagd waarop niemand het waagde om aan het voorgerecht te beginnen, toen Reina en ik leerden dat echte dames, zoals mijn grootmoeder, ook konden vloeken, en we ons zo vermaakten met die ontdekking dat twee paarden die aan tafel hadden gezeten tijdens die onverwachte rouwplechtigheid niet meer uit de toon zouden zijn gevallen dan wij terwijl we met de grootste moeite een lachbui onderdrukten, blijkbaar alleen bijgevallen door oom Miguel, die de jongste was, en door tante Magda, de enige vrouw die naar de eetkamer was gekomen met het redelijke excuus dat ze, hoe slecht haar moeder zich ook voelde, stierf van de honger. Ze keken elkaar aan en verborgen af en toe hun gezicht in hun servet, terwijl grootmoeder boven als een bezetene tekeerging en niet altijd met even redelijke verwijten kwam – '... ik krijg die rotzak wel... een beetje rondvertellen waar ik mijn ondergoed bewaar, en die... die vuile hoer... die heeft het lef om mij een uitgedroogde trut te noemen, mij, mij, nota bene, terwijl ik negen kinderen heb gekregen, vier meer dan zij, de smerige slet! En bovendien was het niet op kerstavond, nee, wat zij bedoelde was op oudejaarsavond, weet je nog, Juana, hij was zo dronken als een tor, en wat hij die avond wilde, ik zweer jullie, meisjes, bij God die in de hemel is, wat jullie vader die avond wilde was... nou ja... goed... ik hoef jullie geen verklaring te geven, het was zonde en daarmee uit, en daarom heb ik me in de badkamer opgesloten...' – en onder de meest onzinnige bedreigingen – 'en jij gaat dat in het dorp rondbazuinen. Laat niemand het wagen ook nog maar een worst bij haar te kopen, want als ik echt kwaad word, haal ik het dak van het gemeentehuis er weer af en breng ik het hierheen, dakpan voor dakpan, want daarvoor heb ik betaald –' Alle anderen gedroegen zich alsof er niets gebeurde, alsof ze doof waren en gingen niet in op de vertwijfelde blikken om hulp die mijn grootvader in alle richtingen wierp, zonder een andere troost te vinden dan de kalmte van mijn vader die zich nu zelfverzekerd gedroeg en instemmend knikte, om zijn lippen een halve glimlach van spottend medeleven die ik in de loop der tijd heb leren ontcijferen, nog voor ik hem kon lezen, als een oud, beduimeld, tot vervelens toe gelezen boek: vrouwen! Wie begrijpt ze? Je leert er een kennen die je bevalt, jarenlang loop je hand in hand, je koopt een ring, je trouwt, je onderhoudt haar, je schildert haar huis elke drie jaar, je geeft haar een dienstmeid zodat ze haar nagels niet breekt, je maakt haar drie of vier keer zwanger, en hoewel ze slap en dik wordt blijf je plichtsgetrouw een nummertje maken, elke zaterdagavond... en dan klaagt ze nog. Wat willen ze nog meer? Een man blijft toch een man, godverdomme!

Dat zijn de risico's die je loopt als je met een veroveraar trouwt, dacht ik die middag, terwijl ik naar Rodrigo de Slachter keek, want al die Peruanen die net zo heten als wij moeten toch ergens vandaan zijn gekomen. Grootvader kwam zwijgend terug uit zijn dagdroom.

'Die heette Rodrigo.'

'Dat weet ik. Dat staat hier. Hoe lang is hij al dood?'

'O, dat weet ik niet! Bijna driehonderd jaar. Hij leefde halverwege de 17de eeuw, denk ik. Hij was de rijkste van allemaal.'

'Dat is te zien.'

'Kom eens hier.' Hij stond op en wees terwijl hij om de tafel heen liep naar een kaart die recht tegenover mij aan de muur hing. 'Kijk, die rode lijn geeft de grens aan van zijn landerijen, zie je? Hij had uiteindelijk meer macht in Peru dan veel koningen in Europa,' en hij gaf met zijn vinger een lijn aan die inderdaad de grens kon zijn van een middelgroot land, met steden en al.

'Wat goed,' zei ik enthousiast. De werkelijkheid leek mijn meest optimistische berekeningen te overtreffen. 'Hoe heeft hij dat veroverd?'

'Veroverd?' Mijn grootvader keek me verbijsterd aan. 'Nee, Malena, hij heeft niets veroverd. Hij heeft zijn grond gekocht.'

'Wat bedoel je. Ik begrijp het niet.'

'Precies wat ik zeg. Hij heeft die grond gekocht. Hij had veel geld aan de koning geleend, die armer was dan hij en hem niet kon terugbetalen. Dus heeft hij als betaling een aantal grote plantages geaccepteerd en er tegen een lage prijs nog een aantal van het rijk gekocht. Hij was heel slim.'

'Ja, maar… wie was dan de veroveraar?'

'Francisco Pizarro natuurlijk. Hebben ze je dat niet op school geleerd?'

'Jawel,' mijn geduld begon op te raken, 'maar ik bedoel de veroveraar van de familie?'

'In onze familie hebben we nooit een veroveraar gehad, meisje.'

Ik balde mijn vuisten en kauwde op mijn onderlip. Ik had het gevoel dat ik van woede uit elkaar kon ploffen en had grootvader daar ter plekke kunnen vermoorden, want wat hij zei was niet mogelijk, het kon gewoon niet waar zijn.

'Maar… wat hebben we dan in jezusnaam in Amerika uitgevoerd?'

De furieuze toon waarop ik de vraag stelde, was blijkbaar bijzonder vermakelijk voor hem want hij barstte in lachen uit en nam niet eens de moeite om mijn woordgebruik te corrigeren.

'Handel drijven, natuurlijk, Malena. Wat dacht je dan?'

'Dat wil zeggen dat ze niet eens piraten waren!'

'Lieve hemel, zover zou ik niet willen gaan…' Hij glimlachte weer. 'Dat hangt ervan af hoe je het bekijkt, maar wat ze deden was in Peru tabak, kruiden, koffie, cacao en andere waardevolle dingen kopen en die in hun eigen schepen naar Spanje sturen, en hier of in een of andere haven waar ze onderweg aanlegden, werden de schepen weer volgeladen met stoffen, gereedschap, wapens…' hij zweeg even en dempte zijn stem tot deze in gefluister overging, 'slaven… en, nou ja, handelswaar die daar te verkopen was. Op die manier hebben ze veel geld verdiend.'

Toen hij me in afwachting van een antwoord aankeek, was ik niet in staat iets te zeggen. De wereld was voor mijn ogen in elkaar gestort en ik had niet eens de kracht om hem te begraven, maar hij pakte me bij een schouder en kuste me twee keer op mijn slaap, aan de rand van mijn linkeroog, om me te laten zien dat zijn warmte bij een nederlaag alleen maar toenam.

'Het spijt me, prinses, maar dat is de waarheid. Je kunt je troosten met de gedachte dat de familie Fernández de Alcántara nooit iemand heeft gedood.'

'Wat kan mij dat schelen!'

'Ik wist het,' zei hij toen, hoofdschuddend, alsof ik een vreselijke opmerking had gemaakt. 'Dat was ook het enige wat je zusje interesseerde. Wat zijn jullie toch hetzelfde, wat lijken jullie op elkaar, en ik wist het, ik wist het...'

'Wat bedoel je, grootvader?' protesteerde ik, daarbij reagerend op de enige zin uit zijn betoog die ik had kunnen begrijpen. 'Je weet dat natuurlijk niet omdat je nooit praat en altijd met je eigen dingen bezig bent, maar Reina en ik lijken helemaal niet op elkaar. Reina is veel beter dan ik.'

Er verscheen plotseling een sombere uitdrukking op zijn gezicht en hij keek me op een speciale manier aan waarbij hij mijn pupillen met de zijne doorboorde alsof hij op zoek was naar een wachtwoord, een ander teken in mijn ogen. Zijn voorhoofd was zo gefronst dat zijn gelaatstrekken erdoor misvormd werden en toen, na een lange stilte, verhief zijn stem zich tot een toon die ik me niet kon herinneren ooit eerder te hebben gehoord. Ik werd bang van hem.

'Zeg dat niet, Malena. Ik heb die zin in de loop van mijn leven te vaak gehoord en ik ben er altijd ziek van geworden.'

'Waarom niet? Vraag het maar aan mama en je zult zien...'

'Het interesseert me geen sodemieter wat je moeder zegt!' Hij sloeg met zijn vuist op de muur. 'Ik weet dat het niet zo is en verder wil ik er geen woord meer over horen.'

Gedurende een moment zag ik hem dronken voor me, een lange man, misschien naakt, veel jonger, rammend op de deur van de badkamer in Almansilla met de bedoeling grootmoeder daar met geweld vandaan te halen om haar te dwingen met hem te zondigen, en er ging een rilling over mijn rug, ik werd gefascineerd door dat beeld, ik kon het niet loslaten, en hoewel Reina en mama wel gelijk zouden hebben, hoewel grootvader zich in dergelijke zaken altijd als een duivel had gedragen, zei ik bij mezelf dat ik de verleiding niet had kunnen weerstaan om uit die badkamer te komen en zo snel mogelijk te zondigen en ik raakte niet eens ontmoedigd door dit nieuwe teken dat mijn geslacht in plaats van een ongeluk te zijn bevestigd werd als een vaste bestemming voor het hele leven.

Hij leek mijn gedachten te lezen en ze stoorden hem blijkbaar niet erg, want hij werd rustig en nam me zachtjes bij de arm.

'Kom, ik wil je iets geven.'

Hij ging terug naar zijn schrijftafel, opende met een sleutel een lade die ik altijd op slot had gezien en haalde er een mooi houten kistje uit dat er oud uitzag. Hij glimlachte geheimzinnig tegen me terwijl hij langzaam het deksel optilde en creëerde daarmee een bijna circusachtige verwachting die ik niet beschaamde door de scherpe gil die ik liet ontsnappen toen hij me eindelijk naar de inhoud liet kijken. Daar zag ik, tussen andere, modernere sieraden, op een fluwelen kussentje twee enorme broches schitteren die ik heel goed kende.

'Dit is alles wat er overgebleven is van de sieraden van Rodrigo. De rest heeft hij langzaam, in gedeelten naar het hof gestuurd. Geschenken voor de koningin; in ruil daarvoor hoopte hij op een adellijke titel.'

'Heeft hij die gekregen?'

'Nee.'

'Natuurlijk niet. Waarom zouden ze die hem gegeven hebben als hij niet meer was dan een winkelier?'

'Niet daarom,' lachte hij, 'maar omdat de koning geen zin had zijn schuldeisers in de adelstand te verheffen… Maar Rodrigo was slim, dat heb ik al gezegd, en heeft de twee waardevolste stukken gehouden. Deze,' hij legde zijn vingers op een enorme rode steen, zo groot als een ei, die in een eenvoudige gouden ring was gezet, 'is een granaat, en die,' en hij wees op een groene kiezelsteen, die iets kleiner en vlakker was, 'is een smaragd. Hij heeft een naam. Hij heet Reina, zoals jouw moeder en zusje.'

Hij zweeg even, terwijl hij liefdevol met zijn vingers over de rode steen streek, die volgens mij door zijn grootte kostbaarder was, maar koos op het allerlaatste moment de groene steen, die hij van het fluweel pakte en mij in de hand drukte, die hij vervolgens tussen de zijne nam.

'Hier, die is voor jou, maar wees er heel voorzichtig mee, Malena. Hij is ontzettend veel geld waard, meer dan je ook maar kunt bedenken. Hoe oud ben je nu?'

'Twaalf.'

'Twaalf nog maar? Natuurlijk, maar je lijkt ouder…' Mijn leeftijd leek hem even in verwarring te brengen. Ik realiseerde me dat hij was gaan twijfelen en besloot de zaak wat makkelijker voor hem te maken.

'Als je wilt, kun je hem bewaren en aan mij geven wanneer ik ouder ben.'

'Nee,' hij schudde zijn hoofd, 'hij is van jou, maar je moet me beloven dat je aan niemand vertelt, absoluut niemand, zelfs niet aan je zus en helemaal niet aan je moeder, dat ik je de steen gegeven heb. Beloof je me dat?'

'Ja, maar waarom…?'

'Vraag me niets. Wil je hem hebben?'

'Ja.'

'Laat je hem ooit aan iemand zien?'

'Nee.'

'Goed, bewaar hem op een veilige plaats, op een plaats die je kunt afsluiten met een sleutel, en draag die sleutel om je hals. Haal hem nooit te voorschijn, tenzij je er absoluut zeker van bent dat niemand het kan zien. Als je op reis gaat, moet je hem meenemen, maar stop hem nooit in een koffer en geef hem nooit aan iemand cadeau, Malena, dat is het belangrijkste, je mag hem aan niemand geven, aan niemand, aan geen enkele jongen en zelfs niet aan je echtgenoot wanneer je die zou hebben, beloof me dat.'

'Dat beloof ik.'

'Bewaar hem, en als je ooit, wanneer je volwassen bent, in moeilijkheden zit, ga dan naar oom Tomás en verkoop de steen aan hem. Hij zal je betalen wat hij waard is. Je mag naar niemand anders gaan, begrepen? En onthoud altijd dat deze smaragd je leven kan redden.'

'Dat zal ik doen.'

Ik deed mijn best om kalm te lijken, maar ik had het gevoel dat ik elk moment in elkaar kon zakken. Ik was opgewonden door dat ongelooflijke verhaal, de absurde avontuurlijke wending die de meest prozaïsche teleurstelling, net als in een film, had genomen, maar tegelijkertijd was ik geschrokken van die gevaarlijke aanbevelingen. Met uitzondering van Magda had niemand ooit zo tegen me gepraat en ik vroeg me af waarom iedereen in dat huis nou juist mij leek te kiezen om de meest verschrikkelijke geheimen aan toe te vertrouwen.

'Heel goed,' en hij kuste me op mijn lippen, alsof hij op die manier de geheime band, die nu nog nauwer was en ons vanaf dat moment verenigde, wilde versterken. 'Je kunt nu gaan.'

Ik draaide me om en liep naar de deur. Ik had mijn vingers stevig om de broche van Rodrigo de Slachter geslagen en vroeg me af of het wel waar was dat die steen, die er zo vuil uitzag en een ruw en oneffen oppervlak had, en helemaal niet glansde als de solitair van mama, wel een echte schat was. Toen draaide ik me om, alsof ik door een veer werd bewogen.

'Grootvader, mag ik je nog één ding vragen?' Hij knikte. 'Wat heb je mijn zusje gegeven?'

'Niets,' zei hij glimlachend, 'maar zij erft de piano. Ze is de enige die erop kan spelen, zoals je weet.'

Door de beslistheid waarmee hij mij antwoordde, alsof hij precies wist wat hij deed, verdween mijn vermoeden dat ik op een onterechte manier bevoordeeld was en voelde ik me weer rustig worden. De piano van de Martínez Campos was tenslotte van kostbaar hout gemaakt, en Duits, en bijzonder waardevol, daarom had Reina hem nog niet eens mogen aanraken. Alleen het stemmen kostte al een vermogen, zoals mijn moeder altijd zei.

'Juist. En waarom heb je dit nu juist aan mij gegeven? Je hebt een heleboel kleinkinderen.'

'Ja, maar er is maar één broche. Ik kan hem niet in stukjes hakken, niet? En...' hij zweeg even, 'waarom zou ik hem niet aan jou geven? Magda was dol op je, daardoor ben je bijna een dubbele kleindochter, en bovendien... ben ik bang dat je net als ik bent,' hij dempte zijn stem, 'dat je het bloed van Rodrigo in je hebt. Je zult hem op een dag nodig hebben.'

Wat bedoel je?

'Ik heb je al gezegd dat je geen vragen moet stellen.'

'Ja, maar ik begrijp het niet.'

Hij zweeg en keek naar het plafond, alsof hij daar een overtuigend argument kon vinden om zijn voorspellende woorden te verhullen, een of andere alledaagse rechtvaardiging waarin hij deze woorden, die hij niet had willen uitspreken tegen dat nog maar halfvolwassen meisje, zou kunnen verpakken, en hij vond wat hij zocht, want een ogenblik later antwoordde hij en hij was zeker van de doeltreffendheid van zijn woorden.

'Als wij samen naar Peru waren gegaan, hadden we die grond niet hoeven kopen, denk je niet?'

'Nee,' zei ik glimlachend, 'wij zouden hem veroverd hebben, met het blote zwaard.'

'Dat bedoel ik.'

'Maar dan... hebben we toch juist niet het bloed van Rodrigo? Want hij heeft die grond gekocht.'

'Natuurlijk, je hebt gelijk, ik weet niet waarom ik dit soort onzin zeg, ik word blijkbaar kinds, ik zeg dingen zonder er goed over na te denken... Vooruit, je moet gaan, je moeder is je vast aan het zoeken, maar vergeet nooit wat je me beloofd hebt.'

'Ja, grootvader, en bedankt.'

Ik rende naar hem toe, gaf hem een kus en verdween. Die middag kwam hij niet uit zijn werkkamer om afscheid van ons te nemen, en het duurde weken voor we weer een kans kregen om te praten, maar over de smaragd heeft hij nooit meer iets gezegd, toen niet en ook later niet. De dag waarop ik hoorde dat hij ging sterven, heb ik de hele nacht gehuild.

Ik heb nooit helemaal kunnen geloven in de magische krachten van de levensreddende steen. Het viel niet mee om ze te zien in die kiezelsteen met zijn onregelmatige oppervlak, waarop die lelijke bergketens van botte kammen, wat bijgeslepen door de tijd, al duizenden keren op elkaar gebotst leken te zijn en die altijd bedekt was met een soort stoflaagje dat ik niet weg kon krijgen, zelfs niet met schoonmaakmiddel. Wel leerde ik in datzelfde schooljaar dat de smaragd een edelsteen is, maar op de plaatjes in het natuurkundeboek kon ik in de schitterende tranen van groen glas, die glansden alsof in hun binnenste een geheimzinnig plantaardig vuur werd gevoed, met geen mogelijkheid een aanwijzing vinden die de kwalificatie van edelsteen zou geven aan mijn arme talisman, die dankzij de vage groene tint die af en toe te zien was wanneer ik hem in het licht bekeek meer weghad van die granietsplinters waar ik altijd over struikelde wanneer we een uitstapje naar de bergen maakten. Bovendien herinner ik me dat ik me toen afvroeg wat edel in dit verband precies moest betekenen en dat ik dacht dat het ding waarschijnlijk nog geen flat waard was, zodat ik de broche, zonder er echt bij na te denken, in het doosje Tampax stopte dat ik in de kast bewaarde, waar hij meer dan twee jaar bleef liggen tot Reina voor het eerst ongesteld werd – de datum vergeet ik nooit, want wanneer mijn zusje zich tegen mijn moeder beklaagde over de zenuwslopende traagheid van haar lichaam, antwoordde zij altijd met een glimlach: maak je geen zorgen, lieverd, alles heeft zijn goede en slechte kant, en Malena is eerder oud dan jij – en die schuilplaats het aantal gedeelde eigendommen deed toenemen. Daarna kwam het erfstuk van Rodrigo in de rommella terecht, waar het goed gecamoufleerd werd door een oneindig aantal kleine, kleurige dingen, zoals metalen ringen, kralenkettingen, plastic parels, poppenhoofden en kapotte horloges, tot mijn zusje mij op een middag, toen ik het ding al bijna vergeten was, een paar oorbellen te leen vroeg en ik zei dat ze die zelf maar moest pakken en mij, voor ik tijd had om te reageren, al naar de smaragd vroeg die ze in haar hand had. Het was nog een geluk dat ik me een aantal van de excuses kon herinneren die ik speciaal voor die situatie had bedacht.

'Wat is dit, Malena?'

'Een broche, zie je dat niet?'

'Juist... maar hij is zo lelijk, hij verpulvert helemaal.'

'Ja, ik heb hem gevonden in zo'n container die op straat staat, waarin ze het puin van bouwwerken gooien. Ik dacht dat hij goed te gebruiken zou zijn voor mijn heksenvermomming, maar ik heb hem uiteindelijk niet gedragen omdat hij te zwaar is en grote gaten in mijn pak maakte. Geef maar, dan gooi ik hem in de vuilnisbak.'

'Ja, dat is een goed idee, want hij lijkt te roesten. Als je je eraan zou prikken, moet je een tetanusinjectie krijgen.'

Terwijl Reina met haar rug naar mij toe de oorbellen indeed, liet ik de smaragd stilletjes in mijn zak glijden. Ik zei trots tegen mezelf dat grootvader mijn listigheid zou hebben geprezen, maar ik was bang dat die scène zich zou kunnen herhalen met mijn moeder en kocht nog diezelfde middag een metalen kistje met een slot erop, waarvan de sleutel, tussen de medailles die ik om mijn hals had hangen, de sleutel van mijn dagboek gezelschap ging houden. Zonder er ook maar over na te denken, rende ik daarna door de gang naar de werkkamer van mijn vader, het enige vertrek in huis waar mama het nooit zou wagen alleen naar binnen te gaan.

Ik klopte en kreeg geen antwoord, dus duwde ik de deur zachtjes open en glipte naar binnen. Hij leek bezig zijn onderlip met zijn tanden te verorberen, terwijl hij, afgaande op de verbaasde uitdrukking op zijn gezicht, met grote belangstelling naar een of ander fascinerend verhaal luisterde dat iemand aan de andere kant van de telefoonlijn vertelde, en ik maakte daarvan gebruik om hem goed te bekijken voor hij mijn aanwezigheid zou opmerken, want hij gedroeg zich al jaren net als alle andere vaders die ik kende, dat wil zeggen alsof hij niets met ons te maken had. In die tijd was hij ongelooflijk knap, bijna meer nog dan daarvoor, en zag hij er bijzonder jong uit. In werkelijkheid was hij dat ook, want hij was toen nog niet eens veertig. Toen wij geboren werden was hij nog bijna een kind, want mama en hij waren, na een korte verloving, heel snel getrouwd en hadden niet lang gewacht met het krijgen van kinderen, misschien omdat zij bijna vier jaar ouder was dan hij.

Toen hij ten slotte van houding veranderde en mij aan de andere kant van zijn bureau ontdekte, vertrokken zijn lippen van ergernis en legde hij een hand op de hoorn.

'Wat wil je, Malena?'

'Ik moet over iets belangrijks praten.'

'En kan dat niet even wachten? Ik zit aan de telefoon en moet nog allerlei dingen bespreken.'

'Nee, papa, het moet nu.'

Hij mompelde zijn paar laatste woorden binnensmonds, alsof het beledigingen waren, maar hij draaide zich om in de stoel, zodat hij met zijn rug naar mij toe zat, en nam haastig afscheid van zijn gesprekspartner, die hij verzekerde dat hij zo terug zou bellen. Daarna draaide hij zich in mijn richting, leunde zonder ook maar even te pauzeren met zijn ellebogen op het bureau en stelde me onverbloemd de vraag die ik het allerminst had verwacht.

'Ben je zwanger?'

'Nee, papa.'

'Gelukkig maar.'

Hij leek zo verschrikkelijk opgelucht dat ik me afvroeg wat voor beeld hij van mij moest hebben als hij mij in staat achtte tot een dergelijke stommiteit en ik raakte de draad kwijt van het verhaal dat ik had voorbereid.

'Luister, papa, deze zomer word ik zeventien...' begon ik te improviseren, maar hij wierp een blik op zijn horloge en liet me zoals gewoonlijk niet uitpraten.

'Ten eerste, als je geld wilt, er is geen geld, ik snap niet waar jullie het aan uitgeven. Ten tweede, als je in juli naar Engeland wilt om je Engels te verbeteren, lijkt me dat uitstekend, en misschien kun je je zusje overhalen om mee te gaan, dan laten jullie mij tenminste met rust. Ten derde, als je voor meer dan twee vakken zakt, zul je de zomer in Madrid doorbrengen om te studeren, het spijt me. Ten vierde, als je je rijbewijs wilt halen, krijg je een auto van me wanneer je achttien wordt, op voorwaarde dat jij vanaf dat moment je moeder rondrijdt. Ten vijfde, als je lid bent geworden van de Communistische Partij, ben je vanaf nu automatisch onterfd. Ten zesde, als je wilt trouwen, verbied ik dat omdat je nog erg jong bent en een grote fout zou maken. Ten zevende, als je ondanks alles toch wilt trouwen omdat je er zeker van bent dat je de liefde van je leven hebt gevonden en je zelfmoord gaat plegen als ik het niet toesta, zal ik eerst weigeren, hoewel ik je waarschijnlijk over een jaar of hoogstens twee toch zal ondersteunen, maar op twee voorwaarden: ten eerste dat je niet in gemeenschap van goederen trouwt en ten tweede dat het Fernando niet is.' Hij stond zichzelf een adempauze toe, de enige rust die er was in zijn krankzinnige betoog, en gedroeg zich bij uitzondering als een vader. 'Het spijt me, Malena, ik zweer je dat het me niets uitmaakt wie zijn vader is, maar hoewel ik woedend was toen ik erachter kwam dat mama je brieven opende, moet ik zeggen dat die jongen me niet bevalt omdat het een opschepper is, en dat weet jij ook... Ten achtste, als je zo verstandig bent geweest, wat ik betwijfel, om hier in Madrid een vriend te zoeken die bij je past, dan mag hij hier thuis komen wanneer je maar wilt, maar bij voorkeur wanneer ik er niet ben. Ten negende, als je 's avonds later thuis wilt komen, sta ik dat niet toe; halftwaalf is laat genoeg voor twee apen als jullie. En ten tiende, als je aan de pil wilt, lijkt me dat uitstekend, als je moeder er maar niet achter komt. Dat was het,' hij keek opnieuw op zijn horloge. 'Drie minuten... En?'

'Slecht, papa, je hebt er niet één goed.'

Ik heb altijd gedacht dat de verontwaardigde verwijten – 'wat ben je toch makkelijk, Jaime. Zo zou ik wel twintig kinderen kunnen opvoeden...' – die mijn moeder inbracht tegenover dit soort komische geestelijke goocheltrucs waar ons contact met hem vrijwel geheel toe gereduceerd was, niet ongegrond waren, maar toch had ik ze nooit willen inruilen voor de gewetensvolle ondervragingen, vol van pauzes en zuchten, waaraan zij, in alles meer traditioneel, trouw was gebleven. Ik lachte dus met plezier om dit onregelmatige vaderlijke fiasco en wachtte tevergeefs op het begin van de tweede aanval, maar de bel klonk niet, die middag had hij haast.

'Goed, Malena, wat wil je?'

Ik zette het kistje op het bureau.

'Ik wil dat je dit voor mij bewaart, in een afgesloten lade, dat je het niet openmaakt en het aan mij teruggeeft wanneer ik het vraag.'

'Verdomme!' Hij stak zijn hand uit naar het kistje en schudde het heen en weer, maar ik had het opgevuld met een verkreukelde krant zodat er niets te horen was. 'We lijken de familie Geheim wel.'

Dat zul jij wel weten, dacht ik.

'Wat zit erin?'

'O, niets wat je interesseert,' zei ik snel, want ik had geen rekening gehouden met zijn nieuwsgierigheid, maar hij had me zelf het beste excuus aan de hand gedaan. 'Dingen van Fernando, een gipsen Venus die we met schieten hebben gewonnen tijdens het feest van Plasencia, een zakdoek die hij een keer heeft laten liggen, ansichtkaarten, een bonbon, zo'n vreselijk ding in de vorm van een hart dat hij me uit Duitsland heeft gestuurd...'

'Het condoom dat hij de laatste avond heeft gebruikt...'

'Papa!'

Ik werd vuurrood. Ik kon de manier waarop hij steeds vaker en altijd in het wilde weg dingen insinueerde absoluut niet waarderen, want eigenlijk dacht ik dat hij ze niet met zo veel lachsalvo's gepaard had laten gaan als hij echt had gedacht dat ze een grond van waarheid bevatten, en ik vermoedde dat wat er echt achter zat, wat het echte doel was van de systematische grofheden die hij probeerde te laten doorgaan voor liberale tolerantie, het gewicht was van de schuld die van binnen aan hem knaagde en hem ertoe dreef voortdurend zijn neus te steken in het binnenste van de mensen die hem omringden op zoek naar fouten van anderen om deze, samen met de zijne, op te nemen op de lijst van wat hij menselijke zwakheden had kunnen noemen als zijn vrouw, die onbetwistbaar een menselijk wezen was, ooit één keer voor één zo'n zwakheid bezweken was. In elk geval stond ik ook die middag niet aan zijn kant.

'Goed,' zei hij ten slotte, nog steeds vrolijk, 'ik zal het in die kast voor je bewaren,' en hij wees op een van de onderkasten van het wandmeubel dat drie van de vier muren van de kamer bedekte. 'Waar is de sleutel?'

'Hier,' antwoordde ik en liet hem op mijn keel dansen.

'Je laat niets aan het toeval over, hè.'

Op dat moment hoorden we het geluid van een andere sleutel die in het slot van de voordeur werd gestoken, en hij bracht zijn handen naar zijn hoofd en drukte op zijn slapen alsof hij zojuist ter dood was veroordeeld.

'Godallemachtig! Dat kan je moeder toch niet zijn?'

Natuurlijk was het mama. Nog voor hij zijn zin beëindigd had, hoorde ik al het zangerige 'hallo' waarmee ze zich altijd aankondigde wanneer ze nog maar nauwelijks de voordeur gepasseerd was.

'Dat kan niet,' zei hij en hij keek onthutst op zijn horloge, en gedurende een moment stond ik mezelf de luxe toe om medelijden met hem te hebben. 'Ze is toch pas twee uur geleden gaan winkelen...'

'Hallo!' herhaalde mama toen ze zich bij ons voegde. 'Malena! Wat doe jij hier?'

'Ik heb met papa gepraat,' antwoordde ik, maar mijn intenties interesseerden haar blijkbaar niet, want voor ik ook maar iets kon uitleggen, stond ze al naast het bureau.

'Doe je ogen dicht, Jaime, ik heb iets voor je gekocht waar je heel blij mee zult zijn. Daarom ben ik zo snel terug.'

Ze keek me aan met dat nerveuze glimlachje dat een vreemde trilling op haar lippen bracht wanneer ze tevreden was en ik glimlachte terug want ik vond het heerlijk om haar zo te zien en het gebeurde niet vaak. Uit haar tas haalde ze een langwerpig pakje. Ze maakte het open en legde op de papieren van mijn vader een stropdas neer van het type dat alleen hij durfde te dragen in de grijze stad die het Madrid van mijn kindertijd was: Italiaanse zijde bedrukt met blauwe, purperen en paarse kleuren die samen een fragment reproduceerden van een kubistisch schilderij. Ik vond hem prachtig, maar ik bedacht dat zij hem niet alleen nooit mooi kon vinden, maar zelfs van schaamte zou sterven op de dag waarop ze voor het eerst met hem en die stropdas de straat op zou moeten, en ik verbaasde me over de lompheid van die speurneus naar intimiteiten die zo vasthoudend probeerde te snuffelen naar mijn zonden zonder bij zichzelf de enige zonde te herkennen die hij kon vergeven, die hij in feite al jaren geleden had vergeven, namelijk de zijne.

'Doe ze maar open.'

Mijn vader pakte de stropdas en wreef erover met de toppen van zijn vingers.

'Reina! Hij is schitterend... Ik vind hem prachtig, dank je.'

Toen legde hij zijn hoofd met gesloten ogen tegen de buik van mijn moeder, die naast hem stond en hem over zijn haar streelde alsof hij een kind was, en pas toen realiseerde ik me hoe snel ze ouder werd en vond ik die scène buitengewoon onrechtvaardig. Ik wilde weglopen om hen aan hun eigen ellende over te laten toen mama, die haar man niet eens toestond haar in onze aanwezigheid op de mond te kussen, mij voor was.

'Goed, ik ga even naar de keuken om te zien hoe het met het eten is…'

Mijn vader leek zijn omarming niet te willen beëindigen, maar ze maakte zich met een beslist gebaar van hem los, glimlachte en ging weg zonder verder een woord te zeggen. Nog geen seconde later maakte ik me klaar om haar voorbeeld te volgen. Ik had geen zin meer om alleen bij papa te blijven, zelfs niet uit dankbaarheid voor zijn hulp.

'Ik ga ook. Ik moet mama iets vertellen.'

'Duurt het lang?' Zijn stem stopte mij toen ik bijna bij de deur was.

'Wat?'

'Wat je aan je moeder moet vertellen.'

'Ach, dat weet ik niet…'

'Tien minuten?' Zijn hand hing al boven de hoorn van de telefoon.

'Ja, dat denk ik wel.'

Hij begon een nummer te draaien. Op dat moment had ik de stropdas willen pakken, een paar keer dubbelgevouwen in zijn mond willen proppen en hem willen dwingen erop te kauwen tot zijn spijsverteringskanaal zou hebben geleerd hoe het natuurzijde moest verteren, maar om de een of andere geheimzinnige reden wist hij, net als Magda, dat hij mij kon vertrouwen. Daarom veranderde hij niet en terwijl hij wachtte op degene die zijn telefoontje moest beantwoorden, keerde hij zijn gloednieuwe bezit om keek naar het etiket, en nadat hij een luid fluitje had laten ontsnappen, nam hij niet de moeite in zichzelf te praten.

'Allemachtig! Het is wel te merken dat er een erfenis aankomt.'

Grootvader overleefde die opmerking nog geen twee maanden en ik besloot geen risico meer te nemen en zijn instructies letterlijk op te volgen. Ik kan me niet herinneren ooit een verstandiger beslissing te hebben genomen, ondanks het feit dat het mij moeite kostte mijn mond te houden, toen, na het openen van het testament en de opeenvolgende ontploffing van twee tijdbommen – grootvader had, de meest beproefde familietraditie volgend, veel minder contant geld dan zijn erfgenamen hadden verwacht, en hij had als een grootmoedige middeleeuwse vorst bepaald dat zijn fortuin niet in negen, maar in veertien gelijke delen werd verdeeld, waarmee hij de kinderen van Teófila dezelfde rechten toekende als zijn wettige nazaten – de meerderheid van de aanwezigen tegelijkertijd begon te gillen en elkaar beschuldigde van het verloren gaan van de smaragd, die nergens te vinden was, tot de stem van oom Tomás de overhand wist te krijgen en hij zijn broers en zusters mededeelde, zonder ook maar het geringste gebaar te maken dat mij in verlegenheid zou kunnen brengen en zonder ook maar een woord van onwaarheid te spreken, dat grootvader drie of vier jaar voor zijn dood besloten had een jongedame te beschermen en haar in een moment van gekte de steen Reina had geschonken, die dus ook niet meer op de lijst van bezittingen stond die hij met de laatste versie van zijn testament aan de notaris had doen toekomen.

Mijn oom Pedro, de eerstgeborene en tot op dat moment de ernstigste en meest formele van allemaal, was de eerste die mij verraste.

'Hij zal niet zoiets gedaan hebben... Die vuile hoerenloper!'

Ik bracht instinctief mijn hand naar mijn halsketting en maakte me klaar om de waarheid op te biechten, maar dat was niet nodig want mijn oom Tomás, het andere familielid dat vrijwillig stom was en de mysterieuze jeugd-vriend van mijn vader die zich jegens mij altijd gedroeg alsof ik zelfs nooit was ontstaan, intervenieerde opnieuw met een energie in zijn stem en gebaren die niemand tot op dat moment ook maar had durven vermoeden achter datgene wat op een ziekelijke indolentie leek, en dat was de tweede verrassing.

'Luister, Pedro, als je het geld van papa te weerzinwekkend vindt om aan te raken, heb ik geen enkel bezwaar tegen een vrijwillige verklaring van afstand die getekend is in het bijzijn van de notaris. Hetzelfde geldt voor alle anderen. Is dat duidelijk?'

Het moet heel duidelijk zijn geweest, want iedereen hield zijn gezicht angst-vallig in de plooi en het voorlezen van het testament was in een halfuur afge-wikkeld zonder andere problemen dan de krampachtige bewegingen van woede die ertoe leidden dat sommige van de aanwezigen nauwelijks stil konden zitten, onder wie mijn moeder, die machteloos moest toezien hoe de granaat, het laat-ste materiële bewijs van de rijkdommen van de Alcántara's van overzee, met precisie gericht werd op het zachte middelpunt van Teófila's decolleté.

'Ze is de meest geschikte persoon,' merkte mijn vader op, die de mededeling met een geweldig lachsalvo had ontvangen alsof niets hem gelukkiger had kun-nen maken. 'Ze is de enige die hem echt zal weten te waarderen. Haar kennen-de, zal ze hem niet eens afdoen wanneer ze gaat slapen. Kop op, Reina, met een beetje geluk prikt ze zich op een avond aan de speld en gaat ze dood...'

'Dit is absoluut niet grappig, Jaime.' Dat was mama.

Daar was hij het misschien wel mee eens, maar hij bleef lachen, want hij was een goede speler, en intussen waren de kleinkinderen aan de beurt. Reina erfde de verwachte piano. Terwijl ik niets verwachtte, viel mij het schilderij van Ro-drigo de Slachter ten deel, een geschenk dat alleen maar gekozen was om de schijn op te houden, maar dat, wegens de geringe waarde, de verontwaardiging van mijn moeder alleen maar deed toenemen en het laatste spoortje kleur uit haar gezicht deed verdwijnen. We wilden al gaan, ieder met zijn beloning en straf, toen tante Conchita, die veel kinderen had en zich altijd meer beklaagde dan de anderen, de laatste akte inleidde.

'Luister, Tomás... wat gebeurt er met het deel van Magda?'

'Niets. Magda's deel wordt niet aangeraakt.'

'Goed,' het was mijn oom Pedro die nu sprak, 'maar ze is zoiets als een de-serteur, niet? Strikt genomen, heeft ze geen recht op...'

46

'Het deel van Magda wordt niet aangeraakt,' herhaalde Tomás, op de lettergrepen kauwend zoals kleine kinderen doen. 'Ze heeft een rekening aangehouden bij de bank en zij sturen de informatie naar de plaats waar ze nu woont. Wanneer ze de informatie over de storting krijgt, zal ze begrijpen wat er gebeurd is.' Er ontstond wat gemompel, maar hij bracht iedereen tot zwijgen door zijn stem te verheffen. 'Het is één ding dat Magda niets meer van ons wil weten, maar dat betekent nog niet dat ze onze zuster niet meer zou zijn.'

'Dat lijkt me terecht.'

Het was opnieuw de stem van mijn vader, de enige die het ten overstaan van alle anderen waagde de woorden te ondersteunen die nog steeds in de lucht zweefden alsof geen enkele andere klank hun echo kon absorberen, hoewel deze verrassende positiebepaling er alleen maar toe leidde dat de zenuwen van mijn moeder het definitief begaven.

'Jij moet je erbuiten houden, want geen enkele zaak waar we hier vandaag over praten is jouw zaak!'

'Daar ben ik het mee eens, maar ik mag mijn mening toch wel geven? En ik herhaal dat me dat terecht lijkt.'

De blik van mama zweefde langs mij heen en gleed verloren verder door het vertrek alsof hij geen houvast vond, geen plaats om neer te strijken en uit te rusten, tot hij een comfortabele opening vond in andere ogen die hem uitdagend opwachtten, en ten slotte barstte ze los.

'Jij hebt het steeds geweten, Tomás, jij weet waar ze is, en papa wist het ook. Tot het eind toe hebben jullie met zijn drieën dat vervloekte verbond in stand gehouden! Het is niet eerlijk, hoor je me, het is niet eerlijk! Zij heeft haar zin gekregen en jij, je bent niet meer dan een… Egoïstisch en arrogant, dat zijn jullie, allemaal, dat zijn jullie altijd geweest. Jullie verdienen niets, hoor je me, niets, jullie zijn niet meer dan uitschot… Het is toch verschrikkelijk, als mama nog leefde! Verschrikkelijk, mijn God!'

Toen zakte ze op een stoel neer en leek op het punt te staan flauw te vallen, en even ging niemand naar haar toe, alsof iedereen bang was besmet te raken door het opgehoopte verdriet van die vrouw die geen traan gelaten had tijdens de begrafenis van haar vader, maar nu verslagen zat te snikken, in een constant ritme, beroofd van elk sprankje hoop. Mijn zusje verbrak de ban door naar haar toe te rennen en haar te omarmen alsof ze haar tegen zichzelf wilde beschermen, voor onze ogen wilde verbergen. Ik volgde haar met mijn ogen en verweet mezelf dat mijn reflexen minder snel waren dan de hare, en ik kon ten slotte niet meer heen om de geheimzinnige kracht van mijn smaragd, want of dat verbond nu wel of niet bestond, en wel of niet vervloekt was, zeker was dat we nog steeds met zijn drieën waren.

De eerste herinnering die ik aan Magda heb is feitelijk de afwezigheid van herinneringen of, hoogstens, de diepe verwondering waarmee ik, toen ik nog heel klein was, de kussen en geschenken ontving van die met tussenpozen verschijnende vrouw, de eeuwige bezoekster die beweerde mijn tante te zijn, maar nooit meer dan een derde van de zomer in Almansilla doorbracht, op zondagmiddagen nooit in het huis aan de paseo General Martínez Campos verscheen en zelfs op kerstavond niet met ons dineerde, en die op mij voornamelijk overkwam als een onrustbarend duplicaat van mijn moeder. In de loop der jaren veranderde er niets, ik mocht haar nog steeds niet en op elke leeftijd om een andere reden, omdat het speelgoed dat ze ons gaf altijd instructies had in een taal die ik niet kon lezen, of omdat ze het kindermeisje Juana met jij aansprak of omdat ze wanneer ze haar verjaardag vierde alleen zorgde voor de drankjes van de volwassenen en nog niet eens een bord patates frites had voor de kinderen. Later, toen ze er genoeg van had om voortdurend van de ene plaats naar de andere te gaan en langere perioden in het huis van mijn grootouders verbleef, begon ik haar te haten met een intensiteit die me nu ziekelijk lijkt voor een meisje van negen, en de reden was dat Magda precies op mama leek, maar tegelijkertijd een veel aantrekkelijker vrouw was dan mama, en die nuance beschouwde ik als een onvergeeflijke belediging.

Ik was toen niet in staat geweest de kleine details die het wonder van dat verschil bewerkten afzonderlijk te kunnen opnoemen. Het was een doel waarnaar alleen zij streefde, want haar zuster leek zeer tevreden te zijn binnen de ruimte van een gemeenschappelijke identiteit, maar nu herinner ik me verschillende losse details en zie ik Magda roken met een sigarettenpijpje, haar linkerarm dwars over haar borst liggend, haar vuist gesloten om de elleboog van de andere arm te ondersteunen, die ze zo stijf hield dat hij zich, boven een pols die in een volmaakt berekende houding achterover hing, leek voort te zetten in de witte rookkolom die ontsnapte aan een sigaret die tussen de wijs- en middelvinger was gedrukt, en ik zie haar een Sumatra opsteken, een kleine, dunne sigaar, precies vierentwintig uur nadat mama besloten had voor het eerst een sigarettenpijpje te gebruiken, dat haar nooit zo goed stond als haar zuster, en ik zou me zelfs voorzichtig kunnen wagen aan een formule die zou kunnen verklaren wat ik in die tijd alleen kon interpreteren als een wanhopige poging tot een per-

manente vlucht, en dat is dat Magda haar uiterste best deed om niets gemeen-
schappelijks te hebben met het model van de Madrileense dame van die tijd,
waaraan mijn moeder zich altijd met overtuiging had onderworpen, niet, en dat
was het uitzonderlijke, omdat ze er niet aan zou voldoen, maar juist omdat ze
er zo uitstekend aan voldeed.

In plaats van de complex-bezorgende Franse pony die zich doorzette in een
halflang kapsel, dat volledig of in strepen in een van de vele beschikbare tinten
geblondeerd was, en waarvan de punten, driftig naar binnen gekruld, precies tot
op de schouders vielen, droeg zij haar donkere kastanjebruine haar lang, liet het
's morgens los hangen, kamde het dan in een vlecht om het vervolgens, behalve
op de zeldzame avonden die ze thuis doorbracht, te veranderen in een lage, zeer
eenvoudige knot, die haar een zigeunerachtig uiterlijk gaf dat door haar tijdge-
notes gemeden werd als de pest, en ze bracht liever één enkele zwarte lijn aan
op haar oogleden dan dat ze er hemelsblauwe of zeegroene oogpotloden op
losliet, die mama versleet alsof ze geloofde dat haar pupillen zich door een dergelijke belegering uiteindelijk zouden overgeven en in ruil voor genade van
kleur zouden veranderen. Magda droeg bijna nooit een broek, hoewel dat modern was; ze perste zich nooit in een korset, droeg altijd zwarte kousen en nooit
bruine, vond haar decolleté al sieraad genoeg, maar koos altijd voor enorme
oorbellen, als tegenhangers voor de kleine details van goede smaak die altijd een
spel speelden met een van de half dozijn gouden kettingen die mijn andere
tantes om hun hals hadden hangen; ze vloekte in het openbaar, maar ging nooit
over op een bikini, en bleef in het tijdperk van de minirok trouw aan de koker-
rok, maar stelde het in de zomer zonder beha; ze vijlde nooit haar nagels, maar
verfde haar lippen in een felle karmijnrode kleur, en ze had geen echtgenoot,
maar ontweek furieus de boeketten die op elke bruiloft in haar richting leken
te vliegen, en liet zich niet masseren, maar liep in haar eentje kilometers te wandelen; ze sierde zich nooit met een omslagdoek of een sierkam, maar stond
tijdens de feesten van Almansilla om vijf uur 's morgens op en verliet met mijn
vader en haar broer Miguel in alle stilte het huis om de enige vrouw te zijn die
het waagde voor de stieren uit te rennen, en ze hield niet van sherry, maar kon
alleen eten met een glas rode wijn naast haar bord, en ze las haar eigen krant,
maar praatte nooit over politiek, en ze had veel vrienden, van wie enkele min
of meer beroemd waren, maar stelde deze nooit aan de familie voor, en ze sprak
elke r van *prêt-à-porter* uit, maar had een paar jaar in Parijs gewoond, en ze zei
aantrekkingskracht in plaats van *sex-appeal*, maar gaf mensen raad over hoe ze
zich in Londen met de metro moesten verplaatsen zonder een andere plattegrond te raadplegen dan die in haar geheugen, en ze werd heel bruin in de
zomer, maar in plaats van in de zon te gaan liggen zwom ze, en nooit, nooit,
hoewel dat elke augustusmaand tot een continue strijd leidde, was ze bereid
haar oksels te scheren, maar ze streek de was om haar benen te ontharen tot aan
haar heupen, in plaats van op te houden bij haar knieën zoals de anderen deden, en ik denk dat het belangrijkste van alles is dat geen van al deze gedragsre-

gels, die onaantastbaar waren als de opeenvolging van dag en nacht, gedurende jaren en jaren ook maar in het minst veranderde.

Ik kon dus niet toegeven dat ik liever een moeder als Magda had gehad. Omdat ik me niet sterk genoeg voelde om zo'n verschrikkelijk verraad te plegen, bleef me geen andere remedie over dan een grondige hekel aan haar te hebben en tegelijkertijd hartstochtelijk in te stemmen met de handelingen van haar dubbelgangster, maar ik legde zo veel nadruk op mijn willekeur dat mama zich, ondanks het feit dat die altijd in haar voordeel was, zorgen begon te maken en zelfs Reina mij af en toe de les las omdat ik zo onaardig was tegen mijn tante. Gedurende lange tijd had ik geen verklaring voor de heftigheid van mijn reactie, maar nu geloof ik dat mijn organisme alleen maar een poging deed een effectief vaccin te ontwikkelen, een verdedigingsmiddel, bestemd om mijn leven intact te houden in deze trage, vreedzame en geordende wereld waar onder het oppervlak zulke diepe stromen vloeiden dat ze deze voor altijd dreigden te vernietigen. Het enige wat me geruststelde, was de houding van mijn vader, die Magda behandelde met een soort geringschattende onverschilligheid, waarop zijn schoonzuster passend reageerde.

Ze was niettemin een bijzonder knappe vrouw, met een onregelmatig, nogal hoekig gezicht, wat donkerder en minder zachte ogen dan die van mama, en lippen – het enige kenmerk dat ook in mijn mond het enthousiasme verraadt waarmee onze voorouders zich overgaven aan rassenvermenging – die misschien wat te vol waren, maar haar lichaam, en dat was het grootste verschil dat ik me tussen beide vrouwen herinner, was het harmonieuze lichaam van een jonge vrouw, een lichaam dat haar zuster alleen had bewaard op een aantal foto's met golvende randen die door het verstrijken van de tijd wat geelachtig waren geworden. Dit verschil, bron van een soort terugkerende jaloezie, die ik dikwijls opriep om mijn afwijzende houding te rechtvaardigen, kwam nog ergerlijker op mij over doordat de meest opvallende fysieke onvolmaaktheden van mama het karakter kregen van aantrekkelijke tekortkomingen, bijna een deugd werden, in het lichaam van Magda, die gedurfd koketteerde met de grenzen van de weelderigheid zonder ooit de grens te overschrijden waarnaar haar zuster al niet meer kon terugkeren. De grote, ronde borsten, bijvoorbeeld, die met hun gewicht de romp van mijn moeder, altijd bijna onwaarneembaar naar voren gebogen, leken te krommen, ontsproten met een verbluffende natuurlijkheid aan het rechte bovenlichaam van Magda en creëerden een effect dat alleen gedefinieerd kan worden als een wanverhouding die aangenaam was om te zien, en deze zelfde conditie was van toepassing op haar buik, die licht naar voren stak en meer aan een zacht, maar stevig kussentje dan aan een verslapte huid deed denken, en op haar benen, die misschien wat kort, maar op een mysterieuze manier ook prachtig waren.

Ook was bij Magda in die tijd geen enkel teken te zien van de genegenheid die ze later voor mij zou gaan voelen en behandelde ze mij op het oog precies hetzelfde als haar andere neefjes en nichtjes, als een lastige verplichting; ze schonk me niet de aandacht die nodig was geweest om mijn vijandigheid op te merken. Daarom was ik zo verbaasd over haar plotselinge belangstelling tijdens het banket ter gelegenheid van de eerste communie van een van mijn neefjes, toen ze mij, na me vanaf de hors d'oeuvres tot aan het nagerecht voortdurend aandachtig bekeken te hebben, naar de tuin volgde en me dwong van een schommel te komen om me apart te nemen en me zonder enige inleiding de volgende merkwaardige vraag te stellen.

'Vind je de strik mooi die je in je haar hebt?'

Ik raakte verbaasd mijn haar aan, hoewel ik wist dat ze de brede strik van rood satijn bedoelde, die precies hetzelfde was als die van mijn zusje Reina en op precies dezelfde plaats bevestigd was, aan de rechterkant van de middenscheiding die onze lange lokken in twee precies gelijke helften verdeelde, en ik schrok omdat ik maar een paar uur daarvoor gebiecht had om ter communie te kunnen gaan en er niet veel voor voelde om zo snel daarna al te moeten liegen. Desondanks antwoordde ik met de grootst mogelijke brutaliteit.

'Ja, ik vind hem heel mooi.'

'En zou je geen strik in een andere kleur willen hebben? Of de strik op een andere plaats willen dragen, aan de linkerkant of precies in het midden, of je haar in een vlecht willen?'

Ze rookte langzaam door een marmeren sigarettenpijpje in de vorm van een vis en trommelde met de punt van haar schoen op de granieten plavuizen, terwijl ze me aankeek met een soort halve glimlach, en ik was verbaasd over mezelf toen ik op de gedachte kwam dat ze misschien een heks was, een tovenares zoals in de sprookjes, met het vermogen de waarheid te lezen op lippen die verzegeld zijn door oude loyaliteiten.

'Nee, dat zou ik niet mooi vinden.'

'Wil dat zeggen dat je het niet erg vindt om je hele leven een kopie van je zusje te zijn?'

'O nee… En als het andersom was?'

'Als jouw zusje een kopie van jou zou zijn, bedoel je?'

'Precies.'

'Dat zal nooit gebeuren, Malena.' Ze schudde zachtjes haar hoofd. 'Niet in deze familie, dat zul je nog wel merken…'

Voor er drie jaar voorbij was gegaan, had ik geleerd van zuster Agueda te houden, die ramp van een non die als een paard door de gangen draafde, uit volle borst lachte, nogal luid praatte en, altijd met een pijpje, stiekem de tabak rookte die ik als smokkelwaar de school binnenbracht, en het waren al die dingen die mij in haar aantrokken, want niets verenigt zo als gedeelde heimelijkheid, en we bewoonden met zijn tweeën een grensgebied waarin zij leefde als een onmogelijke non en ik als een onmogelijk meisje, en waarin we allebei, alleen maar om te misleiden, een andere persoonlijkheid cultiveerden, hoewel onze fouten zo groot in aantal en zo duidelijk waren dat ze mijn monotone schoolleven de avontuurlijke tint gaven waarnaar ik verlangde en het wilde Amerika van de dappere Alcántara's gedurende enige tijd verplaatsten naar de klassen, de kapel en de vleugels van het klooster, waar we beiden dezelfde kleine risico's liepen, jonge landen van een continent voor twee waar Reina, die veel verstandiger was dan ik, nog geen voet had willen zetten.

Zo af en toe vroeg mijn zusje zich af hoe het mogelijk was dat zo'n grote antipathie had plaatsgemaakt voor een zo diepe genegenheid. Reina gebruikte dat altijd zo koele hoofd van haar om de zaak op een rijtje te zetten en kwam tot de conclusie dat de situatie niet zo erg veranderd was, dat Magda gewoon nog Magda was, ook al droeg ze nu een andere naam, en dat ze nu we haar, als non, overal tegen het lijf liepen, nog hinderlijker was dan vroeger toen we haar bijna nooit zagen. Ik reageerde ontwijkend, want hoewel ze zo slim was, zou ze dit nooit begrepen hebben. Ze was sterk en kon een gelukkig leven leiden in een wereld zonder spiegels.

Reina en ik waren het in elk geval over één ding eens. Magda was geen non en zou het ook nooit worden, Magda had op die plaats niets in te brengen omdat ze zelfs niet in de geringste mate beschikte over de kwaliteiten die zo overvloedig aanwezig waren in haar nieuwe zusters, met wie ze nog minder gemeen had dan met de zusters die ze haar hele leven al had, en het lukte haar niet om hen van het tegendeel te overtuigen, niet wanneer ze zich goed gedroeg en eraan dacht zacht mompelend te praten, ook niet wanneer ze in de kapel neerknielde en discreet haar handen voor haar gezicht legde, en zelfs niet wanneer ze, bijvoorbeeld op maandag, wanneer we als voorgerecht altijd van die vreselijke linzen kregen, echt bad in plaats van drie keer gehaast een kruis te slaan en zich met een geweldige eetlust op haar bord te storten, een zwakte die minder uit de toon viel dan de schandelijke zorgvuldigheid waarmee ze voortdurend de stand van haar kap op haar voorhoofd corrigeerde, waarbij ze zich vanuit haar ooghoeken in de ramen bekeek tot ze tevreden was over het resultaat, want Magda was zo weinig non dat ze het zelfs wist klaar te spelen om er met kap op haar hoofd knap uit te zien.

Omdat we haar geheim wilden ontdekken, hielden Reina en ik haar nauwlettend in de gaten, en mijn zusje raakte ervan overtuigd dat Magda zich uit de wereld had teruggetrokken om de afwijzing van een man te vergeten die als enige voldoende moed moest hebben gehad om zo'n kenau ooit benaderd te hebben. Ik ben het nooit met deze hypothese eens geweest, maar hield het gedurende enige tijd voor mogelijk dat deze een kern van waarheid bevatte, vooral omdat Reina haar idee baseerde op de naam die Magda had gekozen om de gelofte af te leggen en mij met de competentie van een deskundige een verhaal vertelde dat ik enkele weken daarvoor, in bewoordingen die wegens hun frivole karakter veel levendiger waren, uit de mond van mijn eigen tante had gehoord.

Ik had gebruik gemaakt van de pauze om met haar mee te gaan naar de kapel, waar ze zich bezighield met het vervangen van de bloemen op het altaar. Dat was het enige werk in het klooster waar ze van hield en ik vond het heerlijk om alleen met haar te zijn in die immense ruimte waarvan de imponerende plechtstatigheid als door bezwering oploste naarmate we, beladen met onze prozaïsche offergave van bloemen, kannen met water, scharen en vuilniszakken, verder liepen door het middenpad, om kort daarna helemaal te verdwijnen wanneer we bij de verhoging waren gekomen en ik om het altaar heen was gelopen terwijl Magda mij, verdiept in haar werk, een of ander verhaal vertelde. Maar die ochtend werd de stilte niet verbroken en begon ik me ongemakkelijk te voelen, alsof de onverschilligheid waarmee mijn blik door die afgesloten ruimte dwaalde op zichzelf al een doodzonde zou zijn. Daarom besloot ik een gesprek af te dwingen en stelde de eerste vraag die in me opkwam.

'Luister, Magda...' Ik gebruikte nooit het woord tante voor haar naam, dat was mijn voorrecht. 'Waarom ben je opnieuw gedoopt toen je in het klooster ging? Je had toch de naam zuster Magdalena kunnen gebruiken?'

'Ja, maar het leek me veel leuker om van naam te veranderen. Een nieuw leven, nieuwe kleren. Niemand heeft me gedoopt, Malena, ik heb de naam gekozen. Ik vind mijn naam niet mooi.'

'O, ik vind mijn naam wel mooi.'

'Natuurlijk.' Ze keek even op van de chrysanten die ze naar lengte aan het schikken was en keek me glimlachend aan. 'Omdat jouw naam mooi is, het is de naam van een tango. Ik heb je zo genoemd, want één Magda was wel genoeg.'

'Ja, maar Agueda is veel erger dan Magda.'

'O, dacht je dat? Ga eens naar de sacristie en kijk naar het schilderij dat daar aan de muur hangt.'

Ik durfde de deurkruk niet los te laten, alsof ik voorvoelde dat ik me achter het denkbeeldige schild van de deur zou moeten verschansen om het hoofd te bieden aan een zo afgrijselijk bloedbad, aan het bloed dat in golven uit het lichaam gutste van die jonge vrouw wier gelukzalige glimlach mij deed veronderstellen dat haar wonden nog pijnlijker waren, alsof ze door een onzichtbare tiran gedwongen werd met haar ogen te zeggen dat er niets aan de hand was, alsof ze het zelfs niet aandurfde haar vingers naar haar jurk te brengen om vast te stellen dat de stof doordrenkt was, tot aan haar middel gekleurd door een macaber donkerrood dat het contrast versterkte met de witte kleur van die twee bleke, ondefinieerbare kegels die ze met de houding van een deskundige serveerster op een blad droeg.

'Wat afschuwelijk!' Magda reageerde op mijn oprechte uitroep met een schaterlach. 'Wie is die arme vrouw?'

'De heilige Agueda... of heilige Agatha, als je wilt, beide namen zijn goed. Ik had liever de naam Agatha gebruikt, want die heeft veel meer glamour, maar dat mocht niet omdat het geen Spaanse naam is.'

'En wie heeft dat bij haar gedaan?'

'Niemand. Dat heeft ze zelf gedaan.'

'Waarom?'

'Uit liefde voor God.' Ze was inmiddels klaar met de vazen en ik liep naar haar toe om haar te helpen opruimen. 'Kijk, Agueda was een bijzonder god-vruchtig meisje dat zich alleen maar bezig wilde houden met haar geestelijk leven, maar ze had een mooi figuur en vooral een paar grote, prachtige borsten die naar het schijnt een voortdurende last voor haar waren, want elke keer als ze het huis uitging, bleven alle mannen staan en bekeken haar en maakten haar complimenten of, ik weet niet... misschien waren het meer vervelende opmer-kingen. Maar goed, omdat ze zich door al dat gedoe niet kon concentreren en ze ook niet naar de kerk kon gaan zonder over straat te lopen, begon ze op een goeie dag na te denken over wat het nu precies was wat de mannen zo aantrek-kelijk aan haar vonden, en toen ze zich realiseerde dat het haar borsten waren, besloot ze drastisch in te grijpen en een eind te maken aan die wellust.'

'En is haar dat gelukt?'

'Jazeker. Ze pakte een mes, ging zo staan...' Magda boog zich zo over het altaar dat haar borsten op de rand rustten, hield gedurende enkele ogenblikken haar rechterhand in de lucht en liet deze toen vallen in een gespeelde aanval van geweld, 'en paf! Ze sneed haar twee borsten volledig af.'

'Jasses, wat afschuwelijk! En ze ging natuurlijk dood.'

'Nee, ze legde de borsten op een blad en ging bijzonder tevreden de straat op om naar de kerk te gaan en ze als bewijs van haar liefde en deugdzaamheid aan God aan te bieden. Dat heb je op het schilderij gezien.'

'Wat ze daar op het blad heeft zijn borsten?' Ze knikte instemmend. 'Maar ze missen iets!'

'Tja... Het punt is dat het schilderij gemaakt is door een benedictijner mon-nik en, ik weet niet, hij had er blijkbaar moeite mee om de tepels te schilderen, terwijl het hem zo te zien geen moeite kostte om alles met bloed te doordren-ken. Zurbarán heeft Agueda zonder een druppel bloed geschilderd, terwijl hij ook een monnik was... Kom, we moeten gaan, het is al laat. Is dat geen mooi verhaal?'

'Ik weet niet.'

'Ik vind het wel mooi. Daarom noem ik me nu Agueda.'

Ik volgde haar zwijgend, nog steeds enigszins geschokt naar de deur en wilde verder niets zeggen, maar voor we uit elkaar gingen, pakte ik haar bij haar arm, en ze zag iets vreemds in de manier waarop ik haar aankeek.

'Wat is er met je?'

'Magda, alsjeblieft... jij snijdt je borsten toch niet af, hè?'

'O, Malena, ik heb je aan het schrikken gemaakt, hè?' Ze legde haar armen om me heen, drukte haar wang tegen mijn hoofd en kuste me op mijn haar, terwijl ze me zachtjes wiegde alsof ik een baby was. 'Wat ben ik ook een stom-meling. Ik moet je zulke dingen niet vertellen, want je begrijpt ze niet, maar... als ik niet met jou kan praten, met wie moet ik hier dan praten?'

Zuster Agueda was altijd zo. Ze zweefde tussen licht en schaduw als een gewonde, gedesoriënteerde glimworm, zich heen en weer bewegend tussen de aanvallen van vrolijkheid en melancholie. In het begin waren deze in evenwicht, maar de laatste begonnen steeds regelmatiger voor te komen en werden hindernissen die steeds moeilijker te nemen waren, want er kwam een tijd, tegen het einde, waarin zelfs ik vermoedde dat Magda alleen nog actief was omdat ze zichzelf dwong actief te blijven en waarin haar glimlachjes veranderden in ingestudeerde grimassen waarin geen echte lach meer te herkennen was, hoewel ze nooit helemaal verdwenen.

Ik hield van haar, hoewel ik veel van de dingen die ze me vertelde niet begreep, een kloof waar ik geen grote waarde aan toekende omdat ik zelf met een tergende regelmaat in de war en zelfs ontoegankelijk was. Alleen zij leek me te begrijpen, en ze bewoog heel langzaam haar hoofd in mijn richting, zonder haar blik van mijn ogen af te wenden, alsof ze wilde zeggen, ja, ik weet het, dat is mij jaren geleden ook overkomen, tot ik eraan gewend raakte mezelf weerspiegeld te zien in haar, in haar door zwakheid gewonde kracht, in haar door onschuld bedorven cynisme, in haar door zachtaardigheid aangetaste norsheid, in al haar tekortkomingen die ik tot de mijne maakte, en in de waarde van haar bestaan, die mijn bestaan draaglijk maakte, maar het maakte me zo razend om haar daar te zien, om te zien hoe ze zichzelf systematisch verraadde, zichzelf zo streng strafte, dat ik al snel mijn eigen theorie ontwikkelde, waarbij het me niet veel moeite kostte om mezelf ervan te overtuigen dat Magda niet uit vrije wil in het klooster was gegaan, maar als gevolg van een of andere chantage, van een of ander smerig spel waarvan de bedenker erin geslaagd was haar werkelijke aard kapot te maken door haar onder een zo ondraaglijke druk te zetten dat het klooster haar bijna een aangename plaats had geleken.

Ik herinner me nog hoe het allemaal begon. Op een middag ging mama met ons uit winkelen en koos voor ons twee jurken die hetzelfde waren, een witte ondergrond met blauwe bloemen en een opzichtige, geborduurde kraag die meer op een slabbetje leek, en twee jassen van donkerblauwe lakense stof, met knopen en een kraag van fluweel, alles passend in haar saaie concept van formele kinderkleding. De zaterdag daarna trok ze ons 's morgens de nieuwe kleren aan en deelde ons heel tevreden mede dat we naar de bruiloft van tante Magda gingen. Toen Reina haar vroeg wie de bruidegom was, antwoordde mijn moeder glimlachend dat we die bij de kerk wel zouden leren kennen, maar we zagen hem nergens, en feitelijk was het zo dat als er iets ontbrak in de talrijke vertegenwoordiging van de kant van de familie die ons voor de kapel van het klooster opwachtte, waren het mannen. Grootvader noch oom Tomás noch oom Miguel noch mijn vader, die niet eens de motor uitzette toen hij de auto voor de deur van de school stopte, en die zijn weg vervolgde met de opmerking dat het, omdat we maar met zijn drieën waren, niet moeilijk zou zijn later een plaats in de andere auto's te vinden, was aanwezig bij de plechtigheid, die begon toen Magda heel langzaam, gekleed in het wit, maar onverbiddelijk alleen, naar het altaar liep.

Kort geleden vond ik tussen mijn papieren nog een van de herinnerings-prentjes die grootmoeder die ochtend had uitgedeeld. Op 23 oktober 1971 trad Magda in het huwelijk met God. Op 17 mei 1972 had Magda de echtelijke wo-ning alweer verlaten om nooit meer terug te keren.

Het was puur toeval dat ik van haar plan op de hoogte raakte, en het kwam door de courgettebloemen, de meest extravagante van de ondeugden die we deelden. De rest van de familie had altijd geweigerd ook maar een hap van die vreemde groente te nemen, van die vlezige, oranjeachtige tulpen met groene vezels die ik nog nooit in de keuken had gezien tot Magda, die net teruggeko-men was uit Italië, een ongewone voorstelling gaf door haar mouwen op te stropen en een schort om te knopen en datgene wat mijn grootvader laconiek definieerde als een mooi boeket, te gaan bakken, na het door een puree gehaald te hebben die leek op een beslag voor gefrituurde garnalen, maar met een beetje paprikapoeder. Zij at er minstens een dozijn, maar behalve zij was er niemand die zijn hand uitstak naar de schaal waarop die enorme verwelkte knoppen rustten die bruisend in de olie hun stevigheid hadden herwonnen, tot ik besloot ze te proberen en verrast ontdekte hoe lekker ik ze vond. Vanaf dat moment gingen Magda en ik elke zomer zo af en toe op pad om, deel voor deel, moes-tuinen te plunderen, waarbij we heel voorzichtig één bloem van elke courgette-stengel plukten, om met zijn tweeën een hele schaal te verorberen.

Ook dat voorjaar gingen we een weekend naar Almansilla omdat de kersen-bomen hadden gebloeid, een traditie waarvan ik de betekenis nooit goed heb begrepen, hoewel mijn moeder hier altijd een excuus voor had, terwijl zij nor-maal gesproken elke verplaatsing die minder dan een week zou duren weigerde, waarbij ze terecht aanvoerde dat het huis ijskoud was, en te ver, en dat het geen zin had om voor een paar nachten een dergelijke toestand aan te halen. Zij noemde het *naar de kersenbomen gaan* en in werkelijkheid deden we niets an-ders dan rondlopen tussen die bevoorrechte en tegelijkertijd ongelukkige bo-men, die zo alledaags zijn in de zomer, niet meer dan lelijke, fragiele en naakte houten skeletten, en zo schitterend in april, wanneer ze van genot lijken open te barsten in miljoenen nietige bloempjes die allemaal tegelijk exploderen en hun witte bloemblaadjes laten opzwellen om de takken op het verkeerde mo-ment in een smetteloze mantel te wikkelen die mij altijd heeft herinnerd aan de vacht van schapen op het moment dat ze geschoren worden. We keken naar de kersenbomen en gingen naar de zolder om opnieuw, één keer per jaar, te genie-ten van het dubbelzinnige schouwspel van de besneeuwde bomen die zich tot in het oneindige uitstrekten als een geometrisch winterleger dat met al dat wit de grenzen bedreigde van de nieuwe, door margrieten geel gevlekte groene wei-develden. Maar we rekenden niet op het eten van kersen, want kersen zijn de enige vruchten die volledig aan de boom moeten rijpen en pas dan geplukt kunnen worden, zoals onvermoeibaar herhaald werd door Marciano, de tuin-man, die zich blijkbaar verplicht voelde zich te verontschuldigen, ook al nam hij daarbij de schuld van de natuur op zich, voor het feit dat de verre eigenaars niet van de oogst konden genieten, beroofd waren van het genoegen de kwaliteit *in situ* vast te stellen, want wanneer we terugkwamen in Almansilla, begin juli, hing er niets anders meer aan de takken dan wat verrotte, door de vogels aangevreten resten, van vruchten met gebreken – te klein of te droog – die niet goed genoeg waren bevonden om in de mand te gaan. Maar onze bomen gaven vroege kersen en dat jaar verschenen we daar pas eind april, en was de zon al voortijdig begonnen met branden – in het dorp beklaagden ze zich over die verdomde koperen ploert – en ontving Marciano, die als de dood was voor de vorst die in mei nog kon komen en alles kon verwoesten en de kersen aan de takken kon wegvreten, ons met twee handen vol vruchten. Ik vroeg hem of de courgettes in de moestuin al hadden gebloeid en hij antwoordde, op een toon die hij gebruikt zou hebben om mij mijn eigen begrafenis aan te kondigen, dat het mogelijk was, maar ik vond het een fantastische mededeling en koos met zorg de grootste bloemen om mee terug te nemen naar Madrid om Magda een beetje op te vrolijken, die in die tijd gedeprimeerder leek dan ooit, op een lager niveau dan het laagste waarop ze ooit eerder was geweest.

Op maandag ging ik voor de eerste les begon naar het secretariaat, waar ze intussen werkte, maar ik vond haar niet en niemand kon me vertellen waar ze was. Toen de pauze begon, kwamen we elkaar in de gang tegen en ik sprak haar aan, maar ze liep heel snel door, enigszins in elkaar gedoken, met haar armen voor haar borst gekruist en haar ogen strak gericht op de vloertegels, alsof iemand haar de onnozele taak had gegeven deze te tellen, en ze volstond ermee om zonder stil te staan haar hoofd om te draaien en tegen mij te zeggen dat ze erge haast had en dat we elkaar later nog wel bij de deur zouden zien. Ik wilde haar uitleggen dat de bloemen al behoorlijk verlept waren en dat we ze onmiddellijk zouden moeten eten of weggooien, maar ze liep door zonder naar me te luisteren en verdween door de achterdeur. Daarop ging ik terug naar de klas, pakte de tas en rende weer naar buiten, vastbesloten om te voorkomen dat er door een misverstand niets meer van mijn goede voornemens terecht zou komen.

Ik bereikte haar precies op tijd om te zien hoe haar wijde habijt een moment bleef hangen in de deuropening van het kantoor van de directrice en ging in de stoel zitten die daar voor bezoekers stond. Ik zat vrij lang te wachten, maar Magda kwam niet naar buiten en een pauze van een half uur is snel voorbij. Ik begon bang te worden dat het geluid van de bel me zou dwingen om op mijn schreden terug te keren zonder haar zelfs ook maar gesproken te hebben en liep naar de deur om na te gaan in welke fase hun gesprek zich bevond en mijn kansen in te schatten.

'Het spijt me, Evangelina.' Dat was de stem van Magda.

'Ja, maar toen je intrad, zei je…'

'Ik weet wel wat ik gezegd heb, maar ik heb me gewoon vergist. Ik kon niet weten hoe ik me hier binnen zou voelen.'

'Je had het noviciaat ook niet moeten weigeren, Agueda. Dat was een vergissing. Het is dat jouw moeder je moeder is, maar anders…'

'Dat heeft er niets mee te maken, Evangelina, want toen geloofde ik in mijn roeping, en dat doe ik nog steeds, maar ik moet een of andere bezigheid hebben, ik kom de dagen niet door als ik niets te doen heb… Nu Miriam met pensioen gaat en Esther naar Barcelona vertrekt, zullen jullie mensen nodig hebben en ik beheers het Frans al een beetje en kan in drie of vier maanden op een goed niveau zijn, ik heb een behoorlijk taalgevoel.'

'Dat weet ik allemaal wel, maar wat ik niet begrijp… Toen je jong was heb je toch in Parijs gewoond, niet?'

'Ja, maar ik spreek de taal niet zo goed doordat ik toen met een Amerikaan was die daar woonde, dus…'

'Agueda!' De stem van de directrice verhief zich tot een volume dat hem uitstekend verstaanbaar maakte voor iedereen die door de gang liep. 'Ik heb je al zo vaak gezegd dat ik absoluut niet geïnteresseerd ben in het leven dat je voor je intrede in onze gemeenschap hebt geleid.'

'Dat weet ik wel, Evangelina! Ik wil je alleen maar uitleggen dat ik toen in de eerste plaats Engels heb leren spreken…' Toen, alsof ze de overdreven reactie van haar gesprekspartner wilde compenseren, fluisterde Magda een naam die ik niet kon verstaan, '… sprak zo goed Frans dat ik nooit de kans kreeg om het te proberen, want we gingen overal samen heen.'

'Hij was de…?'

'De wat?'

'Doe niet zo arrogant, Agueda. Je weet heel goed wat ik bedoel.'

'Het spijt me, maar ik dacht dat je niet geïnteresseerd was in mijn vroegere leven. Je overviel me hiermee.'

'Hij was het dus.'

'Nee, natuurlijk niet. Dat kun je zo uitrekenen, dat van ons was al jaren voorbij.'

'Ja, dat weet ik, en de ander…'

Op het interessantste moment kon ik de stemmen van Magda en zuster Evangelina niet meer horen. De twee nonnen spraken nu op een gedempte fluistertoon, die zo op stilte leek dat ik me, toen de directrice weer begon te spreken, nadat ze zo'n diepe zucht had geslaakt dat het haar laatste leek, al van de deur verwijderde in de overtuiging dat het gesprek beëindigd was.

'Soms moet je iets verschrikkelijks hebben gedaan om in jezelf voldoende kracht te vinden om te begrijpen…'

'Je hoeft me niet nog meer te kwellen, Evangelina. Heb een beetje mededogen.'

'Goed. Wat het Frans betreft, moet ik zeggen dat je wel gelijk hebt.'

'Natuurlijk. Als je me toestemming geeft, ga ik me vanmiddag nog voor een of andere opleiding inschrijven. Het is nu de achtentwintigste, dus kan ik de eerste beginnen en in september de lagere klassen voor mijn rekening nemen…'

Op dat punt stopte ik met afluisteren, maar mijn voeten leken verlamd van verbazing en weigerden in beweging te komen. Ik had weer in de stoel moeten gaan zitten of me in elk geval een paar passen moeten verwijderen, want ik wist wel dat je niet aan deuren mag luisteren, zoals mijn grootmoeder haar hele leven tegen de dienstmeisjes bleef zeggen, maar mijn benen waren verstijfd, mijn zintuigen verdoofd en mijn hoofd liep over van de ondermijnende aard van de opmerkingen die ik had gehoord, en ik moest zonder gek te worden de benijdenswaardige natuurlijkheid verwerken waarmee deze indrukwekkende serie leugens over de lippen van mijn tante was gevloeid, en als eerste die opmerking over haar oude zonde, een bijzonder zware zonde want zuster Evangelina had het over iets verschrikkelijks gehad, en daarmee gekozen voor een obscure term waarachter zich nog steeds het spoor verborg van een geheimzinnige man en een geheim dat erger was dan de naam van die man, hoewel ik misschien wel het meest onder de indruk was van de onverwachte stelligheid waarmee Magda zich veroordeelde, hopeloos veroordeelde, want afgezien van al het andere sprak ze uitstekend Frans, een vlekkeloos Frans. Ik wist dat doordat ik haar nog maar enkele maanden daarvoor, in haar eigen kamer, in de school, had gehoord toen ik op een middag zonder kloppen naar binnen was gelopen en haar pratend aan de telefoon had aangetroffen, en hoewel ze haar best had gedaan om zacht te praten, had ik verbaasd gehoord hoe goed ze die taal beheerste, terwijl zij kweelde als een kanarie en voortdurend van die babygezichten trok die nodig zijn om de u's goed uit te spreken, die mij juist zo veel moeite kosten.

Toen de deur ten slotte plotseling openging, botste ik bijna frontaal op mijn tante.

'Hallo, Malena! Wat doe jij hier?'

Ze glimlachte tegen me met een bijna euforische uitdrukking, haar vuisten, die ze, nauwelijks over de drempel, in een gebaar van enthousiasme in de lucht had gestoken, waren nog gebald, en ze liet absoluut niet merken dat ze beledigd, boos of teleurgesteld was over de ernst van het vergrijp waarop ze me net had betrapt.

'Ik, eh... Ik wilde je dit geven.'

Ik hield de tas zo omhoog dat deze halverwege tussen haar en mijn lichaam hing en ze pakte hem nieuwsgierig aan.

'Wat zit erin?' Ze stopte haar neus in de tas, maar trok hem nauwelijks een seconde later terug en pakte hem tussen haar duim en wijsvinger alsof hij op het punt stond van haar gezicht te vallen. 'Maar, schat, ze zijn half verrot. Wanneer heb je ze geplukt?'

'Vrijdag. In Almansilla. We zijn dit weekend naar de kersenbomen geweest... Ik dacht dat ze nog wel goed zouden zijn. Ik heb me niet gerealiseerd dat ze zo stonken.'

'Dank je wel, Malena. In elk geval bedankt, lieverd. Je hebt iets van me tegoed. Herinner me daar een dezer dagen maar aan.'

Toen omarmde ze mij en gaf me een kus op mijn wang. We liepen arm in arm de gang door en bleven nauwelijks stilstaan toen ze bij het passeren van een vuilnisbak even een stap opzij deed om zich te ontdoen van mijn mislukte geschenk, en ze was zo blij, ze leek zo op de werkelijke Magda, op die echte vrouw die ik vroeger had gehaat, dat ik het gevoel kreeg dat er iets veranderd was, dat er, zonder rekening met mij te houden, een andere wereld was gaan draaien, dat ik haar misschien al aan het verliezen was, en ik kon haar niet zo laten doorlopen.

'Weet je, Magda. Ik hou veel van je, heel veel, echt waar.'

'Ik hou ook van jou, Malena,' zei ze, terwijl ze eindelijk stilstond. En we bleven staan, tegenover elkaar, en ze keek me met vurige ogen aan. 'Jij bent degene van wie ik in deze wereld het meest hou, de enige die echt belangrijk voor me is. En dat mag je niet vergeten. Nooit.'

Even kwam zuster Agueda terug, in haar betraande ogen, in haar trillende lippen en in haar handen, die over mijn armen bewogen zonder te kunnen besluiten ze echt vast te pakken, en ik omhelsde haar opnieuw, met al mijn kracht, alsof ik haar lichaam in het mijne wilde afdrukken, haar altijd bij me wilde houden, en ik beantwoordde haar snelle kussen met korte en luide kussen zonder mijn eigen verdriet te kunnen beheersen, tot ik merkte dat mijn lippen zout smaakten en de intensiteit van mijn gevoelens mijn huid had verzadigd, die zwaar en slap aanvoelde als na een grote inspanning.

Als alles goed was gegaan, zou dat ons afscheid zijn geweest, maar het was mij nooit gelukt piano te leren spelen.

'Laat haar toch, Reina, alsjeblieft! Het is een marteling voor dat kind, merk je dat niet? Als ze het niet kan, kan ze het niet, en daarmee uit.'

Deze zin, die mijn vader met regelmatige tussenpozen en vrijwel dezelfde woorden minstens een keer of tien heeft gezegd, maakte uiteindelijk een eind aan de hoop van mijn moeder, die, vanaf het moment dat ze moest toegeven, toen ik nog maar vijf was, dat de theoretische principes van de toonladders zich nooit in mijn hersenen zouden vastzetten, niet ophield met haar pogingen mij een of andere aanvullende activiteit op mijn niveau op te dringen, met de oprechte bedoeling te voorkomen dat ik een complex zou krijgen door de muzikale ontwikkeling van mijn zusje, een carrière waar ik me feitelijk geen zorgen over hoefde te maken, vooral niet nadat die Zwitserse leraar, naar wie mama niet wilde luisteren, een betrouwbare diagnose had gesteld en gewaarschuwd had dat Reina wel enige muzikale begaafdheden had, maar dat ze, hoe ze haar vingers ook op de toetsen zou verslijten, nooit virtuoos zou worden omdat haar talent daar niet toereikend voor was. Een dergelijke analyse was eenvoudigweg niet verenigbaar met het karakter van mijn moeder, die het ook niet de moeite waard vond om te luisteren naar de opmerkingen van de gelaten deskundigen, die haar, toen we nog jong waren, achtereenvolgens vertelden dat ik niet geboren was om te dansen, dat mijn tekentalent nogal gering was, dat mijn lichamelijke expressie onvoldoende ruimte leek te bieden voor mijn algehele ontwikkeling, dat het geen zin had mij in de richting van het pottenbakken te sturen omdat de enige voorwaarde waaraan ik wat dat betreft voldeed het bezit was van twee handen, een aan de linker- en een aan de rechterkant – een soortgelijk argument, nu met betrekking tot het bezit van twee benen, verwijderde mij uiteindelijk van de ritmische gymnastiek, een van de meest wrede experimenten – of dat het, rekening houdend met mijn instinctieve angst voor paarden, niet waarschijnlijk was dat ik op een dag zo'n dier zou bestijgen. Zo gebeurde het dus dat ik, terwijl zij de mogelijkheden overwoog om mij in te wijden in een of andere vechtsport, alleen omdat dit in Noord-Amerika in de mode begon te raken, haar met tranen in mijn ogen smeekte of ik Engels mocht studeren, een optie die ze altijd van de hand had gewezen met het voorwendsel dat het vulgair was en absoluut geen artistieke waarde had, maar die haar in werkelijkheid zorgen baarde omdat het, als ik succesvol zou zijn, een complex voor mijn zusje kon betekenen. Ondanks zichzelf had zelfs zij het vermoeden dat je met Engels spreken verder zou kunnen komen dan met het lezen van muziek.

Toen mijn vader ronduit weigerde mij ook maar een teen over de drempel van een sportschool te laten zetten – allemachtig, Reina... waarom schrijf je haar niet in voor een bokscursus? Lieve hemel, dat is het enige wat er nog aan ontbreekt, dat ik een lesbische dochter krijg... – moest mama mij wel toestemming geven om Engels te gaan leren, al was het alleen maar omdat haar, nadat karate ook was afgewezen, weinig verwachtingen overbleven die ik bovendien stuk voor stuk wist te frustreren. De tijd wees uit dat ik gelijk had. Afgezien van mijn traditionele problemen met het accent, veroorzaakt door het verbazingwekkende gebrek aan muzikaal gehoor dat de basis vormde voor het hele verhaal, maakte ik goede vorderingen met Engels en haalde ik, nog voor ik mijn loopbaan begonnen was, zelfs een paar titels voor buitenlanders, verstrekt door een prestigieuze universiteit van Engelse roeiers, een prestatie die mijn moeder uiteindelijk met mijn wens verzoende. Mama had uit principe geweigerd in te gaan op het gevarieerde aanbod van het Amerikaanse consulaat en erop gestaan dat ik me zou inschrijven aan het *British Institute*, maar omdat ik halverwege de cursus nergens terecht kon, moest ze uiteindelijk genoegen nemen met een inschrijving aan een taleninstituut in de calle de Goya, niet ver van de plaza de Colón, waar ik zelf drie keer per week naar toe kon lopen zonder dat daar meer risico aan verbonden was dan het oversteken van de calle Castellana via een voetgangerstunnel. En het was op een van die middagen, terwijl ik voor de ingang de tijd verdreef, dat ik een non, die alleen maar Magda kon zijn, uit het metrostation zag komen.

Even dacht ik dat ze in mijn richting liep en dat ze misschien een cursus volgde aan de instelling waar ik heen ging, maar ze keek niet eens om en liep met een behoorlijke haast de calle de Goya in. Zonder ook maar even te aarzelen begon ik achter haar aan te lopen en volgde haar op een behoorlijke afstand. Ik durfde haar niet in te halen, want ik vermoedde op de een of andere manier dat dit niet in goede aarde zou vallen, maar ik was niet bang haar uit het gezicht te verliezen, want haar kap en habijt tekenden zich als een witte penseelstreek af in de massa van kleurig geklede voorbijgangers. Vrij lang, meer dan tien minuten, liepen we in hetzelfde tempo voort, en ik raakte de tel kwijt van de straten die we in liepen, de een na de ander, doordat het niet in me opkwam om naar de blauwe bordjes te kijken die op de hoeken waren bevestigd tot Magda in een donker portaal verdween. Pas toen besefte ik dat ik niet meer wist waar ik was.

Op een bordje las ik Núñez de Balboa en op een ander bord Don Ramón de la Cruz en geen van beide namen zei me ook maar iets. De calle de Goya moest rechts van mij zijn, maar kon ook links zijn, ik kende die buurt niet goed; mijn moeder weigerde, als het niet echt nodig was, de calle Castellana over te steken omdat ze een van de meest conservatieve hebbelijkheden van mijn grootmoeder had overgenomen, die als echte dame alleen over de wijk Salamanca praatte in termen van 'die pretentieuze buurt van ambtenaren en omhooggevallen parvenu's' en zich niet neerlegde bij het feit dat de betere zaken van de stad halsstarrig bezig waren met het koloniseren van de oostelijke rand van de grote as die Madrid doormidden deelt, in plaats van in het westen te blijven, de zone waar de echte rijken altijd hebben gewoond en waar zij natuurlijk woonde, een vrouw zich nog de luxe kon permitteren om zich grootgrondbezitster te noemen. Ik vroeg me af wat ik moest doen als Magda niet snel zou verschijnen. Ik was op vier maanden na twaalf jaar en had nog nooit alleen over straat gelopen, met als enige uitzondering die belachelijke voetgangerstunnel die mijn lessen Engels met mijn huiswerk verbond. Ik was niet bang om een taxi te nemen, maar toen ik mijn zakken leegmaakte vond ik niet meer dan 25 peseta's en een telefoonmunt. Ik besefte dat me niets anders overbleef dan een beroep te doen op Magda. Ik liep naar een man die dicht bij het portaal op een stoel een luchtje zat te scheppen en vroeg hem op welke verdieping de cursus Frans werd gegeven. Hij keek me verbaasd aan en antwoordde dat, zover hij wist, niemand in dat huis Franse les gaf. Daarmee werd mijn laatste hoop de grond in geboord. Het zou nog een aantal uren licht blijven, maar vroeger of later zou het donker worden en Magda zou misschien wel via een andere deur vertrekken of nooit naar buiten komen, en misschien had ik me wel vergist en was de non die ik gevolgd had Magda helemaal niet. Ik werd zo zenuwachtig dat ik alleen nog maar wilde huilen als een baby, maar de man keek me zo argwanend aan dat ik me langzaam terugtrok op mijn uitkijkpost, een bushalte op het tegenovergelegen trottoir, om me, nu toch wel zeer ontmoedigd, over te geven aan mijn vertwijfeling. En toen verscheen Magda weer.

In haar nek droeg ze een valse, maar onberispelijke haarknot, en haar make-up was discreet, behalve op de lippen, die knalrood waren, net als vroeger. Ze droeg een paar schoenen van krokodillenleer, met zeer hoge hakken, en de jurk met stippen waarin ze een paar maanden daarvoor ook in Almansilla was komen opdagen, toen ze de Goede Week met ons doorbracht.

Reina en ik waren verbijsterd geweest toen we haar zo zagen verschijnen, gekleed als een normale vrouw, en we waren niet de enigen geweest die verbaasd waren, want zelfs haar eigen moeder had geweigerd haar te kussen voor ze had verklaard dat ze vond dat ze er schandelijk uitzag, maar zij had heel rustig gezegd dat we op deze manier konden zien hoeveel ze was afgevallen sinds ze in het klooster was gegaan en ze had eraan toegevoegd dat Evangelina zelf had voorgesteld dat ze gebruik zou maken van haar vakantie om haar habijten te laten innemen. Het noemen van de naam van de directrice was voldoende om mijn grootmoeder gerust te stellen en Magda werd ten slotte door iedereen gekust en omhelsd alsof er niet gebeurd was, maar ik besefte dat er iets gebeurde en dat het iets heel vreemds moest zijn, want de vrouw die op die Goede Vrijdag naar Almansilla terugkeerde, verschilde sterk van de vrouw die het jaar daarvoor op de dag van Pilar de paseo General Martínez Campos had verlaten, alsof Magda besloten had dat laatste jaar van haar leven over te slaan.

Ik kon me die eerste metamorfose nog heel goed herinneren, de opzienbarende verandering die we juist in de Goede Week, precies een jaar eerder voor de eerste keer hadden mogen aanschouwen toen een onherkenbare Magda, met heel kort haar en een onopgemaakt gezicht, de ongebruikelijke gewoonte aannam om haar moeder zelfs naar de middagdiensten te volgen, waarbij ze weigerde gebruik te maken van het gemak van de familieauto om zich op twee zware, platte schoolmeisjesschoenen naar de kerk te slepen alsof ze moeite moest doen om de dikke geruite stof van haar plooirok te bewegen, die zelfs wanneer ze gezeten was haar kuiten bedekte, in plaats van gehoorzaam omhoog te klimmen naar haar dijen zoals de nauwsluitende kokerrokken deden waaraan zelfs grootmoeder gewend was geraakt. Die laffe Magda, aan wie ik een nog grotere hekel had dan aan de vroegere Magda, alleen omdat ze zich had overgegeven, was een non, een echte non, maar de Magda die het klooster ons had teruggegeven, nauwelijks vijf maanden nadat het haar had ontvangen, was niet meer die vrouw, maar de andere, de Magda van vroeger, alsof de tijd gek en daarmee alle dingen onvolledig waren geworden in een wereld zonder een geheugen om onderscheid te kunnen maken tussen het recente en een verder verleden.

Ik wist niet wat de betekenis kon zijn van een zo bedrieglijke ontwikkeling, maar ik verlangde hartstochtelijk naar zekerheid. Geen enkel uiterlijk teken, behalve misschien de schittering van een weer intense blik, ondersteunde mijn vermoeden dat Magda nu, op haar tenen, dezelfde weg terugvolgde die ze vroeger met grote stappen had afgelegd, want ze was nog niet opnieuw een volledige vrouw geworden, haar haar had nog niet eens de lengte van een kort kapsel, haar gezicht was nog steeds niet opgemaakt, ze droeg nog steeds platte schoenen, haar jurken waren saai, haar gebaren nederig, en wanneer ze 's avonds de rozenkrans voorbad sloot ze haar ogen alsof het gebed haar aangreep. Het is waar dat ze veel vaker en veel hoger lachte dan toen ze in het klooster was, en dat ze 's middags, wanneer we samen een wandeling naar de bergen maakten, soms oude liedjes voor me zong, altijd liefdesliedjes, of huppelde, maar deze blijdschap, die net zo gezond en zuiver was als de blijdschap die van God uitging in de fossiele films waarmee ze ons op school zo af en toe lastig vielen, leek niet voldoende grond om mijn achterdocht op te baseren, en gedurende een hele week deed ze niets om deze te voeden, tot mijn vader, op Goede Vrijdag, zonder waarschuwing de keuken binnenging om daar de enige opvoering te geven van zijn inmiddels traditionele, persoonlijke versie van een mysteriespel.

Mijn moeder streek net de kraag van mijn jurk omdat Juana, het kindermeisje, dat volgens haar niet goed genoeg kon, en ik stond naast haar te wachten. De vrouw van mijn oom Pedro, Mari Luz, die altijd heel aardig was en het meest verlegen van allemaal, was bij ons. Ze was klaar om naar de kerk te gaan en stond te praten met de dienstmeisjes, die halverwege de middag niets beters te doen hadden. Mijn vader, die zelfs met Kerstmis geen voet in de kerk zette, kwam breed glimlachend binnen, pakte zonder iets te zeggen een lang, scherp mes uit een la en verdween in de voorraadkamer. Mama glimlachte, want ze vermoedde wat er ging gebeuren, en ik glimlachte ook.

'Is er nog iemand die op een zo belangrijke dag als vandaag wil bewijzen een echte oude christen te zijn?'

Papa keek ons vrolijk lachend aan. Tussen zijn vingers hield hij een plak rauwe ham, de heerlijke, bijna zwarte ham die nog steeds, ondanks alle verboden, afkomstig was uit de kelder van Teófila, die een meester was als het ging om het drogen van ham.

'Nee?' vervolgde hij, en daarna nam hij een klein hapje van het vlees. 'Dan zal ik de rest moeten weggooien, want eigenlijk vind ik ham niet lekker en heb ik het alleen maar gedaan om te zondigen.'

De dienstmeisjes barstten in lachen uit en ik kon niet anders dan meedoen.

'Wat ik niet begrijp, Jaime,' het was tante Mari Luz die ertussen kwam, 'is dat je niet gewoon net als papa tijdens het eten een kalfslapje neemt.'

'Ah! Dat komt doordat ik gek ben op de kabeljauwsoep, maar dat is één zaak en de wake is een heel andere… Ik ben een bijzonder strikte heiden.'

Mama gaf me de jurk en trok de stekker van de strijkbout uit het stopcontact. Het zag ernaar uit alsof er verder niets zou gebeuren. Ze was gewend aan de voorstellingen van haar man, ik denk dat ze er zelfs wel plezier in had, maar ook die keer kon ze de verleiding niet weerstaan om hem zacht te berispen, al was het alleen maar voor het personeel, en hij reageerde alsof dat precies was waar hij op gehoopt had.

'Lieve hemel, Jaime, ik begrijp niet waarom je je altijd zo schandalig moet gedragen.'

'Och, dan kunnen we het beter over die heilige zuster van je hebben, die altijd bidt om mijn ziel te redden,' reageerde papa met stemverheffing en op een toon die doordrenkt was van minachting, 'want non of niet, ze zit wel in badpak bij het zwembad en smeert de was tot aan haar middel alsof ze een revuemeisje is…'

Mama hief haar hoofd op en wierp hem een woedende blik toe, die hij met een minachtende uitdrukking doorstond.

'Het is echt waar. Ze zit daar. Ga maar kijken als je het niet gelooft.'

Ik zei bij mezelf dat er nooit een onbetrouwbaarder man geboren zou kunnen worden en voelde een bijna lichamelijke pijn bij de gedachte aan de storm die nu elk moment boven het hoofd van Magda kon losbarsten, want hoewel ik de betekenis van een dergelijke catastrofe niet helemaal begreep, was ik er door het razende geluid waarmee de hakken van mijn moeder de vloertegels leken te willen verpulveren toen ze gehaast de keuken verliet, zelfs zonder eerst de strijkplank in te klappen, van overtuigd dat deze op het punt stond te beginnen.

Binnen een minuut was iedereen verdwenen. Ook ik wilde weggaan, maar het kindermeisje pakte me bij een arm, bracht me naar de badkamer en begon mijn haar te kammen, terwijl ze waarschuwde dat grootmoeder er zo'n hekel aan had om te laat in de kerk te komen dat ze in staat was de laatkomers te laten staan en dat ze zich zou haasten omdat er die dag bovendien een processie was. Ik knikte en deed alsof ik naar de voordeur liep, maar ik verstopte me onder de trap en hield mijn adem in tot ik het geluid hoorde van wegrijdende auto's. Toen begon ik te rennen en stond niet stil voor ik bij het zwembad was.

Daar zat Magda, in een zwart badpak geperst, haar benen glanzend van de vochtinbrengende crème. Ze huilde en rookte zonder ophouden en consumeerde de sigaret tot op het filter. Ze zag me onmiddellijk en probeerde te glimlachen, maar in plaats van me te groeten, mompelde ze iets wat ik niet begreep terwijl ze haar ogen strak op de grond gericht hield, en ik bleef naast haar staan zonder te weten wat ik moest doen. Ik vroeg me af wat het beste zou zijn, in stilte naast haar gaan zitten of een of ander grappig commentaar leveren op het absurde van de schrobbering die ze net had gehad, maar Magda keek me niet eens aan. Ze was zo gedeprimeerd dat ze geen behoefte aan troost leek te hebben, en ik begon het gevoel te krijgen dat mijn gezelschap onder die omstandigheden te veel was. Ik keerde zachtjes op mijn schreden terug en liep in de richting van het gat dat zich in de vorm van een deur in de cipressenhaag bevond die het zwembad omringde, maar dat bereikte ik niet want op dat moment verscheen juist op die plaats de laatste persoon die ik op dat moment had verwacht daar te ontmoeten.

Papa liep recht op Magda af, waarbij hij deed alsof hij me niet had gezien, en toen hij haar bereikt had, draaide hij zijn lichaam zo dat hij precies achter haar rug stond. Toen boog hij zich voorover, schoof zijn handen onder haar oksels en tilde haar even op, een beweging die precies voldoende was om zijn eigen voeten bij elkaar te brengen en ze op de plaats te zetten waar haar lichaam had gerust. Daarna liet hij haar zachtjes zakken en herhaalde de handeling een paar keer, waarbij hij met zijn schoonzuster speelde alsof ze een klein meisje was en haar een paar keer op zijn wreven liet stuiteren.

'Kom, kom, Magdalena… Stel je eens voor hoe blij de Heilige Geest zal zijn wanneer hij ziet dat je zoiets aardigs voor hem hebt gedaan.'

Magda, die elk van zijn bewegingen met een glimlach had ondergaan, moest nu hardop lachen, terwijl de tranen nog op haar wangen lagen.

'Dus jij zat erachter?'

'Natuurlijk. Wie anders?'

'Je bent een rotzak, Jaime, echt waar,' maar ze bleef glimlachen. 'Ik heb al genoeg op mijn nek. Ik hoef jou er niet bij om de zaken voor je eigen plezier nog ingewikkelder te maken.'

'Maar ik heb het alleen maar voor jou gedaan! Ik kon geen betere manier bedenken om er iets aan te doen.'

'Ja, ja! Heb ik je soms gevraagd om er iets aan te doen?'

'Ja.' De stem van mijn vader werd dieper en het volume daalde zo plotseling dat het me moeite kostte om hem nog te kunnen verstaan. 'Luidkeels. Vanaf het moment dat je hier bent. Elke keer als ik je in de gang tegenkom. Elke keer dat je me goedemorgen zegt. Elke keer dat je me goedenacht wenst. Dat weet je.'

De glimlach van Magda werd breder en haar stem werd aangestoken door de duistere spanning die te horen was geweest in die van mijn vader.

'Houd me niet voor de gek, Jaime!'

'Merk je niet hoe gespannen je bent?' Hij lachte en zich niets aantrekkend van mijn verbazing boog hij zich voorover en kuste haar op haar voorhoofd. 'Je weet niet wat je zegt.' Magda lachte luid. 'We gaan even wandelen, vooruit, je zult merken hoe goed het voor je is om een luchtje te scheppen…'

Ze stond moeizaam op, zonder gebruik te maken van zijn steun, en pas toen keek hij mij aan, alsof hij me nog maar net had ontdekt.

'En jij, wat doe jij hier?'

'Ik weet niet,' antwoordde ik. 'Ik denk dat ze mij vergeten zijn. We zijn ook met zo veel… Ik denk dat ik maar met jullie mee ga wandelen.'

'Natuurlijk, maar doe me eerst een plezier. Ik heb televisie gekeken in de kamer van Miguel en ik geloof dat ik hem aan heb laten staan. Wil jij naar boven lopen en hem uitzetten? Daarna ga je door het hek aan de achterkant en kun je ons inhalen, we nemen de weg naar de schaapskooi, goed?'

'Ja, maar ik mag van oom Miguel nooit in zijn kamer komen.' Het punt was dat die kamer zich aan de achterkant van de tweede verdieping bevond en ik geen zin had zo veel trappen te lopen.

'Nou, voor deze keer heb je mijn toestemming. Bovendien is Miguel er niet. Hij is met grootvader en Porfirio op duivenjacht.'

'En Juana?' Deze vraag was afkomstig van Magda.

'Die is ook weg. Ze wilde de processie zien.'

'Goed,' antwoordde ik, hoewel ze elke belangstelling voor mij verloren leken te hebben. Maar Magda kwam naar me toe en gaf me een kus.

'Dank je, schat. Voor je gezelschap.'

Ik liep door de opening en bleef stilletjes aan de andere kant staan. Ik wilde ze voor de gek houden, maar onmiddellijk klonk de stem van mijn vader bij het zwembad vandaan: 'Malena, ik hoor je niet lopen,' en ik moest wel gaan. Het televisietoestel in de kamer van Miguel stond uit, en natuurlijk had ik tijd genoeg om naar de schaapskooi en weer terug te lopen zonder ze ook maar ergens te zien, maar mijn uitstapje was toch geslaagder dan ik had verwacht, want bij het hek aan de achterkant ontmoette ik de jagers, die in een goed humeur waren en me uitnodigden om een hapje te gaan eten om hun vangst te vieren van ruim een dozijn tortelduiven die ze aan hun riemen hadden hangen. We reden in de jeep naar een afgelegen herberg die midden in het land stond, en terwijl ik me volstopte met tortilla belde grootvader naar huis om mama te vertellen dat ik bij hen was. Uiteindelijk werden al mijn problemen gereduceerd tot een licht standje en het bevel de volgende dag vroeg op te staan en met Magda naar de mis van acht uur te gaan, en het was pas tijdens die wandeling dat ik, zelf aangestoken door het enthousiasme dat al haar gebaren doordrenkte van een ander soort vrolijkheid, waarbij ze niet meer verstandig, niet meer schoon en niet meer vroom was, er uiteindelijk van overtuigd raakte dat iets binnen in haar voor altijd was veranderd.

Nu liep ze, met dezelfde tevreden vastbeslotenheid die mij toen verrast had, over het trottoir in mijn richting. Misschien was het haar opgeheven hoofd, de bijna strak gespannen hals, of de vastberadenheid van haar schouders die recht boven haar rug welfden; ik was niet in staat de oorzaken van dat optische effect precies te benoemen, maar ik was ervan overtuigd dat niemand, zelfs haar moeder niet, bij een vluchtige blik in deze vrouw, die daar liep alsof ze zich door geen macht ter wereld zou laten tegenhouden, die vreemde, bedrieglijke non zou hebben herkend die haar activiteiten regelmatig onderbrak om plotseling om zich heen te kijken, alsof ze voortdurend op haar hoede moest zijn voor een onzichtbare dreiging. Magda was Magda weer, maar net als daarvoor passeerde ze mij zonder me te zien, haar blik verloren in een of ander ver punt aan de horizon, en hief, voor ik tijd had gehad om te reageren, haar rechterarm op om een taxi aan te houden, een gebaar waarmee ze al mijn mogelijkheden tot één terugbracht.

Ik riep haar naam en rende op haar af, waarbij ik mezelf dwong niet over mijn handelen na te denken. Zij deed daarentegen geen enkele poging haar verrassing te verbergen en leek van pure verbazing de controle over haar lichaam kwijt te raken, dat zo verstijfde alsof het van karton was, terwijl ze me een blik toewierp, ergens tussen angst en verbijstering, alsof ze een spook zag. Ik durfde geen woord te zeggen, en ook zij verbrak de stilte niet, maar de taxichauffeur greep in toen het geluid van de claxons oorverdovend begon te worden: 'Weet u al wat u wilt, mevrouw? Gaan we of gaan we niet?' en ze aarzelde nog enkele seconden voor ze me zo hard de auto in duwde dat ik even bang was dat ze besloten had niet met me mee te gaan.

'Geweldig, Malena… Wat moet ik met je doen?'

Ze zat bijna vijf minuten met haar rug naar me toe uit het raampje te kijken voor ze zich omdraaide om me deze vraag te stellen. Ze was ontzettend nerveus en zag eruit alsof ze bang was, echt bang, het soort angst dat kleine kinderen kunnen hebben, hoewel ik haar geen antwoord kon geven.

'Ik weet het niet.'

'Natuurlijk. Wat zou je ook moeten weten?'

Ze draaide zich weer om alsof ze bijzonder geïnteresseerd was in het uitzicht en ik bedacht dat ik haar maar het beste alles kon vertellen, uitleggen hoe het kwam dat ik daar bij haar in die taxi zat, mijn verontschuldigingen aanbieden en haar tegelijkertijd geruststellen.

'Ik stond voor de deur van het instituut, want ik ging naar mijn Engelse les en toen zag ik je uit de metro komen en ben ik je gevolgd om je te groeten.'

'Maar dat heb je niet gedaan,' zei ze. Ze had zich weer omgedraaid en keek me aan.

'Nee, want je liep te snel. Ik dacht dat ik je zou inhalen, maar je verdween in dat huis toen ik nog een heel eind weg was, en ik wilde teruggaan, maar ik wist niet meer hoe ik bij het instituut moest komen. Ik ken deze buurt niet. Ik heb het nog aan de portier gevraagd, maar hij zei dat ze daar geen cursussen Frans geven...' Ze zweeg, en ik kwam tot de conclusie dat me niets anders overbleef dan een risico nemen. 'Ik dacht al dat je niet naar een cursus Frans ging, want ik weet dat je dat heel goed spreekt, ik heb je een keer gehoord.'

'Dat heb je toch aan niemand verteld, hoop ik?' Terwijl ze dit zei, leek ze nog ongeruster dan daarvoor, maar ik schudde beslist mijn hoofd.

'Ik kan geheimen bewaren.'

Toen glimlachte ze, en daarna begon ze te lachen, en ze lachte steeds luider terwijl ze me omhelsde en stevig tegen zich aandrukte, zo hard dat ik op het punt stond bang te worden, tot ik merkte hoe haar uitgelatenheid plaatsmaakte voor een bijna nostalgische uitdrukking.

'Lieve God, lieve God, we zijn allemaal gek! Je bent nog maar elf jaar en zit hier tot aan je nek in, je weet al wat je wel en niet kunt vertellen, wat vreselijk... Natuurlijk kun je geheimen bewaren,' ze leek nu rustiger en haar stem werd zachter. 'Je bent de kleindochter van mijn vader, de dochter van mijn zuster, en je hebt eerder geleerd geheimen te bewaren dan je hebt leren fietsen, zoals anderen... Mij is precies hetzelfde overkomen.'

'Ik weet wel dat het een zonde is.'

'Nee, het is geen zonde, Malena,' zei ze, terwijl ze mijn haar streelde met dezelfde onbeschrijflijke traagheid waarmee ze haar woorden streelde, 'het is geen zonde. Liegen wel, maar dit... Dit is alleen maar een manier om je te verdedigen.'

De taxi stopte langs het trottoir voor ik iets had kunnen bedenken om te zeggen. Ik had haar laatste zinnen niet begrepen, maar ik hechtte er ook geen waarde aan. Ik denk nu dat ik toen vooral zo loyaal was omdat ik de aard van de mysteries die mij werden toevertrouwd nooit goed heb begrepen. In werkelijkheid was er maar één ding dat me bezighield, en ik wilde haar daar net naar vragen, nadat we een moderne straat waren ingelopen die mij volkomen onbekend was, toen een man in een blauwe overall langzamer begon te lopen omdat wij eraan kwamen, naar de benen van mijn tante staarde en binnensmonds iets mompelde, terwijl op haar gezicht een trage glimlach verscheen, alsof ze het uiteindelijk beschamend vond als ze om zoiets lachte terwijl ze nog steeds Agueda werd genoemd. 'Waarom ben je niet als non gekleed?'

'O, omdat ik daar geen zin in heb! Jij zou het ook vervelend vinden als je op zaterdag in je schooluniform moest lopen, niet?'

'Ja, maar het is vandaag geen zaterdag.'

'Dat klopt, maar ik ben vanmiddag het huis uitgegaan omdat ik iets moet doen dat niets te maken heeft met het feit dat ik non ben. Bovendien kun je beter geen habijt dragen wanneer je over zaken moet praten. Mensen doen alsof ze respect hebben voor nonnen, maar ze nemen ons niet serieus omdat we bekend staan als dommeriken. Bij priesters ligt dat anders.'

'Gaan we over zaken praten?'

Ze stond stil en pakte me bij mijn schouders.

'Luister, Malena. Je hebt laatst tegen me gezegd dat je van me houdt, klopt dat?' Ik knikte. 'Dat je veel van me houdt, niet?' Ik knikte weer. 'Goed, als je van me houdt, beloof me dan… Ik weet dat ik je voortdurend hetzelfde vraag, en dat het hetzelfde is als datgene wat je vader, je moeder en je zusje je vragen, maar er is geen andere manier om het te doen. Ik heb je hier niet mee naar toe genomen, je bent me gevolgd en daarna wilde ik je niet op straat laten staan, klopt dat?'

'Ja.'

'Goed, Malena, beloof me dat je aan niemand zult vertellen dat je me vanmiddag bent tegengekomen, en ook niet dat je mee bent geweest naar de plaats waar we nu heen gaan of dat je gezien hebt wat ik nu ga doen. Beloof je me dat?'

Ik moest slikken voor ik kon antwoorden, want ik geloofde dat alleen de nabijheid van een verschrikkelijk hellevuur haar ertoe kon brengen dit soort dingen te zeggen, en toen ik sprak, klonk mijn stem schril alsof het de stem van mijn zusje was. 'Ja, dat beloof ik.'

'Maar je hoeft niet bang te zijn, schat,' zei ze glimlachend, zich bewust van mijn angst. 'Ik ga alleen maar een huis kopen. Dat is toch geen zonde, niet?'

'Natuurlijk niet.' Ik was veel rustiger en kon eindelijk haar glimlach beantwoorden.

'Het punt is,' zei ze, terwijl ze me bij de hand pakte om door te lopen, 'dat ik niet wil dat iemand het weet omdat nonnen niets mogen kopen zonder eerst toestemming te vragen, maar ik kan er niet tegen om geen eigen huis te hebben, een plaats waar ik heen kan gaan als… Bijvoorbeeld als… Als de dingen op een dag zouden veranderen. Begrijp je dat?'

Natuurlijk begreep ik dat. Ik begreep het allemaal. Huizen kopen was een van de hobby's van de familie en de waarheid was dat ik niets vreselijks kon ontdekken in wat Magda die middag zei of deed, ook niet toen we de deur binnengingen van een bijzonder chic vertrek en tegenover elkaar aan een tafel gingen zitten en een bijzonder sympathieke heer die mij toffees aanbood een document begon voor te lezen waarop na de term 'de eigenaresse' elke keer mijn eigen naam voorkwam, Magdalena Montero Fernández de Alcántara, en niet de naam van Magda. Zij bemerkte deze tegenspraak tussen de werkelijkheid en het verhaal dat ze me had verteld en maakte gebruik van een korte afwezigheid van onze gastheer om zich tot mij te richten en een paar foto's voor me neer te leggen.

'Kijk eens. Wat vind je ervan?'

Het was een prachtig huis, een wit boerenhuis, dat smetteloos wit was, behalve rond de ramen, die omlijst waren door dikke, indigoblauwe lijnen. Boven de voordeur, een grote, oude deur die op twee hoogten geopend kon worden, zoals de deuren van de stallen in Almansilla, stond op een rij tegels een naam en een datum, ook in blauwe letters. De gevel zag uit op een pleintje in de vorm van een halve cirkel, verhard met cement en omzoomd door vijgencactussen, tussen grote, witgekalkte potten, waarin oleanders groeiden. Als de illustratoren van de boeken die ik altijd cadeau kreeg zich hadden laten inspireren door Andalusische huizen, zou je kunnen zeggen dat het een sprookjeshuis was.

'Het is schitterend, Magda. Waar staat het?'

'In een dorp in Almería. Het heet Monnikenput. Het zal mijn lot wel zijn...' Ze was even ver weg, in beslag genomen door haar eigen gedachten. Daarna glimlachte ze weer, alleen tegen mij. 'Ik ben blij dat je het mooi vindt, want het is van jou.'

'Van mij?'

'Ja, ik heb het op jouw naam gekocht. Op die manier komt het zonder problemen in jouw bezit wanneer ik doodga, want ik verwacht, dat wel, dat je mij er voor die tijd niet uitgooit.'

Toen kwam de heer terug en begon weer op luide toon documenten voor te lezen, en even dacht ik dat Magda weg zou gaan, dat ze uit Madrid zou ontsnappen en in dat witte huis zou gaan wonen, alleen, overeind gehouden door bloemen en cactussen, en ik zei bij mezelf dat ik met haar mee wilde, maar daarna herinnerde ik me dat ze een non was en daarom niet weg kon, en ik stelde me haar voor als een oude vrouw, nog steeds gekleed in haar habijt, stukken oud brood verkruimelend om de vogels uit haar hand te laten eten, zoals de portierster van de school deed, hoewel het landschap op de foto's er zo droog uitzag dat er misschien helemaal geen vogels waren. Daarna stond ze op, gaf de mijnheer een hand en spoorde mij aan om hetzelfde te doen. We liepen de straat weer op, maar we hadden nog geen twintig stappen gezet toen ze zich plotseling omdraaide en een kantoorboekhandel binnenliep.

'Ik bedacht net dat ik je nog een cadeautje schuldig ben, voor de courgettebloemen, weet je nog?'

'Ja, maar ze waren verrot, dus...'

'Kom nou, dat is niet belangrijk. Het gaat om de intentie.'

Vanaf de andere kant van de toonbank stond een oude vrouw in een verschoten blauwe werkjas naar ons te kijken.

'Goedemiddag. We willen graag een dagboek kopen.'

'Voor een jongen of voor een meisje?'

'Is dat belangrijk?'

'Nou… Niet echt. Ik vraag het vanwege de kleur en het patroon op de kaft.'

'Is het voor mij?' fluisterde ik in Magda's oor. Ze antwoordde met een knikje. 'Dan een voor een jongen, alstublieft.'

Mijn tante, de enige persoon ter wereld aan wie ik het gewaagd had mijn ambities toe te vertrouwen, barstte in lachen uit, maar de vrouw verdween zonder enig commentaar naar achteren en kwam een paar minuten later terug met een stuk of tien aantekenschriften met harde kaft, allemaal gesloten met een band waarin zich een piepklein slot bevond, die ze met een uitdrukkingsloos gezicht op het glas van de toonbank legde.

'Kijk maar welke je het mooist vindt.'

Ik bekeek ze aandachtig, maar liet ook voorzichtig merken dat ik het er niet mee eens was.

'Eerlijk gezegd zou ik liever een boek krijgen of een houten pennenhouder…'

'Nee,' antwoordde Magda vastbesloten, 'het moet een dagboek zijn.'

Uiteindelijk koos ik voor de eenvoudigste uitvoering, een klein boekje, bekleed met groen vilt en een zakje op de voorkant waardoor het iets weghad van een Tirools jasje.

De verkoopster bood aan het als cadeautje in te pakken, maar Magda zei dat het niet nodig was. Ze betaalde en we gingen weer naar buiten. Terwijl we op een taxi wachtten, pakte ze het dagboek, streelde even over de kaft en gaf het me terug.

'Luister, Malena. Ik weet dat je er niet zoveel van verwacht, maar dit dagboek kan heel nuttig voor je zijn. Schrijf erin. Schrijf over de ergste dingen die je overkomen, dingen die zo verschrikkelijk zijn dat je ze aan niemand kunt vertellen, en schrijf over de betere dingen, dingen die zo fantastisch zijn dat niemand ze begrijpt als je ze vertelt, en wanneer je het gevoel hebt dat je niet meer kunt, dat je het niet meer volhoudt, dat je alleen nog maar dood wilt of het huis in brand wilt steken, vertel dat dan aan niemand, maar schrijf het hierin en je zult merken dat je voor je het weet weer verder kunt, geloof me maar.'

Ik keek naar haar, zoals ze daar op het trottoir stond, en wist niet wat ik moest zeggen, maar ik drukte het dagboek zo hard tegen mijn borst dat mijn vingertoppen rond de nagels wit werden. Magda keek in de verte; er reden vrije taxi's, maar ze zag ze niet. Ze werd in beslag genomen door de woorden die uit haar mond stroomden alsof haar lippen ze niet wilden uitspreken.

'Er is maar één wereld, Malena. De oplossing is niet dat je een jongen wordt, en je zult nooit een jongen worden, hoe hard je ook bidt, dat is niet anders. Zij zijn hetzelfde, dat weet ik wel, maar jij moet leren anders te zijn en je moet leren alleen jezelf te zijn. Als je moedig bent zal je dat lukken, vroeger of later, en dan zul je beseffen dat je niet beter of slechter bent, niet meer of minder vrouw bent dan je moeder of je zusje. Maar in godsnaam, Malena,' haar lippen begonnen te trillen, maar ik weet nog steeds niet of het van emotie of woede was, 'zorg dat je nooit meer het Spel speelt, hoor je me? Nooit, nooit meer. Je mag nooit meer goedvinden dat Reina het speelt, niet serieus en niet voor de grap, je moet daarmee ophouden, onmiddellijk, voordat je volwassen bent, of dat vervloekte spel wordt nog eens je dood.'

Toen begreep ik dat Magda wegging, dat ze ver weg ging, naar dat witte huis dat van mij was, naar de woestijn waar geen vogels waren, en dat ze de spiegels daar mee naar toe nam, en mijn hoop, en dat ze mij alleen zou laten, met een in groen vilt gebonden schrift in mijn handen.

'Ik ga ook weg, Magda.'

'Hé, wat moet dat betekenen, dommerd!' Ze streek met haar vingertoppen mijn tranen weg en probeerde te glimlachen. 'Niemand gaat ergens heen.'

'Ik ga met je mee. Laat me alsjeblieft meegaan.'

'Praat geen onzin, Malena.'

Toen stak ze wel haar hand op om een taxi aan te houden, en ze deed de deur open en gaf de chauffeur mijn adres en mij een biljet van vijftig peseta's.

'Je kunt uitrekenen wat je terug moet krijgen, niet?'

'Ga niet weg, Magda.'

'Natuurlijk ga ik niet weg.' Ze omhelsde me en kuste me zoals ze al duizenden keren had gedaan, zich dwingend om aan haar gebaren geen speciale intensiteit te geven. 'Ik zou wel met je mee willen, maar het wordt te laat. En jij hebt ook haast, want je moeder zal inmiddels wel ongerust zijn. Vooruit, je moet gaan…'

Ze duwde me in de taxi, maar deze begon nog niet te rijden omdat het stoplicht voor ons op rood stond. Ze boog zich tot haar hoofd aan de andere kant van het raampje op mijn hoogte was.

'Kan ik op je vertrouwen?'

'Natuurlijk, maar neem me met je mee.'

'Je haalt je allerlei waanideeën in je hoofd! We zien elkaar morgen tijdens de pauze, goed?'

'Goed!'

We begonnen plotseling te rijden en ik stak mijn hoofd uit het raam om naar haar te kijken, en ik zag haar onbeweeglijke lichaam, de geforceerde glimlach om haar lippen, en een stijve, als door een motor aangedreven zwaaiende arm, van links naar rechts, de palm gestrekt, in een mechanisch en constant afscheid. Ik bleef praten zonder mijn lippen te bewegen en smeekte haar niet weg te gaan zolang mijn ogen haar silhouet nog konden ontwaren. De volgende dag tijdens de pauze kon ik haar niet vinden. Toen begreep ik wat alleen zijn betekent.

L ange tijd heb ik het gevoel gehad dat ik een ongewenst kind
was.
Ik veronderstel dat de diepe schaduwen die over onze geboorte
hingen en die een door iedereen verwachte gelukkige gebeurtenis in een pijnlijke veranderden, bepalend zijn geweest voor dit verwarrende gevoel, nog voor
ik argumenten in mijn omgeving kon vinden waarop ik mijn sterke overtuiging
kon baseren dat mijn leven niet meer dan een vergissing was. Als kind heb ik
nooit met enige gemoedsrust de schade kunnen accepteren die ik, en niemand
anders dan ik, had aangericht in de baarmoeder van mama, en ik heb me altijd
schuldig gevoeld ten opzichte van Reina, alsof ik te veel was en me, zonder het
te willen, maar zonder dat er iets aan te doen was geweest, een te grote dosis
had toegeëigend van de levensvatbaarheid die we ooit samen deelden en waar
zij, en niet ik, later van had moeten genieten.

Niemand heeft me ooit beschuldigd, maar er is ook nooit iemand geweest
die me zei dat ik me niet schuldig hoefde te voelen. Iedereen leek de situatie te
aanvaarden met een soort fatalistische gelatenheid, die hen in staat stelde rustig
te leven, terwijl Reina's hoofd elke zes maanden werd gemeten en er voortdurend röntgenfoto's van haar pols werden gemaakt, alsof de artsen vreesden voor
de stabiliteit van de bescheiden resultaten die bij elke controle werden geoogst,
alsof haar elastische beenderen naar hartelust zouden kunnen krimpen en uit-
rekken op het ritme van de angst die al vanaf het moment dat ze ons een jas
aantrok om het huis uit te gaan te lezen was op het vertrokken gezicht van mijn
moeder en die de glans in haar ogen definitief doofde wanneer ze zich, naast mij
in de wachtkamer zittend, tevergeefs probeerde voor te bereiden op het verschrikkelijke oordeel – het spijt ons, mevrouw, maar dit meisje zal geen centimeter meer groeien – dat echter nooit werd uitgesproken, want vroeger of later
verscheen de dokter weer, gaf ons Reina terug met een handvol toffees en keek
mama aan met een dubbelzinnige uitdrukking die wilde zeggen dat de pols van
mijn zusje nog niet steviger was, maar dat haar lichaam, zo langzaam als het
nietige lichaam van een rups zich strekt, koppig doorging met groeien, en dat
we moesten hopen en na zes maanden weer terug moesten komen voor controle. Vervolgens kwam de verpleegster glimlachend naar mij toe en pakte me bij
mijn hand, maar de stem van mijn moeder weerhield haar met een scherpe
uitroep die als het vonnis van een wraakzuchtige god uit de hemel leek neer te
dalen.

'Nee, die niet. Die is gezond.'

Ik was gezond, ik groeide in de lengte en in de breedte, en mijn vooruitgang was zo duidelijk te zien dat de kinderarts al voor we zes werden stopte met het indienen van twee rekeningen en alleen nog geld voor Reina inde, want mij kon hij in één oogopslag controleren. In die tijd, de vroege kindertijd waaruit ik me dit gevoel nauwelijks kan herinneren, had ik alles wat ik bezat willen geven voor de mogelijkheid om terug te keren naar het begin van mijn leven, naar die lange uniforme nacht waarin ik, zonder ook maar een moment te aarzelen, mijn lichaam zou ruilen met dat van mijn zusje. Ik verafschuwde mijn geluk als de wreedste tegenspoed, hoewel ik nog niet eens durfde vermoeden dat het dat misschien ook was.

Het duurde lang voor ik kon toegeven dat het verstikkende schuldgevoel, dat me zelfs in mijn slaap niet verliet en tot angstdromen leidde die dat blijkbaar niet waren maar onschuldige fantasieën doordrenkt van de neutraliteit van het alledaagse, minder te maken had met de oprechte liefde die ik voor mijn zusje voelde dan met de net zo oprechte afkeer van mezelf, want ondanks de dreigende onzekerheid die jarenlang over het kwetsbare leven van Reina hing – hoewel een dergelijk risico, dat altijd theoretisch was, meer gebaseerd was op de vervormde overgevoeligheid van een hypochondrische moeder dan op objectieve gegevens – begreep ik heel goed dat de wereld, of op zijn minst dat stukje ervan waarin wij beiden leefden, op haar was afgestemd en niet op mij. Daardoor leek de situatie me nog onrechtvaardiger en, erger nog, een gevaarlijke vergissing, en wanneer ik midden in de nacht bevend en doordrenkt van zweet wakker was geworden – nadat ik, soms per ongeluk, andere keren alleen door vermoeidheid of nieuwsgierigheid, dat nietige, levende figuurtje tegen de grond had gesmakt waarin ik in beginsel mijn zusje herkende, waarmee ik, in de war door de plaats die ze innam tussen de knuffelbeesten in de kast, besloten had te spelen alsof ze gewoon een van de sprekende poppen was – werd ik overvallen door de omvang van mijn denkbeeldige wreedheid, want wanneer het lichaam van Reina uiteenspatte en het bloed en de ingewanden van een levend wezen zichtbaar werden, terwijl ik niets anders had verwacht dan mechanische tandraderen tussen ingewanden van wol en ander vulsel, werd mijn bewustzijn gespleten en verliet de ik die in de droom leefde zachtjes de kamer, volkomen onverschillig voor de door mijn onhandigheid veroorzaakte tragedie, maar niet zo dom dat ik zou vergeten om de deur heel zachtjes te sluiten en onmiddellijk aan een alibi te gaan werken dat mijn misdaad zou verhullen, terwijl de ik die tijdens de slaap in het geheel niet leefde het gebeurde zo afschuwelijk vond dat ik stikkend in mijn eigen angst op het punt stond wakker te worden, wat op mysterieuze wijze in tegenspraak was met de kalmte waarmee ik tegelijkertijd de vragen van mijn moeder beantwoordde, en waarmee ik het kindermeisje Juana, die de plumeau met te veel hardhandigheid hanteerde, van de stompzinnige dood van haar dochter beschuldigde. Later, wanneer ik helemaal wakker was, mijn ademhaling weer bijna rustig en mijn mond nog bitter, keek ik naar mijn zusje, dat rustig lag te slapen in een bed dat hetzelfde was als het mijne, en vermoedde ik dat haar dromen zoet waren omdat haar leven het juiste leven was en goede jonge meisjes geen misdadige nachtmerries hebben en zich onderwerpen aan hun bestemming en, zoals het hoort, alleen dromen van blauwe feeën die verdwaalde prinsessen redden die al bijna bezweken zijn en net hebben overleefd op basis van aalbessen en bosbessen, zelfs als ze, zoals Reina, van hun leven geen echte bosbes hebben gezien.

Ik moest me ten eerste neerleggen bij het feit dat ik niet van bosbessenstruiken kon dromen omdat ik er nooit een had gezien. Daarna begon ik een hekel te krijgen aan mijn eigen kleding, de stoffen, de kleuren, de patronen, aan mijn kapsel en zelfs aan de geur van de eau de cologne waarmee mama me elke ochtend besproeide. Ten slotte begon ik mijn eigen lichaam te beschouwen als iets dat geleend was, iets vreemds, gevangen op een plaats die er niet bij paste. Toen begon ik te vermoeden dat ik een jongen had moeten zijn, dat ik een man was die met geweld in een verkeerd lichaam was gestopt, een toevallig mysterie, een vergissing, en die bizarre theorie, die de geruststellende eigenschap had alle dingen te verklaren, stelde me enige tijd gerust, want als ik gebouwd was zoals jongens gebouwd zijn, zou het onmogelijk zijn om tegelijkertijd van mezelf en van Reina te houden.

Niemand kon van de verborgen jongen, die ik wilde zijn, dezelfde dingen verwachten die van mij als meisje werden verwacht. Jongens mogen zich zwaar op een bank laten vallen, in plaats van dat ze bij het gaan zitten al hun bewegingen beheersen, en ze kunnen hun overhemd uit hun broek laten hangen zonder dat mensen op grond daarvan vinden dat ze slordig zijn. Jongens mogen onbeholpen zijn, want onbeholpenheid wordt bijna als een mannelijke kwaliteit gezien, en ze mogen wanordelijk zijn, en ze hoeven niet over het gehoor te beschikken om toonladders te leren, en ze mogen schreeuwen en wild gebaren met hun handen, en dat alles maakt ze niet minder mannelijk. Jongens hebben een bloedhekel aan strikken en iedereen weet dat die afkeer in het voorste deel van hun hersenen ontstaat, op de plaats waar de ideeën en de woorden geboren worden en dat ze om die reden geen strikken op hun hoofd hoeven te dragen. Jongens mogen zelf hun kleding uitkiezen en hoeven geen uniform aan wanneer ze naar school gaan, en als ze een tweelingbroer hebben, zijn hun moeders niet altijd zo hard bezig om ze op dezelfde manier te kleden. Jongens moeten slim zijn, slim en sterk, dat is genoeg, en als ze een beetje grof zijn, glimlachen hun grootouders en vinden dat alleen maar goed. In werkelijkheid wilde ik geen jongen zijn en voelde ik me niet eens in staat een zo gemakkelijk doel als dat te bereiken, maar ik zag geen andere uitweg, geen andere deur waardoor ik kon ontsnappen aan de verwenste geaardheid die me door het lot was toebedeeld, en ik voelde me als een manke schildpad zonder reukzin die hinkend achter een hollende haas aan zit die geen spoor achterlaat. Ik zou mijn zusje nooit kunnen inhalen, dus zat er niets anders op dan me in een jongen te veranderen.

De wereld was van Reina en groeide net zo traag als zij, en bevoordeelde haar met zijn kleur, met zijn textuur en met zijn formaat als een decor dat door een onbekende, verliefde timmerman met zorg is ontworpen voor één enkele diva. Reina regeerde over de wereld en deed dat met de bescheiden natuurlijkheid die de echte heerser onderscheidt van de onechte usurpator. Ze was lief, vriendelijk, bekoorlijk, bleek en harmonieus als een miniatuur, zo zachtaardig en onschuldig als de meisjes in de sprookjesboeken van Andersen. Ze deed natuurlijk niet alles goed, maar zelfs wanneer ze iets verkeerd deed, waren haar fouten in overeenstemming met de eeuwige, ongeschreven wetten die de beweging regeren van de planeet die ons huisvest, waardoor ze door iedereen geaccepteerd werden als een onontkoombaar bestanddeel van het normale. En wanneer ze zich voornam slecht te zijn, was Reina op de meest subtiele manier verdorven en verraderlijk. Omdat ik niet anders kon dan frontaal in de aanval gaan, bewonderde ik haar ook hierom.

We waren zo verschillend dat de kloof die onze gezichten en onze lichamen van elkaar scheidde mij het minst belangrijk van alles scheen, en wanneer mensen op de mededeling dat we een tweeling waren reageerden met een verbaasde blik dacht ik, daar heb je het, ze hebben zich gerealiseerd dat zij een meisje is en ik iets anders ben. Ik dacht vaak dat alles anders zou zijn geweest als we zo op elkaar hadden geleken dat we in de ogen van de anderen identiek waren geweest, dat ik dan misschien toegang had gehad tot die raadselachtige op identiteit gebaseerde fenomenen die andere tweelingen beweren te hebben, maar duidelijk is dat mijn bewustzijn nooit een gemeenschappelijk gebied heeft geregistreerd met het bewustzijn van mijn zusje, en ik weet zeker dat ze nooit de pijn van mijn klappen heeft gevoeld, dat mijn angsten haar nooit hebben doen huiveren en dat mijn lach nooit in haar keel heeft geklonken, en toen al, terwijl we alles deelden, van de toost bij het ontbijt tot het bad in de avond, overviel me soms het vermoeden dat Reina verder, veel verder van mij verwijderd was dan de rest van de mensen die ik kende – en het gevoel dat de toost die ik at haar toost was, en dat het bad waarin ik me onderdompelde haar bad was, en dat alles wat ik bezat niets anders was dan een ongewenst duplicaat van de dingen die zij vrijelijk had gekozen, droeg bij aan het groter worden van deze afstand. De wereld, de kleine wereld waarin we toen leefden, was niets anders dan de plaats die Reina had gekozen om te leven, en het resultaat van deze mysterieuze harmonie was zelfs waar te nemen in het kleinste van haar gebaren, dat altijd het gebaar was waarvan anderen intuïtief aanvoelden dat dat het juiste was, het kenmerk van het volmaakte wezen, het volmaakte meisje.

Ik had van niemand de gelegenheid gekregen om te kiezen, en had niet voldoende kracht om een poging te doen de omgeving waarin ik moest opgroeien te veranderen, een prestatie die aan de andere kant niet eens in me opkwam want ik was ervan overtuigd dat dit scenario het juiste was en dat ik de stemloze zangeres was, de eenarmige goochelaar, de blinde fotograaf, het kleine, kapotte moertje dat op een onbegrijpelijke manier het functioneren van een reusachtige en kostbare machine blokkeert. Ik probeerde mezelf te verbeteren, ik dwong mezelf elk woord, elk gebaar, elke reactie van Reina uit het hoofd te leren, en elke avond wanneer ik ging slapen maakte ik een plan voor de volgende dag, en elke ochtend wanneer ik opstond was ik vast van plan geen enkele fout te maken, maar zelfs wanneer me dat gelukt was, wanneer ik me voor ik het huis uitging en ook, minder vaak, wanneer ik 's middags uit school was gekomen in de spiegel bekeek, en vond dat ik er normaal, onberispelijk en voorspelbaar uitzag, kon ik er niet omheen dat het meisje in de spiegel niet ikzelf was, maar een meegaande en nauwelijks middelmatige dubbelgangster van mijn zusje. Dit zou me niet zo gehinderd hebben als ik daarnaast af en toe enig idee had gehad wie ik zelf precies was.

In al die verwarring kon ik me alleen maar vastklampen aan de liefde die ik voor haar voelde, een groot, soms te groot gevoel, waarvan de vele bestanddelen zich voortdurend met elkaar mengden en met elkaar in tegenspraak waren, zodat er elk moment een nieuwe vorm ontstond. Het resultaat hield nooit op liefde te zijn, maar bereikte ook nooit de klasse van het absolute, ik neem aan doordat er voor absolute liefde een zekerheid nodig is waarover ik in geen enkele mate beschikte, en bovendien doordat ik het, hoezeer ik ook mijn best deed om mijn kleingeestige woede te beteugelen, steeds slechter kon verdragen dat Reina zo op onze vader leek en ik niets anders was dan een nieuwe Fernández de Alcántara, zoals mama, zoals Magda, als het laatste stukje van een puzzel die een of andere verveelde geest op basis van losse fragmenten in elkaar had gezet, fragmenten die steeds meer op elkaar gingen lijken, tegen het einde bijna identiek waren, maar uiteindelijk op goed geluk gekozen waren uit die duistere portretten die aan de muren hingen van het huis aan de Martínez Campos.

Deze instinctieve en elementaire jaloezie, die gedurende lange tijd alle andere vormen van jaloezie absorbeerde, nam toe naarmate mijn zusje zich, met een traagheid die de enorme inspanning van haar organisme leek weer te geven, bevrijdde van de dramatische nasleep van haar geboorte en niet zozeer in een blozend meisje veranderde, als wel in een normaal uitziende, niet te lange en altijd verrassend fragiele puber, die mooi was op haar manier, op de manier van een maniëristische schilder die geobsedeerd wordt door het weefsel van de huid en de precisie van details, want op zichzelf beschouwd waren haar gelaatstrekken stuk voor stuk bijna volmaakt, maar bij integratie in het geheel van het gezicht leken ze op een onbegrijpelijke manier veroordeeld te zijn om iets van hun schoonheid te verliezen, alsof haar ronde gezicht zich naar de zijden toe uitbreidde, en haar groene ogen een kastanjekleurige tint kregen, en haar fijne lippen naar binnen zonken, en haar bleke huid vermagerde tot op de grens van het transparante en het kleine, scherpe spoor verraadde van een ader die haar rechterslaap violet kleurde. Het was niet eenvoudig om Reina in één oogopslag waar te nemen, want alsof ze geschapen was door een onbegrijpelijke middeleeuwse tovenarij was het alleen voor iemand die er de tijd voor nam mogelijk haar in haar geheel op te nemen en pas dan was de raadselachtige verfijndheid waarneembaar die elke hoek van haar lichaam nuanceerde en, met een succes dat zo groot was als deze paradox, de gigantische kracht verhulde die in die fragiele constructie huisde. Bij mij werkte het anders. Zwart haar, donkere ogen, indiaanse lippen en stralend witte tanden – niemand hoefde zijn blik te veel te forceren om mij goed te zien, en misschien kwam het daardoor dat niemand, met uitzondering van Magda en grootvader, ook echt naar me keek.

Mama beklaagde zich bitter over onze fysieke ongelijkheid, want hoewel ze het koppig had opgenomen tegen het dubbele dictaat van de natuur en het toeval, zag ze al haar middelen uitgeput raken voor ze wist te bereiken dat we voldoende op elkaar gingen lijken om ook maar te suggereren dat we een tweeling waren, en ze beklaagde zich met regelmaat, elk voor- en elk najaar, over de moeilijkheden die ze ondervond bij het vinden van kleuren, modellen en accessoires die ons beiden even goed stonden. Mijn vader raadde haar aan er voor altijd in te berusten dat ze weliswaar een tweeling, maar twee verschillende dochters had, de ene donker en de andere blond, de ene groot en de andere klein, de ene slank en de andere niet, maar ze schudde zwijgend haar hoofd en bleef naar een geheime methode zoeken om recht te maken wat al vanaf het begin krom was geweest. De volharding waarmee ze onze gelijkenis wilde bevorderen heb ik nooit helemaal begrepen, maar ik veronderstel dat de oorzaak niet veel verschilde van de reden waarom ze zonder meer weigerde meer kinderen te krijgen, en ik weet nu dat het beeld van mijn zusje in de couveuse, met haar paarsrode huid die droog over haar beenderen lag, haar immense ogen in een hoofd zonder dikke wangen, zonder onderkin, zonder het roze en zachte van alle andere pasgeborenen, de oneindige eenzaamheid van dat trieste en ondervoede wezentje, opgesloten in een doorzichtige kist, van buiten net zo koud als een voortijdige glazen doodskist, haar nooit meer zou loslaten, en ik weet dat dat beeld altijd wanneer ze Reina zag met een scherpe pijn terugkwam en dat ze het van zich af moest zetten voor ze begon te praten of een gebaar maakte, en zelfs wanneer ze een altijd zachte, maar zeker onverdiende tik uitdeelde.

De dingen waren niet goed gegaan, maar zij was absoluut niet van plan zich aan hun loop te onderwerpen, alsof ze aanvoelde dat ze met het accepteren van de werkelijkheid een taak op zich zou moeten nemen die haar krachten te boven ging, de verantwoordelijkheid zou moeten nemen voor een situatie die zich nooit had mogen voordoen. Daarom kon ze het idee niet opgeven dat ze twee tweelingdochters had die er hetzelfde uitzagen, zoals het van het begin af aan had moeten zijn, en bleef ze ons op dezelfde manier kleden, maakte dezelfde vlechten in ons haar, gaf ons dezelfde cadeaus, en heeft zich waarschijnlijk nooit gerealiseerd hoe slecht marineblauw mij altijd stond of die wollen blouses in een bruingele kleur die het onmogelijk maakten om bij een vluchtige blik te zien waar mijn huid ophield en de stof begon, of hoe lelijk die kruin is die in de linker bovenhoek van mijn voorhoofd het ontstaan van mijn haar markeert, maar de enige keer dat het in me opkwam om haar te vragen een middenscheiding te maken, glimlachte ze en trok de scheiding weer precies in die hoek, zoals elke ochtend, terwijl ze op vrolijke toon vroeg hoe ik op dat idee was gekomen. Ik wilde niet zeggen dat de suggestie afkomstig was van haar eigen zuster, die verrassende, helderziende heks, die me met haar armen over elkaar geslagen had bekeken en door een sigarettenpijpje in de vorm van een vis had gerookt, terwijl ze met de punt van haar zwarte schoenen met hoge hakken tegelijkertijd ritmisch een vloertegel stond te martelen, maar heel even had ik er spijt van dat ik mijn tante de waarheid niet had verteld, namelijk dat ik volgens mij niets intenser zou kunnen haten dan die strik die ik op mijn hoofd droeg, alsof een dergelijke onthulling ergens toe gediend zou hebben.

Zelfs de intrede van Magda in het klooster en haar daaruit voortvloeiende invasie in mijn kleine wereld waren toen niet in staat een orde te verstoren die zich wist te handhaven alsof het een cementen sokkel was waarin ze mij gedwongen hadden mijn voeten te zetten, terwijl het nog zacht was als vochtige klei. De echte redenen waarom mijn tante de voorkeur aan mij gaf boven mijn zusje heb ik nooit ontdekt, en de overtuiging dat haar genegenheid, die ik zo waardeerde, geen zuiver gevoel kon zijn deed me pijn, alsof ik er bijna in slaagde de verborgen factor te ontdekken, een troebel en schandelijk element, dat zich verborg achter een keuze die zo onverenigbaar was met de werkelijkheid. Want dat wat ik mijn grootvader voor het portret van Rodrigo de Slachter had bekend, was de waarheid, de enige echte waarheid, ook al deed het erkennen hiervan mij net zo veel pijn als zijn geschaafde knokkels moeten hebben gedaan nadat hij zijn vuist op de muur kapot had geslagen, gedreven door een oude, innerlijke woede, die ik niet kende maar die wel door mijn woorden was opgewekt. Reina was veel beter dan ik, was veel aardiger dan ik en dat was net zo overduidelijk als het feit dat ik acht of negen centimeter meer was gegroeid dan zij, een verschil dat onmiddellijk te zien was en waar net zomin iets aan te doen viel.

Daarom ging ik, nadat Magda weg was gegaan, nog een heel jaar door met het spelen van het Spel, dat plechtige ritueel onder het mom van een kinderlijke grap dat nooit vanzelf zou ophouden, nooit met de tijd zou vervluchtigen, want hoewel ik het dikwijls vergat, had Reina het altijd paraat, en vroeger of later liet ze een discreet gefluister op mijn oren los dat mij weer in de ban bracht van die vervloekte bijnaam Maria en me willoos, maar nooit beter maakte, een mislukking die me vooral woedend maakte om haar, want het deed me oneindig pijn om haar teleur te stellen, hoewel ik me tegelijkertijd niet wilde onderwerpen aan maatregelen die zo absurd was als die waarbij ze mij verbood tussendoor te eten – Maria, als je zo doorgaat, ga je er natuurlijk uitzien als een koe – of een blik te werpen op de fotoromans die verzameld werden door Angelita, het dienstmeisje, die zo vermakelijk waren – alsjeblieft, Maria, wil je die ordinaire rotzooi onmiddellijk wegleggen – of zelfs op zaterdagochtend door het huis te lopen in de eerste twee kledingstukken die ik in de kast had aangetroffen – maar, Maria, wat doe je in godsnaam in een combinatie van bruin en marineblauw? Ga onmiddellijk iets anders aantrekken, vooruit – want al snel merkte ik verrast hoe verschillend de dingen waren die Reina en ik belangrijk vonden en ook de dingen die wij allebei niet belangrijk vonden, hoezeer ik er ook van overtuigd was dat het Spel zijn voordelen had, want het hielp me om eerder klaar te zijn met mijn huiswerk, betere cijfers te halen, mijn moeder minder te ergeren en op school minder op te vallen, en daarmee de fundamentele elementen van mijn leven te verbeteren. En door het Spel werd ik geconfronteerd met Magda, die razend werd toen mama het op een middag bracht als een van de charmes van haar dochters, en ik wilde haar waarschuwingen niet horen, de enige valse noot die ooit over haar lippen is gekomen, de vervormde interpretatie van een volwassene, dacht ik, die haar onschuld voor altijd verloren heeft en daarmee beroofd is van het voorrecht de spelletjes van kinderen te begrijpen, want zelfs op die middag in mei, toen de portierster van de school, zonder een woord te zeggen en pas nadat ze zich ervan verzekerd had dat niemand ons zag, een in bruin papier gewikkeld pakje in mijn rugzak liet glijden – als een scène uit een klassieke spionagefilm – twijfelde ik er absoluut niet aan dat het Spel iets anders zou zijn dan een kinderspel, en toen ik de beslissing nam om er voor altijd mee op te houden, was dat alleen omdat ik me toen, toen ik er zeker van was dat Magda nog steeds van me hield, dat ze vanuit die schitterende woestijn waar ze woonde nog steeds over mij waakte, schaamde dat ik mijn laatste belofte nog niet was nagekomen.

Daarom was ik zo verbaasd over de woede van Reina toen ik haar, nog voor ik het pakje had opengemaakt, op weg naar huis, aankondigde dat ik besloten had niet meer met haar te spelen omdat we tenslotte al twaalf waren, bijna dertien, en het spel niets anders was dan kindergedoe. Ze keek me verbijsterd aan, alsof ze haar oren niet kon geloven, en vroeg me niet zulke rare dingen te zeggen, maar toen ik volhield veranderde ze van tactiek en bleef maar herhalen dat ze het allemaal alleen voor mij had gedaan. Vervolgens zei ze op een bittere, norse toon dat het Spel leuk was, een groot geheim en het enige belangrijke wat we echt deelden. Ik antwoordde alleen dat ik het niet meer zou spelen, en een paar dagen later, toen ik om kwart voor acht 's avonds een broodje worst nam, noemde ze me voor de laatste keer Maria en werkte ik het geheel voor haar neus naar binnen.

Haar boosheid was na een week verdwenen, maar die middag heeft ze geen woord meer tegen me gezegd en ik gaf haar daar ook nauwelijks de gelegenheid voor. Toen we thuis waren gekomen, sloot ik me op in de badkamer, knipte zorgvuldig naam en adres van de afzender uit, verwijderde met trillende vingers het pakpapier en vond een stapel witte vellen papier, die geperforeerd waren als de vulling voor een ringband en bovenaan een rij goudkleurige letters hadden die in reliëf het woord *Dagboek* vormden. Ik was zo ontroerd dat mijn handen begonnen te beven en moest ten slotte op mijn knieën op de tegels gaan zitten om een voor een de blaadjes op te rapen die uit mijn handen waren gevallen en zich over de vloer hadden verspreid.

Die avond wachtte ik tot Reina sliep en haalde toen zonder geluid te maken het voorlaatste cadeau van Magda uit de la waarin het lag te wachten sinds ze het mij gegeven had. Ik herinner me de eerste regels die ik erin schreef, vrijwel in het donker, alsof ik ze nog maar enkele uren geleden heb geschreven.

'Lief dagboek, ik heet Magdalena, maar iedereen noemt me Malena en dat is de naam van een tango. Ongeveer een jaar geleden werd ik voor het eerst ongesteld, dus het lijkt me moeilijk voor de Heilige Maagd om me nog in een jongen te veranderen en ik denk dat ik een ramp van een vrouw zal worden, net als Magda.'

Uit voorzorg heb ik de laatste drie woorden daarna doorgestreept.

Vanaf dat moment schreef ik elke avond in mijn dagboek en vanaf dat moment ontving ik elk jaar in mei een nieuwe vulling, in het begin altijd via de portierster van de school, een zwaarmoedige vrouw met wie ik me niet kan herinneren zelfs maar een groet te hebben gewisseld voor ik die school definitief verliet toen ik op het punt stond zestien te worden, en daarna per aangetekende post, een sober, anoniem bericht dat geen enkele aanwijzing gaf over de naam en het adres van de afzender, tot ik het kwijtraakte, zonder te kunnen begrijpen hoe je iets kunt verliezen dat je altijd op dezelfde plaats bewaart, net op het moment waarop het nuttig voor me werd, toen ik eindelijk iets belangrijks had om erin te schrijven, terwijl ik tegelijkertijd mijn dagelijkse verplichting ten opzichte van de pagina's vaker had verwaarloosd, want het enige wat me op die verstikkende zomerochtenden bezighield wanneer ik in het huis van mijn grootvader kwam, was het bewaken van het geluid van mijn stappen; ik ontplooide de beangstigende precisie van een bomspecialist om op de oude, houten trap de krakende treden te vermijden, waarbij vooral de derde, de zevende, de zeventiende en de eenentwintigste te duchten waren, om op mijn tenen langs de deur van de slaapkamer van mijn ouders te lopen en eindelijk mijn bed te bereiken, en me daar, nog gekleed, op te laten vallen om de wereld met gesloten ogen te zien draaien, tegelijkertijd slachtoffer en medeplichtige van de gekmakende geur die de half gedroogde, zwarte tabaksbladeren, nog vochtig als vruchten die onder mijn gewicht hun sap afgaven, over mijn hele lichaam hadden verspreid, terwijl de geur van Fernando van verder kwam en mijn huid binnendrong, opsteeg door de holten van mijn ingewanden en langs de wanden van mijn beenderen omhoog klom om via mijn eigen bloed het middelpunt te winnen van die ziel die niet sterft omdat ze niet bestaat, maar die hij nog niet verlaten had.

Ik denk dat de inhoud van mijn overpeinzingen tot op dat moment nog niet zo interessant was, vooral tijdens het schooljaar, wanneer de dagen allemaal hetzelfde waren, vervelend en onbestemd, en hoogstens onderbroken, van jaar tot jaar, door gebeurtenissen die officieel belangrijk waren maar in het algemeen niet voor mij, zoals het vormsel, of de overgang naar de vierde, of mijn eerste reis naar het buitenland, die ik me misschien zou kunnen herinneren als een schitterend en spannend avontuur ware het niet dat de nonnen ons meenamen naar de grot van Lourdes – de stad hebben we nauwelijks gezien – in een trein die volgepropt was met niet bepaald aangenaam ruikende oude mensen en zieken. Er zijn andere dingen die ik me beter herinner, die vast net zo belangrijk waren maar minder invloed hadden op mijn eigen leven. Grootmoeder Reina stierf een korte en genadige dood en grootvader werd plotseling veel ouder, misschien doordat het delirium van de leverziekte, waaraan zijn vrouw uiteindelijk overleed, haar in de laatste dagen van haar leven in een zoete, jeugdige waan had gebracht, en ze gestorven was nadat ze hem gestreeld had en lachend geprobeerd had zich in zijn armen te drukken en hem met namen had aangesproken die hij, en misschien zij ook, al zo lang geleden uit zijn geheugen had willen bannen dat ze niet eens meer terugkwamen in zijn herinnering. Mijn zusje nam deel aan een aantal pianoconcerten, en mama en ik, en ik denk ook papa, hoewel hij zijn uiterste best deed het niet te laten merken, waren trotser dan ooit. Angelita trouwde in Pedrofernández en we gingen allemaal naar de bruiloft, en mama wees ons een half ingestort huis aan, met een wapenschild boven de deur, dat het familiehuis was geweest voordat de grootvader van mijn grootvader, toen hij terugkeerde naar Spanje om zich met de zijnen in Madrid te vestigen, besloten had liever een nieuw huis te bouwen op de grond die hij in Almansilla had gekocht, op iets meer dan honderd kilometer in noordoostelijke richting, in de schaduw van de Gredos, in een landstreek, La Vera, die vruchtbaarder en rijker was dan die waarin nog steeds een dorp stond dat zijn eigen naam droeg.

De reis naar Lourdes was niet leuk, maar deze wel. Reina was nogal stil omdat de jongen die ze leuk vond haar de donderdag daarvoor via de telefoon zijn liefde had verklaard, en doordat we alleen op zaterdag en zondag uit mochten gaan, had ze zich gedwongen gezien het echte begin van haar eerste relatie een lange week uit te stellen, zodat ze alleen haar mond opendeed om te zeggen dat de jurk die de bruid had gekozen – een jurk zoals die uit de Sissi-films, met een hoepelrok en veel overrokken en overal parels – afschuwelijk was, maar mij beviel Extremadura, zelfs met Guadalupe erin, veel beter dan alle jongens die ik tot op dat moment had leren kennen, en ik vond Angelita heel knap en vooral heel tevreden, en ik genoot van het besneeuwde landschap, het spookachtige skelet van de kersenbomen, die eindelijk wit waren door echte sneeuw, en van het gebraden varkensvlees tijdens het banket. En ik dronk meer wijn dan ik had moeten doen en danste daarna met de jongens uit het dorp, die mij de grote eer bewezen me toe te laten in de groep die de stropdas van de bruidegom en de jarretel van de bruid moesten afpakken, en ik ging rond met de schaal om geld op te halen voor de jonggehuwden, voordat het kindermeisje Juana en haar zus Maria, nog krommer dan gewoonlijk door de drank en het lachen, besloten een *jota* te dansen op het ritme van het handgeklap en de stemmen, die al net zo gebroken waren als hun ruggen, van de meerderheid van de aanwezigen, om zo definitief een punt te zetten achter mijn ongebruikelijk losbandige avond, want toen ik toestemming ging vragen om met de jongens mee te gaan om het bruidspaar te belagen, viel mama bijna in zwijm, en uiteindelijk was het ook maar beter, want op het korte traject dat het restaurant scheidde van de auto besefte ik dat ik zo dronken was dat ik niet meer recht kon lopen, en herinnerde ik me in een verlate aanval van paniek met een schok dat ik me, als het jongere zusje van Angelita niet uit het toilet was gekomen op het moment waarop hij me in een hoek begon te drijven, verrukt had laten kussen door die neef van haar, die lelijk en een beetje dik was, maar ook brutaal en de leukste van allemaal, en dat idee beviel me later toch wat minder want ik wist niet eens hoe hij heette.

Voor de bruiloft trok ik voor het eerst van mijn leven doorzichtige kousen aan. Ik was veertien jaar, en mijn lichaam was erg veranderd, maar ik had me dat fenomeen absoluut niet gerealiseerd voor ik verrast naar mijn eigen benen keek, die naakt en volledig waren onder een laagje nylon, dat in het licht een zilverkleurige glans gaf en met een wonderbaarlijke doeltreffendheid het lange litteken maskeerde, die dikke, witte draad van huid, die ik altijd probeerde te verbergen door mijn rok naar die kant te trekken. Ik bekeek mezelf in de spiegel en zag me in de eerste plaats als rond in die lichtgele jurk die me zo veel ellende had bezorgd, en ik kreeg het er warm van toen ik merkte dat ik gelijk had gehad, want die jurk kon dan wel Italiaans en snoezig zijn, zoals mama in de paskamer had gezegd, maar verleende mij een ongewenste gelijkenis met de van oorsprong Zwitserse melkkoeien die Marciano fokte in de stallen van de Finca del Indio, en niet alleen ter hoogte van mijn borsten, maar ook op andere onvermoede plaatsen. Mijn hele lichaam vertoonde zwellingen, mijn armen, mijn heupen, mijn dijen en zelfs mijn kont, die plotseling was gaan uitdijen zonder ook maar enig respect te tonen voor de gangbare esthetische normen, en mijn duidelijk ingesnoerde middel deed niets anders dan het beeld verergeren dat, enigszins overdreven misschien, overgetrokken kon zijn van een affiche voor een Italiaanse film uit de jaren vijftig, met van die mollige vrouwen met grote tieten die hun rok tot aan hun middel opstropen om graan te oogsten. Met een beetje goede wil waren mijn onderste ribben nog te ontwaren, maar afgezien daarvan waren alleen de botten van mijn enkels, mijn knieën, mijn polsen, mijn ellebogen en mijn sleutelbeen te zien. De rest was plotseling in vlees veranderd. Lomp, ordinair, bruin en vulgair menselijk vlees dat ik nooit meer zou kwijtraken.

De tegenstelling tussen mijn uiterlijk en dat van mijn zusje, die gekleed ging in een Oostenrijks mantelpakje van groen loden en een grijze, opengewerkte maillot, was groot, want mama had, in elk geval voorlopig, toegegeven dat ik er als kind net zo belachelijk zou hebben uitgezien als Reina als jongedame. Hierdoor was ik me in één klap bewust van een metamorfose die zich bij haar nooit geheel zou voltrekken. Jarenlang ben ik jaloers geweest op haar botstructuur, de sobere lijnen van haar vluchtige silhouet, haar onstoffelijke, nymfachtige elegantie, haar niet-lichaam, haar niet-vlees, en ik wachtte, maar mijn welvingen verschenen niet bij haar, een uitblijven dat des te verrassender was omdat zij duidelijk stoutmoediger en verstandiger omging met die wezens die ik toen al, op grond van een esthetisch vooroordeel dat net zo onoverwinnelijk als op den duur fataal was, mannen pleegde te noemen.

Het geweldige succes dat mijn zusje oogstte in de gelederen van de vijand ergerde me om verschillende redenen, waarvan de belangrijkste, al had ik liever mijn rechterhand met een mes afgehakt dan dit toe te geven in mijn geheimste innerlijke dialogen, een zo pure, zo simpele, zo krankzinnige en zo elementaire jaloezie was dat deze belichaamd werd in de eerste van de doeltreffende factoren die me in staat zouden stellen die vreemde angst te overstijgen die afgeleid was van mijn fantasmagorische prenatale misdaad, want hoewel ik er niet meer zo zeker van was dat ik de ultieme schuldige was aan de lichamelijke kwetsbaarheid van Reina, was het niet minder zeker dat zij veel meer voordeel wist te halen uit haar schijnbare zwakte dan ik ooit zou weten te putten uit mijn gezonde en krachtige constitutie, die het kindermeisje Juana weliswaar inspireerde tot de legitieme voldoening die nodig was om, wanneer er bezoek was en pas nadat ze mij een klap op mijn kont had gegeven, uit te roepen dat het een plezier was om te zien hoe een schoonheid ik was geworden, maar me ook op een wonderlijke manier onzichtbaar maakte voor de vele ogen die elk weekend, met de lauwe met tussenpozen verschijnende glans die de uniforme blik verraadt van een leger van gefrustreerde zelfmoordenaars die nog niet hebben kunnen kiezen tussen de vriendelijke dood en de onverdraaglijke dagelijkse slijtage van een chronisch zieke hoop, begerig zelfs het kleinste gebaar van mijn zusje volgden. Want Reina, die het zo goed met iedereen kon vinden, behandelde hen nooit aardig.

Hoewel ik het nog steeds aandurfde om Reina's wezen te zien als bestanddeel van mijn eigen erfgoed, begon het onbehagen over dit gedrag ten slotte bijna de vorm van wraakzucht aan te nemen toen ik merkte hoe gemakkelijk ze er met een schitterende, geïmproviseerde sluwheid in slaagde haar bewonderenswaardige bagage van het volmaakte meisje in te zetten, alsof de plotselinge zwakte van haar hart een nieuwe prent was die met een punaise boven het hoofdeinde van haar bed kon worden bevestigd, onder de tevreden blik van mijn moeder, die, diezelfde zomer in Almansilla, geloofde vanaf een privé-tribune de zorgvuldige opbloei te kunnen gadeslaan van de kleine femme fatale, waarbij ze met nostalgie oude gulden regels ophaalde, voorzichtigheid en wijsheid, tegenover de desolate aanblik van die dorre woestijn van barmhartigheid. Zij wilde nooit inzien dat Bosco, die arme neef Bosco, alleen maar functioneerde als openbaar ontstekingsmechanisme voor de nauwelijks zichtbare, beheerste explosie waarvan ik, tegen mijn wil, de enige getuige was, tot we na de bruiloft van Angelita terugkeerden naar Madrid en Reina met Iñigo begon uit te gaan, waarbij ze de uitputtende controle over de handen van haar vriend, die ze toestond met één centimeter per week over haar lichaam omhoog te klimmen, terwijl de eigenaar haar platdrukte tegen het portaal om een vochtige en eindeloze kus met haar uit te wisselen – tien, vijftien, twintig minuten zonder onderbreking, ik weet er alles van want ik was erbij en stond met tegenzin, mijn armen over elkaar geslagen, tegen een lantaarnpaal geleund naar ze te kijken om de knallende ruzie te vermijden die me te wachten zou staan op de dag dat ik zonder mijn zusje thuis zou komen, die, paradoxaal genoeg degene was die opdracht had gekregen op mij te letten – afwisselde met de Nachtelijke Aanbidding in de kapel van de school en later, met gelijkwaardige, hoewel iets hartstochtelijker sessies, gegeven de omstandigheid dat Angel drie jaar ouder en evenredig veeleisender was dan Iñigo, met een vriend van onze neef Pedro die in de eerste van de landbouwhogeschool zat.

Toen de afwezigheid van Magda, de onverschilligheid van mijn vader en mijn toenemende overeenstemming met mijn lot alle buitengewone tekenen leken te hebben uitgewist die mij in mijn kindertijd verontrust hadden, en deze zo verschillend hadden gemaakt van de vreedzame jaren van mijn zusje, begon ik weer om me heen te kijken, en door wat ik zag kwam de gehate verbijstering terug die ik als een onbruikbare, versleten, dode huid meende te hebben afgeworpen toen ik met tegenzin mijn sekse had geaccepteerd. Want terwijl ik dezelfde opvoeding had gehad als Reina, terwijl ik in dezelfde kamer had geslapen en onderworpen was geweest aan dezelfde druk, was ik niet in staat de kalmte te begrijpen waarmee ze de confrontatie aanging met haar nieuwe situatie. Ze liep kilometers door de regen om op missiedag haar volste spaarpot af te leveren, ze offerde nachten slaap op om met nietsziende ogen voor een houten beeld te bidden of koketteerde openlijk met het idee om na haar schooltijd als missionaris naar Afrika te gaan, zodat mijn moeder en het kindermeisje haar verschrikt aanstaarden alsof de Zoeloes het merg al uit haar botten zaten te zuigen, terwijl ze tegelijkertijd hoorntjes opzette bij die twee jongens die haar bevielen, zonder daarbij, en dat was het meest verbijsterende, ook maar enig schuldgevoel te hebben, en ik, die het vermogen om met gevoel te bidden al jaren kwijt was en al meerdere malen verdoemd moest zijn vanwege de duistere geheimen die ik in mijn binnenste verborg, en die ik eerder zou laten rotten dan verraden, was nu in staat met ongewone scherpte de zwaarte van Reina's zonden aan te klagen en tegelijkertijd een vaag medelijden te hebben, alsof ik aanvoelde dat ze iets aan het verliezen was, dat zondige kussen altijd beter smaken.

'Ze heeft de leeftijd.'

Daarmee en met een glimlach deed mijn moeder de zaak af, waarvan ze, naar ik vrees, de echte omvang absoluut niet kende, wanneer Reina weer eens op volle snelheid de gang door rende naar de telefoon in de keuken omdat ze geen gebruik wilde maken van het apparaat dat op een tafeltje in de hoek van de kamer stond. Omdat ik nauwelijks vijftien minuten na haar was geboren, vond ik het moeilijk dat argument te accepteren, dus vroeg ik haar op een middag zonder omhaal of ze geen schuldgevoel had en ze antwoordde dat ik geen onzin moest kletsen.

'Ik ben met geen van tweeën officieel verloofd, niet? Iñigo gaat tenslotte elke avond uit en vertelt mij ook niet wat hij doet. En Angel... die zie ik alleen maar wanneer hij me met Pedro komt afhalen. Hij weet dat er nog iemand is met wie ik uitga, en als hij het niet erg vindt waarom zou ik er dan moeite mee hebben? Bovendien doe ik niets verkeerds met ze. We zoenen alleen maar.'

Ik stond op het punt haar te corrigeren, want haar laatste bewering was niet helemaal juist. Angel raakte haar niet-tieten door haar kleding aan, ik had er genoeg van dat te zien, maar ik kwam er niet aan toe het te zeggen, en niet alleen doordat in mijn merkwaardige wereldbeeld de dichtheid van haar concessies, alleen zoenen of meer dan zoenen, nog tot daar aan toe was, maar ook omdat ze, na een diepe zucht, een eind aan het gesprek maakte met een opmerking die me toen bijna dagelijks kwelde.

'Je weet niet hoe blij je mag zijn, meid, dat je niet van mannen houdt.'

Elke keer dat iemand begon over mijn duidelijke onverschilligheid ten opzichte van de jongens van onze vriendengroep, zelfs zonder de discrete, maar kenmerkende kwaadaardigheid van tante Conchita – 'dat kind is een beetje vreemd, niet' – herinnerde ik me de schrik van haar zuster Magda, die met opgetrokken wenkbrauwen, die de ongerustheid markeerden van een paar ogen die ik niet meer herkende, met haar hand naar haar boezem greep, alsof het een open luik was waarvan de inhoud op de grond dreigde te vallen, en op ontredderde toon de volgende absurde, krankzinnige vragen stelde – 'maar... maar luister, Malena, je wilt een jongen zijn om te kunnen vloeken en in bomen te kunnen klimmen, niet, ik bedoel, je wilt toch geen platte borst hebben wanneer je volwassen bent, ik bedoel, je wilt toch geen plassertje, zoals jongens hebben. Ik wed van niet, Malena. Ik wed dat je het leuk vindt om je op te maken en schoenen met hakken te dragen' – een onzinnige ondervraging waaraan ik een aantal keren onderworpen werd op die middag waarop ik het had aangedurfd om haar te bekennen dat ik bad om een jongen te worden, dat ik een jongen wilde zijn, tot ik door het gevoel van schaamte dat ze in mij opwekte, met de uiteindelijke reden kwam, die ik had trachten te camoufleren achter allerlei smoesjes die ik al pratend had bedacht – en ik hoefde de volmaakte aard van Reina alleen maar te noemen om haar een moment te laten zwijgen. In die tijd begreep ik de oorsprong, noch de intensiteit, noch het onverwachte en troostende doel van haar bezorgdheid, maar veel later bracht de vroegrijpheid van mijn zusje op het gebied van de liefde, die tegenover mijn strikte ongeïnteresseerdheid stond, een oude onzekerheid terug. Reina werd ongeveer elke drie maanden verliefd op een andere jongen, en ze was dan, zoals ze zei, dodelijk, waanzinnig, wanhopig verliefd, en ik voelde aan dat ze langs die weg nooit iets zou bereiken. Intussen rolde ik elke avond de zware gehaakte sprei op die mijn grootmoeder Soledad voor mij had gemaakt, legde die naast mij op de grond en trok hem wanneer ik in bed lag geluidloos omhoog en legde hem op mijn lichaam. Vervolgens lag ik heel stil, dood, met gestrekte armen en sloot mijn ogen om het gewicht te voelen, om het echte gewicht van een man te kunnen voelen, en er waren heel wat nachten waarin ik zo, wachtend, ging slapen.

Er was niets bijzonders in mijn leven, behalve misschien die jaarlijkse grote dag in juni, de enige dag van het jaar waarop mama ons echt aan het werk zette om koffers dicht te doen, kisten in te pakken en de planten in onze armen naar het portaal te brengen in afwachting van de grote vrachtwagen die het begin betekende van de echte vakantie, wanneer hij leeg uit Almansilla naar Madrid kwam om afgeladen met spullen terug te keren, terwijl wij in de schaduw van de wijnranken stonden te wachten voor dat huis dat fantastisch was op een manier waarop geen enkel huis dat ooit meer kan zijn.

'Niet gek, voor een gril van een indiaan,' zei grootvader altijd, terwijl hij er een ogenblik onbeweeglijk met zijn handen in zijn zij naar stond te kijken, zonder zelfs maar de tijd te nemen om de motor van de auto uit te zetten, en ik glimlachte, me bewust van het feit dat me weer een jaar gegeven was waarin ik het Paradijs mocht binnengaan.

Er zijn al heel wat jaren voorbijgegaan waarin de kersenbomen zonder mij bloeiden, vele jaren sinds Teófila overleed en ik besloot dat ik naar haar begrafenis moest gaan, hoewel elke kilometer die ik aflegde me door de ziel sneed, behalve misschien de laatste, zoals de laatste speld die geen vrije ruimte meer vindt op een oud en versleten speldenkussen, en ik ben nooit meer teruggeweest, en toch herinner ik me alles met het de herinnering van een kind dat gelukkig was omdat een zwoele bries, beladen van zon, haar gezicht beroerde wanneer ze het raam opende, en nog steeds kan ik spelen met de kleurige schaduwen die door de glazen deur van de hal vielen, waardoor er rode, gele, groene en blauwe vlekken op mijn blote armen trilden, en kan ik mezelf bekijken in de kleine spiegel van een metalen, groen geverfde kapstok – kan ik mijn gezicht zien, die indiaanse mond, tussen de zilverkleurige leemten die de leeftijd verraden van het oude kwikzilver dat vernietigd is door de tijd – die zo verschilde van de schitterende spiegel in de salon op de eerste verdieping, waar ik naar binnen glipte om te dansen, waar ik draaide en draaide zonder me ooit in de war te laten brengen door mijn eigen beeld, dat zich tot in het oneindige vermenigvuldigde in acht immense spiegels die zo hoog waren als de muren zelf, verblindende tekenen van een geweldige ruimte die echter niet de enige was, want ik kon ook de deur openen van de werkkamer en op het zelfmoordbalkon verschijnen, of mijn zusje achternazitten rond een marmeren tafel die midden in een enorme keuken stond, waarin alleen maar strengen knoflook en rode pepers te zien waren maar waar altijd de geur van gerookte ham hing, of door de spleet in de deur naar het bed van mijn grootouders gluren, dat een baldakijn had van bloedrood satijn dat afgewerkt was met zijden pompons, zoals je in films ziet, of proberen vier etages te nemen via de trapleuningen om op de overloop van de derde te vallen en me pijn te doen, zoals altijd gebeurde. Dat is het enige wat ik van dat huis heb willen bewaren en ik denk dat ik het, zelfs als ik zou willen, niet meer zou kunnen beschrijven met de afstandelijkheid van een objectieve waarnemer, het aantal kamers noemen, de grootte van de kasten of de inrichting van de badkamers, waarin zich van die dikke muren bevonden van grijze steen, afgewerkt met donker leisteen, zoals in sprookjeskastelen, maar met uitzondering van de windwijzer, de naakte soldaat met een verenpluim op zijn hoofd, wiens ijzeren lans in de richting van de wind wees.

Maar niet alleen het huis was spannend, want de tuin die eromheen lag, ging ver voorbij het zwembad en de tennisbaan, voorbij de stallen en de plantenkassen van mijn grootmoeder, in velden over waar olijven, kersen en tabak groeiden, en achter de velden lag het dorp, dat vaag te zien was, als één enkele straat, vanaf het ijzeren hek, en zo ver was dat we onze fiets nooit in de garage lieten laten staan wanneer we 's middags een rondje maakten. Almansilla was, en ik neem aan dat het dat nog steeds is, een heel mooi dorp, zo mooi dat we, vooral in augustus, nogal eens auto's zagen met belachelijke – uit Barcelona, La Coruña, San Sebastián afkomstige – of voor ons onleesbare nummerborden die op het plein geparkeerd stonden, terwijl de inzittenden door de geplaveide straten liepen, waar nooit zon kwam doordat ze zo smal waren en de oude lemen muren van de huizen die eraan stonden zo scheef waren, of vanuit alle mogelijke hoeken de fraaie gerechtspaal van bewerkte steen fotografeerden waar eeuwenlang de veroordeelden door de Inquisitie waren gegeseld, of de gevel bewonderden van de Casa de la Alcarreña, een oud gebouw dat na de burgeroorlog verlaten was, maar nog steeds bekend was door de bijnaam van de vrouw die de laatste eigenaar was geweest, net zo achtenswaardig met de kleur van de muren, die jaar na jaar in een intens, bijna violet blauw werden geverfd, zoals Karel V wilde dat de madammen van de bordelen van zijn rijk zouden zijn. Maar naast de twee zo uiteenlopende toeristische lokkertjes, was de grote attractie van Almansilla voor ons – degenen die in de Finca del Indio woonden, want zo werd het landgoed in het dorp genoemd – de familie Fernández de Alcántara Toledano, het ingewikkelde kluwen dat ik slechts half wist af te rollen, beetje bij beetje, in het trage ritme waarmee de artritische handen van Mercedes, de vrouw van Marciano, de tuinman, de sperziebonen afhaalde die ze voor het avondeten had geplukt.

Mijn zusje en ik, en al onze neefjes en nichtjes, of in elk geval degenen die kleinkinderen waren van grootmoeder Reina, waren opgegroeid met het meest strikte respect voor de gedragsregels die zij had vastgesteld ten aanzien van Teófila, gedragsregels die niet moeilijk na te komen waren want er was er maar één, namelijk de ontkenning van het bestaan van Teófila in welk recente of verre verleden, heden of toekomst ook. En toch kan ik me vanaf toen ik heel klein was niet herinneren dat het ook maar één keer gebeurd zou zijn dat ik een van mijn andere ooms en tantes of een van mijn andere neefjes en nichtjes niet herkende wanneer ik ze op straat tegenkwam, hoewel ik soms hun naam niet eens wist. Ik kan niet precies zeggen hoe ik wist wie ze waren, maar ik weet wel zeker dat het met hen ook zo ging, want het hele dorp leek die onverbiddelijke komedie mee te spelen, wat zover ging dat de jongeren van Almansilla traditioneel in twee groepen verdeeld waren, die van de autochtonen en die van de zomergasten, waarbij in beide gevallen de respectievelijke Fernández de Alcántara's als bindmiddel functioneerden van de bijbehorende groep, waarmee ze zin gaven aan een scheiding die, rekening houdend met het geringe aantal dorpsbewoners, zelfs in de maand augustus, belachelijk was.

Toen ik een puber werd, waren de dingen nog niet erg veranderd, want ondanks het feit dat de nakomelingen van mijn grootvader begonnen waren elkaar te groeten – ik moet niet ouder dan tien zijn geweest toen Maria haar man en een van haar kinderen verloor bij een verschrikkelijk verkeersongeluk en herinner me nog steeds de verbazing van mijn moeder toen ze, nadat ze voor zichzelf besloten had dat wij naar de begrafenis moesten, vijf van haar acht legitieme broers en zussen aantrof – en dat Miguel en Porfirio dikke vrienden waren, was de inertie nog zo sterk dat het nooit in ons hoofd opkwam een bezoek te brengen aan onze neven en nichten in het dorp, zelfs niet uit nieuwsgierigheid. Ik herinner me ook de opschudding op een avond tijdens een dorpsfeest, toen Reina haar pols sneed aan de hals van een kapotte fles en Marcos, de middelste zoon van Teófila, die de arts was, met haar naar zijn huis rende omdat ze daar ter plekke dood leek te bloeden. Mijn ouders kwamen met ons mee en stonden rustig te praten in de spreekkamer en toen ze hem ten slotte bedankte, gaf mijn moeder haar broer zelfs een kus. Ik had meer dan een uur met mijn nichtje Marisa zitten praten en vond haar heel aardig, en grappig, met dat sterke accent dat ze had, maar toen ik afscheid van haar nam, kwam het niet eens in me op dat we elkaar misschien nog eens zouden ontmoeten. Mijn nichtje bleef uitgaan met haar vrienden en ik met de mijne, en we bleven kwaad naar elkaar kijken, want zij waren een stel boerenkinkels en wij een stel verwaande krengen, of zij wisten niets en wij vonden dat we slim waren, of hun grootmoeder was een hoer zoals ze niet meer gemaakt worden en die van ons een heks die uitgedroogder was dan een oude wijnstok, of misschien gewoon omdat onze herinnering niet verder ging dan twintig jaar en niets daarin ons toestond om medelijden met onszelf te hebben.

De krachten waren gelijk verdeeld, want hoewel grootmoeder negen kinderen had gekregen uit zeven zwangerschappen – ook Carlos en Conchita waren een tweeling – en Teófila maar vijf – allemaal één voor één – was tante Pacita gestorven toen ik nog klein was en had noch Tomás, noch Magda, noch Miguel, die maar tien jaar ouder is dan ik, hun moeder kleinkinderen gegeven. Tante Mariví, die getrouwd was met een diplomaat die in Brazilië gestationeerd was, kwam bijna nooit naar Spanje, en haar enige zoon, Bosco, leed die zomer, die hij met ons doorbracht, zo onder zijn verliefdheid op mijn zusje, dat hij geen enkele behoefte had om zo'n vakantie te herhalen. Met mijn oom Carlos gebeurde iets soortgelijks, want hij woonde in Barcelona en bracht de vakantie liever in Sitges door, zodat de enige kinderen die de zomervakanties in de Finca del Indio doorbrachten de zes kinderen waren van mijn oom Pedro, de acht van mijn tante Conchita, Reina en ik, duidelijk superieur in aantal aan de vijf kinderen van Maria en de vier van Marcos, maar zonder de versterkingen waarover zij beschikten in de vorm van de familie van hun moeder. Van de andere kinderen van Teófila woonde Fernando, de oudste, in Duitsland en kwam nooit, en hadden de twee jongsten, Lala, die actrice was, en Porfirio, die net zo oud was als Miguel, nog geen kinderen.

En zo liet ik, de wereld vanuit mijn ooghoeken bekijkend vanaf een stenen muurtje dat bezaaid was met schilletjes van zonnebloempitten, de zomers van mijn kindertijd voorbijgaan, zowel wetend als niet wetend, de dingen begrijpend zonder vragen te stellen, en lerend dat wij de goeden en die van de andere groep de slechten waren, hoewel het me volkomen terecht had moeten lijken dat zij de wereld precies andersom indeelden, en, om het leven niet nog ingewikkelder te maken, Porfirio en Miguel indelend in een soort permanent buitenspel. Daar had ik genoeg aan tot grootvader mij de smaragd cadeau gaf, de groene steen die me voor altijd verbond met de erfenis van Rodrigo de Slachter, en ik plotseling besloot ik mijn polsen te bewegen en ik merkte dat ze gekneveld waren en dat mijn verbeeldingskracht nutteloos was, verpletterd onder het gewicht van zo veel oude geheimen, zo oud dat een aantal ervan geen waarde meer kon hebben, en me voornam in elk geval de code te ontcijferen van die duistere en tegelijk nabije geschiedenis, maar ik kon niets achterhalen, en de blik die ik van mijn moeder kreeg toen ik haar, zonder Teófila ook maar te noemen, vroeg sinds wanneer het zo slecht was gegaan tussen haar ouders, overtuigde me ervan dat ik mijn speurtocht tot buiten de grenzen van mijn eigen familie moest uitbreiden, en ik werd veertien jaar en daarna vijftien, zonder te weten tot wie ik me kon wenden, tot ik op een avond, een paar weken na mijn verjaardag, kwaad werd op mijn zusje en mijn nichtjes omdat ze samen besloten van televisiekanaal te veranderen, waardoor ze mij beroofden van het einde van de film waar we na het eten naar zaten te kijken, en ik de tuin inliep om maar iets te doen en voor ik me ervan bewust was voor het huis stond van Marciano. Ik liep ernaar toe om zijn vrouw te begroeten, nam om haar niet te beledigen het aanbod van een frisdrank aan en ontdekte zo toevallig dat Mercedes het heerlijk vond om te vertellen.

'Er is niets aan te doen, in jouw familie heeft altijd een kwade ader gezeten. Daarom zeg ik je dat je altijd op je hoede moet zijn, want het is bekend dat er maar een paar zijn die het erven, het is dus een minderheid, maar het is goed het te erkennen, en vroeger of later, daar is niets aan te doen, komt het bloed van Rodrigo boven en gaat alles mis...'

Ik was zo opgewonden door dit nieuws dat ik mijn boosheid vergat. Ik wilde mijn gloednieuwe kennis met mijn intiemste vriendinnen delen, maar ik moest het al snel afleggen tegen de onverschilligheid waarmee zowel Reina als mijn nichtjes die belangrijke ontdekking ontvingen. Clara, de enige dochter van de zes kinderen van mijn oom Pedro, was net achttien geworden, ging naar de universiteit en had een vriend die in dienst zat, zodat ze, trouw aan de rol die dit geheel van omstandigheden van haar eiste, opmerkte dat ze te oud was voor dat soort kinderlijke dingen. Macu, een dochter van mijn tante Conchita, die net zo oud was als ik, ging uit met onze neef Pedro, en het enige doel dat ze in het leven had was het bemachtigen van de stoel naast die van de chauffeur in de Ford Fiësta die hij had gekregen omdat hij naar de tweede klas van de landbouwschool was gegaan. Reina, voortdurend met Bosco op haar hielen, was de vaste kandidate voor de achterbank en wilde altijd mee om zich naar Plasencia te laten rijden en iets te gaan drinken in een bar waar een jongen die ze leuk vond als disk-jockey werkte. Omdat er dan nog één plaats over was, was ik gewoonlijk de vijfde in de auto, hoewel ik me meestal zo verveelde wanneer de chauffeur en zijn bijrijdster naar het donkere deel van de bovenverdieping verdwenen om elkaar op te vrijen en mijn zusje zich opsloot in de glazen kooi om platen te draaien, dat ik Bosco bijna dankbaar was voor de manier waarop hij zich bezatte, want wanneer hij zich naast me op de bank liet vallen, omdat hij al niet meer op zijn benen kon staan, en allerlei droevige dingen begon te mompelen in het Braziliaans, een taal waaraan hij de voorkeur gaf boven het Castiliaans om zich te beklagen over zijn wrede lot, had ik in elk geval iets te doen, want ik kon hem troosten, hoewel ik geen woord begreep van wat hij zei, terwijl ik wachtte tot het tijd werd om naar huis te gaan. Nené, de andere Magdalena van mijn generatie, was altijd met ons meegegaan tot Macu verliefd werd op de Ford Fiësta. Sinds die tijd bracht ze de avonden door met mokken, want ze was uitgesloten van de groep, in theorie door de beperkte capaciteit van het voertuig van haar toekomstige zwager en in de praktijk wegens de ongelimiteerde vaardigheid in het opgeilen van haar oudere zus die geen lastige getuigen wilde. Ze was mijn laatste hoop, maar ze gaf me onmiddellijk en in enkele woorden te verstaan dat grootmoeder, haar echtgenoot, Teófila en de kinderen van die twee haar geen fluit konden schelen en dat ze niets anders wilde dan met ons naar Plasencia gaan, zodat ik haar voor de volgende rit genadiglijk mijn plaats afstond.

Ik begon er al bijna spijt van te krijgen, want Mercedes, die zich met een uitputtend plezier in de beschrijving had gestort van zonden en vervloekingen, de kwaliteit van aders, en van goed en kwaad bloed, had me feitelijk nog niets toevertrouwd wat echt interessant was, toen ik achter mijn rug een bekende stem hoorde die ik interpreteerde als het onbetwistbare signaal dat alles verloren was.

'Vertel die verhalen toch niet aan dat kind, zeg, je begint met de dag praatzieker te worden.'

Ik had er niet aan gedacht dat Paulina, de kokkin van mijn grootouders, als een nog grotere kletskous bekend stond dan mijn gesprekspartner, en ze hoefde zich niet al te erg te forceren om tot de conclusie te komen dat haar idee van censuur voldoende reden was om een momentje in de zon te gaan zitten, bij ons, om de scherpe tong van Mercedes, die al sinds hun kindertijd een vriendin was, onder controle te houden.

'Een eerlijke mond heeft een eerlijke grond!' was de reactie van Mercedes. 'Bovendien vertel ik haar niets slechts. Ik waarschuw haar alleen maar.'

'Voor de kwade ader…'

'Natuurlijk! Waarvoor anders?'

'Nou, daar gaan we weer! Een beetje over goede en kwade aders praten, de Heer zij geloofd.'

'Je kan zeggen wat je wilt… Maar op de dag dat Porfirio zich van het balkon stortte, was ik in de tuin de tafel aan het bedienen. Ik heb hem zien vallen, begrijp je, en ik wil niet dat zij zo eindigt.'

'En waarom zou ze zo eindigen? Porfirio was zwaarmoedig. Hij was ziek, je zag het bij hem al aankomen toen hij klein was.'

'Niet waar!'

'Wel waar!'

'Porfirio was zwaarmoedig doordat hij de kwade ader had, maar hij heeft er een eind aan gemaakt vanwege die vrouw uit Badajoz, die veel ouder was dan hij en getrouwd was, goed getrouwd was, met een generaal, alsof het niets was, en te gast was bij de meneer en mevrouw, zijn eigen ouders, en ondanks dat, en terwijl hij voor priester studeerde, had hij een verhouding met een getrouwde vrouw, en omdat hij, zover ik weet, geen duwtje van de duivel heeft gehad, zat het in dat slechte bloed, hetzelfde als wat haar grootvader in zijn aders heeft…'

'Je moet niet alles verdraaien, Mercedes! En praat niet slecht van mijnheer. Porfirio was zwaarmoedig omdat hij zo geboren was, hij had ook geboren kunnen worden als Pacita.'

'Nog een die het bloed van Rodrigo had geërfd.'

'Hou nou toch op, verdorie! Porfirio was ziek, dat wist iedereen. Hij was… verdrietig, depressief, zoals ze dat tegenwoordig noemen, hij had depressies, en als hij daar last van had, probeerde hij zelfmoord te plegen. Alsof ik dat niet zou weten! Van jongs af aan ging hij bijna niet naar school. Hij lag dagen in bed en had de kracht niet om op te staan, en later werd het nog erger, want hij wilde niet eens meer ontbijten, en hij lag uren naar het plafond te staren, en hij huilde… Toen hij twintig was, werd hij nog door zijn moeder geschoren om hem geen mes in handen te geven!'

Ik zie ze nog voor me: Mercedes steeds verontwaardigder, met rode wangen van woede, haar handen uitgespreid op haar dijbenen rustend, alle kracht doorgevend die haar stijve armen konden uitoefenen, en haar hoofd ver verwijderd van die sperziebonen die ze aan het begin van het gesprek had laten vallen en die verspreid aan haar voeten lagen, rond de groene plastic bak waar ze in hadden gezeten. Paulina, daarentegen, had zich nog geen millimeter bewogen en bleef gewoon zitten, met rechte rug, de benen stijf tegen elkaar, de handen op een berekende sierlijke manier samengevouwen op het gesteven schort, en in haar stem, haar gezicht, haar gebaren dat hooghartige dunne laagje van vrouw uit de hoofdstad, dat haar gesprekspartner zo nerveus maakte.

'Zo zwaarmoedig als u maar wilt, mevrouw, maar toen Pedro en ik 's middags naar het riet liepen…'

'Om ze te bespioneren.'

'Of om een ommetje te maken, maakt niet uit, en toen we ze zagen rollebollen… lieve hemel, hij was lijkbleek, de zwaarmoedige! Alsof hij in een draaimolen had gezeten, zo zag hij eruit, en ik mag doodvallen als het niet zo is.'

'Let maar niet op haar,' zei Paulina tegen me. 'Ze is altijd al een aasgier geweest, maar jouw grootvader ging daar echt niet heen om zijn oom te bespioneren.'

'Dat is niet waar! Hoor je me! Dat is niet waar! Wie dacht je dat er op het idee was gekomen. Wat die niet allemaal heeft uitgehaald, al sinds hij klein was…'

'Je praat alleen maar zo om te laten zien dat meneer en jij zulke goeie maatjes zijn.'

'Dat waren we ook, en meer. We zijn samen gezoogd! Mijn moeder heeft ons tegelijkertijd gezoogd toen mevrouw bijna weggenomen werd door die koorts.'

'Ja, maar dat is lang geleden…'

'En wat dan nog? Iedereen weet dat ik hem nooit met u heb aangesproken. We zijn samen opgegroeid. Bovendien gaat het daar niet om, waar het om gaat is dat Porfirio zelfmoord heeft gepleegd om die vrouw uit Badajoz, en als wat ik zeg niet klopt, vertel jij me dan maar waarom ze lijkbleek werd toen ze hem op het balkon zag verschijnen en hij naar iedereen zwaaide, met zo'n gelukzalige glimlach, hij leek wel een pastoor die de zegen geeft, maar het was geen zegen, nee, en die smerige hoer wist het, en daarom stond ze al op voor hij zich voorover boog en begon ze te gillen, en ze gilde veel harder dan zijn eigen moeder, begrijp je, en ze was de eerste die naar hem toe rende, en de eerste die zijn lichaam in haar armen nam en dat terwijl zijn schedel opengebarsten was op de graniettegels, maar dat kon haar niets schelen, en ik heb met mijn eigen ogen gezien dat haar man in zijn auto stapte en ervandoor ging omdat hij zich doodschaamde, want er was geen fatsoenlijke reden waarom zijn vrouw zich zo op het lichaam van Porfirio wierp, met zijn kapotte zijn hoofd en zo, God mag weten wat voor schuldgevoelens ze had.'

'Natuurlijk, ze hadden een verhouding. Ik heb nooit gezegd dat ze geen verhouding hadden, maar Porfirio heeft er een eind aan gemaakt doordat hij zwaarmoedig was…'

'Niet waar!'

'Wel waar!'

En de zon legde een flink stuk af terwijl ze elkaar uitdaagden met hun ogen, elkaar de twee kanten van dezelfde waarheid in het gezicht spuugden, en de wasbleke wangen violet kleurden, met dubbelzinnige nuances van licht en schaduw, van degene wiens portret ik jaren eerder de titel had gegeven 'Porfirio met de wallen onder de ogen', de trotse zelfmoordenaar die in de schaduw van een wilg en zonder een steen begraven was in de ongewijde aarde van onze tuin, en wiens naam, waarover mijn grootmoeder voor haar mannelijke zoons een veto had uitgesproken, uiteindelijk geërfd was door de jongste zoon van Teófila.

Teófila, degene waar ik heen wilde, maar ik begon bang te worden dat we nooit bij dat onderwerp zouden komen, want het gesprek begon zich volgens steeds schilderachtiger patronen te ontwikkelen en ging voortdurend van het algemene naar het bijzondere, en mijn bronnen dreigden het voor het eten niet meer eens te worden over de kleur van het haar van die mevrouw uit Badajoz.

'Het was kastanjebruin.'

'Het was zwart, Mercedes, alsof ik dat niet zou weten, ik heb het zelfs een keer gekamd.'

'Middenbruin, met andere woorden kastanjebruin.'

'Nee, het spijt me, maar dat is niet waar. Ze was heel donker, met zwart haar, zo was ze.'

'Geen sprake van, ik weet het nog heel goed. Misschien was het zwart rond haar gezicht, dat zou kunnen, maar de knot was bruin, Paulina... de punten waren bijna blond!'

'Niet waar!'

'Wel waar!'

'Echt niet, Mercedes, je bent altijd zo'n domkop! Kijk maar naar dat gedoe over die kwade ader, toe nou, het bloed van Rodrigo hier en het bloed van Rodrigo daar, en er is niemand die je daarvan afbrengt, en ontken het maar niet want ik heb je net horen praten en je maakt dat kind helemaal in de war met al die verhalen... Je hebt niet zo veel ontwikkeling, Mercedes, en toegeven is voor de wijzen, maar jij gaat door het leven als een ezel met een wortel voor zijn ogen.'

'Je zegt maar wat je wilt, maar het is de waarheid. Met het geld hebben ze het bloed van Rodrigo uit Amerika meegebracht. Zo veel geld verdien je niet met je handen, dat kan niet goed zijn, en van het een komt het ander, want wie weet of Pedro, als hij niet zo rijk was geweest, Teófila zo in het verderf had gestort als hij gedaan heeft.'

'Ah! Dus... nu zal het meneer geweest zijn die Teófila in het verderf heeft gestort. Een beetje respect, Mercedes, zijn kleindochter zit erbij.'

'Al zat haar moeder erbij! Hoor je me! De schuld lag bij Pedro. Hij is vijftien jaar ouder. Ze wist niet waar ze aan begon toen ze...'

'En of ze dat wist! Dat wist ze donders goed! Hoor je me! Donders goed. En als hier iemand iemand anders in het verderf heeft gestort, dan heeft zij dat bij mijn mevrouw gedaan. Die was al jaren met hem getrouwd en had vijf kinderen toen die slet ertussen kwam. Dat had ze niet verdiend, ze was zo goed...'

'Mevrouw was een goede vrouw.'

'Heel goed.'

'Heel goed, ja.'

'Natuurlijk, de beste.'

'Heel goed, Paulina, heel goed, maar dat maakt niet uit, want jij hebt Pedro niet gezien zoals ik hem heb gezien, zoals hij hier voorbij kwam galopperen, als een bezetene, al voor hij trouwde en daarna precies hetzelfde, want nog diezelfde avond dat hij met mevrouw terugkwam van de huwelijksreis ging hij het huis uit en iedereen wist waar hij naar toe ging, want hij leek er nooit genoeg van te krijgen en het leek de duivel zelf die aan de teugels trok...'

'Wil je de duivel erbuiten laten! Het is toch wat, Mercedes... wat ben je toch dom!'

'Waren er toen nog geen auto's?'

De twee zaten me stomverbaasd aan te kijken, alsof niets ze zo in verwarring had kunnen brengen als mijn vraag. Paulina maakte een vaag gebaar met haar handen, maar het was Mercedes die antwoordde.

'En of er verdomme auto's waren! Hij had er twee. En hij mocht er zijn, jouw grootvader, en te paard zag hij er nog knapper uit, vooral wanneer hij vanaf zijn middel naakt was, dan... God bewaar me! Allemachtig! Jezus, Maria en Jozef sta me bij, zelfs ik kreeg het er benauwd van, en hij wist het, hij wist het verdomd goed. En toen wilde ik mijn mond niet meer houden en op een dag ging ik naar hem toe en ik zei, wees toch voorzichtig, Pedro, en trek goddomme eens een keer een overhemd aan, want zoals jij hier rondrijdt, dat eindigt nog in een tragedie. En weet je wat hij zei?'

'Nee, maar geen dubbelzinnige dingen, Mercedes, en wees voorzichtig, dat kind is nog maar vijftien.'

'Nou, hij zei, maak je geen zorgen, ik zal echt niet uit een raam springen. De rotzak! Alsof ik hem daarvoor wilde waarschuwen! Alsof het ooit in mijn hoofd was opgekomen dat híj, híj uit een raam zou springen! Wat ik wel wist was dat iemand hem zou strikken, dat iemand hem vroeger of later zou strikken met de manier waarop hij bezig was, en dat werd Teófila, en ze was niet beter of slechter dan de anderen.'

'Het is dat je het zegt.'

'Niet beter en niet slechter, Paulina.'

'Nee, alleen de... brutaalste.'

'Hoe bedoel je. Toen Teófila uit Aldeaneuva kwam om bij haar tante te gaan wonen was ze nog geen achttien. Het is wat! Ze was negentien toen ze Fernando kreeg! Ze was nog een kind toen hij een oogje op haar kreeg, en het spijt me voor je mevrouw, maar het is niet eerlijk om haar alle schuld te geven. Het lag aan Pedro, het bloed van Rodrigo, want hij was helemaal weg van haar, ik had er genoeg van om hem zo te zien, het leek wel of hij gek was geworden, en die zomer, dat moet de zomer van '33 zijn geweest, deed hij me mooi aan Porfirio denken, want hij stopte met eten, hij was zo onrustig als wat en liep zich maar te krabben, of hij zat uren achter elkaar voor zich uit te staren, zonder iets te zien, en als het maar even kon vertrok hij naar het dorp om het kind nog meer in opspraak te brengen; hij volgde haar door de straat als een hond... Ik weet niet wat ze hem gegeven heeft, dat weet ik niet, maar ze haalde het kwade bloed in hem naar boven, hij was tenslotte volwassen, want we zijn met de eeuwwisseling geboren, en jij weet ook nog wel hoe hij zich gedroeg toen die neef van Teófila, die in Malpartida woonde, haar voorstelde om haar te trouwen en

Fernando te adopteren en naar Amerika te gaan, want ze hadden daar familie, ik weet niet waar, in Cuba, geloof ik, of in Argentinië, geen idee... Ik weet niet, mijn geheugen is niet meer zo goed...'

'Ja, dat heb ik wel gemerkt, want die mevrouw uit Badajoz was donker...'

'Kastanjebruin, verdomme, en je moet me niet onderbreken want dan raak ik de draad kwijt... Ik denk dat het Argentinië was, nou ja, ik weet het niet meer, het doet er ook niet toe, want zij moest hier weg, dat is duidelijk, en haar leek het wel wat, het was een goede oplossing voor iedereen, en toen verscheen Pedro, hij was razend, hij leek de duivel zelf, ik weet het nog alsof het gisteren was, want ik was in het dorp om boodschappen te doen, en we verwachtten hem niet, niemand had ons gewaarschuwd dat hij zou komen, het was op een dinsdag, om één uur 's middags, in het voorjaar, het moet mei zijn geweest, het was een prachtige dag, zelfs dat herinner ik me nog... Ik hoor hem nog gillen, als een varken dat gekeeld wordt, met een stem die niet uit zijn keel kwam, ik zweer het je, Paulina, die stem kwam recht uit zijn ingewanden, en met die ingewanden schreeuwde hij om Teófila, vanaf het plein, en ik hoorde hem en mijn haar ging recht overeind staan, want ik had hem nog nooit zo wanhopig gezien, niet op de dag dat zijn vader doodging en niet op de dag dat zijn moeder begraven werd, nooit, en zo heb ik hem daarna ook nooit meer gezien, zelfs niet toen Pacita geboren werd, want hij leek op een stervende stier, met dat waas dat ze voor hun ogen krijgen wanneer ze al vol zitten met *banderillas* en met het zwaard in hun nek, zo zag hij eruit, hij was buiten zichzelf van woede en zijn hele lichaam trilde alsof hij koorts had van de woede die hij in zich had.'

'Hoe wist hij het?'

'Dat weet ik niet, daar ben ik nooit achter gekomen, maar die dag kwam hij voor Teófila en Teófila kwam naar hem toe, midden op het plein. En van haar tante mocht ze het huis niet uit en zelfs niet voor het raam gaan staan, maar ze ging, ze maakte ruzie met haar eigen tante, die als een moeder voor haar was, en ze ging, en toen ze voor hem stond, leek hij haar te willen slaan, maar dat deed hij niet, hij pakte haar alleen bij haar arm en sleepte haar zonder een woord te zeggen mee naar de Fonda del Suizo en daar kwamen ze pas zaterdagochtend weer uit, nadat ze er vier dagen en vier nachten waren geweest.'

'Wat hebben ze daar gedaan?'

'Weet ik veel! Dat weet niemand. Ik heb natuurlijk wel een idee, want toen ze afscheid van elkaar namen kuste ze hem de handen, en niet aan de binnenkant, maar aan de andere kant, zoals je een bisschop kust, en hij was weer rustig, zoals altijd. Teófila wachtte tot de auto uit het zicht verdween en stak toen met halfgesloten ogen en een onnozele glimlach om haar mond het plein over en ze zag eruit alsof ze voor God de Vader had gestaan in plaats van dat ze vier dagen met een man in bed had gelegen, wat een gans, lieve hemel, hopeloze domoor... En haar tante zei dat er nog tijd was, dat ze met haar neef moest trouwen, dat ze geen idioot moest zijn... Maar ze gaf geen antwoord, ze glimlachte alleen maar, en ik wist dat er geen redden meer aan was, dat ze voor de rest van haar leven ongelukkig zou zijn.'

'Nee, Mercedes, zo kun je het verhaal niet vertellen, want zo is het niet gegaan.'

'Zo is het wel gegaan.'

'Nee, dat is niet zo!' En toen richtte ze zich tot mij. 'De enige die hier onder geleden heeft, is jouw grootmoeder, Malena, jouw grootmoeder. Ze was een heilige, God hebbe haar ziel, en de beste vrouw die haar man kon hebben, ook al was hij niet dankbaar.'

'Hij hield niet van haar, Paulina.'

'Hij hield wel van haar, en ik weet dat beter dan wie dan ook want ik heb vanaf het moment dat ze trouwden bij ze in Madrid gewoond, dat was in '25, en natuurlijk is het lang geleden, maar ik weet het nog heel goed, want ik heb geen problemen met mijn geheugen, zoals jij, en ik haal Cuba en Argentinië niet door elkaar, maar hij hield van haar, Mercedes, hij hield van haar tot Teófila ertussen kwam.'

'Hij hield niet van haar. Hij had van haar moeten houden, dat was zijn plicht, maar hij hield niet van haar. Ik zeg niet dat ze elkaar niet mochten, want hij werd zo snel verliefd dat hij de ene nog niet gehad had of hij zat alweer achter de volgende aan, zodat het hem uiteindelijk niet meer uitmaakte, maar van haar houden, echt van haar houden, nee. Jij hebt hem hier niet met Teófila gezien, in de oorlog...'

'En jij hebt mevrouw niet in Madrid gezien, verdomme, want het sneed me door mijn ziel als ik zag hoe ze zich elke middag opknapte, want ze begon zich op te maken, terwijl ze dat voor die tijd nooit deed, de arme vrouw. Ze zag eruit om door een ringetje te halen en ging dan bij het balkon in de kamer zitten, en ze glimlachte de hele tijd om te zorgen dat de kinderen niets zouden merken. Stel je voor, Paulina, ze zei, ik voel dat mijnheer vandaag thuiskomt, dus ik kan maar beter hier blijven. En de oorlog was al maanden voorbij, en jouw man kwam toen een keer per maand naar ons toe om ons eten te brengen, want in Madrid was niets meer te krijgen, en ze vroeg hem altijd, hoe gaat het in Almansilla, Marciano?, en je man loog dat hij barstte, ik hoor hem nog, er is veel te doen, mevrouw, er is veel te doen, maar ik moet van meneer zeggen dat hij veel aan u denkt en dat hij niets liever wil dan naar huis gaan, en dat de zaken bijna geregeld zijn... En we wisten allemaal dat er niets gedaan hoefde te worden en dat er hier geen zaken waren, en dat er hier nauwelijks oorlog was geweest, alleen die hoer in het bed van mijn mevrouw, en ik snap niet waar die... man... het lef vandaan haalde!'

'Dat is het bloed van Rodrigo, Paulina, daar komt het door, en doordat hij pech had, want niemand kon er iets aan doen dat hij hier door de oorlog werd overvallen, en dat hij hier met Teófila zat, en dat mevrouw in Madrid zat, met de kinderen.'

'Ja, hij zorgde wel dat de oorlog hem hier zou overvallen! De bombardementen heeft hij aan ons overgelaten. En de angst. En de honger, want jij hebt mevrouw niet zien huilen op de dag dat ze geen melk meer had, want ze had de tweeling aan de borst, Magda en háár moeder, al bijna een jaar, en toen stond ze droog, want ze spaarde het eten uit haar mond voor de andere kinderen, en toen moest ze ze voeden met een puree van linzen, met gepureerde linzen, verdomme, meer water met paprikapoeder dan iets anders, en op een dag had ik bijna stenen in de pan gegooid voor een beetje vulling, want we hadden niets te eten, we aten niet, hoor je me, de kinderen aten alles op en hadden nog steeds honger, en ik werd 's nachts wakker omdat ze lagen te huilen en ik kon ze niets anders geven dan het brood dat hun moeder en ik voor de volgende dag hadden bewaard, en zo leefden we, de ene dag vasten en de volgende ook, drie jaar lang, en vooral het laatste jaar was het elke dag vasten, terwijl hij een mooi leventje leidde en hij kon slachten en zich volproppen, samen met die hoer en jullie erbij.'

'Dat moet je niet zeggen, Paulina, want het is niet waar. Niemand kon er iets aan doen, niemand, behalve Franco misschien…'

'Ja, ja, we zijn er weer!'

'Ja, natuurlijk zijn we er weer, want als die klootzak die oorlog niet begonnen was… Ik had nog weleens willen zien hoe het dan tussen die twee gegaan was! En in de zomer van '35 kwamen jullie niet, of weet je dat niet meer, want mevrouw was bang, want die collectivisten begonnen zich behoorlijk te roeren en in het dorp werd gezegd dat de Alcántara's de eersten zouden zijn die onteigend zouden worden. Dus kwam hij alleen, en zijn vrouw vond dat wel best, want hij kwam uiteindelijk om zijn bezit te verdedigen. Zij kon niet weten dat de toestand hier nogal verhit was, want die neef van Teófila zat nog steeds achter haar aan, ik denk dat er nog geen drie maanden voorbij waren gegaan sinds dat verhaal dat ik je net heb verteld, en ze gingen dus de hele zomer met elkaar om, maar Pedro woonde hier, alleen, en zij bij haar tante, in het dorp. En het is waar dat hij dat jaar vaak gekomen is, en altijd alleen, maar het is ook waar dat het er voor hem allemaal niet zo goed uitzag, want hij is hier zelfs meerdere keren met de dood bedreigd, maar hij was nooit bang.'

'Omdat je voor bang zijn schaamtegevoel moet hebben.'

'Of omdat hij altijd een man is geweest! Hij mag dan zo slecht geweest zijn als je wilt, maar hij was wel een man, van top tot teen… Daarna, dat klopt, toen de oorlog uitbrak was hij hier, en hij kon niet terug naar Madrid, Paulina, ook al had hij dat gewild, niet dat ik zeg dat hij wilde, maar hij had natuurlijk niet terug kunnen gaan. En toen was het allemaal niet zo belangrijk meer. Niemand had tijd of zin om te roddelen, en Pedro werd helemaal gek, ik herkende hem niet meer, kun je nagaan. Op een dag vond ik hem achter een boom. Hij deed helemaal niets en toen ik hem groette, legde hij een vinger op zijn lippen, zoals je tegen kinderen doet, omdat ik stil moest zijn, en hij wees naar het portaal, naar Teófila die daar zat te naaien, en toen zei hij dat hij naar haar stond te kijken, zomaar, verder niets. Verdorie nog aan toe, straks zeg jij weer dat hij geen kwade ader had, stil, ik sta naar haar te kijken, zei hij tegen me. Maar het was natuurlijk hopeloos. Hij liep de hele dag achter dat meisje aan, met het kwijl op zijn kin...! En vertel jij me maar eens wanneer hij zo met mevrouw is omgegaan, Paulina, nooit, nooit, lieg niet, dat weet je maar al te goed... Het ergste is dat hij Teófila met zijn gekte begon aan te steken. Je had ze moeten zien die twee, ze leken wel kinderen, ze liepen elkaar voortdurend te kussen, het maakte niet uit wie het zag, en ze wandelden door de tuin alsof ze op vakantie waren, je zou bijna zeggen dat de oorlog een lot uit de loterij was... In het begin nam ik het niet zo ernstig, we dachten allemaal dat het niet lang zou duren en we merkten er hier niet veel van, daar heb je gelijk in, maar Madrid viel niet, Madrid kwam in verzet, en toen was Teófila opnieuw in verwachting en werd Maria geboren, in dit huis, en Pedro vierde het in stijl, je kunt het je niet voorstellen, het hele dorp kwam op bezoek en zij leek wel een hertogin die de genodigden ontving; we hebben twee varkens geslacht alleen om de doop te vieren...! En die dag hield ik mijn mond niet meer, want dat kon ik niet meer, en ik heb het hem recht in zijn gezicht gezegd, dat hij wel moest bedenken dat zijn vrouw niet op de maan zat maar op nauwelijks driehonderd kilometer afstand en dat de oorlog niet eeuwig zou duren... En in die tijd begon heel Extremadura erover te praten, en met reden, dat ontken ik niet, want het was me een schandaal, maar hij trok zich er niets van aan, want de dag waarop juffrouw Magdalena, die uit Cáceres, hem liet weten dat hij wat haar betreft vanaf dat moment dood was, weet je wat hij toen zei: mijn zuster, Franco en de paus van Rome kunnen me m'n rug op!'

'Mercedes, doe niet zo dom! Het is wel te merken dat je geen enkele ontwikkeling hebt. Let toch op je woorden!'

'Maar dat waren zijn woorden, Paulina! Alsof ontwikkeling daar iets mee te maken heeft! Ik heb er geen komma aan veranderd, dat zweer ik je... Luister, ik mag dan een heleboel dingen zeggen en een heleboel onzin, maar hij was niet goed, hoor je, er zat geen greintje goed bloed in, vooral tegen het eind, toen we al wisten dat de oorlog op zijn eind liep en wie er ging winnen, dat wisten we al, en op een middag vond ik hem hier, hij zat een sigaret te roken met mijn man, en ik verstijfde toen ik hem hoorde... Madrid blijft zich verzetten, dat weet ik zeker, zei hij, Madrid geeft zich niet over, en als Barcelona het volhoudt tot er godverdomme eens versterkingen uit Frankrijk komen... Wat een rotzak, dacht ik toen. Luister, ik zal je niet zeggen hoe kwaad ik werd, dat zal ik je niet zeggen, maar ik heb Marciano schreeuwend het huis in gestuurd en daarna heb ik het hem in zijn gezicht gegooid. Hoezo moet Barcelona het volhouden! zei ik, lammeling, met al het geld dat jij hebt... Wat heb jij van die republikeinen te verwachten? Alleen maar narigheid. Dat ik rood ben is niet zo raar, ik heb nog geen nagel om mijn kont te krabben, schreeuwde ik, maar jij... klaploper, parasiet... ben je nou helemaal gek geworden, heb je helemaal geen hersens meer in je hoofd. Je hebt goddomme zeven kinderen in Madrid, zeven kinderen en een vrouw! En dan wil je dat de oorlog nog langer duurt...? En toen stortte hij in, Paulina, hij stortte in, je had hem moeten zien, eerst zat hij heel stil, onbeweeglijk, hij zei geen woord, tot hij zich brandde aan de sigaret die hij tussen zijn vingers had. Toen leunde hij tegen de muur, tegen deze zelfde muur die ik nu aanraak en begon te huilen. Ik doe alles verkeerd, Mercedes, ik doe alles verkeerd, en zo bleef hij meer dan een uur staan, steeds maar diezelfde woorden herhalend, mompelend bijna, heel zachtjes, alsof het een litanie was, alles wat ik aanraak gaat kapot, dat zei hij, ik doe alles verkeerd, en mijn hart trok zich samen, ik zweer het je, Paulina, want ik hield van hem, natuurlijk hield ik van hem, we waren samen opgegroeid. En het was waar wat hij zei, want hij heeft altijd alles fout gedaan, want hij had het bloed van Rodrigo in zijn aders, en het was zijn schuld niet, een ander had het ook kunnen erven…, wie dan ook, maar hij had het, dat kwade bloed…'

'Niet huilen, Mercedes, liever d, het is al zo lang geleden…'

Ze merkten geen van beiden dat ik ook moest huilen, dat ik wanhopig vocht tegen twee besluiteloze tranen die ik niet kon tegenhouden, en ik kon niet voorkomen dat ze de weg openden voor de vele die daarna kwamen en die voor twee warme en regelmatige stroompjes zorgden die over mijn wangen kronkelden en in mijn mondhoeken verdwenen, en ze smaakten bitter, als het zwijgen van grootvader, die zich nooit liet zien, maar niet vergat naar me te kijken wanneer hij me zag en die me een smaragd had gegeven om mij te beschermen, tegen mijn kwade bloed, dat het zijne was, en omdat hij van me hield, omdat hij niet anders kon dan van me houden, want ook hij, en dat begreep ik pas op dat moment, was door een vergissing geboren, op de verkeerde datum, op de verkeerde plaats en in de verkeerde familie, een echte man, maar verkeerd.

Ik werd overvallen door een geweldige emotie, een hartstocht die zo intens was dat er een bijna pijnlijke kring ontstond rond elk van de poriën van mijn huid, die plotseling veranderde in een orgaan, een orgaan dat ik net zo duidelijk kon voelen als mijn armen of mijn benen, en de gedachten raasden door mijn hoofd, ik kon ze niet beheersen, en ik voelde dat ik niet ongedeerd te voorschijn zou komen uit het gevecht dat ik nog steeds met mijn geweten voerde, dat ik me uiteindelijk als een dood en weerloos gewicht in een kloof zou storten die nog veel dieper was dan de kloof die destijds, ongewild, was ontstaan tussen mijn wil en mijn hart, tussen datgene wat ik wilde, degene die ik behoorde te zijn, en degene die ik was, en uiteindelijk tussen Reina en mij. En ik besloot het verhaal dat ik die middag had gehoord niet aan mijn zusje te vertellen voor ik het helemaal zou kennen, en niet omdat ik aan haar oordeel wilde ontkomen, dat ongetwijfeld juist en verstandig zou zijn, een vonnis gebaseerd op onbestrijdbare waarheden, legitieme rehabilitaties, solidaire ressentimenten, want zelfs als ze een traan zou laten bij de herinnering aan mijn grootmoeder, de eenzame vrouw met de verdroogde borsten, en ook als ze zich zou verwaardigen om medelijden te hebben, natuurlijk met de precieze dosis grootmoedigheid die passend was voor haar positie in die familie, met die arme dorpswees die zich had laten verleiden tot een liefde zonder uitweg, zou Reina nooit de oneindige tederheid begrijpen die ik voelde voor mijn grootvader, het verlangen naar hem toe te gaan, hem aan te raken en te kussen, dat als een lichamelijke behoefte was, de onweerstaanbare neiging om in zijn armen mijn fouten met de zijne te laten versmelten, want hij kon niets goed doen, en ik ook niet, en ik pleegde verraad aan mezelf, ik pleegde verraad aan mijn moeder, aan mijn grootmoeder en aan Teófila, terwijl ik huilde om hem, die een slechte vader, een slechte echtgenoot en een slechte minnaar was geweest, maar bovenal een vriendelijke man die door het lot veranderd was in de vertwijfelde bewoner van een volledige eenzaamheid, een eenzaamheid die veel troostelozer en verschrikkelijker was geweest dan die waartoe hij zijn twee vrouwen had veroordeeld.

Dat was wat ik voelde en ik wist dat het slecht was, en ik hoorde bijna de stem van Reina, de denkbeeldige echo van haar onverbiddelijke gedachtegang, die ik nooit de kans zou geven om te interveniëren, om te proberen mij ervan te overtuigen dat grootvader geen enkele vergeving verdiende en niet meer mededogen dan hij zelf in zijn leven had laten zien, maar ik vergaf hem, en ik had mededogen met hem, en ik hield van hem, veel meer dan ik ooit van zijn vrouw had gehouden, en mijn liefde groeide tussen de verwikkelingen van dit onmogelijke verhaal, waaruit hij soms zwak, soms grof, despotisch, lui, wreed of zelfs angstig, maar altijd verschrikkelijk verliefd en daardoor onschuldig naar voren kwam, want zijn aandoenlijke zekerheid en zijn onbeholpen sluwheid brachten me terug bij zuster Agueda, de warme spiegel waarin ik me vroeger zo dikwijls bekeek, en begeleidden de bijna uitwisselbare tragedies die het bloed van Rodrigo had gebracht in de levens van twee gewetensvolle en sterke, overeenstemmende en tegengestelde vrouwen, die beiden zo volmaakt waren, zich zo bewust van hun aard als ik in mijn leven nooit zou bereiken. En om hen huilde ik nog, en om mezelf, en om grootvader, terwijl Mercedes en Paulina alweer bezig waren, zonder op mij te letten, en allebei hun eigen versie verdedigden, steeds twee verschillende helften van dezelfde waarheid, waarbij ze elkaar aankeken alsof niemand anders hun woorden kon horen.

'Nou ja, het is allemaal goed afgelopen.'

'Hoezo goed afgelopen, Paulina, hoezo goed afgelopen! Het is nog helemaal niet afgelopen…'

'Ik bedoel dat meneer uiteindelijk teruggegaan is naar huis, naar zijn vrouw en zijn kinderen.'

'En die vrouw en die kinderen hier? Zijn dat soms niet zijn vrouw en zijn kinderen?'

'Nee.'

'Ja.'

'Nee! De kinderen wel, want kinderen zijn allemaal gelijk, dat is niet anders, maar zij niet… Natuurlijk niet, en ze wist vanaf het begin heel goed dat hij niet vrij was.'

'Daar gaat het niet om, Paulina…'

'Hoezo, daar gaat het niet om! Hoezo! Dat heb ik ook tegen mevrouw gezegd, want ik kon het niet verdragen om te zien hoe ze langzaam wegkwijnde, want ze had al een hele lippenstift opgemaakt en allemaal voor niets, want Franco had in april Madrid ingenomen, a-pril, begrijp je, en het werd mei, en juni, en niemand durfde ook maar te vragen of we misschien hierheen zouden gaan, en het werd september, en het werd winter en hij was nog steeds niet teruggekomen, en Marciano liep vast met zijn verhaal, want hij wist niet meer wat hij moest zeggen behalve hoe goed de chorizos dat jaar waren geworden... Toen het kerstavond werd en hij nog niet was komen opdagen, werd ik duivels. Ik was zo kwaad dat ik niet eens kon eten, kun je nagaan, en zij ook niet. En nadat we de kinderen in bed hadden gestopt, vroeg ik haar, en wat denkt u nu te gaan doen. Ik weet het niet, Paulina, ik weet het niet. Nou, ik zou het wel weten, zei ik, ik zou nu naar Almansilla gaan en hem aan zijn haren hierheen slepen, dat zou ik doen, en dat is wat u moet doen, want hij is niet voor niets uw man en hij heeft een aantal plichten... Ik had van mijn nicht Eloísa gehoord dat Teófila weer zwanger was, en ik stond op het punt dat tegen haar te zeggen, maar ik hield me in, want die arme vrouw had al genoeg aan haar hoofd. We zullen zien, zei ze, we zullen zien, wat ik nu eerst moet doen is rustig worden en nadenken. Toen realiseerde ik me dat ze bang was, bang van haar man, en dat ze dacht dat ze hem voor altijd zou kwijtraken, maar uiteindelijk wist ze de kracht op te brengen, ik weet niet waar ze die vandaan haalde, maar ze heeft de hele eerste kerstdag gebeden en de volgende ochtend ging ze hierheen...'

'Nee, het was niet die dag, nee, het was op Onnozele-kinderen, dat weet ik nog heel goed, want ik had de auto nog niet gezien of ik dacht, wat een dag heeft mevrouw gekozen om hier te verschijnen... Eerlijk gezegd had ik haar al maanden verwacht, want ik was het zat om aan Pedro te vragen of hij soms nooit meer naar Madrid terug zou gaan, en botweg te horen te krijgen dat ik mijn mond moest houden, of, ja, ja, een dezer dagen, waarbij hij dan met zijn hand door de lucht zwaaide alsof hij die gedachte onmiddellijk wilde verdrijven, en zij verwachtten haar ook, want Teófila was ondanks haar dikke buik heel mager, ze zag er slecht uit, haar huid was zo ongeveer groen en ze had kringen onder haar ogen, en ze lag altijd ergens te dutten omdat ze 's nachts niet kon slapen, ze zei tegen iedereen dat het allemaal door de zwangerschap kwam, maar dat was onzin, het punt is dat ze wisten dat mevrouw zou komen, dat ze vroeger of later zou moeten komen... En ik moet je één ding zeggen, Paulina, ik weet niet hoeveel angst Pedro zijn vrouw inboezemde, maar ik weet wel zeker dat het nog niet de helft was van de angst die hij voor haar had, en dat weet ik doordat ik erheen ging om hem te waarschuwen, want mevrouw wilde niet eens in de buurt van het huis komen, en uiteindelijk hebben ze hier, in mijn huis gepraat... Ik had hem het liefst alleen willen spreken, maar hij zat voor de open haard, met haar en de kinderen, het was al maanden zo dat ze nooit, nooit, geen minuut, van elkaar gescheiden waren, ik denk omdat ze elke ochtend bang waren dat die dag de laatste zou zijn. Ik gebaarde met mijn hand dat hij naar de gang moest komen en voor ik ook maar tijd had om iets te zeggen, zei hij het zelf, want hij heeft mijn gezicht altijd kunnen lezen als een open boek: dus Reina is gekomen? Ik knikte en hij vroeg of ik een minuut wilde wachten want hij wilde een stropdas omdoen. Ik vond het eerst raar dat hij op zo'n moment aan zoiets onzinnigs kon denken, maar later bedacht ik dat hij het misschien zo formeel mogelijk wilde aanpakken, ik weet niet of je me begrijpt, haar laten zien dat ze op bezoek was, in een huis dat niet meer het hare was, ik weet niet, of dat hij zich daardoor misschien beter zou voelen, sterker, God mag het weten, maar het duurde behoorlijk lang voor hij weer naar beneden kwam en toen verscheen hij op de trap met stropdas en in colbert, en zijn haar was keurig gekamd en hij droeg schoenen, en vanaf het moment dat hij hier woonde had hij nooit iets anders gedragen dan laarzen in de winter en touwschoenen in de zomer. En ik heb niets tegen hem gezegd, maar toen hij een sigaret opstak merkte ik dat zijn handen beefden. We gingen zwijgend op weg, we liepen heel langzaam, en ik durfde hem niet aan te kijken, maar ik weet dat hij bleek was en ik hoorde hem de hele tijd slikken. Toen ze elkaar ontmoetten, kuste zijn vrouw hem op beide wangen en begroette hem met een brede glimlach, alsof hij niet langer dan een paar dagen weg was geweest, de domme gans...'

'Zo gedraagt een dame zich nou eenmaal!'

'Dat zal wel zo zijn, maar op wie wilde ze onder die omstandigheden nog indruk maken?'

'En wat zeiden ze?'

'Hoe moet ik dat weten! Wat dacht je, dat ik de hele dag achter de deur sta te luisteren, net als jij? Ik ben naar het dorp gelopen, heen en terug, alleen maar om ze tijd te geven, maar toen ik terugkwam hoorde ik hem schreeuwen...'

'Hem?'

'Ja.'

'Wat een toestand.'

'Dus ben ik maar weer weggegaan, ik ben naar de schaapskooi gelopen en daar heb ik een hele tijd gezeten, tot het avond werd. Toen ben ik teruggegaan, en ik vond hem hier, alleen, op deze bank, en ik dacht even dat hij dood was, dat hij hier ter plekke dood was gegaan, want hij zat naar de grond te staren en keek niet op toen ik dichterbij kwam, en zelfs niet toen ik naast hem ging zitten, en ik pakte een van zijn handen en merkte dat die ijskoud was, maar ik voelde dat hij zijn vingers tegen de mijne drukte en daardoor wist ik dat hij nog leefde. Reina wil geen enkele regeling, zei hij...'

'En waarom zou ze dat gewild hebben? Hij was haar man, en hij moest zich houden aan wat hij in de kerk had beloofd, anders had hij niet moeten trouwen.'

'Maar een regeling was het beste geweest.'

'Het beste voor Teófila.'

'Het beste voor iedereen, Paulina. Je mag mij dan de hele tijd een domkop noemen, maar jij bent een stijfkop. Een regeling was het beste geweest, maar ze wilde niet. Het was een andere tijd, natuurlijk, alles was anders...'

'En verder zei hij niets?'

'Ja, maar geef me wat tijd, verdorie, jij bent ook niet nieuwsgierig, hè, en bovendien weet je het al, want ik heb het je al honderden keren verteld...'

'Niet aan mij.'

'Wel aan jou.'

'Niet waar!'

'Wel waar! Honderden keren heb ik het je al verteld... In maart wordt mijn zoon geboren, zei hij tegen me, als het met hem en zijn moeder goed gaat, ga ik terug naar Madrid, hoewel ik dat niet wil, Mercedes, luister goed naar wat ik zeg, ik wil niet terug... Ik wist niet wat ik moest doen, dat zweer ik je, Paulina, ik werd zo kwaad dat ik het bloed naar mijn hoofd voelde stijgen, want aan de ene kant wilde ik niet meer naar hem luisteren, en aan de andere kant kreeg ik verschrikkelijk zin om tegen hem te zeggen dat hij de hele handel aan zijn laars moest lappen en de rest van zijn leven hier moest blijven... Ja, stil maar, stil maar, ik weet het wel, ik weet wel wat je tegen me gaat zeggen, maar jij hebt hem niet gezien, jij hebt hem niet gezien en je mag hem niet, want mij hou je niet voor de gek met al je beleefdheid, en al dat gemeneer hier en gemeneer daar, maar ik wel, ik heb altijd van hem gehouden, als van een broer, en ik had hem nog nooit zo verdrietig gezien, ik voel nog die hand en die vingers, ijskoud door schuld, nog steeds, na al die tijd... Ik moet terug, zei hij na een tijdje, maar hij staarde nog steeds naar de grond, zoals ik hem gevonden had, want het is rechtvaardig dat ik betaal, want het is allemaal mijn schuld, maar ook omdat mijn vrouw er anders een eind aan maakt, dat kan ze nu, en dat betekent ook het einde voor Teófila, en ik heb verdomme de moed niet op mijn veertigste nog arm te worden, Mercedes, dat is de waarheid, dat kan ik niet, ik zou een ramp zijn als ik arm was, en daarom ga ik terug, maar niet omdat ik wil, het is beter dat je dat weet. En ik kon wel doodgaan, ik wilde ter plekke door de grond zakken, ik had wel willen... Doe niet zo dom, zei ik tegen mezelf, een dom stuk vreten, dat ben je! Dat ik me dat niet gerealiseerd heb die dag dat ik hem ervan langs gaf, godallemachtig, en ik maakte hem aan het huilen en alles, en ik had de moed om hem de waarheid te zeggen en om me te gedragen als een feeks, maar dát had ik niet door, wat een idioot ben ik.'

'Maar ik begrijp het niet... Wat had je niet door?'

'Nou, waarom hij midden in de oorlog naar het andere kamp is overgelopen, je bent blijkbaar net zo stom als ik, verdomme!'

'Wat heeft de oorlog hiermee te maken? Als hij had meegedaan, was het wat anders, maar hij was hier en...'

'Alles. Dat had er alles mee te maken, verdorie, Paulina, snap dat dan...! Als de republikeinen gewonnen hadden, had hij kunnen scheiden. Begrijp je het nu?'

'O... dat bedoel je!'

'Natuurlijk bedoel ik dat, in de Republiek zouden ze gescheiden zijn en daarmee uit. Ze zouden allebei voor zichzelf hebben gezorgd, en klaar, want er was vast wel genoeg overgebleven, zelfs als die vervloekte landbouwhervorming was doorgegaan, wat volgens mij nooit gebeurd was want, laten we wel wezen, wat voor een judas Azaña ook geweest mag zijn, bonen groeien overal... Maar met Franco in El Pardo, die elke nacht met twee priesters in zijn bed lag, aan elke kant één... Dan weet je het wel!'

'Ja, ik begrijp wat je bedoelt. Maar ik geloof niet dat het zo was, Mercedes, want meneer is altijd rechts geweest...'

'Toe nou! En wat denk je dat Azaña was? Links? Kom nou, Paulina, en laat me uitspreken... Toen stond hij op, liet mij ook opstaan en zette me recht voor zich. Zweer me bij de nagedachtenis van je vader dat je hierover nooit een woord tegen Teófila zegt, zweer me dat. En ik heb het gezworen, en daarna liep hij weg zonder nog een woord gezegd te hebben, hij had al genoeg gezegd, maar tegen haar heeft hij geen mond opengedaan, de grapjas, en ik ging naar bed met de gedachte dat hij me had laten zweren omdat hij het zelf wilde vertellen, en ik kon helemaal niet slapen doordat ik moest denken aan wat zich in het huis zou afspelen, en de volgende ochtend... ik ben nog niet op of ik kom Teófila tegen, als herboren! Ze liep neuriënd rond en glimlachte van oor tot oor, en dat bleef zo, de hele tijd dat hij nog hier was, ze leefde in gelukzalige onwetendheid, ervan overtuigd dat Pedro alles had geregeld, of dat mevrouw in rook was opgegaan, Joost mag het weten... En toen beviel ze van Marcos en hij woog meer dan vier kilo, terwijl ze tot die tijd eerder kleine kinderen had gekregen, want Maria was nog niet eens tweeëneenhalf! En zo gingen de dagen voorbij en er gebeurde niets, en ik maar wachten tot de zaak zou barsten, maar nee hoor, en Teófila wist helemaal niets tot op het laatste moment, toen ze hem met zijn koffers de deur uit zag lopen. Ik denk dat hij gewoon niet de moed had om het eerder te zeggen, moet je nagaan, en hij bedacht iets over dat het kind zich maar niet ging oprichten, om tijd te winnen, maar dat was niet zo, dat kon niet zo zijn, want Marcos kroop al rond toen hij ging, en hij was een prachtig kind, hij moet vier of vijf maanden zijn geweest...'

'Zes. En het was half september toen mijnheer thuiskwam, ik zal het nooit vergeten. Het begon al licht te worden en ik voelde iets bewegen bij mijn bed, en toen ik mijn ogen opendeed zag ik Magda, die op het punt stond te gaan huilen en het laken tussen haar vingers wrong... Ik ben bang, Paulina, zei ze tegen me, er ligt een slapende man bij mijn moeder in bed, en ik bedankte God want hij was terug. Dat is niet zomaar een man, lieverd, zei ik, het is je vader, en ze was stomverbaasd want ze kende haar vader nog niet, want Reina en zij waren in '36 geboren, dus... En de volgende dag zei ze dat ze hem niet mocht, kun je nagaan, want later was ze gek op haar vader, ze aanbad hem, en ze lag dag in dag uit overhoop met mevrouw omdat ze hem altijd verdedigde, of het nou terecht was of niet, dat maakte haar niets uit, want voor Magda was mijnheer zo ongeveer God, en ik weet niet waarom, want hij zei geen boe of ba, in haar dromen had hij nog niet tegen haar gepraat! En dat terwijl ze hem niet eens wilde zien toen hij er net was, want hij gedroeg zich als een geest, hij leek wel een levende dode, echt waar, want hij was nog niet terug in huis of hij speelde stommetje en sloot zich de hele dag op in zijn werkkamer, met zijn gedachten op nul...'

'Op nul, nee, Paulina! Zijn gedachten waren hier. Wat dacht je dat het hem gekost had om naar Madrid te gaan, hij heeft niet eens afscheid van mij genomen... En het lef dat hij miste, had zij wel, en meer dan genoeg, dat kan ik je wel vertellen, want je had haar moeten zien op de dag dat ze naar het dorp vertrok. De straat zag eruit alsof de Ronde van Spanje langs zou komen, de stoepen stonden vol, er waren zelfs mensen die hun werk lieten liggen om haar te zien langskomen, stelletje etters en jaloerse krengen, want dat zijn ze, en vooral de vrouwen, lieve hemel, je had ze moeten zien, en maar roddelen en elkaar aanstoten midden op straat, ze vierden het ongeluk van het meisje alsof het een feestdag was... De hoeren, want dat waren ze, duizend keer zo erg als zij!'

'Mercedes, als je die taal blijft uitslaan, neem ik dat kind mee en gaan we weg.'

'Nou dan ga je maar! Ook een straf, en wat voor een, daar kom je nog wel achter...'

'Ga alsjeblieft door, Mercedes, maak je maar geen zorgen om mij.'

Ik wist dat ze toch wel zou blijven praten, maar ik drong aan omdat het al laat was, heel laat, de zon was al een tijdje verdwenen en nog steeds was Eulalia niet geboren en was Porfirio nog niet geboren, en ik had geen tranen meer over, en mijn geheugen begon verzadigd te raken, alsof er af en toe geen ruimte meer was om nieuwe gegevens op te nemen, maar ik voelde een nieuwsgierigheid die op honger leek, die op dorst leek, en ik kreeg hoofdpijn van het ordenen van de informatie die ik ontving zodat er plaats zou zijn voor de rampen die ik nog moest horen, en ik moest alles te weten komen, zoals je moet eten wanneer je honger hebt, zoals je moet drinken wanneer je dorst hebt, alsof ik voelde welke betekenis die oude geschiedenis, zo oud dat een aantal van de elementen net zo moeilijk te geloven was als de intriges van die oude zwart-witfilms die ik die zomer op televisie had gezien en verslonden, op de duisterste en schitterendste momenten van mijn leven zou krijgen.

'Kaarsrecht, zo kwam ze de helling aflopen, recht voor zich uit kijkend en met opgeheven hoofd daagde ze iedereen uit, en niemand durfde ook maar een kik te geven, hoor je me? Niemand! Geen hond durfde iets te zeggen. Ze liep ze langzaam voorbij, met Marcos op haar arm, Fernando aan de hand en Maria aan de hand van haar broer, met opeengeklemde tanden, maar recht overeind, en ik kan me voorstellen dat sommigen er bang van werden toen ze haar zagen. Ik ging met haar mee omdat iemand de koffers moest dragen, en het is gelogen wat ze in het dorp vertellen, één grote leugen, want ze heeft niets meegenomen hiervandaan, alleen de kleren. En weet je waarom? Niet omdat ze zo eerlijk was of omdat ze wel of niet de sleutels had van de deuren, want die had ze allemaal, dat is gewoon onzin. Daarom was het niet, nee, het was omdat ze niets nodig had, omdat ze ervan overtuigd was dat hij terug zou komen, dat hij bij haar terug zou komen, wat er ook mocht gebeuren, kun je nagaan... Dat heeft ze me die ochtend verteld. Ik had haar de drie laatste dagen niet gezien, alleen haar kinderen, die had ze hierheen gestuurd omdat ze alleen wilde zijn, dat zeiden zij tenminste, en toen we op weg gingen, vroeg ik haar wat ze dacht te gaan doen. Zoek een goeie man, zei ik tegen haar, een verstandige man die van de kinderen houdt, en trouw met hem en ga hiervandaan. Want het had haar niet zo veel moeite gekost om die te vinden, ze was nog jong en bovendien heel knap, en de kinderen waren nog klein en in die tijd, na de oorlog, was er zo veel ellende dat ik dacht dat ze misschien... Waar heb je het over, Mercedes, zei ze, ik ben al getrouwd. De stijfkop! En ze bleef dat maar zeggen, jaar na jaar, het is niet te geloven, en jullie maar vakantie houden in San Sebastián, zodat we niets meer van Pedro wisten dan wat mijnheer Alonso ons wilde vertellen, de beheerder, wanneer hij geld bracht, hier en bij Teófila, en ik ging haar vaak opzoeken omdat ik gek was op de kinderen en ik probeerde haar ervan te overtuigen dat ze haar hoofd moest gebruiken, want ik dacht dat we Pedro nooit meer zouden zien, dat ze het huis zouden verkopen, en dat zei iedereen, maar zij niet, ze bleef maar volhouden dat ze getrouwd was en dat ze nu wel moest wachten, maar dat hij terug zou komen... En toen begon ik te denken dat ze iets met hem had gedaan, dat ze meer wist dan ze zei, want zo veel koppigheid was niet normaal, absoluut niet, maar later, toen Pacita geboren was, besefte ik dat het niet zo was, maar voor Teófila maakte de geboorte van dat kind niets uit, ze bleef maar zeggen dat hij terug zou komen en ik kreeg er genoeg van om dat te horen... Wat is er, Paulina? Je kijkt zo verbaasd.'

'Ik begrijp het niet... Wat heeft de geboorte van Pacita ermee te maken?'

'Nou, dat betekende dat Pedro nog met zijn vrouw naar bed kon gaan.'

'Ja. Waarom zou hij dat niet gekund hebben? Hij was vijfenveertig! Hij heeft Porfirio en Miguel verwekt toen hij vijftig was, dus... En dat is het enige wat hij in zijn leven goed heeft gedaan, het enige, de ellendeling.'

'Natuurlijk, omdat Teófila niets met hem had gedaan.'

'Wat had Teófila dan met hem kunnen doen, Mercedes? Kun je wat duidelijker worden?'

'Een bezwering... of zoiets, Paulina, wat anders?'

'Een bezwering? Waar heb je het over?'

'Nou een bezwering, Paulina.' Ik was degene die ertussen kwam, want ik begon zenuwachtig te worden van al die vragen en ik was bang dat ze het beetje tijd dat er nog was zouden besteden aan een eindeloze discussie over flauwekul. 'Iedereen weet wat dat is. Hekserij natuurlijk... Als je met een of andere kerel bent en je weet dat hij het met een ander houdt, neem je iets wat hij gedragen heeft, een overhemd of een broek, het liefst iets wat hij net uitgetrokken heeft, en dan ga je naar een waarzegster of zoiets en die pakt dat kledingstuk en die spreekt er een bezweringsformule over uit en dan legt ze er een knoop in...'

'Nadat ze daarboven nog een gans de nek heeft omgedraaid,' voegde Mercedes eraan toe.

'Nee,' antwoordde ik, 'dat met die gans doen ze niet in Madrid.'

'Dan doen ze het niet goed. De gans vertegenwoordigt de wellust.'

'Nou dan zullen ze daar in Madrid wel iets anders voor gebruiken, want voor zover ik weet spreken ze alleen de bezweringsformule uit en strooien ze er een of ander poeder overheen terwijl ze de knoop erin leggen, en dan krijgt die vent het gevoel dat daar een knoop zit en dan...' Ik hield me even in om mijn woorden met zorg te kiezen, want Paulina was lijkbleek geworden en luisterde alsof ze niet kon geloven dat die woorden uit mijn mond kwamen, maar het lukte me niet om een fatsoenlijke omschrijving te vinden en ik besloot de zaak maar af te ronden en zei: 'nou ja, als het goed werkt... krijgt die vent hem zes maanden lang, of langer, als je meer betaalt, alleen nog maar bij jou omhoog.'

'Uit mijn ogen, meisje, uit mijn ogen, of je krijgt wel zo'n verschrikkelijk pak slaag van me!' Haar uitbarsting was veel heftiger dan ik had verwacht, want ze veerde overeind en kwam in mijn richting, en als Mercedes haar niet op tijd bij een arm gegrepen had, was het een behoorlijk pak slaag geworden. 'Waar leer je dat soort dingen, vervloekt kind, bij de nonnen soms?'

'Nee, ik weet verder niets, alleen wat Angelita me heeft verteld, want een tijdje voor de bruiloft, twee maanden of zo, begon ze te vermoeden dat Pepe misschien helemaal geen extra baantje had, maar een andere verloofde in Alcorcón.' Ik stopte even om adem te halen en zag hoe de arm van Mercedes de beweging van Paulina begeleidde, die weer naast haar ging zitten, waardoor ik begreep dat het ergste achter de rug was. 'Toen is ze naar een heks gegaan, maar ze moest eerst twee maanden sparen want de bezwering kostte drieduizend peseta's.'

'Drieduizend peseta's, lieve God!'

'Mijn schoonzuster had het gratis voor haar gedaan,' merkte Mercedes op.

'Hé, je moet haar vooral op ideeën brengen. Je moet dat kind vooral op ideeën brengen, alsof ze dat nog nodig heeft!'

'Nee, want ik hoef niemand te bezweren,' verklaarde ik, 'en bovendien geloof ik niet in die dingen.'

'Waarom niet? Ik geloof wel dat ze werken.'

'Nee hoor, Mercedes, want toen Angelita de heks vertelde dat haar verloofde drieëntwintig was, kreeg ze te horen dat er op die leeftijd geen enkele garantie te geven was. Maar in elk geval heeft die arme Pepe haar een paar dagen later zijn twee salarisstrookjes laten zien en toen wist ze wel dat hij alleen met haar sliep...'

'Kind toch, wat is dat nou weer voor praat. Denk toch na voor je die mond van je opendoet. Want, laten we wel wezen, met Angelita bij jullie in huis en Pepe in een pension...'

'Dat had je gedacht! Dat heeft ze tegen het kindermeisje gezegd, maar Pepe had een huurwoning, naast de plaza de la Cebada, met een vriend van hem uit

Jaraíz. Maar het maakt niet meer uit, ze zijn getrouwd…'

'Lieve moeder nog aan toe! In wat voor land leven we eigenlijk!'

'Wat dacht jij dan? Ik hoef je toch niet te vertellen hoe de dingen gaan! Je wordt oud, Paulina, misschien ben je toe aan de eeuwige rust, want wat die klojo betreft, die haalt geen twee kappersbeurten meer en dan… dan komen de republikeinen en de libertijnen…'

'Dat mocht je willen, Mercedes, dat zou je wel willen. Je kan maar beter uitkijken want je begint al visioenen te zien.'

'En hoe moet het anders? Zeg het maar… hoe? Wie kaatst moet de bal verwachten, en ik heb al genoeg moeten vangen, dus wordt het tijd om te gooien, en dan komt de Republiek en de Revolutie en dan… vangen maar! Paf, dan vliegen de kloosters de lucht weer in! En denk maar niet dat ik niet lach, denk maar niet dat ik niet zal lachen, de tranen in mijn ogen, en ik ben me al aan het voorbereiden, luister naar mijn woorden…'

'Maar ik begrijp je niet, Mercedes,' onderbrak ik haar, 'ik hoor je de hele dag over God en over de duivel praten… ben je niet katholiek?'

'Katholiek, apostolisch en rooms, jazeker.'

'Waarom wil je dan dat de kloosters de lucht in gaan?'

'Omdat ik niets te maken wil hebben met die priesters, want ik weet heel goed dat zij er de schuld van zijn dat alles in Spanje mis is gegaan sinds we Cuba zijn kwijtgeraakt. Het komt door de priesters, en doordat we, terwijl ze zeggen dat we van die wilden zijn, nog nooit een koning een kopje kleiner hebben gemaakt, en daardoor…'

'Houd je mond toch, stommeling! Moet je nagaan… je bent een communist en je hebt geen enkele ontwikkeling!'

'Maar wat ze zegt is waar, Paulina, want de Engelsen hebben er weleens een koud gemaakt, en over de Fransen hoeven we het niet te hebben, en de Russen hebben zich van de laatste verlost, samen met al zijn nakomelingen, en bij de Duitsers is het niet zover gekomen, maar ik geloof dat er in de middeleeuwen een gevallen is, en de Italianen hebben Mussolini opgeknoopt, midden op straat, die natuurlijk alleen maar dacht dat hij er een was… maar alle Spaanse koningen zijn in hun bed doodgegaan, dat is zeker.'

'Zie je wel? Je bent een slimme, een hele slimme. En dat kind heeft haar school al afgemaakt.'

'Nee, ik moet nog een jaar, maar wat ik wil zeggen, Mercedes, is dat je niet tegelijkertijd communist en katholiek kunt zijn.'

'Aha!' en tot mijn verbazing was Paulina het meest verbaasd. 'En waarom dan wel niet?'

'Nou… omdat communisten atheïsten zijn, dat moeten ze wel zijn, dat is duidelijk.'

'Dat geldt voor de Russen!' riep Mercedes bijzonder verontwaardigd uit, en ik was bang dat ik haar echt beledigd had. 'De Russen misschien, die barbaren die niet eens een vader en moeder erkennen, maar ik niet… Ik geloof in God, en in de Maagd Maria, en in alle heiligen, en in de duivel. Trouwens, daar hoef ik niet in te geloven, ik weet dat hij bestaat, ik zie zijn knecht tenslotte elke dag op de televisie.'

'Franco is goed voor Spanje geweest, Mercedes.'

'Loop naar de hel, Paulina.'

'Ga jij maar... of had de oorlog gewonnen.'

Nog geen twee uur voordat datzelfde jaar zou eindigen, toen ik met mijn ouders bij het huis aan de Martínez Campos arriveerde om oudejaarsavond te vieren bij mijn grootvader, een oudejaarsavond die zijn voorlaatste zou blijken te zijn, kwam ik Paulina tegen, in het zwart en met een verfrommelde zakdoek in haar hand, en ik dacht dat ze nog steeds in de rouw was vanwege de generaal, want zo, als een eenzame weduwe verscheurd door verdriet, had ze deelgenomen aan alle ceremonies, defilés en manifestaties die georganiseerd waren op zijn sterfdag, een dag die voor mij begon met een concert van hysterisch geschreeuw – mijn moeder die mijn vader smeekte bij ons te blijven omdat het gevaarlijk was de straat op te gaan, en mijn vader die zich uiteindelijk naar het huis van grootmoeder Soledad begaf, waar hij, overigens behoorlijk onder de indruk, te laat voor het eten weer vandaan kwam – begeleid door uitbundig handgeklap van Reina, die, wakkerder dan ik, de huiselijke herrie instinctief in verband bracht met het begin van een heerlijke vakantie die zich met een beetje geluk zou voortzetten in de kerstvakantie. We hadden al wekenlang met een ongekende ijver zitten rekenen, met een koortsachtig enthousiasme dat me, als ik tijd zou hebben gehad om me met die onzin bezig te houden, ongetwijfeld in staat zou hebben gesteld het prozaïsche mysterie van de vierkantwortels op te lossen, en elke ochtend in de pauze vergeleken we onze prognose met die van onze klasgenoten, met de bedoeling de ideale datum vast te stellen voor die meer dan aangekondigde dood, waarvan de betekenis voor ons rechtstreeks verbonden was met de nabijheid van de tweeëntwintigste december, de laatste officiële schooldag van dat jaar. We waren tot de conclusie gekomen dat het redelijk was om twee weken van officiële rouw te verwachten, maar misschien wel drie, en dat betekende dat Franco, als hij de dingen dan zo graag tot aan het eind toe goed wilde doen, nog tien dagen in leven zou moeten blijven, maar ook niet één meer, dat was het belangrijkste, dat de laatste dag waarop hij op deze wereld zou vertoeven de tweede dag van december was. Het feit dat hij maar bleef leven betekende een grote aanslag op onze rechten als scholier en verplichtte ons gewone vakantiedagen te laten versmelten met de te verwachten termijn van patriottische rouw. Daarom beschouwden we de twintigste november uiteindelijk als een goede keuze, want als we de ochtend zouden aftrekken die bestemd was voor het luisteren naar het politieke testament van de overledene, de ochtend die we nodig zouden hebben voor het opzetten van de kerststal en de uren bestemd voor het repeteren voor de kerstvoorstelling, bleef er van de rest van het derde trimester nog maar een week van echte lessen over.

Het was al drie maanden geleden dat we vijftien jaar waren geworden, maar we hadden geen enkel politiek bewustzijn doordat mijn moeder het van slechte smaak vond getuigen om over politiek te praten en doordat ze, maar dat heb ik pas veel later ontdekt, het ook op dat gebied nooit eens had kunnen worden met haar man. Desondanks dat had ik, in het geheim, zo mijn eigen verwachtingen, en ik moest regelmatig glimlachen wanneer ik me de woorden herinnerde van Mercedes, die genadeloze voorspelling die verweven was met geweld en hoop en in mijn oren nog steeds klonk als de echo van een verschrikkelijk maar vreugdevol vuurwerk – dan komen de Republiek en het libertinisme – het klonk zo goed, vuurwerk is vrolijkheid, en ik stelde me voor hoe de kloosters door de lucht zouden vliegen, en mijn kloosterschool als eerste, zuster Gloria uiteengereten door de ontploffing, haar vormloze romp dansend door de lucht als het lichaam van een kapotte pop en nog één ogenblik samen met het hoofd, de armen en de benen een gemakkelijke en groteske puzzel van zes stukken vormend, voor ze boven de acacia's van de binnenplaats zou verdwijnen, als bevestiging van de wraak van Magda en mij. Elke ochtend wanneer ik opstond vroeg ik aan mama of er iets gebeurd was, en ondanks de ontkenningen die zich ophoopten in haar verbijsterde antwoorden – nee, kind, er is niets gebeurd… wat zou er moeten gebeuren? – stond ik mezelf niet toe om me over te geven aan een net zo buitensporige geloofscultus als tijden daarvoor, toen ik zo hard om een wonder had gebeden en daar niets voor terug had gekregen, en met een morele onverschilligheid die niet vrij was van een bepaalde mate van beheerst ongeduld wachtte ik op de Revolutie, die heerlijke catastrofe, en ik was niet in staat tot enig schuldgevoel, want wie kaatst moet de bal verwachten, zoals Mercedes had gezegd, en ik had ook al genoeg moeten vangen.

Maar toen ik Paulina op die oudejaarsavond weer zag, had ik al weken tevergeefs gewacht op een of ander teken dat op een geweldige uitbarsting zou wijzen en begon ik uiteindelijk in te zien dat zij, en niet haar tegenstandster, wat de toekomst betreft een juiste voorspelling had gedaan. Dat was misschien de reden waarom die rouwende en huilende figuur me zo tegenstond, want ik dacht dat ze nog steeds treurde om die illustere dode, tot ze me veel intenser omhelsde dan passend was als antwoord op de twee formele kussen waarmee ik haar had begroet en mij in mijn oor fluisterde dat de vrouw van Marciano die middag was overleden, en ik spijt had dat ik zo slecht over haar had gedacht.

'Trombose,' zei ze, 'die arme vrouw, ze heeft plotseling trombose gekregen. Met al die boosheid moest ze wel aan zoiets doodgaan, ze kon niet rustig in bed sterven, Mercedes… Arme vrouw, ze was zo goed, ja, diep in haar hart was ze doodgoed, arme vrouw. Maar na al die jaren wachten heeft ze in elk geval lang genoeg geleefd om Franco te zien afleggen…'

Op dat moment viel ik opnieuw ten prooi aan een totale verbijstering en ik vroeg me af of ik mezelf moest feliciteren met het feit dat ik geboren was in een familie waarin iedereen in staat was zijn gevoelens boven zijn hoogste en diepste overtuigingen te plaatsen, of dat ik juist medelijden met mezelf moest hebben omdat ik in een land woonde waar de schizofrenen los over straat liepen, maar nog voor ik voor de eerste mogelijkheid kon kiezen, begreep ik uiteindelijk waarom Mercedes, in plaats van zich beledigd te voelen door het antwoord van Paulina, door die woorden die overliepen van een oude arrogantie, net zo oud als mijn vader, die middag in augustus was blijven praten alsof er niets aan de hand was.

'Luister, als ik de oorlog had gewonnen… zou jij hier zijn en de godganse dag aan mijn rokken hangen! Want je bent van jongs af aan al een behoorlijke nagel aan mijn kruis geweest.'

'Nou hetzelfde als wat ik met me meesleep al sinds ik je ken, Mercedes, precies hetzelfde, geen nagel meer en geen nagel minder… En maak je maar geen illusies, want het zou voor jou ook beter zijn als je het niet zo lang meer zou maken, en ik weet wat ik zeg, het is maar goed dat ik de oorlog gewonnen heb, en dan vertel jij me wat ik eraan gehad heb, om maar te zwijgen van mijn mevrouw, met al dat gepraat over de manier waarop ze geprofiteerd heeft van de overwinning van de nationalisten… Wat heeft het haar dan opgeleverd? Nog dertig jaar hel, niet meer en niet minder.'

'Omdat hij niet van haar hield, Paulina. Hij hield niet van haar, maar ze wilde hem niet laten gaan.'

'Ze had het volste recht om dat niet te willen.'

'Dat wil ik niet ontkennen, maar het zou heel wat beter zijn geweest.'

'De fout van mevrouw was dat ze hier weer terug is gekomen, dat was haar fout, hoor je… En zij was degene die die beslissing nam, niet hij, maar zij, en dat had ze niet hoeven doen, ik wist het en ik had haar bijna gewaarschuwd, maar ik durfde het niet aan, ze was zo vastbesloten dat ik bang was dat ze boos zou worden. Want het gebeurde nadat Pacita geboren was, en jij weet ook nog wel hoe neerslachtig, hoe verdrietig ze was, en dat ze niets anders deed dan zichzelf de schuld geven. Toen kwam het idee in haar op om terug te keren, want ze vond het hier altijd heerlijk, tenslotte kwam ze hier vandaan, zou je kunnen zeggen, en ze had genoeg van San Sebastián, dat strand zat ons tot hier, alles altijd vol met zand en teer en algen en… bah, wat een viezigheid, en bovendien dag in dag uit kabeljauw voor het eten, alsof de rest al niet erg genoeg was…'

Zij was degene die er het slechts tegen kon, die kabeljauw en de rest, ze heeft er nooit aan kunnen wennen, en als het regende, want het regent daar nogal eens, was ze somber en stil en had ze nergens zin in. Maar ik denk dat het idee om terug te gaan vooral voortkwam uit het feit dat mijnheer na de bevalling zo lief voor haar en voor het kind was, want hij deed niet anders dan haar troosten en herhalen dat het niemands schuld was, en hij heeft zelfs weer een tijdje gepraat, een paar maanden denk ik, en elke keer dat hij zijn mond opendeed, schrok ik me dood natuurlijk, want we waren niet meer gewend om hem te horen…'

'Hij hield het elf dagen vol in het huis, elf, ik heb ze één voor één geteld, en de twaalfde kwam hij hier opdagen, net zo keurig verzorgd als toen hij dat gesprek met zijn vrouw had; hij kleedt zich blijkbaar alleen maar mooi aan wanneer hij met iemand overhoop ligt, verdomme, die man is niet te volgen… Hij zag er precies hetzelfde uit als die ochtend, precies hetzelfde, ik hoefde hem maar te zien of ik wist het, hij trilde op dezelfde manier, hij transpireerde op dezelfde manier, hij was net zo bang als toen, alleen zijn haar was nu grijs, en ik hoefde hem maar te zien of ik zei bij mezelf, dat gaat niet goed, dat gaat nog een heleboel problemen geven. Wat ben je mooi uitgedost, Pedro, waar ga je heen? vroeg ik hem die middag, maar ik wist donders goed waar hij heen ging, alsof ik dat niet wist… Ik ga een bezoek aan mijn kinderen brengen, zei hij, en toen vroeg hij naar Marciano, want hij wilde dat hij hem in zijn auto naar het dorp zou brengen, om minder aandacht te trekken, denk ik, alsof dat nog veel zou uitmaken, verdomme… Doe dat nou niet, zei ik tegen hem, laat hem daarheen gaan en de kinderen hier brengen, dan kun je ze zien en ze kunnen jou zien en dan blijft de hele zaak rustig. Toen barstte hij in lachen uit, zo brutaal als de wereld, niet te geloven. Wat ben je ook een schurk, Mercedes, zei hij, en ik realiseerde me dat hij me geen moment serieus had genomen en gewoon zijn gang zou gaan, zoals hij altijd had gedaan, behalve toen hij terugging naar Madrid. En die middag is de enige keer geweest, luister goed naar wat ik vertel, Paulina, de enige keer van mijn leven dat ik me met iets heb bemoeid waar ik niets mee te maken had, de enige keer, want nadat Marciano terug was gekomen heb ik precies een uur gewacht en toen zei ik, kom op, pak de auto want je gaat terug naar het dorp, maar deze keer ga ik mee. En hij ging toch tekeer, die sufferd. Ik hoor hem nog, dat het een belediging was, dat je dat gewoon niet kon maken, dat meneer hem op straat zou zetten als we dat zouden doen… Een lafaard, een ontzettende lafaard, dat is ie, net als die andere, want met al zijn kwaaltjes en alles wat hij nu heeft, zou hij nog liever in een boom klimmen dan het wagen om mij weg te sturen, dat hoef ik je niet te vertellen. Dus zijn we naar het dorp gereden en ik ben lopend naar het huis van Teófila gegaan, en wat trof ik daar aan? Ja, ja, de jaloezieën omlaag en de kinderen buiten op de stoep, dat trof ik daar aan! En Fernando, die voor zijn broertje en zusje deed alsof er niets aan de hand was, maar stenen stond te gooien tegen een muur omdat hij ze niet kon stukslaan op het hoofd van zijn vader, want die andere twee begrepen er niets van, net zoals jij over Magda vertelde, maar die arme jongen herinnerde zich hem wel, en al het andere, en ik denk niet dat hij het ooit vergeet.'

'Hij komt dit jaar, niet? Fernando, bedoel ik.'

'Dat zegt Teófila, en dat ze haar kleinkinderen graag wil zien, want Fernando is de oudste en een echte man geworden, maar ze zegt elk jaar hetzelfde… Ik denk niet dat die ooit nog terugkomt, Paulina, hij is tenslotte weggegaan toen hij nog een kind was, en zonder dat het nodig was, alleen maar om ons allemaal niet meer te hoeven zien! Het ontbrak hem thuis aan niets, aan niets, ze zijn allemaal opgegroeid als rijkeluiskinderen, en hij had een opleiding kunnen volgen, net als de anderen, en dat wist hij, en zijn moeder heeft het hem gesmeekt, maar hij wilde niet blijven. En denk jij dat hij nu terugkomt, nu het zo goed met hem gaat? Die komt nooit meer terug, nog niet in een kist, en dat lijkt me niet slecht, ik begrijp hem. Voor de jongere kinderen is het anders, want die zijn wel met hun vader opgegroeid, met tussenpozen in elk geval... De tweede keer heeft hij het in elk geval beter gedaan.'

'Helemaal niet! Het enige was dat mevrouw wat ouder was geworden en moe was van al dat gedoe, en ze had groot gelijk, met die toestand van Pacita erbij, die de hele godganse dag van haar afhankelijk was... Ik kan je wel vertellen dat we allemaal even tot rust kwamen wanneer hij daarheen ging.'

'Dan deed hij het dus wel beter, al was het alleen maar daardoor, alsof het niets is. Hoe had ik kunnen weten, God nog aan toe, hoe had ik kunnen weten dat er nooit een eind aan zou komen! En er is niets aan te doen, het is sterker dan hij, hij heeft het in zijn botten, dat vervloekte bloed van Rodrigo is sterker dan zijn geweten, en tegen zo'n kwaad is geen kruid gewassen.'

'Een slecht mens, een slechte echtgenoot, een slechte vader, en een schurkachtig stuk vreten... Dat is wat hij is, Mercedes, en hou op over dat bloed, want het is faliekante onzin dat je dat nu nog zegt!'

'Ik zeg wat ik wil! En wat ik zeg is de waarheid, de zuivere waarheid, en als mevrouw niet terug was gegaan, was hij alleen teruggegaan, vroeger of later, want dat zit hem in het bloed, hoor je me, en Teófila wist het, daarom had ze helemaal geen heks nodig om haar de toekomst te voorspellen, want zij wist het ook, dat hij dat in zijn bloed heeft, in de ader van Rodrigo, en met hun achternaam hebben ook Tomás en Magda en Lala die geërfd...'

'Magda niet, Mercedes!'

Het was al bijna donker, en ik was al zolang stil geweest en protesteerde zo luid dat de twee vrouwen me verbaasd aankeken, bijna geschrokken door mijn felle reactie.

'Alsof jij dat zou weten,' zeiden ze tegelijk, bijna in koor.

'Ik weet alles wat er te weten valt,' loog ik. 'Magda heeft niets kwaads van grootvader geërfd, en Lala ook niet. Waarom, omdat ze in *Een, Twee, Drie* heeft opgetreden? Nou, Nené wil ook gaan optreden en films maken, net als zij, ik snap niet wat het bloed daarmee te maken heeft...'

Mijn tante Lala, het vierde kind van Teófila, was de knapste vrouw die ik ooit van mijn leven had gezien. Ze was behoorlijk wat langer dan ik, want ze moest wel zo'n één meter tachtig zijn, had een paar enorme, enigszins scheefstaande bruine ogen en de mond van de Alcántara's, maar een neus die zo volmaakt was als die van haar moeder en hetzelfde ovale gezicht, met twee jukbeenderen die net voldoende uitstaken, in tegenstelling tot de mijne, die me er soms een beetje hongerig uit doen zien, onder een onberispelijke, karamelkleurige huid, zoals die van Pacita. Ik kon me haar alleen maar herinneren van de vorige zomer, toen ze met haar vriend in Almansilla verscheen nadat ze meer dan tien jaar was weggeweest. Het hele dorp had het nergens anders over gehad tot we teruggingen naar Madrid. Naar het schijnt was haar aankomst al spectaculair, in een schitterende rode sportwagen die haar precies voor de deur van haar moeder afzette, een omstandigheid die niets bijzonders zou zijn geweest als dat enorme stenen huis, dat in opdracht van mijn grootvader was gebouwd, niet in een straat had gestaan waar tot op dat moment, zoals de oudste dorpelingen vertelden, nog nooit een voertuig op wielen doorheen was gereden omdat de oude gebouwen die zich aan beide kanten overeind hielden balkons hadden die zo ver vooruitstaken dat geen enkele auto daar zonder schade op te lopen onderdoor kon rijden, geen enkele behalve die van Lala's vriend, die zonder een schrammetje op te lopen onder de houten balken door reed en ondanks de regen van zaagsel die omlaag kwam ongedeerd bleef.

Degenen die haar al eerder hadden gezien, vertelden dat ze haar niet meer herkenden, dat ze erg veranderd was sinds ze haar op haar zeventiende tot Miss Plasencia hadden gekozen en ze het huis was uitgegaan, en volgens sommigen was ze minder mooi, kunstmatiger, ouder, maar ik zag haar 's avonds op het plein en trof daar dezelfde schoonheid aan die we op een avond door zuiver toeval op de televisie hadden gezien toen ze als presentatrice was gaan werken bij die quiz die de hele wereld had gezien. Mama zei dat het haar niet echt verbaasde en vanaf dat moment noemden zij en tante Conchita haar 'de splinter' omdat ze volgens hen uit hetzelfde hout was gesneden als haar moeder, maar mijn vader vond het prachtig en miste geen enkele uitzending. We waren haar vurigste bewonderaars en ik herinner me hoe erg we het vonden wanneer ze zich een keer vergiste en hoe we over haar opschepten op school, waar niemand wist dat we twee verschillende soorten tantes hadden, vooral nadat Reina in een of ander tijdschrift het juiste antwoord was tegengekomen op de kwaadaardige commentaren van onze klasgenoten die, met reden, insinueerden dat Lala op tv niet acteerde maar haar benen liet zien. Vanaf dat moment strekten we onze hals zoveel mogelijk om op onze gesprekspartner neer te kunnen kijken en antwoordden op hooghartige toon dat ze actrice was, dat acteurs van alles moeten doen en dat het alleen maar een stap in haar carrière was.

En Lala werd actrice, en een goede, tenminste in mijn ogen, want ik heb altijd genegenheid voor haar gevoeld. Die zomer dat ze naar Almansilla kwam, was ze al filmactrice, hoewel ze maar in twee speelfilms was opgetreden, waarin ze kleine rollen had en een ervan bijna de hele tijd in ondergoed, een combinatie van beha, slipje en jarretelgordel van rood kant, waarin ze, zo te zien, nauwelijks praatte en alleen gilde om zich te verdedigen tegen een kale meneer die haar in een lift wilde verkrachten. Dat was in elk geval wat het kindermeisje me vertelde, die haar haatte, zoals ze alles haatte wat met Teófila te maken had, want de film was voor boven de achttien, en we hadden bij drie bioscopen geprobeerd binnen te komen, maar het was ons niet gelukt. De regisseur die met haar mee was gekomen, had haar er echter van overtuigd dat ze dat soort rollen niet meer moest accepteren en haar twee jaar later een hoofdrol gegeven in een tweede film, een stadskomedie, zoals ze toen genoemd werden, die veel succes had. Die film kon ik wel gaan zien en de waarheid is dat Lala fantastisch was, dat ze knap en grappig was, hoewel de inhoud van de film, dat moet ik eerlijk zegen, niet veel verschilde van die van die film met de lift, met een kerel die de hele dag als een idioot probeerde te vrijen, zonder iemand tegen te komen met wie hij dat kon doen, tot hij een of andere fraaie tante tegenkwam, mijn tante, die hij versierde en in bed wist te krijgen, waar ze na afloop geen sigaret opstaken maar samen een stickie rookten. Dat was het grootste verschil, en dat Lala platte laarzen droeg en een spijkerbroek, en daaronder een heel gewoon slipje van witte katoen, en niets anders, want ze liep de halve film met blote tieten rond, en haar mannelijke tegenspeler, een scharminkelige dertiger met een baard en een ziekenfondsbrilletje, die voortdurend keek naar degene die achter de camera stond, verleidde haar met het voorlezen van stukken uit *Alice in Wonderland*, en ik vond alles prachtig, net zo realistisch als het gewone leven, en daarom raakte ik ervan overtuigd dat die vent een genie moest zijn, zoals zij in Amansilla rondbazuinde, en zoals ik tot vervelens toe herhaalde tegen het kindermeisje want ik was ontzettend kwaad dat ze hem, toen ze hem nog nauwelijks had gezien, tijdens de dans, veroordeelde op zo'n manier van, nou, het is maar te hopen dat hij wat hersens heeft, want van wat er van hem te zien is… wat een miezerig mannetje!

Later moest ze die woorden, en alle andere die ze over Lala had gesproken binnenhouden, waardoor ze steeds met haar mond trok, want enige tijd nadat die film in première was gegaan, maakte dat miezerige mannetje een versie van *Antigone* van Anouilh, die toen sterk in de belangstelling stond, voor het festival van Mérida, en verscheen er een dramatische foto van zijn vriendin, die meer dan fatsoenlijk was uitgedost in een streng wit gewaad dat tot op haar voeten hing en nauwelijks haar onderarmen liet zien, op de culturele pagina's van alle kranten en zelfs de voorpagina van de *abc*, die die dag onverwacht vermomd was als vervolger van de virtuozen, vooral omdat de uitgebreide recensie die we binnenin aantroffen – een meedogenloze, bijna wrede diskwalificatie van de arme brildrager, die op een behoorlijk gemene manier te horen kreeg dat hij zich maar beter bij de stadskomedie kon houden en zich beter niet kon wagen aan dingen die te moeilijk voor hem waren – bijzonder positief was over het enthousiasme en de aantrekkingskracht van de hoofdrolspeelster in wie niemand, behalve wij, nog de vrolijke, onnozele Jacqueline van de quiz herkende. Maar dat gebeurde pas jaren later, en noch de verbeeldingskracht van Mercedes, noch die van Paulina reikte ver genoeg toen ik hun vertelde over de aspiraties van de arme Nené, de bezitster van een vierkant lichaam, kort, recht en massief, dat het moeilijk maakte haar een grote toekomst als lustobject te voorspellen.

'Nené wil meedoen aan *Een, Twee, Drie?*' Ik knikte bevestigend op de vraag van Paulina, die mij een grimmige, onderzoekende blik toewierp, alsof de hardheid van haar ogen voldoende dreiging moest zijn om een vurige ontkenning van mijn kant te uit te lokken. 'En weet haar moeder dat?'

'Natuurlijk weet ze dat, en wat me verbaast, is dat jij het nog niet gehoord hebt, want ze loopt het aan iedereen te verkondigen.'

'En wat zegt zij ervan?'

'Wie, tante Conchita? Nou, niets, Paulina. Wat moet ze ervan zeggen? Niets.'

'Ach, misschien heb je gelijk...' Mercedes gaf haar vriendin een aantal schouderklopjes alsof er een of andere reden was om haar te feliciteren. 'Misschien is het wel beter als we allebei tegelijk doodgaan, want, lieve hemel, dat is toch wel het laatste wat ik wil zien, die lelijkerd van een Nené die op de tv haar poesje laat zien...'

'Hoe bedoel je, Mercedes? Kom nou, ze dragen toch een korte broek.'

'O, zoiets noem jij een korte broek?' viel Paulina me in de rede. 'Lieve hemel, een korte broek noemt ze dat!'

Toen meende ik de stem van Reina te horen, die mij van ver weg stond te roepen, misschien stond ze nog voor het huis, in elk geval van een afstand die het bereik van de oude oren van mijn gesprekspartners te boven ging, want uit niets bleek dat ze meer gehoord hadden dan het gefluit van een of andere vogel, en ik wist niet precies hoe laat het was, maar het moest wel heel laat zijn want de zomerse avond was vrijwel volledig in nacht overgegaan, en omdat ik voorvoelde dat ik misschien nooit meer de gelegenheid zou krijgen om die twee onvermoeibare kemphanen bij elkaar te krijgen, nam ik me voor om in de onvermijdelijk korte tijd die me nog ter beschikking stond voordat mijn zusje me gevonden zou hebben, hun geheugen nog verder uit te putten.

'Luister, Mercedes... Was Teófila knap toen ze jong was?'

'Heel knap... heel knap. Hoe moet ik het zeggen? Nou, als je aan Lala denkt, heb je wel een idee. Die lijkt precies op haar moeder.'

'Niet waar!'

'Wel waar!'

'Hoe kom je daarbij, Mercedes? Wat een onzin! Lala is veel knapper dan haar moeder ooit is geweest, je moet wel eerlijk blijven.'

'Jij moet eerlijk blijven, Paulina! Ik kan je wel zeggen dat ik er schoon genoeg van heb dat je me altijd maar tegenspreekt, want in de winter was jij in Madrid en in de zomer liep je de hele godganse dag achter de rokken van mevrouw aan en heb je haar dus helemaal niet gezien. Teófila was net zo knap als Lala, hoor je me, net zo knap... Wat kleiner, dat was ze wel, en minder fijn, zonder al die brouwsels die Lala op haar gezicht smeert, en zonder die schaamteloze kleren die jullie tegenwoordig dragen, een dorpsmeisje, dat was ze, in een gebloemd jasschort en met rode handen van het boenen met koud water, wat dat betreft was ze net als de rest, maar verder, als twee druppels water, als twee druppels water haar dochter, als ik daar nog aan denk... Maar zonder die tieten die Lala nu heeft, dat wel. Vorig jaar heb ik haar nog bijna een oplawaai verkocht, omdat ze me zo zenuwachtig maakte, want ze bleef maar zeggen dat ze altijd veel boezem had gehad, alsof ik me dat niet zou herinneren, ze moest zich schamen... Maak dat je wegkomt, zei ik ten slotte, ik heb geen zin in die leugens, ik mag dan oud zijn, verdomme, maar dom ben ik nooit geweest!'

Reina kon nu elk moment verschijnen. Haar stem, die met tussenpozen naderbij kwam en zich weer verwijderde, alsof ze een spel met mijn oren speelde, getuigde nog van de weifelende koers van haar voeten, maar de tijd was bijna om, en ik beperkte mijn nog steeds hongerige nieuwsgierigheid tot een laatste vraag, een op het oog nogal banale vraag die mij plotseling, om redenen die ik zelf niet helemaal begreep, als essentieel voorkwam.

'Willen jullie even ophouden met bekvechten, alsjeblieft, en naar me luisteren? En grootvader? Was grootvader knap toen hij jong was?'

'Ja!'

'Nee!'

'Hoezo nee? Paulina, het is wel aan je te merken dat je al dertig jaar weduwe bent, meisje toch, je begint al kinds te worden, je herinnert je blijkbaar niets meer...'

'Luister, het is al dertig jaar geleden dat ik weduwe werd en elke ochtend wanneer ik opsta en jouw man het gras zie besproeien, dank ik God op mijn blote knieën dat hij mij verlost heeft van de last van zo'n soort zuiplap, want als ik lekker wil slapen, weet ik me uitstekend te redden met een warme kruik, in mijn eentje, snap je. En mijnheer heeft nooit een knap gezicht gehad, nooit, echt niet, want hij heeft altijd die enorme neus gehad en zulke dikke wenkbrauwen dat zijn ogen niet te zien waren.'

'Waarom zou hij een knap gezicht moeten hebben? Wat een onzin! Jij weet toch ook wel dat knappe mannen uiteindelijk niet echt mooi zijn, maar toen hij nog jong was en hier op zijn paard voorbijreed... Moeder Maria! Knap, nee, knap is het woord niet, hij was meer... hoe moet ik het zeggen...'

Ze zweeg. Ze zat met gefronst voorhoofd en open mond na te denken, en ik verstoorde haar gepeins door de zin voor haar af te maken.

'De duivel in eigen persoon.'

'Jij zegt het. Malena! Dat is het, hij leek de duivel in eigen persoon, en je moest al met je voeten achter een bankje blijven steken om niet achter hem aan te rennen.'

'Praat voor jezelf, Mercedes! Je kon wel zien hoe gek je was op die vervloekte hengst, hij heeft je altijd aangetrokken...'

'Mij en iedereen, Paulina! Vraag maar in het dorp of het niet waar is, eens kijken wat ze zeggen.'

'Maar hij had geen knap gezicht.'

'En of hij knap was. Zijn gezicht en de rest. Vooral de rest.'

'Niet waar!'

'Wel waar!'

'Malena!' De stem van mijn zusje klonk vlak achter me en de betovering werd definitief verbroken. 'Wat doe je hier in godsnaam? Het is elf uur, ik loop je al een halfuur te zoeken. Mama is op van de zenuwen, er staat je nog wat te wachten...'

Met die paar zinnen, die zo weinig waren voor een middag die zo overvol was geweest van woorden, bracht Reina de wereld in een ogenblik terug naar zijn keurigste vorm. Paulina stond onmiddellijk op, woedend op zichzelf, zoals altijd wanneer ze de tijd voor het eten vergeten had. Ze liep tegen de tachtig en het was al jaren zo dat ze nauwelijks nog een pan aanraakte, maar iedereen in huis volgde het voorbeeld van grootvader, die elke ochtend met haar overlegde, haar feliciteerde als het eten goed was en haar berispte wanneer het tegenovergestelde het geval was geweest, om haar in haar waardigheid te laten en haar stilzwijgend en tactvol te laten merken dat hij de belofte van mijn grootmoeder respecteerde en haar nooit naar een bejaardenhuis zou sturen, een perspectief dat zo afschrikwekkend voor haar was dat ze 's nachts af en toe gillend wakker werd door een afschuwelijke angstdroom waarin ze zichzelf altijd alleen voor een bejaardenhuis zag staan, met een kartonnen koffer in haar armen, waarvan het handvat kapot was en die dichtgebonden was met een touw. Mercedes reageerde niet veel beter, want ze werd zich er nu pas van bewust dat Marciano nog niet was komen opdagen en ze stond hem nog luidkeels voor een zatlap uit te maken toen Reina en ik, bijna hollend, op weg naar huis gingen.

Ik vertelde mama dat het laat was geworden doordat ik naar Mercedes had zitten luisteren, die oude verhalen had verteld over het dorp, de feesten, de trouwerijen en de dood, zonder daarbij namen te noemen, en Paulina, die erbij was, sprak dit niet tegen. Toen we die avond naar bed gingen, was ik bang dat het nog niet zo gemakkelijk zou zijn om de nieuwsgierigheid van Reina te bevredigen, maar zij bleek degene te zijn die voortdurend aan het woord was, en ze was nog hardop bezig over de plus- en minpunten van Nacho, de disk-jockey uit Plasencia, die haar die middag eindelijk zijn liefde had verklaard, toen ik merkte dat ik in slaap viel, en daardoor durfde ik bij mijn grootvader achter op het paard te klimmen, die er, trots en naakt en steeds sneller, in galop vandoorging, zonder te weten waarheen, zoals ik dat ook niet wist.

Sinds die avond is het onthullende verhaal dat Mercedes had verteld altijd in mijn herinnering gebleven, want hoewel ik nooit veel geloof ben gaan hechten aan de doeltreffendheid van die oude en duistere vloek, waarvan ik net zomin de oorsprong als de gevolgen kende, ontdekte ik al snel hoe troostend de uitwerking kon zijn en vermaakte ik me met fantasieën over de kracht van dat desastreuze gen, dat het vermogen bezat mijn geboorte, juist door het verkeerde karakter ervan, goed te maken, mijn aard juist door het onvolmaakte karakter volmaakt te maken, en Reina te veranderen in een harmonieuze delta van goed en zuiver bloed, net zo mooi als de maan, maar, net als de maan, rond en onbereikbaar voor mij, terwijl ik tegelijkertijd de twijfelachtige eer genoot de lijst van bezitters van de rampzalige ader langer te maken.

Maar hoewel ik niet geloofde in de noodlottige aard van het bloed van Rodrigo, vreesde ik enige tijd dat de sporen van mijn emotionele desertie, het verwarrende maar oprechte proces dat geopend werd door de tranen die door, met en om grootvader werden vergoten, in de een of andere vorm zichtbaar zou worden en de mensen om mij heen op de hoogte zou brengen van de gewelddadige wending die ik zelf aan mijn leven had opgelegd, ook al was ik me er niet van bewust een specifieke beslissing te hebben genomen. In mijn omgeving veranderde echter niets. Reina en ik bleven net zo hecht als tevoren, hoewel het eigen terrein dat ieder van ons voor zichzelf bewaarde in dezelfde mate groeide als het gebrek aan inhoud van onze gesprekken, die gewoonlijk door haar gevoerd werden, terwijl ik luisterde, want ik had nog steeds geen belangrijke dingen te vertellen. Mama maakte zich steeds minder zorgen om mij, waardoor ze veel aardiger, interessanter en leuker werd en het zelfs zover kwam dat ik met plezier met haar ging winkelen, naar de bioscoop ging of op zondagochtend een aperitief ging dringen bij Rosales. Mijn vader, die een steeds onzichtbaarder wezen begon te worden, behandelde ons echter met een toenemende afstandelijkheid, alsof hij erin berustte dat hij zijn dochters al verloren had, alsof ze onherroepelijk tot een andere wereld behoorden. Ik was bezig volwassen te worden en dat proces nam gedurende enkele maanden al mijn aandacht in beslag en verdrong de oude dreiging die me als een verroest, stoffig zwaard boven het hoofd hing.

Maar de snijkant was levend, en een lichte beroering zou voldoende zijn om mijn voorhoofd te beschadigen en voor altijd een wond tussen mijn ogen te slaan. Niets wees er echter op dat de aarde zich onder mijn voeten bewoog toen ik begin juli op een bloedhete middag mijn tijd zat te verdoen op het terras van de Casa Antonio, de bar die de plaza de Almansilla domineerde, en wat zat te mijmeren over de troosteloze aanblik van een uitgestorven dorp, de lege trottoirs, de hermetisch gesloten deuren en ramen, de doodstille honden, de zwakke schaduwen die zich teruggetrokken hadden in donkere hoeken, want hoewel het al zeven uur had geslagen, was het zo heet dat het contact met de lucht duizelig maakte en de lichte glans van de in de zon gloeiende straattegels hoofdpijn veroorzaakte. En toch zaten we daar, alle slachtoffers van de mechanische verdorvenheid van de Ford Fiësta, die die ochtend niet had willen starten en ons daarmee in grote onzekerheid had gedompeld, want niemand wist nog wat we met de middagen konden doen behalve in de auto naar Plasencia rijden om daar iets te drinken, tot een of andere idioot ten slotte was ingegaan op het voorstel van Joserra, de beste vriend van mijn neef Pedro, die had beloofd zijn auto in de garage te laten op voorwaarde dat we zouden gaan kaarten.

Ik was eigenlijk van plan thuis te blijven, maar toen ik een voet in het zwembad stak, al rekening houdend met de gevolgen van een week waarin de zon zo woest was geweest dat hij bij het ondergaan in het geheel niet verdween en we zijn gehuil ook in de drukkende, nachtelijke hitte nog konden horen, stelde ik vast dat het water zo lauw was als soep voor een zieke, en ik sloot me op het allerlaatste moment aan bij de groep, want ik had zin in Coca-Cola en die was in de koelkast niet meer te vinden. Er waren vier groepjes gevormd, die tegen elkaar zouden spelen, iedereen tegen iedereen en ik tegen niemand want ik had dat kaartspel nog nooit gespeeld. Ze waren met de tweede ronde bezig toen het holle geluid van een onbekende motor hoorbaar werd, die met een voor ons ongebruikelijke snelheid van rechts naderde. Enkele seconden later verscheen, onder de boog die aan die kant toegang gaf tot het plein, een zwarte motor die er ondanks het oude, bijna archaïsche model nieuw uitzag en die ik vrijwel onmiddellijk herkende als het type motor dat ik gezien had in films die zich afspeelden in de Tweede Wereldoorlog, want hoewel hij geen zijspan had, vervoerde hij een lange persoon, met lange benen, donkerblond haar en de schuchtere bruine kleur van mensen die niet donker zijn, maar ook niet helemaal blond. Het waren op zichzelf staande waarnemingen die, in combinatie, voldoende waren om het idee te ondersteunen van een gemiddelde nazi-officier als de mond er niet was geweest, de onmiskenbare licht gezwollen lippen, die een onzuivere afkomst verraadden. En terwijl ik naar hem keek, trok mijn lichaam zich onwillekeurig samen, alsof al mijn spieren verkrampten, alsof ze plotseling ongevoelig waren voor de verpletterende hitte die ik niet meer voelde.

Hij parkeerde de motor voor de deur van de bar en ging naar binnen zonder ook maar naar ons te kijken, maar kreeg van ons niet de overeenkomstige reactie, want terwijl de spelers hun kaarten op de tafel legden om de motor, die een BMW R-75 bleek te zijn, te benaderen, te bestuderen, te bewonderen en aan te raken, leunde ik in de meest elegante en flatterende houding die ik op dat moment kon bedenken achterover op de vensterbank, en door met mijn rechterhand het gordijn van haar uit mijn gezicht te vegen, dat ik zelf, zo ongeveer elke twee minuten, naar voren liet vallen om een van Reina's meest succesvolle gebaren te imiteren, kon ik hem met mijn linkeroog goed zien, een wit hemd met opgerolde mouwen, een bewust versleten spijkerbroek in een tint die al dicht bij hemelsblauw kwam, met de bekende leren riem, maar basketbalschoenen die Amerikaans en bijzonder duur waren, in elk geval in Spanje. Hij bestelde een flesje bier en dronk dat in één teug leeg, terwijl hij met zijn sleutelring speelde die hij op volle snelheid rond zijn wijsvinger liet draaien. Toen bestelde hij nog een flesje en leegde dat in een iets rustiger tempo, terwijl hij zich een paar keer omdraaide om naar mij te kijken, zodat hij mij de kans gaf zijn gezicht op te nemen, de gebroken neus die de harmonie verstoorde van bijna zachte gelaatstrekken, die blijkbaar nog niet hadden kunnen besluiten het kinderlijke stadium geheel achter zich te laten.

Toen werd ik verrast door een nieuw gevoel, dat zich gedurende de rest van mijn leven slechts enkele keren heeft herhaald, want behalve de gebruikelijke zenuwachtigheid, de bekende tang die me van binnen verscheurde wanneer ik, al achter mijn lessenaar gezeten, de balpen in de hand, wachtte op de komst van een examenpapier, voelde ik dat ik veranderd was in een kerstboom, vol kleurige ballen en flikkerende lampjes die net waren aangestoken en in een gekmakend ritme knipperden, met steeds korter wordende tussenpozen die ik niet kon beheersen, en er was geen spiegel waarin ik me kon bekijken, maar ik wist dat de vonken van mijn haar sprongen, dat mijn huid straalde en dat mijn halfgeopende lippen roder en vochtiger waren dan gewoonlijk, en mijn ogen glimlachten en vestigden zich op zijn nek en riepen hem en gelastten hem zijn hoofd om te draaien en, tot mijn verbazing, gehoorzaamde hij, draaide zich om en keek me aan, en aanschouwde het oogverblindende schouwspel dat ik was en dat me tegelijkertijd vreemd was, want mijn lichaam had al voor me gekozen, en toen hij zich omdraaide naar de deur voelde ik hoe al mijn ingewanden woest omhoogsprongen en niet meer omlaag kwamen, maar daar tegen mijn middenrif gedrukt bleven hangen, zodat er een grote, lege ruimte tussen mijn ribben ontstond.

Ik had geen enkele reden om mijn mond open te doen, maar was ervan overtuigd dat ik mijn spraakvermogen had verloren toen ik zag dat hij langzaam naar de motor liep en zich daarachter verschanste om een rood pakje sigaretten te openen dat ik op het eerste gezicht niet herkende. Maar ik moest glimlachen toen ik ontdekte dat hij Pall Mall rookte, een merk dat voor ons bijzonder werelds en extravagant was, en hoewel ik nog niet rookte, besloot ik een sigaret te accepteren, maar hij was niet zo aardig om er een aan te bieden, en ik was al bang dat hij zijn sigaret op zou steken en weg zou gaan toen Macu, die hem net zo lang als ik met grote ogen had gevolgd, ten slotte iets ontdekte wat een hysterische gil aan haar ontlokte, alsof ze het gemunt had op de weinige zenuwen die ik nog op hun plaats had weten te houden.

'Hebben jullie dat gezien? Hij heeft er zo een met een rood etiket!'

Het belangrijkste bezwaar dat mijn nichtje – die zo ongelooflijk bekakt deed dat het jaren duurde voor ik ontdekte dat ze in werkelijkheid gewoon dom was – toen tegen haar nationaliteit had, was het toentertijd armzalige aanbod aan Levi's in de Spaanse winkels, die alleen vol lagen met spijkerbroeken die etiketten hadden in oranje op wit, of wit op blauw, die dankzij het op de bandjes en de knopen gedrukte legendarische anagram de miserabele nationale fabricage verraadden.

'Hé, luister eens, mag ik iets vragen!' Ze stond op, liet haar kaarten op de grond vallen en liep zonder aarzelen op hem af, want de aanblik van een rood etiket was gewoon te veel voor haar. 'Neem me niet kwalijk… maar kun je me zeggen waar je die broek hebt gekocht?'

'In Hamburg.' Hij had een vrij lage en een beetje schorre stem, een goede mannenstem, veel volwassener dan zijn gezicht.

'Waar?'

'In Hamburg… In de Duitse Bondsrepubliek. Daar woon ik. Ik ben een Duitser.'

Hoewel mijn conventionele zenuwen zich al begonnen te mengen met de schittering van de gekleurde balletjes liet ik een kort lachje ontsnappen toen ik hem hoorde. Voor ik begon te wennen aan het geluid van zijn woorden, moest ik dat lachje nog een paar keer onderdrukken, want hij sprak een onberispelijk Castiliaans, maar met een verschrikkelijk accent, een onvoorstelbare mengelmoes waarin vooral een geaspireerde 'j' en een ontzagwekkende 'r' opvielen, een monsterlijke mix tussen de gesloten tongval van Extremadura, die ik zo goed kende, en de harde uitspraak van zijn moedertaal.

'Aha, juist!' Macu, die ook het talent miste om fonetische eigenaardigheden te herkennen, schudde haar hoofd alsof ze daar geen genoegen mee nam. 'En wat doe je hier in Almansilla? Ben je op vakantie?'

'Ja, natuurlijk. Ik heb hier familie.'

'Spanjaarden?'

Hij was niet gewend aan de snelheid van het denkproces van zijn gespreks-partner en hij deed nauwelijks zijn best om zijn ergernis te onderdrukken.

'Ja, min of meer.'

'Juist. En als ik je het geld en mijn maat zou geven… zou je dan zo'n broek als die van jou voor me kunnen kopen en die naar Madrid kunnen sturen? Ze zijn hier namelijk niet te krijgen en het zijn de broeken die ik het mooist vind.'

Ja, ik neem aan van wel.

'Dank je, echt waar, geweldig bedankt… Wanneer vertrek je?'

'Dat weet ik nog niet. Misschien ga ik volgende maand met mijn ouders terug, of ik blijf nog wat langer.'

'Je hebt een prachtige motor.' De interventie van Joserra, de initiatiefnemer van onze kaartmiddag, verbande het spel definitief naar het tweede plaats. 'Waar heb je die vandaan?'

'Hij is van mijn grootvader geweest.' En hij bewoog zijn ogen om ons alle-maal met een uitdagende blik op te nemen, een blik die niemand behalve ik probeerde te interpreteren. 'Hij heeft hem na de oorlog gekocht, op een verlo-ting? Nee… hoe heet dat? Veiling, dat is het, op een veiling van… materiaal?' Macu, die nog geen millimeter van zijn zijde was geweken om de belangen van haar toekomstige broek veilig te stellen, knikte. 'Van militair materiaal, dus. Hij was van het Afrikakorps van Rommel.'

'Hij ziet eruit als nieuw.'

'Hij is nu ook nieuw.'

'Heb jij hem opgeknapt?'

'Half en half…' Hij was apetrots op zijn motor, en ik was zonder enig recht apetrots op hem. 'Ik heb hem twee jaar geleden van mijn grootvader gekregen, maar mijn vader wilde me geen geld geven omdat hij dacht dat ik hem nooit meer aan de praat zou krijgen. Toen ben ik op zaterdag in een garage gaan wer-ken, en in plaats van geld te geven heeft mijn baas voor de nieuwe onderdelen gezorgd en me geholpen hem op te knappen. Hij is nog maar een maand klaar en hij rijdt alsof hij nieuw is. Ik noem hem de Wallbaum-bom.'

'Hoe?'

'Wallbaum,' en hij spelde de achternaam van zijn moeder. 'Mijn grootvader heette Rainer Wallbaum.'

'En jij, hoe heet jij?' vroeg Macu, om de zaak meteen maar af te werken.

'Fernando.'

'Fernando Wallbaum!' zei Reina op plechtige toon, met een stralende glim-lach op haar gezicht. 'Dat klinkt goed…'

Toen werd ik bang, bang van mijn zusje, het was een koud gevoel, anders dan gevoelens van jaloezie, die altijd warm zijn, en ik besloot in te grijpen, mijn gevoel van paniek te overwinnen, en ik begon te praten, niet zozeer om de aandacht van Fernando te trekken als wel die van Reina af te leiden, om de dreiging weg te nemen die uitging van haar aardige glimlach, want ze had het recht niet om zo naar hem te kijken, zij niet, en ik wist dat ze daarmee op zou houden zodra ze de echte identiteit zou horen van degene die voor iedereen, behalve voor mij, nog steeds een onbekende was.

'Nee, zo heet hij niet.'

Hij glimlachte en draaide zich langzaam naar mij om.

'Wie ben jij?'

'Malena.'

'Juist...'

'En ik weet wie je bent.'

'Zo? Denk je dat?'

'Ja.'

'Hé, hou eens op met dat geheimzinnige gedoe. Jullie lijken wel twee kleine kinderen.' Mijn neef Pedro was de oudste van allemaal en gedroeg zich daar ook graag naar. 'Hoe heet je?'

Hij liep afgemeten om de motor heen om erop te gaan zitten. Hij startte hem met zijn voet, gaf gas zonder weg te rijden en keek me opnieuw glimlachend aan.

'Zeg het dan,' zei hij.

'Hij heet Fernando Fernández de Alcántara,' zei ik.

'Precies,' zei hij instemmend, en hij schoof de motor van de stander om weg te rijden, 'net als mijn vader.'

Ik vermoedde dat hij zijn hele leven had gewacht op het juiste moment om deze woorden uit te spreken, op de juiste toon, op de juiste plaats, tegen de juiste mensen, en als ik het daarvoor nog niet deed, moet ik juist op dat moment van hem zijn gaan houden, en juist daardoor. Ik nam afscheid van hem met een glimlach die hij niet meer zag, maar die nog steeds om mijn lippen lag toen hij al onder dezelfde boog die hij eerder had genomen verdwenen was, en ik had het gevoel dat ik de hele wereld had overwonnen toen ik zag hoe ellendig mijn vrienden en vooral mijn familieleden eruitzagen, die me aankeken alsof ik ze net met geweld had ondergedompeld in een tank met ijswater.

'Geweldig...' Het meelijwekkende gejammer van Macu verbrak ten slotte een gespannen en duistere stilte. 'Daar gaat mijn broek.'

Enkele minuten lang durfde niemand daar iets aan toe te voegen. Maar toen leidde een opmerking van Joserra de voorspelbare, bijna traditionele jacht op de bastaard in.

'Hebben jullie gezien hoe hij ervandoor ging? Wie denkt hij eigenlijk dat hij is?'

'Een ontzettende zak,' stelde Pedro voor. 'Een verwaand stuk vreten op een verwaand stuk motor.'

'En een nazi,' voegde Nené eraan toe. 'Jullie hebben hem toch gehoord, ik weet zeker dat hij een nazi is, ik weet het zeker, een hopeloze nazi, dat zie je gewoon aan hem...'

'Weet je wat er met hem aan de hand is, hij heeft te veel films gezien,' merkte Reina op. 'Vooral van die westerns. Volgens mij kent hij alle dialogen uit *High Noon* uit zijn hoofd. Het enige wat eraan ontbreekt is het paard...'

Ik glimlachte bij mezelf, omdat we het hierin misschien met elkaar eens waren, en overlopend van een nieuwe kracht, die me ver verhief boven de provinciale middelmatigheid van degenen die mij omringden, besloot ik opnieuw te deserteren, maar nu via een weg die er veel plezieriger en gemakkelijker uitzag.

'Ik vind hem leuk. Ik vind hem heel leuk.' Ik realiseerde me dat iedereen me tegelijk aankeek, maar ik hield mijn blik strak gericht op de ogen van mijn zusje. 'Hij doet me aan papa denken.'

'Malena, lieve hemel, doe niet zo belachelijk! Zeg niet zulke idiote dingen, toe, alsjeblieft. Hij is niets anders dan een opschepper...'

'Daarom zeg ik het ook,' wilde ik antwoorden, maar ten slotte liet mijn stem me in de steek, en niemand behalve ik kon mijn laatste woorden horen.

II

Violeta, die ongeveer vijftien jaar was, ging op een kussen zitten, sloeg haar armen om haar knieën en keek naar haar neef Carlos en haar zusje Blanca, die aan de lange tafel zaten en elkaar om de beurt een gedicht voorlazen.

[…] Mamacita speelde graag de chaperonne van Blanca. Violeta begreep niet waarom Mamacita Blanca zo mooi vond, maar zo was het in elk geval. Ze zei steeds weer tegen Papacito: 'Blanquita bloeit als een lelie!' En Papacito zei dan: 'Het zou beter zijn als ze zich als een lelie gedroeg.'

Katherine Anne Porter, 'Violeta Virgin', *Judas en Flor y otras historias*

Ik was al verliefd op Fernando voor ik de kans had gekregen met hem te praten.

Ik hield van Fernando omdat hij zich, hoewel hij al op de universiteit zat, en daarvoor een goede opvoeding had genoten, koppig verzette tegen allerlei omgangsvormen, want hij droeg de mouwen van zijn overhemden opgerold tot aan zijn schouders om zijn spieren te laten zien, en omdat hij spieren in zijn armen had, omdat hij 's avonds nooit een korte broek of bermuda droeg, omdat zijn benen mij bevielen wanneer ik hem 's morgens in zijn zwembroek zag, omdat hij overal heen ging op zijn Wallbaum-bom, en omdat hij daardoor helemaal niet op een paard hoefde te klimmen, omdat hij Pall Mall rookte, en omdat hij nooit danste, want hij was bijna altijd alleen, en omdat hij soms uren afwezig was, zwijgend verzonken in gedachten, die zijn gezicht bedekten met een dun, transparant laagje, maar ook in staat waren de energieke huid van zijn wangen te veranderen in twee uitgeputte holten die, behalve op vermoeidheid, ook op melancholie en misschien afkeer wezen. Ik hield van Fernando omdat hij veel arroganter was dan alle andere jongens die ik had gekend en omdat hij zo leed in dat dorp waar zijn trots bij elke stap die hij zette werd getart, omdat hij een kleinzoon was van mijn grootvader, maar mij niet behandelde als zijn nichtje, en omdat hij een kleinzoon was van Teófila, maar mij ook niet behandelde als een kleindochter van mijn grootmoeder, omdat ik wanneer hij me aankeek het gevoel had dat mijn benen het begaven, en omdat hij glimlachte wanneer ik hem aankeek en de hele aarde dan openbarstte van genot, omdat mijn lichaam al voor me gekozen had, en omdat er, wanneer ik zag hoe hij tijdens het flipperen zijn bekken naar voren stak alsof hij de machine ging bestijgen en er afwisselend met zijn heupen tegenaan stootte om altijd foutloos de ballen vrij te maken, een ijskoude rilling door mijn hele lichaam ging die me tegelijkertijd in brand zette, van de nagels van mijn tenen tot de kruin op mijn hoofd, en omdat hij alleen maar zo speelde om door mij gezien te worden, omdat hij de reacties die hij in mij opwekte in zijn voordeel interpreteerde, en omdat hij ervan genoot mij te zien beven.

Als ik ook maar een moment de tijd had genomen om na te denken over de dingen die gebeurden, denk ik dat ik niet om een gevoel van argwaan heen had gekund, want alleen een zo uitzonderlijke factor als het bloed van Rodrigo had een verklaring kunnen zijn voor een zo gevaarlijke keuze als de mijne, maar ik beschikte niet over die tijd; mijn fantasie werd voortdurend in beslag genomen door de strategische aspecten van de aanval, en wanneer ik moe was van het zoeken naar antwoorden op de meest onmogelijke vragen reconstrueerde ik met de grootst mogelijke nauwkeurigheid zijn gezicht in mijn geheugen om te genieten van de zoete staat van verdwazing die ik zonder moeite wist te bereiken door met gesloten ogen naar dat beeld te kijken, en ik had daarbij een gevoel van rust dat er via elk van mijn poriën vandoor ging wanneer ik het aandurfde hem met open ogen te bekijken. Mijn vervoering was des te heftiger doordat ik haar met niemand kon delen, hoewel ik het niet kon laten gebruik te maken van de in het recente verleden zo dikwijls gekoesterde gelegenheid om voor mijn zusje minutieus elk van de etappes uit te diepen van een proces waar zij met meer ongeduld op leek te wachten dan ikzelf. Fernando kon bepaald niet rekenen op veel sympathie in de Finca del Indio, want hij vernederde zich nooit genoeg om zich geliefd te maken en was de eerste Alcántara uit Almansilla die bezittingen had – de Wallbaum-bom en verscheidene Levi Strauss-broeken met rood etiket – die geen enkele Alcántara uit Madrid met geld kon kopen, en hoewel noch Reina, noch mijn neefjes en nichtjes het waagden om hun minachting openlijk uit te spreken, want mijn grootvader leefde nog en was nog helder en had dat nooit toegestaan, mompelden ze elke keer wanneer we hem in het dorp tegenkwamen op gedempte toon beledigingen, en dit gebeurde dagelijks, want de Ford Fiësta, waarvan de stuurinrichting kapot was, gedroeg zich uitstekend en verzette zich zo halsstarrig tegen reparatie als mijn oom Pedro zich had verzet tegen het financieren ervan, en ze vermaakten zich met het bedenken van bijnamen om in het vervolg zelfs zijn naam niet meer te hoeven uitspreken. Mij maakte het niet uit, want ik stond aan zijn en niet meer aan hun kant, en hoewel hij razend werd toen hij erachter kwam, vond ik het grappig dat ze hem Otto noemden, een bijnaam die het definitief won toen Reina, midden in haar campagne om een wat stijlvoller term in te voeren, deze op een dag aan tafel liet ontsnappen, en Porfirio, die tegenover haar zat, glimlachte en zei dat hem Fernando de Nibelunger wel beviel en Miguel daaraan toevoegde dat die titel bovendien bijzonder goed bij zijn neef leek te passen.

Als Miguel en Porfirio niet al veel eerder een nooit voorziene, maar voor eeuwig solide brug hadden geslagen tussen de Alcántara's van boven en de Alcántara's van beneden, die van de Finca en die uit het dorp, was mijn hartstocht voor Fernando vast en zeker nooit meer geworden dan het volgende lastige en schandelijke familiegeheim, maar ik was niet ouder dan vier, en zij elf, toen het toeval de gebeurtenissen in gang zette die tot het ontstaan zouden leiden van een uitzonderlijke en onverbrekelijke vriendschap, de nauwe band die hen nog steeds verenigt.

Het begon allemaal met een gedenkwaardige overwinning van 5 tegen 1, het resultaat van een partijtje voetbal waarin de jongens uit het dorp de zomergasten er flink van langs hadden gegeven. Miguel had als middenvoor gespeeld in het verliezende team, dat de geldigheid van de nederlaag weigerde te accepteren en de overwinnaars, onder wie Porfirio, die altijd als centrale verdediger speelde, ervan beschuldigden de scheidsrechter te hebben omgekocht, een theorie die meer dan redelijk was gezien het feit dat het denkbeeldige fluitje in handen was geweest van Paquito de melkboer. Er werd gesproken over het nietig verklaren van de wedstrijd en over een datum voor een revanche, maar uiteindelijk wisten de overwinnaars een veel drastischere en traditonelere oplossing af te dwingen en vroegen zij hun tegenstanders naar een verlaten steengroeve te komen, die buiten het dorp gelegen was, om hun geschil te beslechten door middel van een stenengevecht dat de volgende dag aan het begin van de avond zou plaatsvinden.

Miguel vertelde thuis niets, want iedereen wist dat hun partij onder dergelijke omstandigheden altijd het onderspit had gedolven, maar kwam wel de afspraak na waar veel van zijn vrienden voor bedankten. Porfirio, die tot die middag nog nooit een woord met hem had gewisseld, lag hem, omringd door zijn kameraden, de katapult al gespannen in zijn handen, verborgen achter de rotsen op te wachten, maar toen hij hem alleen zag verschijnen en de steengroeve zag binnenkomen aan het hoofd van de paar vakantiegasten die de uitdaging hadden aangenomen, voelde hij een vreemde angst en ging het besef plotseling door hem heen als een elektrische vonk die in een onweersnacht de zwarte hemel openscheurt. Hij realiseerde zich dat zijn tegenstander zoveel op hem leek dat geen enkele onbekende de verwantschap niet zou opmerken, maar hij begreep het allemaal op een andere manier en zag dat Miguel moedig was, veel te moedig om daarvandaan te gaan met een gat in zijn hoofd voor hij de kans had gekregen zich te verdedigen, en terwijl hij zijn armen liet zakken, wierp hij zich instinctief naar voren, om een van zijn neefjes onderuit te halen die al bezig was de eerste steen af te schieten, en schreeuwde, niet op hem schieten, dat is mijn broer. Miguel, die verlamd was van verbazing, keek Porfirio aan en bedankte hem. Deze nam zijn dank aan en probeerde de betekenis van zijn optreden af te zwakken, en daarmee was het gevecht beëindigd. Zonder ook maar één steen te hebben uitgewisseld, draaiden de tegenstanders zich om en keerden allen op hun eigen schreden terug.

Diezelfde avond kwam Miguel Porfirio tegen in de bar van Antonio en groette hem, en zijn broer groette hem terug. Wekenlang wisselden ze niets meer uit dan dat, tot op een zondagochtend, terwijl mijn oom bij de kiosk stond te wachten tot de bestelwagen met de kranten zou komen, een vrouw huilend, met een lijkbleek gezicht en knikkende knieën, uit de slagerswinkel kwam. Ze zag eruit alsof ze zo in elkaar kon zakken, maar voor ze dat deed, vertelde ze hortend en stotend welk verschrikkelijk tafereel ze zojuist had gadegeslagen. En zo hoorde Miguel dat Porfirio twee vingers in de gehaktmachine was kwijtgeraakt toen hij in de winkel, die afgeladen was met klanten, achter te toonbank stond om zijn moeder, om deze net zo juiste als sinistere uitdrukking te gebruiken, een handje te helpen.

Toen ik nog klein was, hebben die twee mij honderden keren verteld wat er die ochtend was gebeurd, en ik heb nooit kunnen geloven dat de fiets van Miguel de heuvel in minder dan vijf minuten heeft kunnen nemen, maar hij moet zeer snel gereden hebben, want hij had tijd om zijn vader te waarschuwen, te wachten tot deze de auto uit de garage had gereden en naast hem te gaan zitten, zich doof houdend voor de vinnige dreigementen van mijn grootmoeder, die zich voor de eerste keer in meer dan twintig jaar verwaardigde de denkbeeldige blinddoek af te nemen die haar ogen zo afdoende bedekte, voordat Teófila besloten had wat ze met haar zoon moest doen, want ze troffen hen gezamenlijk voor de winkeldeur aan, zij op de rand van een zenuwinstorting en hij heel bleek, verbazingwekkend kalm, en opmerkend dat hij tenslotte geluk had gehad want de beschadigde hand was zijn linkerhand. Niettemin verloor Porfirio tijdens de beklemmende rit over stoffige wegen vol kuilen het bewustzijn en hij kwam pas weer bij nadat hij in het ziekenhuis van Cáceres was binnengebracht, waar ze niets anders konden doen dan zijn wonden hechten en de best mogelijke vorm geven aan de twee stompjes die zich op de plaats bevonden van de ringvinger en pink van zijn linkerhand. Het ontbreken daarvan heeft me gedurende mijn hele kindertijd gefascineerd.

Vanaf dat moment vormden Miguel en Porfirio niet alleen een team, maar waren ze één, want ze gingen overal samen heen, en dat ging zover dat we, wanneer we iemand naar één van de twee hoorden verwijzen, het gevoel hadden dat er iets ontbrak, alsof we zojuist een bekend lied hadden gehoord dat door een of andere waaghals van het refrein was beroofd. De band tussen hen, die in hun puberteit meer weghad van een wederzijdse afhankelijkheid, was zo sterk doordat ze allebei gebruik hadden gemaakt van de zeldzame mogelijkheid elkaar in vrijheid te kiezen terwijl ze broers waren, en hoewel hun relatie nooit broederlijk was, maar meer een van die typisch mannelijke onverbrekelijke vriendschappen, hadden ze altijd meer gemeenschappelijk dan wat tussen vrienden, en minder dan wat tussen broers gebruikelijk is, want toen ze elkaar leerden kennen, beschikten ze allebei al over een eigen wereld die verschilde van die van de ander. De combinatie van deze factoren bleek zo sterk dat niemand voldoende kracht had om zich te verzetten tegen iets wat minimaal beschouwd kon worden als een tegennatuurlijke sympathie, en hoewel beiden, uit voorzorg, de ander gedurende enige tijd behoedde voor contact met zijn eigen omgeving, en ze elkaar altijd op neutraal terrein ontmoetten, of op de smalle, gunstige strook die hun eigen vader vertegenwoordigde, met wie ze vaak op jacht gingen, nam Porfirio Miguel op een goede dag mee om bij hem thuis te gaan eten, en deze beantwoordde dit, toen hij al een regelmatige gast was aan de tafel van Teófila, door rond etenstijd met zijn broer in de Finca del Indio te verschijnen.

Ik was erbij, maar herinner me er niets van doordat ik toen niet ouder dan zes of zeven was. Clara, daarentegen, herinnerde zich deze gebeurtenis wel, en wanneer een van de anderen liet merken boos op haar te zijn omdat ze koel deed en niet wilde praten, gaf ze altijd hetzelfde antwoord, ach kind, alsjeblieft, je doet me denken aan grootmoeder op de dag dat Porfirio kwam eten... Maar zelfs zij accepteerde de situatie uiteindelijk, en met veel minder moeite dan wie dan ook had kunnen voorzien, want voor de zomer voorbij was, noemde ze hen al 'de jongens', zoals iedereen deed, tot in het dorp toe, en datzelfde jaar lag er onder de kerstboom in het huis aan de paseo General Martínez Campos een Driekoningen-cadeau voor Porfirio.

Mama, die haar jongste broer verafgoodde en bereid was ook die andere, die zo op hem leek, te verafgoden, zei altijd dat grootmoeder Porfirio had geaccepteerd om geen confrontatie aan te gaan met Miguel, maar dat ze uiteindelijk echt genegenheid voor hem had opgevat omdat hij een absoluut innemende jongen was, en ik twijfel daar niet aan, maar ik heb altijd gedacht dat er nog iets anders was, want in dat dorp had iedereen al genoeg van de oorlog, en noch grootmoeder, die Miguel had gekregen toen ze zesenveertig was, noch Teófila, die elf jaar jonger was, maar al over de vijftig toen Porfirio in de Finca begon binnen te lopen alsof hij dat zijn hele leven al had gedaan, had waarschijnlijk zin de energie die hen nog restte te verspillen aan een verlenging van deze zieltogende strijd, die ooit op leven en dood was, maar daarna gebaseerd was op bloed, vervolgens op verbittering en ten slotte op onverschilligheid, en die geheel en al draaide om het bezit van de machtige ruiter die nauwelijks nog terug te vinden was in die oude man die het moe was een bigamist te zijn, er genoeg van had alleen te zijn en stommetje te spelen en in de duurste kleding die hij kon kopen een soort zelfbewustzijn te zoeken dat nooit binnen zijn bereik zou liggen, de roestige medaille die sommige mannen op hun borst spelden die veel slechter zijn dan hij ooit is geweest omdat ze bovendien veel arroganter zijn. De tijd had te veel wonden geslagen die met het verstrijken ervan niet waren genezen, en hun lippen, nu zachter, kleurlozer en onaangeroerd, lieten etter doorsijpelen en een stinkend vocht waarvan de smerige geur hen 's nachts nog steeds uit hun slaap hield. En vijfendertig jaar van slapeloosheid is te veel, zelfs voor een man die schuldig is, zelfs voor een echtgenote die niet geliefd is, en zelfs voor een geliefde wier lot uiteindelijk niet beter was dan dat van haar rivale, zodat de band tussen Miguel en Porfirio op den duur veel nuttiger bleek te zijn dan welk slaapmiddel dan ook, want deze bood hun de kostbare mogelijkheid om te vergeten, en ze maakten er gebruik van. Ze vergaten.

Vanaf dat moment genoten de jongens van een behandeling die veel bevoorrechter, eigengereider en partijdiger was dan iemand in dat huis ooit ten deel was gevallen, want alle bewoners, behalve de kinderen, vonden in hen een geschikte mogelijkheid om zich te ontdoen van het slechte geweten dat zich als een cyste had ontwikkeld gedurende een leven vol krenkingen, waarbij de herinnering aan datgene wat was uitgedeeld misschien net zo pijnlijk was als aan datgene wat was ontvangen, en telkens wanneer tante Conchita, of mama, die ooit het meest strijdlustig waren, lief deden tegen Porfirio, sloten ze een deur, en voldeden of inden ze een schuld, en in het dorp moest wel iets soortgelijks plaatsvinden, want uiteindelijk maakten de omstandigheden het mogelijk dat de situatie de onbepaalde duur kreeg van dingen die altijd zo geweest zijn, zonder dat iemand daar te erg onder leed. Vanaf het moment dat Pacita gestorven was, waren Magda en mama, die veertien jaar ouder waren dan Miguel, de zusters die in leeftijd het dichtst bij hem stonden. Ook Porfirio was als jongste lange tijd alleen opgegroeid, want Lala, die maar twee jaar ouder was dan hij, was al uit huis gegaan voor hij voor het eerst in de Finca del Indio rondliep, en Marcos, de broer boven hem, was tien jaar ouder dan hij. Behalve zij tweeën had iedereen al een volwassen leven opgebouwd, zich steeds verder verwijderend van de conflicten die hun kindertijd hadden belast, zo neutraal al, en zo vreemd, als het landschap zelf. Zo was een situatie geconstrueerd die slechts in schijn normaal was, een luchtspiegeling die nooit verder reikte dan de grenzen van dat nietige eiland dat mijn twee ooms bewoonden, als een ijsberg die stuurloos in de oceaan drijft en zo dicht bij de kust komt dat hij zich zo af en toe daaraan vast lijkt te klampen, voor altijd lijkt te blijven, zijn grenzen versmeltend met die van het vasteland, tot de grillige stroming hem weer meevoert om opnieuw, geïsoleerd en eenzaam, in het water te drijven, nu misschien in de richting van het continent dat tegenover het continent ligt dat hij net verlaten heeft.

Ik betaalde een zeer hoge prijs voor deze illusie, maar voor alle anderen, die het geluk hadden, of daarvoor kozen, opgesloten in een compacte wereld te leven, ver verwijderd van die andere, die parallelwereld, die om een identieke as draaide als twee planeten in het heelal, werd ze toegevoegd aan de elementen van het vertrouwde leven, het scenario dat nooit helemaal verandert hoeveel bokkensprongen of capriolen de planken ook zullen verslijten. En ik dacht wel eens dat alleen Porfirio en Miguel de wezenlijke aard van de waarheid hadden ontdekt voor ik ermee in botsing kwam, want ik kon niet aan het gevoel ontkomen dat beiden argwanend stonden, altijd argwanend stonden ten opzichte van elk geschenk, elke glimlach, elke tederheid, ten opzichte van alles en iedereen, hoewel ik dat idee in de loop der tijd verwierp omdat ik begon te vermoeden dat nu juist is wat er gebeurt met mensen van wie te veel wordt gehouden.

En wij hielden natuurlijk ook van hen. Ik hield blind van hen, en ook Reina hield van hen, en mijn vader, en mijn moeder, en mijn neefjes en nichtjes, en mijn ooms en tantes, iedereen, en ze bleven het verdienen, want ze hadden iets bijzonders, een speciale charme in hun manier van spreken, een speciale bekoring in hun manier van lachen, een speciale schoonheid in hun gezicht, een zuiver charisma, iets aantrekkelijks dat onweerstaanbaar was, vooral voor de vrouwen. We hadden allemaal een speciale redenen om hen te verwennen, maar ik denk dat ze allemaal tot één reden versmolten, misschien het warme genoegen ze in de keuken te zien verschijnen, net opgestaan, alleen gekleed in een pyjamabroek van witte katoen met een heel fijn blauw streepje, of groen, of geel, allebei even lang, even mager, twee glimlachende door de slaap verfraaide gezichten, dezelfde wenkbrauwen, dezelfde mond, hetzelfde volmaakte lichaam, een smetteloos trapezium van gladde, licht gebruinde huid, en we hadden willen betalen voor die aanblik, maar dat was niet nodig, het was gratis, en daarom moesten ze op een andere manier beloond worden. Daarom vonden we het volkomen normaal dat Paulina als een chirurg bezig was met zeebrasem en zeebaars, haar vrije tijd gebruikte om de vis uiterst zorgvuldig open te leggen en deze daarna weer in elkaar te zetten, opdat niemand aan tafel het ontbreken van de kuit zou bemerken, die al, goed gecamoufleerd in aluminiumfolie, in de koelkast lag te wachten tot Porfirio daar op een avond zou komen eten, want die arme jongen, zoals Paulina met een glimlach zei, hield zo van gepaneerde, goed gebakken kuit... En wanneer we als voorgerecht een salade hadden, nam ze de buitensporige moeite om deze op individuele borden klaar te maken en afzonderlijk aan te maken en zelfs grootmoeder tegen te spreken, die niet begreep uit welk tijdschrift haar kokkin die belachelijke methode had overgenomen voor het serveren van een salade die altijd in een grote schaal was opgediend, maar we wisten allemaal, ook zij, dat op het bord dat Miguel naast zijn servet zou vinden geen ui lag, want ondanks de herhaalde verboden van haar mevrouw, die aan tafel geen nukken toestond, herhaalde Paulina glimlachend: die arme jongen houdt niet van ui, en hij heeft het grootste recht niet van ui te houden, en ik ga hem die niet geven, dat moest er nog bij komen, die arme Miguelito... En voor de een moest het bed worden opgemaakt met een hoge omslag, want anders sliep hij niet lekker, en voor de ander moest het hoofdkussen vervangen worden door een kussen uit de leunstoel, want anders rustte hij niet goed uit, en voor de een moesten de overhemden heel zorgvuldig worden gestreken want hij droeg ze graag met de vouwen erin, en voor de ander moesten ze op een hangertje worden gehangen omdat hij er geen vouwen in wilde, en het maakte niet uit of ze te laat kwamen voor het eten, of onaangekondigd, met vier gasten, of helemaal niet kwamen, of om zes uur in de ochtend dronken thuiskwamen, en iedereen wakker maakten, of helemaal niet verschenen om te slapen, en als ze 's morgens luidkeels vanuit het dakraam hun leven voor een glas water wilden geven, hadden ze geen kater, maar waren ze met een droge mond opgestaan doordat het die nacht zo vreselijk warm was geweest, en als een van de twee een kras had gemaakt in de lak van de auto die ze deelden, lag de schuld altijd bij de ander, en wanneer Antoñita, van de tabakswinkel, in het hele dorp rondbazuinde dat Porfirio en Miguel te ver, veel te ver met haar waren gegaan, zei het kindermeisje, dat ons toen al hoeren noemde wanneer ze ons aan iemand hoorde uitleggen dat we niet mochten zwemmen omdat we onwel waren, in de keuken, niet wetend dat ik haar hoorde, dat dat mens beter God kon bedanken in plaats van zich beklagen omdat ze dat van haar leven niet meer zou meemaken, en dat zij, als de jongens veertig jaar eerder met haar te ver waren gegaan, op tijd haar mond had opengedaan, want dat was wat moois, de schuld geven aan die arme jongens, en je kon wel nagaan waar ze op uit was als ze om halfvijf in de ochtend bij hen in de auto kroop, wanneer alle bars gesloten waren...

Ik was het altijd eens met degene die hen verdedigde, verwende, voortrok of met de meest vurige gebaren adoreerde, en vanaf de eerste dag van juli wachtte ik met een nerveus ongeduld op hun komst, een ongeduld dat nooit werd opgewekt door mijn bezoekende vriendinnen, alsof de zomer alleen met hen in huis een echte zomer zou zijn, alsof de vakantie pas echt begon wanneer ik het oorverdovende gezang hoorde van die claxon die al door de lucht denderde wanneer hun auto net door het hek was gereden, en ik voelde een onduidelijk onbehagen, een lichte ergernis, maar wel degelijk ergernis, wanneer ik op de stoel naast die van de chauffeur de kleine, nerveuze gestalte van Kitty zag, de vriendin die ze, elkaar regelmatig afwisselend, met dezelfde vrolijke onverstoorbaarheid deelden als hun appartement, hun studie aan dezelfde faculteit en hun auto.

Toen ze haar tijdens hun voorbereidende studiejaar tegelijk leerden kennen, was Catalina Pérez Enciso al vastbesloten popzangeres te worden en trotseerde ze haar rechtenstudie alleen als overbrugging, als een tijdelijk middel dat ondersteuning van haar ouders garandeerde gedurende de zeer korte periode die zou verlopen tussen de oprichting van de band 'Kitty Baloo en het Gevaar van de Jungle', en de legendarische, schitterende, onmiddellijke en schokkende roem die haar zonder twijfel met mathematische punctualiteit deel zou worden na haar eerste opname in de studio van een of andere geniale disk-jockey. Waarschijnlijk beschikte de Spaanse radio niet over een dergelijk exemplaar, want Kitty haalde haar voorbereidende jaar en daarna haar eerste, en tweede, en derde, vierde en vijfde jaar zonder dat het lot haar ook maar de geringste beloning gaf voor de hartstochtelijke koppigheid waarmee ze haar eigen creaties schreef, vertolkte en arrangeerde, van jaar tot jaar begeleid door steeds wisselende muzikanten, die ertoe veroordeeld waren om na hoogstens drie of vier maanden hun geloof kwijt te raken. Intussen losten Miguel en Porfirio elkaar af in haar bed, en bleven dat enige tijd later doen bij de minder aangename taak om op elk willekeurig moment op haar verzoek om hulp met de benodigde papieren naar de rechtbanken te snellen om te bewijzen dat de draagster van die schandelijke, met groene zeep op scherp gestelde en met limoengroene spray getinte hanenkam die de portiers niet wilden binnenlaten in feite was wie ze beweerde te zijn en werkelijk op weg was om een of andere crimineel te gaan verdedigen die er ongetwijfeld heel wat toonbaarder uitzag dan zij. Maar voor een misdadiger die haar niet onmiddellijk bij het eerste bezoek al wegstuurde, was Kitty een goede advocate; ze was gewetensvol en gedegen en won regelmatig, hoewel haar carrière niet voorbestemd was voor het hoge succesniveau dat de twee broers, uit wie ze maar niet de definitieve man van haar leven kon kiezen, na enkele jaren zo gemakkelijk wisten te bereiken.

Porfirio had altijd al architect willen worden, maar Miguel leek niet echt te weten wat hij wilde, zodat het niemand echt verbaasde toen hij deze opleiding, waar hij zijn broer bijna uit gemakzucht naar toe was gevolgd, na de zoveelste poging om het derde jaar te halen, verliet om, slechts enkele maanden voor Porfirio zijn opleiding beëindigde, de titel van ontwerper te behalen. Daarna begonnen ze samen te werken, en de zoon van Teófila – die nog het gevoel moest hebben in het krijt te staan bij de zoon van mijn grootmoeder voor het initiatief dat de laatste had genomen bij de inschrijving voor het eerste studiejaar, toen hij, van bureau naar bureau gaande, uiteindelijk bij de studieleider was gekomen om aan hem alle takken te ontvouwen van onze merkwaardige stamboom, en in ruil daarvoor de gunst te verwerven dat zowel hem als zijn broer werd toegestaan hun eerste achternaam in tweeën te splitsen om elke eventuele nieuwsgierigheid naar hun afkomst in de kiem te smoren – besloot zijn verdiensten volledig te delen met zijn partner, die zich, hoewel hij woedend protesteerde, niet helemaal beledigd voelde. Enige tijd later, toen Miguel ten slotte iets vond wat op een echte roeping leek op het gebied van industrieel ontwerpen, en hij zijn eerste grote succes had met een revolutionair ontwerp voor een wandautomaat voor maandverband, waarvan de suggestieve lijnen nog steeds, tot in het toilet van de armoedigste bar in de provincie Albacete, te bewonderen zijn, was hij in de omstandigheid de toost te retourneren. In die tijd werkten ze in een ruimte zonder ramen op de derde verdieping van een vervallen gebouw aan de calle Colegiata, bij de plaza Tirso de Molina, waar hun naambord, een glimmende geelkoperen rechthoek, waarop in strakke hoofdletters slechts één woord stond, ALCANTARA, gezelschap werd gehouden door die van een aantal pensions met één ster, een rode plastic rechthoek waarop in fijne, cursieve letters, boven een sierlijke krul van wilde bloemen, te lezen was *Jenny, 1e B*, en een bord van een arts, waarop met dezelfde bondigheid als die waarmee mijn ooms pronkten, slechts één woord prijkte, GESLACHTSZIEKTEN. Daarvandaan verhuisden ze naar een zolder, die weliswaar kleiner was maar ramen had, aan het uiteinde van de calle de Atocha, die ze al snel verruilden voor de benedenverdieping van een vrijstaand huis in het minder goede deel van de calle de Hermosilla. Dit onderkomen werd vervolgens verlaten voor twee verdiepingen aan de goede kant van de calle General Arrando, die ze weer verruilden voor de eerste verdieping van een oud, aristocratisch huis in de calle Conde de Xiquena, voordat ze een heel gebouw voor zichzelf veroverden, een deftig pand, dat klein was in verhouding tot het huis aan de paseo General Martínez Campos, maar veel eleganter was en in het beste deel stond van de calle Fortuny, de werkruimte waar ze volgens mij nooit meer vandaan gaan, want met een plattegrond van Madrid in de ene en een prijslijst van onroerend goed in de andere hand is een volgende waardige stap moeilijk voorstelbaar zonder uit te gaan van de zeer onwaarschijnlijke privatisering van de gebouwen van het Nationaal Patrimonium.

Vele jaren daarvoor, toen we de zomervakantie nog samen doorbrachten, was er geen enkel teken dat erop wees dat het leven, die sluwe god, genegen was de gesanctioneerde piraterij van de jongens binnen de genereuze omgeving van hun eigen familie zo scrupuleus te respecteren. Hoewel ik dit onderschreef en zelfs ondersteunde, had ik ook enig voorbehoud, want mijn ooms, die nog over voldoende stoutmoedige onnadenkendheid beschikten en daardoor nog zin hadden om aan onze spelletjes mee te doen, hadden al geleerd om zich op hun autoriteit van oudere personen te beroepen om ons, in dezelfde mate waarin volwassenen dat altijd met kinderen in hun omgeving doen, uit te buiten, en ze hoefden een van ons maar te zien of het bewuste kind werd op pad gestuurd om sigaretten te gaan halen, waarbij, dat wel, van het wisselgeld een ijsje mocht worden gekocht, of het werd naar hun slaapkamer gestuurd, drie vermoeiende trappen op, om een boek te gaan halen dat ze op het nachtkastje hadden laten liggen, of ze gaven, als er 's middags iets op televisie was, het neefje of nichtje dat het hardst had gelopen of het felst had gevochten om een stoel te veroveren, opdracht deze te verlaten en op de grond te gaan zitten, en dit nietsontziende optreden werd onmiddellijk gesanctioneerd door elke vader, moeder of oom die daar rondhing.

Ik vond dit heel vervelend, want bij die gelegenheden voegden Miguel en Porfirio aan de laaghartige tirannie het gehate vergrijp van verraad toe, en ik vond het pijnlijk om ze te moeten verachten terwijl ik tegelijkertijd zoveel van ze hield, maar toch heb ik nooit datgene als kwetsend ervaren wat mijn zusje als het definitieve machtsmisbruik beschouwde, misschien doordat ik, hoewel we dit beiden met evenveel hartstocht beweerden, echt verliefd op ze was – op de manier, die altijd sterker is dan volwassenen denken, waarop een jong meisje verliefd kan zijn – en zij niet, of misschien doordat ik toen al vermoedde dat de weinige keren dat ik zou kunnen profiteren van het enthousiasme van een of andere argeloosheid, mijn huid van genot zou huiveren onder de scherpe rand van hun nagels zoals hun schouders schokten onder mijn vingertoppen, en ik het gevoel had dat ik dagen zonder eten en zonder slapen zou kunnen om me alleen met strelingen te voeden, terwijl Reina er een geweldige hekel aan heeft om betast te worden en altijd, ook nu nog, met net gewassen haar naar de kapper gaat.

'Malena, krabbel me even, toe… Als jij het bij mij doet, doe ik het straks bij jou, eerlijk.'

Het kon ieder van de twee zijn, en het kon op elke plaats zijn en op elk uur. Misschien hadden ze het al eerder gevraagd aan Clara, of aan Macu, of aan Nené, en had iemand geweigerd, of zich tot vermoeiens toe over hen heen gebogen zonder in ruil daarvoor iets meer terug te krijgen dan het lusteloze gekrabbel van een paar luie vingers, die de schurk die aan de beurt was alweer in zijn zakken had gestopt voordat de overeengekomen termijn voltooid was. Maar in elk geval kwamen ze vroeger of later naar mij toe en voelde ik me daar gelukkig door.

'Toe, Malena, alsjeblieft, je bent de liefde van mijn leven en niet zo'n saaie piet als die daar… Krabbel me even, eventjes maar, en ik zweer je dat ik het bij jou doe zodra mijn nagels weer gegroeid zijn. Vandaag kan het niet, want ik heb ze net geknipt en dan krijg ik er de kriebels van.'

'Je hebt altijd net je nagels geknipt,' kwam Reina ertussen, met de bedoeling mij te verdedigen. 'Hoe durf je!'

'Jij moet je mond houden, dwerg. Alsjeblieft, prinses, als je me krabbelt, breng ik je deze week elke middag met de auto naar het dorp.'

'Dat bedoel ik maar. Het is vandaag zondag en het is de laatste…'

'Hou je mond, verdomme, het gaat jou niks aan.'

En daar hadden ze gelijk in. Het ging Reina niks aan.

Altijd, al sinds ik zo klein was dat ik me de situaties waarin dat gevoel een rol speelde nauwelijks gedetailleerd kan herinneren, heb ik, wanneer Miguel of Porfirio me bij mijn middel pakten, me op hun schouders zetten, of met me speelden in het zwembad, waarbij ze me over hun natte lichaam lieten glijden terwijl ze elkaar het mijne toegooiden alsof ik een grote bal was, een soort vreemde spanning gevoeld, een onduidelijke lichamelijke opwinding die alleen vergelijkbaar is met de prikkeling die de poriën van mijn armen recht overeind zette bij bepaalde buitengewone en gelukkige omstandigheden, zoals de komst van de Drie Koningen uit het Oosten, of mijn binnenkomst op het gemaskerd bal op school of, misschien nauwkeuriger, de geheimzinnige duizeligheid die me in het portaal van het huis overviel op de eerste ochtend van de lente, een jaargetijde dat voor mij pas begon op de dag dat mama ons eindelijk met korte mouwen naar buiten liet gaan en ik triomfantelijk wist dat ik de winter weer verslagen had. Als ik mijn geheugen aan een nog grotere inspanning onderwerp, vermoed ik dat ik voor die tijd hetzelfde al voelde wanneer mijn vader me in zijn armen droeg, maar hij was veel eerder volwassen dan de jongens, en toen hij ophield met mij te spelen, beschikte ik nog niet over een blijvende herinnering. Ik heb mijn zusje nooit gevraagd of zij ooit hetzelfde heeft gevoeld, want ik ging ervan uit dat alles wat er met mij gebeurde haar al eerder was overkomen omdat ze sneller leek te leven, en bovendien heb ik nooit de tijd genomen om de aard van mijn gevoelens te onderzoeken, waarvan de legitimiteit gegarandeerd leek te worden door de toegeeflijke onverschilligheid waarmee iedereen meedeed aan die ceremonie die begon wanneer Miguel, of Porfirio, een arm in mijn richting stak om mij met mijn linkerhand zijn pols te laten pakken en de vingertoppen van mijn rechterhand langzaam over zijn arm te laten glijden, zo nu en dan een bezoek brengend aan de verboden gebieden, met name de binnenzijde van de elleboog, om echte kriebels op te wekken, de onverdraaglijke strelingen die hen deed kronkelen en schreeuwen. Toch herinner ik me dat het me in die tijd al verbaasde dat ze dat eerbetoon nooit probeerden te krijgen van een van hun neefjes en hun druk op grond van een mechanisme dat misschien onbewust was, maar misschien ook niet, beperkten tot de meisjes die in huis waren. Bij mij hadden ze altijd succes, hoe dan ook.

In die tijd had ik vooral waardering voor het onderscheid dat ze maakten tussen mijn zusje en mij, want normaal gesproken waren ze niet erg in ons geïnteresseerd en behandelden ze ons wanneer ze met ons speelden alsof we een en dezelfde waren, een mysterieus wezen dat 'de kinderen' heette, in plaats van deze jongen, dit meisje, zij, of hij, maar wanneer ze mij vroegen of ik ze wilde krabbelen, spraken ze tegen mij, uitsluitend tegen mij, en onderscheidden me daarmee van de anderen, en bovenal van Reina. Nu denk ik dat ik ze alleen ter wille was omdat ik er plezier in had, plezier in het overheersen van huid, het beheersen van hun reacties, die definitief overgeleverd waren aan mijn genade, vooral wanneer ze mij lui op hun buik liggend aan de rand van het zwembad ontvingen om me toe te staan schrijlings op hen te gaan zitten en hun hele rug in bezit te nemen.

Miguel praatte.

'Daar, daar, precies… Nee, een beetje hoger, naar rechts, omhoog, ja… Heel langzaam nu, naar links, nee, lager, daar, in het midden… Lager, lager maar niet veel, precies, precies, niet bewegen, alsjeblieft, niet bewegen… Ik heb daar een vreselijke pukkel, niet? Hij jeukt verschrikkelijk, krabbel, krabbel met je nagels… Goed, heel goed, nu mag je zelf weten waar je heen gaat, mijn schouders ook… Doe mijn zwembroek maar omlaag, een beetje maar, zo ja… Alsjeblieft, nu nog onder op mijn rug… O, zalig, zalig…'

Porfirio gromde.

'Hummm…! Ja… Nee, nee, ah…! Ah! Omhoog… Meer… Ja… Mmm, Mmm… Goed. Naar rechts… Daar, daar… Nee, omlaag, wacht… Goed… Hummm! Krabbel, ja… O, o, o…'

En zo maakte ik, op een ochtend van zon en water, zoals zo vele andere, de eerste verovering van mijn leven.

Ik was klaar met Porfirio, die een gevoeliger huid leek te hebben en er misschien meer van genoot, maar ook eerder verzadigd was, en zat boven op Miguel. Ik had genoeg van al dat werken en stond op het punt mijn vaardigheden te verloochenen, toen ik het geluid hoorde van een auto die over de weg naderde. Porfirio, die op het gras de krant zat te lezen, keek op en glimlachte. Toen ik de passagiers in de gele R-5 kon onderscheiden, die zojuist bij de garage was gestopt, deed ik hem na, ervan overtuigd dat ik op korte termijn van mijn taak verlost zou zijn en in het zwembad zou kunnen duiken, waar de anderen speelden.

'Sta op. Miguel. Kom, de meiden zijn gearriveerd.'

Maar mijn slachtoffer, dat met zijn hoofd op zijn gekruiste armen lag, die als kussen dienden, bewoog nog geen vinger.

'Hé, wat doe je?' hield Porfirio aan en kwam naar ons toe om hem een tikje op zijn arm te geven. 'Sta op, kerel.'

Toen bracht Miguel zijn gezicht omhoog en zagen we daar, perplex, de sporen van een lachbui die hem het praten bijna onmogelijk maakte.

'Ik kan het niet. Ik kan niet opstaan…'

Drie meisjes, gehuld in lange, witte hemden waaronder vaag de contouren van een badpak te zien waren, kwamen langzaam naderbij en begroetten Porfirio met een zwaai van hun armen.

'Wat zeg je?'

'Dat ik verdomme niet op kan staan. Ik heb me daar toch een gat geboord, kerel, ik had de hele grasmat wel aangekund, ik zweer je…'

'Jezus!' Zijn gesprekspartner bewoog ongeduldig zijn rechtervoet heen en weer. Zijn glimlach overtuigde mij er echter van dat hij niet kwaad was, maar de onbegrijpelijke verlammingsverschijnselen van zijn broer eerder vermakelijk vond.

'Als ik opsta en ze me zo zien, gaan ze er hollend vandoor en stoppen niet meer voor ze terug zijn in Madrid.'

'Oké, kerel.' Porfirio lag krom van het lachen. 'Wat ben je ook een idioot.' 'Wat kan ik eraan doen. Je denkt toch niet dat ik het wilde. Ga naar ze toe en houd ze even bezig, vooruit. Ik duik het water in. Ik hoop dat het koud genoeg is.'

'Het is koud,' zei ik bevestigend, tevreden dat ik ten slotte een paar woorden van dat onbegrijpelijke gesprek had begrepen.

De beide jongens barstten tegelijk in lachen uit, waarbij hun uithalen zoals gewoonlijk gelijk op gingen. Miguel glipte onder mij vandaan en rende met een paar grote stappen naar het zwembad. Porfirio draaide zich om naar de bezoeksters, die al dichtbij waren, maar voor hij zich verwijderde, streek hij even met zijn hand door mijn haar en zei, om mijn verwarring volledig te maken, heel zachtjes iets onbegrijpelijks.

'Jij wordt nog eens een moordwijf, Malena. Zeker weten.'

De eerste nachten van die zomer van '76 dacht ik veel aan Miguel en aan Porfirio, aan Bosco, aan Reina en al haar vriendjes, terwijl ik rusteloos in mijn bed lag te woelen en merkte dat de lakens vochtig waren, doordrenkt van een zweet dat ik toen tot mijn eigen verbazing met liters begon te produceren, want ik kon me niet herinneren ooit zo gezweet te hebben, en ik lag wakker alsof ik over mezelf waakte tot de hemel door de kieren van de luiken heen lichter begon te worden en ik geschrokken aan de tijd dacht en aan de verplichting de volgende dag wakker te zijn, en de slaap me ten slotte in zachte golven meevoerde naar de waarheid, het ware beeld van Fernando, aanbiddelijk en schoon, zo verschillend van het monster dat ik slechts enkele minuten daarvoor was gaan haten, en dat versluierd was in de slapeloosheid en in een onbekende beklemming, een bijna verstikkend gevoel, hoewel het zich, in plaats van mijn keel te kwellen, vastzette in mijn hersens, die echter over voldoende ruimte beschikten om te waarschuwen dat zoiets helemaal niet mogelijk was, dat het, hoewel het misschien zo leek, niet mijn hoofd was dat gesmoord werd, alsof het echte leven eindelijk begonnen was te kloppen in het middelpunt van mijn dijen.

Tot op dat moment had mijn sekse me al zo veel hoofdbrekens gekost dat ik weinig aandacht had besteed aan mijn lichamelijke geslacht. Jaren daarvoor, toen ik tien of elf was, had ik het met belangstelling voor een spiegel bestudeerd en met plezier gezien hoe het zich bedekte met een beharing waaraan ik een vaag voorspellend karakter toekende, tot ik ontdekte dat er niets anders groeide, alleen maar haar, en minder vaak een bezoek bracht aan dat teleurstellende schouwspel. Later, toen Reina begon uit te gaan met Iñigo en in het portaal met hem stond te zoenen, overviel me soms een rilling, zoals me dat ook wel voor de televisie of in de bioscoop was overkomen bij het zien van sommige liefdesscènes die een vreemde, duistere en gewelddadige magie leken uit te stralen, een magie die in de meeste films echter moeilijk te vinden is en daardoor onwaardig is een permanente plaats in mijn geheugen in te nemen. Later werden de gevoelens van deze aard gedifferentieerder en kwamen ze frequenter, en kon ik ze ordenen en er, niet vaak, over nadenken, tot ik het op een avond, de vorige zomer, voor de komst van Fernando om de wereld te verlichten, echt moeilijk had.

We keerden in de Ford Fiësta uit Plasencia terug en ik zat midden op de achterbank om Reina en Bosco van elkaar te scheiden, die bij het verlaten van de bar hun bijna gebruikelijke heibel hadden gehad, toen mijn neef zich boven op mijn zusje had gestort om haar te kussen waar hij maar kon, en zij, altijd één of twee minuten na het juiste moment, alsof het haar moeite kostte om op een zo diepe uiting van liefde te reageren, begon te gillen en zich met een energieke beweging had losmaakt uit zijn omhelzing. Nu zaten ze er allebei doodstil bij en zaten Pedro, Macu en ik wat over koetjes en kalfjes te praten in de hoop dat de spanning wat zou verminderen. Ik weet niet meer waar we het precies over hadden, ik denk dat ik dat al vergeten was toen ik uit de auto stapte, maar ik herinner me nog wel, en met een verbazingwekkende nauwkeurigheid, hoe de rechterhand van de chauffeur het stuur losliet, op een onzekere manier zeker van de duisternis, en onder de kleding van zijn begeleidster verdween, die mij op dat moment iets aan het vertellen was en daarmee doorging terwijl mijn ogen het traject begeleidden van die hand, die af en toe tussen haar benen verdween en buiten mijn gezichtsveld raakte om een ogenblik later weer op te duiken, waarbij eerst twee, toen drie en ten slotte alle vijf vingers verschenen; de handpalm gleed over het lichaam van mijn nichtje op en neer, wreef over haar heup, zakte weg rond haar middel, klom omhoog naar haar linkerborst en omklemde deze met kracht om vervolgens de duim te laten trillen alsof hij de tepel wilde oppoetsen, die gehoorzaam groeide en zich ook zichtbaar maakte, waarna de vingers hun druk verminderden en aan een cirkelvormige beweging begonnen zonder ook maar enige hindernis te ondervinden van de katoenen Mexicaanse jurk met een borduursel van kleurige bloemen op het lijfje, en weer langzaam af te dalen naar de dijen, om ze onder de stof te strelen, een moment te verdwijnen en weer zichtbaar te worden om een beperkte cirkel te voltooien, die steeds bijna maar niet geheel gelijk was aan de vorige, terwijl beiden zich tot mij richtten op de neutrale, vriendelijke toon waarmee ze me al duizenden keren hadden aangesproken. Ik had het warm, en zweette, maar ik was vooral razend, razend op mijn lichaam, razend op mijn lot en op het universum in het algemeen, want dat van Reina mocht gebeuren, dat van Reina was bijna terecht, maar dat die trut, recht voor mij, zat te genieten van het bezit van een derde hand, terwijl ik toekeek en met machteloze vingers elke hoek van de bekleding van de autostoelen verkende, tegelijkertijd zo dicht bij die twee en lichtjaren verwijderd, leek me wreed en verschrikkelijk onrechtvaardig, en ik stond er niet bij stil dat ik die sukkel van een Pedro nooit zou hebben toegestaan om mij ook maar met de rand van een nagel aan te raken, het kwam niet in me op over dat punt te argumenteren, want het was die nacht niet belangrijk, niets was belangrijk, behalve dat wat er op dat moment gebeurde absoluut en verschrikkelijk oneerlijk was.

Toen ik 's avonds aan tafel ging zitten om te eten, was ik nog zo kwaad dat ik niet eens mijn best deed om mijn woede te verbergen, en nadat ik voor de derde keer mijn glas water had omgegooid, alsof ik het op het tafellaken aan diggelen wilde smijten, zei mijn moeder dat ik beter mijn bed kon opzoeken als ik van plan was zo door te gaan. Tot ieders verbazing volgde ik haar advies op. Ik liet me naakt tussen de lakens glijden, maar ik was vast van plan geen spier, geen enkele spier, zoals ik herhaalde, van mijn lichaam te bewegen, want dat zou een ontoelaatbaar teken van zwakte zijn, dat zou hetzelfde zijn als luidkeels erkennen dat ze me zo woest hadden gemaakt, dat zou de beschamendste overgave zijn die de laagste lafaard ooit had kunnen bedenken, en die voldoening zou Macu nooit van mij krijgen. Dat dacht ik, maar ik deed het toch, en ik was, zoals altijd, stomverbaasd dat ik uit die korte ontlading zo'n volledig gevoel van rust kon halen. Later, terwijl ik daar glimlachend, ontspannen en gewichtloos lag, en mijn vlees en mijn beenderen niet meer in mijn hoofd rondspookten, zei ik bij mezelf dat Macu het tenslotte nooit zou weten, en gaf me over aan een korte lachbui. Een kwartier later liep ik de zitkamer binnen, bood iedereen mijn excuses aan en ging op de grond zitten om naar een film te kijken die al begonnen was, maar waarvan ik het begin behoorlijk goed kon reconstrueren.

Ik heb die persoonlijke manier om de wereld aan te kunnen ontdekt toen ik nog een jong meisje was, en het gebeurde allemaal door puur toeval in een spijkerbroek van het jaar daarvoor, die mij te klein was, veel te klein, maar de enige spijkerbroek die mijn moeder in de kast kon vinden op een ochtend in mei die zo donker was als de schemering in januari, een ochtend waarop de ruiten plotseling onzeker in hun metalen sponningen trilden onder het geweld van een regenbui die zo dicht was dat je zou kunnen zeggen dat elke druppel, nog niet tevreden over het kabaal waarmee hij te pletter sloeg tegen het raamoppervlak, dit voor altijd met scherpe nagels verscheurde, want het was onmogelijk om de contouren te zien van de huizen en de bomen aan de overkant; een vage wereld van zachte, ronde hoeken zoals we zien wanneer onze bedrogen ogen door dik matglas een kamer binnenkijken. Een week lang bleef het zo regenen, dag en nacht, en hoewel mama zei dat het normaal was, omdat de Boekenbeurs in het Retiro net was geopend en er nog maar een paar dagen over waren om te voorkomen dat het weer de stierengevechten van San Isidro onmogelijk zou maken doordat de harde grond van Las Ventas in een modderpoel was veranderd, zoals dat elk jaar gebeurde, kon ik me niet herinneren ooit zo'n ziedende regen te hebben meegemaakt, en ik kon er toen al niet tegen. Volgens Reina konden er van het ene op het andere moment champignons in ons haar gaan groeien, maar ondanks alles maakten we ons die zaterdagochtend klaar om naar de provincie te vertrekken, want mijn vader wilde voor zijn veertigste een plaats in de raad van bestuur van de bank, en de secretaris, een achterneef van de president, had ons uitgenodigd voor een etentje in zijn buitenhuis in Torrelodones, zo simpel was dat.

De maat van mijn broek gaf een afschuwelijke noot aan een dag die in het algemeen al afschuwelijk was. Met mijn longen gezwollen als een ballon op het punt van knappen, zonder ook maar te durven ademen om het volume van mijn buik binnen de grenzen van het niets te houden, probeerde ik nog een zekere hoop te koesteren terwijl ik steelse blikken wierp op mijn moeder die zich, geknield voor mij zittend en uit alle macht aan de broekband trekkend, inspande om een knoop dicht te maken die steeds maar weer aan haar vingers ontglipte alsof hij over een eigen wil beschikte en zij hem ertoe dreef het knoopsgat te weigeren, misschien als bewijs voor de onveranderlijkheid van meer dan één natuurkundige wet. Maar in een laatste blijk van minachting voor het prestige van de wetenschap wist mijn moeder de knoop op zijn plaats te krijgen, trok de ritssluiting dicht en gaf me, met een stem die trilde van triomf, toestemming weer te gaan ademhalen. Toen ik dat probeerde, gaf ik een gil en probeerde met alle middelen te onderhandelen, maar er was geen redden aan. Mama raadde me aan wat kniebuigingen te maken om het katoen wat soepeler te maken. Het is helemaal niet erg, concludeerde ze, je moet niet zo zeuren.

Met een behoorlijke inspanning slaagde ik erin mijn knieën te buigen, maar toen ik ten slotte op mijn hurken ging zitten, kon ik mijn evenwicht niet bewaren en rolde op de grond. Ik wist me pas op te richten nadat ik mijn regenlaarzen had uitgetrokken en kwam toen steunend op mijn handen zijdelings omhoog. Ik voelde een constante, lichte pijn, als bij een lichte verbranding, bij mijn middel, mijn buik en mijn heupen, maar het ergste was de middennaad, die bij de geringste beweging als een strop in mijn vlees sneed om aan mijn keel kreten van pijn te ontrukken, een marteling waar ik alleen maar een eind aan kon maken door in de stof te knijpen en deze met al mijn kracht omlaag te trekken, en ik herhaalde die handeling bij elke stap, ondanks de stijgende verontrusting in de ogen van mijn vader die, niet zonder enige reden, wel moest denken dat dergelijke manipulaties geen gewenste bijdrage zouden leveren aan het modelbeeld van die betoverende dochter van elf dat hij in verband met zijn doeleinden wilde laten zien.

Ik ging in de auto zitten met de geestdrift die ik zou hebben opgebracht voor een rit naar het schavot, maar terwijl ik me in bochten wrong alsof ik bezaaid was met vlooien, op zoek naar een houding die de druk van die verschrikkelijke insnijding zou verlichten, hoorde ik bijna een klik en voelde plotseling dat er ergens iets was gaan passen en er een mysterieuze harmonie tot stand was gekomen tussen mijn lichaam en de naad van mijn broek. De pijn veranderde van aard, en ondanks het blijvende brandgevoel kreeg dat contact weliswaar niet de kwaliteit van een streling, maar wel die van een geïsoleerde, schitterende noot, waarvan ik de oorsprong niet kon definiëren, maar die voldoende krachtig was om de rest van de gevoelens die ik gelijktijdig waarnam teniet te doen en ze een seconde voor ze zich echt voordeden te absorberen. Het was aangenaam, bijzonder aangenaam, maar moeilijk te beheersen. En toen, terwijl ik helemaal opging in het mechanisme van mijn geheime vereniging met die streng van stof, zodat ik niet eens meer wist waar ik was, lukte het mijn vader niet op tijd een kuil te ontwijken en tilden de edelmoedige schokdempers van zijn auto me een ogenblik op om me vervolgens op dezelfde plaats te laten vallen, daarmee een net zo korte als onthullende reis in gang zettend.

Je moet dus opwippen, zei ik bij mezelf, instinctief zelfs mijn eigen lippen niet vertrouwend, nadat ik me hersteld had van de verrassing die me op het spoor bracht van een andere verrassing. Natuurlijk, het leek plotseling zo simpel, je hoeft niets anders te doen dan dat, alleen maar opwippen, dat is alles...

'Wat is er in godsnaam met dat kind aan de hand?'

De boze stem van mijn vader, die me met open mond in de achteruitkijkspiegel zat te bekijken, terwijl ik de afwezigheid van kuilen compenseerde met een nog onzekere techniek, waarbij ik aan mijn benen een continue beving probeerde op te leggen die me steeds opnieuw deed opwippen op de zitting van de achterbank, slaagde er niet in de glimlach van mijn lippen te vegen of me tot een antwoord te verleiden.

'Wil je je rustig houden? Wat heb je? De sintvitusdans?'

'Nee,' zei ik ten slotte. 'Wat is er, mag ik dit niet doen? Ik vind het lekker.'

'Wat ben je eigenlijk aan het doen?' vroeg mijn zusje, die tot op dat moment uit het raam had zitten kijken.

'Opwippen,' antwoordde ik. 'Probeer het maar. Het is geweldig.'

Reina wierp me een zeer wantrouwige blik toe, maar besloot me uiteindelijk na te doen, hoewel haar resultaten niet vergelijkbaar waren met de mijne, misschien doordat haar broek van marineblauw ribfluweel, met een paar plooien aan beide kanten van de rits, nieuw en haar bijna te groot was.

'Ach, wat een onzin!' zei ze ten slotte, op een toon die bijna afkeurend was. Je wordt er alleen maar misselijk van.'

'Genoeg! Hou! Op! Alle! Twee! Rustig! Nu!'

De stotende uitroepen van mijn moeder, die haar zinnen, wanneer ze ons duidelijk wilde maken dat ze echt kwaad was, in stukken hakte, overtuigden me ervan dat ik mijn experiment misschien beter kon uitstellen tot ik een gunstigere gelegenheid had gevonden, die er feitelijk op neerkwam dat zij me niet moest kunnen zien. Ik hoefde niet lang te wachten.

Toen we bij het buitenhuis in Torrelodones arriveerden, vielen de druppels met zo veel kracht dat ze van de huid van alle dingen transparante schubben leken te rukken. Het regende niet meer, de hemel leek nu hard bezig te zijn in zijn geheel naar beneden te komen, en het geluid van de te pletter slaande druppels had elke metaalachtige resonantie verloren en was veranderd in het doffe gespetter van water op water. De tuin was overstroomd, en het portaal, bezaaid met plassen die het onregelmatige oppervlak van de graniettegels hadden genivelleerd, leek op een half drooggelegde lagune. De gastheer en een van de dienstmeisjes kwamen, allebei voorzien van een paraplu, naar de auto, en we renden naar binnen, waar een kleine groep uitverkorenen, een handjevol mensen die op een absurd elegante manier gekleed waren. Vrouwen die gekapt, opgemaakt en met sieraden behangen waren alsof ze de instructies hadden opgevolgd van een of andere gek die zich alleen zou kunnen vermaken als hij ze op een dergelijke dag hun huis kon zien verlaten, zich verdrongen rond de lege haard en probeerden de geweldige kracht te ontkennen van de catastrofe die zo af en toe vanaf de andere kant van de ramen naar ons knipoogde. Toen mijn vader en mijn moeder hun regenjas uittrokken, leken ze me net zo lachwekkend als alle anderen, alle anderen behalve mijn oom Tomás, die ik me nooit anders had kunnen voorstellen, want Tomás was niet elegant gekleed. Tomás was de elegantie in eigen persoon.

De oudste broer van mijn moeder was duidelijk ouder dan mijn vader, die hij in zo'n mate hielp en steunde dat zijn beschermeling er niets op tegen had dit in het openbaar te erkennen. Hij was lid van de raad van bestuur van de bank sinds hij, een paar jaar daarvoor, de plaats had ingenomen van zijn oom Ramón, een neef van mijn grootvader, die gestorven was zonder kinderen of andere erfgenamen achter te laten. Hoewel ik in die tijd al wist dat hij zeer gehecht was aan papa, en vooral aan Magda, die hem adoreerde en in ruil daarvoor een soortgelijke liefde terugkreeg, was ik niet bepaald op hem gesteld, want hij was een verontrustende, intimiderende en onberekenbare figuur voor de bescheiden wereld van een kind, als het enige overgebleven deel van een stuk speelgoed dat al jaren eerder verloren is gegaan en in geen enkele la meer past. Ik herinner me dat ik altijd met achterdocht naar zijn zwijgende gedaante keek, met de bijna gladde contouren, die altijd dubbelzinnige boodschappen uitzond, alsof hij tegelijkertijd wel en niet onder ons kon zijn. Tomás zag alles, bekeek alles en zei bijna nooit iets, maar de klank van zijn stilte verschilde van de klank die aan de spleten tussen de zwijgende lippen van zijn vader ontsnapte. Van jongs af aan had ik het gevoel dat híj, in tegenstelling tot grootvader, niet sprak omdat hij een hekel aan ons had, maar jaren later moest ik mijn oordeel herzien, want Tomás had een verdrietige mond, een diepe plooi, als een dubbele voor in de aarde, die zijn neus in een eeuwig ontevreden trek met zijn mondhoeken verbond, als teken van een onmetelijk innerlijk lijden, misschien, tot op zekere hoogte, ook bewust en genotvol, zoals te zien is in de ernstige blik van de angstaanjagende Toledaanse heren die El Greco heeft geportretteerd. Hij was echter een vriendelijke man, met uitstekende manieren, die nooit iemand lastigviel, en juist bijzonder aardig was tegen iedereen, maar ik mocht hem niet, ik denk dat ik zelfs een beetje bang van hem was want hij was ook het enige lid van de familie die het blijkbaar volkomen vanzelfsprekend vond om te zeggen dat hij een hekel had aan kinderen, en omdat ik hem kende sinds ik geboren was en ondanks dat niets, absoluut niets van hem wist behalve dat hij van suikeramandelen hield en al zijn energie stopte in een net zo afmattende als onvruchtbare strijd, zonder een andere triomf te behalen dan de aanblik van een bescheiden schrammetje op de huid van een vijand die hem al verslagen had, en voor altijd, op het moment van zijn conceptie.

Ondanks de crèmes, de massages, de gymnastiek, de zonnebankbruine kleur, de voor de spiegel bestudeerde gebaren, de moeizame pogingen van zijn kapper, en de ongedwongen elegantie die gesuggereerd wordt door elk object dat hij bezit, is Tomás een lelijke man, dat is hij altijd geweest en zal hij altijd blijven. Het is niet eerlijk om lelijk geboren te worden, want vroeger of later komt er iemand die je voor je gebreken laat betalen, en lelijkheid is zowel een van de oneerlijkste als een van de moeilijkst te verbergen gebreken, maar die tegenslag, waarvan de intensiteit zich als de huid van een kameleon aanpast aan het contact met de omgeving, kan een tragedie worden als degene die hieronder lijdt omringd is door knappe mensen. En de Alcántara's zijn, zoals de leden van alle families die hun bloed goed vermengd hebben, over het algemeen knap. Mijn grootmoeder Reina was dat op een bijzondere manier, want ze had, samen met een voor vrouwen van haar generatie ongebruikelijke lengte, de groenachtige ogen en het koperkleurige haar van haar moeder, mijn overgrootmoeder Abigail McCurtin Hunter, een slanke, Schotse jongedame, die zich ondanks haar fragiele en vochtige verschijning zo ongelooflijk goed aan de verandering van klimaat had aangepast dat ze, naar het schijnt, een verschrikkelijke pestbui kreeg wanneer er vier druppels vielen, en toen ze ouder werd, en haar hersenen de effecten begonnen te vertonen van bepaalde gebreken in de bloedsomloop, genoot ze ervan om in smetteloos Castiliaans de presbiteriaanse God uit haar kindertijd uit te schelden, die ze luidkeels vroeg of hij het niet met haar eens was dat ze allebei al genoeg regen hadden gehad in dat vervloekte geboortedorp van haar – de plaats met die verduivelde naam, dicht bij Inverness, die ze na de dood van haar vader had verlaten om naar Oxford te gaan, de bakermat van de familie van haar moeder en het toneel van haar hartstochtelijke ontmoeting met mijn overgrootvader, die in die tijd, en afgezien van zijn pogingen zijn stijl van salonstierenvechter te perfectioneren om zijn verloofde tevreden te houden, van plan was een zo hoog mogelijke rendement te halen uit de waanzinnige gril van zijn ouders, die hem daar, als uitdrukking van de meest overdreven grootheids-waan die een landeigenaar uit Cáceres zich ooit heeft gepermitteerd, heen had-den gestuurd om te studeren – om vervolgens te besluiten met de opmerking dat het zijn verdiende loon was dat zij zich tot het katholicisme had bekeerd, een droge en zonnige godsdienst, om te kunnen trouwen, net als Victoria Euge-nia. Haar neef Pedro, mijn grootvader, die niet direct knap was om te zien, maar op jonge leeftijd de duivel zelf leek en er op oudere leeftijd nog steeds goed uitzag, had bij haar niet een aantal kinderen verwekt – de minderheid – in wie de exotische combinatie was gereproduceerd van een bruine huid en lichte ogen, een combinatie die de schoonheid van hun moeder accentueerde, en een aantal – de meerderheid – in wie de Schotse erfenis verdund was door de trekken van een oudere rassenvermenging, met de symbolische Peruaanse mond, maar bij Tomás moet ze in de war zijn geweest, of moeten ze allebei in de war zijn geweest, want haar oudste zoon heeft nooit iets gemeen gehad met zijn broers en zusters.

Tomás had ronde, bijna uitpuilende ogen en een bijzonder kleine wipneus, die in het gezicht van elke man te klein zou zijn geweest, maar in het zijne – de voorgevel van een enorm hoofd waarvan niemand wist waar het vandaan was gekomen, wat ook gold voor de oorsprong van zijn bijzonder gevoelige blanke huid, die de milde aprilzon al deed uitbarsten in een miljoen roze etterpuisten, de aankondigers van de rode uitslag die hem gedurende de hele zomer zou kwellen, ondanks het feit dat hij zich geen seconde in de zon waagde – de grenzen van het groteske overschreed. Zijn wenkbrauwen waren smal, en zijn haar was dun en wispelturig, want in plaats van wit te worden, zoals het geval was bij zijn vader en oudere broers, en zoals ook Miguel en Porfirio al begon te overkomen, koos het ervoor om van zijn voorhoofd te verdwijnen, tot zijn vijf-endertigste in een geleidelijk, maar daarna in een ijltempo. De rest van zijn lichaam was een beter lot beschoren dan zijn hoofd, maar de tijd nam de vernietigende taak op zich om deze afstand te verkleinen, en het zwak van de bezitter voor suikeramandelen resulteerde in een weinig passend vrouwelijk profiel, vol van ronde lijnen, die zijn buik een weke potentie gaven, op de manier van de grote bierdrinkers en daardoor tot op zekere hoogte vergeeflijk, maar die ook aan zijn kont een ronde vorm gaven die juist voor een heer niet te tolereren is, ook al is hij al bijna vijfenveertig.

Die leeftijd moet Tomás ongeveer hebben gehad toen hij op die zaterdag-ochtend met onhoorbare passen, zo glad en beheerst als de gevaarlijkste renais-sancekardinaal, de immense salon doorkruiste waarin de regen ons gevangen hield, zo nu en dan een wenkbrauw optrekkend bij de confrontatie met een van de protserige voorbeelden van slechte smaak die met rekenkundige precisie in die ruimte stonden opgesteld, een ruimte die bestemd leek om een toekomstig etiologisch museum te integreren onder een noemer die de bezoekers moest voorbereiden op het aanschouwen van een representatieve verzameling van de esthetische perversies die als de grofste waarborg van hun macht ontwikkeld waren door de meest plutocratische Spanjaarden van de tweede helft van de 20ste eeuw.

Half verborgen tussen de gordijnen maakte ik, op een voetenbankje van hout en leer, maximaal gebruik van mijn meest recente ontdekking. Het bankje had drie poten die een dun, driehoekig kussentje droegen en elkaar, dicht bij de grond, op gelijke afstand kruisten. Dit voorwerp had een strakke vormgeving en was bewonderenswaardig, niet alleen door het ontbreken van de goudkleur die de stijl van alle meubelen in dat huis gemeen hadden, maar ook wegens de functionaliteit ervan in verband met mijn bedoelingen. Het was duidelijk dat dit bankje ontworpen was om de bezetter ervan zo te laten zitten dat twee van de poten de heupen zouden flankeren, terwijl de derde, die zich op de plaats van de rug bevond, het gewicht zou dragen, maar het was net zo duidelijk dat niemand erg verbaasd zou zijn als een meisje ervoor koos om precies andersom te gaan zitten, met haar benen aan beide kanten van één poot, terwijl de andere twee onbenut als tegenwicht zouden dienen voor het met tussenpozen optredende gebrek aan evenwicht dat ikzelf oplegde aan mijn rijdier door mijn lichaam te laten opwippen terwijl ik over het gedraaide oppervlak gleed van die diagonaal die op een verrukkelijke manier de juiste druk uitoefende op de middennaad van mijn spijkerbroek, vooral wanneer ik, bij het balanceren, mijn hele gewicht naar voren liet vallen.

Reina was niet te zien. Ze had mij, stomverbaasd dat ik besloot zomaar een maaltijd op te offeren, in die hoek achtergelaten om zich op het buffet te storten, en mijn ouders moesten de stroom van genodigden naar andere kamers zijn gevolgd, want ik had het gevoel dat ze al uren uit het zicht verdwenen waren, toen mijn blik plotseling op een olijfgroene, flanellen broek viel en een opwaartse koers volgde via een fluweelachtige band naar het middendeel van een honingkleurig vest dat te voorschijn kwam tussen de revers van een grof colbert van Engelse wol, pied-de-poule in groen, hetzelfde olijfgroen als de broek, en bordeaux op een crèmekleurige achtergrond, om over te steken naar de boord van een overhemd van écrukleurige ruwe zijde en uiteindelijk de scherpe, intelligente ogen te ontmoeten van Tomás.

'Wat ben je aan het doen, Malena?'

Ik nam enkele minuten om te antwoorden, en omdat hij me niet aanstond, vond ik het niet nodig om te stoppen.

'Niets.'

'Niets? Weet je het zeker? Ik meen toch te zien dat je beweegt.'

'Ja, dat klopt,' gaf ik toe. 'Ik beweeg. Daar heb ik zin in.'

'Dat zie ik.'

Toen glimlachte hij, voor hij verdween, en ik geloof dat het de eerste keer was dat hij ooit tegen mij geglimlacht heeft, en ik heb mijn ouders nooit over ons korte gesprek verteld, toen niet en ook later niet.

Ik wist die techniek in zo'n korte tijd zo intens te perfectioneren, dat ikzelf, cirkelvormig gebied waarin alles begon en eindigde, niet kon ontkomen aan een zekere verbijstering toen ik een proces reconstrueerde dat, gebaseerd op het meest wisselvallige toeval, een oneindig positief resultaat had opgeleverd, vooral omdat ik, hoewel ik niet zo zeker was van de betekenis van die handeling noch van de aard van de resultaten, er wel absoluut zeker van was dat mijn vaardigheden wezenlijk onverenigbaar waren met het trieste en afgrijselijke concept van de eenzame ondeugd. Dat, zoals de nonnen op school herhaalden, bij de zeldzame gelegenheden waarin ze zich in het nauw gedreven voelden door de hardnekkigheid van onze vragen, was iets afschuwelijks dat jongens deden wanneer ze Gods genade verloren hadden. Over meisjes werd echter nooit een woord gezegd. De voordelen van een katholieke opvoeding.

Toen ik vijftien was had ik de waarheid al ontdekt, dankzij de traagheid van het personeel in de kapperszaak waar mijn moeder altijd heen ging en een oud nummer van het Amerikaanse tijdschrift *Cosmopolitan*, dat ik doorbladerde om de tijd te doden, maar de waarheid is dat ik er niet veel aan had. In die tijd was er niets waar ik iets aan had.

Ik was als de eerste de beste idioot verliefd geworden en bewoog me zuiver op basis van mijn instinct; ik lanceerde kopstoten in het niets, hapte met droge en open mond naar adem, waarbij de zieke, beslagen tong naar buiten hing, en voelde me zo onbekwaam als de meest stuntelige invalide, een dier dat kon zien maar blind was, dat kon horen maar doof was, tot waanzin gedreven door een beangstigende hartstocht die de beroemde liefde was, maar pijn deed, en ik kon niet denken, ik kon niet tot rust komen, ik kon er niet vanaf komen, of het tenminste een paar minuten uit mijn hoofd zetten, die onneembare vesting waarin het zich had verschanst, die burcht van waaruit het me tiranniseerde zonder me ook maar een adempauze te gunnen, aanwezig in al mijn woorden, in al mijn gebaren, in al mijn gedachten, gedurende eindeloze nachten van slapeloosheid en steriele, korte en snelle dagen, die zich wreed in mijn geheugen ophoopten, hun aantal op zich al een bedreiging, de voorbode van een zomer die voorbij zou zijn voor hij begonnen was.

Ik had nooit gedacht dat ik ten prooi zou kunnen vallen aan een dergelijke verwarring. Ik gebruikte elk excuus om zijn naam uit te spreken, zelfs wanneer het een andere Fernando betrof, alleen wegens het twijfelachtige plezier deze te horen, en ik schreef hem overal, op de grond, in de bomen, in de boeken, in de krant die ik elke ochtend las en dan teruggaf, mijn eigen krabbels bedekt door een laag balpeninkt die zo dik was dat de letters volledig onleesbaar waren, en ik schreef en streepte daarna met zo veel kracht dat het papier dikwijls kapotging. Toen Miguel op een ochtend toevallig vertelde dat hij gehoord meende te hebben dat Fernando een vriendin had in Hamburg, dook ik het zwembad in en trok bijna honderd baantjes, en ik slikte chloor en ik slikte water, om te voorkomen dat iemand mij zou zien huilen. Ik verborg het goed, ik speelde het klaar normaal te doen, en hoewel mijn moeder een paar keer opmerkte dat ik me een beetje vreemd gedroeg, kwam ze voor zichzelf tot de conclusie dat mijn plotselinge eenzelvigheid en die door bitterheid afgewisselde vlagen van euforie, niets anders waren dan de traditionele uitingen van een moeilijke leeftijd. Ik verborg het goed wanneer hij niet in de buurt was, maar zo af en toe, wanneer ik in mijn binnenste keek, ontwaarde ik de schim van een hysterische vrouw, een arme, domme gestoorde vrouw, die alleen was en leed, en hele muren volkladde met woorden zonder betekenis, en ik herkende mezelf in haar, maar ik kon niets doen om het te voorkomen, en ik voelde wel dat dit niet de juiste manier was, dat ik me koel, ontwijkend, ontoegankelijk moest gedragen, als een echte dame, maar dat was niet wat mijn innerlijk me zei en ik zag mijn fouten een seconde voor ik ze beging, maar elke keer als ik Hem op straat tegenkwam, krulden mijn lippen zich in een glimlach van pure zwakheid, en als hij glimlachte wanneer hij naar me keek, produceerde mijn keel een gillend lachje dat me razend maakte, want ik was ervan overtuigd dat het me de ongewenste gelijkenis verleende met een zwakbegaafde die in haar handen klapt omdat ze mee uit wandelen mag, en dat was ik niet, ik was een te gekke meid, dat moest ik wel zijn, en dat dacht ik wanneer ik hem tegenkwam, hoewel het me nooit lukte om het zelf te geloven, ik ben een te gekke meid, weet je, maar ik vond geen manier om dat tegen hem te zeggen, tot Reina, die hem bekeek zonder de oogkleppen waarmee het verlangen mijn gezichtsvermogen beperkte, mij op een middag toen we in het dorp kwamen een serieuze waarschuwing gaf.

'Kijk uit voor Otto, Malena.'

'Waarom? Hij doet toch niets.'

'Ja, maar de manier waarop hij naar je kijkt, bevalt me niet.'

'Maar hij kijkt niet naar me.'

'Dacht je dat?'

'Nou ja, soms, wanneer hij staat te flipperen of een beetje dronken is...'

'Dat bedoel ik. Ik zeg niet dat hij de hele tijd naar je kijkt, alleen dat de manier waarop hij kijkt wanneer hij naar je kijkt me niet bevalt.'

'Luister, Reina, hou jij je maar met je eigen zaken bezig en laat mij met rust.'

Ik was minder verbaasd over het uitspreken van deze woorden dan Reina was om ze te horen, want ik had tot op dat moment nog nooit op die toon tegen mijn zusje gesproken. Ze reageerde met een vreemde blik, waarin een combinatie te zien was van vernedering, verbijstering en nog iets, een element dat ik niet kon thuisbrengen, en fluisterde, als antwoord, een afscheid dat mij ontging, voor ze haar pas versnelde om zich van mij te verwijderen. Toen we op het plein kwamen en ik het silhouet zag van de auto van Nacho, de disk-jockey uit Plasencia die zich inmiddels profileerde als de enige vriend die ze al voor de tweede zomer had, rende ik naar haar toe.

'Sorry, Reina, het spijt me, dat wilde ik niet zeggen.'

Met een lui gebaar draaide mijn zusje het raam open tot het glas volledig verdwenen was in zijn rode paneel. Toen stak ze een arm naar buiten en glimlachte.

'Het geeft niet, Malena, ik ben niet kwaad. Je hebt tenslotte gelijk, het is mijn zaak niet, en bovendien is het niet belangrijk want... nou ja, Porfirio vertelde me laatst dat Otto gek is op zijn vriendin, weet je. Het schijnt dat ze nog maar kort met elkaar omgaan en dat hij niet wilde komen, dat hij daar wilde blijven, en bovendien, de waarheid is dat... luister, ik denk niet dat hij zo naar je kijkt omdat hij je leuk vindt, maar alleen omdat je hem opvalt. In Duitsland zullen er niet zo veel vrouwen als jij rondlopen, met dat... met dat... indiaanse gezicht.'

Ik stond vastgenageld aan de grond en zei niets, gevangen door haar eerlijke en openhartige glimlach, door haar stem die zo stellig in mijn oren klonk, die ondanks mijn verlangen ze voor altijd te sluiten geopend waren.

'Niet dat er iets mis is met je gezicht,' vervolgde ze, 'ik vind je heel knap, is mijn zusje niet knap, Nacho?' Haar vriend knikte instemmend. 'Maar het punt is dat ze in dat land... nou goed, je weet wel hoe ze over donkere mensen denken. Dus elke keer als jij in het dorp verschijnt, denkt die nazi dat het circus gekomen is!' Om dat bewonderenswaardige staaltje van geestigheid werd door beiden luidruchtig gelachen. 'God, meid, kijk me niet zo aan, ik ben niet de enige, iedereen zegt het, ik begrijp niet dat jij je dat nog niet gerealiseerd hebt... Ik weet dat je hem in het begin wel leuk vond, maar hij is de moeite niet waard, serieus, hij kan niet aan je tippen en, och, een kerel meer of een kerel minder, het is allemaal hetzelfde, niet, de wereld is er tenslotte vol van. Kop op. Je wilt me toch niet vertellen dat je je iets aantrekt van wat Otto van je vindt! Kom, stap in, we brengen je naar Plasencia...'

'Nee,' zei ik ten slotte. 'Ik ga niet.'

'Maar... waarom? Malena! Malena, kom!'

Ik begon te lopen zonder dat ik wist waarheen; ik verliet het plein door de poort tegenover de poort die ik gekozen had om het te betreden, een doorgang die zo smal was dat er geen auto doorheen kon, en ik bleef doorlopen; ik verliet het dorp en volgde de weg, maar ik had last van het opwaaiende stof van de passerende auto's en sloeg af om een landweg te nemen, het pad naar het uit-kijkpunt in de buik van het gebergte dat uitzicht gaf op de hele laagvlakte, het tegelijk lieflijke en grandioze landschap waarvan ik niet meer onderscheidde dan de steile kammen van ruw gesteente, zo scherp als de woorden van Reina die nog door mijn hoofd gonsden. Plotseling zag ik, toen ik de laatste bocht nam, eerst de Wallbaum-bom, geparkeerd tegen een paal, en vervolgens hem, in een wit hemd zonder mouwen, en voor ik besloten had of ik zou blijven of de ont-moeting die gedurende de laatste, eindeloos durende weken het enige doel in mijn leven was geweest, omwille van mijn hypothetische waardigheid, uit de weg zou gaan, keek Fernando achterom en zag me.

'Hallo! Wat doe jij hier?'

Ik liep naar hem toe, heel langzaam, om te voorkomen dat te duidelijk te zien zou zijn dat mijn heupen bij elke pas licht zwaaiden met de bedoeling de wijde rok van mijn witte jurk te laten opblazen, tot ik bereikte dat deze een paar keer rond mijn benen opwaaide en daarmee een duistere impuls bevredigde waarvan ik me plotseling bewust werd en die me dubbel woedend maakte, niet alleen op hem, maar ook op mezelf.

'Nou, dat zie je,' antwoordde ik, terwijl ik naast hem op een bank ging zit-ten. 'Vanaf dit moment hetzelfde als jij.'

'Heel goed, ik heb wel zin in wat gezelschap.'

Hij pakte een steen en gooide die met een krachtig gebaar de leegte in. Daarna draaide hij zich naar mij, zakte onderuit tegen de rugleuning en keek me met een vrolijke uitdrukking aan. Ik bleef terugkijken met de bedoeling mijn batterijen zoveel mogelijk op te laden, en toen ik het niet meer verdragen kon, ontplofte ik.

'Wat is er? Bevalt mijn gezicht je niet? Je vindt zeker dat ik op een aap lijk of dat ik eruitzie als een gegrild stuk vlees. Te doorbakken, niet?'

'Nee, ik... Ik begrijp je niet... Ik... waarom zeg je dat?'

Als ik hem had aangekeken, had ik in zijn gezicht de tekenen gezien van een verbijstering die net zo echt was als mijn woede, maar dat deed ik niet, en zelfs dat had me niet kunnen stoppen.

'Nou, ik kan je wel vertellen dat mijn vader blonder is dan jij, klootzak, en dat een van mijn overgrootmoeders rood haar had en sproeten over haar hele lichaam!'

'Dat weet ik, maar wat ik niet...'

'Bovendien, en dat zeg ik niet om je te beledigen, maar ik weet niet of jij weet dat de achternaam van jouw grootmoeder joods is, zo joods als het maar kan, dat lijkt misschien niet zo, maar... hoe moet ik dat uitleggen? In Spanje is de naam Toledano ongeveer hetzelfde als Cohen op andere plaatsen, ze hebben er meer dan één alleen op grond daarvan verbrand.'

'Dat weet ik wel, dat weet ik, dat weet ik!'

Hij pakte me bij mijn schouders en schudde me een paar keer door elkaar. Toen liet hij plotseling zijn armen vallen alsof het hem speet dat hij zijn zelfbeheersing verloren had. Hij ging rechtop zitten en gooide nog een steen in het niets. Hij begon weer te praten en hakkelde niet meer. Zijn stem was rustig en beheerst.

'Laat me maar weten wanneer je klaar bent.'

'Ik ben klaar.' Ik had op het punt gestaan hem als laatste eraan te herinneren dat ik geen Andalusische was en geen flamenco kon dansen, voor het geval hij zich illusies had gemaakt, maar terwijl ik naar hem keek realiseerde ik me dat ik hem zo geweldig vond, zo verschrikkelijk geweldig, dat mijn benen begonnen te beven en ik geen kracht meer had om door te gaan.

'Wil je me dan eens vertellen wat er in hemelsnaam met je aan de hand is? Heb ik je iets gedaan? Heb ik me met je bemoeid, heb ik iets verkeerds tegen je gezegd, heb ik je beledigd, zoals jij mij net beledigd hebt? Nee, nietwaar? Dat is het niet. Ik zal je zeggen wat er aan de hand is. Het enige wat er aan de hand is, is dat jij een verwaand kreng bent, net als iedereen die in dat verdomde huis woont.'

Hij stond met een bruuske beweging op, draaide zich om en keek me aan, en op dat ogenblik begreep ik met een beangstigende zekerheid dat mijn leven tot op dat moment niets anders was geweest dan zijn afwezigheid.

Die ontdekking gaf me een merkwaardig soort rust, en ik liet langzaam tot mijn bewustzijn doordringen dat ik eindelijk ergens gekomen was, dat ik nu, eindelijk, tussen de wolken het stukje hemel kon ontwaren dat mij toekwam, maar toen ik opkeek, verdween mijn gevoel van rust op dezelfde magische manier als het gekomen was, want ik zou die blik nooit ongedeerd doorstaan en nooit meer zo'n vuur zien als dat wat die ogen voedde, die brandden om mij gelijktijdig te verwonden en genezen. Fernando trilde van woede; hij hijgde met opgeheven kin en halfopen mond, zijn neusvleugels bewogen heen en weer, zijn armen waren gespannen en zijn handen tot vuisten geknepen, en hij leek weg te willen gaan maar ging niet, en ik vroeg me af welke vreemde kracht hem bij me hield, een kracht die sterker was dan zijn ranzige eer van jonge bastaard, een hartstocht die nauwelijks Duits was, en toen drong de waarheid met een schok tot me door, alsof een bijl zich midden in mijn schedel had geboord en deze in twee gelijke helften had gespleten, en ik sloeg mijn oogleden neer om me in mezelf op te sluiten toen ik begreep in welke domme, kinderlijke val ik was gelopen.

Ik kwam in de absurde verleiding me op de grond te werpen, voor hem neer te knielen en mijn voorhoofd tegen het gesteente te slaan, zo ellendig voelde ik me, zo'n ongelooflijke stommeling, maar ik schoof alleen over de bank naar hem toe tot ik hem bij zijn riem kon pakken om hem duidelijk te maken dat hij nog niet weg moest gaan.

'Nee, ik ben geen verwaand kreng...' Ik was zo nerveus als een zieke moet zijn die op het scherm van een monitor moet toekijken hoe zijn leven uitdooft, maar ik koos elk woord alsof de juiste combinatie van alle woorden een toverformule zou opleveren die de tijd stil zou zetten. 'Bovendien ben jij het die mij minacht.'

'Ik?' Door de verbijstering verschenen twee nieuwe accenten boven zijn ogen. 'Ik minacht jou?'

'Ja, je... Dat doe je door te denken dat ik verwaand ben, en... en omdat je... nou ja, als je naar me kijkt, heb ik soms het gevoel dat je... nou ja, dat je... me bekijkt alsof ik een zeldzaam dier ben, en...' ik haalde diep adem en gooide het er in één keer uit, 'je minacht mij om mijn indiaanse gezicht.'

'Aha, dat is dus wat je denkt...'

Ik probeerde zijn gezicht te lezen, en wat ik zag beviel me helemaal niet. Achterlijk, zei ik bij mezelf, dat is het, hij zal gehoord hebben over Pacita en hij realiseert zich nu dat ik net als zij ben, achterlijk, ik weet het zeker.

'Nee, dat denk ík niet,' waagde ik, met de onverschilligheid van de speler die al weet dat alles verloren is, 'maar dat is wat iedereen zegt.'

'Wie is iedereen?'

'Mijn zusje... en de anderen.'

'Wie is je zusje, die ziekelijke minkukel die altijd een paardenstaart draagt?' Ik knikte, niet omdat ik het een leuk idee vond dat Reina er nog altijd ziekelijk uitzag, maar omdat niemand anders aan die beschrijving beantwoordde. 'En wat denk jij? Want je zult toch zo af en toe weleens nadenken, neem ik aan?'

'Ja, ik denk weleens na. Eigenlijk denk ik veel na...' Ik glimlachte zwijgend tegen hem tot ik een glimlach terugkreeg. 'En ik heb me ook gerealiseerd dat je op een vreemde manier naar me kijkt, maar misschien niet omdat ik een indiaans gezicht heb maar om een andere reden.'

Met langzame bewegingen ging hij weer naast mij zitten, zonder ook maar een gebaar te maken om mijn hand van zijn broekriem te verwijderen, maar voor hij zich op de bank liet vallen, haalde hij een pakje sigaretten uit zijn zak en bood me er zonder iets te zeggen een aan. Toen accepteerde ik de eerste sigaret van mijn leven.

'Hé, je pakjes Pall Mall zijn blijkbaar op!'

'Ja…' Hij boog zich over me heen om me vuur te geven en even raakte mijn arm de zijne aan, en ik was verbijsterd over de overdreven gevoeligheid die mijn huid tijdens dat korte contact ontwikkelde. 'Niets duurt eeuwig.'

'Deze is lekker.' Ik zoog aan de Ducados en kreeg een verschrikkelijke neiging om te hoesten, hoewel ik nog niet eens inhaleerde. 'Bovendien worden ze wel op de Canarische Eilanden gemaakt, maar ze gebruiken tabak die in deze streek wordt verbouwd.'

'Ja, dat hoor ik van iedereen. Jullie lijken bijzonder trots op die onzin… Waarom denk je dat ik raar naar je kijk?'

'Ik weet niet.' De rook hielp me om een van die gillende lachjes te verbergen. 'Misschien vind je me gewoon een beetje vreemd, want in Duitsland heb je geen vrouwen zoals ik, of misschien herinner ik je aan je vriendin.'

'Nee, mijn vriendin is blond, slank en klein.' Ik incasseerde goed, zonder een spier van mijn gezicht te vertrekken. 'Ik hou van meisjes die klein zijn en… hoe noem je dat als iemand niet te veel aandacht opeist?'

'Saai,' opperde ik. Ik probeerde in mijn eigen straatje te praten, maar hij had het door en sneed me met een glimlach de pas af.

'Nee, er is een ander woord.'

'Je bedoelt bescheiden…'

'Dat is het, klein en bescheiden.'

'Geweldig. Je weet niet hoe blij ik voor je ben.' Ik bleef goed incasseren en hij lachte in elk geval. 'En hoe heet ze?'

'Wie, mijn vriendin? Helga.'

'Dat is… mooi.' In het Spaans klonk het afschuwelijk, maar in films maskeerden de actrices hun teleurstelling altijd met dat soort opmerkingen.

'Vind je? Ik vind het helemaal niet mooi. Jouw naam vind ik wel heel mooi.'

'Malena? Ja, dat vind ik ook.' En dat meende ik, ik heb altijd gevonden dat ik een mooie naam had. 'Het is ook de naam van een tango, een heel verdrietig lied.'

'Die ken ik.' Hij trapte de peuk op de grond uit en zweeg een hele tijd voor hij weer steentjes in de lucht begon te gooien. 'Weet je waarom ik je zo aankijk?'

'Nee, en ik zweer je dat ik het graag wil weten.'

'Nou…' Maar er verscheen een tot op dat moment voor mij onbekende uitdrukking op zijn gezicht, die op een merkwaardige manier ernstig was ondanks de glimlach die om zijn lippen dreigde te verschijnen, en ten slotte schudde hij zijn hoofd en maakte een gebaar van ontmoediging. 'Nee, dat kan ik je niet zeggen.'

'Waarom niet?'

'Omdat je het niet zou begrijpen. Hoe oud ben je?'

'Zestien.'

'Je liegt.'

'Nou goed, op een paar dagen na dan…'

'Twee weken.'

'Goed, twee weken dus, maar dat is toch niet veel?'

'Voor wat ik tegen je zou zeggen wel.'

'En jij, hoe oud ben jij?'

'Negentien.'

'Je liegt.'

'Nou goed…' en hij begon mee te lachen. 'In oktober.'

'Hopeloos, dat duurt nog veel te lang. Achttien jaar is veel te jong om je voor te doen als een man van de wereld.'

'Dat hangt ervan af. Hier wel, maar in Duitsland niet. Daar ben ik volwassen.'

'Ik heb een voorstel. Ik nodig je uit op mijn verjaardagsfeest en jij vertelt me het geheim. Afgesproken?'

'Nee.'

'Waarom niet?'

'Omdat ik geen zin heb om in dit klotedorp naar welk klotefeest dan ook te gaan en omdat je het toch niet begrijpt.'

'Je vindt het hier niet bepaald leuk, klopt dat?'

'Nee, ik vind het helemaal niet leuk.'

Hij staarde voor zich uit, gespannen, en ver bij mij vandaan, maar ik zou nog moeten wennen aan de plotselinge momenten waarop hij in zichzelf gekeerd was, en voor mijn ogen strekte zich een schitterend landschap uit, een vlakte bezaaid met akkers en water, glooiende heuvels beplant met vruchtbomen, en tegelijkertijd grandioos in de hoogten van die grijze en strenge bergen die ons van verre aankeken alsof ze de reusachtige voedsters van de aarde waren.

'Dat begrijp ik niet. Het is een schitterende plek. Kijk eens goed.'

'Dit hier? Het lijkt wel een woestijn. Kaal en droog.'

'Dat komt doordat het al juli is. Alles is verdord! Het is hier altijd zo, door het klimaat, maar als je in het voorjaar komt en de witte kersenbomen ziet, alsof het bloemen gesneeuwd heeft…'

'Ik kom nooit meer terug.'

Op dat moment had ik hem kunnen slaan, had ik hem iets kunnen aandoen. Ik zou dat gevoel nog vaker krijgen op het moment waarop ik het geluid hoorde van die onzichtbare rits die hij sloot wanneer hij een dichte en volledige leegte om zich heen wilde creëren die hem in staat stelde alles buiten te sluiten behalve de lucht die hij inademde, en ook mij, hoewel hij mij niet toestond weg te gaan. Vanaf dat moment was het zijn terugtrekken dat me pijn deed, en niet de irritante willekeur van zijn beweringen, de beperkende domheid van die radicale, vaak onjuiste en zelfs absurde uitspraken, waar hij toen voldoende aan leek te hebben om de wereld voor zichzelf te verklaren, maar die middag, op het uitkijkpunt, maakten zijn woorden me razend omdat hij zich gedroeg als een idioot en dat niet was, en omdat een leegte van geheel andere aard dan de zijne mijn lichaam heroverde toen ik hem hoorde zeggen dat hij nooit terug zou komen.

'O, nee? Je landgenoten hoeven maar met pensioen te gaan en een paar stuivers te besteden te hebben of ze komen hierheen om dood te gaan.'

'Niet hierheen.'

'Nou, naar Málaga dan, maar dat is hetzelfde, het is er net zo heet en het land is er net zo droog in de zomer.'

'Nee. Hier is geen zee.'

'Maar dat is niet mijn schuld, Fernando.'

Toen boog hij zich voorover, bedekte zijn gezicht met zijn handen en wreef het in zijn handpalmen heen en weer, omhoog en omlaag, een hele tijd, tot er een korte kramp, als een rilling, door zijn hoofd ging, en toen hij opnieuw achterover leunde en me aankeek, begreep ik dat zijn crisis, van welke aard deze ook geweest mocht zijn, voorbij was.

'Dat weet ik, indiaantje,' zei hij lachend, terwijl hij me een klapje op mijn schouder gaf. Hij was weer in een goed humeur.

'Ik wil niet dat je me zo noemt.'

'Waarom niet? Jullie noemen mij Otto.'

'Ik niet. Ik ben anders dan de anderen...'

De onverklaarbare verschijnselen namen weer over, want iemand had ergens een honderdtal snoeren met kleurige lampjes ingeschakeld en de kerstboom schitterde met verblindende intensiteit, vanaf de grote gouden ster op de punt tot aan het zilverpapier dat een lelijke bloempot van donker plastic verhulde. Ik was nooit van mijn leven eerlijker geweest, en hij realiseerde zich dat. Zijn mond was open en hij boog zijn hoofd langzaam naar het mijne. Ik deed mijn ogen dicht en mompelde het enige dat wij moesten weten.

'Ik niet, weet je. Ik ben een te gekke meid.'

Maar hij kuste me niet. Zijn lippen verwijderden zich van de mijne toen ik ze al niet meer kon zien, en openden zich alleen om een spottende toon aan te nemen die me schokte alsof het een koude douche was.

'Ja, ik neem aan dat je voor een Spaanse nog niet zo slecht bent.'

Ik leunde naar achteren om hem beter te kunnen zien, en het duurde niet lang voor ik zijn glimlach beantwoordde. Hij was erin geslaagd mij uit evenwicht te brengen, maar ik vermoedde dat hij zich ook begon te verdedigen.

'Wat is er met Spaanse vrouwen?'

'Niets, alleen zijn jullie... een beetje... bekrompen, is dat het woord?'

'Dat hang ervan af.'

Ik had zo'n soort opmerking van hem kunnen verwachten, want wie kaatst moet de bal verwachten en dit was de terechte afstraffing voor mijn eerdere beledigingen, de ultieme folkloristische toespeling, het onvermijdelijke antwoord op het aangeboren stigma waarvan ik op dat moment, toen het me langzaam begon te verpletteren als de steen op mijn eigen graf, besloot dat ik het niet verdiende. Ik probeerde een elegante uitweg te vinden door gebruik te maken van zijn gehaspel, de kleine fouten die hij nog steeds maakte, hoewel ik geen grote hoop koesterde, want hij sprak een veel soepeler en beter Castiliaans dan ik gehoord had op de dag dat ik hem ontmoette.

'Waarvan?'

'Nou van de context waarin je het gebruikt. Het is een nogal vaag adjectief. Het kan in veel betekenissen worden gebruikt…' Hij lachte hardop, maar ik wilde de komedie nog even doorspelen. 'Bedoel je het met betrekking tot de mode? Ik bedoel tot de kleding, de manier waarop de mensen zich kleden?'

'Nee.'

'Tot de opvoeding?'

'Nee.'

'De godsdienst?'

'Nee.'

'De familie?'

'Nee.'

'De politiek?'

'Nee.'

'Het vaderland, misschien?'

'Nee.'

'Dan weet ik het niet.'

'Ik bedoel het met betrekking tot seks.'

'Ah, natuurlijk! Dan heb je het goed gezegd.'

Hij reageerde met een schaterende lach, maar ik dwong mezelf te blijven praten. Ik voelde me een beetje beledigd, hoewel ik eigenlijk ook moest lachen.

'En hoe weet jij dat? Ik bedoel, je denkt daarbij toch niet aan je g…'

Het wilde al van de punt van mijn tong springen, maar ik was net op tijd om het woord 'grootmoeder' tegen te houden, fijn te kauwen en door te slikken.

'Aan mijn wat?'

'Aan je ervaring.'

'Ik? Natuurlijk niet. Ik kijk wel uit om iets met een Spaanse te beginnen.'

'Ja, ja… De Duitsers doen natuurlijk alles beter.'

'Ja, behoorlijk beter.'

'Behalve basketbal spelen.'

De glimlach verdween bijna helemaal van zijn lippen terwijl hij nadacht. Hij was sprakeloos.

'Ja…' gaf hij ten slotte toe. 'Dat gaat ons nog niet zo goed af.'

'En ons wel, en de Italianen, en de Joegoslaven, en de Grieken… Weet je waarom?' Hij schudde zijn hoofd, en nu was ik het die in mijn eentje lachte, hoewel hij me snel bij zou vallen. 'Omdat je snel moet kunnen denken om goed basketbal te kunnen spelen.'

'Heel geestig! Is dat een grap?'

'Nee, het kwam net in me op.'

'Ja? Nou, het klinkt goed, ik zal het ze vertellen als ik terug ben. Dus, ondanks alles, denk je,' ik knikte tevreden, 'hoewel je niet neukt...'

'Dat heb ik niet gezegd.'

'Kom, Malena!'

Hij was even stil om twee sigaretten op te steken en mij er een te geven, voor hij me onderwierp aan een test waar ik zo schandelijk gemakkelijk voor slaagde dat het me lukte de rook te inhaleren zonder ook maar één keer te hoesten.

'Weet je dat er in Hamburg een hele straat is waaraan alleen maar hoerenhuizen staan, met enorme ramen in de gevels waar die vrouwen naakt achter zitten en de hele dag zitten te lezen, of televisie te kijken of de voorbijgangers te bekijken, zodat de klanten ze kunnen zien en kunnen kiezen? Aan beide uiteinden van de straat is een hek, want de toegang is verboden voor vrouwen, en als er een naar binnen gaat, doen de hoeren de ramen open en beginnen met van alles te gooien, eieren, tomaten, rotte groenten... zelfs vuilnis. Helga is er een keer met mij heen geweest en is de straat doorgerend, zodat ze niets heeft gezien, maar toen ze eruit kwam zat haar regenjas vol vlekken en moest ze hem weggooien. Mijn moeder is in Hamburg geboren en er nooit geweest, maar een paar jaar geleden, toen ik nog op school zat, ging ik er na schooltijd elke middag heen, met mijn vrienden.'

'En jullie hebben er zeker allemaal zes of zeven besprongen.' Ik zei het natuurlijk op spottende toon, maar tot mijn verrassing bleef hij serieus.

'Nee, we keken alleen maar. We konden niets anders doen. We zagen er geen van allen naar uit, maar we waren allemaal nog minderjarig. Niemand had ons binnengelaten.'

'Natuurlijk, en nu je wel kunt gaan, ga je niet meer omdat het je verveelt, zeker?'

'Nou ja, om eerlijk te zijn is er niet zoveel aan om te kijken. En verder zijn ze ook niet zo geweldig goed. Ik heb er niet zo'n behoefte aan.'

'Ja, ja, je hebt het niet nodig.'

'Nee, dat is het ook niet,' zei hij glimlachend, 'maar ik klaag niet.'

'Prachtig, ik vond hem heel mooi.'

'Wat?'

'De film die je me net hebt verteld. Als ik nu een verzoek mag doen, dan graag een over piraten, maar wel met haaien, dat is spannender.'

'Je gelooft het niet, hè, indiaantje?'

'Natuurlijk geloof ik het niet! Als je wilt, mag je nog denken dat ik bekrompen ben, maar denk niet dat ik een stommeling ben.'

Ik was bijna beledigd door de manier waarop hij probeerde te scoren, maar zijn lach, die steeds onbeheerster en ten slotte hoog werd, als een overwinningskreet, bracht me aan het twijfelen.

'Is het waar? Antwoord me, Fernando. Bedoelde je dat serieus?' Hij knikte ten slotte, rustiger. 'Gebeurt dat echt?'

'Natuurlijk, net als in België en Nederland en in een heleboel andere landen waar ze niet zo goed zijn in basketbal.'

'Jezus, wat een onzin.'

'De Spanjaarden zijn gewoon een stel provincialen, Malena. Volgens mij ben je nooit Madrid uit geweest, behalve om hierheen te gaan.'

'Dat had je gedacht. Ik ben in Frankrijk geweest.'

'Goed, je bent met de nonnen naar Lourdes geweest.'

'Eh! Ja?' Ik stond perplex. 'Hoe weet je dat?'

'Ik ben er een keer geweest, met een excursie van school, en toen zag ik het. De omgeving van de grot was vergeven van de Spaanse bussen, het waren er te veel om te tellen. We deden het raampje open en ik begon wat in het Spaans te praten tegen een paar meisjes die sluiers droegen en een missaal in hun handen hadden. Ze schrokken zich dood en gingen er hollend vandoor,' en hij begon, met een perfectie waarvan hij zich niet bewust was, Macu na te doen, 'en ze scholden me uit met zo'n stemmetje, imbeciel, idioot, opschepper, loop naar de hel, ik heb wat afgelachen. Maar het leek het Escorial wel op een zondagmiddag.'

'Wanneer was dat?'

'Even denken. Drie jaar geleden, nee, vier... Waarom vraag je me dat. Ben jij daar ook geweest?'

'Nee,' en dat was waar, want ik was er twee jaar na hem geweest. 'Ik ben nooit in Lourdes geweest. Ik hou niet van dat soort plaatsen.'

'Juist. En waar ben je dan geweest toen je in Frankrijk was? In Parijs?'

'Nee, niet in Parijs... Meer naar het zuiden.'

'Waar in het zuiden?' vroeg hij glimlachend. Hij geloofde me niet.

'Ik weet het niet meer precies. Dicht bij Italië. We reden steeds langs de zee.'

'De Côte d'Azur?'

'Ja, dat moet het geweest zijn. Het probleem is dat ik alle namen vergeten ben, en alles, alles, het is ongelooflijk...'

'Maar jullie zijn toch langs een of andere grote stad gekomen, niet?'

'Ja, natuurlijk.'

'Welke?'

Ik kwam niet op Nice, maar wel op Marseille, en ik wilde die naam al noemen toen ik me herinnerde dat ik ergens gelezen had, vast in een Asterix-strip, dat ze die andere stad de hoofdstad van het zuiden noemden.

'Lyon.'

'Ja, ja. Jij bent nergens anders geweest dan in Lourdes, met de nonnen, daar zet ik mijn ballen op...'

'Heel goed, slimmerik!' Ik kwam met een sprong overeind. Ik was niet boos op hem en moest een glimlach onderdrukken toen hij de uitdrukking gebruikte die Porfirio altijd vervormde ('daar bal ik mijn zetten op'), maar ik voelde me ongemakkelijk in een situatie die steeds ingewikkelder leek te worden, zonder ook maar iets op te leveren. 'Als je alles al weet, heb je mij niet meer nodig, dus ga ik maar.'

Ik draaide me op mijn hielen om en begon heel langzaam weg te lopen, maar ik was nog geen tien stappen van hem verwijderd toen vlak bij mijn linkerenkel een steentje viel. Het tweede kwam vol op mijn rechterenkel terecht. Ik draaide me om en begon met overdreven gebaren over mijn been te wrijven, alsof de steen me verschrikkelijk pijn had gedaan.

'Wat moet dit voorstellen?'

'Er is één ding dat ik nog niet weet.' Hij keek me aan met een uitdrukking die niet veel goeds beloofde. 'Wat laat je met je doen, indiaantje?'

'O.' Ik deed alsof ik verbaasd was, maar in werkelijkheid was ik verrukt. 'Je wilt me toch niet vertellen dat het je interesseert...'

Hij vond het niet nodig om te antwoorden, en ik gaf me al snel gewonnen. Anderhalf jaar daarvoor had een neef van Angelita mij tijdens haar bruiloft bijna gekust. Daarna, halverwege dat schooljaar, had ik een vriendje gehad, een vriend van Iñigo die ik niet echt leuk vond, maar ik had ja tegen hem gezegd omdat ik vond dat het tijd werd. We zoenden, en één keer had hij, aan het eind, een hand in mijn decolleté gestopt, maar ik had er daarna een eind aan gemaakt omdat hij me ongelooflijk verveelde. Verder was Joserra, tijdens het eerste feest van diezelfde zomer, dronken geworden en had het, zoals altijd, op mij gemunt. Terwijl we aan het dansen waren, zat hij steeds aan mijn kont, maar ten slotte was hij opgewonden geraakt en had hij mijn rok van achteren met één hand opgetild. Toen had ik hem een knietje gegeven. Iedereen zei dat ik me belachelijk had gedragen, maar ik vond dat hij het verdiend had. Het was nou niet direct een indrukwekkende balans, maar sinds Fernando verschenen was, had ik niet goed meer kunnen slapen, en ik zei bij mezelf dat dat voldoende moest zijn om de zaak in evenwicht te brengen.

'Ik laat bijna alles met me doen.'

'Bijna?'

'Bijna. Alles behalve krabbelen. Van krabbelen krijg ik de zenuwen, snap je?'

Ik draaide me weer op mijn hielen om en trotseerde de neiging hem aan te kijken. Ik liep snel, voortgedreven door de wind die aan mijn kant stond, heuvelafwaarts, en was zo tevreden dat ik niet eens zin had het resultaat van dat gevecht te analyseren, na te gaan of ik gewonnen of verloren had, maar voor ik halverwege het pad was, toen ik tussen de bomen het smalle, zwarte lint kon zien dat de weg aangaf, hoorde ik het holle geluid van een vreemde motor, die met een weinig frequente snelheid draaide, en kon ik het stof ruiken dat de Wallbaum-bom opwierp op het pad van aangestampte aarde. Ik wilde mijn hoofd nog niet omdraaien, maar hij remde toen hij ter hoogte van mij was gekomen en ik reageerde door te blijven staan.

'Waar ga je heen?'

'Naar dat klotehuis van me. Als jij het goed vindt, natuurlijk.'

'Stap op,' zei hij glimlachend. 'Ik breng je.'

Doordat mijn benen trilden alsof ze een eigen leven leidden, klom ik met enige moeite achterop, maar in een paar seconden zat ik achter hem, dicht tegen hem aan, en merkte voor het eerst de gierige aard op van de werkelijkheid, de ondraaglijke vluchtigheid die, onmiddellijk na het ontstaan, de kleur doet verbleken van een ogenblik waarnaar zo is verlangd als ik naar dat ogenblik had verlangd. Maar ik sloeg mijn armen zo stevig om hem heen dat mijn vingers door de stof heen het reliëf van zijn ribben waarnamen, daarbij strikt de volgorde omkerend van de botten die de vingertoppen van een dame behoorden te voelen, en ik voelde hoe mijn borsten tegen zijn schouderbladen drukten en hoe de abnormale koude rilling als teken van het zweet dat me kletsnat maakte onder mijn kleding soepel overging in een warm en gerieflijk gevoel, als het effect van een brandende open haard in de winter op een onverwachte bezoeker.

'Je vindt het niet erg dat ik je zo vasthoud, hè? Ik heb nog niet zo vaak op een motor gezeten en ik vind het een beetje eng.'

'Nee. Het is goed dat je je stevig vasthoudt, want ik rijd nogal hard.'

'Juist... Dat dacht ik al.'

'Ja, ik ook.'

'Wat?'

'Dat je het eng zou vinden om op een motor te zitten.'

Hij liet de motor even stationair draaien en duwde toen met een voet, zonder te waarschuwen en zonder dat ik het me gerealiseerd had, de stander omhoog die de wielen in de lucht had laten ronddraaien. We reden op volle snelheid de heuvel af en heel even dacht ik dat we opgestegen waren, dat we van de grond los waren gekomen, alsof de Wallbaum-bom kon vliegen, en ik gilde, zoals ik als kind in de achtbaan had gegild, maar toen we op de weg kwamen, verdween dat gevoel van irrationeel plezier door een snelle opeenvolging van beelden die me bestormden als een wervelwind. Eerst dacht ik dat alle rode auto's die we passeerden, met een snelheid die veel te hoog was om het merk en het model te kunnen bepalen, de auto van Nacho kon zijn, met mijn zusje erin. Vervolgens dacht ik dat niet meer, maar begon ik het te wensen. Daarna vroeg ik me af in hoeverre Fernando geloof had gehecht aan mijn laatste opmerking en of hij mij, als dat zo was, wel echt naar huis bracht. Ik had me nog geen oordeel gevormd over de mogelijke gevolgen van deze laatste hypothese toen ik merkte dat de snelheid op een verontrustende manier afnam. Ik had nooit gedacht dat het uitkijkpunt zo dichtbij was.

'We zijn er.'

'O, nee, alsjeblieft... Als je het niet erg vindt, rijd dan om de tuin heen en zet me bij de achterdeur af. Dan hoef ik niet zo ver te lopen.'

Ik omarmde hem iets steviger, voor als hij van gedachte zou veranderen en naar het dorp zou rijden, om een biertje te drinken, bijvoorbeeld, een heel gewoon initiatief, maar ik durfde het niet voor te stellen en hij kwam niet op het idee of hij wilde het niet, en voor ik het me ook maar wilde realiseren, stond hij stil voor het hek, zonder mij ook maar met een vinger te hebben aangeraakt.

Ik waagde me niet aan een analyse van de motieven van een dergelijke onthouding, een raadsel dat voor het geformuleerd werd al een angstaanjagend perspectief suggereerde, en in een vlaag van pure waanzin overviel me een nieuwe angst en zei ik bij mezelf dat ik dood zou gaan als hij mij niet zou aanraken, en mijn dood zou niet de zachte dood uit een roman zijn, maar een langzame en onomkeerbare doodstrijd, want ik zou vanaf dat moment leven met de last van mijn eigen dood op mijn schouders, en wanneer het zover zou zijn, en ik oud en gerimpeld, uitgeput en leeg zou zijn, zou ik met grote schrik beseffen dat ik nooit had geleefd. Mijn gedachten ontweken de grenzen van het verlangen en stortten zich in een veel diepere afgrond, de curve van een sarcastische glimlach, een massief en dicht verdriet, de ellendige bestemming die mij op de andere oever met open armen opwachtte als een loerend monster dat zijn klauwen om mijn hals zou leggen als ik niet onmiddellijk mijn leven op het spel zou durven zetten. Ik raakte in paniek toen ik begreep dat me daartoe de moed ontbrak, maar ik maakte gebruik van het zachte gebrom van de motor om me met een gemompel dat ik als absoluut onhoorbaar inschatte, te beklagen.

'Kus me, klojo.'

Het geluid hield op, en ik maakte traag mijn armen los, maar Fernando draaide zijn hoofd om alsof hij door een wesp in zijn nek was gestoken en keek me met grote ogen aan.

'Wat?'

'Och, niets.'

Mijn luchtspiegeling spatte in oneindig kleine rookdeeltjes uiteen bij het contact met het stof van de concrete werkelijkheid, en inwendig bedankte ik de burgemeester, die nooit het besluit had genomen de openbare verlichting tot in dat straatje door te voeren, ondanks de herhaalde dreigementen van mijn grootmoeder dat ze hem verantwoordelijk stelde voor elk ongeluk dat haar kleinkinderen in de duisternis zou overkomen, want ik voelde hoe ik een kleur kreeg tot onder mijn haar.

Ik stapte langzaam van de motor en liep een paar stappen naar de deur.

'Bedankt voor de rit. We zien elkaar wel weer.'

'Wacht even.' Hij gleed over de zitting naar de plaats die ik net verlaten had en wees naar de plaats voor zich. 'Ga zitten, hup…'

'Ik? Maar ik kan niet rijden!'

'Ik denk er ook niet over om je dat te laten doen. Ga zitten, maar andersom. Met je gezicht naar mij.'

Mijn hart maakte een sprongetje en buitelde een paar keer rond, en ik herinnerde me dat volgeladen vrachtwagens meestal een paar keer over de kop gaan voor ze in brand vliegen, maar ik liet hem een paar minuten aandringen alsof ik erover moest nadenken. Toen liep ik naar de motor. Hij hielp me erop, maar de plotselinge kracht van mijn metaforisch denken wist ook deze keer een tegenslag van de meest vulgaire aard niet te overleven, want ik moest me concentreren op het vinden van een passende plaats voor mijn benen, die voortdurend tegen de zijne stootten, maar omdat ik die in de beperkte ruimte niet kon vinden, strekte ik ze ten slotte maar naar achteren, waarbij ik mijn voeten op de moeren van het voorwiel liet rusten om een net zo oncomfortabele als voordelige houding aan te nemen, die me dwong om met holle rug en schandelijk vooruitgestoken borst rechtop te blijven zitten. Toen ik probeerde dit laatste detail te veranderen en een minder provocerende houding te vinden, viel ik bijna op de grond. Fernando ondersteunde me met een listig lachje en ik besloot dat ik me maar beter rustig kon houden.

'Wat zei je nou, indiaantje?'

Maar dat was mijn lievelingsspel.

'O, juist. Ik geloof dat ik zei dat ik niets gezegd had.'

'Nee,' zei hij glimlachend, 'ik bedoel wat je zei voor ik je vroeg wat je gezegd had...'

'Tja.' Ik glimlachte terug en gaf snel antwoord. 'Je bedoelt, wat ik tegen je zei voor ik tegen je zei dat ik niets gezegd had, voordat jij me opnieuw vroeg wat ik gezegd had en ik je antwoordde dat ik niets gezegd had...'

'Ja, want dat is wat ik wilde weten voordat ik je... vroeg wat je gezegd had...' Hij aarzelde weer en zuchtte. Het kostte hem moeite. 'Voor ik je vroeg... en voor jij me antwoordde... nee, niet daarvoor...' Hij gaf een harde klap op zijn dijbeen om zijn eigen vergissing te bestraffen. 'En jij me antwoordde dat je daarvoor niets gezegd had...'

'Een beetje langzaam, maar voor een buitenlander helemaal niet gek. Dat ging je behoorlijk goed af.'

'Niet zo goed als jou.'

'Nee, dat niet, maar mij noemen ze ook Malena met de snelle tong.'

Hij barstte in lachen uit, misschien wegens de dubbele betekenis, die niet mijn bedoeling was geweest, maar door zijn lachen voelde ik me beter.

'Dan wordt het tijd dat je die in beweging zet.'

'Dat wil zeggen dat je wilt dat ik je zeg wat ik gezegd heb voordat je me vr...' Hij legde een hand op mijn mond en ik kreeg het gevoel dat deze langer dan nodig was op mijn lippen drukte.

'Precies.'

'Nou goed. De waarheid is dat ik niets heb gezegd. Nauwkeuriger gezegd, ik heb het gefluisterd. En het is belangrijk dat we nauwkeurig zijn, want het is niet hetzelfde, weet je, integendeel, in werkelijkheid is er een groot verschil...' Ik geloof dat hij weer glimlachte, maar ik kon alleen zijn ogen zien want de rest van zijn gezicht wreef hij in een komische parodie op vertwijfeling in zijn handen. 'Ik weet niet of in Duitsland onderscheid wordt gemaakt tussen spreken en...'

'Fluisteren,' onderbrak hij me ongeduldig. 'Natuurlijk is dat er. Wat heb je gefluisterd?'

'Voor...?'

'Ja.'

Ik zweeg even. Het enige alternatief dat ik had was op de grond springen en ervandoor gaan, en dat was het laatste wat ik wilde.

'Ik geloof,' zei ik zuchtend, 'dat ik je een klojo noemde.'

'Ja, dat meende ik gehoord te hebben.'

'Je hebt niets anders gehoord, klopt dat?'

'Waarom noemde je me een klojo?'

'Och, nou ja. Dat is gewoon een tic, een manier van praten. Ik zeg het zelfs tegen mijn ouders, de hele tijd, klojo, klojo… Je moet het niet serieus nemen. Ik wilde het niet echt zeggen… Het is niet belangrijk.'

'Waarom noemde je me een klojo, Malena?'

Ik liet de tijd weer even voorbijgaan en koos voor een compromis.

'Mag ik het tegen je fluisteren?'

'Ja.'

Maar toen begreep ik dat ik dat niet moest doen, want dat zou hetzelfde zijn als entreegeld van hem innen, hoe laag en symbolisch de prijs ook zou zijn. Dus hief ik langzaam mijn hoofd op, keek hem in zijn ogen en sprak met heldere stem, mezelf dwingend om de woorden duidelijk en met gepaste pauzes uit te spreken.

'Ik heb je geen klojo genoemd. Ik heb je gevraagd of je me wilde kussen. De belediging heb ik er daarna aan toegevoegd omdat ik er al uren op gewacht had, en toen we hier stopten dacht ik dat je het nooit zou doen, of dat je me niet kuste omdat je een vriendin hebt, of omdat je me niet leuk vindt, wat nog het ergste van alles zou zijn.'

Het was heel gemakkelijk. Ik had zonder angst en zonder schaamte gesproken, en hij had niets gedaan om de zaken te veranderen. Hij strekte zijn armen naar me uit, schoof zijn handen onder mijn knieholten en trok me bruusk naar zich toe. Mijn benen lagen om zijn lichaam en ik legde mijn armen om zijn nek om mijn evenwicht te bewaren. Hij drukte zijn vingers rond mijn middel alsof hij bang was dat ik zou ontsnappen en kuste me.

Die keer toonde de werkelijkheid zich grootmoedig. Ze vervluchtigde gewoon.

Wanneer ik me inspan om me die dagen voor de geest te halen, vind ik het moeilijk om de werkelijkheid van de verbeelding te onderscheiden, soms slaag ik er niet in vast te stellen welke dingen echt zijn gebeurd en welke alleen in mijn dromen hebben plaatsgevonden, mogelijk doordat ik die herinneringen al heb uitgeput door er zo vaak bij stil te staan, of misschien doordat werkelijkheid en verlangen nooit zo dicht bij elkaar hebben gelegen als toen, toen ze met elkaar versmolten.

Het heeft geen zin meer om te huilen, en ik huil niet meer, maar nog steeds huiver ik bij de losse beelden uit mijn herinnering, die als oude, verbleekte, naar een vergeten lade verbannen foto's de glans en schittering van het onaangetaste papier lijken te herwinnen zodra ik mijn vingers op de rand leg, en mijn huid verandert langzaam en spant zich tot ze de kosteloze elasticiteit heeft heroverd waarvan de geleidelijke, maar onverbiddelijke verdwijning mij nu zorgen begint te baren, en ik kijk naar de rand van mijn nagels en zie dat ze witter zijn dan tevoren, en dat betekent dat het moment gekomen is om aan iets anders te denken. In de loop der tijd heb ik een zo strenge discipline ontwikkeld dat ik me, alleen door me dat voor te nemen, op de boodschappenlijst kan concentreren, maar soms kost het me ongelooflijk veel moeite om me los te maken van het beeld van dat meisje dat door de tijd veranderd is in een personage dat nog ontroerender voor me is dan de jongen die overal aan haar zijde verschijnt, want ik was nog een kind, maar ik heb nooit serieuzer geleefd, en bovendien heeft het leven me nooit minder moeite gekost.

Later, toen het allemaal niets meer uitmaakte, spanden de bijzonderheden, woorden en kostbare, geheime gebaren, die ik nooit aan iemand zal kunnen overbrengen, samen om mij te onthullen dat Fernando – wauw, meisje, je hebt geen idee hoe dat is! – nog bijna net zo'n kind was als ik, maar toen besefte ik dat niet, en wanneer ik hem ongemerkt kon gadeslaan, vooral wanneer hij een van die duistere aanvallen had, die hem gedurende enkele minuten in een volwassene veranderden, waarbij er een ondoorzichtig waas over zijn ogen viel en de lijnen verzacht werden die zijn bijna vierkante kin aan zijn gezicht gaf, hoefde hij maar weer te ontwaken, op een manier die iets verrukkelijk dierlijks had, of ik vroeg me af hoe het mogelijk was dat hij, Hij, een echte man, met een motor en nog een Duitser ook, belangstelling voor mij had kunnen krijgen. En toch had ik me nog nooit zo volwassen gevoeld.

Ik herinner me de verbazing waarmee ik mijn gezicht in de kleine spiegel van de kapstok bekeek, nadat ik, toen ik al mijn krachten verzameld had om van de Wallbaum-bom af te dalen en van de ver verwijderde wolk waarop ik door Fernando was neergezet, besloten had om naar huis te gaan en te laat was voor het eten. Ik liep snel en bad dat mijn moeder geen slecht humeur zou hebben, maar hield me een moment in de hal op om te kijken hoe ik eruitzag, op zoek naar een of ander teken dat mijn nieuwe staat zou kunnen onthullen aan degenen die mij achter het gekleurde glas verwachtten, en ik werd verblind door mijn eigen spiegelbeeld. Ik herkende mezelf niet in die stralende ogen, in die zachte, glanzende huid, die bijna blauwachtige krullen die op een metaal-achtige manier vochtig glinsterden, alsof ze geïmpregneerd waren met de dikke olie die het haar van de maagden in de bijbel deed schitteren, noch in mijn lippen, die gezwollen waren als twee sponzen die doordrenkt zijn van wijn, maar daar niet van overlopen. Ook herkende ik me niet in die gewonde vrouw, en toen ik begreep dat het mijn beeld was dat ik zag, dat ik dat stralende wezen was, voelde ik een onverklaarbare drang om te huilen.

Ik maakte een vinger nat met wat spuug en verwijderde haastig een opge-droogd stroompje kwijl, dat op plaksel leek en dwars over mijn linkerwang liep, en ging de eetkamer binnen. Daar ontdekte ik dat er gasten waren. Iedereen had een plaatsje gevonden rond de tafel, het voorgerecht was nog niet opge-diend, en mijn moeder stelde mij, met een glimlach die onthulde dat ook voor haar de tijd was omgevlogen, aan ik weet niet hoeveel verre familieleden voor, en stuurde me vervolgens naar de keuken omdat er niet voor iedereen plaats aan tafel was. Terwijl ik die paar meter door de gang aflegde, had ik het gevoel dat mijn benen zich als van een ongewenste last van de vloer losmaakten en dat ik niet meer hoefde te lopen, want ik zweefde en legde de afstand zonder enige inspanning een paar handbreedtes boven het niveau van de vloertegels af. Toen ik door de glazen deur Reina ontwaarde, overviel me de zelfmoordneiging haar uit te dagen, haar te laten weten dat ze geen enkel vertrouwen moest hebben in haar zintuigen, want terwijl ze meende mij te zien lopen, was de beweging van mijn voeten niet meer dan een simpel optisch effect, maar ik kreeg de kans niet, want ze begroette me met een glimlach.

'Wat had je vanmiddag, meid? Waar ben je geweest? Je bent toch niet kwaad, hoop ik?'

Haar woorden brachten me op slag binnen het bereik van de zwaartekracht terug. Terwijl mijn hielen op het harde oppervlak knalden, besloot ik dat ik beter van het begin af aan duidelijk kon zijn.

'Ik heb iets met Fernando. Ik wil niet dat je er iets van zegt, want ik heb geen behoefte aan jouw mening. Is dat duidelijk?'

'Malena!'

Ze glimlachte zo breed dat het meer op een grijns begon te lijken, maar ik zag niets verdachts in die uitdrukking, niets wat deze onderscheidde van een van de uitbarstingen van vreugde waarmee Reina op school mijn goede cijfers begroette. Mijn zusje was blij voor me, dat was alles.

'Gefeliciteerd, meid! Dat is geweldig. Ik wilde al een vriend voor je gaan zoeken.'

'Hé, rustig aan. Of hij een vriend is, wat je een echte vriend noemt, dat weet ik nog niet.'

'Natuurlijk wel. Allemachtig, wat een verandering… Ik sta op met een *magdalena* en ga naar bed met een Hamburgster!'

Ik lachte hartelijk om die stomme grap. Die avond had ik zelfs om de beursberichten op de tv in een deuk kunnen liggen.

'Vertel me alles, alsjeblieft!' Reina boorde haar vingers in mijn arm. 'Ik wil alles weten, alles, alles… alsjeblieft…'

'Nee, vergeet het maar.'

'Waarom?'

'Omdat jij hem niet mag.'

'Maar ik ken hem helemaal niet! Met andere woorden, ik weet niet of ik hem wel of niet mag. Ik heb dat vanmiddag alleen tegen je gezegd omdat ik hem niet vertrouwde, omdat ik bang was dat hij te opdringerig zou kunnen worden, echt waar, maar verder heb ik niets tegen hem, ik kon me niet voorstellen… Maar als jullie iets met elkaar hebben, is het wat anders, Malena.'

'Goed, maar hoe dan ook…'

'Toe nou, vertel me wat er gebeurd is! Je kunt je niet voorstellen hoe spannend ik het vind, toe nou, alsjeblieft, en ik zweer je dat ik hem nooit meer Otto zal noemen.'

Ze kruiste haar vingers, maar ik keek haar liever in haar ogen, gebruikmakend van de pauze die Sagrario ons oplegde toen hij naderbij kwam om voor ons allebei een huzarensalade neer te zetten, en gaf toen toe. Ik wilde haar dolgraag alles vertellen, en zij wilde het dolgraag horen, en ze was mijn zusje, ze zat in hetzelfde schuitje als ik, ik kon haar vertrouwen, maar ik besloot toch een aantal garanties in te bouwen.

'Als je mama ook maar iets vertelt van wat ik tegen je zeg, vertel ik haar dat je altijd bij Nacho in de auto stapt en dat jullie naar Plasencia gaan.'

Mijn moeder was doodsbang als we met iemand anders dan Joserra of mijn neef Pedro meereden, en het was Reina speciaal verboden om bij Nacho in de auto te stappen, niet alleen omdat een auto een potentieel zondige ruimte was, maar ook omdat hij de zomer daarvoor een andere R-5 tegen een hek had gereden, waarna deze door de verzekering total loss was verklaard.

'Toe nou, Malena, hoe kom je erbij dat ik zoiets zou doen?'

Toen begon ik te praten, en ik vertelde haar alles, alles, tot aan het woordengevecht toe, en het enige wat ik wegliet was mijn laatste opmerking en dat wat daarna was gebeurd, maar Reina keek me vanuit haar ooghoeken aan, alsof ze mijn verhaal niet helemaal vertrouwde.

'En wat nog meer?'

'Niets meer.'

'Niets meer?'

'Nou ja, toen hij me kuste, omhelsde hij me natuurlijk…' Ik improviseerde een ervaren toon en kon een glimlach niet onderdrukken toen ik me realiseerde dat het voor het eerst was dat ik zo'n toon moest improviseren. 'Boven op een motor… dat is een beetje moeilijk, snap je?'

'Natuurlijk. Ga je je salade niet opeten?'

Ik keek naar mijn bord, dat vol lag met een heerlijke mengeling van stukjes voedsel in verschillende kleuren. Ik ben gek op huzarensalade, vooral de versie die Paulina heeft uitgevonden, die aan de gekookte aardappel, in plaats van groente, grote garnalen, hardgekookt ei, rode paprika en olijven toevoegt, en mijn grote hartstocht daarvoor was algemeen bekend, daarom was Reina zo verbaasd. Ik was dat niet minder toen ik, hoewel ik heel goed wist dat de salade heerlijk was, vaststelde dat ik er geen zin in had. Ik pikte met de punt van mijn vork een beetje mayonaise op en proefde deze. Ik vond het lekker, maar doorslikken kostte me te veel moeite.

'Nee, ik krijg het niet naar binnen. Heb je een sigaret?'

Reina rookte al in huis sinds het begin van die zomer en ik ging ervan uit dat de toestemming ook op mij betrekking zou hebben.

'Natuurlijk. Sinds wanneer rook je?' vroeg ze met groeiende verbazing, terwijl ze in haar tas zocht die aan de rugleuning van haar stoel hing.

'Sinds vier of vijf uur.'

'Aha. Pall Mall? Dat zeg ik omdat deze zwaarder is.'

'Ik heb de hele middag zware sigaretten gerookt. De Pall Mall is op.'

'Jammer,' zei ze glimlachend. 'Die zijn lekkerder.'

Ik glimlachte en knikte. Ze boog haar hoofd om me vuur te geven, en ik kon haar gezicht niet zien toen ze eindelijk de vraag stelde die ik van het begin af aan had verwacht.

'Je hebt hem toch niet aan je laten zitten, hè?'

'Natuurlijk niet,' antwoordde ik, en ik deed mijn best elke verdachte nadruk te vermijden.

'Mij maakt het niet uit, dat is jouw zaak, maar ik zeg het omdat ik denk dat je ze dat beter niet toe kunt staan. Ik laat ze eeuwig hopen…'

'Dat weet ik wel, Reina, dat weet ik.'

Ik wist er alles van. Ik kende met een uitputtende nauwkeurigheid elke etappe van het schema dat mijn zusje voor zichzelf had uitgewerkt, met een vrijheid van geest die overeenkwam met die van Paulina bij het heruitvinden van de huzarensalade, en die uit een lijst bestond die elke twee weken langer werd, tot de vriendschap zes maanden had geduurd, wat een ware erkenning was, waarna in het algemeen, maar niet altijd, het lijdzaam friemelende subject bepaalde rechten verwierf en zich kon veranderen in befriemeld object. Ik had het vaak genoeg gehoord om het uit mijn hoofd te leren, met dezelfde techniek die ik toen ik klein was gebruikt had om de tafels van vermenigvuldiging te leren, door pure herhaling, maar beginnend aan het eind, want dat was gemakkelijker.

'Bovendien,' vervolgde ze, 'is hij een Duitser, dus kun je hem maar beter vanaf het begin op zijn plaats zetten, want je weet hoe de vrouwen daar zijn. Nogal schaamteloos. Ze doen maar, met een vent slapen is daar zoiets als hier een biertje drinken.'

'Nee, niet meer, alsjeblieft,' fluisterde ik, 'lieve God, niet meer...'

Op dat moment had ik mijn ziel verkocht voor een Frans paspoort, maar mijn zusje hoorde me al niet meer want Pedro kwam de keuken binnen en zei dat ze zich moest haasten.

'Heb je iets afgesproken?' vroeg ze op bijna moederlijke toon, en ik schudde mijn hoofd. Die zomer mochten we 's avonds al uitgaan, maar toen ik afscheid nam van Fernando was ik zo in de war dat ik er niet aan gedacht had. 'Ga dan met ons mee, kom op.'

'Nee, ik heb geen zin. Ik ben doodmoe.'

En dat was ik. Nauwelijks een halfuur later viel ik als een blok in bed en onmiddellijk in slaap, voor het eerst in dagen.

Maar voor ik naar bed ging, kon ik de verleiding niet weerstaan om me in de badkamer op te sluiten en mezelf in de spiegel te bekijken, en langzaam begreep ik dat die ogen, die huid, die krullen en die lippen de mijne waren, want ze waren de weerspiegeling van het gezicht waar hij naar had willen kijken, en mijn plotselinge schoonheid was niets anders dan het diepste spoor van zijn blik. Ik bestudeerde mezelf aandachtig, en huiverde toen ik begreep dat het niet belangrijk was mezelf als mooi te zien, maar alleen mezelf te zien, of misschien met zijn ogen te zien, in staat te zijn me van mezelf los te maken om me vanuit een ander hart te bekijken en mooi te vinden, en daarna te beslissen dat ik weer een geheel kon worden. Ik had me nog nooit zo tevreden gevoeld met mijn lot, en nog nooit was ik er zo zeker van geweest dat ik niet alleen een waardevol iemand, maar gewoon iemand was.

Ik kleedde me langzaam uit en bekeek mijn lichaam in de spiegel alsof ik het nooit eerder had gezien, en ik begreep dat het mooi was, want hij had gezegd dat het mooi was. Ik sloot mijn ogen en liet mijn warme handen er langzaam overheen glijden in een poging de wegen te volgen die zijn vingertoppen hadden gevolgd, en werd overvallen door een spookachtige huivering bij de herinnering aan het contact met zijn koude handen, toen ze zonder enige aankondiging onder mijn kleren waren verdwenen en over mijn zijden omhoog waren geklommen om parallelle lijnen te trekken die nooit meer zouden worden uitgewist, en terwijl ze voortgingen ontdekte ik mijn huid, alsof ik deze nooit eerder had gevoeld, alsof ik zelfs niet had geweten dat ze bestond en de functie had mijn vlees te bedekken, en tegelijkertijd brachten ze me, gemeen en grotesk, terug bij de episode met de Ford Fiësta en mijn eigen grove wanhoop, een zure herinnering die nauwelijks de worsteling met zijn duimen overleefde, die in botsing kwamen met mijn beha en besluiteloos stilhielden voor ze zich tussen mijn ribben en de stof drongen en deze met een energieke beweging omhoog schoven, waarbij het haakje nog in het oogje zat en er een ondraaglijke spanning onder mijn oksels ontstond, terwijl zijn vingers als een leger wanhopige, hongerige kinderen mijn borsten omknelden, en toen maakte ik me van hem los, en ik werd bang van de manier waarop hij me aankeek, maar ik vroeg hem mij te bevrijden van die pijnlijke boetegordel die mijn armen van mijn romp dreigde te scheiden, en hij glimlachte voor hij me ter wille was, je bent een merkwaardige meid, indiaantje, en ik glimlachte toen ik dat hoorde, voor mijn beha als een lappenlijk op de grond viel, en ik dacht dat mijn jurk dezelfde weg zou volgen, maar hij trok voorzichtig mijn armen uit de mouwen, draaide de jurk in zijn geheel rond mijn hals en begon mijn lichaam te ontdekken door het langzaam te bekijken, en dat was het moment waarop zijn ogen me vertelden dat ik mooi was, maar ik kon dat gevoel niet langer onderzoeken want zijn handen handelden snel en sleepten me mee en stortten me in een nieuw gevoel door met een bruusk gebaar mijn heupen te grijpen en me naar voren te duwen alsof ze me van elke steun wilden beroven, en door die beweging sprong er diep in mijn hersenen een automatische veer en hoewel ik mijn armen naar achteren moest strekken en de zitting moest vasthouden om niet te vallen, had ik voldoende tijd om zijn verbazing te zien, de verbijstering die op zijn gezicht verscheen terwijl ik, zijn hardheid op de juiste manier begrijpend, me rustig tegen hem aan bewoog, je bent een merkwaardige meid, Malena, herhaalde hij, en dat was genoeg; ik liet mijn hoofd achterover vallen toen hij het zijne over me heen boog, en een windvlaag liet mijn witte jurk wapperen als de cape van een middeleeuwse prinses terwijl zijn lippen erin slaagden een van mijn tepels te omvatten, en hoewel mijn ogen gesloten waren zag ik dat beeld in alle duidelijkheid: twee krankzinnige ruiters, alleen op de wereld, rijdend op een motor uit de Tweede Wereldoorlog, precies op de grens tussen een meer dan honderd jaar oud steeneikenbos en de breekbare muur van een proletenpaleis, steen voor steen gebouwd door een dynastie van verdoemde avonturiers met hetzelfde geld dat hun bloed bedorven had.

Toen ik de volgende ochtend de keuken binnenkwam om een ontbijt voor mezelf te maken, kwam ik daar Nené tegen, die me opwachtte met gestrekte arm, de handpalm recht en de vingers stijf tegen elkaar gedrukt, terwijl ze het beste floot wat haar repertoire te bieden had.

'Dat is de mars uit *The Bridge Over the River Kwai*, stommerd,' zei ik, terwijl ik langs haar liep met het karakteristieke minzame glimlachje dat sommige goden reserveren voor een eventuele ontmoeting met onwetende stervelingen.

'Dat weet ik,' zei ze zelfverzekerd. 'Wat is er? Vind je het niet mooi?'

Ik zette de melk op en antwoordde zonder mijn hoofd om te draaien.

'Dat was het lied van de Engelse gevangenen, en als je denkt dat het mij stoort, ben je een hopeloos geval, nou ja, hopeloos gaat wat ver, eerder een grote rups, want je begrijpt blijkbaar niet dat het niets te maken heeft met...'

'Nené, doe die arm omlaag, idioot! Dat is toch niet te geloven. Ben je achterlijk of zo?'

De kreten introduceerden een element in het tafereel dat het in elk geval de moeite waard maakte, en ik draaide me langzaam om, terwijl ik me afvroeg of het mogelijk was dat er in dat huis nog een stem was waarin ik me kon vergissen.

'Wegwezen!' Inderdaad, op het geheugen van mijn oren viel niets aan te merken. 'Naar de veranda, jij. Ik moet met Malena praten.'

Macu kwam op me af lopen met een buitengewoon vriendelijke glimlach die ik niet kon interpreteren. Daarna wachtte ze met een ongewoon geduld voor iemand die zo zelden wist te zwijgen tot ik mijn ontbijt had klaargemaakt en hielp me de toost op tafel te zetten. Daar ging ze tegenover me zitten en glimlachte weer, maar ze kwam nog niet tot het besluit iets te zeggen.

'Wat is er, Macu?' Het ontbijt was mijn favoriete maaltijd en ik was niet van plan het op te offeren aan het doorgronden van de gelaatstrekken van die onnozele sfinx. 'Wat wil je zeggen?'

'Ik...' begon ze, alsof haar leven van elke lettergreep afhing. Later begreep ik dat er in werkelijkheid nog meer vanaf hing. 'Ik wil je om een gunst vragen.'

Ik knikte, maar dat gebaar was waarschijnlijk niet overtuigend genoeg. 'Wat dan?'

'Ik... Als jij... Als jij het aan Fernando zou willen vragen...'

'Wat?'

Macu stond plotseling op, sloeg met haar vuisten op tafel en wierp me een zo intens smekende blik toe dat ik ervan schrok.

'Ik wil een Levi's met een rood etiket, Malena! Er is niets op de wereld wat ik liever wil dan een Levi's met een rood etiket! Je weet dat ik al jaren naar zo'n broek op zoek ben, en van mijn moeder mag ik het aan niemand vragen, want ze vindt dat ik een leeghoofd ben, maar het is niet mijn schuld dat er in dit rotland helemaal niets te krijgen is, en ik wil zo'n broek, ik...'

Ze ging weer zitten. Ze leek kalmer, en glimlachte om mij gerust te stellen, maar terwijl ze praatte, wrong ze haar handen alsof ze haar vingers wilde villen.

'Voor Fernando is het geen enkele moeite om er een voor me te kopen. In Duitsland is van alles te krijgen en mama zou er nooit achter komen. Dat betekent natuurlijk niet dat ik hem er niet voor wil betalen, natuurlijk zal ik hem ervoor betalen, dat weet je, wat hij maar vraagt, ik haal het geld wel ergens vandaan. Dus als jij het niet erg vindt om me te helpen... Ik heb vaak gezien hoe hij naar je kijkt, en gisteravond heeft Reina me verteld, nou ja... Als jij het vraagt denk ik dat hij me wel een broek wil sturen, ik weet het zeker.'

Ik hief een hand op om een wapenstilstand af te dwingen. Nog nooit was de prijs voor vrede zo laag geweest.

'Je kunt erop rekenen, Macu.'

'Echt waar?'

'Echt waar. Als het een probleem is, vraag ik er een voor mij en geef ik jouw maat in plaats van de mijne. Maar het zal geen probleem zijn. Je krijgt je broek.'

'Dank je. O, Malena, dank je wel!' Ze kwam naar me toe en kuste me op mijn wang. 'Geweldig bedankt. Je... Je weet niet hoe belangrijk dit voor me is.'

Later, terwijl mijn tanden zich verlangend in de korst van de toost zetten, bedacht ik dat Fernando mij deze scène al geschonken had en dat niemand me die meer zou kunnen afnemen, ook al zou hij me nooit van zijn leven meer aankijken. Ik voelde me zo groot als de ceder in de tuin en zo onkwetsbaar als de groene steen, die eeuwenlang van hand tot hand was gegaan opdat mijn grootvader hem op een dag aan mij zou kunnen schenken, maar nauwelijks een paar uur later, diezelfde avond, leek dat gelukzalige gevoel zo ver verwijderd en onwaarschijnlijk alsof ik het had beleefd toen ik in de wieg lag.

We gingen heel langzaam langs de rechterkant van de weg, en de wereld plooide zich nog steeds naar mijn voeten, alsof zich onder mijn voetzolen de pieken vertoonden van een afnemende en nederige maan, net als die waarop de hooghartige Maagd op school stond, toen Fernando mijn rechterhand van zijn middel nam, een paar centimeter omlaag bracht en op de gulp van zijn legendarische Levi's met rood etiket drukte.

'Weet je wat dit is?'

'Ja, natuurlijk.'

In werkelijkheid had ik er maar een vage voorstelling van, maar ik voelde me nog zeker en vrolijk, en vertrouwde nog op mijn catastrofale vaardigheid op het gebied van hoofdrekenen op basis waarvan ik, met een foutenmarge die me te verwaarlozen leek, had geconcludeerd dat Fernando in feite een net zo naïeve leugenaar was als ik, vooral omdat hij, als dat niet zo was, de avond daarvoor geen genoegen zou hebben genomen met de haastige excuses die ik had geuit toen ik ontdekte dat ik het uiterste tijdstip om aan tafel te verschijnen al vijfenveertig minuten had overschreden. Want als de dingen die hij gezegd had waar waren, had hij me niet zo gemakkelijk laten gaan, dan had hij me daar ter plekke genomen, boven op de motor, volgens de universele wetten van het mannelijke gedrag waarvan ik zelf niet wist waar ik ze geleerd had, maar die, naar mocht worden aangenomen, ook in Midden-Europa golden. Hij had me echter alleen gevraagd wat er zou gebeuren als ik nog later zou komen, en ik had geantwoord dat mijn moeder me dan zeker met een huisarrest zou straffen, en toen hij informeerde naar de duur van deze straf en ik hem vertelde dat die, afhankelijk van de hoeveelheid ergernis die mijn moeder in de loop van de dag had opgebouwd, min of meer kon variëren van een week tot een maand, hoewel de straf meestal opgeheven werd voor de termijn verstreken was, boog hij zijn hoofd, mompelde dat het dat niet waard was en liet me gaan. Later was mijn eerste indruk bevestigd door wat er diezelfde middag was gebeurd. Met de armen om elkaar heen geslagen hadden we de helft van de bars in Plasencia bezocht, veel gepraat en elkaar gekust wanneer we het niet hadden over vliegtuigen, hij deed een opleiding die overeenkwam met die van luchtvaartingenieur; over broers en zusters, hij had een zusje van mijn leeftijd en een broertje dat jonger was; over vrienden, hij had er twee, tenminste twee goede vrienden, en één van hen, die Günther heette, was de zoon van een Spaanse die in ballingschap geboren was; over Franco, hij vertelde me dat zijn vader besloten had terug te gaan omdat hij wilde weten hoe het hier na zijn dood was, hoewel híj dacht dat een andere naderende dood, die van grootvader, de echte reden voor zijn terugkeer was geweest; over hoe goedkoop de drank in Spanje was; over *The Dance of the Vampires* van Jethro Tull; over de Who, en andere gemeenschappelijke passies. Toen hij me om middernacht weer kwam halen – de vervelende verplichting van het avondeten met de familie achter de rug – had ik een ogenblik het gevoel dat de glimlach waarmee hij mij begroette anders was dan die waarmee hij om halfelf op dezelfde plaats afscheid had genomen, maar ik schreef de lichte dubbelzinnigheid die in die glimlach schemerde toe aan het bedrieglijke licht van de maan, die bijna vol was en zijn gestalte in een diffuse, matzilveren nevel hulde, en pas toen hij zacht mijn hand nam en op zijn dijbeen legde, om hem enkele seconden daarna weer te pakken en rustig in zijn broek te schuiven, ging er een golf van echte angst door me heen.

'Wat vind je ervan?'

'O, nou…' Ik had graag tijd gehad om daarover na te denken, maar tussen mijn vingers klopte het bewijs van een oude en machtige gevoelsuiting, de magische kracht van het mannelijk verlangen, die aan het inwendige ontsnapt als de geest van een wezensvreemde duivel en in staat is zich te materialiseren om hoogmoedig kond te doen van zijn bestaan en aan een lichaam een onverwachte en fascinerende gedaanteverandering op te leggen die tegen alle regels ingaat en zich te krommen en te veranderen en op het verkeerde moment te groeien en te genieten van een egoïstisch vertoon van wasdom dat voor altijd ontzegd zal zijn aan de onzichtbare plooien van mijn eigen lichaam. Ik probeerde de punt van mijn duim tegen mijn vingers te leggen, maar dat lukte niet, en als reactie op de druk voelde ik zijn bloed in mijn hand kloppen, en ik was eerlijk: 'Ik vind het geweldig.'

Fernando barstte in lachen uit en nam een afslag naar een landweg die ik niet kende. We reden zo langzaam dat ik nog steeds niet begrijp dat we niet gevallen zijn.

'Dat is mooi… want ik weet nog niet wat ik ermee moet doen.'

Ik ook niet, had ik kunnen antwoorden, maar op het verwarde slagveld dat zich in mijn hoofd had ontwikkeld was geen ruimte voor ironie, en de angst, een steeds onduidelijker wordende impuls, verlamde mijn benen nog, maar slaagde er niet in de vingers van mijn rechterhand te regeren, die, voorwaarts gedrongen door het machtige verbond dat hem woest bestreed, zijn schild van gezond verstand neerhaalden en hem langzaam dwongen zich achter zijn linies terug te trekken, dodelijk gewond door het voorstellingsvermogen, de leeftijd, de nieuwsgierigheid, mijn eigen wil en het bloed van Rodrigo, dat kookte, in het middelpunt van mijn geslacht, en tussen de wanden van het geslacht van mijn neef, dat mij riep en mij antwoordde, en mijn pols het ritme oplegde van zijn kloppende bloed.

Toen Fernando de motor stilzette, was mijn angst hem teleur te stellen al groter dan de angst die kleine, verborgen open plek, beschut door een wand van rotsen achter een dichte haag van eucalyptussen, als de schuilplaats van de piraat Flint, gehavend te verlaten, en daarom bracht ik mijn handen bij elkaar en greep hem krachtig vast, en zette acht stompe vingertoppen in de achterkant om mijn bewegingen het ritme te geven van een doelbewuste streling, en hij sloot zijn ogen, zodat ik ze niet meer kon zien, en liet zijn hoofd vallen en zijn nek op mijn schouder rusten, en hij was nog nooit zo knap geweest, en ik moest naar hem blijven kijken. En ik keek nog steeds naar hem toen hij zijn lippen opende en een hortende zucht uitstootte, en hoewel ik overweldigd werd door de echo van mijn eigen macht, wist ik dat ik mijn leven zou geven om hem nog eens zo te horen steunen, en dat hij, als het goed was, in ruil daarvoor hetzelfde van mij zou vragen.

Daarna, terwijl we over een grote wollen deken rolden die nieuw leek – die is nieuw, zei Fernando bevestigend, toen hij hem achter de stenen vandaan haalde waarachter hij hem eerder had verborgen; daar zal je grootmoeder blij mee zijn, antwoordde ik lachend, en hij haalde zijn schouders op – ik naakt, hij nog half gekleed, onthulde de geest van Rodrigo, wie hij ook geweest mocht zijn en welke zonden hij ook mocht hebben begaan, de lichtzinnige last geschreven in het reliëf van mijn lippen, mij dat er geen geheimen waren die ik niet kende, en toen nam mijn onderlichaam de plaats van mijn hersenen in, en het instinct die van mijn gedachten, en leidde mijn handen en mijn mond, tot Fernando zich onhandig van de rest van zijn kleren ontdeed; toen liep die schaduw uit het verleden, die kon kiezen, naar het andere kamp over.

Hij zat op zijn hielen en bekeek me waarschijnlijk met een geamuseerde glimlach, maar ik zat gehurkt voor zijn knieën, zorgvuldig van hem gescheiden, alsof zijn lichaam een gewijde plaats was die ik niet eens zou durven betreden, en keek hem niet aan.

Dit is een lul… Ik sprak in mezelf, alsof ik de werkelijkheid die ik aanschouwde moest bevestigen, al was het alleen maar om de betovering te verbreken, de ondraaglijke spanning die de onzichtbare draad liet vibreren tussen mijn van verbazing rood doorlopen ogen en dat glanzende stuk vlees, dat ze aantrok alsof het erop uit was mijn pupillen los te rukken en zich daarmee te sieren.

'Ben je onder de indruk, indiaantje?'

'Ja,' gaf ik toe, terwijl ik besloot mijn moeizaam volgehouden huichelarij tot op de bodem af te breken, 'hij is behoorlijk indrukwekkend.'

Dat was dus een lul, maar het zou me nog wat tijd kosten om te leren dat datzelfde woord gebruikt wordt om dingen aan te duiden die heel wat armzaliger zijn dan die wonderbaarlijke paarse cilinder die zich in dat vochtige foedraal van kleverige huid had gevlijd om bij mij het beeld op te roepen van een woeste cobra, die zijn lichaam strekt en een moment voor hij zijn keel laat opzwellen, om zijn kop als de kroon van een vleesetende bloem te ontsluiten, zijn slachtoffer de trillende dreiging in zijn hals onthult. Ik kon mijn blik niet afwenden van dat wonder dat me volledig in beslag nam en werd zo gefascineerd door dat mysterie, dat zich onthulde naarmate het groeide, dat ik niet op tijd reageerde toen Fernando het zachtjes uit mijn handen bevrijdde en in de zijne nam waarin hij een soort verschrompelde geelachtige gelei hield die ik niet kon thuisbrengen.

'Wat is dat?'

Hij zat even stil en keek me aan, maar wilde mijn verbijstering niet zien.

'Een condoom.'

'Ah…'

OGodoGodoGodoGod, dacht ik, oGodoGodoGod, en het zweet stond in mijn handen, oGodoGod, en mijn benen begonnen te trillen, oGod, en ik zag het gezicht van mijn moeder, o God, afgetekend tegen de zon, de allerliefhebbendste glimlach, die een steen aan het huilen had gebracht, maar tegelijkertijd gaven mijn oren zich over aan de oorverdovende galop van een paard, dat nog ver weg was, maar snel naderbij kwam en ik voelde dat er geen bankje zou zijn dat mijn voeten zou vasthouden, waarvan de tenen al nerveus bewogen, om te voorkomen dat ze achter hem aan zouden rennen.

'Het is een… Spaanse.' Fernando, die de elementaire aard ervan niet wilde begrijpen, probeerde een eind aan mijn verwarring te maken, en zijn onbeholpen woorden, die doordrenkt waren van een ongelooflijke zoetheid, die ik niet begreep, maar ongetwijfeld als een definitieve klap zou ontvangen in een ingewand dat ik niet bezat, besliste op dat moment over mijn lot. 'Ik heb hem uit de apotheek van tante Maria meegenomen.'

'Fernando, ik… Ik moet je zeggen…' Ik moest het zeggen, maar ik kon er niet toe komen en vond daardoor de juiste woorden niet. 'Ik wilde niet dat je…'

'Ik weet het, indiaantje.' Hij duwde me zacht omlaag tot ik languit op de deken lag en ging naast me liggen. 'Ik vind het ook niet echt plezierig, maar het is beter, niet? We moeten geen risico nemen, tenzij je iets gebruikt… maar dat denk ik niet.'

Ik schudde mijn hoofd en probeerde te glimlachen, maar het lukte me niet. Toen hij op me klom, wist ik dat ik het hem altijd schuldig zou blijven en dat ik het nooit op tijd zou zeggen, en terwijl mijn lichaam kraakte onder zijn gewicht, en twee grote ronde tranen over mijn gezicht rolden als bezegeling van het verzuim dat mijn geheim zou doen verdwijnen, en daarmee de angst, bood ik hem andere woorden aan.

'Ik… ik hou zo veel van je, Fernando.'

Al het andere was gemakkelijk. Rodrigo waakte over me.

'Je hebt je goed gedragen, indiaantje.' Zijn wijsvinger trok krullen over de huid van mijn buik. Ik lag volledig uitgeput op mijn rug, maar vond nog net genoeg kracht om een tevreden glimlach te produceren, die ik weerspiegeld zag in zijn net zo uitgeputte gezicht, want ik was het met hem eens, ik had me goed gedragen, beter dan ik ooit had kunnen denken. 'In het begin schrok ik omdat je je niet bewoog.'

'Dat kwam doordat je me pijn deed,' onderbrak ik hem, en ik dacht dat het een goed begin was voor een bekentenis, maar hij begreep mijn woorden weer niet, alsof we in die nacht, die al ten einde liep, veroordeeld waren om in een absoluut nutteloze taal met elkaar te praten, een taal die zich, juist op het moment dat zijn integriteit essentieel voor me was, leek te kunnen verdubbelen als een boosaardige gespleten tong.

'Dat overkomt me altijd. Je zult het niet geloven, want niemand gelooft het, maar ik heb het een keer gedaan met een getrouwde vrouw, en zij klaagde ook... Ik denk dat het kwam doordat ze erg opgewonden was. Dat is misschien niet altijd een voordeel.'

Ik liet mijn ogen over zijn lichaam gaan en zag in de diepte een klein, verschrompeld aanhangsel, dat zich leek te willen verschuilen in de ronding van een dij.

'Ik heb niet geklaagd,' protesteerde ik, en dat was waar. Ik had mijn tanden in een hoek van de deken gezet tot de pijn in mijn kaken erger was, maar ik had niet geklaagd. Hij glimlachte.

'Dat is waar. Je hebt je goed gedragen, heel, heel goed.'

Toen begon ik te lachen, ik kon mijn uithalen niet beheersen, te veel opgehoopte spanning, maar ineens bedacht ik dat Fernando zou kunnen denken dat ik om hem lachte, en dat idee was voldoende om me te kalmeren.

'Waar lach je om?' Zijn stem klonk vrolijk.

'O, ik dacht eraan dat het aangeboren moet zijn... want ik kom dan wel uit een familie met een traditie, maar de waarheid is dat ik nog niet zo vaak geneukt heb.'

'Nee? Hoe vaak heb je het gedaan?'

'Nou... een paar keer.'

'Met hoeveel kerels? Het is pure nieuwsgierigheid. Als je het vervelend vindt, hoef je het niet te zeggen.'

'Nee, ik vind het niet vervelend. Ik heb maar met één man geneukt.'

'Ja? Iemand uit Madrid?'

'Nee, een buitenlander.' Plotseling realiseerde ik me dat hij niet glimlachte. Om de een of andere reden begon hij zenuwachtig te worden.

'Wanneer? Deze winter?'

'Nee, deze zomer.'

'Deze zomer? Toch niet in Almansilla?'

'Nou, niet direct in Almansilla...' Ik herinnerde me de prachtige uitdrukking die Marciano voor het ons omringende land gebruikte. 'Meer op de akkers van Extremadura.'

'Wat moet dat betekenen?'

'Een grapje. Ik bedoel dat het hier was. In de bergen. Op een nieuwe deken, met...' Ik kwam half overeind om naar de kleuren te kijken, 'groene, blauwe en gele ruiten.'

'Je wilt me toch niet zeggen…' Zijn stem stokte. 'Het is niet waar, Malena, alsjeblieft, het is toch niet waar.'

Ik keek hem onderzoekend aan. Zijn vertrokken gezicht veroorzaakte een groter gevoel van paniek dan het uitdrukte. Ik wilde iets zeggen, maar voelde dat mijn keel geen enkel zinnig geluid zou voortbrengen. Hij kwam plotseling overeind, ging op zijn knieën op de deken zitten, pakte me bij mijn schouders, trok me omhoog en dwong me tegenover hem te knielen. Ik werd rustig, want ik verkeerde in de waan dat hij me wilde kussen, maar dat deed hij niet. Hij begon te schreeuwen, en zijn kreten verscheurden de stilte van de ochtendschemering en een nog veel diepere stilte in mij.

'Maar je zei tegen me…'

De pijn die ik voelde toen zijn vingernagels zich met kracht in mijn armen boorden, werkte als een hefboom op mijn tong.

'Ik heb niets tegen je gezegd, Fernando.'

'Maar je hebt die indruk gegeven.'

'Nee. Jij hebt het zo begrepen omdat het je uitkwam, maar ik heb niets tegen je gezegd. Bovendien is het niet meer belangrijk. Het is allemaal goed gegaan.'

Maar de aders in zijn hals zwollen op en zijn gezicht werd nog roder, en ik begreep dat mijn laatste opmerking nog harder was aangekomen dan de andere.

'Je bent gek, meid. Je bent hartstikke gek. Je bent onverantwoordelijk en dom en een… idioot. Goeie God, ik was nog nooit met een maagd naar bed geweest!' Toen mompelde hij in zichzelf: 'Ik ben altijd als de dood voor ze geweest…'

'Nou ja, ik ben geen maagd meer,' zei ik glimlachend. Ik probeerde weer rustig te worden, want er moest ergens een fout zitten. Een van ons moest zich vergissen, en ik was er vrijwel zeker van dat ik dat niet was, maar mijn vredesaanbod leek hem nog woedender te maken.

'Besef je het dan niet? Begrijp je het dan niet? Het kan zo belangrijk voor je zijn, het kan je hele leven beïnvloeden, en ik wil daar niets van weten, hoor je me? Jij hebt me voor de gek gehouden en ik neem die verantwoordelijkheid niet.'

'Fernando, alsjeblieft, doe niet zo Duits.' Ik moest bijna huilen, en zijn afwijzing smaakte nog bitterder dan mijn verwarring. 'Zo moeilijk is het allemaal niet, ik…'

'Ik ben niet in de stemming voor grappen! Hoor je me? Waarom heb je het niet gezegd?' Hij verborg zijn gezicht in zijn handen en zijn stem werd zachter, niet alleen wat het volume, maar ook wat de toon betrof: 'Ik… ik zou dit nooit hebben gedaan, begrijp je dat?'

'Nee, dat begrijp ik niet.'

'In elk geval had ik het recht om het te weten.'

'Maar ik heb geprobeerd het je te vertellen! Jij dacht dat ik tegen het condoom protesteerde.'

'We hadden erover moeten praten, Malena, we hadden het moeten bespreken. Dit kun je gewoon niet maken.'

'Natuurlijk wel,' protesteerde ik, maar mijn stem was zo dun dat het me moeite kostte mezelf te horen, 'en het is goed gegaan.'

Toen liet hij me los en wendde zijn hoofd af om me niet te hoeven aankijken, en mijn verslagenheid verminderde langzaam onder druk van mijn onschuld en begon plaats te maken voor een vreemd gevoel van wrok vermengd met woede, want ik had niets slechts gedaan, ik had er alleen naar verlangd, en ik had er zo naar verlangd dat dat verlangen gedurende enige tijd alle elementen waaruit ik was opgebouwd overweldigd had, tot het ze weer in hun kleinste delen uiteen had laten gevallen en ik volledig was veranderd, een absolute triomf die mijn eigen triomf was. Toen ik dat begreep, wierp ik me plotseling op hem, sloeg met gebalde vuisten op zijn borst en schreeuwde woedend: 'Je wordt verondersteld tevreden te zijn dat je de eerste was.'

Maar zelfs die aanval raakte hem niet. Toen hij van zijn verbazing bekomen was, nam hij mijn vuisten van zijn borst, greep mijn polsen en hield ze zo stevig vast dat het bijna pijn deed, maar toen hij begon te praten was zijn stem walgelijk rustig en beheerst.

'O ja? Is dat zo? Wie veronderstelt dat?'

'Ik... ver... on... der... stel... dat.'

Mijn mening telde niet meer dan de onhoorbare klaagzang van een worm die hij onder zijn schoenzool had kunnen verpletteren zonder zich ook maar bewust te zijn van een zo lachwekkende dood, maar hij legde zijn armen om me heen, drukte me tegen zich aan en kuste me op mijn mond, op mijn gezicht, in mijn hals en op mijn haar, en terwijl ik naar hem luisterde, begon mijn bloed de oude warmte van menselijk bloed terug te krijgen.

'Malena, alsjeblieft, niet huilen... Huil niet, alsjeblieft... O God, ik wist het, ik pak het helemaal verkeerd aan!'

Hij drukte me nog iets harder tegen zich aan en boog zijn benen om me naar zich toe te trekken. Toen we weer naast elkaar lagen, stak hij zijn arm uit, pakte een rand van de deken en legde deze over ons heen. Daarna veegde hij met zijn vingers mijn tranen weg. Wat rustiger nu, opende ik mijn ogen, maar ik kon alleen zijn gezicht zien, dat uit de geïmproviseerde slaapzak stak, en toen leerde ik wat het was om bang te zijn, echt bang te zijn, en ik verwierp de kleine angsten die me gedurende die eindeloze nacht de een na de ander hadden overvallen alsof ik de kralen van een rozenkrans van rook door mijn vingers liet glijden, en ik moest diep ademhalen voor ik die angst met een vriendelijke, zusterlijke glimlach kon naderen, want Fernando was in die paar minuten jaren teruggevallen en had de gemakkelijke toegevendheid hergevonden waarmee kinderen zich aanpassen aan een tegenslag, en nooit heb ik zo duidelijk gemerkt dat hij om me gaf, maar nooit heb ik een blijk van liefde met zo veel felheid afgewezen. Ik kon niet uitdrukken wat ik voelde, en hij zou me niet begrepen hebben als ik hem gevraagd had op te houden met het spelen van de sympathieke, begrijpende, solidaire, grootmoedige idioot die nooit aan zichzelf denkt, maar ik wist dat ik alles liever had, een klap in mijn gezicht, een harde lach, of een dikke, warme fluim, dan die hand die met afwezige tederheid over mijn hoofd streek, het gebaar van kleine meisjes die moedertje spelen met hun pop, terwijl ze weten dat het gekleurde plastic ding geen echte baby is. De tederheid van de zwakken is een goedkope deugd, en na een leven waarin ik me systematisch had bevrijd van een zwakheid waarin ik nooit had mogen vluchten, wilde ik van hem niet dit soort tederheid. En ze hadden me geleerd dat het juist die dingen waren, grootmoedigheid, sympathie, begrip, solidariteit, die in jongens gewaardeerd moeten worden, maar ik voelde dat ik nog maar enkele minuten daarvoor iets in handen had gehad dat veel groter was, veel ouder en veel waardevoller dan alle regels van de Tien Geboden, want ik had het leven aan hem ontrukt en in mijn vingers gehouden, en alleen mijn vingers hadden hem voor de dood bewaard, en nu gleden de tekenen van deze echte tederheid, de enige die telt, tussen mijn vingers door en dansten een perverse dans rond mijn wonden om een vergelijking te vormen die op een moderne manier bedrieglijk was, zo gemakkelijk en tegelijk zo vals.

Ik kon niet uitdrukken wat ik voelde, want ik was niet in staat mijn gedachten te ordenen, maar ik had het idee dat er veel meer op het spel stond dan de liefde van Fernando. Wat op het spel stond was mijn eigen liefde en ik kon me niet veroorloven beide te verliezen. Ik pakte zijn pols om de beweging van zijn arm te stoppen en hield deze in de lucht terwijl ik hem aankeek.

'Zeg me dat het niet waar is.'

'Wat?'

'Wat je straks zei. Zeg me dat je gelogen hebt, zeg me dat het je niet kan schelen, dat het jouw zaak niet is, dat ik oud genoeg ben om te weten waar ik aan begin, dat je alleen maar voor jezelf zorgt, dat jij het ook niet eens bent met wat ze je geleerd hebben, dat je om je eruit te redden alleen maar een rol hebt gespeeld die ze je uit je hoofd hebben laten leren, zeg me dat.'

'Waarom wil je dat ik dat zeg?'

'Omdat ik de waarheid wil.'

'En wat is de waarheid?'

'Dat weet ik niet.'

'Wat wil je dan horen?'

'Ik wil horen dat je toen je deze plek vond al wist waarvoor je hier zou komen, dat je toen je de deken hierheen bracht al wist waarvoor je die ging gebruiken, dat je toen je mij vanavond kwam halen al wist wat er zou gaan gebeuren, en ik wil horen dat je geen vragen hebt gesteld omdat je geen antwoorden wilde horen die je niet uitkwamen, en dat je je vingers hebt gekruist in de hoop dat ik mijn benen niet zou kruisen, en dat je het niet meer uithield, dat het je kracht te boven ging, dat je zo naar me verlangde dat je hetzelfde met me had gedaan al had ik met tranen in mijn ogen om respect gesmeekt, dat wil ik horen.'

Zijn ogen zweefden boven mijn gezicht alsof ze heel ver weg waren en zijn stem werd zo zacht dat ik hem nauwelijks kon verstaan.

'Je bent een vreemd meisje, Malena.'

'Dat weet ik. Dat heb ik altijd geweten. Maar daar is niets aan te doen. Je accepteert het of niet, en ik ben het zat om mijn best te doen het niet te accepteren. Toen ik klein was heb ik zelfs tot Maria gebeden of ze me, als ze me niet als mijn zusje kon maken, in een jongen wilde veranderen, want ik dacht dat ik alles beter zou doen als ik een jongen was. Tot ik Magda tegenkwam... Ken je Magda?'

Hij knikte, maar gaf geen antwoord.

'Magda zei tegen me dat het geen oplossing was om in een jongen te veranderen, en ze had gelijk. Ik heb het heel moeilijk gehad, maar nu bid ik niet meer. En ik denk ook niet meer dat ik een man zou willen zijn.'

Hij verdween enkele ogenblikken in een van zijn draagbare afgronden, de onzichtbare bagage die hij altijd bij zich had, maar zijn stilte liefkoosde me met een doeltreffendheid die zijn hand niet had kunnen bereiken, want ik vermoedde dat hij probeerde na te gaan wat hij met mij moest doen en ik voelde dat de termijn voor deze beslissing al verstreken was.

'Je zou een verschrikkelijke man zijn, indiaantje.'

'Waarom?'

'Omdat je mij niet zou bevallen... Waar heb ik de sigaretten gelaten?'

Toen hij zich over me heen boog om me vuur te geven, bekeek ik heimelijk zijn gezicht in het licht van de aansteker, maar ik kon er niet op lezen waar hij aan dacht.

'Heb je tijd?' vroeg hij, en hij ging door zonder op een antwoord te wachten. 'Ik ga je iets vertellen. Je hebt het verdiend.'

Hij ging op zijn rug liggen en dwong me door een arm om mijn schouders te leggen zijn voorbeeld te volgen. Toen begon hij over iets wat ik het minst had verwacht.

'In Hamburg zijn vrij veel Spaanse clubs, bijna allemaal van emigranten en een paar uitgeweken republikeinen. In die clubs komen allerlei mensen, van ouderen tot kinderen, om Spaans te spreken, tortilla's te eten aan de bar, kaart te spelen of een praatje te maken... Mijn vader is nooit met me naar zo'n club gegaan omdat hij er nooit spijt van heeft gehad dat hij hier is weggegaan. Vanaf het moment dat hij aankwam, is hij met Duitsers omgegaan, hij spreekt perfect Duits en wil niets meer van Spanje weten, niets. Thuis wordt niet eens Spaanse wijn gedronken, want hij zweert dat hij de Italiaanse wijnen lekkerder vindt, maar we weten allemaal dat ze slechter zijn. Als hij zich pijn doet, vloekt hij nog steeds in het Spaans, maar soms zegt hij dat hij er spijt van heeft dat hij met ons in zijn moedertaal heeft gepraat toen we klein waren. Edith spreekt het slechter dan ik, en Rainer, die dertien is, is deze zomer alleen hierheen gekomen omdat hij van mijn vader geen Spaans meer leert. Ik weet niet, het is een rare man, maar ik hou van hem... Een paar jaar geleden vertelde Günter me over een

Spaanse club waar een paar goede biljarttafels stonden, die bijna altijd vrij waren en waar we gratis konden spelen. Hij spreekt goed Spaans, bijna zo goed als ik, en we waren eraan gewend geraakt om Spaans met elkaar te spreken omdat niemand ons dan kan verstaan, op school, en vooral met meisjes erbij, en op een middag zijn we naar die club gegaan, waar we zonder problemen naar binnen konden, en we hebben de hele tijd gespeeld. Daarna zijn we lid geworden, en we gingen er vaak naar toe en leerden iedereen kennen. Daardoor spreek ik het zo goed dat iedereen hier verbaasd was. In de club werkt een man die Justo heet. Hij staat achter de bar en komt uit een dorp in de buurt van Cádiz. Hij is een jaar of vijftien geleden naar Duitsland gegaan, toen hij al ouder was, en hij is alleen weggegaan omdat hij weduwnaar was geworden. Hij vertelt graag over Spanje, want hij is nooit gewend geraakt aan Hamburg... '

'Is het er erg koud?' onderbrak ik hem. Niets van wat hij vertelde had enige betekenis voor mij, maar ik genoot ervan om naar hem te luisteren.

'Ja, maar dat vindt hij niet zo erg. Het ergste is dat het altijd bewolkt is en altijd regent, of, zoals Justo het zegt, het begint altijd te regenen, want het regent nooit echt, het is meer een fijne regen die je niet voelt, maar waar je wel kletsnat van wordt. Bovendien is de lucht daardoor altijd vochtig.'

'Motregen.'

'Precies, zo noemt hij het ook. Maar goed, het punt is dat Günter en ik hem regelmatig opzoeken. Hij vult onze glazen altijd een beetje meer dan normaal en dan praten we, of liever gezegd, wij luisteren, soms heel lang. Zes of zeven maanden geleden zaten we daar op een middag, en hij klaagde maar, zoals altijd, en wij zeiden dat hij daarmee op moest houden, en toen kwamen we op het onderwerp vrouwen. We wisten wel dat hij altijd zegt dat hij niet zo van Duitse vrouwen houdt, terwijl dat niet waar is want hij heeft met heel wat vrouwen iets gehad.'

'Is het een knappe man?'

'Nee, maar hij is heel geestig, en hij verovert ze met ongelooflijke verhalen in een afgrijselijk Duits, we hebben het een keer gezien. Die middag vertelde hij ons dat er in Spanje vrouwen zijn die violette tepels hebben en wij geloofden hem niet. Günter zei dat ze waarschijnlijk donkerroze waren, zoals die van Indonesische vrouwen, of donkerbruin, zoals die van Arabische vrouwen, maar hij zei van niet, hij zei dat hij violet had gezegd en dat hij ook violet bedoelde, en dat hij dat nog het meest miste. Ik wilde het nog niet geloven, want alle vrouwen die ik naakt heb gezien hadden roze tepels, sommigen zo licht dat je ze nauwelijks van de rest kon onderscheiden, behalve een Thaise vrouw en een negerin, die ik op de Reeperbahn heb gezien, maar die tellen niet mee want ik weet niet eens zeker of het wel vrouwen waren, en ik zei dat ik dat wel eens wilde zien, en hij antwoordde dat het hem speet, maar dat ik een pechvogel was en dat ik uiteindelijk met een paard zou trouwen, zoals alle Duitsers, maar ik voelde me niet beledigd want hij praat altijd zo. Toen ik eenmaal in dit dorp was, vroeg ik me bij elke vrouw die ik zag af welke kleur haar tepels zouden hebben, en hoewel ik nooit heb kunnen vaststellen of ik gelijk had, begon ik te denken dat Justo me weer eens voor de gek had gehouden en dat de vrouwen waarover hij verteld had niet bestaan. Tot ik jou zag, indiaantje. Ik wist dat ze bij jou violet waren, dat ze violet moesten zijn. Daarom keek ik zo vaak naar je, en keek ik zo vreemd naar je... En daarom ben je hier. Nu weet je het.'

Hij tilde de deken op om naar me te kijken, en hoewel het misleidende licht van de ochtendschemering nog maar nauwelijks door de donkere nacht heen wist te breken, ontdekte ik met een huivering iets aan mezelf wat ik nooit eerder had gezien.

'Ze zijn violet...'

'Natuurlijk zijn ze dat.'

'Hij liet zich op me vallen, nam er een tussen zijn lippen en zoog alsof hij hem los wilde scheuren.'

'Is dit beter?'

'Ja, dat is veel beter.'

Ik voelde me gevangen tussen een ongekende emotie en de verbijstering over die onmogelijke transformatie van mijn huid, die van kastanjebruin naar violet ging als een nieuw bewijs van de begeerte in zijn ogen, en ik wilde zijn vertrouwen met een net zo uniek en machtig gebaar beantwoorden, maar omdat ik niet dacht een net zo belangrijk geheim te hebben, nam ik zijn hoofd tussen mijn handen en kuste hem en hij reageerde door zijn been om mijn middel te slaan en mijn buik tegen de zijne te drukken, en terwijl ik voelde dat ik terrein verloor, dat ik steeds grotere stukken moest prijsgeven aan het geliefde monster dat mij verslond, wekte mijn verlangen het zijne op en gaf een geweldige, onverbiddelijke erectie mij mijn rust terug. Ik legde een van mijn benen over het zijne en zocht hem met mijn hand. Ik drukte mijn vingers eromheen en voelde hoe hij groeide. Ik had hem graag iets meer gegeven, maar had geen idee waar ik moest beginnen en gebruikte bewust woorden die vulgair klonken.

'Dit is een lul...' herhaalde ik, 'en ik wil hem in me hebben,' hij glimlachte, 'en ik wil hem nu.'

Hij lachte luid en schoof mijn hand weg om hem door de zijne te vervangen, en terwijl hij hem over mijn buik omlaag liet glijden, nam hij de uitdaging aan.

'Zoals je wilt, maar als je eraan went, zul je geen andere man meer voelen.'

'Kom nou, Fernandito, in welk boek heb je dat gelezen?'

'Hou op met lachen, trut, anders hou ik hem niet overeind...'

Maar we bleven lachen, en toen was alles weer zoals het begonnen was, en de spleten sloten zich, en de kreten stierven weg, en de kou verdween, en toen verdween de grond, want er bestond niets behalve ik, en ik zweefde, Fernando in mij geklonken, me ondersteunend, zodat ik niet zou vallen, en de rest vormde cirkels en draaide steeds sneller rond en wisselde razendsnel tussen roze en oranje en veroverde langzaam het rood, en de wereld werd steeds warmer gekleurd en vulde zich met vluchtige gele vlammen die snel doofden maar nog minuten lang overleefden op de brandende huid van mijn dijen, en daarvoor was het niet zo geweest, daarvoor was het niet zo ver gekomen, en hij was het laatste slachtoffer van de onvoorstelbare eisen van een voor mij nieuwe eenzaamheid, want ik hield oneindig veel van hem, maar verbande hem naar een plaats die oneindig ver verwijderd was, en alleen nog rood, zoals alle andere dingen, een ander nietig deeltje dat langzaam naar de kern bewoog van een kleur die steeds intenser, steeds volmaakter werd, en rond werd en toen massief en enkele seconden later plotseling explodeerde.

Toen ik begreep wat er gebeurd was en Fernando terug had gevonden in een van genot vertrokken gezicht, betreurde ik dat ik me niet herinnerde of ik er genoeg om geschreeuwd had, want ondanks de kleur van mijn tepels was in zijn ogen een diepe opluchting te lezen. Hij glimlachte. Ik glimlachte terug en gebruikte de arrogante toon die hij had gebruikt.

'Je hebt je goed gedragen, Otto.'

'Maar je had het me moeten vertellen.'

'Ja, maar om eerlijk te zijn,' zei ik, met de gedachte dat een paar leugentjes om bestwil niet erg waren, hoewel het me wel even moeite kostte om met dat soort excuses te komen, 'had ik het al een paar keer bijna gedaan, echt bijna, want eentje had hem er al een stukje ingestopt.'

'Het maakt niet uit,' mompelde hij, en ik kreeg de indruk dat hij een kleur kreeg. 'Als ik het geweten had, had ik geprobeerd om een beetje… een beetje… voorzichtiger te zijn.'

'O nee!'

Ik sloeg mijn armen zo stevig om hem heen dat ik hem wel pijn moest doen, maar hij klaagde niet, en ik trok zelf de deken over ons heen, want ik voelde zijn schaamte veel intenser dan hij.

'Maar als je je morgen of overmorgen niet goed voelt, moet je het vertellen.'

'Ga je me verlaten?'

'Wat?' Hij keek me zo verbaasd aan dat ik dacht dat hij me niet goed had verstaan.

'Of je me gaat verlaten, erover denkt te verdwijnen, ervandoor te gaan, de benen te nemen als je me ziet…'

'Nee, waarom zou ik dat doen?' Hij was stomverbaasd en ik had spijt van mijn zwakheid.

'Dan gaat het wel goed met me.'

Het licht filterde langzaam door de kieren van een lucht die nu grijs was. Het begon dag te worden, en ik had nog nooit de zon zien opkomen, maar hoewel ik daar mijn hele leven had willen blijven en zwijgend het schouwspel van een verdwijnende nacht had willen gadeslaan, moest ik naar huis en mijn geluk beproeven op de krakende treden van de trap, en in bed zijn voor Paulina zou opstaan, die in een koppige concurrentieslag gewikkeld was met alle hanen van het dorp. Ik wilde er niet eens aan denken, maar toen ik op het punt stond het te zeggen, deed Fernando het, zonder mij aan te kijken.

'Ik denk dat we zo maar moeten gaan. Het is zes uur.'

Toen ik op de motor zat en hij wilde starten, verlangde ik er echt naar om thuis te zijn, niet omdat ik me slaperig voelde, maar omdat ik ongerust was. Ik was nog nooit zo laat thuisgekomen, ook niet wanneer het feest was, maar ondanks dat, en met het risico dat het moment van thuiskomst nog verder werd uitgesteld, stelde ik een laatste vraag, want ik kon hem niet laten gaan voor ik alles wist.

'Hé, Fernando... en Helga, hoe gedraagt die zich?'

Ik had de indruk dat ik hem met die vraag overrompelde, en hij liet me enkele minuten wachten voor hij antwoord gaf. 'Och... ze gedraagt zich wel goed.'

'Wat wil dat wel zeggen?'

'Nou ja, ze...' Hij stopte alsof hij zijn woorden zorgvuldig moest kiezen. 'Ze komt uit een katholieke familie.'

'Ik ook.'

'Ja, maar hier telt dat niet. Hier trekken jullie je daar toch geen reet van aan.'

'En in Duitsland wel?'

'Ja, daar zijn de katholieken een minderheid. Ze nemen alles veel serieuzer.'

'Ben jij katholiek?'

'Nee, ik ben luthers, of, liever gezegd, mijn moeder is luthers. Mijn vader heeft geen stap in een kerk gezet sinds ik hem ken.'

'Juist, en wat betekent dat, dat Helga uit een katholieke familie komt?'

'Niets, het betekent niet echt iets, alleen dat ze, nou ja... ze is net als alle andere katholieke meisjes.'

Ik begon moe te worden van die lange weg en vroeg me af of ik zijn omwegen als een lichte vorm van afkeuring moest beschouwen, als een teken dat mijn nieuwsgierigheid gevaarlijk dicht in buurt kwam van ongepastheid en zich tegen mij kon keren, maar ik was nog geen zestien, en op het moment waarop ik het punt wilde laten vallen, zei ik bij mezelf dat ik die nacht toch bepaalde rechten had verworven.

'En hoe zijn katholieke meisjes?'

Hij was even stil en grinnikte.

'Nou... ik ben het woord kwijt.'

'Welk woord?'

'Dat woord van laatst.'

'Wanneer laatst? Ik begrijp je niet. Kun je niet wat duidelijker zijn?'

Hij antwoordde niet, en ik gaf hem een klap op zijn schouder, hoewel ik de hele zaak wel komisch begon te vinden want ik begon al te vermoeden hoe het zat.

'In het algemeen lijken Duitse katholieke meisjes...' zuchtte hij gelaten, 'heel veel op de Spaanse, in het algemeen.'

Het had me geen moeite gekost een voortijdige gil te onderdrukken, maar ik moest wel mijn best doen een wantrouwende toon te gebruiken.

'Je wilt me toch niet zeggen dat je niet met haar naar bed gaat?'

'Nee.' Hij barstte in lachen uit. 'Dat laat ze niet toe.'

'Je bent een rotzak, Fernando! Ik vermoord je…'

Zover ik me herinner had ik zoiets nog nooit tegen iemand gezegd, maar mijn lach zwakte mijn opmerking zo af dat hij alleen maar harder moest lachen, en toen ik hem begon te slaan en krachteloos met mijn vuisten op zijn rug trommelde, protesteerde hij met een verdedigende, verstikte stem die net zo vals was als mijn verontwaardiging.

'Hou op, indiaantje… We krijgen nog een ongeluk, hou je rustig… Bovendien is het niet mijn schuld. Als jij het op tijd had gezegd, was je nu nog maagd geweest en, eerlijk gezegd, je ziet er niet uit alsof je er spijt van hebt.'

Ik heb er nooit spijt van gehad, die nacht niet, de volgende dag niet en de daaropvolgende dagen niet, en ik ben er nooit zo zeker van geweest dat ik de dingen deed die ik moest doen en dat ik ze goed deed, maar andere schimmen, die zich schuilhielden in de vouwen van die uren die de zomer opbliezen alsof deze een gigantische bol was die in staat was de hemel te bekleden en tegelijkertijd in zijn binnenste te houden, ontsnapten regelmatig aan mijn controle en wisten zo woest te groeien dat hun omvang zich duizenden keren vermenigvuldigde tot ze in alle richtingen de ruimte in beslag namen die gereserveerd was voor de normale wroeging en bleven zich onstuitbaar uitbreiden tot aan de grenzen van een gebied waar ik geen enkele controle over had. Dus verhuisde Fernando, de enige die mijn gedachten in beslag nam, naar het tweede plan, en was ik degene die me zorgen over mezelf maakte, was ik het die mezelf tegenviel, en was ik het die, opnieuw, vrijwillig in het moeras zonk terwijl ik dacht dat de ogen van mijn geliefde me daar voor altijd uit gered hadden, en ik twijfelde aan de oude waarheden, maar ik twijfelde net zozeer aan de nieuwe.

Ik ontwikkelde een speciaal zintuig voor het begrijpen van dingen die ik niet kende, en misschien werd mijn angst meer gevoed door die onwetendheid dan door de oorzaken zelf, want ik geloofde oprecht dat ik de enige ter wereld was die de gevolgen van een zo intense en tegenstrijdige hartstocht beleefde of ooit beleefd had, en ik was ervan overtuigd dat Fernando niet zoveel van mij hield als ik van hem. Ik vond het echter nog erger te moeten erkennen dat het niet zijn trouw was die me bezighield, maar mijn onafhankelijkheid. Ik miste de bekende romantische elementen, want we keken elkaar nooit verrukt en met in elkaar verstrengelde vingers aan, en we gingen nooit op een bank zitten om naar de ondergaande zon te kijken, en we spraken nooit over de toekomst – een onderwerp dat we allebei, ons in dezelfde mate bewust van onze omstandigheden, met bijna neurotische zorgvuldigheid meden – en onze kussen, onze liefkozingen en onze omhelzingen putten zich nooit, als van regen verzadigde wolken, helemaal in zichzelf uit, en dat leek me niet goed, alsof we ertoe veroordeeld waren altijd op de trede te blijven die zich net onder het sublieme geestelijke niveau bevond die de liefde in theorie moet zijn, maar ook daalde soms, terwijl

Fernando zich in mij bewoog, vanaf een niveau dat zich hoog boven het normale genot bevond, een ambivalent gevoel, vertrouwd en vreemd, een mengeling van emotie en schuld, over me neer, om mij het geluk te brengen van een staat van genade die me terugbracht bij de schaarse uitingen van religieus vuur die mijn kindertijd hadden gekenmerkt, hoewel mijn vervreemding groeide tot een omvang die ik nooit eerder had gekend, en toch was het niet dat heidense verband dat me beangstigde, maar de zekerheid dat ik, als Fernando mij op een van die momenten had toevertrouwd dat hij niets liever wilde dan mij doden, hem met de vreugde van de martelaren die zich in de leeuwenkuil stortten had gevraagd me te wurgen. Ik raakte zo geobsedeerd door dit vraagstuk dat ik soms, wanneer ik alleen was en deed alsof ik televisie keek, of een tijdschrift las, of zwom, of at, probeerde te berekenen hoeveel van de uren die we samen hadden doorgebracht, waren doorgebracht met neuken en hoeveel met iets anders, en de balans bracht me in paniek; het was echter niet zijn wellust die ik vreesde, maar mijn eigen onverzadigbare begeerte.

Ik vroeg me dagelijks af of dat woeste proces van mijn liefde voor Fernando wel of niet beïnvloed was, en in welke mate, door het feit dat hij de eerstgeborene was van de eerstgeborene van Teófila, want dat schijnbaar minder belangrijke detail nuanceerde op wonderlijke wijze de scherpe kanten van mijn hartstocht, schaafde sommige bij en scherpte andere, waardoor ik afwisselend in deugdzaamheid en een paradoxale verrukking werd gestort. Ik probeerde mezelf te reconstrueren alsof ik aan een romanpersonage werkte, en ik bekeek mezelf anders, als vanaf het einde van een tegengesteld leven, en ontdekte met een sceptische huivering dat ik me waarschijnlijk nooit op hem had gericht als ik als mijn zusje was geweest, als ik nooit die onbegrijpelijke behoefte had gevoeld om al diegenen uit mijn omgeving lief te hebben, te kennen, te steunen en te rechtvaardigen die vroeger of later de plaats hadden verlaten die hen in het leven was toegewezen. Ik dacht dikwijls aan het bloed van Rodrigo.

Enige tijd na onze eerste ontmoeting koos Fernando een andere dan gebruikelijke weg om het dorp te verlaten, en al snel reden we van de asfaltweg een landweg op die naar het voetbalveld liep. Ik vroeg hem een paar keer waar we heen gingen, maar hij zei dat hij dat niet kon vertellen omdat het een verrassing was. Het was een donkere nacht en ik kon de plaatsen waar we langs reden niet goed thuisbrengen, maar ik was er bijna zeker van dat we een veel grotere omweg hadden genomen dan die andere keren, wanneer we hierheen waren gereden om ons voetbalteam aan te moedigen, toen de motor stilstond aan de oever van de rivier.

'Stap af,' zei Fernando. 'De brug ligt veel te ver weg en we zijn er bijna. We gaan lopend verder.'

Via een pad van stenen, die recht achter elkaar lagen, staken we de rivier over en beklommen zonder inspanning een heuvel, die een klein, rechthoekig gebouw aan het gezicht onttrok van degenen die over de weg gingen die we net hadden verlaten. Fernando liep ernaar toe en sloeg met zijn hand op de muur.

'Laten we eens kijken… Wat is dit?'

De vraag was zo absurd dat ik begon te lachen. Ik stak mijn vingers in een van de gaten van de muur van stenen en lucht en antwoordde op de zangerige toon van kinderen die een moeilijke les opzeggen die ze uit hun hoofd hebben geleerd.

'Een tabaksschuur.'

'En wat nog meer?'

Ik bekeek het ding aandachtig, maar kon niets vreemds ontdekken aan die zwakke, geperforeerde wand, die opgetrokken was van om en om gelegde bakstenen die een raster vormden dat de ruimte ventileerde, waarin de tabaksbladeren, die als vuile lakens aan de dakspanten hingen, langzaam droogden.

'Nou, verder niets. Het is een gewone, normale tabaksschuur, hoewel ik niet wist dat deze er was.'

'Het antwoord is niet goed,' met een glimlach die ik niet begreep. 'Kijk eens goed. Als je de truc ontdekt, heb je een prijs gewonnen, maar anders ook…'

Ik ging naar de deur, die afgesloten was met een hangslot en liep toen langzaam, op mijn hoede voor een valstrik, om het gebouwtje heen, maar ik ontdekte niets verdachts.

'Ik geef het op,' zei ik, toen ik weer bij hem stond.

Toen ging Fernando op zijn hurken zitten en stak de vijf vingers van zijn linkerhand in vier van de gaten tussen de stenen, en eerst begreep ik niet wat hij aan het doen was, want hij trok aan de muur alsof hij die kon laten instorten, wat, zoals ik wist, onmogelijk was, maar ik zag de muur bewegen. Ik knielde naast hem neer, precies op het moment waarop hij zich omdraaide om me, met een behoorlijk parallelvormig stuk muur in zijn handen, aan te kijken.

'Kom binnen,' mompelde hij, 'het is geen paleis, maar wel veel beter dan een deken.'

'Ongelooflijk…' Ik streek over de nutteloze rand van cement, die nergens meer bevestigd was aan de steen daarboven. 'Hoe heb je dat gedaan?'

'Met een vijl.'

'Net als gevangenen.'

'Precies. Ik had eigenlijk een wat groter gat willen maken, maar ik had geen idee dat het zo veel werk zou zijn, en eerlijk gezegd was het veel vermoeiender dan ik had verwacht. Wil je naar binnen?'

Ik kroop moeiteloos door het gat naar binnen en bevond me in een rechthoekige ruimte die voor drie kwart leeg was. Aan de linkerkant hing de laatste oogst aan de spanten, nog vochtige, zachte, kleverige bladeren, die ritmisch hun vocht op de grond lieten druppelen. Grote stapels donkerder bladeren, de oogst van het jaar daarvoor, lagen aan de rechterkant tegen de muur, met uitzondering van twee stapels, die op de grond lagen en de indruk gaven van een plantaardig bed. Ik bleef in het midden staan, een grote, vrije ruimte, die er niet was geweest in betere tijden, toen de tabak de hele dakruimte, de hele vloer, elke centimeter, elke millimeter lucht in beslag nam, en Fernando, die na mij was binnengekomen, zette het luik weer op zijn primitieve plaats en naderde mij van achteren. Eerst voelde ik zijn handen, die zich rond mijn borsten sloten en me plotseling naar achteren trokken, en toen zijn lippen, die zich in mijn hals drukten.

'Van wie is deze schuur?'

'Van Rosario.'

'Maar dat is je oom!'

'Nou en? Hij is al oud, hij heeft bijna al zijn landerijen verkocht en verbouwt nog maar weinig, en bovendien... dit gaan ze hem ook nog wel aftroggelen, niet?'

'Ja, maar het is niet goed. Het lijkt op stelen.'

Hij antwoordde niet, dat kon hij niet meer. Die plotselinge stilte zou de inleiding worden tot de plechtige liturgie die wij die nacht voor het eerst vierden, de rite van de tabak, het geschenk van die vochtige, geurende cel, warm en duister als de reusachtige baarmoeder van een zorgeloze, maar ook onontbeerlijke en zachte moeder. Fernando zweeg, terwijl hij me uitkleedde met vingers die onhandig waren door het geweld dat ze doorstroomde, een vocht dat heftiger en onstuimiger was dan zijn bloed, en ik liet me ontkleden, tot de laatste van mijn doorzichtige lagen, en zweeg met hem, tot zijn wijsvinger, bedekt met het dikke, bruine sap dat onze hitte en ons zweet te voorschijn had gebracht uit het zachte oppervlak van de platgedrukte tabaksbladeren waarop we lagen, over mijn huid begon te bewegen, en strepen en cirkels tekende om een onmogelijk geometrisch landschap te componeren dat me ten slotte geheel bedekte. Soms waagde ik het mijn naam op zijn borst te schrijven en deze daarna met mijn tong uit te wissen, waarbij ik een onverklaarbaar genot vond in de wrange, bittere substantie waarin de smaak van Fernando gemengd was met die van de tabak. Later praatten en lachten we en gedroegen we ons als twee idioten door schuchter woorden en handelingen uit te proberen van die liefde die je uit films en boeken kent en die ons overdreven en belachelijk leken, want ze kwamen ons groot voor terwijl ze zo klein waren, maar ik herinner me daar niet veel van, want ik spande me alleen maar in om een gebaar van Fernando te onthouden, het teken van onze zuiverheid, een geopende hand, die zich op mijn buik legde en over mijn huid omlaag gleed, terwijl zijn pupillen zich nauwelijks waarneembaar verwijdden in een moment van intense, voorbijgaande angst. De ogen van mijn neef verankerden zich met de ziekelijke toegeeflijkheid van een roes in mijn geslacht en simuleerden een onmogelijke afstandelijkheid om het gat waarin hun eigenaar zich enkele seconden later blind zou verliezen nog van veilige afstand te bekijken, een gat dat hem een instinctieve angst inboezemde, een duistere modderpoel waardig, en ik bewaarde zijn angst als een garantie want ik zou hem nooit meer zo volledig bezitten als op dat ogenblik, toen hij mijn lichaam trotseerde als een verwarrend en gevaarlijk noodlot waaraan hij onherroepelijk was overgeleverd.

Mijn macht zou echter nooit zo dubbelzinnig zijn als in die eerste nacht, toen ik mijn best deed om te ademen, me vastbesloten onderwerpend aan de verstikkende atmosfeer van dat bekken van vochtige lucht, waar de afwezige wind de ruimte leek te geven aan een giftig gas, en de druk van Fernando's vingers werd intensiever naarmate hij zich langzaam, mijn blik vasthoudend, in mijn richting bewoog, terwijl hij zijn geslacht met een toevallig, bijna zorgeloos gebaar in zijn andere hand hield. Toen keek ik hem aan en zag iets ondraaglijk vertrouwds in zijn uitdrukking, en weer groeide het dubbelzinnige silhouet van een schim tussen ons.

'Weet je, Fernando? We hebben allebei het bloed van Rodrigo in onze aders.'

Hij antwoordde niet meteen, alsof hij het niet nodig vond op de betekenis van mijn woorden in te gaan, maar toen ik al geen antwoord meer verwachtte, sloeg hij zijn ogen op, keek me aan en glimlachte.

'Ja?' zei hij ten slotte, een ogenblik voor hij met een korte stoot bij me binnendrong, en toen mijn wervels tegen elkaar begonnen te stoten als reactie op het barbaarse ritme van zijn beweging, en mijn hoofd naar achteren hing, alsof het dood was, gescheiden van de rest van mijn lichaam, voegde hij eraan toe: 'Flauwekul...'

Maar hoewel de partijdigheid van mijn geheugen – dat al sinds mijn kindertijd, en misschien door een bedrieglijk toeval, onophoudelijk werd aangetrokken door personages en gebeurtenissen die, zonder rekening met ons te houden, een wereld fabriceerden waar we op een dag alleen zouden wonen – mij stoorde, omdat ik hierdoor niet in staat was mijn liefde, die besmet was door een element dat haar niet eigen was, als een in essentie zuiver gevoel te ervaren, was dat nog niet het ergste. Fernando kuste me vaak alsof hij hongerde, sloeg zijn tanden met zo veel kracht in mijn lippen dat mijn tong, wanneer we ons van elkaar losmaakten, verbaasd was over het ontbreken van de smaak van bloed. Op een avond deed hij me zo veel pijn, dat ik mijn ogen opende en de zijne gesloten zag, wat in tegenspraak was met een van zijn onverzoenlijkste principes. Hij had me vaak verweten dat ik hem niet aan wilde kijken wanneer ik besloot me te laten gaan, want hij vond dat aanstellerij, hoewel hij soms aan die triviale impuls een betekenis hechtte die mij verwarde. Het is alsof je niet wilt kijken, niet wilt weten wie ik ben, zei hij op een dag, maar nu bleek hij zijn ogen te sluiten wanneer hij me beet, en door die toevallige ontdekking begon ik te vermoeden dat de wortels van zijn hartstocht niet minder onzuiver moesten zijn dan de bron van de mijne.

Nu weet ik dat mijn kracht en mijn zwakheid in dat punt samenkwamen, dat juist in het risico mijn grootste voordeel lag, want er waren miljoenen meisjes op de wereld die knapper, slimmer, grappiger waren dan ik, maar geen ander instrument dat zo geschikt was voor een zo intens verlangde uitdaging; toch kwelde dat idee mij toen en verscheurde me van binnen, want ik was ten prooi aan een heftige, universele jaloezie die mij in mijn eigen wereldorde reduceerde tot een voor- en achternaam, tot een wieg en tot een huis. Ik vroeg me regelmatig af wat er met me zou gebeuren als Fernando genoeg van me zou hebben.

Mijn angst nam toe naarmate de augustusdagen verstreken, terwijl een sombere stem me in het oor fluisterde dat er nooit meer een andere zomer zou komen. Om het gevaar te bezweren probeerde ik in mijn woorden en handelingen zo waardig mogelijk te zijn, tot het punt dat ik zelf als de uiterste grens van lachwekkend ervaarde. Ik durfde hem nooit te vragen of hij terug zou komen, maar op een middag pakte ik, toen we op het terras zaten voor de bar van de Zwitser, zijn rechterhand, strekte één voor één zijn vingers en legde hem op mijn gezicht, bereid hem alles te geven wat ik had. Terwijl ik tussen de vingers door naar hem keek, voelde ik dat het vlees van mijn wangen begon op te zwellen, dat mijn tong brandde van hitte, dat mijn ogen prikten en dat mijn speeksel niet meer los wilde komen van mijn gehemelte, maar toch deed het dat en ik hoorde hoe vast en zeker mijn stem was op het moment van mijn zelfmoord.

'Ik hou van je.'

De uitdrukking in zijn ogen veranderde niet, en om zijn lippen verscheen een glimlach die me ondraaglijk kort scheen, maar zijn hand gleed langzaam over mijn gezicht, alsof hij de sporen van mijn schaamte wilde uitwissen.

'Ik hou ook van jou,' zei hij ten slotte, op neutrale toon. 'Wil je nog iets? Ik ga nog een biertje halen.'

Bij andere gelegenheden toonde hij zich minder grootmoedig. Begin september verraste de Wallbaum-bom ons met een nieuw en verontrustend geluid, dat zelfs een leek als mij duidelijk maakte dat een of ander deel van de motor los was gaan zitten en tegen de binnenkant van het chassis sloeg. Fernando kreeg een pesthumeur en wilde mij bijna de schuld geven van de averij. Hij schreeuwde dat de motor voor wegen was bedoeld en kapot was gegaan door al die terreinritten en die verdomde landwegen. Hij kon daarmee alleen maar de weg bedoelen die we bijna elke nacht naar Rosario's tabaksschuur namen, en het leek me niet eerlijk dat hij dat zei, maar ik had hem nog nooit zo razend gezien, en toen hij naar huis vertrok om gereedschap te halen, ging ik zonder een woord te zeggen op een bank zitten en paste op de motor.

Toen hij terug was, mopperde hij zachtjes voor zich heen dat hij een idioot was, dat het onmogelijk was om de Wallbaum-bom in dat klotedorp te repareren, dat zelfs de moeren daar waarschijnlijk niet dezelfde kant op draaiden als in de rest van de wereld, dat zijn vader hem zou vermoorden, dat hij zou weigeren de aanhanger te gebruiken, dat hij uiteindelijk zonder motor zou zitten, en dat hij zich afvroeg op welk onzalig moment hij op het idee was gekomen om uit Hamburg weg te gaan, tot hij plotseling midden in een zin verstomde en mij met twee met smeer besmeurde vingers een koperen cilindertje gaf.

'Ga naar de Renault-garage op de hoek en vraag ze of ze ooit zo'n onderdeel hebben gezien.' De grofste sergeant had zich met meer respect tot een nieuwe lichting rekruten gewend. 'Als dat zo is, vraag dan waar en koop er een. Snel.'

Ik ging op weg zonder aan te voeren dat ik er op grond van de in mijn hele leven opgedane ervaring niet zozeer aan twijfelde of de moeren in Almansilla in dezelfde richting draaiden als in de rest van de wereld, maar me wel afvroeg of ze soms doldraaiden. Toen de monteur van de garage het onderdeel zag, bekeek hij het even van boven, stak zijn hand in een la en haalde er een handvol glanzende duplicaten uit.

'Hier, zoek maar een mooie uit.'

'Maar zijn ze geschikt voor een Duitse motor?'

'En voor een Australisch vliegtuig, Malena, verdomme... Wat denkt die slimmerik wel! De schroefdraad is overal hetzelfde.'

Fernando's ogen lichtten op toen ik hem het vervangende onderdeel gaf, en gedurende het korte kwartier dat de reparatie duurde, hoorde ik hem zacht in het Duits zingen. Toen hij de laatste schroef had aangedraaid, startte hij de motor en ging erop zitten, maar hij verdween niet uit het gezicht. Aan het eind van de straat keerde hij en reed naar mij terug, en ik zag een triomfantelijke uitdrukking op zijn gezicht.

'Perfect. Hij klinkt geweldig, kijk...'

Hij miste het defecte onderdeel niet voor hij de gereedschapkist had gesloten en naar de grond keek om na te gaan of hij iets vergeten had.

'En de andere cilinder? Heb je die in de garage achtergelaten?'

'Nee, die heb ik hier.'

Ik stak mijn rechterhand uit. Ik had het onderdeel met een doek en wat spuug schoongemaakt terwijl hij met zijn rug naar me toe aan het werk was en het lag nu glanzend en als nieuw om mijn middelvinger. Ik had het graag om mijn ringvinger gedaan, als een trouwring, maar daarvoor was het te groot. Toen ik op het punt stond hem dat te vertellen, maakte zijn luidruchtige lach mij duidelijk dat het niet het beste moment was voor een bekentenis.

'Wat een sieraad!'

'Ik vind het mooi, maar als je het ergens voor nodig hebt, krijg je het terug.'

'Nee, hou maar. Het is niet meer waard dan een paar stuivers...' En toch had hij toen hij me beet zijn ogen gesloten.

Het einde van de zomer bracht het bewijs dat mijn vermoeden definitief bevestigde. Op dezelfde nonchalante en optimistische toon waarop hij me altijd vroeg wat ik wilde gaan doen, deelde Fernando me mede dat de datum van zijn terugkeer naar Duitsland vaststond, en vanaf dat moment klampte ik me aan elke dag vast. Eerst waren er nog maar tien dagen, toen negen, vervolgens acht, en ik telde de uren op mijn vingers, probeerde me bewust te zijn van elke minuut, en deze op te rekken, te verdubbelen, voor de gek te houden, en elke ochtend spraken we iets vroeger af, en elke nacht gingen we iets later uit elkaar, en we kwamen de tabaksschuur bijna niet meer uit, en we gingen niet meer naar Plasencia, niet meer naar het dorp, gingen geen biertje meer drinken, en verspilden onze tijd niet meer met kaarten of in de bioscoop. Ik wilde voor een schitterend afscheid zorgen, iets wat hij nooit zou vergeten, wat me voor altijd een plaats in zijn herinnering zou geven, en ik zocht overal naar een draad die hem aan mijn schaduw zou hechten, een groots gebaar, een ontroerend teken, een onderpand, een schat, een ster, maar hoe ik ook mijn best deed wanneer ik bij hem was, tegen hem aan lag, de korte, diepe momenten van stilte als uren beleefde, ik had nog steeds geen concreet plan ontwikkeld toen hij plotseling, op een avond als alle andere, zonder enige waarschuwing begon te praten.

'In jullie huis is er meteen achter de deur een kleine, vierkante ontvangstkamer, klopt dat? En aan de rechterkant een groen geschilderde metalen kapstok, met een spiegel en haken voor de jassen, niet?'

'Ja,' fluisterde ik, en ik kon mezelf nauwelijks horen. 'Hoe weet je dat?'

Hij wist veel meer en noemde alles met vaste stem op, geen aarzeling, geen twijfel, zijn stem had absoluut geen vragende toon, terwijl hij bevestigde dat zich verderop een deur bevond met rode, blauwe, groene en gele ruiten, die uitkwam op een soort grote hal waar de trap was en een gang vandaan liep, die zich onmiddellijk splitste, en links naar de grote woonkamer leidde en rechts naar de kamers van de dienstmeisjes en naar de keuken, en toen keek hij me aan. Ik knikte weer, stomverbaasd, en hij moet dat begrepen hebben als een uitnodiging om door te gaan, want hij bleef doorpraten en beschreef met verbazingwekkende precisie een huis waarin hij nooit een voet had gezet, en bleef staan bij details zoals die alleen waargenomen worden door de ogen van een kind dat zich op een regenachtige middag verveelt, zoals de vorm van een olifant die te zien was in een scheur in een van de vloertegels van de voorraadkamer.

'Dat is ongelooflijk, Fernando,' zei ik ten slotte verbijsterd, 'je weet alles.'

Hij glimlachte zonder me aan te kijken.

'Mijn vader heeft het me verteld. Hij heeft daar tot zijn zevende gewoond.' Toen herinnerde ik me het verhaal dat ik van Mercedes had gehoord, en ik wilde zeggen dat ik dat al wist, maar hij praatte verder. 'Toen ik klein was, zijn we in de vakantie drie of vier keer in Spanje geweest, en soms ging ik met hem naar de rotsen naast de stuwdam en dan klommen we naar het hoogste punt om het hele huis te kunnen zien. Ik vroeg hem toen hoe het er van binnen uitzag en hij heeft het verteld. Hij herinnerde zich alles. Ze zeggen dat kleine kinderen veel kunnen onthouden, en dat moet wel waar zijn, want ik herinner me alles wat hij me toen heeft verteld, dat heb je gemerkt.'

Toen ging mij een licht op, en plotseling wist ik wat het enige gebaar was, het moeilijkste van de heldendaden die binnen mijn bereik lagen, en ik werd zo zenuwachtig dat het me moeite kostte om de ketting van mijn hals te halen. Mijn vingers trilden toen ik hem bevrijdde van het gewicht van een kleine, metalen sleutel, en mijn ogen prikten toen ik hem in zijn hand legde en deze dichtdrukte.

'Pak aan,' zei ik alleen.

'Wat is dat?' vroeg hij, terwijl hij zijn hand opendeed en eerst met een onzekere uitdrukking naar de sleutel en toen naar mij keek.

'Het is een smaragd, een edelsteen, bijna net zo groot als een kippenei. Rodrigo, die van het kwade bloed, heeft er een broche van laten maken en ik heb hem op een middag van grootvader gekregen. Hij is heel veel geld waard, meer dan je je ook maar kunt voorstellen, zei hij tegen mij, en hij vroeg me hem te bewaren en hem nooit, nooit aan iemand te geven, want hij zou op een dag mijn leven kunnen redden. Je mag hem nooit aan een jongen geven, Malena, dat is het belangrijkste, zei hij, maar ik geef hem nu aan jou, zodat je weet hoeveel ik van je hou.'

Fernando dacht even na, en toen hij zijn hoofd ophief en me aankeek, had ik het gevoel dat hij geen woord van mijn verhaal geloofde.

'Dit is geen broche,' zei hij op een laatdunkende, bijna minachtende toon, 'maar een sleutel.'

'Maar het is de enige sleutel van het kistje waar de smaragd in bewaard wordt, en dat betekent dat hij nu van jou is, begrijp je dat niet?'

'Wil je echt iets geweldigs voor me doen, indiaantje?' zei hij bij wijze van antwoord, terwijl hij me in mijn ogen keek, nadat hij de sleutel op zijn broek had gegooid.

'Natuurlijk,' zei ik, 'zeg het maar.'

'Laat me dan een nacht in grootvaders huis.'

Het begon al licht te worden toen ik mijn gezicht in zijn oksel verborg en langzaam bewoog, alsof ik zijn zweet wilde drinken, en terwijl hij dat voor die tijd nooit had toegestaan, deed hij nu niets om me tegen te houden. Toen was ik er zeker van dat Fernando mij op de een of andere manier gebruikte, maar ook dat was niet het ergste.

Het ergste, en het beste, was dat ik het allemaal goed vond.

We namen 's morgens staande afscheid, voor het hek aan de achterkant waardoor ik hem twee nachten daarvoor in de Finca del Indio had binnengesmokkeld, en toen zag ik mijn sleutel, de kleine, zilverkleurige sleutel van mijn kistje, aan zijn sleutelbos hangen, waar hij rinkelde tussen de andere sleutels. We zeiden niets, niet eens tot ziens, en ik hield me weer goed, heel goed, want hij had me te verstaan gegeven dat hij me niet wilde zien huilen, en ik huilde niet. Toen de motor zich over de weg verwijderde, bleef ik staan, zonder goed te weten wat ik moest doen, alsof alle tijd tot aan zijn terugkeer overtollige tijd was, en ten slotte, om maar iets te doen, ging ik het huis in, liep naar de keuken en ging aan de tafel zitten, zonder te willen eten of drinken. Ik begon er al over te denken weg te gaan, zomaar ergens heen te gaan, toen ik mijn grootvader achter de glazen deur van de voorraadkamer zag staan.

Zonder iets te zeggen, liep hij naar de koelkast, alsof hij niet besefte dat ik daar alleen was en dat ik iemand was tegen wie hij wel sprak, en nadat hij een snelle blik naar links en naar rechts had geworpen, deed hij de deur open, pakte er een flesje bier uit en opende het door de hals tegen de rand van het aanrecht te leggen en met zijn vuist op de dop te slaan. Ik glimlachte omdat hij al jaren geen bier meer mocht drinken, en toen pas realiseerde ik me dat ik mijn belofte had gebroken. Nou ja, zei ik bij mezelf, hij zou in mijn plaats hetzelfde hebben gedaan, en alsof hij mijn gedachten kon lezen, ging hij naast me zitten en glimlachte.

'Hij komt terug, Malena,' zei hij, en ik liet mijn hoofd tegen zijn schouder zakken.

Hij had me nooit toegestaan over Fernando te praten, ik wil er niets van weten, had hij gezegd, die ene keer toen ik hem het grote nieuws wilde vertellen en nog voor ik ook maar de tijd had gekregen om zijn kamer binnen te gaan, ik heb al genoeg problemen aan die kant, dus moet je hier maar in je eentje mee klaar zien te komen, en ik hoop dat je er iets aan hebt, en op dat moment dacht ik dat hij eerlijk was, dat hij niets wilde weten, dat hij er geen woord over wilde horen, nooit geconfronteerd wilde worden met wat er gebeurde, maar die ochtend in de keuken begreep ik dat hij toen al alles geweten moest hebben, want hij, die niet praatte, niet luisterde, niet keek, wist altijd alles, want hij was wijs.

'Trek niet zo'n gezicht,' voegde hij eraan toe, en ik begon te lachen. 'Geloof me maar, die komt terug.'

In tegenstelling tot wat ik had verwacht, was de terugkeer naar Madrid een bijna troostende verandering, niet alleen doordat het verschrikkelijke heimwee naar Fernando, dat me in de korte week die ik na zijn vertrek nog in Almansilla doorbracht bij elke stap had overvallen, oploste tussen de onduidelijke grenzen van een complexere onrust, als een kompas van actieve hoop, vrij van de apathische passiviteit van de zwaarmoedigheid, maar ook doordat die herfst opmerkelijke nieuwigheden bracht in het tot dan toe monotone winterritme van mijn leven.

Mijn dagen, die tot die tijd strikt gelijk waren geweest, begonnen zeer verschillende bijzonderheden te bieden, smalle marges van variëteit, die in mijn ogen het vibrerende niveauverschil kregen van de hellingen van een achtbaan, want de kloosterschool lag achter me, en daarmee het uniform, en de Mariamaand, de huishoudlessen, het rekenen, en zelfs de bus van alle ochtenden en alle middagen. Toen ik zes maanden daarvoor had gehoord dat de nonnen hun oude plan om de voorbereidende universitaire cursus in hun traditionele lesprogramma op te nemen voor onbepaalde tijd hadden uitgesteld, had ik een dergelijke vrijheid niet eens kunnen dromen. Zelfs de metro, die me dagelijks naar de oude, vuile en wanordelijke academie bracht waar ik les had, scheen me een prachtige plaats toe. En ik kon een glimlach niet onderdrukken bij de herinnering aan die smerige geur van schoonmaakmiddelen die uitgewasemd werd door die gepolijste roze tegels, die eruitzagen als plakken boterhamworst, want van die kwelling was mijn neus voor altijd bevrijd.

De dag na onze terugkeer gingen Reina en ik, nog voor we onze koffers hadden uitgepakt, de roosters bekijken en we ontdekten dat we verschillende lestijden hadden. Zij wilde bedrijfskunde gaan studeren, een nogal populaire studie, en was in een van de vele groepen van 25 studenten ingedeeld die als andere vakken wiskunde, Engels en economie hadden. Ik had Latijn, Grieks en filosofie gekozen, een blijkbaar bijzonder exotische combinatie, want mijn naam maakte onderdeel uit van een lijst van achttien studenten, de enige groep in deze richting. De meerderheid van de kandidaten voor de filologische faculteit, waar ik heen wilde, had naast de onvermijdelijke dode talen een vreemde taal gekozen, maar ik had hiervan afgezien omdat het niveau van mijn Engels al beter was dan dat van de speciale cursus. Als gevolg daarvan had mijn groep, net als alle minder populaire groepen, een middagrooster, terwijl Reina, met haar zeer gewilde cursus, het theoretische voorrecht genoot van een ochtendrooster.

Zo veranderde een ogenschijnlijk zo triviale factor als het kiezen van de vakken voor dat jaar de richting van mijn leven in meer dan één opzicht. Vanaf dat moment zat ik bijna nooit meer met mijn zusje aan tafel, want ik moest vroeger eten dan de anderen om om drie uur precies aan mijn eerste lesuur te kunnen beginnen, maar haar afwezigheid op zich bevreemdde me niet zozeer als het feit dat ik alleen was, en meer nog, geen deel meer uitmaakte van een tweeling, want ik herinner me hoe verbaasd ik was toen ik merkte dat niemand van mijn docenten, niemand van mijn medestudenten en niemand van de mensen die elke middag mijn pad kruisten in de gangen of in het cafetaria ook maar enige reden hadden om te vermoeden dat ik een tweelingzus zou hebben en dat ze dat dus inderdaad niet vermoedden.

Dat was de grootste verrassing van het begin van dat studiejaar, maar niet de enige, want, hoewel ze op de vingers van één hand te tellen waren, en er dan nog een overbleef, waren er in mijn groep mannelijke studenten, waardoor mijn historische – bijna hysterische – verlangen naar gemengd onderwijs eindelijk werd vervuld, hoewel de verschijning van Fernando in mijn leven daar nu elke betekenis aan ontnomen had. Maar alleen de aanwezigheid al van die dwergen, die zo geschrokken waren van de overweldigende superioriteit van het vrouwelijke element dat ze elkaar beschermden door altijd bij elkaar op de achterste rij te gaan zitten, was net zo troostend als de legitimiteit van verzuim, dat wel werd genoteerd, maar niet onmiddellijk leidde tot een telefoontje naar het ouderlijk huis. En ik heb weliswaar in het hele jaar niet meer dan drie of vier lessen gemist, maar ik genoot van het idee dat ik op een middag zomaar naar de bioscoop zou kunnen gaan zonder dat er iets zou gebeuren. Vriendschappen sluiten was echter de grootste verrassing.

Toen ik op de eerste collegedag, met de bekende kriebels van een première in mijn buik, een grote zaal vol onbekenden binnenstapte, realiseerde ik me dat ik eigenlijk nog nooit eigen vrienden had gehad. Het constante gezelschap van Reina had me bevrijd van de kinderlijke zorg schoolvriendinnen te vinden, en het grote aantal neven en nichten, die samen met mij de Finca del Indio bevolkten, had het niet minder bekende en moeizame werven van een groep voor de zomervakantie overbodig gemaakt. Nog nooit had ik iemand hoeven vragen vriendin met mij te worden, en nog nooit had ik me op de een of andere manier moeten waarmaken om toegelaten te worden tot een groep, en daarom, verloren tussen vreemden, koos ik een plaats tegen de muur, wisselde enkele weken lang met niemand een woord, en liep in mijn eentje door de gangen wanneer ik in de pauzes naar buiten ging om te roken. Ik was me ervan bewust dat mijn onwetendheid op het gebied van de omgangsregels voor een dergelijke omgeving, hoe banaal ook, door mijn medestudenten kon worden uitgelegd als een blijk van arrogante en onterechte minachting, vooral omdat ik me niet kon verschuilen achter verlegenheid, want dat zou bij elke stap gelogenstraft worden door mijn stem en mijn gedrag, maar aan de andere kant genoot ik zo van dat beetje eenzaamheid dat het perspectief van een eventuele toename daarvan mij niet echt verontrustte.

Mijn houding trok de aandacht van een meisje dat altijd precies aan de andere kant van de zaal zat, in gezelschap van drie of vier vriendinnen die ze al langer moest kennen, want ze leken het goed met elkaar te kunnen vinden. Op een dag ging ze naast me zitten en vroeg me, terwijl ze zich al op voorhand voor haar nieuwsgierigheid verontschuldigde, wat ik om mijn vinger droeg. Ze beloonde het verhaal over de moer met een hartelijke lach die vrij was van elk sarcasme, en haar lach beviel me. Ze heette Mariana en in de volgende pauze stelde ze me aan haar vriendinnen voor, Marisa, die klein en dik was, Paloma, blond en met puistjes in haar gezicht, en Teresa, die uit Reus kwam en met een grappig accent sprak. Ze namen me met grote vanzelfsprekendheid op, want ze hadden elkaar voor de eerste collegedag nog nooit gezien, en stelden me vervolgens voor aan hun neven en nichten, broers en zusters, vrienden en vriendinnen, die ook weer neven en nichten, broers en zusters en studievrienden hadden, die op hun beurt weer vriendinnen hadden die nichtjes en broers en studievrienden hadden, en voor ik er erg in had, had ook ik vrienden, maar ik dacht er niet over ze aan mijn zusje voor te stellen.

Mijn dagen waren nog nooit zo overvol geweest. 's Morgens had ik Engels, en ik ging bijna elke avond naar de bioscoop met Mariana en Teresa, want van films kregen we nooit genoeg, en als er een was die we echt mooi vonden, zagen we die soms drie of vier keer zonder dat we ons verveelden. Ik had nauwelijks rust, lachte veel en zorgde dat ik van maandag tot vrijdag niet te veel aan Fernando dacht, maar slapen kon ik alleen met hem in gedachten en de weekenden waren volledig aan hem gewijd. Elke zaterdag na het ontbijt begon ik aan een lange brief die ik, nadat ik meerdere kladversies verscheurd had, niet voor zondagmiddag pleegde te beëindigen. Voor ik de envelop dichtplakte, stopte ik er, als cadeautje, een kleinigheidje in, een button, een sleutelring, een ansichtkaart, een amusant krantenknipsel, een sticker of een gedroogde bloem, met een briefje erbij waarin ik me verontschuldigde voor het sturen van zoiets kitscherigs. Zijn antwoorden kwamen met grotere tussenpozen, maar zijn brieven waren nog langer dan de mijne, en nadat hij mijn enige opdracht had vervuld – de broek die ik Macu had beloofd – begon hij postpakketten te sturen met echte cadeaus, hemden, affiches en grammofoonplaten die pas maanden later in Spanje verkrijgbaar zouden zijn.

De tijd verstreek langzaam, maar ik verdroeg zijn traagheid beter dan ik had verwacht, tot Reina, begin november, een vreemde ziekte kreeg.

De eerste symptomen hadden zich bijna precies een maand eerder voorgedaan, maar ik had er toen niet veel aandacht aan besteed want ze verschenen slechts enkele dagen voor andere, wredere dagen die het voortschrijden aankondigden van de niet meer te remmen sclerose die het geliefde en zondige lichaam van mijn grootvader in weinig meer dan drie maanden verwoestte. Toen ik Reina op een ochtend bij het opstaan nog in bed aantrof, dubbelgevouwen en haar armen op haar onderlichaam gedrukt alsof haar ingewanden dreigden zich over de lakens te verspreiden, schrok ik een beetje, maar ze stelde me gerust met de opmerking dat ze ongesteld was geworden. Geen van ons beiden had daar normaal gesproken erg onder te lijden, maar ik zag die uitzondering als een heel normale tegenvaller. Zo zag ik het echter niet toen ik haar 's avonds, nadat ik was thuisgekomen, nog steeds ineengekrompen in bed aantrof en hoorde dat ze zich de hele dag niet sterk genoeg had gevoeld om op te staan.

Ook de volgende dag stond ze niet op, en ze zag er zo slecht uit dat ik besloot niet naar college te gaan en bij haar te blijven. Omdat de pijnstillers weinig effect leken te hebben, gaf ik haar een glaasje gin, dat ze met kleine slokjes leegdronk, en dat huismiddeltje werkte beter. We aten samen, en 's middags stond ze erop met mij naar de bioscoop te gaan om een film te zien die ze heel mooi vond, maar waarvan ze wist dat ik met mijn vriendinnen had afgesproken om die het volgend weekend te gaan zien. Ten slotte zag ik de film twee keer en werd alles weer normaal. Ik was de pijn van mijn zusje al vergeten toen zich vijfentwintig dagen later precies hetzelfde voordeed, maar te oordelen naar het gekerm van de zieke veel heftiger.

Toen begon ik me echt zorgen te maken en sprak er met mijn moeder over, maar zij had er, door de opname van grootvader in het ziekenhuis een maand daarvoor niets van gemerkt en wilde niet luisteren. Elke vrouw, zei ze, heeft wel eens een pijnlijke menstruatie, het gaat vanzelf over. Ik hield koppig vol, want Reina lag al drie dagen in bed en zei dat ze zich af en toe zo opgeblazen voelde, alsof er iets in haar buik groeide, maar mama weigerde zelfs maar de mogelijkheid te overwegen dat haar zwakste dochter, dat meisje dat ooit bijna haar leven had verloren terwijl ze vocht om het te behouden, nu het risico liep terug te vallen in dat blijkbaar onvermijdelijke lot dat ze in haar kindertijd met zo veel inspanning, en zo veel geluk, had weten te bestrijden, en ze wees elke mogelijkheid van ziekte van mijn zusje van de hand met dezelfde koude onnadenkendheid waarmee ze haar als kind altijd te grote kleren had laten dragen, alsof haar ogen, die toen niet wilden zien dat haar lichaam niet groeide, nu niet wilden zien dat er met dat eindelijk volwassen geworden lichaam iets niet in orde was.

Reina, die in die sombere wachtkamers van de specialisten, die haar, toen ze klein was, verschillende keren van de andere kant hadden teruggehaald, al vroeg had geleerd haar moeder niet te verontrusten, liet tegen haar geen klacht horen, maar beschreef wanneer we alleen waren tot in detail hoeveel pijn ze had. Ze voelde scherpe steken, alsof ze een scherpe en grillige speld had ingeslikt die doelloos tussen haar ingewanden rondzwierf en zich zonder waarschuwing op de een of andere plaats naar binnen boorde, dan urenlang rustig bleef om vervolgens zijn aanvallen te verhevigen en haar te martelen tot ze volledig was uitgeput, en die concrete en heftige pijn overheerste een doffe, maar onverbiddelijk aanwezige druk in haar buik die ertoe leidde dat deze af en toe tot aan haar borst leek uit te dijen om daar een beangstigend gevoel van verstikking te geven. Ik wist niet wat ik moest doen, maar ik was heel bang, en hoewel ik mijn zusje niet wilde verschrikken met enge verhalen, vreesde ik elke avond het ergste wanneer ik ging slapen, nadat ik gefaald had in mijn pogingen haar pijn met alle denkbare middelen te verlichten. Ik probeerde de gin, waarvan de werking verminderd leek te zijn, te vervangen door de inhoud van alle flessen die ik maar in huis kon vinden, maar dat had tot gevolg dat de zieke enigszins verdoofd raakte voordat de daaropvolgende misselijkheid de zaak alleen maar verergerde. Ik streek handdoeken op de hoogste stoomstand, en toen de hitte nutteloos bleek te zijn, vulde ik de wastafel met ijsblokjes, en legde de handdoeken daarin, om vervolgens te moeten vaststellen dat ook koude niet hielp. De massages van haar onderlichaam en nieren deden haar in het begin goed, maar ook de werking daarvan was al snel uitgeput, en de lauwe baden hadden helemaal geen effect. Mijn ideeënvoorraad raakte langzaam uitgeput en de resultaten bleven steeds hetzelfde: ik heb zo'n pijn, Malena.

Toen ze ten slotte opstond, na vijf dagen in bed te hebben gelegen, slaakte mijn moeder een zucht van verlichting en verweet mij dat ik haar om zo'n kleinigheid aan het schrikken had gemaakt, maar ik was nog steeds ongerust, want het lukte Reina niet om helemaal rechtop te lopen en de geringste inspanning was haar bijna te veel, al was het maar zoiets kleins als het bestijgen van de trap van een metrostation. Daarom bood ik, hoewel het niet mijn taak was en zij benadrukte dat ze zich sinds een week veel beter voelde, op een zondagochtend aan naar beneden te lopen om een krant te kopen, maar ze stond erop met me mee te gaan en ten slotte gingen we samen, net als vroeger, toen we nog klein waren, want haar ziekte, van welke aard die ook geweest mocht zijn, had het wonder bewerkt ons op een moment waarop onze verwijdering definitief leek weer bij elkaar te brengen. We liepen langzaam over het trottoir, genietend van de winterse zon, toen haar lichaam plotseling dubbelboog van een zo heftige steek dat ze gedurende enkele seconden die me als eeuwen voorkwamen geen woord kon uitbrengen.

's Middags liet ik haar in de kamer voor de televisie achter en sloot me in mijn kamer op onder het voorwendsel een brief aan Fernando te schrijven, maar ik kwam niet eens zover dat ik een vel papier pakte. Ik moest nadenken, en ik had alle punten op een rijtje om de situatie te kunnen evalueren en de mogelijke ontwikkelingen met bijna mathematische nauwkeurigheid te kunnen bepalen. Nooit eerder was ik met zo'n dilemma geconfronteerd, want ik had me nog nooit gedwongen gezien een zo zware verantwoordelijkheid op me te nemen. Als ik niet zou ingrijpen, zou mijn moeder nooit met Reina naar de dokter gaan voor ze haar languit in de gang zou vinden, en dan was het misschien te laat. Mijn zusje, die meer rekening hield met de angstgevoelens van haar moeder dan met zichzelf, zou het niet vragen voor ze wist dat ze doodging, en dan zou het zeker te laat zijn. Maar als ik beiden onder druk zou zetten, en dat kon ik doen, zou ik me in het hol van de leeuw begeven, want sinds Reina's groeiproblemen waren opgelost, was ik altijd wanneer Reina naar de dokter moest, en mijn moeder er niet onderuit kon, met hen meegegaan, en was ik er nooit aan ontkomen dat mijn oren of mijn tanden of mijn keel of mijn voetzolen onmiddellijk na die van haar aan een onderzoek werden onderworpen. Ik wist zelfs al woord voor woord wat ze zou zeggen om me aan te moedigen – ja, Malena, jij ook, vooruit… dan ben ik weer helemaal gerust – op een toon die zowel haar absolute onbezorgdheid over mijn gezondheid als het echte doel van mijn onderzoek verraadde, namelijk het troosten van Reina door haar kwaal, van welke aard deze ook was, zo normaal mogelijk te laten lijken.

Ik realiseerde me dat elke verstandige persoon zich absoluut buiten deze gebeurtenissen zou houden en de ontwikkelingen hoogstens van verre en discreet zou hebben gevolgd, maar ik voelde me niet in staat tot een dergelijke neutrale houding, en de angst die ik had opgebouwd was zo groot en zo diep dat ik visioenen begon te zien, fraaie luchtspiegelingen, zoals verlorenen in een woestijn wanneer ze op het punt staan van dorst om te komen. Want hoewel mama waarschijnlijk een privé-arts zou raadplegen, in dit geval de gynaecoloog van de familie – als die er was, en die zou er zeker zijn, want mijn familie beschikte over alles, van timmermannen tot dierenartsen, die al sinds mensenheugenis de Alcántara's tot hun klanten konden rekenen – in plaats van naar een vreemde, waarschijnlijk te haastige en zelfs onbeschofte ziekenfondsarts te gaan, die echter wel zou beschikken over een ongelimiteerde variëteit aan medische technieken die absoluut ontoegankelijk waren voor de eerste… wat had die man verdomme te maken met wat ik wilde doen of laten? Aan de andere kant waren Reina en ik inmiddels zo oud dat ik er redelijkerwijs van uit kon gaan dat zelfs mijn moeder zou beseffen hoe absurd het was om tijd en geld te spenderen aan onnodige consulten, want we waren intussen natuurlijk zo ver dat niemand ons meer voor een eenheidsprijs zou behandelen. Bovendien waren artsen natuurlijk een beetje hetzelfde als priesters, want ook zij hadden een zwijgplicht.

Toen ik al bijna tot de conclusie was gekomen dat het risico in beide gevallen uiterst groot was, corrigeerde ik mezelf op tijd, want mijn zusje liep een veel groter gevaar dan ik, hoe je het ook bekeek. Dus moest ik even slikken, maar het eerste wat ik de volgende ochtend deed, was met mijn vader meerijden naar zijn werk om in de auto met hem te kunnen praten.

'Nee, nee en nogmaals nee! Je moet bij mij niet aankomen met bloederige vrouwenzaken,' waarschuwde hij, 'want dat zijn dingen die ik walgelijk vind.'

Maar ten slotte beloofde hij er met mijn moeder over te praten, hoewel zijn stem zo onbezorgd klonk dat ik er weinig goeds van verwachtte. Het vermoeden dat mijn ingrijpen weinig effect zou hebben, was echter minder ontmoedigend dan het fiasco dat me wachtte toen ik thuiskwam, toen ik het eindelijk aandurfde om het onderwerp met de belangrijkste betrokkene te bespreken. Terwijl ze haar pijn enkele dagen daarvoor nog in geur en kleur en met de fanatieke precisie van een miniatuurschilderes had beschreven, trok ze nu haar wenkbrauwen op om haar verbazing te onderstrepen voor ze op kalme toon verklaarde dat ze zich nooit zo slecht had gevoeld als ik beweerde en ze veegde met ongebruikelijke felheid al mijn argumenten van tafel zonder de moeite te nemen deze door andere te vervangen. Even had ik de indruk dat ze zich in het nauw gedreven voelde, maar toen ik mijn druk al verminderde, omdat ik bang was dat ik haar angst, die zich uitte in haar harde afwijzing, alleen maar zou vergroten, liet ze zich een zo koude en beheerste opmerking ontvallen, die ook zo eigen was aan de goed gesmeerde machinerie van haar redeneringen, dat ik me ten slotte afvroeg of ik niet degene was die doorgedraaid was.

'Dat is alleen maar inbeelding, Malena,' zei ze liefjes, terwijl ze even haar hoofd tegen het mijne legde. 'Je maakt je nog steeds zorgen om mijn gezondheid, net als toen we kinderen waren, alsof alles wat mij overkomt jouw schuld is. Maar hoe erg je het ook vindt, ik zal altijd kleiner zijn dan jij, daar is niets meer aan te doen, maar dat geldt ook voor het feit dat jij niets van je ongesteldheid merkt, terwijl ik er doodziek van word. Jij wordt nog niet eens verkouden in de winter, terwijl ik tot midden mei loop te hoesten en te snotteren. Je bent veel sterker dan ik, maar daar heeft niemand schuld aan.'

Die korte verklaring herinnerde mij aan de scheidsrechter van het spel, aan de fragiele manipulator van het geweten die zich zachtjes op de grond liet zakken om vanaf die plaats, ineengedoken op haar knieën, tegen mij te praten, aan de Reina die me het minst beviel, en ik wantrouwde haar, en haar geheimzinnige en wispelturige kwaal, die alleen door mij werd erkend, en ik wantrouwde haar motieven, maar diezelfde nacht werd ik vroeg in de ochtend wakker van een gil, en toen ik het bedlampje had aangedaan, vond ik haar met dichtgeknepen ogen, haar tanden in haar onderlip geklemd. Haar rechterhand was tot een vuist gebald en drukte op haar buik alsof ze de pijn naar binnen wilde duwen, en haar gezicht drukte een zo intens lijden uit, dat het alleen maar echt kon zijn.

'Afgesproken, Malena,' fluisterde ze toen de crisis voorbij was, 'Ik ga naar de dokter, maar op één voorwaarde.'

'Welke?'

'Dat je met me meegaat.'

'Natuurlijk ga ik mee!' zei ik glimlachend, terwijl ik even slikte. 'Wat had je dan gedacht.'

Een paar dagen daarna besloot mama eindelijk een afspraak te maken met een dokter Pereira, die inderdaad de gynaecoloog bleek te zijn die zij haar hele leven al had en die ons en meer dan de helft van de familie ter wereld had gebracht. Toen kwam Reina terug op haar eis, en zag de toekomst er plotseling veel donkerder uit dan ik ook maar had durven voorzien.

'Maar waarom wil je dat hij mij onderzoekt?' protesteerde ik. 'Met mij is ten slotte niets aan de hand!'

'Dat weet ik wel, maar ik vind het zo beschamend...'

'Doe niet zo raar, Reina, toe. Hij is gewoon een dokter.'

'Ja, dat kun je wel zeggen, maar voor jou is het anders, jij schaamt je niet zo gauw, maar ik krijg altijd een kop als een biet, dat weet je. Bovendien ben ik bang. Misschien heb ik wel iets verschrikkelijks, en ik weet niet… Het idee dat een of andere kerel een beetje in me rondwroet terwijl mama en jij rustig toekijken… Als hij jou eerst onderzoekt, en ik zie dat hij je geen pijn doet en er niets gebeurt, zou ik niet zo zenuwachtig zijn, dat weet ik zeker… Als jij niet naar binnen gaat, ga ik ook niet, dat zweer ik je Malena…'

Ik gaf toe, onderwierp me al op voorhand aan mijn noodlot, en niet alleen omdat alles wat Reina zei waar kon zijn, want ze was veel preutser en veel angstiger dan ik, en ook niet omdat ik, met alle moed die ik maar bijeen kon rapen, al had geaccepteerd dat de teerling geworpen was, maar omdat ik veel meer angst had dan zij. Ik was er zo van overtuigd dat ze iets vreselijks in haar binnenste zouden vinden, dat ik geen moment aan mezelf dacht toen we aan de expeditie begonnen die ons, via een onheilspellende gang in een reusachtig appartement aan de calle Velázquez, in het gezelschap van een van de onaangenaamste personen bracht die ik ooit van mijn leven heb ontmoet.

Dokter Pereira was op zijn hoogst anderhalve meter lang. Hij had gele tanden, drie of vier wratten op zijn kale hoofd en een weerzinwekkend snorretje dat eruitzag als een streep die met onvaste hand en een fijne viltstift op zijn gezicht was getekend. Hij zag er niet uit als een arts, want toen hij ons ontving had hij nog geen witte jas aangetrokken over zijn pak van grove tweed met bijbehorend vest, en zijn leeftijd moet, opgeteld bij die van de aftandse verpleegster die de deur openhield, die van de eeuw met minstens twintig jaar overschreden hebben. Terwijl ik zijn grappen, zijn klopjes en zijn: ongelooflijk, je bent al een echte vrouw, met een stoïcijns glimlachje verdroeg, zei ik bij mezelf dat deze vaderlijke kwal mijn zusje zou genezen, en toen hij, alle plannen van Reina in de war sturend, erop stond eerst de zieke te onderzoeken, om meer dan een halfuur later achter het witte scherm vandaan te komen met de mededeling dat alles in orde was en dat ze in een uitstekende gezondheid verkeerde, begon ik hem bijna te mogen.

Terwijl hij mijn moeder, op een toon die zijn verbijstering uitdrukte, uitlegde dat hij niet begreep wat de oorzaak van de kwaal kon zijn, en dat het in elk geval raadzaam was een hele serie proeven te doen om een eventueel probleem dat hem bij het onderzoek kon zijn ontgaan uit te sluiten, kwam mijn zusje met betraande ogen en een ontdaan gezicht bij ons terug, en toen ze naast ons ging zitten, legde ik mijn armen om haar heen. Mama stond al op om afscheid te nemen toen hij, waarschijnlijk met zijn honorarium in zijn achterhoofd, naar mij wees.

'Wil je niet dat ik de andere ook bekijk?'

'Dat is niet nodig,' zei ik. 'Ik ben heel gezond en ik heb nooit pijn bij de menstruatie.'

'Maar nu je hier toch bent… Het is voor mij geen enkele moeite,' hield hij aan, waarbij hij zich steeds tot mijn moeder richtte.

'Ja, Malena, vooruit, dat is beter… Dan kan ik weer helemaal gerust zijn.'

Toen dat varken voor me stond, sloot ik mijn ogen om te voorkomen dat ik in de zijne een reflectie van Fernando's blik zou zien en ik slaagde erin de beproeving dapper te doorstaan. Toen we weggingen, en Pereira mijn moeder bij de deur tegenhield, nadat hij afscheid van ons had genomen, probeerde ik dat gevoel vast te houden door me te concentreren op het idee dat Reina in orde was en dat al het andere niet belangrijk was. En noch de klap in mijn gezicht, die mijn moeder onmiddellijk uitdeelde, noch haar geschreeuw, in een wachtkamer vol vreemden, dat ze me van haar levensdagen niet meer wilde zien, noch het feit dat ze me midden op straat voor hoer uitmaakte, deed me pijn. Wat me wel pijn deed, was dat ze na het aanhouden van een taxi de deur opende, mijn zusje met de woorden – kom kind! – voor zich uit naar binnen duwde en zich niet eens omdraaide om naar me te kijken.

Langzaam liep ik de calle Velázquez door tot de hoek met de calle de Ayala. Daar ging ik linksaf, stak de paseo de la Castellana over en liep de calle de Marqués de Riscal in tot aan de calle Santa Engracia. Ik ging de hoek om, deze keer rechtsaf en liep door naar de plaza Iglesia. Pas toen ik op dit plein kwam, begreep ik dat ik, volkomen intuïtief, de weg van de verstoten had gevolgd.

Ik was niet in staat na te denken, en trok al aan de bel van het huis aan de Martínez Campos voor ik me dat realiseerde en zonder een excuus te hebben bedacht voor het bezoek. Paulina, die er waarschijnlijk van uitging dat ik voor mijn grootvader kwam, was echter niet al te verbaasd. Terwijl ik haar gebruikelijke vragen beantwoordde over de gezondheid van iedereen bij mij thuis, inclusief het kindermeisje, zocht ik wanhopig naar een argument waaraan ik me als aan een reddende liaan in het oerwoud kon vastklampen, maar ik kon niets bedenken, mijn fantasie was volledig uitgeput. Toen kwam Tomás door de hal naar ons toe lopen.

Hij was de enige van de broers en zusters van mijn moeder die nog steeds in dat huis woonde, en sinds de ziekte van mijn grootvader de enige autoriteit binnen die muren, want een paar maanden daarvoor, en pas nadat de zieke hun plannen had verijdeld en zijn laatste krachten had gestopt in de eis onmiddellijk uit het ziekenhuis te worden gehaald omdat hij in zijn eigen huis wilde sterven, waren zijn kinderen het erover eens geworden dat het beter was drie verpleegsters in te huren, die hem bij toerbeurt vierentwintig uur per dag konden verzorgen, dan zelf de zorg voor hem op zich te nemen, een beslissing die Tomás enthousiast had begroet omdat daarmee zijn rust werd gegarandeerd. Vanaf dat moment had Tomás de verantwoordelijkheid voor zijn vader op zich genomen, maar de taak van het organiseren van de verpleegsters en het dagelijks ontvangen van de dokter nam zijn aandacht niet zo in beslag dat er geen ruimte meer was voor andere dingen, en slimmer, of minder goedgelovig dan Paulina, hoefde hij me maar één keer aan te kijken om te weten dat mijn verschijning in dat huis ingewikkelder oorzaken moest hebben dan mijn belangstelling voor grootvader.

Hij gedroeg zich echter alsof er niets aan de hand was, en nadat Paulina mij een Coca-Cola had gebracht waar ik niet om had gevraagd, en weer weg was gegaan, zodat we alleen waren in de kamer, beperkte hij zich ertoe zijn uitpuilende ogen op de mijne te vestigen. Hij stelde geen enkele vraag.

Ik liet hem nog een paar minuten wachten en verwierp minstens een half dozijn inleidingen voor ik zacht zijn naam uitsprak.

'Tomás...'

Hij hield een glas cognac tussen vingers en wachtte, gesloten en afstandelijk als altijd. Ik had hem nooit echt gemogen, maar zijn vader had me laten beloven dat ik alleen hem in vertrouwen zou nemen als ik op een dag die steen zou moeten verkopen die mijn leven zou redden, en Magda hield van hem, en Mercedes had hun namen genoemd toen ze de korte lijst opsomde van de kinderen van Rodrigo. Ik forceerde mezelf een beetje en herinnerde me dat hij een keer de kans had gehad mij te verraden en het niet had gedaan. Ik forceerde me nog iets meer, begreep dat ik weinig alternatieven had en vertelde hem alles, van de eerste symptomen van Reina's ziekte tot de paniek die me nu aan de stoel kluisterde waarin ik gezeten was en me niet toestond ook maar over terugkeer naar huis te denken.

Toen ik uitgesproken was, liet hij zich achterovervallen in zijn stoel, keek me met een hand voor zijn mond geslagen nog even aan, en liet me toen een glimlach zien die me verbijsterde, niet zozeer door de intensiteit als wel door de weinige keren dat ik zo'n uitdrukking op dat gezicht had gezien.

'Maak je geen zorgen. Je kunt hier net zo lang blijven als je wilt... En je moet ook niet bang zijn, want er zal niets gebeuren. Er gebeurt nooit iets.'

Toen ik deze woorden hoorde, voelde ik hoe de spanning eindelijk een geheimzinnig ventiel in mijn binnenste opende, en bijna kon ik het fluiten van de lucht horen die op volle snelheid ontsnapte terwijl mijn lichaam leegliep. Mijn maag ontspande zich, mijn tong verloor die smaak, en mijn woorden verloren de strakke, plechtige toon waarachter ik me als achter een roestig en onbruikbaar schild had verscholen.

'Nee, alleen dat mijn moeder me vermoordt.'

'Ach kom. Ik wed met je om wat je maar wilt dat het met Kerstmis allemaal voorbij is.'

'Echt niet, Tomás, ik weet zeker van niet. Je kent haar niet.'

'Dacht je dat? Nou, ik heb toch zo'n... vijfentwintig jaar met haar in één huis gewoond.'

'Maar je hebt nooit zoiets meegemaakt.'

Toen werd zijn glimlach breder en explodeerde vervolgens in een verwarrende lachbui, die eerst volledig moest verdwijnen voor mijn oom op een andere, tegelijk ernstige en vrolijke toon weer met me kon praten.

'Kijk me aan, Malena, en luister naar me. Ik heb al bijna een halve eeuw geleefd, ik heb grotere ellende meegemaakt en ik heb geleerd dat er maar twee dingen zijn die echt tellen. Het eerste, en het belangrijkste,' zei hij, terwijl hij zich naar voren boog en mijn handen in de zijne nam, 'is dat niemand je ooit

kan afnemen wat je in je leven al ervaren hebt. Het tweede is dat er niets gebeurt, ook al ziet het er wel naar uit. Niemand vermoordt iemand, niemand
maakt er een eind aan, niemand sterft van verdriet en niemand huilt langer dan
drie dagen. Na twee weken begint iedereen weer dikker te worden en met plezier te eten, dit bedoel ik serieus. Als het niet zo zou zijn, zou de mensheid al
duizenden jaren geleden uitgestorven zijn. Denk erover na en je zult zien dat
ik gelijk heb.'

'Dank je, Tomás.' Zijn handen lagen, nu wat losser, nog steeds om de mijne.
Ik drukte ze krachtig en legde mijn voorhoofd in zijn handpalmen. 'Geweldig
bedankt, je weet niet...'

'Ik weet alles, jongedame.' Hij haastte zich mij te onderbreken, alsof mijn
dankbaarheid beledigend voor hem was, en tot mijn verrassing wist hij een
glimlach op mijn gezicht te toveren. 'En nu ga je Paulina waarschuwen dat je
hier vanavond blijft eten, maar je vertelt haar niets, dat doe ik wel. Ik ga je moeder bellen...' Hij bleef even staan, alsof het idee hem niet al te zeer aansprak.
'Of misschien kan ik beter met je vader praten. Ik zal hem zeggen dat je hier
bent, maak je geen zorgen.'

Paulina mopperde op me omdat ik haar niet eerder had gewaarschuwd,
want ze genoot ervan om zich belangrijk voor te doen aan de gasten, hoe onbelangrijk die ook waren, maar het eten was heerlijk. Tomás wilde niet veel loslaten-
ten over het gesprek met mijn vader, maar overtuigde mij ervan dat alles geregeld was, en loog – ik weet zeker dat hij loog – toen hij me verzekerde dat papa
hem had verteld dat Reina zich grote zorgen om mij leek te maken. Daarna
stortte hij zich met een voor mij ongekend enthousiasme op de conversatie en
was tijdens de hele maaltijd bijna alleen aan het woord alsof hij gebruik maakte
van mijn aanwezigheid om zich te oefenen in een zeldzaam en moeilijk te verkrijgen genoegen, hoewel hij niet kon voorkomen dat hij af en toe stil was om
mij aan te kijken en te glimlachen.

'Volgens mij vind je dit allemaal heel leuk,' zei ik. We waren aan het nagerecht toe en ik was opgevrolijkt door het geschenk dat de Voorzienigheid in de
koelkast voor mij had bewaard in de vorm van vla met merengue.

'Kind, ik word vijftig het komende jaar. Wat wil je? Dat ik in tranen uit-
barst?'

'Neeee!' wist ik met een mond vol schuim uit te brengen.

'Nou dan, maar je hebt wel gelijk als je bedoelt dat ik het leuk vind om je
hier te hebben. Ik moet wel een beetje gek zijn, want het drukt me wel met
mijn neus op het feit dat ik oud ben, maar... aan de andere kant voel ik me
weer jonger worden, zoals ze in die film zeiden. We nemen nog een glas om het
te vieren.'

Tot het moment waarop Paulina in de eetkamer verscheen met een wagentje
vol met flessen en een uitgesproken zure uitdrukking op haar gezicht, het bewijs
dat mijn moeder haar al gebeld had, geloofde ik niet dat het aanbod echt ge-
meend was, zoals ik nooit had geloofd dat mijn oom een constante drinker was

als ik het niet met mijn eigen ogen had gezien.

'Nou...' zei Tomás, nadat hij zichzelf een cognac had ingeschonken, 'wat wil je drinken?'

'Mag ik echt iets drinken?'

'Natuurlijk, kind, als jij het aandurft...'

Ik had niet meer dan drie of vier seconden nodig om het aanbod te bekijken, maar mijn stilte duurde lang genoeg om een opening te bieden aan een nieuwe gesprekspartner.

'Die? Die heeft al heel wat meer aangedurfd!'

'Laat het kind met rust, Paulina!' Tomás was woedend. 'Zie je niet dat ze het moeilijk heeft? Je hoeft haar verdomme niet nog ellendiger te maken.'

'Ja ja! Neem jij het maar voor haar op, en die arme zuster van je kan naar de bliksem lopen.'

'Mijn zuster heeft hier niets mee te maken.'

'Niet weinig!'

'Niet weinig en niet veel, absoluut niets!'

De toon waarop mijn oom zijn laatste opmerking maakte, bijna schreeuwde, terwijl hij op de manier van grootvader met zijn vuist op tafel sloeg, maakte Paulina aan het schrikken. Ze bedekte haar gezicht met haar handen.

'Natuurlijk,' fluisterde ze met vochtige ogen, 'één pot nat.'

'Je kent het gezegde,' zei Tomás op vriendelijke toon. Hij legde in een verzoenend gebaar een arm om haar middel en zei toen op de manier van een grap iets wat op een andere manier als de ergste provocatie had geklonken: 'Soort zoekt soort.'

Ze ging bij ons zitten om een glaasje anijslikeur te drinken, en gaf toen de krant aan Tomás, zodat hij haar kon voorlezen wat er die avond op de televisie zou zijn. Ik interpreteerde dit als een dagelijks ritueel, want zulke kleine letters kon ze zelfs met haar bril op niet meer lezen.

'Hé,' riep hij vervolgens met bijna kinderlijk enthousiasme uit. 'Kijk eens wat er vandaag komt! *Brigadoon*. Precies wat je nodig hebt, Malena. Een prachtige film, Paulina, je zult ervan genieten.'

'Ik wil je avond niet bederven, Tomás,' zei ik. 'Als je plannen hebt...'

'Ik heb een afspraak met een paar vrienden, maar we gaan altijd naar dezelfde tent. Ik ga er wel na de film heen. Ik moet hem wel twintig keer gezien hebben, maar ik zou hem voor niets ter wereld willen missen.'

Hij genoot als een klein kind van de fantastische geschiedenis van het Schotse dorp, en zijn enthousiasme was zo aanstekelijk dat ik, toen we elkaar goedenacht wensten, hij half en ik helemaal dronken, bijna vergeten was waarom ik me daar bevond. Maar voor ik de kamer van Magda binnenging, waar Paulina besloten had mij onder te brengen, keerde ik me om en liep zachtjes naar de kamer van mijn grootvader. Mama had me niet toegestaan haar bij haar bijna dagelijkse bezoeken te vergezellen, en Tomás, die een paar keer naar hem toe was gegaan om te kijken hoe het ging, had me met soortgelijke argumenten van een bezoek willen weerhouden. Je herkent hem niet meer, had hij gezegd, hij is broodmager, helemaal uitgeteerd en verward. Je kunt hem je beter blijven herinneren zoals hij vroeger was. Vandaag heeft hij een hele slechte dag gehad, voegde hij eraan toe, en ondanks dat deed ik zachtjes de deur open en glipte naar binnen, want ik zou nooit weg kunnen gaan zonder hem te hebben gezien.

In eerste instantie had ik er spijt van dat ik de raad van mijn oom niet had opgevolgd, want het lichaam dat daar in een ziekenhuisbed rustte, waarvan het hoofdeinde, toevallig of op uitdrukkelijke wens van de zieke, onder het portret van Rodrigo de Slachter stond, had een lijk kunnen zijn als de groenachtige plastic slangen die zijn neus en zijn mond binnengingen niet aangaven dat het aan een man toebehoorde die nog in leven was. De pijn die ik voelde toen ik hem zo zag, verdreef de alcohol tot de laatste druppel uit mijn bloed en maakte plaats voor een lijden dat veel dieper was, en toen ik me voorstelde wat voor kwelling de korte momenten van bewustzijn, waarin hij zichzelf moest zien zoals ik hem nu zag, voor de ooit zo trotse ruiter moesten zijn, vroeg ik me af of ik genoeg moed zou hebben om al die slangen er in één keer uit te trekken, maar de vrees dat ik hem daarmee geen zachtere dood, maar een aantal seconden van afschuwelijke doodstrijd zou bezorgen, hielp me deze gedachte met bittere gelatenheid uit mijn hoofd te zetten.

Ik liep langzaam naar het bed, en pas toen zag ik een verpleegster, die in een stoel bij een raam een boek zat te lezen waarin ze zich na het uitwisselen van een korte groet weer verdiepte. Ik had liever gehad dat ze de kamer uit was gegaan en mij met hem alleen had gelaten, maar ik durfde het haar niet te vragen en beperkte me ertoe een stoel zo neer te zetten dat ik haar mijn rug toe kon draaien. Ik keek naar mijn slapende grootvader en voelde elke lange, moeizame ademhaling als een wond in mijn borst. Toen hij iets rustiger leek te slapen, stak ik mijn hand uit om de zijne aan te raken. Ik had niet verwacht dat deze lichte beweging voldoende zou zijn om hem te wekken, maar hoewel zijn ogen een moment opengingen, sloot hij ze zo snel dat ik dacht dat hij weer verder sliep. Zijn door ziekte verzwakte stem klonk scherp en onvast als die van een kind.

'Magda?'

Ik verborg mijn gezicht in de deken, greep deze met beide handen vast tot ik door de stof heen mijn nagels in mijn handpalmen voelde boren en huilde, huilde zoals ik nog nooit had gehuild, alsof ik op dat moment had leren huilen.

'Magda…'

'Ja, papa.'

'Ben je gekomen?'

'Ja, papa, ik ben hier.'

Toen ik mijn hoofd weer ophief, voelde ik me veel levender en veel sterker, alsof ik met elke traan, met al mijn tranen, alle energie had onttrokken aan een lichaam dat deze niet meer nodig had. Grootvader zag er rustiger uit, bijna alsof hij dood was, en als hij gemerkt heeft dat ik opstond en me zo zacht mogelijk van hem verwijderde om naar de deur te gaan, liet hij daar niets van blijken. Daarom schrok ik zo toen ik de druk van een hand op mijn schouder voelde, en toen ik me omdraaide, klopte mijn hart zo heftig tegen de vier hoeken van mijn borst als de zware ijzeren bal tegen de wanden van een flipperkast slaat, en ik bereidde mijn ogen voor op de confrontatie met de spookachtige verschijning van een geest.

'Waarom heb je tegen hem gelogen?'

Mijn grootvader leefde nog en lag nog in zijn bed te slapen, en degene die sprak was de verpleegster van wie ik het bestaan volledig vergeten was.

'Waarom heb je tegen hem gelogen?' herhaalde ze, toen ik haar geen antwoord gaf. 'Je hebt gedaan alsof je zijn dochter was, maar je bent zijn kleindochter, niet? Tomás had me al verteld dat je hier was en hem zeker zou komen opzoeken.'

Ik bekeek haar wat aandachtiger en zag een gewoon gezicht boven een gewoon lichaam, een alledaagse vrouw waarvan er tientallen, duizenden, miljoenen zijn: een gelukkige kindertijd, een bescheiden, maar vrolijk huis vol kinderen, een tedere en liefdevolle moeder, een hard werkende, verantwoordelijke vader, een heel Zwitsers landschap verschijnend onder haar mascara, de juiste rimpels en een schone tong. Ik gaf geen antwoord.

'Tegen zieken moet je niet liegen…' voegde ze er ten slotte berustend aan toe.

Sodemieter op, dacht ik, sodemieter op, had ik moeten zeggen, maar ik deed het niet. Ik kan zulke dingen nooit zeggen. Ik heb de kans niet gekregen om me als verwaand kreng te ontwikkelen, zodat ik uiteindelijk niets heb gehad aan de opvoeding die ze me hebben gegeven.

Tomás bleek gelijk te hebben, en meer dan ik hem had willen geven, want het herstel van de normale betrekkingen bereikte zijn hoogtepunt met de wonderbaarlijke genezing van Reina. Haar ziekte, die onzichtbaar bleef in de uitslagen van meer dan een dozijn onderzoeken, werd onder de noemer psychosomatische aandoeningen in een map opgeborgen en zou daar nooit meer uitkomen, want mijn zusje bevrijdde zich voor altijd van die mysterieuze maandelijkse marteling. Mama ontplofte niet en gaf er, trouw aan zichzelf, de voorkeur aan om gekweld door het huis te dolen, met een permanente smartelijke trek om haar mond, die ze nauwelijks opende om zich tot mij te richten. Bij de onontkoombare gelegenheden suggereerde ze een immense vermoeidheid, en zonder ooit direct naar mijn verraad te verwijzen, onderstreepte ze dit met de bekende taal van zuchten en gebaren, een gedrag dat mij als kind wreder leek dan welke straf ook, maar dat me nu absoluut niet raakte. Mijn vader was echt kwaad op me en zijn reactie leek me overdreven heftig doordat ik de oorzaak niet kende.

'Waar ik niet goed van word, lieve dochter,' schreeuwde hij, op het moment dat hij de hal van het huis aan de Martínez Campos binnenstapte, 'waar ik echt niet goed van word, is dat je zo een verschrikkelijke stommeling bent, het is toch godverdomme niet te geloven, je zou verwachten dat het kwijl van pure stommiteit uit je mond droop.'

Paulina trok zich snel in de keuken terug, zoals ze altijd deed wanneer zich in haar bijzijn een familieruzie ontwikkelde, en ik bleef in de deur van de kamer staan, al bijna rustig, en probeerde de woorden die ik hoorde te verwerken, terwijl mijn kalmte in rook opging.

'Wat? Nu heb je geen woord te zeggen, hè! Je wist me anders genoeg aan m'n kop te zeuren met dat verhaal over Reina die doodging.'

'Maar, papa,' antwoordde ik ten slotte, 'ik geloofde...'

'Geloven. Weet je wat jij gelooft, jij gelooft nog dat ezels kunnen vliegen als die andere je dat vertelt. Verdomme, Malena, je weet niet wat voor nacht je moeder me bezorgd heeft. Er valt met jullie ook niet te leven, godallemachtig... Ik heb genoeg van vrouwen, hoor je me, genoeg!' Toen wendde hij zich tot Tomás, die het tafereel zwijgend, met een glas in zijn hand, had gadegeslagen, tot die laatste opmerking van mijn vader hem in lachen deed uitbarsten. 'En jij hoeft niet te lachen, want elke keer als ik uit het badkamerraam kijk en twee eenzame onderbroeken tussen vijfhonderd slipjes zie hangen, krijg ik het hele-maal benauwd, serieus...'

De grijns van zijn zwager werd breder en ten slotte glimlachte mijn vader. Ik probeerde deze pauze te benutten.

'Reina was ziek.'

'Reina is een onnozele hals en een hysterische trut en jij bent een sufferd, en verder wil ik er geen woord meer over horen!' schreeuwde hij weer, maar zijn stem klonk al wat milder. Daarna kwam hij naar me toe, legde een arm om mijn schouders en zei: 'Kom, we gaan.'

'Ja? Waarom blijven jullie niet eten?'

In de stem van Tomás klonk een nauw verholen verzoek, en ik nam zijn aanbod met een knikje aan omdat ik het idee had dat ons gezelschap een feestje voor hem was, maar mijn vader wilde me niet bijvallen.

'Nee, ik ga liever. Als ik dan toch terug moet naar jouw zuster en dat gezicht dat ze gisteravond trok, dan maar zo snel mogelijk...'

Hij heeft verder niets tegen me gezegd, helemaal niets, en toen, terwijl ik hem oneindig dankbaar was voor zijn zorgeloosheid, vroeg ik me voor het eerst af of er achter zijn houding nog iets anders zat dan de onverschilligheid die ik hem zelf zo vaak had verweten, misschien niet direct respect, maar wel een zekere schroom, en het slechte geweten van versierders die niet zo immoreel zijn dat ze de zonden van anderen veroordelen. Door Reina werd ik daarentegen warm verwelkomd. Ik was de deur nog niet binnen of ze hing al om mijn hals en sloot zich met mij in onze kamer op. Meer dan een uur voerden we een ongelijk gesprek, waarin zij bijna de hele tijd aan het woord was en ik me ertoe beperkte ja te knikken of nee te schudden, zonder de ruimte te krijgen om ook maar mijn lippen te bewegen. Ze verweet me dat ik haar niet op tijd op de hoogte had gebracht van mijn situatie en zette al haar welsprekendheid in om mij ervan te overtuigen dat ze geen enkele schuld aan het gebeurde had. Ik twij-felde niet direct aan haar onschuld, maar toen ik terugkeek kon ik de gerafelde punten zien van de dunne strengen die zich langzaam hadden losgemaakt van het dikke touw dat ons voor die tijd verbond, en boven het geluid van haar woorden uit kon ik bijna het knappen horen van een ander koord dat de bun-del verliet, niet meer in staat de spanning te verdragen die die stevige kabel vroeger of later in een kwetsbare en dunne band zou veranderen. In elk geval trok ik me niet te veel van haar aan, want al sinds ik die ochtend was opgestaan, spookte er maar één gedachte door mijn hoofd, die de ruimte bezette die voor die tijd bestemd was geweest voor de voorspelbare gevolgen van die grote cata-strofe, die nu al niet meer belangrijk was, en vervolgens alle andere gebieden binnendrong in een richting die mijn zusje en alles wat zij betekende radicaal buitensloot.

Ik had dat gezegde altijd verwerpelijk gevonden. Het leek me de uitdrukking van het grofste egoïsme en ik had mezelf nooit in staat geacht met mijn eigen houding de duizend keer herhaalde waarheid te bevestigen die in een zo wreed oordeel besloten lag. Ik hield van mijn grootvader, en ik wist dat hij erg ziek was, maar pas toen ik hem zag, sloeg de werkelijkheid toe; ik wilde niet weten dat hij ging sterven, dat hij zeker ging sterven, en snel, voor mijn ogen zich verloren in dat menselijke wrak. Toen veranderde zijn dood in een berekenbare gebeurtenis, zeker, meetbaar, een koude datum, zoals die van de oude dictator die ons een paar jaar daarvoor twee weken vakantie had geschonken, en ik kon de wegen die mijn verbeelding insloeg niet afsnijden, ik kon mijn eigen droefenis niet aan mezelf opleggen. Ik hield van mijn grootvader, en achter de elegante en geheimzinnige oude man, van wie ik al een edelsteen en een afschrikwekkende waarheid had geërfd, hield ik van de man die hij ooit was geweest en die ik niet had gekend, en die altijd de man onder de mannen zou blijven. Ik hield van hem, ik hield van zijn zwijgen en zijn gebaren, ik hield van zijn liefdes, van zijn buitengewone toewijding aan die monsterlijke baby, zijn trouw aan de afvallige non, zijn hartstocht voor een gewone dorpsvrouw, en hij wist dat, ze wisten het allemaal, daarom was mijn moeder niet verbaasd over mijn belangstelling voor het lot van de zieke, en toen ze besloten had weer met mij te praten, beantwoordde ze tot in detail al mijn vragen en berekende ze met mij en voor mij de tijd die ons nog scheidde van een dood die zij niet scheen te betreuren.

Maar ik haatte en vreesde die dood, want ik wilde mijn grootvader niet zien sterven, ik wilde niet dat mijn grootvader stierf. Toen enkele van zijn kinderen, degenen die meenden hem niets schuldig te zijn, weigerden hem nog te bezoeken om zich de pijnlijke aanblik van zijn verval te besparen, bleef ik twee, soms drie keer in de week naar hem toe gaan, en ik keek naar hem en was bij hem om zo vaak als hij het wilde horen tegen hem te liegen, hoewel hij nooit meer wakker werd. Maar op een avond in februari ging om halfelf de telefoon, en ik zag hoe de spanning het gezicht van mijn moeder tekende, ik hoorde de haperende klank van een gesmoord gesprek, en ik wachtte tot mijn ouders weg waren gegaan. Toen sloot ik me in hun kamer op en draaide het langste van alle nummers die ik in mijn agenda had staan. Terwijl ik wachtte tot iemand aan de andere kant van het continent zou opnemen, herhaalde ik in mezelf die woorden, de één zijn dood is de ander zijn brood, en ik vroeg grootvader om vergeving omdat ik zijn dood vierde vanuit de diepste plek in mijn hart. Toen zei Fernando 'hallo'.

'Grootvader ligt op sterven,' zei ik. 'De dokter denkt dat het geen achtenveertig uur meer duurt.'

'Ik weet het. Ze hebben net gebeld. Mijn vader heeft zijn koffer al gepakt.'

'Kom jij ook?'

'Ik probeer het, indiaantje. Ik zweer je dat ik het probeer.'

Fernando was maar drie dagen in Madrid, lang genoeg om elk uur het gewicht terug te geven die de tijd sinds zijn vertrek verloren leek te hebben, want de minuten verstreken weer snel, maar ze verstreken geheel, zonder de ziekelijke onbestendigheid die ze gedurende die winter had bevroren en ze nauwelijks de impuls had toegestaan om langzaam te verglijden, alsof ze probeerden te wedijveren met het beangstigende druppel-voor-druppel-ritme van een zieke. Zijn bezoek was meer dan genoeg compensatie voor de afwezigheid van Magda, op wie ik tot de ochtend van de begrafenis wachtte, hoewel ik tegelijkertijd eigenlijk wenste dat ik haar nooit zou zien tijdens een van die trieste ceremonies ter herdenking van een nederlaag die we op de een of andere manier deelden. En toch was het niets van buiten mezelf dat mij op de gedachte kon hebben gebracht dat alle mensen die me in die dagen omringden bijeen waren gekomen om een dood te betreuren, want niemand had zich ooit zo hartelijk, vriendelijk en fatsoenlijk gedragen als toen, tot het moment waarop het testament van grootvader werd geopend en de winnaars beseften dat ze dat niet helemaal waren en de verliezers wisten dat ze gewonnen hadden, hoewel ze in werkelijkheid allemaal wonnen en allemaal dachten te verliezen. Daar begonnen de problemen en verdween als bij toverslag de ongewone harmonie die Fernando en mij gedurende die drie dagen zo ten goede was gekomen, toen we door de gangen van het huis aan de Martínez Campos dwaalden zonder dat iemand het waagde ook maar het kleinste conflict over onze afwezigheid te creëren, toen de volwassenen, met de rekenmachine in hun hand, door andere dingen in beslag werden genomen en er allemaal tegelijk op stonden koffie te zetten.

Degenen die erop gerekend hadden dat de dood van hun vader hen voor altijd had verlost van de verplichting elkaar te ontmoeten, en van het opzetten van een grimmig gezicht wanneer ze elkaar ontmoetten, moesten elkaar in de ogen kijken zoals ze nooit eerder hadden gedaan, terwijl Tomás zich schor schreeuwde zonder in die onmogelijk arbitrage ook maar de minste vooruitgang te boeken. De basis van het conflict was bijzonder eenvoudig: er was niet genoeg geld om iedereen tevreden te stellen. De Madrileense Alcántara's hadden er altijd op gerekend de twee huizen te houden, en de kinderen van Teófila, aan wie ze nog niet in hun dromen een gelijkwaardig percentage van de erfenis toebedeelden, te compenseren met een bedrag aan geld dat uiteindelijk de staat van alle bankrekeningen van grootvader ver te boven bleek te gaan. De Alcántara's uit Almansilla – met uitzondering van Porfirio, die zich, zoals gewoonlijk, samen met Miguel volkomen neutraal opstelde – wilden de Finca del Indio. Ik wist dat vanaf het begin, want Fernando had het me verteld toen hij me op de smalle divan in de kamer van grootmoeder tegen zich aan drukte en langzaam mijn rug streelde, alsof hij me na zo veel tijd ook met zijn handen moest bekijken. Grootvader rustte nog in zijn bed, en zijn vader en mijn moeder moesten, samen met de anderen, bij hem zijn, elkaar onopvallend opnemend, terwijl ze hun best deden een decoratieve traan te laten. Ik kende dat huis als mijn broekzak en had mijn neef meegesleept naar de plaats die me het veiligst leek, een kamer die de bezitster nooit voor een ander doel had gebruikt dan voor het plaatsen van vazen op gehaakte kleedjes in alle beschikbare hoeken, en waarvan de ligging, precies tegenover de overloop op de eerste verdieping, ons in staat stelde elke roep te horen van degenen die ons zeker eerst zouden zoeken in de slaapkamers op de tweede verdieping, maar niemand viel ons lastig, zodat we ons, nadat we ons weer haastig hadden aangekleed, zo haastig als we alles tot op dat moment hadden gedaan, weer uitkleedden, langzaam nu, om het kalme en trage ritme terug te vinden van de tabaksschuur, en ik meende zelfs een ogenblik de geur van de tabak te ruiken, terwijl het bloed in mijn aders klopte en een genotvolle spanning op de wanden uitoefende.

'Weet je,' vroeg Fernando daarna. 'Het is ook wel raar. Ik heb mijn hele leven op dit moment gewacht, en nu vind ik het absoluut geen leuk idee dat mijn vader dat huis zou erven, want dan kom jij niet meer naar Almansilla en zal ik je niet zo vaak zien als vorig jaar. Ik heb je gemist, indiaantje, ik heb elke dag aan je gedacht.'

Zijn woorden, voorbode van de naderende oorlog, hadden me moeten alarmeren, maar slaagden daar niet in, en niet alleen wegens de schuchtere liefdesverklaring die mijn neef zich als conclusie had laten ontglippen, maar vooral doordat ik, hoe dan ook, een Alcántara uit Madrid was en het beeld van Teófila in de stoel van mijn grootmoeder, aan het hoofd van de eiken eetkamertafel, mijn voorstellingsvermogen toch behoorlijk te boven ging en gerangschikt werd in het gebied van de meest twijfelachtige waanvoorstellingen. Ik kreeg zelfs een licht medelijden met de ambitie die die afgrijselijke 'j', waar ik zo van hield, nog langer oprekte dan anders. Het was een zo onaangenaam gevoel, dat ik, naarmate de lente verstreek en het gezicht van mijn moeder heen en weer zwalkte tussen de doodsbleke kleur van het schandaal en het rood van de woede, zonder voor een definitieve kleur te kunnen kiezen, uiteindelijk blij was dat Fernando gelijk kreeg, want elke redelijke onderhandeling kon niet voorbijgaan aan die verdeling: het huis aan de paseo General Martínez Campos voor de ene, en de Finca del Indio voor de andere kant, tot iemand, ik geloof dat het mijn oom Pedro was, het onderwerp ter sprake bracht van de tijdens het huwelijk verworven goederen en een procedure op gang bracht die als wapenstilstand fungeerde.

De advocaten van Madrid stelden dat de zaak verloren was, en de advocaten van Cáceres garandeerden dat de zaak gewonnen was, want mijn grootmoeder had, om haar kinderen al haar bezittingen te kunnen nalaten, jaren eerder een privé-contract met haar man afgesloten. Het punt waar degenen die het testament aanvochten zich nu aan vastklampten, was dat dit papier geen formeel document was waarin de huwelijkse voorwaarden werden geregeld, waardoor iedereen recht zou hebben op twee delen van de erfenis – een via de vader en het andere via de huwelijksvoorwaarden van hun moeder – terwijl de kinderen van Teófila slechts recht zouden hebben op één deel, maar dit was zo'n smerige truc dat enkele Madrileense Alcantara's, zoals Tomás, die ook Magda vertegenwoordigde, en Miguel, verklaarden dat ze ten gunste van de gedaagden zouden optreden, en anderen, zoals tante Mariví en mijn eigen moeder, die ondanks de grote woede over het verlies van de Finca del Indio nog over voldoende onpartijdigheid beschikten om de kinderen niet te willen straffen voor de zonden van hun ouders, er op het laatste moment van afzagen om als eisers op te treden. Toen we ten slotte onze koffers pakten, wisten we allemaal dat deze zomer de laatste zou zijn, maar niemand leek dat al te zeer te betreuren.

Ik merkte, tot mijn eigen verbazing, dat ik als een volwassene redeneerde, dat wil zeggen dat ik uitsluitend rekening hield met mijn eigen belangen, en alsof mijn lot al voor altijd gescheiden was van het geluk dat de rest van mijn familie kon hebben, kwam ik tot de conclusie dat de balans positief was, want het verdriet dat ik zou kunnen hebben over het verlies van dat huis, kon nooit opwegen tegen het vooruitzicht dat Fernando elke zomer terug zou komen. In augustus zou ik zeventien worden, een leeftijd waarvan geen terugkeer meer mogelijk was, op de rand van de talisman van de achttien, en in oktober zou ik naar de universiteit gaan. Ik had het nog aan niemand verteld, maar ik wilde proberen mijn hoofdvak in Duitsland te doen. Ik had hard gewerkt en was met een 8,8 toegelaten op de universiteit, en als mijn ouders mijn reis niet zouden willen betalen, kon ik een beurs aanvragen. De eerste drie jaren van de studie waren vrijwel gelijk, en als het niet anders zou kunnen, was ik zelfs bereid het vierde jaar Duits te gaan doen.

De mogelijkheid van een toekomst waarin Fernando geen rol zou spelen, leek me zo grotesk als een slechte grap, en gedurende de eerste maand van die zomer leek het onduidelijke geheel van kleine gebeurtenissen, bijzonderheden en nuances, dat veel betekenisvoller is dan de grote gebeurtenissen waaraan gewoonlijk gerefereerd wordt wanneer we het hebben over 'alles', mij gelijk te geven. Toen belde Mariana op een middag om me te waarschuwen dat de fotokopieën van mijn rapport, die ik bij mijn inschrijvingspapieren had gedaan, niet compleet waren, en dat ze me niet kon inschrijven voor ze de ontbrekende kopieën had en het originele toelatingsbewijs, waarvan ik alleen een fotokopie had opgestuurd. De termijn was bijna verstreken en de enige oplossing was dat ik zelf naar Madrid ging. Ik hechtte weinig betekenis aan die reis, die in principe niet langer zou duren dan een dag en een nacht, en uiteindelijk een nacht meer in beslag nam doordat het loket van de faculteit voor mijn neus gesloten werd, nadat ik een hele ochtend in de rij had gestaan, maar toen de middagbus mij afzette bij de halte waar ik precies achtenveertig uur daarvoor was ingestapt, was alles veranderd. Dertien dagen later verging de wereld.

Ik wist niet wat er met Fernando gebeurde, maar zo'n afloop had ik me nooit kunnen voorstellen. Ik ging voor mezelf alle redelijke mogelijkheden en een dozijn onzinnige veronderstellingen na, maar uiteindelijk was hij het die mij er gedurende die vreemde weken vol van onrust en stiltes, die ik niet wist te interpreteren, toe bracht alle verklaringen voor zijn mysterieuze verandering van gedrag te verwerpen. Ik zag hem nooit meer glimlachen en hoorde hem nauwelijks meer dan twee achtereenvolgende zinnen van meer dan tien woorden spreken. We brachten de middagen door aan een tafeltje op een terras aan het plein, het bekende ontmoetingspunt dat we voor die tijd zo zorgvuldig hadden gemeden, en dronken alleen maar iets, zonder te praten, zonder te lachen, zonder elkaar aan te raken, tot een of andere bekende langskwam die door hem werd uitgenodigd ons gezelschap te houden en met wie hij zich onmiddellijk in eindeloze gesprekken stortte over onderwerpen die zo absurd waren en zo buiten zijn interessesfeer lagen als het jachtseizoen, dat op 15 augustus werd geopend, of de spintplaag die de groentetuinen van de hele vlakte vernietigde. De tabaksschuur van Rosario, waar we tot de ochtend bleven, veranderde in het enige toneel van de goede tijden dat die langzame dood wist te overleven, maar ons vochtige bed van tabaksbladeren werd hard en koud als een plaat van graniet en de ogen van Fernando weerspiegelden niet langer die verraste huivering, die korte ruimte waarin de valstrik van de angst en de vermetelheid van het verlangen samenleefden, alsof ze zich, voortijdig verouderd, neerlegden bij de vluchtige en gehaaste hoop van oude geliefden die elke nacht afscheid nemen van de toekomst.

Ik wilde weten of hij genoeg van me had, of hij verliefd was op iemand anders, of hij zich niet goed voelde, of hij thuis ruzie had gehad, of hij met iemand had gevochten en het me niet had verteld, of hij onder druk werd gezet om de motor te verkopen, of een vriend van hem iets vreselijks was overkomen, of hij vervolgd werd voor een of ander misdrijf, of hij tentamens niet had gehaald en het niet tegen zijn vader durfde te zeggen, of hij erover dacht met zijn studie te stoppen, of ik hem zonder het te willen had gekwetst, of hij kwaad was om iets wat ze over mij hadden verteld, of zijn houding iets te maken had met de strijd om de erfenis, maar ik kreeg altijd hetzelfde antwoord: nee, nee, er is niets met me aan de hand. Ik durfde hem niet te vragen of hij zich misschien plotseling gerealiseerd had dat hij homoseksueel was, of actief was in een terroristische groep, maar ik stelde me nog veel verschrikkelijker dingen voor terwijl ik met moeite mijn tranen wegslikte en hem vroeg tegen me te praten, me aan te raken, me aan te kijken, weer te zijn zoals hij vroeger was geweest, zoals hij altijd was geweest, vrolijk en melancholiek, bruusk en grappig en ondoorgrondelijk. Hij fronste zijn wenkbrauwen alsof ik een voor hem onverstaanbare taal sprak, vroeg me geen onzin te praten en beweerde dat hij niet veranderd was, dat er niets met hem aan de hand was, dat hij alleen in een slecht humeur was, zoals iedereen kon overkomen. Ik kwam nooit verder, maar ik had ook nooit zo'n afloop verwacht, zelfs niet toen hij die nacht afscheid van me nam met een stem waarin ik een ongewone trilling hoorde die ik niet kon inschatten.

'Dag, Malena.'

Ik liep wat harder om zo snel mogelijk bij het hek te zijn, draaide me daar om en gaf het antwoord dat ik elke nacht gaf: 'Tot morgen.'

Ik draaide me weer om en schoof de grendel van het ijzeren hek, en terwijl ik mijn vingers met de grootst mogelijke snelheid bewoog, telde ik in stilte de seconden, want ik voelde dat het laatste gesprek nog niet beëindigd was, en elk moment van stilte zwol in mijn oren aan tot een bevestiging.

'Ik denk niet dat we elkaar morgen zien.'

Ook ik reageerde traag, en voor ik mijn mond opende, liep ik heel langzaam naar hem toe, voedde mezelf met valse hoop, alsof ik me moest vastklampen aan de illusie dat hij de volgende dag op jacht zou gaan voor ik de waarheid onder ogen kon zien.

'Waarom niet?'

'Omdat ik niet denk dat we elkaar nog zullen zien.'

'Waarom?'

'Daarom.'

'Dat zegt helemaal niets.'

Hij haalde zijn schouders op, en pas toen realiseerde ik me dat hij me niet één keer had aangekeken sinds hij de motor voor de deur had gestopt.

'Kijk me aan, Fernando.' Maar hij deed het nog niet. 'Kijk me aan, alsjeblieft, Fernando... Kijk me aan!'

Ten slotte hief hij met een bruusk gebaar zijn hoofd op, alsof hij kwaad op me was, en toen hij schreeuwde, kon ik wel juichen om de heftigheid van die schreeuw.

'Wat?'

'Waarom zien we elkaar niet meer?'

De volgende pauze was nog langer. Hij haalde een pakje sigaretten uit zijn zak, koos een sigaret en stak hem aan. Hij had hem al half opgerookt toen hij weer opkeek en iets onverstaanbaars zei.

'Niet in het Duits, Fernando. Je weet dat ik dat niet versta.'

'Kijk, indiaantje.' Zijn stem beefde alsof hij ziek was of verging van honger of bang was. 'Niet alle vrouwen zijn hetzelfde. Er zijn vrouwen om mee te neuken en vrouwen om verliefd op te worden, en ik... Nou ja, ik ben gaan beseffen dat ik niet meer geïnteresseerd ben in wat jij me kunt geven, dus...'

Als ik niet het gevoel had gehad dat ik stikte, was ik in een uitgeput en meelijwekkend gehuil uitgebarsten, maar de stervenden hebben niet eens die troost.

'Dat klinkt helemaal niet Duits, hè?' wist ik ten slotte uit te brengen, terwijl hij de motor startte en met zijn rechtervoet de stander omhoog duwde, zoals hij duizenden keren op dezelfde tijd en op dezelfde plaats had gedaan.

'Beslist niet, maar het is de waarheid. Het spijt me. Dag, Malena.'

Ik zei hem geen gedag. Ik bleef doodstil staan, alsof mijn voeten aan de grond waren genageld, en ik keek hoe hij wegreed, en ook toen durfde ik voor mezelf nog niet toe te geven dat hij wegging, dat hij bezig was weg te gaan.

Daarna ging ik het huis binnen, werd oneindig moe van het trappenlopen, liep de badkamerdeur voorbij, ging zonder mijn tanden te hebben gepoetst in bed liggen, viel onmiddellijk in slaap en sliep de hele nacht door.

Toen ik 's morgens wakker werd, herinnerde ik me niet dat Fernando me verlaten had. Ik weet nog dat ik mijn ogen opendeed en naar links keek, en in één oogopslag zag dat het kwart voor tien was en dat het bed van Reina leeg was. Toen stond ik op, deed de luiken open en stelde vast dat het een mooie dag was, een prachtige augustusdag. Pas toen wist ik het weer, en ik bracht mijn handen naar mijn middel om mezelf met kracht te ondersteunen voor ik volledig dubbelsloeg. Meer dan tien minuten stond ik daar, met mijn hoofd omlaag. Toen ik merkte hoe mijn bloed langzaam naar mijn hoofd zakte en ik het gevoel kreeg dat mijn gezicht in brand stond, ging ik op een hoek van het bed zitten en probeerde dierenfiguren te zien in de ruwe verflaag die de muur bedekte, een techniek die ik gebruikte om rustig te blijven wanneer mijn moeder me, toen ik klein was, voor straf in mijn kamer opsloot. Toen het dienstmeisje om halftwee binnenkwam om de bedden op te maken, zat ik nog in dezelfde houding en hetzelfde te doen, maar wat ze in mijn gezicht zag moet zo veel indruk hebben gemaakt, dat ze me alleen maar vroeg om de kamer te verlaten, in plaats van me met voorbeeldige verontwaardiging een luiwammes te noemen en me naar beneden te sturen om te ontbijten, zoals ze altijd deed als ze me om die tijd nog in bed aantrof.

Terwijl ik koffie dronk en me verbaasde over de vreemde smaak, kwam ik tot de conclusie dat het gebeurde niet echt kon zijn. Fernando zou nooit spontaan die verschrikkelijke formule hebben gekozen om mij te verlaten, want die was te kunstmatig, te gezocht, te onheilspellend, te onrechtvaardig en te walgelijk. Dat verdiende ik niet, ik had nooit iets gedaan om zulke woorden te verdienen, en hij had ze nooit echt kunnen menen, want ik hield van hem en hij kon mijn liefde nooit op zo'n domme manier weggooien. Ik zou me nooit kunnen herstellen van een zo totale mislukking, ik kon me die niet veroorloven en elke ochtend in de spiegel kijken en zien dat de huid van mijn wangen bruin was en grijs getint rond mijn ogen, zoals ik enkele minuten daarvoor had gezien. Er moest nog iets meer zijn, een verborgen, redelijke, aanvaardbare reden, een reden die in elk geval de herinnering aan hem kon redden, een reden die het stinkende vuil dat hem omringde kon verwijderen en hem schoon terug kon geven. Er moest nog iets meer zijn. Dat was het enige wat ik toen belangrijk vond, want voor huilen was er nog tijd genoeg, ik had nog een heel leven om te huilen.

Toen ik aanbelde, was ik er bijna van overtuigd dat alles een vergissing was geweest, een misverstand, niets wat niet te bespreken was, wat niet door praten kon worden opgelost, maar de traagheid waarmee de deur werd geopend, pas na de derde keer bellen, deed me vermoeden dat niets meer eenvoudig voor me zou zijn.

Om de hoek van de deur verscheen het hoofd van Fernando's moeder. Ze maakte geen aanstalten om me binnen te laten.

'Goedendag, ik kom voor uw zoon.'

Ze antwoordde me met een overdreven onnozele glimlach, die begeleid werd door een trage beweging van haar rechterhand, alsof ze zich wilde verontschuldigen voor ze met haar wijsvinger nee schudde.

'U hebt me heel goed begrepen. Wilt u Fernando alstublieft vragen of hij beneden wil komen. Ik moet met hem praten.'

Ze speelde dezelfde komedie nog een keer, waarbij ze haar gebaren één voor één herhaalde. Ze zou het nog een derde keer doen nadat ik me, in de wetenschap dat ik me belachelijk maakte, in het Engels tot haar had gewend. Daarna sloot ze de deur.

Minstens drie minuten hield ik mijn vinger stevig op de bel, tot het bellen ophield, vast en zeker doordat iemand daarbinnen het mechanisme had uitgezet. Ik was zo woedend dat ik gedurende enkele ogenblikken weer in staat was helder te denken, en met de beheersing van een spion die zich ontdekt weet, maar nog een troef achter de hand heeft, stak ik rustig de straat over en ging goed zichtbaar recht tegenover het huis op de stoep zitten.

In mijn binnenste bevond zich niets meer wat ook maar de prijs waard zou zijn van de maaltijd die ik die dag zou eten. Ik had niets meer te verliezen. Heimelijk keek ik naar de ramen van de tweede verdieping, en toen de nabijheid van het licht de schaduwen oploste die ik in het begin zag en onmiskenbaar menselijke gedaanten onthulde, begon ik te schreeuwen, met alle kracht die ik in mijn longen had.

'Fernando, kom naar buiten! Ik moet met je praten!' Alle luiken werden in één klap gesloten en ik voelde een lichte steek van plezier, hoewel ik wist dat van alle bewoners van dat huis mijn neef degene zou zijn die het minst te lijden zou hebben onder de gevolgen van mijn rudimentaire wraak.

'Fernando, kom naar buiten! Ik wacht op je!'

Twee vrouwen, allebei met een melkkan in hun hand, verschenen op de hoek van de straat om na te gaan wat dat geschreeuw betekende, en hun verschijning moedigde me aan om een nieuw element aan het spektakel toe te voegen. Ik pakte een steentje en gooide het tegen de muur van Teófila's huis, terwijl ik ononderbroken bleef schreeuwen en ondertussen de ramen in de gaten hield voor het geval Fernando de verleiding niet zou kunnen weerstaan om getuige te zijn van mijn ondergang en een ogenblik naar buiten zou kijken.

Al snel had ik een kleine groep toeschouwers om me heen verzameld. Ik zag ze en hoorde hun stemmen, ze fluisterden mijn naam, maar hun aanwezigheid was al snel geen troost meer, want hoe rood de wangen van Fernando's moeder ook waren, toen haar niets anders was overgebleven dan nog een keer naar buiten komen, hoe pijnlijk het voor zijn zusje ook was om haar vriendinnen op de stoep te zien roddelen, en hoezeer die gebeurtenis ook verstorend kon zijn voor de triomfantelijke terugkeer naar het dorp van een man die zo trots was als zijn vader en net zo gevoelig waar het zijn reputatie betrof, het enige zekere en blijvende was dat ik hem eerst had gehad en nu had verloren, en heel langzaam begon ik te begrijpen dat niets behalve het niets, behalve de apathische leegte, die gestaag en moeiteloos mijn lichaam begon te veroveren, en het veranderde in een imitatie van plastic en papier-maché, nog enige betekenis had. Toen verloor ik de kracht om te schreeuwen en met stenen te gooien, en dat ik niet opstond van de stoep kwam alleen doordat ik voelde dat mijn benen me niet zouden dragen en doordat het me niets uitmaakte of ik weg zou gaan of zou blijven, voor- of achteruit zou gaan. Ik zou niet weten hoe lang ik daar heb gezeten, mijn armen om mijn benen geslagen en mijn gezicht verborgen tussen mijn knieën zodat niemand het kon zien, terwijl mijn publiek zich langzaam, teleurgesteld verspreidde, tot de zachte illusie van ongevoeligheid, waarin ik mezelf wiegde, vernietigd werd door de klank van een onbekende stem.

'Wat jammer dat je grootmoeder hier niet is om jou hier voor mijn huis op de stoep te zien liggen bedelen als een hond!'

Ik deed mijn ogen open, die na de duisternis waaruit ze te voorschijn kwamen pijn deden van het licht en ontwaarde langzaam de gestalte van Teófila. Ze was oud, maar nog steeds imponerend, en stond me vanaf het midden van de straat te bekijken met twee nylon tassen vol levensmiddelen naast haar enkels.

'Ik ben anders dan mijn grootmoeder,' antwoordde ik. 'Ik hoor bij de anderen, en denk maar niet dat u me hier wegkrijgt door allerlei onzin te zeggen.'

Als een handgranaat sloegen mijn woorden in haar gezicht, en de vijandigheid die haar rimpels accentueerde en haar droge, donkere huid plooide als de schors van een steeneik, maakte langzaam plaats voor verbijstering. Haar mond zakte dicht terwijl ik me oprichtte, en zelfs toen ik recht voor haar stond, had haar blik nog niet de ijzeren hardheid van daarvoor terug.

'Ik ben niet zoals zij,' zei ik tegen haar, maar ik durfde haar nog niet aan te raken. 'Ik was de lievelingskleindochter van mijn grootvader, vraagt u het maar, iedereen weet het… Hij heeft mij de smaragd van Rodrigo gegeven, die steen waar ze allemaal als gekken naar op zoek zijn. Ik heb hem, grootvader heeft hem me gegeven, maar hij is niet meer van mij, ik heb hem vorig jaar aan Fernando gegeven.'

'Dat weet ik.' Ze schudde langzaam haar hoofd, zonder dat ik kon zien of het een gebaar van medelijden of woede was. 'Hij heeft het me verteld. Maar hij heeft jou vast niet verteld dat ik hem een klap heb gegeven toen ik het hoorde.'

'U hebt hem geslagen?' vroeg ik, en ze bevestigde dat met een gebaar. 'Maar… waarom?'

'Die is helemaal mooi!' riep ze op een spottende toon die ik niet begreep. 'Waarom denk je? Omdat hij aan het rotzooien was met de kleindochter van zijn grootvader… Wat wil je eigenlijk? Net zo eindigen als je moeder?'

'Als hij mijn beide handen had gevraagd,' vervolgde ik, terwijl ik de tranen die in mijn ooghoeken brandden de vrije loop liet, 'had ik ze afgehakt en aan hem gegeven.'

Ze zei niets, maar raakte met een hand mijn hoofd aan en kneep haar ogen dicht om me aan te kijken, alsof mijn woorden haar pijn hadden gedaan. Ondanks dat praatte ik verder.

'Wilt u hem zeggen dat hij naar buiten moet komen, alstublieft, ik wil alleen maar met hem praten, even maar, ik moet met hem praten, serieus, hij moet me iets uitleggen, daarna ga ik weg, ik zal jullie niet meer lastigvallen, maar ik moet hem spreken, echt waar, al is het maar vijf minuten, dat is genoeg, wilt u dat alstublieft vragen, alstublieft, wilt u alstublieft tegen hem zeggen dat hij naar buiten moet komen?'

'Hij komt niet naar buiten, Malena,' zei ze na een tijdje, en haar gezicht drukte nu medelijden uit. 'Hij komt niet naar buiten, ook al zeg ik het tegen hem. Weet je waarom? Omdat hij dan wel mijn kleinzoon mag zijn, maar het lef niet heeft om je recht in de ogen te kijken. Dat is het. Het is altijd zo, ze zijn allemaal hetzelfde, praatjes hier en praatjes daar, maar uiteindelijk zijn ze geen reet waard.'

Ik keek haar aan, en de mysterieuze harmonie in haar gezicht maakte me duidelijk dat ze mij de enige waarheid schonk die ze bewaard had.

'Luister naar me, het is een rotstreek dat je dat al zo vroeg moet leren, terwijl je nog zo jong bent, maar het is waar, eerlijk, het is waar. Kijk naar je grootvader als je het niet gelooft. Hij had meer lef dan wie ook, en vertel mij maar eens wat hij ermee gedaan heeft. Het leven van mij en van je grootmoeder kapot maken, hoor je me? Beter twee dan één! En hij had het goed geregeld. Een beetje op stap gaan in Madrid. En dan sta jij hier te snotteren om precies zo'n figuur? Nee, kind, nee, dat is een doodlopende weg, dat kan ik je wel vertellen. Je moet niet naar mij kijken! Kijk naar je tante Mariví, die is op haar eenentwintigste met een ambassadeur van vijftig getrouwd. Die zal niet veel problemen meer gegeven hebben. Of mijn dochter Lala. Die begon op de dag dat ze met de pil stopte rare bevliegingen te krijgen. Die twee hebben het begrepen, reken maar dat ze het begrepen hebben, die twee…' Haar ogen werden glazig en ze was even stil. Toen keek ze me voor de laatste keer aan, alsof ze in een spiegel keek. 'Het is natuurlijk duidelijk dat je daarvoor moedig geboren moet zijn.'

Ze pakte de twee tassen, draaide zich om en liep het korte stukje dat haar van haar huis scheidde.

'Zeg tegen Fernando dat hij naar buiten moet komen, alstublieft.'

Op mijn laatste verzoek knikte ze even, opende de deur met een sleutel en sloot deze achter zich zonder zich nog naar mij om te draaien.

Ik liep terug naar de stoep, ging zitten en wachtte, en ik wachtte lang, terwijl de zon langzaam zijn weg aflegde en het asfalt van de straat tot koken bracht, tot iemand in dat huis medelijden met me kreeg en naar het mijne belde om me te laten halen.

Toen ik naast mijn vader in de auto ging zitten, keek ik nog één keer om, voor als Fernando naar buiten zou kijken om mijn vertrek gade te slaan, zoals in de film, maar zelfs toen kwam hij niet naar het raam.

Mijn grootmoeder Soledad was toen achtenzestig jaar en verloor langzaam het uiterlijk van de slanke vrouw, energiek en recht als de dirigent van een orkest, met wie Reina en ik tien jaar daarvoor nog elke zondagmorgen door de paseo de Coches hadden gewandeld. Haar botten waren het moe zich te strekken en haar geest was al enige tijd eerder gezwicht voor de klachten van een eeuwig gekweld gehemelte, en op zo'n manier dat ik die vrouw, die altijd had verkondigd zichzelf nooit toe te staan dat ze als voorspelbare oude vrouw zou eindigen, onbeholpen en gezet, wat dikker en wat gebogener terugvond dan ik haar voor het laatst in dat voorjaar had gezien.

Toch zag ze er goed uit, want ze was net van het strand terug. Elk jaar vertrok ze eind juni naar Nerja, waar mijn tante Sol een huis had, en was daar meer dan een maand helemaal alleen, maar ze keerde naar Madrid terug twee of drie dagen nadat haar dochter, na het uitladen van een man, een hond en een paar pubers, voor het hek de handrem had aangetrokken in een vergeefse poging de vakantie in haar gezelschap door te brengen. Ze zei altijd dat ze het heerlijk vond om in augustus in de stad te zijn, wanneer deze zo leeg was als een oude, door de pest belegerde burcht, maar we wisten allemaal dat achter deze nogal krachtige vergelijking, die betrekking kon hebben op een honderdtal Midden-Europese, gefossiliseerde plaatsnamen die alleen zij kende, niets anders zat dan dat grootmoeder haar naam als een roeping zag en het nooit plezierig had gevonden haar leven met iemand te delen.

Ondanks dat, en hoewel ze ons niet verwachtte, ontving ze ons met oprechte blijdschap, misschien omdat ze sinds haar pensionering drie jaar daarvoor de datum van haar vertrek naar de kust met bijna twee maanden had vervroegd en ons begon te missen, of gewoon omdat ze zich realiseerde dat ze het verstrijken van de tijd niet tegen kon houden en zonder dat ze het wilde oud werd. Maar haar leeftijd was er nog niet in geslaagd haar belangrijkste karaktertrekken te veranderen; dat zou nooit gebeuren.

Toen wij klein waren, had ze niet veel belangstelling voor ons. Ik herinner me haar als iemand die altijd gehaast was, de dunne haarplukken terugstoppend, slap als de bladeren van een verwelkte krop sla, die voortdurend aan haar knot ontsnapten, een half opgerookte sigaret aan haar onderlip klevend, en iets, van een exemplaar van *De stieren* van Cosío, waarin ze als tiener, verliefd op

Juan Belmonte, was begonnen en dat ze voor haar dood wilde uitlezen, tot een half gehaakte sprei in haar handen, een plaats die zelden door de kinderen werd ingenomen. Maar ze vergat nooit wat ieder van ons het liefst at en werd nooit boos om dingen die andere volwassenen uit hun vel deden springen. In het huis van grootmoeder Soledad konden de kinderen rennen, schreeuwen, huilen, vechten, een vaas breken en in zichzelf praten, en er gebeurde niets, behalve wanneer er een huilend aan haar rokken ging hangen, want dat was het enige wat ze niet toestond. En wanneer een van haar kinderen, biologische of aange-trouwde, of een vriend of gast, van welke soort ook, het waagde om ons angst aan te jagen, met verhalen over heksen en spoken, of ons op een andere manier voor de gek te houden, bijvoorbeeld door te vertellen dat onze ouders niet onze echte ouders waren, maar goede mensen die ons uit een woonwagen van zigeu-ners hadden gehaald, werd ze furieus. Op een middag heeft ze een vriend van haar zoon Manuel het huis uitgezet omdat hij, wetende dat er nog meer in de koelkast lagen, een ijsbonbon van mij had afgepakt en in twee happen naar binnen had gewerkt alleen om mij te zien huilen. Ik ben misschien niet zo gek op kinderen, zei ze toen, met gebalde vuisten en een gezicht dat rood was van verontwaardiging, maar als er iets in deze wereld is wat ik verafschuw, dan zijn het volwassenen die ervan genieten om ze nodeloos te laten lijden. En terwijl ik me tevergeefs afvroeg wat het werkwoord 'verafschuwen' zou betekenen, zei de vriend van mijn oom dat het al laat was en hij was verdwenen voor we er erg in hadden.

Op 12 augustus 1977, terwijl ik door de deur heen wat flarden opving van een moeilijk gesprek dat ze in haar kleine werkkamer met mijn vader had, reali-seerde ik me dat ze nog steeds dezelfde was. Achter het gordijn lag, op de rand van een reusachtige asbak, die ze, zoals ze zei, alleen voor gasten gebruikte sinds bij haar het begin van longemfyseem was geconstateerd, een slecht uitgedrukte sigaret langzaam op te branden tussen een heleboel andere. Ik glimlachte, voor het eerst in uren, toen ik merkte dat grootmoeder stiekem verder rookte, en mijn uitdrukking veranderde niet toen ik een paar uitroepen hoorde als bewijs van de verontwaardiging van de oude vrouw toen ze hoorde dat mijn ouders besloten hadden mijn vakantie vroegtijdig te beëindigen, alleen omdat ik zes uur lang huilend, schreeuwend en stenen gooiend voor de deur van een huis had gezeten, wat volgens haar alleen maar een tamelijk onbelangrijke woedeaan-val was die bij mijn leeftijd hoorde.

Later, toen we alleen waren, toonde grootmoeder Soledad een respect voor mijn verdriet zoals ik nog van niemand had gekregen. Ze bracht me naar de enige logeerkamer van haar kleine appartement, dat niets bijzonders was, maar wel licht, en liet me daar alleen om mijn koffer uit te pakken. Ik liet me op mijn bed vallen en kwam de kamer niet meer uit voor de volgende ochtend, en toen ik de keuken binnenkwam, glimlachte ze en vroeg me wat ik wilde eten.

'Je moet veel eten,' was het enige wat ze zei. 'Boter, stevig brood, chocolade, patates frites… Er is niets troostenders dan eten.'

Ik volgde haar raad op, propte me vol als een veroordeelde voor de executie en voelde me veel beter. Ze zat tegenover me en keek alsof ze zeer tevreden was over de snelheid waarmee twee gebakken eieren en een half dozijn plakjes rookspek van het bord verdwenen, een ontbijt waar ze me al jaren niet meer op getrakteerd had. Later, toen mijn maag, tegen mijn verwachting in, aangaf dat er nog ruimte was voor een paar in koffie gesopte croissants, haalde ze openlijk een pakje zware sigaretten uit haar zak en stak er met de lucifers uit de keuken een op.

'Je gaat me toch niet vragen of ik niet wil roken, hè?'

'Nee,' antwoordde ik. 'Ik zou me schamen.'

'Heel goed,' zei ze lachend. 'Als je het beschamend vindt om een ander het roken te verbieden, blijkt wel dat je schaamtegevoel hebt, wat je moeder ook mag zeggen.'

Toen ging ze aan tafel zitten om de krant te lezen, een gewoonte die ze om niets ter wereld zou laten. Ze was geabonneerd op alle informatieve dagbladen van Madrid en bracht ongeveer twee uur door met het doornemen ervan, waarbij ze altijd dezelfde volgorde aanhield. Eerst zocht ze naar de korte berichten, en als die er waren vergeleek ze de informatie van de koppen met elkaar. Als er duidelijke verschillen waren, las ze alle achtergrondartikelen door, maar als het betreffende onderwerp in gelijksoortige bewoordingen werd beschreven, ordende ze alle kranten chronologisch naar hun oprichtingsdatum en begon ze één voor één te lezen, altijd beginnend met de sectie Binnenland en daarna Buitenland, Cultuur en Evenementen, die in de modernere kranten onder de kop Samenleving vielen. De rest bekeek ze niet eens, en nooit, maar dan ook echt nooit, las ze de opiniekolommen, die ze oversloeg met de gemompelde opmerking dat ze genoeg had aan haar eigen mening.

'Waarom denken ze eigenlijk dat ik mijn geld aan al dat papier uitgeef?' zei ze op een dag, om de snelheid te rechtvaardigen waarmee ze door de pagina's ging. 'Om mijn eigen mening te vormen natuurlijk.'

In die augustusdagen, terwijl ik bij haar woonde, leerde mijn grootmoeder mij kranten lezen, en ik nam spontaan haar manie over. Elke ochtend ging ik naast haar zitten en wachtte in stilte op het eerste deel. Ik was daar nog mee bezig toen, een paar dagen na mijn komst, de telefoon ging. Reina deelde me vanuit Almansilla mee dat Fernando zojuist naar Duitsland was vertrokken.

'Hij is gisterochtend alleen naar Madrid gegaan. Zijn vlucht ging blijkbaar om zes uur 's middags, maar de rest van de familie is hier gebleven. Ik heb het allemaal net in het dorp gehoord…'

Toen stortte ik in. Ik zakte met mijn rug tegen de muur, sloot mijn ogen en vertelde mezelf dat er nu niets meer aan te veranderen was omdat ik de rest van mijn leven geen spier meer zou kunnen bewegen. Als om me van het tegendeel te overtuigen, werd een paar minuten later voorzichtig de hoorn uit mijn hand genomen en opgehangen. Mijn oogleden waren stijf gesloten, maar ik voelde de nabijheid van grootmoeder.

'Ik weet wel dat je het niet begrijpt,' mompelde ik bij wijze van verklaring. 'Papa begreep het ook niet. Hij zei dat ik mijn tranen beter kon bewaren omdat ik ze nog weleens nodig zou hebben, dat ik mijn leven nog voor me heb en nog op minstens twintig andere jongens verliefd kan worden, maar…'

Ze maakte een eind aan mijn verhaal door me stevig te omarmen en me met haar hoofd tegen het mijne te wiegen zoals ze nooit had gedaan toen ik nog klein was.

'Nee, kindje, nee,' mompelde ze na een tijdje. 'Dat zal ik nooit tegen je zeggen. Kon ik het maar…'

In de loop van de volgende week begonnen die woorden zich een weg in mijn hoofd te banen, terwijl ik langzaam genoeg begon te krijgen van het luisteren naar *Sabor a mí*, op een oude plaat die grootmoeder mij met bovenmenselijke toegeeflijkheid steeds maar weer op haar oude grijze platenspeler liet draaien, en kwam ik tot de conclusie dat mijn vader op zijn minst op één punt gelijk had. Het klopte dat huilen gaat vervelen, en grootmoeder, die bij het balkon zat te breien en zorgvuldig vermeed mij recht in mijn ogen te kijken, moest dat al veel eerder dan hij hebben ontdekt, want naarmate ik genoeg begon te krijgen van mijn zelfmedelijden, begon de bezorgdheid van haar gezicht te verdwijnen. Toen begon ik haar, bijna als afleiding, te observeren, van een afstand te bestuderen, zoals zij bij mij deed, maar ik kon geen grote conclusies trekken doordat ik te weinig gegevens had.

Ik had me dat niet eerder gerealiseerd, maar voor zover ik wist, ontbrak het de familie van mijn vader aan geschiedenis. Van de vrouw die daar voor me zat, wist ik alleen dat ze in Madrid was geboren, dat haar vader rechter was geweest, dat ze drie kinderen had en tot haar pensionering op haar vijfenzestigste geschiedenis had gegeven op een middelbare school in een buitenwijk. Van de man die haar echtgenoot was geweest, wist ik niet meer dan dat ook hij in Madrid was geboren en dat hij in de oorlog was omgekomen, maar ik had geen idee of dat aan het front was geweest, tijdens een bombardement, in de gevangenis of in een gevangenenkamp. Ik wist niet eens of hij gevochten had. Grootvader Jaime was in de oorlog gestorven, en dat was het, en op basis van iets wat ik had opgevangen, vermoedde ik dat de dood hèm voor een nederlaag had bewaard, maar ik wist niet eens aan welke kant hij had gevochten en wie hem had gedood.

Mijn vader praatte thuis nooit over zijn afkomst en zag zijn eigen familie veel minder vaak dan die van mijn moeder, die een grote hekel had aan haar schoonzus, die maar een paar jaar ouder was dan zij, maar op een andere planeet leek te leven. Mijn tante Sol had geprobeerd actrice te worden voor ze veranderde in het bezielende middelpunt van een onafhankelijk toneelgezelschap, waar ze de functies vervulde van manager, producent, naaister, tekstschrijfster, regisseuse, souffleuse en waar verder ook maar behoefte aan mocht zijn. Ze had met drie mannen samengeleefd en had twee zoons die maar drie jaar in leeftijd verschilden, maar van twee vaders waren. Mijn moeder praatte altijd over haar alsof ze de meest arrogante en verwaande vrouw was die er maar op de aardbodem rondliep, maar ik kende haar nauwelijks, zoals ik ook mijn oom Manuel niet kende, een duistere man, wiens zoon, die bijna tien jaar ouder was dan ik, ik nog niet had herkend als ik over hem gestruikeld was. Toen we klein waren, nam mijn vader ons af en toe mee naar het huis van zijn moeder, maar in tegenstelling tot het huis aan de Martínez Campos, kwamen we daar zelden neefjes en nichtjes tegen, misschien doordat we nooit met Kerstmis gingen. Later werden de contacten minder regelmatig en bezochten we haar niet meer in haar appartement aan de calle Covarrubias, maar ontmoetten we haar in het park El Retiro of in een of ander restaurant, waar ze haar zoon nooit liet betalen. Mijn moeder ging bijna nooit met ons mee, en mijn vader stuurde het gesprek altijd zo dat het zich niet te veel van koetjes en kalfjes verwijderde – de school, de cijfers, de grappen van Mingote, het weer, het verkeer, de huren, de koers van de dollar, enzovoort – een niveau waarop hij bijzonder graag praatte. Soms had ik tijdens die etentjes de indruk dat grootmoeder een last was voor papa, en dat zij zich, op haar beurt, een beetje voor hem schaamde, maar altijd, ook op die momenten, moest ik wel opmerken hoeveel ze van elkaar hielden, net zoals mijn vader, hoewel hij ze maar zelden zag, van zijn broer en zus hield met een discrete, bijna verborgen liefde, die een verbond vormde waarvan hij zijn vrouw en zijn dochters bewust had buitengesloten.

Terwijl ik naar een draad zocht, een sleutel die me de betekenis zou helpen vinden van die merkwaardige opmerking 'kon ik het maar', vroeg grootmoeder mij op een avond de balkondeur van haar kamer dicht te doen, want de lucht was aan het veranderen en er begon een harde wind op te steken die de klassieke voorbode was van een zomerse onweersbui, en terwijl ik met de vitrage worstelde, die niet over de gordijnrail wilde glijden, keek ik voor het eerst aandachtig naar een schilderij, dat ik al wel honderd keer had gezien en dat mijn blik nu voor het eerst beantwoordde.

Een jonge vrouw, gekleed in een wit gewaad, zat in perspectivisch verkorte vorm op een zuil waarvan het Corintisch kapiteel door haar geplooide kleed schemerde. Haar hoofd werd omzoomd door kastanjebruine krullen, waarop ze een rode frygische muts droeg, en ze glimlachte met haar lippen en met haar ogen, waarin een onmogelijke, bijna koortsachtige gloed lag die een zekere technische onervarenheid van de schilder verried. De vingers van haar rechterhand omklemden de stok van een grote republikeinse vlag, rood, geel en paars, die stevig op de grond geplant stond, want het meisje leek hem eerder als steun te gebruiken dan op te willen richten. In haar uitgestrekte linkerhand lag een opengeslagen boek, waaruit een licht voortkwam dat in alle richtingen straalde, zoals de borst van Jezus op de portretten van het Heilig Hart. Ik stond dat alles gefascineerd te bekijken toen grootmoeder, nieuwsgierig door mijn wegblijven, zich bij mij voegde.

'Dat ben jij, hè?' zei ik, want ik herkende het model van het schilderij zonder veel moeite in haar trekken.

'Nou, dat was ik,' antwoordde ze glimlachend, 'toen ik twintig was.'

'Wie heeft het geschilderd?'

'Een schilder met wie ik in die tijd goed bevriend was.'

'Waarom heeft hij je zo geportretteerd?'

'Omdat het geen portret is. Het is een allegorie. Het heet: *De Republiek leidt het volk naar het Licht der Cultuur.* De titel staat op de achterkant en daar is het ook gesigneerd. De schilder heeft mij als model gekozen omdat hij verliefd op me was, maar hij schilderde het niet voor zichzelf, het was een opdracht van het Atheneum, de literair-culturele vereniging... ' Toen keek ze me met gefronst voorhoofd aan. 'Je weet natuurlijk niet wat het Atheneum is.'

'Ik geloof het wel, het klinkt bekend.'

'Ja, maar nu is het iets anders. Ach, dat maakt ook niet uit. Het punt is dat hij het nooit heeft ingeleverd, want je grootvader zag het toen het bijna klaar was en vond het zo mooi dat mijn vriend het aan hem heeft gegeven. Het was zijn huwelijksgeschenk, want Jaime was net lid geworden van de Leidinggevende Vergadering... Het is niets waard, maar ik vind het ook mooi.'

'Het is prachtig en het lijkt heel goed. Het enige dat niet past is het haar. Waarom heeft hij je met die krullen geschilderd? Had je een permanent of hield hij niet van steil haar?'

'Nee, geen van beide. Ik had toen zulk haar.'

'Echt waar?' Ik vergeleek het dikke, golvende haar van het schilderij met de slappe plukken die al sinds ik haar kende levenloos over de slapen van mijn grootmoeder omlaag vielen.

'Ja... Het is in één klap steil geworden, van de ene op de ander dag, toen de oorlog afgelopen was. Dat is veel mensen overkomen. Ik denk dat het de angst was, begrijp je?'

'Jullie waren rood, klopt dat, grootmoeder?'

Ze hief haar ogen van haar soepbord op en keek me aan met een blik die star was van verbijstering.

'Wij?' vroeg ze na een tijdje. 'Wie?'

'Nou, jij... en grootvader.'

Ondanks de vanzelfsprekende manier waarop ze nog maar enkele minuten daarvoor verteld had hoe haar krullen verdwenen waren, had ik er al bijna spijt van aan mijn nieuwsgierigheid te hebben toegegeven en binnengedrongen te zijn op een terrein waarvan ik betwijfelde of ik daar welkom was, toen grootmoeder haar hoofd ophief en me aankeek met een dubbelzinnige glimlach, een glimlach die tegelijk gereserveerd en listig was.

'Wie heeft je dat verteld? Je moeder?'

'Nee, mama praat nooit over politiek. Ik dacht dat omdat grootvader in de oorlog is gestorven, maar jullie hebben ons er nooit iets over verteld, dus, ik weet niet... Als jullie aan de kant van Franco hadden gestaan, zouden jullie heel trots zijn, niet? Ik bedoel...' Ik haperde en balde krachtig mijn vuisten terwijl ik de juiste woorden probeerde te vinden. 'Als hij gestorven was voor Franco, zou grootvader een held zijn, en dan zou ik het weten, dat zouden jullie verteld hebben, een held in de familie hebben is heel belangrijk, maar als... Daarom denk ik dat het andersom moet zijn, dat jullie tegen Franco waren, en dat grootvader een dode van de andere kant was. Die doden tellen niet, nietwaar? En hij lijkt niet te tellen, het is... alsof zelfs papa er een beetje last van heeft, alsof het beter is dat niemand iets weet, zelfs wij niet, begrijp je wat ik bedoel?'

'Ja, natuurlijk begrijp ik je.'

Terwijl ik opstond om de diepe borden in de gootsteen te zetten, zette zij het hoofdgerecht op tafel, gemarineerde en gepaneerde varkensfiletlapjes, die niemand zou eten, want ze schoof haar bord onmiddellijk opzij en begon te roken.

'Bovendien,' voegde ik eraan toe, terwijl ik een sigaret van haar accepteerde voor ik weer ging zitten, 'is dat schilderij er, en de republikeinse vlag en die typische vrijheidsmuts. Ik weet niet veel van politiek, maar zoveel wel.'

'En toch,' onderbrak ze me zacht, 'waren we niet rood.'

'Nee?'

'Nee, we waren... eens kijken, ik weet niet of je het zult begrijpen want je weet natuurlijk niets van politiek. In dit land kan niemand van jouw leeftijd iets van politiek weten, dus hoe zal ik het uitleggen... In de eerste plaats waren we natuurlijk republikeinen, en je grootvader was al jong, lang voor ik hem leerde kennen, lid geworden van de socialistische partij, maar daar is hij snel weer uit-gegaan omdat ze hem verveelden. In de tweede plaats waren we links, in die zin dat we achter de traditionele eisen stonden van links, landbouwhervorming, afschaffing van het grootgrondbezit, leerplicht en gratis onderwijs, echtschei-dingswet, scheiding van kerk en staat, nationalisatie van de bezittingen van de kerk, stakingsrecht en dat soort dingen, maar we waren altijd voor de vrijheid en zijn nooit marxisten geweest, daar ontbrak ons de discipline voor. Onze vrienden noemden ons vrijdenkers, of radicalen, tot Lerroux zijn partij opricht-te, die niets met ons te maken had. Vanaf dat moment waren we hoogstens radicale vrijdenkers, hoewel, als we ergens op leken, dan is het wat ze tegen-woordig anarchisten noemen, maar wel met verschillen, met grote verschillen, want toen al stond anarchist zijn bijna gelijk met onnozel zijn, of dubbelzinnig of verward, en van die drie kenmerken vertoonden we niets, al zeg ik het zelf. In elk geval waren we sterk onafhankelijk. We hebben ons nooit bij een partij aangesloten. We waren het met de ene op dit punt en met de andere op een ander punt eens, ik in elk geval. Jaime was nog radicaler.'

'Maar jullie stemden op links.'

'Geen sprake van. Als je grootvader stemde, stemde hij op de anarchisten, alleen om te pesten, zei hij... Ik heb maar een paar keer kunnen stemmen nadat de vrouwen eindelijk stemrecht gekregen hadden, maar in '36 heb ik op het Volksfront gestemd, dat is waar, en ik kreeg bijna ruzie met je grootvader.'

'Wat deed hij?'

'Hij stemde blanco. Hij vertrouwde de communisten voor geen cent. Jaime was een bijzondere man. Hij was zo scherpzinnig dat hij vaak wat onlogisch leek, tegenstrijdig. Als iemand hem dat verweet, vroeg hij altijd waar de logica in de natuur was, wie ooit orde had gezien bij de mensheid en in wereld, en zo ja wanneer… en niemand kon hem antwoorden. Dan beroep ik me op de gebreken van God, zei hij dan, en dan stonden ze met hun mond vol tanden.' Mijn grootmoeder liet een lachje horen alsof ze op het punt stond aan de arm van haar man te gaan hangen en ter ere van hem een triomfantelijk rondje te draaien. 'Hoewel die eigenschappen elkaar in het algemeen uitsluiten, was hij briljant en snel en intelligent. Daardoor werd hij ook zo'n beroemd advocaat. Toen de juridische faculteit hem tot hoogleraar benoemde, was hij de jongste van Europa, weet je. Dat was in het jaar waarin Franco tot generaal werd bevorderd, ook als jongste van Europa. Bepaalde kranten schonken toen meer aandacht aan de prestatie van je grootvader dan aan die van Franco. Wie had zich toen kunnen voorstellen wat ons nog boven het hoofd hing.'

'Hoe hebben jullie elkaar leren kennen?'

'O! Nou…' Een onmogelijke, bijna koortsachtige, maar echte gloed glansde in haar ogen, en de atheneum-allegorie van de Tweede Spaanse Republiek legde, nog maar twintig jaar oud en een hoofd vol krullen, haar gezicht in haar handen om mij glimlachend een ongelooflijk geheim toe te vertrouwen. 'Op een avond toen we aan het stappen waren, in de Gijón… Ik stond halfnaakt op een tafel de charleston te dansen en hij kwam dichterbij om naar me te kijken.'

'Waaaat?'

Haar lach mengde zich met de mijne, maar haar vrolijke ogen bleven binnen haar oogkassen, terwijl ik het gevoel had dat die van mij er van verbazing uitrolden.

'Dat geloof ik niet,' mompelde ik, terwijl ik niet kon ophouden met lachen, ook omdat het heerlijk was om plotseling zo'n band met mijn grootmoeder te hebben.

'Dat kan ik me voorstellen.' Ze knikte bedachtzaam. 'Je hebt te lang in een onvrij land geleefd, en het is al te lang geleden dat alle draden in één keer gebroken werden. Ik denk weleens dat dat de grootste misdaad van het Franco-regime is geweest, het geheugen van een heel land beknotten, losscheuren uit de tijd, en verhinderen dat jij, mijn kleindochter, de dochter van mijn zoon, mijn verhaal kunt geloven, maar zo was het, echt…'

Even verbleekten haar wangen, en haar ogen gloeiden niet meer, maar stonden ernstig en nadenkend, zoals ik ze altijd had gekend, maar de strijd was kort, en in haar ogen kon ik bijna de vastbeslotenheid lezen waarmee ze terug wilde keren naar die verre, onmogelijke nacht, en ik wist dat ze dat niet voor mij deed, maar voor zichzelf.

'In die tijd, en je moet me geloven, ook al kost het je moeite, maar het is de waarheid, was Madrid een plaats die op Parijs leek, of Londen, wat kleiner en provincialer, dat was ook de charme, maar er was een geweldige levenslust, de woelige jaren twintig, je weet wel. Ik ging niet zo vaak naar de Gijón, want het was wel een tent die in was, maar het was zoiets als de Ritz, er kwamen ook veel... ouderen, snap je, en ik ging liever met mijn vrienden naar plaatsen waar je in de open lucht kon dansen, zoals de Guindalera, of Ciudad Leal, waar ik wist dat ik mijn vader niet zou tegenkomen, maar die avond, ik weet niet meer waarom, kwamen we daar terecht, en we waren behoorlijk aangeschoten, ik in elk geval wel, want ik heb me nooit kunnen herinneren waar we in godsnaam vandaan waren gekomen. In die tijd... Laat me even rekenen... ik was negentien, dus moet het '28 zijn geweest, ja, goed, nou in die tijd was er een Franse artieste, een kleurlinge, Josephine Baker, die naam moet je toch iets zeggen...'

Ik twijfelde even, want mijn grootmoeder sprak de naam op zijn Spaans uit, Báquer, en ik moest hem in gedachten even spellen voor ik wist wie ze bedoelde.

'Ja, die zegt me wel iets.'

'Natuurlijk... Nou dat meisje danste de charleston naakt. Ze droeg alleen een rok van bananen, en ze trad weleens in Madrid op en dat was een geweldig succes. Iedereen had het erover, vooral de mannen, en die avond... Het punt is dat ik me er niet zoveel van herinner, en je grootvader wilde me nooit iets vertellen, en dan kon ik razend worden, snap je. Elke keer als ik tegen hem zei, toe nou, vertel nou, wat is er precies gebeurd?, sloeg hij zijn handen voor zijn gezicht en zei, dat kun je maar beter niet weten, Sol, echt niet, je zou je ervoor schamen...' Ze was even stil en glimlachte weer, en haar gelaatsuitdrukking was zo zacht en diep en tegelijk zo ondoorgrondelijk dat ik zin kreeg haar te omhelzen. 'Waar was ik? Ik ben de draad kwijt.'

'Grootvader wilde je niet vertellen...'

'Precies, hij heeft me nooit willen vertellen wat er gebeurd was. Maar wat ik ook deed, ik weet nog dat ik indruk wilde maken op Chema Morales, een stommeling op wie ik stapelverliefd was, maar die me niet eens zag staan. Hij flirtte met al mijn vriendinnen en naar mij keek hij niet eens, hij noemde me brillenjood, terwijl ik niet eens een bril droeg, maar ik was het enige meisje van de groep dat naar de universiteit ging en ik kon goed studeren. Het was toen niet gebruikelijk dat vrouwen een studie deden, maar voor mijn ouders stond altijd vast dat ik zou gaan studeren en voor mij was het daardoor ook vanzelfsprekend, en omdat ik nou niet direct knap was om te zien...'

'Dat ben je wel.'

'Nee, echt niet. Ik ben je grootmoeder, Malena, maar knap ben ik niet, dat is onzin.'

'Papa heeft altijd gezegd dat je een interessante vrouw was, en volgens mij heeft hij gelijk, ik heb foto's gezien.'

Het was de waarheid. Op de weinige foto's die bij mij thuis te vinden waren, had ik een slanke, middelgrote vrouw gezien, wier onbedekte hoofd opviel tussen de hoeden van de vrouwen die haar omringden en nauwelijks tot de schouders reikte van de man die altijd aan haar zijde was. Mijn vader had nooit een foto bewaard van na de oorlog, toen ze alleen was. Op die foto's droeg ze nooit een hoed, maar wel schoenen met hoge hakken en afgezien van haar manier van kleden was er iets in haar houding dat haar tot de elegantste van alle vrouwen maakte. Het strak naar achteren gekamde haar accentueerde haar lange, smalle gezicht, waarin de rechte en natuurlijk te grote neus opviel, de brede mond, die desondanks mooi was, en de enorme ogen, die donkere, groenachtige ogen die mijn vader had geërfd, en die zo groot en zo zacht waren dat ze de Griekse illusie van dat archaïsche gezicht, waarvan de abrupte, maar onmiskenbare schoonheid door haar nog steeds werd ontkend, bijna vernietigden.

'Dat is iets anders... Wanneer wordt een vrouw interessant genoemd? Als ze niet knap is, en trek niet zo'n gezicht, want ik heb gelijk. Nu is dat misschien anders, maar toen... Toen ik jong was, moest je kleine lippen hebben, een pruimenmondje werd dat genoemd, en de neus moest klein zijn, alles moest klein zijn, dat werd mooi gevonden in een vrouw, en in dat beeld paste ik niet, maar vanaf mijn kin omlaag wat het wat anders, heel wat anders. Ik had een prachtig lichaam, en dat wist ik, ik wist dat ik zonder kleren veel mooier was dan met, daarom kwam die avond het idee in me op...'

Pure verbijstering, vrucht van een duizendmaal gesteld, maar nooit opgelost raadsel, maakte zich meester van haar gezicht en luidde een pauze in. Toen, zich erbij neerleggend dat ze het gebeurde nooit zou kunnen verklaren, maakte ze een abrupte beweging met haar hand, alsof ze de lucht wilde ontwapenen, en ging verder.

'Hoewel ik het me allemaal niet zo goed herinner, weet ik wel zeker dat ik het deed om indruk te maken op Chema Morales. Ik had zoiets nog nooit gedaan, en niet bepaald doordat ik nou zo'n braaf meisje was, absoluut niet, ik dronk als een tempelier, maar zoiets... ik moet zo dronken zijn geweest dat ik niet meer wist wat ik deed, ik begrijp het nog steeds niet, het moet het lot zijn geweest. In elk geval kondigde ik aan dat ik boven op een tafel net als Baker ging dansen, en je kunt je wel voorstellen wat er gebeurde. Het was heel laat en het café was halfleeg, en toen we om bananen begonnen te vragen, konden de kelners wel huilen, want die arme kerels begrepen onmiddellijk dat ze nog niet zo snel in bed zouden liggen. Toen nam je grootvader het heft in handen. Daar ben ik later pas achter gekomen, want ik was dronken en had alleen maar oog voor Chema Morales, maar Marisa Santiponce, een goede vriendin van me die nooit een druppel alcohol dronk omdat ze als model op de kunstacademie werkte en altijd al in het eerste lesuur moest poseren, heeft alles gezien en vertelde me de volgende dag dat een of andere vent van rond de dertig, maar gekleed als een oudere heer, van een tafel opstond waar hij met twee vrienden zat en, nadat hij de man achter de bar had overgehaald om de zaak te sluiten, naar alle tafels ging die nog bezet waren, behalve die van hem en van ons, en het voor elkaar wist te krijgen dat alle klanten, zelfs degenen die niet meer konden lopen, opstonden en weggingen.'

'Kende hij ze?'

'Ik neem aan van wel, een aantal in elk geval, want hij kwam elke dag in de Gijón, en hij is er tot het eind toe blijven komen.'

'Ja? En kende hij die schrijvers, de generatie van '27?'

'Van gezicht zeker, maar ik geloof niet dat hij ooit met ze praatte, want je grootvader ging naar de Gijón om te schaken en zat daar altijd met andere schaakspelers, allemaal vrienden van hem. Ze hadden een soort club gevormd en organiseerden toernooien, simultaan schaken, tentoonstellingen en dat soort dingen.'

'Goed, maar wat gebeurde er toen?'

'Wanneer?'

'In de nacht van de charleston.'

'O, natuurlijk! Ik ben nog niet klaar… Nou, eerst niets. Wat bleek was dat je grootvader wist wie ik was, want hij had me weleens met mijn vader bij de rechtbank gezien. Mijn moeder ging hem bijna elke dag ophalen, en toen ze gestorven was, ging ik erheen als ik kon en dan gingen we samen naar huis, en blijkbaar had hij me een keer in de gang aan Jaime voorgesteld. Ik kon me hem niet herinneren, maar hij herinnerde zich mij wel, en daarom had hij iedereen weggestuurd, zelfs zijn vrienden, maar hij ging niet.'

'Hij haalde je zeker over om niet te dansen.'

'Wat dacht je. Hij kwam niet eens naar me toe om me te groeten. Jouw grootvader was een schaker, dat heb ik al gezegd. Hij deed nooit een verkeerde zet, hij haastte zich nooit, hij speelde nooit zonder van tevoren alle mogelijkheden geanalyseerd te hebben. Hij heeft zich maar één keer vergist, en die fout heeft hem zijn leven gekost.' Ze was even stil en keek me aan. Toen schudde ze haar hoofd en wist ze de kracht te vinden om weer tegen me te glimlachen. 'Nee, hij kwam niet naar me toe. Hij bleef aan zijn tafel zitten om te kijken wat er ging gebeuren… Toen zeiden de kelners dat ze geen bananen hadden, dat de bananen op waren, en ze hebben me verteld dat ik zei dat ik het niet geloofde en naar de keuken wilde gaan om bananen te halen, maar dat ze me daar niet heen lieten gaan, en ten slotte, toen iedereen al dacht dat het alleen maar bluf was geweest, trok ik mijn jurk uit, en mijn onderjurk en mijn hemd en ging op het tafelkleed staan dansen, alleen gekleed in mijn schoenen, kousen, jarretels en slipje.'

'En het korset?'

'Welk korset?'

'In die tijd droegen de vrouwen toch een korset?'

'Ja, veel wel, maar ik niet. Ik heb er nooit een gedragen want mijn moeder vond zo'n ding onhygiënisch, gevaarlijk voor de gezondheid en een belediging voor de waardigheid van de vrouw.'

'Wat?'

'Je hoort het. Mijn moeder was een suffragette.'

'Die had je toch niet in Spanje?'

'Natuurlijk wel! Drie. En jouw overgrootmoeder was de felste.'

'Dan had je wel geluk, hè?'

'Ja, dat had ik, niet omdat mijn moeder voor het vrouwenkiesrecht vocht, maar omdat ze een intelligente en goede vrouw was die door iedereen gerespecteerd werd. We waren heel gelukkig toen ik klein was. Mijn ouders konden het goed met elkaar vinden en waren het bijna in alles met elkaar eens, en we deden veel dingen samen, mijn ouders, mijn zusje en ik, en mijn moeder was zo grappig... Die idioot van een Elena zei vaak dat ze liever een gewone moeder had gehad, eentje die piano speelde, in plaats van luidkeels met het bezoek te argumenteren, en die niet elke ochtend Zweedse gymnastiek deed, en geen pamfletten op de trap uitdeelde, en niet met de kinderen in de rivier ging zwemmen, maar ik was dol op mijn moeder, en mijn vader ook, hoewel ze het hem niet altijd gemakkelijk maakte.'

'Hoezo?'

'Doordat hij rechter was en dus, of hij nu wilde of niet, een vertegenwoordiger van de gevestigde macht, terwijl zij nou niet de meest geschikte figuur was om de vrouw van een rechter te zijn. Maar mijn vader is mijn moeder nooit afgevallen, en zijn collega's raakten geleidelijk aan gewend aan haar gedrag, ik geloof dat ze uiteindelijk zelfs de pamfletten lazen die ze bij alle sociale gebeurtenissen uitdeelde en die natuurlijk altijd een pleidooi waren voor het vrouwenkiesrecht... Ze stierf toen ik vijftien was en haar dood was een verschrikkelijke klap voor me, kun je nagaan, een van de ergste momenten van mijn leven, ondanks alles wat ik daarna heb meegemaakt. Er waren zo veel mensen op de begrafenis, dat de laatste auto's nog aan kwamen rijden toen wij de condoléances al in ontvangst namen. De enige die ontbrak was mijn vader. Hij heeft zich bijna een week in zijn kamer opgesloten en weigerde te komen. Diezelfde dag nog trok Elenita een korset aan, dat ze al had en altijd droeg als mama het niet zag. Ze zei dat ze zich onfatsoenlijk voelde wanneer ze het niet droeg, maar ik heb er nooit een gedragen.'

'Dus je hebt daar met blote borsten staan dansen...'

'Daar ging het om, niet?'

Toen gaf ze toe aan een geweldige lachbui, de lach van iemand die kan lachen, die veel gelachen heeft, en dat frisse en doordringende geluid overtuigde mij ervan dat alles waar was, dat die vrouw een ander was geweest, in een andere tijd, niet alleen jong, maar ook zo anders dat ze zichzelf misschien nooit had kunnen voorstellen als de energieke en eenvoudige lerares die het leven van haar zou maken, en net als zij al een paar keer had gedaan, weigerde ook ik me al over te geven aan de verwarring van een zo gehaat ontwaken, en wenste voor altijd in het verhaal van die geweldige nacht van excessen te kunnen blijven.

'En had je succes?'

'Dat is maar hoe je het bekijkt... Voor Chema Morales bestond ik nog steeds niet. Ik geloof dat hij het niet eens heeft gezien, moet je nagaan, want hij zat de hele tijd met een ander meisje te flikflooien. Maar je grootvader stond op en kwam dichterbij om naar me te kijken, en hij stond daar de hele tijd, met een sigaret in zijn hand die langzaam opbrandde, want hij rookte niet, hij bewoog zich niet, hij ademde alleen maar en staarde naar mij alsof hij verder nergens meer kracht voor had. Ik weet dat doordat Marisa me dat de volgende dag vertelde, want ik zag op dat moment niets anders dan vage gedaanten, tot ik me al dansend omdraaide en hem zag. Toen struikelde ik, meer van schrik dan iets anders, want ik was niet zo ver heen dat ik me niet realiseerde dat ik die man die me op zo'n... zo'n wilde manier aankeek helemaal niet kende, en ik was voorover op de grond gevallen als hij me niet had opgevangen. En we stonden zo niet langer dan een minuut, ik met mijn knieën op de rand van de tafel en mijn bovenlichaam naar voren gestrekt, en hij recht voor me, met zijn handen om mijn bovenarmen, maar dat gaf hem genoeg tijd om... bah! Niets.'

Ik keek haar opletttend aan, maar moest mijn blik voor een tweede keer over haar gezicht laten glijden om mijn ogen te kunnen geloven, want mijn grootmoeder Soledad bloosde als een jong meisje, ondanks haar achtenzestig jaar levenservaring en de autoriteit die ze daarmee over mij had.

'Wat gebeurde er,' drong ik aan, meer geamuseerd door haar rode wangen dan het verhaal op zich.

'Niets, het is een beetje dwaas...' antwoordde ze zachtjes, terwijl ze haar hoofd schudde.

'Toen nou, grootmoeder, vertel het alsjeblieft.'

Terwijl de rode kleur nog dieper werd, haar hele gezicht veroverde en het bijna purper maakte, vroeg ik me af welk miniem detail, dat vast en zeker onbelangrijk was, zo kostbaar kon zijn dat die vrouw, die me aan de hand had meegenomen om haar naakt op een cafétafel te kunnen zien dansen, zo hardnekkig weigerde met me te delen, terwijl ze haar weigering in een glimlach verpakte.

'Nou goed,' zei ik ten slotte, wanhopig mijn laatste troef uitspelend, 'als je het niet vertelt moet ik wel aannemen dat grootvader zich boven op de tafel aan je heeft vergrepen of nog erger...'

Die truc had succes. Hoewel uit de toon waarop ik mijn laatste woorden uitsprak heel duidelijk moet hebben gebleken dat ik het niet serieus bedoelde, reageerde mijn grootmoeder bijzonder heftig.

'Ik wil niet dat je ooit nog zoiets zegt, Malena, zelfs niet voor de grap, hoor je me! Zoiets kwam niet in het hoofd van je grootvader op, hij had het niet eens kunnen bedenken.'

'Nou goed, maar vertel dan wat er gebeurde.'

'Ach, het is niets, gewoon onzin.'

'Onzin is ook iets.'

'Daar heb je gelijk in, maar ik ga het je niet vertellen, en weet je waarom?'

'Nee.'

'Omdat ik er geen zin in heb.'

'Alsjeblieft, grootmoeder, alsjeblieft, alsjeblieft... Als je het niet vertelt, blijf ik tot morgenochtend alsjeblieft roepen.'

'Maar... Nou... Vooruit dan maar... Alles ging heel snel, maar er was een moment waarop hij... Nou, me even...' En toen, op het moment van de echte bekentenis, werd haar gezicht scharlakenrood. 'Hij raakte heel even met zijn vingertoppen mijn tepels aan, het duurde maar een seconde, en het had een toevallige aanraking kunnen zijn als je nagaat hoe we daar stonden, maar ik realiseerde me dat hij het bewust had gedaan, en hij realiseerde zich dat ik dat wist, en ik deed mijn mond niet eens open, en hij realiseerde zich dat ik dat niet deed omdat ik dat niet wilde, en dat was het... Ik weet dat je nu zult denken dat dit niet het hele verhaal is, maar dat was alles.'

Ik begreep dat ik met mijn antwoord elke argwaan zou moeten wegnemen en gebruikte een kinderlijke opmerking die haar duidelijk moest maken dat ook ik de waarheid sprak.

'Ik geloof het.'

'Echt?'

'Ja, ik geloof het echt.' En terwijl ze diep zuchtte, kregen haar wangen hun normale kleur terug. 'En ik vind het een prachtig verhaal, grootmoeder.'

'Ja, dat is het ook...' zei ze, met halfgesloten ogen en een zachtmoedige, bijna dwaze glimlach om haar lippen, alsof ze het slachtoffer was geworden van een onoverwinnelijke en goedaardige betovering. 'Een beetje vreemd, bijna ongelooflijk, maar het beste wat ik ooit heb beleefd.'

'En wat gebeurde er daarna? Heeft hij je naar huis gebracht?'

'Nee. Hij bood het wel aan, maar ik wilde het niet, en niet omdat ik bang was dat hij me zou verkrachten, want dat zul jij nu wel denken, maar ik moest wel met de mensen naar huis met wie ik was uitgegaan, de broer en zus Fernández Pérez, de kinderen van een vriend van mijn vader die ze zijn auto liet gebruiken. Anders liep ik het risico dat mijn vader erachter zou komen en me een paar maanden een uitgaansverbod zou geven.'

'Hoe heb je hem dan teruggezien?'

'Drie dagen later kwam ik om twee uur 's middags van een college terug en vond hem thuis in de kamer. Hij had het voor elkaar gekregen om zich aan te sluiten bij een groep vrienden van mijn vader, allemaal juristen, die eens per week bij ons thuis met elkaar aten. Mijn vader stelde hem heel formeel aan me voor, en we drukten elkaar de hand. Ik was nog steeds bang dat het verhaal over de charleston bekend zou worden, dat iemand het aan papa zou vertellen of aan Elena... Mijn vrienden vormden wat dat betreft geen gevaar, want dat waren allemaal studenten aan de kunstacademie, zoals Alfonso, die het schilderij in mijn slaapkamer heeft gemaakt, en aankomende dichters en journalisten en zo, bohémiens zoals dat toen heette. We haalden allemaal wel eens stommiteiten uit en we woonden bijna allemaal nog bij onze ouders, dus vertelden we niets, want je wist maar nooit, we hielden elkaar allemaal de hand boven het hoofd, maar toen ik Jaime daar bij mij thuis aantrof, in gezelschap van mijn vader, werd ik zo door paniek overvallen dat ik nog voor ik iedereen had begroet moest gaan zitten.'

'Maar hij heeft je toch niet verraden?' Grootmoeder glimlachte toen ze de ongerustheid in mijn stem hoorde.

'Nee, hij heeft nooit iemand verraden, nooit, integendeel... In het begin zat hij me met een wat cynisch lachje aan te kijken, waar ik een beetje zenuwachtig van werd, maar later maakte hij gebruik van zo'n moment waarop ineens alle gesprekken stokken en er een plotselinge stilte valt, wanneer er, zoals ze zeggen, een dominee voorbijgaat, om op luide toon, bijna te luid, tegen me te zeggen dat het hem veel genoegen deed mij die dag te ontmoeten omdat hij me graag had willen leren kennen sinds mijn vader hem had verteld over mijn belangstelling voor de middeleeuwen, omdat hem dat altijd het interessantste deel had geleken van de Spaanse geschiedenis, en dat woord 'deel' zei hij op een beetje brutale toon... Papa kwam ertussen om te zeggen dat hij ons al eens aan elkaar had voorgesteld, bij de rechtbank, maar hij schudde zijn hoofd en zei dat hij zich niet kon herinneren mij ooit eerder te hebben gezien. Toen keek ik naar hem en glimlachte, zonder te weten waarom ik glimlachte, en ik was verbaasd dat ik geen medelijden met hem had, want ik weet niet waarom, maar ik heb mannen die hun best doen om zich als heren te gedragen altijd een beetje aandoenlijk gevonden. Later, na het eten, kwamen we elkaar in de gang tegen en fluisterde hij me iets in mijn oor. Ik hoop dat u niet beledigd bent als ik u zeg dat ik u nu iets minder aantrekkelijk vind, zei hij, ik weet niet waarom, maar ik denk dat u mij de vorige keer dat ik u zag beter beviel, het is alsof er nu iets te veel aan u is... En ik begon te lachen en keek hem aan, en het verbaasde me dat zijn woorden me niet beschaamden, want ik heb altijd een soort plaatsvervangende schaamte gevoeld voor mannen die een vrouw zo direct benaderen. Toen hij weg was, sloot ik me in mijn kamer op en zei tegen mezelf, geen medelijden en geen schaamte, Solita, dat moet de man van je leven zijn.'

Ook mijn grootvader Jaime was geen mooie man in de klassieke zin van het woord, maar toen ik hem aandachtig bekeek in de oude fotoalbums die grootmoeder, vanuit een schuilplaats waar ik niet mee naar toe mocht, naar de kamer had gebracht, herkende ik in zijn gezicht een aantal van de volmaaktste trekken van het gezicht van mijn vader, alsof deze na zijn dood geboren zoon op mysterieuze wijze de man had vervolmaakt die hij nooit had leren kennen, als erfenis een schoonheid aan hem had onttrokken die zich in het origineel niet volledig had gemanifesteerd. Hij was heel lang, had brede schouders en een opvallend, goed geproportioneerd lichaam dat iets te massief was voor mijn smaak – maar, afgaande op het enthousiasme waarmee ze vertelde dat hij altijd rond de honderd kilo had gewogen zonder ooit dik te worden, niet voor die van mijn grootmoeder – en zag er absoluut niet uit als een intellectueel die zijn vrije tijd gebruikt om te schaken. Met zijn donkere, bijna krullende haar, grote voorhoofd en vierkante kaken had hij zo'n gezicht dat uit steen gehouwen lijkt, en zijn hals was lang, maar zo dik als die van een trekpaard. Toch was hij een aantrekkelijke man, dankzij de tegenspraak die aan de oppervlakte kwam in zijn huid, een paradox die zich in de loop der tijd zou versterken, toen een sceptische uitdruk-king van beheerste teleurstelling zich voegde bij het grijze haar dat verspreid lag over zijn hoofd en zijn kracht vrijmaakte, en ten slotte zijn zeldzame conditie van atletische denker onthulde.

'Hij ging er zeker beter uitzien naarmate hij ouder werd.'

'Denk je?' Zijn vrouw leek het niet zo met me eens te zijn. 'Het is mogelijk, ik weet het niet… Hier,' zei ze, op een van de laatste foto's wijzend, 'had hij al te veel problemen. Hij was in een sombere man veranderd.'

Opnieuw trok zich een steeds dreigender tragedie boven onze hoofden sa-men, en opnieuw probeerde ik deze te verdrijven, want ik had nog niet genoeg van de lach van mijn grootmoeder.

'Was hij dat daarvoor niet?'

'Wat? Somber?' Ik knikte. 'Absoluut niet. Jaime was de vrolijkste man die ik ooit heb gekend. Dat kun je je niet voorstellen. Ik lachte zoveel met hem dat ik in het begin een beetje schrok en me afvroeg of ik echt verliefd was geworden of dat er iets anders aan de hand was, want alles was, hoe moet ik het zeggen, alles leek zo gemakkelijk. Mijn vriendinnen huilden en waren wanhopig en wisten niet waar ze over moesten praten met hun verloofden, maar ik… ik had het fantastisch met je grootvader, echt, ik had nog nooit zo'n man ontmoet. Hij nam me mee naar dingen die ik nog nooit had gezien, volksfeesten, openlucht-theaters, jaarmarkten, kermissen, stierengevechten, voetbalwedstrijden, dansfeesten… Of we gingen water drinken uit een of andere bron, altijd een die beroemd was omdat het water impotentie of steriliteit of reuma zou gene-zen. En we lachten veel. Hij had een geweldig taalgebruik, geestig en doorspekt met allerlei krachttermen, maar niet omdat hij kwaad was, begrijp je, gewoon wanneer het paste, en de meest merkwaardige gezegdes, een beetje grof, maar altijd grappig, zoals… op een oude fiets moet je het leren, en dat soort dingen. Hij had veel vrienden die heel anders waren dan de mijne, zoals stierenvechters, revuemeisjes, arbeiders die al vijftig waren en iets anders gingen leren…'

'Waar haalde hij die vandaan?'

'Overal vandaan. De meeste kende hij al van jongs af aan, uit het café.'

'Welk café?'

'Dat van zijn vader.'

'O, dat wist ik niet. Ik dacht dat hij uit een beter milieu kwam.'

'Wie?' Ze keek me aan alsof ik net heiligschennis had gepleegd. 'Je grootva-der?'

'Nee,' zei ik verontschuldigend. 'Op de foto's ziet hij er ook niet zo uit, maar omdat hij gestudeerd had en advocaat was…'

'Juist, maar zo was het niet. Mijn schoonvader was de vijfde zoon van een landbouwer uit Aragón. Ze waren behoorlijk rijk, dat wel, want ze hadden veel grond, maar hij kwam uit een gebied waar het eerstgeboorterecht nog gold, en dat betekende dat de oudste zoon al het grondbezit erfde, de tweede ging stude-ren, de derde priester werd en de twee jongsten zich maar moesten zien te redden. Ramón, zoals hij heette, werd naar Madrid gestuurd om in het café van de zuster van zijn moeder te gaan werken, die al jong weduwe was geworden en geen kinderen had, in de calle Fuencarral. Daar begon jouw overgrootvader op zijn veertiende te werken in de hoop de zaak op een dag te erven. De arme man is nooit achter de bar vandaan gekomen, maar het café is nooit van hem geworden. Zijn tante was nogal vroom en heeft haar bezit nagelaten aan de nonnen van een klooster in de buurt, op de hoek van de calle Divino Pastor, en haar neef moest genoegen nemen met het vruchtgebruik, waarbij hij de winst nog met de eigenaressen moest delen.'

'Wat een rotleven, niet? Ze hebben hem vanaf zijn geboorte dus kloterig behandeld.'

'Ja, inderdaad, maar je moet niet zo praten, je bent je grootvader niet... In elk geval ging Jaime naar een parochieschool, en omdat hij heel snel leerde lezen en schrijven, zorgde de meester dat hij naar een school ging van de katholieke vakbond, die niets kostte, ik weet niet of je dat kent...' Ik schudde mijn hoofd. 'Nou, dat maakt niet uit. Dat was alleen een lagere school, maar je grootvader was heel intelligent, dat heb ik je al gezegd, en hij viel op, en ze boden hem een soort beurs aan, die niet echt een beurs was, maar meer een soort gratis plaats op een middelbare school van de jezuïeten, dicht bij de Puerta del Sol, en daar ging hij heen, gedwongen door zijn vader, want ze hadden hem min of meer te verstaan gegeven dat hij, als hij accepteerde, daarna naar het seminarie kon, maar hij was in de kroeg en op straat opgegroeid en absoluut niet van plan om als priester te eindigen. Maar mijn schoonvader had alles netjes gepland. Jaime was zijn enige zoon, want zijn vrouw was vlak na de bevalling aan de kraamvrouwenkoorts gestorven en de arme man had, sinds ze hem op de parochieschool hadden verteld dat zijn zoon kon leren, elke maand wat geld opzij gelegd om hem op een dag naar de universiteit te kunnen sturen en zich zo op zijn oudste broer te wreken. Zijn zoons worden boer, zei hij altijd tegen je grootvader, wanneer ze 's avonds de glazen stonden te spoelen, maar jij wordt advocaat, en dat is veel belangrijker...'

'Maar waarom advocaat? Hij had ook arts of ingenieur of architect kunnen worden.'

'Ja, maar hij wilde dat Jaime advocaat zou worden, want de enige van alle klanten van het café die een auto had en elke twee of drie jaar een nieuwe kocht, was een advocaat, dus kwam hij niet eens op het idee om iets anders te gaan studeren, en hij deed het goed. In de eerste plaats omdat hij zijn vader niet kon teleurstellen, dat was een misdaad geweest, en in de tweede plaats omdat hij nergens meer plezier in had dan in juridische vraagstukken. Kortom, Jaime nam stilletjes afscheid van de jezuïeten, zette geen voet in het seminarie en begon aan zijn rechtenstudie, maar werkte 's avonds nog steeds in de kroeg. Hij heeft me verteld dat je overgrootvader vaak zei dat hij geen hulp nodig had en hem naar zijn kamer stuurde om te gaan studeren. Hij maakte zich zorgen omdat hij Jaime veel minder vaak boven zijn boeken zag zitten dan hij had gedacht dat nodig was. Jaime ging dan naar zijn kamer en loste schaakproblemen op, of hij schreef brieven, of hij ging lezen, want hij begon toen van literatuur te houden, en las Baroja, en vooral *Trots en Vooroordeel* en *La chartreuse de Parma*, dat waren zijn lievelingsboeken. Hij kon hele hoofdstukken uit zijn hoofd citeren, want hij had het geheugen van een olifant, ik heb niemand gekend met zo'n goed geheugen als je grootvader, hij hoefde teksten maar twee keer te lezen om ze voor altijd te onthouden. En toen had hij geluk, voor één keer in zijn leven had hij echt geluk.'

'Bedoel je zijn benoeming tot hoogleraar?'

'Nee, dat kwam later, het eerste jaar dat we getrouwd waren. Hij gaf college aan de universiteit omdat hij geen geld had om een eigen praktijk te beginnen, maar het onderwijs boeide hem niet echt, hij wilde als advocaat werken, en hoewel het in theorie prestigeverlies betekende voor iemand met zijn briljante carrière ging hij als pro deo advocaat werken. Hij won een aantal twijfelachtige zaken en verloor er twee die niet te redden waren, maar met de negende, die er net zo oninteressant had uitgezien als de rest, maakte hij naam. Zijn cliënt was een dienstmeisje dat ervan beschuldigd werd een halsketting te hebben gestolen van de vrouw des huizes, een van de meer dan tienduizend dienstmeisjes die jaarlijks op beschuldiging van diefstal in de gevangenis belandden, maar in dit geval was er een interessante bijzonderheid, want haar bazin was de vrouw van een oplichter, een goed gesitueerde man uit een goede familie, maar een oplichter, wiens favoriete slachtoffer de staat was. Het dienstmeisje bleek niet schuldig te zijn aan diefstal, maar aan indiscretie. Ze bleek een aantal dingen afgeluisterd te hebben en Jaime nam de uitdaging aan. Hij lichtte het deksel op en vond een heleboel rotzooi. Het werd een geweldig schandaal, de zaak kwam in alle kranten en je grootvader wist naast vrijspraak voor zijn cliënte de feitelijke veroordeling te bewerkstelligen van iemand die niet eens was aangeklaagd. Toen het proces afgelopen was, kon hij een praktijk kiezen, en toen ik hem leerde kennen was hij al partner.'

'En rijk.'

'Nou ja, rijk, wat je echt rijk noemt, zoals de rijken van die tijd, jouw grootvader Pedro, bijvoorbeeld, zijn we nooit geweest. We hadden geen landgoederen, geen huizen, geen pachters en geen koeien. We leefden van wat we met werken verdienden, zoals mijn ouders altijd hebben geleefd, maar we hadden het goed, dat zeker. Toen we gingen trouwen, huurden we een prachtig appartement aan de calle General Alvarez de Castro, in Chamberí. Het was op de derde verdieping en behoorlijk groot, met vier balkons en veel licht, en we namen een dienstmeisje, want ik had mijn studie nog niet afgemaakt, ik moest nog één jaar.'

'Toen je getrouwd was ben je blijven studeren?'

'Ja, zo lang mogelijk. Als iemand me toen had verteld dat ik huisvrouw zou worden, was ik in lachen uitgebarsten. Ik ben nooit geschikt geweest voor het huishouden, of voor kinderen, maar dat zul je wel weten, dat is te merken, niet?

Ik bedoel, ik heb geen geduld voor ze, geen zin om ze in mijn armen te nemen, zelfs met mijn eigen kinderen niet, ik vond het walgelijk wanneer ze over me heen spuugden en zo... Toen ik jonger was schaamde ik me daar een beetje voor, maar nu denk ik dat het moederinstinct net zoiets is als een crimineel instinct, of het instinct van een avonturier, om het wat aardiger te zeggen. Je kunt niet verwachten dat iedereen het heeft.'

'Waarom kreeg je dan kinderen?'

'Omdat ik kinderen wilde. Het ene heeft niets met het andere te maken. Jaime was gek op kinderen. Hij had wel geduld voor ze, om ze voor te lezen en paardje met ze te rijden in de gang. Eerlijk gezegd was het hebben van kinderen in die tijd ook niet moeilijk voor me, want we hadden twee dienstmeisjes, een naaister en een strijkster en ik hoefde alleen maar de dingen te doen die ik leuk vond. Dus ik was degene die kleren voor ze kocht en ik besliste wat ze elke dag zouden eten, hoe laat ze naar bed moesten en dat soort dingen, maar als ik op reis ging of het erg druk had of er even genoeg van had, liep het huishouden wel door, begrijp je? En natuurlijk hield ik van mijn kinderen, ik heb altijd veel van ze gehouden, ik ben hun moeder, en voor zover ik weet, hebben ze zich nooit beklaagd, maar als ze me bijvoorbeeld bij mijn werk stoorden, drukte ik op de bel en verdwenen ze. Wanneer ik er zin in had, gaf ik ze te eten en deed ze in bad, of ik ging met ze wandelen, naar het park of naar een volksfeest. Ik kon er niet tegen als ze zich verveelden, dus ging ik vrij veel met ze op stap, de twee oudsten natuurlijk, want toen je vader geboren werd, de arme man, was alles anders en had ik nergens meer tijd voor. Waar het op neerkomt, is dat ik veel tijd met ze doorbracht terwijl dat niet hoefde, dat was het mooie ervan. Zo af en toe nam ik een paar dagen vrij en dat vond ik heerlijk, waarom zou ik dat ontkennen...'

'Maar dat heeft niets met moederinstinct te maken.'

'O, nee?'

'Nee. Kleine kinderen zijn vermoeiend, heel vermoeiend, dat is waar, hoewel sommige ook leuk zijn, maar in verwachting zijn en zo, dat is prachtig.'

'Hoe weet jij dat?'

'Nou... ik weet niet. Dat zeggen alle vrouwen.'

'Ik niet.'

'Heb je er niet van genoten?'

'Van zwanger zijn? Nee. Dat wil zeggen, ik vond het niet vervelend, maar ik heb er ook niet van genoten. Soms dacht ik dat wel even, als ik de baby voelde schoppen en zo, maar in het algemeen vond ik het maar raar en soms ook heel lastig. En ik was bang, ik was altijd bang, want ik voelde dat ik geen controle meer over mijn lichaam had, dat daarbinnen dingen gebeurden waar ik niets vanaf wist, ik denk weleens dat mijn zwangerschappen daardoor zo moeizaam waren, ik weet niet... Het is een heel speciale gemoedstoestand, weet je, het is moeilijk uit te leggen aan iemand die het niet zelf heeft meegemaakt, maar ik had niet het gevoel dat ik mooier was, of intenser leefde of gelukkiger was, niets van al die dingen die je hoort. En baby's hebben me nooit aangetrokken. Ik weet dat er vrouwen zijn die op baby's afgaan alsof ze magneten waren. Ze hoeven er maar een te zien en kunnen de verleiding niet weerstaan om zo'n kind in hun armen te nemen, er tegen te praten en het in slaap te wiegen, maar ik heb dat nooit gehad. Ik heb altijd gevonden dat de moeder die dingen maar moet doen... Als ik naar een park ga, verheug ik me niet al van tevoren op de kinderen die ik daar zal zien, en als ik er op straat een tegenkom, strijk ik het niet over zijn hoofd, dat kan ik gewoon niet, het is niet anders. Ik weet dat er mensen zijn die geloven dat van kinderen houden en een goed mens zijn hetzelfde is, maar wat mij betreft heeft het een niets met het andere te maken. Ik ben een moeder voor mijn kinderen geweest en dat vind ik genoeg. Ik heb er geen enkele behoefte aan om moeder voor alle kinderen te zijn. Erger nog, ik denk dat er daarvan al genoeg zijn, meer dan genoeg als je het mij vraagt...'

Ik herinner me hoe geschokt ik was door die woorden van mijn grootmoeder, hoe diep ik het betreurde ze te hebben gehoord, hoe ik ze, zonder ze ook maar te analyseren, in verband bracht met alle onaangename, verkeerde en onrechtvaardige dingen die een schaduw wierpen over de herinnering aan al diegenen van wie ik altijd instinctief had gehouden, de eenzame, trotse en verscheurde figuren, de enige spiegels die mij reflecteerden. Toch vervaagde die schaamte snel, want mijn vader was niet verwant aan Rodrigo en mijn grootmoeder wist niets van zijn wet. Nog jarenlang zou ik uren bezig zijn met het uitpluizen van die verontrustende bekentenis, waaronder ik leed als onder een gevaarlijke infectie en waarbij ik probeerde het virus te isoleren en te doden voor ik ermee besmet zou worden. Ik dacht aan Pacita, die gevoelens van angst en afkeer in me had opgeroepen toen ik nog klein was, jonger dan zij, maar als ik die angst al associeerde met de figuur van mijn grootmoeder, was dat niet wegens de afwijkende aard van haar gevoelens, maar wegens de zekerheid dat ik haar niveau nooit zou bereiken.

'Ik had nooit gedacht dat Madrid zo groot was.' Ze koos deze zin als opening van een verhaal dat van het begin af aan de glans miste van de eerste dag. Beetje bij beetje, en zonder dat ik haar erom vroeg, ontvouwde ze voor mij een duistere en lange epiloog, als een muur opgetrokken van sobere grijze stenen, zonder klaagzang en zonder helden, alleen het verpletterende ritme van de dagen, die elkaar opvolgen en verdwijnen in de diepte van een oneindige kuil, die voor eeuwig leeg is. Ik had haar gevraagd of ze me wilde leren breien en ze stemde toe. Op een middag gingen we inkopen doen en ze hielp me twee soorten dikke, zachte wol uitzoeken, en terwijl ze mijn onhandige vingers over de punten van de breinaalden leidde, botsten haar woorden met het ritmische getik van het nieuwe metaal. Toen koos ze die zin: ik had nooit gedacht dat Madrid zo groot was, om de verwarring weer te geven die op de nederlaag was gevolgd, en moeiteloos riep ze het beeld op van een jonge vrouw, alleen, aan elke hand een kind, een derde in haar lichaam, die door een wijk loopt die zo ver is, zo anders dan de stad waarin ze tot op dat moment gedacht had te leven dat ze nooit had vermoed dat ook dat Madrid was.

Vanaf dat moment vond ik dat grootmoeder alle recht had dat instinct te ontkennen. De eerste dag kocht ze vier aardappels en wist niet wat ze ermee moest doen. Ze gooide ze in een steelpan vol water en kwam niet op het idee om met een vork te controleren of ze gaar waren, zodat ze ze hard hadden gegeten. De volgende dag kocht ze weer vier aardappels, kookte ze en haalde ze pas uit de pan toen ze zag dat de schil op verschillende plaatsen gebarsten was. Toen sneed ze ze door en gooide er wat zout en olie op. Ze waren goed, en dat was erger, want naarmate de kleine wanhoop over praktische dingen afnam, nam de grote wanhoop over een verwoest leven toe.

Ze wachtte nog op haar man, want ze heeft zijn lijk nooit gezien. Ze wist dat hij dood was en dat ze hem hadden begraven in een massagraf aan de voet van het Parque del Oeste of op de plaats waar nu een of ander trottoir is, want de overwinnaars hadden snel gewerkt om hun stinkende trofee te verbergen, maar zij had deze nooit gezien en wachtte, wiegde zich elke avond in de kinderlijke fantasie van een oneindige carambole, droomde van een slimme gevangene, een valse identiteit, een lange straf, de terugkeer. Ze besteedde veel meer geld dan een rantsoen aardappelen kostte aan een goedkope sluier van zwart kant, want ze was bang, heel bang. Elke ochtend bedekte ze haar hoofd, verborg dat haar dat zo afschuwelijk dun en sprietig was geworden, om naar de mis te gaan, want ze was bang en wilde dat ze haar zagen, dat iedereen in die armoedige wijk aan de andere kant van de rivier haar zag en zou weten dat ze elke ochtend naar de mis ging, maar ze kon niet bidden, dat had niemand haar geleerd. Daarom ging ze op de punt van de laatste bank zitten en liet haar hoofd zakken om zich achter het kant te verbergen, zodat niemand zou kunnen zien dat ze haar lippen vergeefs bewoog en deed alsof ze een gebed weefde, terwijl ze voor zichzelf slechts één woord herhaalde: locomotief, locomotief, locomotief. Ze was bang, heel bang, maar zo af en toe ging ze terug naar haar oude wijk, waar iedereen haar kende, waar iedereen wist wie haar man was en aan welke kant ze hadden gestreden, en vroeg naar hem. Ze trotseerde de portier, de nachtwaker, de bakker, het weerzinwekkende gebroed van verklikkers dat nu overal te voorschijn kwam, om naar haar man te vragen, en er was niemand die iets zei, maar er was ook niemand die haar aangaf, want hoewel Jaime Montero, wiens lichaam nooit door iemand werd geïdentificeerd, officieel op de lijst van gezochten stond, wist iedereen dat mijn grootvader dood was. Ze dachten allemaal dat mijn grootmoeder gek was.

Een tijd lang geloofde zij het ook zelf, maar dat begon als een intieme grap, een persoonlijke uitdaging, iets om hem te vertellen wanneer hij terug zou zijn. Vroeger kon ze niet bidden en nu had ze het geleerd, vroeger ging ze nooit naar de mis en nu elke ochtend, de wereld mocht nog iets meer veranderen, het maakte haar niet uit. De beslissing om de kaarsen te kopen kostte haar moeite, want ze waren duur, alles was toen duur, en ze nam er maar twee, niet te grote, maar voldoende om een maand lang te branden, misschien langer, want ze liet ze maar een half uur branden, 's avonds, wanneer de kinderen sliepen, om iets terug te vinden van die vrijheid die ze in haar naïviteit voor eeuwig had gehouden. Toen kwam er een eind aan een komedie, de dagelijkse voorstelling van de onzelfzuchtige vrouw, die ze in werkelijkheid was, en begon de volgende, de farce van een liefde die niet meer voldoende ruimte vond in het hart en haar van binnen verscheurde, haar beenderen uitholde, haar wil en haar gedachten verdoofde. Mijn grootmoeder Soledad, de zwarte sluier met twee spelden op haar hoofd bevestigd, maakte van de eettafel een altaar, met drie foto's van haar man, stak aan elke kant een kaars aan, deed respectvol enkele stappen achteruit en knielde met gevouwen handen op de grond om te praten, alleen, zoals men tegen doden praat. Hoe moet ik hieruit komen, Jaime? zei ze tegen hem, en ze vertelde hem wat er die dag was gebeurd, wat altijd weinig leek, want hij was weggegaan en de volle dagen waren met hem verdwenen. Waarom heb je me alleen gelaten? vroeg ze hem, en ten slotte gaf hij haar een antwoord.

Jouw grootvader heeft na zijn dood een wonder verricht, zei ze tegen mij, net als El Cid, en ik wilde haar niet corrigeren, ik wilde haar er niet aan herinneren dat El Cid niets anders had gedaan dan een slag winnen, dat alleen heiligen na hun dood wonderen verrichten, want zij wilde hem niet als een heilige en ik ook niet. Hij heeft een wonder verricht, hield ze vol, nog voor ze een mogelijke eigen verdienste afwees, nog voor ze het geluk noemde dat aan de overkant van de binnenplaats een zo praatgrage, vrome en vooral meelevende vrouw had gebracht. Mijn grootmoeder kende haar niet, ze wist niet wie die oude, gesluierde dame was die het op een middag waagde gebruik te maken van een bel die tot die tijd alleen door haar kinderen was gebruikt, maar ze had zich onmiddellijk voorgesteld, ik ben de overbuurvrouw, en was al binnen voor ze uitgenodigd was, waarna ze hoofdschuddend had rondgelopen alsof ze zichzelf gelijk wilde geven bij het vaststellen van een armoede die voor haar ogen noch die van anderen verborgen te houden was.

Deze vrouw wist vrijwel alles. Ze had het gelezen in het gezicht van mijn grootmoeder, in haar houding, in haar manier van praten en kleden, in de inspanning die het haar kostte rechtop te lopen, in haar vertwijfelde pogingen haar waardigheid te behouden, in haar manie, die door alle kinderen uit de buurt werd bespot, haar kinderen te dwingen de sardines met een visbestek te eten en twee keer per dag hun tanden te poetsen, opdat in hen iets bewaard zou blijven van het leven dat had kunnen zijn maar niet was, opdat dat in elk geval niet verloren zou gaan. De vrouw zei tegen mijn grootmoeder dat ze haar elke ochtend in de kerk zag, maar dat ze weinig waarde aan dat detail hechtte omdat ze er ook wel wat kende die zo rood als wat waren geweest, maar zich nu achter de heiligenbeelden verscholen. Maar, voegde ze eraan toe, ik zie u ook hier bidden, alleen, elke avond, en ik loop al enige tijd met de gedachte rond dat ik u graag zou willen helpen, want het is niet eerlijk dat iemand als u, met drie kinderen, de jongste nog aan de borst, alles is kwijtgeraakt.

Dankzij deze overbuurvrouw, die haar persoonlijk hielp, kreeg mijn grootmoeder haar eerste baan, als kleuterleidster op een school die gefinancierd werd door de parochie, een zelfde soort school als die waar haar man als kind naar toe was gegaan. Dagelijks hees ze 's morgens de vlag op de binnenplaats en haalde hem 's avonds weer omlaag, terwijl ze uit volle borst 'Cara al sol' zong, het lied van de fascisten, en in ruil daarvoor kreeg ze behalve middageten ook elke avond weer eten, tot ze er uiteindelijk in slaagde Chamberí te heroveren. Maar ik lette niet zozeer op dat detail, want ik was nog bezig met het eerste deel van haar verhaal, het deel dat ik nog steeds als onterecht en schandelijk zag, en ik veronderstel dat er een lichte kritiek in mijn stem klonk toen ik haar vroeg hoe het mogelijk was dat ze les was gaan geven aan vreemde kinderen, terwijl ze die van haarzelf aan vreemden overliet en in het algemeen niet van kinderen hield.

'Maar toen gaf ik geen les,' zei ze vriendelijk, zonder op mijn stilzwijgende verwijt in te gaan.

'Wat deed je dan?'

'Mijn proefschrift schrijven, *De Reconquista: het probleem van de herbevolking*. Ik was er meteen na mijn studie aan begonnen en ben ermee bezig geweest tot de oorlog uitbrak, er waren dagen waarop ik meer tijd in de Nationale Bibliotheek dan thuis doorbracht.'

'En heb je het gepubliceerd?'

'Nee, maar het heeft maar een haartje gescheeld. In '36 was het bijna klaar, ik moest alleen nog werken aan de conclusies en een paar bronnen opzoeken, maar toen dat allemaal gebeurde, heb ik het laten liggen en er nooit meer naar gekeken. Uiteindelijk is iemand me voor geweest, weet je, dertig jaar later, moet je nagaan. Ik wilde er na mijn pensionering weer aan gaan werken, maar dat was een beetje naïef natuurlijk, want vroeger of later moest iemand wel op het idee komen om over hetzelfde onderwerp te gaan schrijven, maar omdat de Reconquista zo'n gevoelig onderwerp is en in de Franco-tijd altijd vanuit een... nou ja, Franco-optiek werd benaderd, min of meer als rechtvaardiging voor de Burgeroorlog, dacht ik, met een beetje geluk... maar nee. In '65 zag ik in de krant de aankondiging van een boek dat bijna dezelfde titel had, *Het vraagstuk van de herbevolking tijdens de Reconquista*. Het was het proefschrift van twee jongemannen, met baard, heel slim, heel sympathiek, die echter een aantal gegevens misten die ik in parochiearchieven had gevonden en in andere bronnen die intussen verloren waren gegaan. Dus wist ik hun telefoonnummer te krijgen, via de universiteit, en heb ik ze opgebeld om ze mijn materiaal ter beschikking te stellen. Op die manier zou het werk van al die jaren niet helemaal verloren gaan. Ze kwamen onmiddellijk op bezoek en waren heel beleefd, hoewel ze enigszins teleurgesteld waren toen ze hoorden dat ik nooit een communiste was geweest, want zij waren dat wel en... nou ja, aan een slachtoffer zonder partij valt geen eer te behalen, dat is bekend. In elk geval hebben we maanden samengewerkt, en in de tweede druk van hun boek verscheen mijn naam op het titelblad, maar niet als auteur, ik moet toegeven dat ik daarover een beetje teleurgesteld was, maar in een kleine letter onder hun namen, met medewerking van drs. Soledad Márquez. Maar ik was er bijzonder blij mee, want ik had me al neergelegd bij het idee dat ik de boot weer gemist had; ik heb ze ten slotte allemaal gemist…'

'Je hebt ook niet veel geluk gehad, hè grootmoeder?'

Ze fronste haar voorhoofd, alsof ze diep moest nadenken terwijl het antwoord zo eenvoudig leek, en haar lippen twijfelden enkele keren voor ze in een richting gingen die verrassend voor mij was omdat ik, nog steeds onder de indruk van de stroom van gegevens die over me heen gekomen was, de werkelijke kracht van mijn grootmoeder nog niet had begrepen, de onuitputtelijke kracht van dat bijna versleten lichaam, dat, als een aangeboren kenmerk, de jeugd had bewaard van de bevoorrechte en universele geest van diegenen die geboren zijn om te overleven.

'Ach… wat zal ik je zeggen. Vanuit het gezichtspunt van de geschiedenisboeken niet nee, heb ik geen geluk gehad, want ik ben alles kwijtgeraakt. Ik heb mijn familie verloren, mijn werk, mijn huis, mijn vrienden, mijn persoonlijke bezittingen. Persoonlijke bezittingen zijn heel belangrijk, de kleine dingen, cadeautjes, je lievelingskleren, reissouvenirs, een aandenken aan een bijzondere dag… Die mis je verschrikkelijk. Het is ongelooflijk, maar als je die kleine dingen niet meer ziet staan, is het alsof je geen geheugen meer hebt, alsof je persoonlijkheid uiteenvalt, alsof je niet langer jezelf bent, maar een willekeurig iemand, zoals je ze elke dag op straat tegenkomt. Ik heb een oorlog verloren en jij weet niet wat dat betekent, dat weet niemand tot het hem overkomt, het klinkt zo onpersoonlijk, zo koud, een oorlog verliezen of winnen, maar… met de oorlog ben ik de stad kwijtgeraakt waarin ik was geboren, het land waarin ik had geleefd, de tijd waarvan ik deel uitmaakte, de wereld waar ik toe behoorde, alles stortte in, alles, en toen ik weer om me heen keek, was niets meer van mij, was er niets meer wat ik herkende. In het begin voelde ik me als een verdwaalde soldaat die zich realiseert dat hij niet meer onder zijn kameraden is, dat hij zonder het te merken de linie is overgestoken en in het kamp van de vijand is beland. Ik heb jaren in vijandelijk gebied gewoond. Ik verloor mijn man en was liever met hem gestorven, en dat zeg ik niet zomaar, ik zweer het je op zijn nagedachtenis, het enige wat me heilig is, en ik zweer het jou als zijn kleindochter, ik was liever met hem gestorven dan dat ik hem had overleefd, ik was nog maar dertig, maar als hij me de kans had gegeven, was ik samen met hem gestorven, maar ik moest blijven leven. Ik heb jarenlang zonder enig plezier geleefd; 's morgens stond ik op en 's avonds ging ik naar bed zonder ook maar enige hoop te hebben, want ik wist dat het leven leeg was en dat het dat ook zou blijven, dat ik alleen maar kon werken, eten, verteren en slapen, altijd hetzelfde tot de dag van mijn dood, en toch… Nu ik oud word, realiseer ik me dat ik Jaime alleen heb kunnen verliezen doordat ik hem had en denk ik dat ik met niemand had willen ruilen, dat ruilen alleen maar meer verlies was geweest.'

Toen bleef haar blik, die een paar minuten doelloos over het plafond had gedwaald, hangen aan de verbazing die uit mijn ogen sprak en glimlachte ze tegen mij, verder dan ooit verwijderd van het verdriet waarin haar verhaal haar moest hebben gebracht.

'Je begrijpt het zeker niet?'

'Nee,' gaf ik toe.

'Je bent nog jong, Malena, te jong, wat voor teleurstellende ervaring je ook hebt gehad en ook al denk je dat je alles weet. Als je zo oud bent als ik, zul je het begrijpen. Er zijn heel veel mensen die nooit van hun leven gelukkig zijn, wist je dat? Op jouw leeftijd kun je dat niet geloven, maar we zouden met massazelfmoord te maken krijgen als iedereen door een klein gaatje zijn toekomst zou kunnen zien. Er zijn heel veel mensen die nooit geluk hebben, nooit, nooit, zelfs niet met de stomste dingen, als ze van zoetigheid houden blijken ze diabeet te zijn, en meer van dat soort pech. Ondanks alles val ik niet in die categorie, ik heb geluk gehad, veel geluk, en dat ik zo hard gevallen ben en zo geleden heb, kwam alleen doordat ik van heel hoog ben gevallen. Van heel, heel hoog.'

Die woorden bevielen me niet. Ik verwachtte niet zo veel berusting van die onverschrokken danseres, die koppige studente, die vastberaden hindernisloopster.

'Klinkt dat niet een beetje als christelijke deemoed?'

'Dat geloof ik niet.' Ze begon te lachen. 'Het klinkt meer als oude grootmoeder praat met jonge kleindochter.'

Toen moest ik ook lachen.

'Kijk, Malena, volgens mij is er nooit iemand op de wereld geweest, nooit, die verliefder was dan ik toen ik verliefd werd op je grootvader. Net zo verliefd, vast, heel veel mensen, maar verliefder, nee, en ik bedoel dit weer serieus. Dat was op zich al fantastisch, vooral omdat we dat allebei wisten, wisten dat het eigenlijk een luxe was, dat mensen niet zo vaak op die manier verliefd zijn, zonder reserve, zonder twijfel, zonder dat het enige moeite kost, elke nacht wachten met inslapen, alleen maar om te kunnen kijken, de ander naast je te zien liggen. En we praatten erover, je zult het niet geloven, we waren heel modern, dat heb ik je al gezegd, soms praatten we over wat er zou gebeuren als een van ons verliefd zou worden op een ander, of plotseling niet meer verliefd zou zijn. Liefde is niet eeuwig en daar hielden we rekening mee, we wisten wat er zou kunnen gebeuren, en we sloten een soort verdrag en beloofden elkaar dat we, wat er ook zou veranderen, nooit bekrompen, nooit gemeen, nooit vervelend zouden zijn, maar er veranderde niets, elf jaar lang is er niets veranderd. Ik verwachtte de catastrofe elke dag, want ik vond Jaime veel te goed voor mij, dat gevoel heb je altijd wanneer je verliefd bent, en als er drie dagen voorbijgingen zonder dat hij me bij verrassing tegen een muur had gedrukt, of er nou mensen waren die het zagen of niet, begon ik te trillen, maar die derde dag kwam nooit, en alles was gemakkelijk, gemakkelijk en heerlijk, alsof we speelden dat we leefden, zo was het, echt waar. Niet dat er nooit een probleem was, zo was het ook niet, want hoewel ik zelf ook veel werkte, waren er tijden dat ik hem miste. Hij was te vaak aan het werk, en als hij aan een toernooi meedeed, was hij niet te harden, dan liep hij met een boekje over straat en stond elke twee passen stil om iets te noteren, dame offeren, in twee slagen mat en... dat soort onzin, dat meen ik, want ik heb nooit begrepen hoe hij zo geobsedeerd kon zijn door een spel, maar zelfs in zulke periodes deed hij fantastische dingen en kwam altijd met verrassingen. Soms kwam hij zomaar naar huis, op de meest onver-wachte momenten, midden op de dag of om zes uur 's middags, en duwde me zo het bed in, of de kinderen nou in de gang speelden, of de meisjes nou aan het schoonmaken waren, of er nou bezoek was, daar trok hij zich niets van aan. Daarna kleedde hij zich weer aan en ging er snel vandoor, en ik verscheen in mijn ochtendjas in de deur om afscheid van hem te nemen, het hele huis sprak erover, en zelfs daar hadden we plezier om, want we lachten om alles.'

'Klopt het dat hij elke dag een cadeautje voor je meebracht?' vroeg ik. Ik had plotseling uit een stoffige hoek van mijn geheugen het enige interessante gege-ven opgediept dat ik ooit over die man had gekregen. 'Ik geloof dat papa dat een keer vertelde.'

'Ja. Wanneer hij thuiskwam, had hij altijd iets voor mij bij zich, maar het waren meestal geen echte cadeaus, meer kleinigheden, zoals... voor twintig peseta's geroosterde kastanjes in de herfst, of een amandeltak in de lente, en soms dat niet eens, maar dingen die nog kleiner waren, zoals twee pinda's die hij in zijn zak had gestopt toen hij een aperitief nam, of een of ander pamflet, met een tekening die hij om de een of andere reden mooi vond.'

'En heb je die dingen nog?'

'Die dingen wel. De dingen die waarde hadden niet, die heb ik na de oorlog allemaal moeten verkopen, alles behalve een bewerkte broche, van goud met email, die hij een keer uit Londen had meegebracht, het enige sieraad dat ik ooit mooi heb gevonden. Ik heb het aan Sol gegeven toen ze veertig werd. Mis-schien heb je het wel eens gezien, want ze draagt het altijd, het stelt een meisje met vleugels voor dat gekleed is in een wit gewaad en voor een raam staat?... Tinker Bell, het vriendinnetje van Peter Pan. Ik wilde voor ieder van mijn kin-deren iets waardevols bewaren, maar dat is niet gelukt. Ik heb ook een Mont-blanc verkocht die hij mij gegeven had, want na de oorlog waren die dingen door de blokkade veel geld waard, en een gouden aansteker die hij van de de-caan van de faculteit had gekregen, om dezelfde reden. Ik heb een prachtig klein schaakspel moeten verkopen, met Staunton-stukken gemaakt van mahonie en marmer, dat me bijna de hele erfenis van mijn vader had gekost en het duurste cadeau was dat ik hem ooit had gegeven. Ik kreeg er een schijntje voor terug, maar we konden er een paar maanden van eten, we konden het met weinig redden toen, en elke dag als ik de aardappelen op tafel zette, want we aten bij-na altijd aardappelen, dacht ik, nu eten we de zwarte dame, of de witte konings-pion, want dat was het soort commentaar dat je grootvader maakte. Zo heeft Manuel ten slotte *Trots en Vooroordeel* gekregen en je vader *La chartreuse de*

Parma. Ik had niets anders meer. Maar Baroja heb ik nog steeds, want het zijn negen delen en ik vind het zonde om ze te verdelen, en de pinda's heb ik nog steeds, die heb ik nooit willen opeten.'

'En het is altijd hetzelfde gebleven? Jullie hebben nooit ruzie gehad?'

'Min of meer. Jaime... was heel intelligent, en eerlijk, en gevoelig en recht-vaardig, maar hij was ook een Spanjaard die in 1900 was geboren en, nou ja, hij had dezelfde fouten als de anderen, ik denk dat daar niet aan te ontkomen was.'

'Was hij een macho?'

'Soms, maar niet naar mij toe. Dat wil zeggen dat hij me nooit iets verboden heeft, dat hij zich nooit met mijn zaken heeft bemoeid of probeerde mij van mening te laten veranderen, integendeel. Ik werd beroemd bij de rechtbank, bijna een toeristische attractie, want van alle vrouwen van de rechters, officieren van justitie en advocaten was ik de enige die geen proces miste. Ik volgde ze als een voetbalwedstrijd en klapte, trappelde met mijn voeten, floot, stond op... Als we wonnen, en er een moment was waarop de rechter hem niet zag, groette Jaime me met uitgestrekte armen, de handpalmen naar binnen, zo...' ze deed de traditionele groet na van een stierenvechter op een dag van triomfen, 'alsof hij mij de oren aanbood. Hij heeft een paar keer een waarschuwing gekregen, en één keer werd een cliënt boos omdat hij dat gebaar van gebrek aan respect vond getuigen, maar er was ook een keer een rechter die, na een proces dat in vrijspraak was geëindigd, wat niet eenvoudig was geweest, opstond, tegen me glimlachte en hardop tegen me zei: gefeliciteerd, mevrouw, en de helft van het publiek, collega's en vrienden van mijn man, begon te klappen, en Jaime liet me opstaan en groeten. Ik kende zijn zaken uit mijn hoofd, want hij vertelde alles vanaf het begin en volgde vaak mijn ideeën op, want we hadden zo'n nau-we band, maar af en toe...' Ze liet een dramatische stilte vallen, hield op met praten, keek me oplettend aan, alsof ze het meest toegewijde publiek dat ie-mand ooit heeft gehad nog meer voor zich wilde winnen en glimlachte. 'Af en toe ging hij vreemd, waarom zou ik dat ontkennen.'

Die onthulling bracht bij mij een ijskoude rilling teweeg, niet zozeer door de inhoud, maar meer door de ongehoorde rust in de stem van mijn grootmoe-der toen ze haar kalme relaas een zo onverwachte wending gaf.

'Nou ja, je schijnt het niet zo belangrijk te vinden,' mompelde ik, verward, en ze begon te lachen.

'Wat wil je, dat ik nu met borden ga gooien, na al die jaren? Eerlijk gezegd, kon het me vaak niet zoveel schelen, maar dat was afhankelijk van de betreffen-de vrouw.'

'Had hij veel minnaressen?'

'Nee, eigenlijk geen een. Het waren nooit echt minnaressen. Het waren affaires, meestal heel kort, vaak maar een dag, maar die dagen waarop ik alleen was, geïsoleerd, kwamen af en toe terug. In het begin vertelde hij het me, want het was voor hem niet belangrijk, het was een kortstondig vuur, opwellingen die zichzelf opbrandden, een plotseling begeren dat pas betekenis had gekregen als het onbevredigd was gebleven, dat zei hij in elk geval, en ik geloofde het, want als hij me verteld had dat de maan vierkant was, had ik dat ook geloofd. In theorie had ik de vrijheid om hetzelfde te doen, weet je, als manier om mijn eigen identiteit te bewaren. Hij zei altijd dat een paar uit twee volledige personen bestaat, en niet een geheel is dat uit twee helften bestaat. Je kunt je niet voorstellen hoe vervelend ik dat vond, maar als hij vervolgens iemand erop betrapte dat hij me tijdens een feest in mijn decolleté keek, was hij op slag niet meer te genieten, en als ik het eens in mijn hoofd haalde om met iemand te dansen, of, beter gezegd, als ik een keer danste, want hij danste nooit, kon hij zo paars worden als wat en bevende lippen krijgen, maar hij slikte zijn jaloezie in want hij wist dat het niet eerlijk was. Ik heb nooit met een ander geslapen, en dat kwam eigenlijk alleen doordat ik er geen zin in had, en dat wist hij. Later zei ik dat ik het liever niet wist als hij een affaire had, maar ik bleef het merken, ik merkte het altijd, en ik heb er een paar keer echt last van gehad, maar uiteindelijk had hij gelijk want niet een van die vrouwen heeft ook maar de geringste invloed gehad op ons leven... Ik ben je nooit ontrouw geweest, zei hij aan het eind, toen hij al een levende dode was, en ik begreep wat hij wilde zeggen en zei dat ik dat altijd had geweten, en dat was waar. Ik aanbad hem, ik aanbad hem, ik aanbad hem en ik ben hem kwijtgeraakt, maar daarvoor had ik hem helemaal.'

Toen hield ze zich in, alsof ze niets meer te zeggen had. Ze keek naar haar vingers en begon de nagels van haar linkerhand schoon te maken met die van haar rechterhand, een onbewuste handeling die ik al vele keren had gezien, een afleidingsmanoeuvre waar ze altijd een beroep op deed wanneer ze zich ergens, of door iets of iemand ongemakkelijk voelde. We waren aan het eind van het traject gekomen; er was geen ontkomen meer, zij wist het en ik ook.

Terwijl ik naar de beste bewoordingen zocht voor de onvermijdelijke vraag, begreep ik dat alleen het toeval, een pijnlijk, verschrikkelijk toeval, waarvan ik de gevolgen voor mijn eigen leven nog niet kon overzien, mij had toegestaan een nalatenschap in bezit te nemen die me toekwam, maar die me op een andere manier nooit zou zijn overgedragen, een goed waarvan ik me het bestaan niet eens kon voorstellen, de herinnering aan de man die altijd de duistere, twijfelachtige andere grootvader was geweest. Maar voor ik mijn vader die onrechtvaardige en bewuste roof durfde verwijten, voelde ik paniek en de verleiding me terug te trekken, want ik werd overvallen door een absurde vrees, een angst om te luisteren en te weten, deze stilte te begrijpen en die bewonderde man, die mijn grootmoeder met haar nog steeds kalme stem voor mij tot leven had gebracht, die intelligent, vrolijk en echt was geworden, te verliezen. Er zouden jaren voorbijgaan voor ik uiteindelijk begreep dat mijn grootmoeder, terwijl de zomer werd weggevaagd door een razende storm, degene was die gelijk had gehad het duurde jaren voor ik wist dat ik toen te jong was geweest om te weten, te jong om te begrijpen dat het grootste bedrog gemakkelijker te aanvaarden was geweest dan de weg die mijn grootvader koos om tussen twee reus-

achtige bergen van doden te sterven. Alleen en voor niets, zoals helden sterven.

'Wie heeft hem gedood, grootmoeder?'
'Iedereen,' antwoordde ze, en ik heb nooit een zwaarmoediger gezicht gezien. 'We hebben hem allemaal gedood. Ik, je vader, het oorlogskabinet, de
minister van Justitie, de Tweede Spaanse Republiek, dit vervloekte land, mijn
zus Elena, mijn zwager Paco, en een soldaat van Franco, of twee, of drie, of een
heel regiment dat gelijktijdig vuurde, want dat heb ik nooit geweten...'
Ik durfde niets meer te vragen. Ze zweeg een paar minuten en begon toen
weer te praten, spuugde eerder haar diepe, bittere verdriet uit, dat langzaam
lichter werd, overging in woede, vochtig en fris terugkwam, zwarter en zwaarder
nog, en uiteindelijk doofde, stierf van vermoeidheid, en me toen het gezicht
toonde van de leegte, van de pure verslagenheid die ontdaan is van elke hoop,
van elke neiging tot nutteloos geweld, van elk einde, van elke zin, behalve de
willekeurige veroordeling van hen die haar bestaan ondergaan. Eerst leerde ik
langzaam, luisterde en onthield, als een toegewijde leerlinge, me afvragend of
dat alles enige zin had gehad, een antwoord zoekend op de vraag waarom die
dood zo belangrijk voor me was, waarom ik die leegte voelde, mijn aders voelde
zwellen, waarom die dood me harder maakte en aanvulde, maar pas toen ik
hem kon zien, toen ik het silhouet ontwaarde van een man die alleen door de
straat liep, de tranen huilend van een gestorven lente, en hem de hoek zag bereiken van de calle Feijoo, en hem rechtsaf zag gaan om voor altijd te verdwijnen,
pas toen realiseerde ik me dat deze wandelaar de vader was van mijn vader, een
vierde deel van mijn bloed, dat hij mij was, en dat antwoord was voldoende.
'Hij wilde niet naar me luisteren, die keer niet. Hij luisterde altijd naar me,
dat heb ik al verteld, hij hield altijd rekening met mijn mening, en ik heb hem
gewaarschuwd, ik weet niet hoe het kwam, maar die keer zag ik het heel duidelijk, ik zag dat die weg ons zou vernietigen, en ik vroeg hem, ik smeekte hem,
alsjeblieft, Jaime, neem die functie niet aan... Hij antwoordde niet en ik praatte
door, en ik smeet mijn woorden tegen zijn oren als een bal tegen een muur, en
ik vond ze ongebruikt terug, elke keer, keer op keer. Zie je dan niet dat niemand die functie wil, zei ik, je bent ze niets schuldig, laten ze iemand van hen-
zelf nemen, iemand die in de schaduw gebleven is, maar niet jou... Hij had die
functie nooit moeten aanvaarden, en dat wist hij, hij had nooit moeten accepteren, hij had duizend excuses om het niet te doen, hij was geen officier van justitie, weet je, en ik wilde alles doen om het te voorkomen, alles, ik smeekte hem
op mijn knieën, ik weet niet hoe vaak... Maar niets, hij keek me niet aan, zei
niets, niets, niets, tot hij opstond en tegen me schreeuwde, woedend, zoals hij
nog nooit tegen me had geschreeuwd. Zie je niet wat er gebeurt, zei hij, of moeten we maar blindemannetje spelen? Er is een oorlog aan de gang en ze zijn niet
bezig de Republiek te vermoorden, vergeet dat maar, om de Republiek hoef je
niet te huilen, want het zijn de mensen die ze vermoorden, ze vermoorden de

mensen... Ik voelde me beschaamd door zijn woorden en ik zweeg. Hij vroeg me om vergeving, omarmde me en kuste me, en toen wist ik dat hij die functie aan zou nemen, hoewel hij wist waar hij aan begon. Drie of vier maanden daarvoor had hij op een avond toen we naar bed gingen op gedempte toon, bijna fluisterend, gezegd dat de oorlog verloren was, dat we niets meer konden doen, alleen nog op een wonder hopen. Ik wilde het niet geloven, want de berichten waren niet zo goed, maar ook niet zo slecht. Dat was in '38 en ik geloofde, ik geloofde echt dat we de oorlog zouden winnen, iedereen was ervan overtuigd, en het was nog niet zoals later, toen ik me bij het opstaan dwong om vertrouwen te hebben, om maar uit mijn hoofd te kunnen zetten wat de nederlaag zou betekenen, vooral nadat je grootvader die vervloekte benoeming had aanvaard.'

'Welke functie was dat, grootmoeder?'

'De speciale functie van officier van justitie van het Oorlogstribunaal, met recht op de titel "zijne excellentie", dat wel, dat was heel duidelijk aan de benoeming verbonden, of ze cynisch waren, die schoften, en een bende lafbekken, dat ze hem ervoor durfden te vragen, hém, terwijl hij nog kwaad was geworden toen ik in '36 op ze gestemd had. Omdat hij onafhankelijk was, zeiden ze tegen hem, omdat zijn naam nergens mee geassocieerd werd, omdat hij zich nergens mee had ingelaten, omdat hij de beste was, de klootzak... Hij was de enige die zo'n gevoelige taak zou kunnen uitvoeren, de enige die de excessen van de militaire rechtspraak zou kunnen tegengaan, die de eer zou kunnen redden van de civiele rechtspraak en erover zou kunnen waken tot deze volledig hersteld zou zijn, dat zeiden ze tegen hem, en hij geloofde het niet, maar hij ging erop in, hij ging erop in, en hij wist dat alles verloren was, maar hij ging erop in... Hij werd de enige burger die betrokken was bij militaire processen, en de smerigste processen. Hij hield toezicht op processen tegen burgers die militaire misdrijven hadden begaan, vooral spionage, maar ook andere dingen, zoals smokkel, en hij hoefde niet als aanklager te fungeren, hij was alleen in naam van het ministerie aanwezig, als vertegenwoordiger van de civiele rechtspraak, hij deed helemaal niets want hij hoefde niets te doen, alleen maar kijken, luisteren en informatie doorgeven, maar... Je had eens moeten lezen wat die vuilakken later over hem schreven, toen ze dit kloteland eindelijk teruggewonnen hadden, want dat is het, niet meer en niet minder. De beul noemden ze hem toen, een misdadiger, moordenaar van de helden van de vijfde kolonne, moordenaar...' Ze stond op. Ze stond vaak op die avond, om zich daarna weer krachteloos op haar stoel te laten vallen, met het gebaar van iemand die een dood gewicht in het water gooit. 'Ze hebben er maar weinig gedood, hoor je, weinig! Ik had er meer kunnen doden, met deze handen, en ik had de rest van mijn leven rustig geslapen, ik zweer het, zo rustig als wat. Moordenaar... Zij waren de moordenaars, die vuile rotzakken! En hij was dood, vanaf begin '39 was hij dood, hij was een levende dode, die liep, en at, en opstond en naar bed ging, maar hij was dood, dood, dood... Daar ging hij dus met zijn mooie plannen.'

Ze had nog tranen over, waarvan er twee, dik en onbeholpen, langzaam van haar wimpers losraakten en traag over haar wangen omlaag rolden, en ze maakten meer indruk op me dan de woorden, dan de gebaren, dan de woede, meer dan haar dreiging met moord waarin ze zelf niet eens geloofde, want ik kon de wrok begrijpen, na zo veel tijd, ik kon me de pijn voorstellen, en de behoefte aan wraak, en de schuld die nooit gecompenseerd wordt, maar niet de hulpeloosheid van die trage, stille tranen, de verschrikkelijke zachtmoedigheid van dat kinderlijke verdriet, dat al voor mijn geboorte uitgeput had moeten zijn en veranderd had moeten zijn in kracht, in de wilskracht die nu uit haar gezicht vloeide en plaatsmaakte voor de onzekere en gekwetste uitdrukking van een eenzaam kind dat niet begrijpt waarom nou juist zijn bal, van alle duizenden miljoenen ballen in de wereld, in de rivier terecht is gekomen, de bal die lek geraakt is en verloren is gegaan, die verschrikkelijke tranen van de onschuldigen huilde mijn grootmoeder nog steeds.

'Wat ik niet begrijp,' waagde ik later te zeggen, toen ze wat rustiger leek te worden, 'is waarom jullie niet weg zijn gegaan, waarom jullie niet naar Frankrijk of Amerika zijn gegaan...'

'Dat heb ik ook tegen hem gezegd,' antwoordde ze, terwijl ze heel langzaam knikte. 'Dat heb ik hem honderden keren gezegd. Dat hij weg moest gaan terwijl het nog kon, dat hij de twee oudsten mee moest nemen en ergens op mij moest wachten, dat ik later zou komen, als het kind geboren was, dat ze mij vroeger of later zouden moeten laten gaan, want ze hadden niets om tegen me te gebruiken, maar hij wilde niet luisteren, want hij vertrouwde op Paco, ik niet, ik heb hem nooit vertrouwd, maar hij vertrouwde op Paco...'

'Wie was Paco, grootmoeder?'

'De man van mijn zuster. Hij was een afgevaardigde van de socialisten. In de laatste fase van de oorlog werd hij tot directeur benoemd, of algemeen directeur, weet ik veel, de grote baas van het Isabel II-kanaal. Hij bleef in Madrid toen de regering vluchtte, hij moest wel blijven want hij moest tot het eind voor de watervoorziening zorgen, en Jaime wachtte op hem. Hij bleef wachten, terwijl zijn eigen superieuren hem aanraadden om weg te gaan, hij wachtte terwijl onze vrienden ons een plaats in hun auto's aanboden om de grens over te gaan, hij wachtte op Paco. We gaan als Paco gaat, zei hij.'

'En Paco ging niet?'

'Natuurlijk ging hij! Maar zonder je grootvader.'

'En jij...'

'Ik was zwanger.'

'Van mijn vader.'

'Ja... Eigenlijk wilden we hem niet, arm kind, want twee was genoeg, en ik had de geboorte van Sol bijna niet overleefd, maar in die tijd dacht je er niet aan om voorzichtig te zijn. Het was pech, gewoon pech, want als we het in die zes maanden daarvoor twintig keer hadden gedaan, was het veel. Alles zag er zo somber uit, zo triest, dat we nergens zin in hadden, en als het gebeurde, en goed ging, hielden we ons niet met dat soort onzin bezig, want het was anders gewor-

den, alles was zo anders geworden dat iets wat ons aan de goede tijd herinnerde... Kortom, ik was zwanger en mijn zwangerschappen waren allebei moeilijk
geweest. Bij Manuel heb ik drie maanden in bed gelegen, omdat ik bloed verloor, en bij Sol was het nog erger, veel erger; de geboorte was gecompliceerd
doordat ze omgekeerd lag en ik ben bijna doodgebloed. Toen ik te horen kreeg
dat ik weer in verwachting was, midden in de oorlog, begon ik te huilen, ik
huilde in de spreekkamer van de dokter en terwijl ik over straat liep, en ik vertelde het niet aan je grootvader, want het was bijna Kerstmis. Kerstavond vierden we nooit, maar oudejaarsavond wel, vroeger, toen we jong waren, dan ver-
kleedden we de kinderen als de koningen, dat was natuurlijk absurd, het was
eigenlijk belachelijk, want we geloofden helemaal niet, en de kinderen begrepen
er niets van, maar Driekoningen vonden we leuk, en dat hadden we voor de
oorlog altijd gevierd, dus zei ik niets. Bovendien had een gerechtsbode je grootvader een kip beloofd, een hele kip, nu lijkt het niets bijzonders, en we aten er
met zijn zessen van want de dienstmeisjes konden ook nergens heen, maar toen
was het fantastisch, een hele kip voor oudejaarsavond, en ik zei bij mezelf: eerst
eten, dan zien we wel verder... Maar er kwam geen kip, en we aten rijst met
saffraan, ik weet het nog goed, en peren, en ik had het nog steeds niet aan je
grootvader verteld.'

Ze pauzeerde even om de zoveelste sigaret op te steken, maar de pauze duurde langer dan nodig was, en toen ze verder ging, had ik het gevoel dat elk woord
dat ze sprak haar pijn deed.

'Daarin heb ik een fout gemaakt, dat weet ik, dat was een ongelooflijke
stommiteit, ik had het tegen hem moeten zeggen, dan was het beter afgelopen,
dan waren we misschien wel weggegaan, maar ik... Ik vond dat je grootvader
al genoeg problemen had, dus ging ik naar de dokter en zei dat ik een abortus
wilde, en hij antwoordde dat het onmogelijk was, dat hij het natuurlijk niet zelf
kon doen en dat alle ziekenhuizen feitelijk gesloten waren, dat alle verdovende
middelen geconfisqueerd waren door de staat, dat alle bedden en medicijnen
en bloed en antiseptica bestemd waren voor de oorlogsslachtoffers, en dat hij
het bij een andere vrouw misschien nog zou willen proberen, maar absoluut
niet bij mij, met mijn geschiedenis en de manier waarop mijn laatste bevalling
was gegaan. Bovendien was ik al bijna drie maanden heen, dus lag het niet zo
gemakkelijk, ik had te lang gewacht. Ik was er zo van overtuigd dat het onmogelijk was, dat het vanalles kon zijn, maar geen kind... De arts kende me al
vanaf mijn tiende jaar en zei dat ik me er maar beter bij neer kon leggen, dat ik
het beste in bed kon kruipen en wachten, en hij had gelijk, en hij waarschuwde
me: probeer het niet op een andere manier, Solita, jij niet, want je overleeft het
niet. Maar ik luisterde niet. Ik heb het toch geprobeerd.'

'Hoe?'

'Met de hulp van een buurvrouw. Ze was voor haar trouwen revueartieste
geweest, ze was heel grappig. We waren niet direct vriendinnen, maar we konden het goed vinden en dronken af en toe koffie samen. Ze had me jaren daar-

voor een keer verteld dat ze een paar abortussen had gehad, en ik ging haar opzoeken. Ze zei dat ik me geen zorgen moest maken, dat ze een uitstekende verloskundige kende, een vrouw uit haar dorp die haar hele leven al abortussen had gedaan, dat ze haar zou proberen te vinden en dat het geen enkel probleem zou zijn, behalve dat ze betaald wilde worden. Ik zei dat ze haar geld zou krijgen, dat ze zich daarover geen zorgen hoefde te maken, dat ik iets zou verkopen als het moest en dat ik haar zou betalen... Dus maakten we een afspraak en ik vroeg haar 's morgens te komen, om negen uur, zodat Jaime er niets van zou merken. Ik stuurde het ene meisje met de kinderen naar het huis van mijn zuster en bleef thuis met het andere meisje, dat ik kon vertrouwen, en zij heeft mijn leven gered. Die ochtend was er een bombardement, ik weet het nog precies, de sirenes begonnen vroeger dan anders, rond het middaguur, en om drie uur 's middags, toen ze stopten, ging het arme kind er rennend vandoor om je grootvader te zoeken. Het kostte haar een uur om hem te vinden, want ze kon niet lezen en moest overal vragen. Toen Jaime om ongeveer kwart over vijf thuiskwam, lag ik bewusteloos in bed dood te bloeden. Die vrouw was nergens meer te bekennen. Ze was er midden in het bombardement vandoor gegaan toen ze zag wat voor ramp ze had aangericht, en nadat het meisje, dat verschrikkelijk bang was, haar had bedreigd en gezegd had dat mijn man advocaat was. Ik heb geen idee wat ze met me gedaan heeft, ik wilde niet kijken, maar soms droom ik er nog van en hoor ik haar stem, rustig maar, meisje, rustig maar, zei ze tegen me, even volhouden nog, heel goed, kindje, nu moet ik je een beetje pijn doen... Aan haar accent te horen, kwam ze uit Andalusië, dat is het enige wat ik weet. Jaime heeft heel Madrid naar haar afgezocht, meer dan drie maanden, de rest van zijn leven, om haar in de gevangenis te kunnen stoppen, maar hij heeft haar niet gevonden.'

'Daardoor zijn jullie niet weggegaan.'

'Ja, dat was een van de oorzaken. Ik was ontzettend zwak daarna, en de dokter zei dat ik niet verplaatst mocht worden, niet vanwege het kind, daar ging het goed mee, het leek onmogelijk, maar daar ging het goed mee, maar om mij... Ik heb je gewaarschuwd, zei hij zachtjes, toen we even alleen waren, maar je grootvader moet het gehoord hebben, je had hem moeten zien, hij was woest, ik herkende hem niet meer. In plaats van me gerust te stellen gaf hij me twee klappen in mijn gezicht, dat is de enige keer geweest dat hij me geslagen heeft. Hij was ontzettend gespannen, want hij was zich doodgeschrokken, hij was heel bang, daarom wilde hij niet gaan. We gaan allemaal samen wanneer Paco gaat, zei hij, dan gaat het wel beter met je, er gebeurt niets, dat zul je zien... Ik vroeg hem alleen te gaan, om dat voor mij te doen, want als het mis zou gaan, zou het nu mijn schuld zijn, en ik zou het mezelf nooit kunnen vergeven, maar hij antwoordde dat hij heel goed begreep wat er gebeurd was, dat hij in mijn plaats hetzelfde had gedaan en er nooit meer over wilde praten. Ik heb er nooit meer over gepraat, maar ik heb het mezelf nooit vergeven.'

Toen ze die laatste zin uitsprak, kon ik haar gezicht niet zien en waren haar woorden nauwelijks hoorbaar, want ze had zich voorovergebogen en lag met haar gezicht op haar knieën, haar handen rond haar benen geslagen.

'Maar het was jouw schuld niet, grootmoeder.'

Eerst antwoordde ze niet. Ze bleef zo zitten, ineengedoken, en bewoog alleen haar tenen. Toen kwam ze langzaam overeind, als een kind dat zich uitrekt, tot ze weer in haar normale houding zat, haar rug recht tegen de leuning van de stoel, en keek me aan.

'Ja, dat was het wel.'

'Nee, het was niet jouw schuld. Je hebt gedaan wat je dacht dat je moest doen, net als hij toen hij die functie aannam. Je was moedig, grootmoeder, en dat wist hij, hij wist dat je nergens schuld aan had. Het was de schuld van die Paco, die er zonder iets te zeggen vandoor is gegaan.'

'Het was de schuld van ons allemaal, ons allemaal. Het was natuurlijk mijn schuld, wat je ook zegt, maar ook de zijne, doordat hij die benoeming accepteerde. Als hij dat niet had gedaan, was er niets gebeurd. We zouden de oorlog wel verloren hebben, dat wel, en we zouden arm zijn geworden, en we hadden naar het buitenland moeten gaan, of misschien ook niet, maar ze hadden niets tegen hem gehad, ze hadden niets kunnen doen, en misschien zou hij dan nog in leven zijn, wie weet... Maar feitelijk heb je gelijk, want als mijn zwager ons niet verraden had, waren we misschien nog bij elkaar, en in leven, ergens anders, of we waren teruggekeerd, zoals zij nu hebben gedaan, begeleid door applaus en met een staatspensioen. Vier of vijf maanden geleden kreeg ik een telefoontje van Elena. Ze had de gore moed me op te bellen. Er is zo veel tijd voorbijgegaan, zei ze, je bent de enige familie die ik heb, en ik heb me zo verheugd op onze terugkeer naar Madrid... Eerst was ik rustig, weet je, ik had het al verwacht sinds ik in de krant had gelezen dat Paco terug zou keren, en ik was rustig, maar plotseling kreeg ik zo'n smaak in mijn mond van vroeger, zo'n smerige smaak die ik vergeten was, het was maar een moment, als een braakneiging, maar ik realiseerde me dat het de smaak van linzen was, linzen, je hebt het vast wel eens gelezen of in de bioscoop gezien, dat was het laatste wat we in Madrid hadden, we aten elke dag linzen, maandenlang... Toen knapte er iets in me, terwijl ik steeds geweten heb dat zij wilde bellen, dat zij niet de hoofdschuldige was, dat het vooral haar man was. Het dienstmeisje dat ze hadden, dat niet mee wilde gaan, heeft me later verteld dat mijn zuster de telefoon al in haar hand had, dat ze ons wilde bellen, maar dat haar man de hoorn uit haar hand heeft gepakt. Niet bellen, Elena, zei hij. Jaime is bekend, zijn gezicht heeft vaak in de kranten gestaan. Iemand zou hem kunnen herkennen. Het is gevaarlijk. Als er iets gebeurt is het te gevaarlijk, dan lopen we een te groot risico. Toen heeft mijn zuster opgehangen en zijn ze naar Frankrijk gegaan. En achter de laatste auto's die vertrokken, waar zij bij waren, hebben onze soldaten zich teruggetrokken en de enige weg opgegeven die ons nog open was gebleven. En terwijl Jaime en ik sliepen, veranderde Madrid in een muizenval.'

'Wat heb je tegen Elena gezegd?'

'Och… niets. Onzin. Vreselijke dingen, ik weet niet, ik was helemaal over mijn toeren, dat geef ik toe, de werkster was erbij, ze wist niet wat ze hoorde… Kun je ons niet vergeven? vroeg ze ten slotte, en ik zei nee, nooit, nooit van mijn leven, al word ik honderd. Met mijn laatste woorden zal ik jullie nog vervloeken, zei ik, en ik vervloek jou nu, hoor je me, ik vervloek je, Elena Márquez, omdat je de namen die je draagt niet waardig bent, de namen die je vader en je moeder je hebben gegeven, en om de dood die je op je geweten hebt… Ze begon te huilen, en ik heb gezegd dat ze dood kon vallen. Ze trok een pruilmondje, als een kind, maar ze kon zich weer beheersen voor ze uitbarstte. Die kleine Elena, ze kon altijd zo goed huilen, ze had haar tranen altijd bij de hand, weet je, zo gevoelig en zacht, en dan achter je rug om, paf!, het is altijd hetzelfde.'

'Waarom maak je het niet bekend?'

'Wat?'

'Wat er gebeurd is. Je hebt tenslotte geschiedenis gestudeerd, je hebt genoeg contacten, niet? Als die twee met wie je dat boek hebt geschreven in '65 communisten waren, moeten ze nu belangrijk zijn en mensen kennen, politici, journalisten en dat soort mensen. Vertel het, grootmoeder, stel ze aan de kaak, de oorlog is in de belangstelling, er wordt over geschreven. Schrijf een brief aan de kranten en ze zullen het publiceren, ik weet het zeker, er zullen artikelen over ze verschijnen en ze zullen met foto en al in tijdschriften staan, en dan zal niemand meer voor ze applaudisseren en de staat zal ze hun pensioen afnemen. Ze zullen terug moeten naar Frankrijk, grootmoeder, naar Frankrijk terug of naar de hel, de mensen zullen ze in hun gezicht spugen, niemand zal ze meer groeten, zelfs de Franco-aanhangers niet, want ze zijn niet meer dan een stel lafbekken, lafbekken en vuile verraders, en ze hebben jouw man vermoord. Vertel het, zodat iedereen de waarheid kent. Maak ze af, grootmoeder, nu je het nog kunt, begraaf ze levend, voor altijd.'

Ze keek me bevreemd aan, alsof ze me nauwelijks herkende, alsof ze moeite had met de onverwachte wisseling van rollen in een zo lange en stabiele scène, want nu was ik degene die naar voren gebogen zat, de stem verhief en met een gezicht dat rood was van woede en gezwollen aders met een vuist op tafel sloeg, terwijl zij me aankeek en alleen kalmte tegenover het onrechtmatige van mijn woorden stelde.

'Waarom zou ik dat doen? En waarom nu, na zo veel tijd?'

'Waarom?' Gedurende een moment richtte mijn verontwaardiging zich tegen haar. 'Om mijn grootvader te wreken!'

Ze schudde langzaam haar hoofd, alsof ze doodmoe was, alsof ze veel vermoeider was dan tevoren, en toen ze weer begon te praten, deed ze het op een nieuwe toon, koud en mechanisch, alsof iemand haar in beweging had gebracht door een munt in de denkbeeldige gleuf van haar herinnering te werpen.

'Dat heeft geen enkele zin, Malena, want er is niets aan te doen. Dit land is verdorven, Jaime zei het al, het is verdoemd sinds ze dat gedaan hebben, dus heeft het geen zin, maar ik zal het je vertellen, ik ga je vertellen hoe je grootvader gestorven is... Franco was hier al. Hij was hier, we wisten het allemaal. Mijn zuster was al weken weg, de winter liep op zijn einde en de oorlog ook. Op een ochtend werd ik wakker en zag dat je grootvader niet in bed lag. Alle rechtbanken waren natuurlijk gesloten, niemand werkte meer, en ik was erg verbaasd, ik weet niet waarom, alsof ik voelde dat er iets gebeurd was. Ik stond op en kleedde me haastig aan, en toen vond ik Margarita, het dienstmeisje dat tijdens die abortus bij me was, in de woonkamer. Ze zat daar te huilen. Je grootvader had vroeg in de ochtend een vriend gebeld en haar zonder het te willen wakker gemaakt. Ze had gedeelten van het gesprek gehoord en wilde eerst niets zeggen, maar ten slotte heeft ze me alles verteld, ze was zo bang, het arme kind, ik hoor haar nog... Jaime had gezegd dat geen enkele rotzak hem voor een muur zou zetten tegenover een peloton van rotzakken. Dat hij ging sterven, dat hij dat wist, maar dat hij vechtend zou sterven, net als de stieren in de arena. Dat was wat hij bedacht had, en dat was wat hij deed. Hij ging naar het lazaret, hoor je me, aan het front. En terwijl iedereen er in grote wanorde vandoor ging, kwam hij bij de loopgraven, vroeg een mitrailleur en begon te schieten. Ik neem aan dat hij vier of vijf minuten heeft geschoten, of dat niet eens, voor ze hem neerschoten. Zo is je grootvader gestorven. Een martelaar voor de rede en de vrijheid. Een echte oorlogsheld. Je kunt trots op hem zijn.'

'Dat ben ik ook, want hij was een man uit één stuk. En het is beter staande te sterven dan...'

Die zin zou ik nooit afmaken. Met een lenigheid die ik nooit had verwacht, stond mijn grootmoeder op, liep met twee grote stappen de kamer door en gaf me precies op tijd een klap in mijn gezicht.

Daarna zocht ze met haar rug naar me toe haar spullen bij elkaar. Ze schudde de kussens van de stoel op, maakte de asbak leeg, legde haar aansteker bij haar sigaretten, verdween een minuut naar de keuken en kwam terug met een glas water. Het was haar manier om me te straffen, om aan te kondigen dat we naar bed gingen. Toen stond ik ook op, liep naar haar toe en omhelsde haar, terwijl ik een paar verontschuldigingen uitsprak die geen enkele betekenis voor me hadden, want ik verontschuldigde me voor een fout die ik meende niet gemaakt te hebben.

'Het spijt me, grootmoeder, het spijt me.' Toen loog ik en zei: 'Ik weet niet waarom ik dat zei.'

'Het geeft niet. Je bent te jong om het te begrijpen. Ik hoop dat je mij vergeeft. Ik had je niet moeten slaan, maar ik heb die uitdrukking nooit kunnen verdragen, nooit... Je grootvader en ik maakten een grap die erop leek. We lachten om het wachtwoord van de legionairs. Niemand die uitroept "Leve de dood" verdient het om een oorlog te winnen, zeiden we, en je ziet wel hoe slim we waren.'

Met de armen om elkaars middel liepen we naar de deur.

'Het ergste is dat hij geen afscheid van je heeft genomen,' mompelde ik, hardop denkend.

'Ja, dat heeft hij wel gedaan. Ik besefte dat niet meteen, maar dat had hij wel gedaan. Toen Margarita me verteld had wat er gebeurd was, ging ik de straat op om hem te zoeken, maar ze lieten me niet meer door naar het front. Er heerste een geweldige verwarring, iedereen schreeuwde door elkaar, je hoorde allerlei orders en meteen daarna tegenorders, en nieuwe orders, en tegenstrijdige orders, niemand wist meer wat hij moest doen, hoe hij zich moest redden, en ik begrijp nog steeds niet hoe hij daardoorheen heeft kunnen glippen... Ik wilde hem zien, ook als hij dood was, alleen maar zien, maar het lukte me niet. Toen ben ik weer naar huis gegaan, en het was een heel eind lopen, maar ik werd niet moe, dat herinner ik me nog, daar heb ik later vaak aan moeten denken, hoe ik zo'n eind heb kunnen lopen zonder moe te worden, terwijl ik zes maanden zwanger was, ik begrijp het niet. De straten waren leeg, maar ik kwam twee of drie mensen tegen die naar me keken alsof ik gek was, want zonder dat ik er erg in had, was ik gaan bloeden, mijn rok was doorweekt en ik liet een spoor achter, en ik voelde niets, niets, het was bijna aangenaam om daar te lopen terwijl iedereen naar de schuilkelders rende. De sirenes gingen ten onrechte, want er waren geen bombardementen meer, ze waren niet meer nodig, maar dat wist ik niet en ik dacht steeds: nu word ik door een bom geraakt, nu valt er een bom en lig ik op straat en ben ik dood, maar er viel geen bom en ik kwam thuis. Margarita heeft me met kleren en al in bed gelegd, want ik had de kracht niet meer om me uit te kleden. Ik heb heel lang gehuild, en daarna viel ik in slaap en heb ik drie dagen geslapen. Ik dacht dat ze me iets kalmerends hadden gegeven, om me te laten slapen, en ik gehoorzaamde, want dat was het gemakkelijkst, slapen. Af en toe werd ik wakker, maar doordat alles dicht was kon ik niet zien of het dag of nacht was, en ik was uitgeput, ik was zo moe, en ik viel weer in slaap... Tot ik wakker werd van een verschrikkelijk lawaai waar geen eind aan leek te komen. Er klonk geschreeuw, er werd gezongen, er reden weer auto's, ik hoorde het geluid van een motor, van de banden op het asfalt, en ik hoorde mensen lopen en lachen, alsof ze weer op straat kwamen... Franco was Madrid binnengetrokken en de oorlog was voorbij. Ik stond op, deed de balkondeuren open en keek naar buiten, en ik wilde weer gaan slapen, maar het ging niet meer. Toen zag ik een vel papier op de grond liggen, en voor ik hem las wist ik dat het de afscheidsbrief van Jaime was, want de letters waren vervormd, alsof hij hem met bevende hand had geschreven. Het was een kort briefje, zonder handtekening. Tot ziens, Sol, mijn liefste. Je bent de enige god die ik ooit heb gekend.'

Ten slotte werd mijn grootmoeder Soledad, met een sigaret tussen haar lippen en op de leeftijd van eenenzeventig jaar, weggenomen door een ademhalingsinsufficiëntie, veroorzaakt door het longemfyseem dat ze nooit had willen erkennen en zonder te weten dat ze ook deze laatste oorlog had verloren, want haar zwager Paco stierf enkele weken later aan een hartinfarct. Het bericht verraste ons terwijl we koffie dronken. We zetten de televisie aan en het scherm vulde zich met rode vlaggen, oprechte of theatrale uitingen van verdriet, en de ernstige, ondoorgrondelijke gezichten van professionele politici. Elenita, die ik nog nooit in levende lijve had gezien, huilde dikke tranen en sloeg haar handen voor haar gezicht. 'De Almuneda staat vol mensen,' berichtte een stem buiten beeld, op de goedkope manier waarop de media van die tijd een krans meenden te moeten toevoegen aan de begrafenisstoet, 'die gekomen zijn om de laatste eer te bewijzen aan een vriend en kameraad, een onvermoeibare werker en een dappere strijder, een van de meest vooraanstaande verdedigers van de gerechtigheid en de vrijheid...' Toen rukte mijn vader het tafelkleed van de tafel, en het kletteren van de kopjes en schoteltjes op de grond bracht voor een ogenblik de monotone echo van het officiële eerbetoon tot zwijgen. Reina, die er niets van begreep, stond op en ging weg, zoals ze altijd deed bij de uitbarstingen van mijn vader, maar mijn moeder, die daarna opstond om zwijgend een zilveren suikerpot te redden die tijdens zijn reis door de kamer wat deuken had opgelopen, zei niets. Toen ze weer ging zitten, was de onzichtbare commentaarstem nog niet klaar. Na beleefd aandacht te hebben geschonken aan een briljante politieke carrière in het Uitvoerend Comité van zijn partij in ballingschap, werd afgesloten met de opmerking dat 'degene die deze ochtend in zijn zo geliefde stad werd begraven, in de eerste plaats een goed man was geweest...'

De begrafenis van mijn grootmoeder was geen nieuws. Op een mooie, koude en zonnige winterochtend volgde een kleine stoet van vijf auto's haar laatste rit naar de algemene begraafplaats, waar we haar tussen oude bomen en bloeiende graven, zonder kruisen en zonder engelen, alleen onder eenvoudige stenen, als een tuin van marmer, te rusten hebben gelegd. Behalve de rituele gebaren, een handvol aarde en verse bloemen op de kist, was er geen plechtigheid, en behalve haar kinderen en haar kleinkinderen werd de begrafenis alleen bijgewoond door twee bebaarde historici van middelbare leeftijd, de directeur van de school waar ze had lesgegeven, drie of vier voormalige leerlingen uit verschillende periodes, een van de twee mannen die met mijn tante Sol had samengewoond voor ze met de derde trouwde, en een oude vrouw die met de bus was gekomen. Ze was de enige die in het zwart was en voortdurend een kruisteken sloeg. Mijn vader herkende haar onmiddellijk en vertelde dat het Margarita was, een vroeger dienstmeisje van zijn moeder.

Elena was niet gekomen. Ze had niet gebeld en geen briefje gestuurd, maar ze moet voor haar dood, bijna tien jaar later, zeker een keer voor het graf van haar zuster hebben gestaan, dat zich naast het graf van haar ouders bevond. Als dat gebeurd is, kon ze een eenvoudig grafschrift lezen: 'Hier rusten Jaime Montero (1900-1939) en Soledad Márquez (1909-1980)'. De leugen was een idee van mijn vader. Sol voegde er het laatste vers aan toe van een liefdessonnet van Quevedo.

III

Zwart en wit, zonder ook maar één kleurige vlek, de slaapkamer van mijn moeder, zwart en wit, het raam: de sneeuw en de knoppen van
die bomen, zwart en wit het schilderij *Het duel*, waar zich op het wit van de
sneeuw een zwarte daad voltrekt: de eeuwige zwarte daad, de moord op de dichter door de handen van het volk.

Pusjkin was mijn eerste dichter, en mijn eerste dichter werd gedood.

[...] en allen hebben dat kind uitstekend voorbereid op het verschrikkelijke
leven waarvoor ze bestemd was.

Marina Tsvetajeva, *Moj Pusjkin*

O p de foto's ben ik knap, echt knap, wat me blijft verbazen, elke keer wanneer ik ze weer zie, want naast het feit dat ik mezelf altijd weinig fotogeniek heb gevonden, heb ik me zelden slechter gevoeld dan die middag. Het gezicht is blijkbaar toch niet de spiegel van de ziel, want op alle foto's zie ik er heel goed uit, en toch weet ik welke onbeschaamde, unieke en obsessieve gedachte rondzweefde tussen de met namaakbloemen versierde slapen van die jonge, vrolijke vrouw, die de gelegenheidsfotografen alleen van de goede kant wilden benaderen. Ik herinner het me precies. Ik kwam de kerk uit en werd verblind door het licht. Ik hoorde wat losse, wilde kreten, en een regen van rijstkorrels kleurde de hemel boven mijn hoofd wit. Nu heb je het verpest, meid, nu heb je het echt verpest.

De avond daarvoor was nog voor Fernando geweest. Een week eerder had ik nog een advertentie in de *Hamburger Rundschau* laten plaatsen: Ik ga trouwen, Fernando, en ik wil niet. Bel me. Ik heb hetzelfde telefoonnummer, Malena. Ik wist dat hij niet zou bellen, ik wist dat hij niet zou komen, ik wist dat ik hem nooit meer terug zou zien, maar ik zei tegen mezelf dat ik het in elk geval kon proberen. Er was niet eens een klein, er was geen enkel risico aan verbonden. Ik had het al duizenden keren geprobeerd, en er was nooit iets gebeurd.

Santiago, bijna steeds aan mijn zij, ziet er op alle opnamen fantastisch uit, van voren, van de ene kant, van de andere kant, poserend of bij verrassing vastgelegd, maar dat is niet verwonderlijk, want mijn echtgenoot was, toen, een indrukwekkende man, net zo knap, of knapper, als mijn vader, maar het verstrijken van de tijd heeft hem veel wreder behandeld dan mijn vader, die er, in de vijftig nu, genadiger van af is gekomen. Datgene wat ik, toen Macu eindelijk trouwde, en niet met mijn neef Pedro, maar met de enige zoon van een veeboer uit Salamanca, als mijn definitieve verovering presenteerde, werd met groot enthousiasme verwelkomd door het vrouwelijke deel van de familie. Reina, die vanaf het begin bijzonder onder de indruk leek te zijn, maakte gebruik van de lichte verwarring, die ontstond toen de genodigden ijverig de tafels afliepen om op de kaartjes die voor de glazen stonden naar hun naam te zoeken, om me apart te nemen en me spottend te feliciteren met het feit dat ik zo'n slecht zusje was geweest.

'Als je je fatsoenlijk had gedragen, en me op tijd aan hem had voorgesteld, had ik hem van je afgepakt, dat zweer ik je, ik had geen enkel mededogen gehad.'

Porfirio daarentegen, die met zijn bossige wenkbrauwen, zijn te grote neus, zijn grote hoofd en zijn indiaanse mond elke dag meer op zijn vader begon te lijken, kon de zeldzame volmaaktheid van het gezicht van mijn verloofde minder waarderen. Toen ik na het diner in de rij voor de bar stond om een drankje te bestellen, kwam hij onverwacht op me af en maakte op gedempte toon een vernietigende opmerking.

'Vertel me eens, Malena, die vent die je hebt meegebracht... ga je daar echt mee trouwen of wil je hem, om de een of andere reden die mijn begrip te boven gaat, alleen als lunchhapje.'

Ik keek hem aan en voelde me betrapt. Ik was Porfirio, en Miguel met hem, al geruime tijd uit de weg gegaan, ik zag ze nauwelijks en ze waren inmiddels een soort fossiele herinnering uit mijn kindertijd, een irritant aandenken aan betere tijden, en toch deden zijn woorden me pijn, alsof mijn oude liefde voor hen beiden nog steeds niet gestorven was.

'Dat is echt niet leuk.'

'Dat weet ik, maar binnen tien jaar is het nog veel minder leuk, daarom zeg ik het.'

'Goed,' zei ik, terwijl ik mijn tanden op elkaar klemde, 'ik zal in elk geval de eerste niet zijn. Laten we jou eens nemen, een bewonderenswaardig man die iets van zichzelf heeft gemaakt en getrouwd is met een keurige vrouw die in haar hele leven niets anders heeft gedaan dan twee dozijn slechte foto's maken.'

Hij zocht Susana met zijn ogen, en ik volgde zijn blik tot ik haar gevonden had, terwijl ik ondertussen spijt had van elk woord dat ik zojuist had gezegd. De vrouw van mijn oom, die, nadat ze jarenlang vruchteloze pogingen had gedaan om voor het objectief te poseren, uiteindelijk maar achter de camera was gaan staan, was geen goede fotografe, geen scherpzinnige ondervraagster en ook geen onderhoudende gesprekspartner, en beschikte verder, op het uiterlijk afgaande, over niets interessants behalve een fantastisch lichaam, maar ze was goedaardig, lief en vriendelijk. Voordat Miguel gesteld op haar was geraakt, zei hij altijd dat er niets kwaads bij zat doordat het haar daarvoor aan hersens ontbrak, maar met uitzondering van dat moment, had ik haar altijd gemogen.

'Dat kan zijn,' zei mijn oom langzaam, terwijl hij zijn blik bijna loom afwendde van die prachtige benen, die uitmondden in een paar hoge, puntige hakken, om ze weer op mij te richten, 'maar ik vind het in elk geval geweldig om met haar te slapen.'

Ik had een leugen kunnen vertellen. Het was zo gemakkelijk geweest om te zeggen, nou kijk, dan vergaat het jou net als mij, maar op het laatste moment durfde ik het niet aan omdat ik mezelf niet wilde horen. Ik hief een hand op, maar liet die onmiddellijk weer vallen, het onhandige teken van een onmachtige woede die invloed had op mijn toon.

'Weet je, Porfirio, ik heb jou niet nodig. Ik red me uitstekend zonder te horen wat jij ervan denkt.'

'Dat weet ik.' Hij pakte diezelfde hand die hem net nog bedreigd had en drukte hem krachtig. 'Maar ik zeg het je toch omdat ik van je houd.'

Ik rukte me los en verhief, zonder dat ik me daarvan bewust was, mijn stem, zodat ik de aandacht trok van de genodigden die om ons heen stonden.

'Loop naar de hel, idioot!'

Zonder zijn zelfbeheersing te verliezen, antwoordde hij fluisterend: 'Niet zo snel als jij, indiaantje.'

Ik zag hem niet meer terug voor de dag van mijn eigen bruiloft, zes maanden later, maar toen was alles veranderd. Ik vermoedde het toen ik zijn cadeau zag, dat ook van Miguel was, het meest spectaculaire van alles wat we kregen. Mijn ooms hadden, gebruikmakend van alle voordelen en kortingen die ze door hun werk hadden, de keuken van mijn huis uitgezocht, geleverd en betaald, inclusief inbouwapparatuur. Het voelde niet goed, bijna als een soort misbruik om een dergelijk cadeau aan te nemen, en ik wilde Santiago overhalen om op zijn minst de meubels te betalen, maar met een soort praktisch gevoel dat ik in die tijd nog bewonderenswaardig vond, weigerde hij ronduit, en mijn moeder, die verrukt was over het royale gebaar van haar broers, die Macu maar een eenvoudige bank hadden gegeven, was het volledig met hem eens. Toen ik ze opbelde om ze te bedanken, sprak ik met Miguel, want Porfirio was de stad uit. Hij kwam terug voor mijn bruiloft, en terwijl hij mijn gezicht tussen zijn handen nam, sprak hij op een geheel andere toon dan de laatste keer.

'Je ziet er prachtig uit, Malena, prachtig. Dat moet betekenen dat ik me de vorige keer heb vergist. Het spijt me.'

Ik glimlachte tegen hem, en in plaats van hem te antwoorden liet ik mijn blik door de kamer gaan. Mijn man beloonde de opmerkingen van mijn zusje, die naast hem stond, met grote schaterlachen. Reina, die gehuld was in een jurk van zwart kant die haar schouders vrijliet, zag er vreemd uit. Het was een mooie jurk, maar een jurk die meer bij mij zou hebben gepast. Santiago, daarentegen, paste beter bij mijn zusje. Beide gedachten hadden niets met elkaar te maken.

Het gekrijs van de zeug verscheurde de koude lucht en vernietigde met een bijna groteske wanklank het idyllische landschap dat zich voor mijn ogen ontvouwde nadat ik het laatste huis van het dorp achter me had gelaten. De sneeuw bedde de onschuldige stenen muren in en strekte zich aan beide kanten van de weg uit om een late wraak te nemen op de naakte kersenbomen, waarvan de takken zich uiteindelijk bogen onder het gewicht van echte sneeuw, die treurige en koude echte sneeuw. Zij twijfelden echter niet aan de lente.

Ik was nog geen tien passen verder gelopen toen een auto naast me stopte. Eugenio, een van de zoons van Antonio, die van de bar, bood me een ritje aan, en het kostte me enige moeite hem ervan te overtuigen dat ik liever te voet naar de molen ging.

Mijn oren waren rood van de kou en ik had bijna geen gevoel meer in mijn tenen, maar terwijl ik verder liep en de voortekenen die verborgen waren in het gekrijs van de zeug, dat met elke pas schriller, scherper, tragischer en tegelijk absurder werd, van me af probeerde te zetten, werkte de tijd ook in mijn voordeel. Maar de molen van Rosario stond al twee eeuwen op dezelfde plaats. Het was dichtbij. Toen ik afsloeg naar het zandpad dat naar de rivier liep, kwam ik in de verleiding op mijn schreden terug te keren en in het dorp te wachten, en ik stond midden op de weg stil alsof ik verdwaald was, de weg kwijt was in die velden die ik meter voor meter, heuvel voor heuvel, boom voor boom kende, maar ik verwierp dat idee, want ik wist heel goed hoelang dat feest kon duren.

Toen ik de contouren van de tabaksschuur ontwaarde, versnelde ik mijn passen en ik liep er haastig, bijna hollend aan voorbij zonder ernaar te kijken. Ik had niet voorzien dat deze datum, die zo zorgvuldig gekozen was en waarvoor ik steeds opnieuw op de kalender had gekeken om de voor- en nadelen af te wegen van elk van de laatste dagen van december, kon samenvallen met de dag die Teófila had gekozen om de zeug te slachten. Het was niet eens in me opgekomen toen ik op het plein uit de bus stapte, recht voor de slagerij die wegens een familiefeest gesloten was, zoals viel op te maken uit een met de hand geschreven briefje op de deur. Op dat moment had ik haar afwezigheid als een goed voorteken geïnterpreteerd. Ik was nooit op het idee gekomen dat Teófila zelfs het slachten als een familiefeest zag.

Fernando leefde nog steeds op het netvlies van mijn ogen. Moeiteloos kon ik me zijn gezicht voor de geest halen toen ik klaar was met de twee truien van dikke, zachte wol die grootmoeder Soledad voor mij begonnen was. Reina, die in een verlate aanval van solidariteit enkele dagen voor de terugkeer van mijn ouders naar Madrid was gekomen om zich bij ons te voegen, dacht dat de truien voor mezelf waren en werd razend toen ze zag hoe ik ze in pakpapier wikkelde, hoe ik de randen zorgvuldig dichtplakte en een touw om het pakket bond. 'Waar is je waardigheid gebleven?' vroeg ze me, en ik wilde niet antwoorden. In het pakket, tussen de rode en de marineblauwe wol, had ik een kort briefje gestopt: Fernando, ik sterf.

Ik heb het pakket nooit teruggezien. Op het postkantoor werd me gegarandeerd dat de geadresseerde het had ontvangen en ik wachtte maanden op een antwoord, maar dat kwam niet. Later ontdekte ik het bestaan van die krant, een plaatselijk dagblad, dat uitsluitend in Hamburg werd verkocht en door iedereen in die stad werd gelezen. Mijn informant, een student Duits die ik af en toe in de kantine van de faculteit ontmoette, deed er veel langer over dan hij beloofd had om me een exemplaar te bezorgen, maar uiteindelijk kreeg ik er een en begon ik advertenties te plaatsen.

Ik schreef altijd in het Spaans, altijd korte berichten van twee of drie zinnen, en ik ondertekende alleen met mijn voornaam. De inhoud, die altijd op hetzelfde neerkwam, veranderde licht in de loop der tijd. In het begin, toen ik nog over de energie beschikte om me gekwetst te voelen, schreef ik krachtige verwijten, die zo nu en dan op de rand van beledigend waren, maar nooit mijn stille vertwijfeling verhulden. Later, toen de maanden zonder bericht verstreken, werd de leegte groter, verslond de resten van de krenking en reinigde mijn herinnering, en toen, terwijl ik zelf schrok van de verborgen grenzen van mijn vernedering, de onvermoede diepte van de tolerantie, begon ik schriftelijk voor hem te kruipen, hem alles te bieden in ruil voor niets, mezelf te verlagen tot de mensonwaardige conditie van een kleine naaktslak, zonder voeten, zonder hoofd, en leerde een zeker genoegen, een ongezonde bevrediging te vinden in mijn eigen neergang, maar er kwam ook een moment waarop ik kon schrijven 'als ik alleen maar goed ben om te neuken, bel me; ik zal met je neuken en geen vragen stellen', en ik schreef dat vanuit dezelfde kleurloze apathie die me er maanden daarvoor toe had gedreven af te zien van formuleringen als 'je weet dat de dingen die je gezegd hebt niet waar zijn'. Ik had deze en andere punten waarvan geen terugkeer meer mogelijk was al achter me gelaten toen de Finca del Indio, die voor de eerste keer een hele zomer lang gesloten was gebleven, definitief werd toegewezen aan de kinderen van Teófila. Toen ik dat had gehoord, ontwierp ik een uiterst naïef plan waarvan de kans op succes juist op de eenvoud ervan berustte, en na een stilte van drie weken, plaatste ik een advertentie van geheel andere strekking dan de vorige, een definitief afscheid: 'Ik ben verliefd, Fernando, en ik ben volwassen geworden; ik zal je niet meer lastigvallen. Ik weet nu dat je een zwijn bent.'

De zeug krijste, en het gekrijs was alleen nog woede, zonder vorm, zonder kracht, want ze besefte dat ze haar gingen doden en dat ze niets meer kon doen om zich te redden. Toen de nabijheid van andere stemmen ten slotte haar monotone klaagzang doorbrak, vroeg ik me eindelijk af wat ik daar deed. Voor de laatste keer nam ik mijn prachtige reeks van gevolgtrekkingen door, waaraan ik me nog wilde vastklampen als aan een kerkelijk dogma: de Finca del Indio is van de kinderen van Teófila; haar oudste zoon zal zijn erfdeel in bezit willen nemen; natuurlijk zal zijn gezin meekomen; ze zullen niet voor Kerstmis komen, want dan hebben ze pas vakantie; natuurlijk zal Fernando, of hij de *Hamburger Rundschau* nu gelezen heeft of niet, denken dat er inmiddels anderhalf jaar voorbij is gegaan sinds we elkaar voor het laatst hebben gezien en zal hij weten dat ik, noch mijn ouders, noch de rest van de familie de laatste zomer naar Almansilla zijn gekomen; hieruit zal hij afleiden dat er geen gevaar is; als ik op een mooie ochtend naar het dorp ga zonder dat iemand er iets van weet, zal ik hem natuurlijk bij toeval ontmoeten. Mijn reeks leek nu tamelijk onzinnig. Ik zette een stap, en nog een, en nog een, en mijn gestalte werd zichtbaar voor al diegenen die rond de grote houten trog stonden waar het varken, waarvan het bloed de smetteloze sneeuw bevlekte, eindelijk had opgehouden met krijsen.

Ik zag noch Fernando, noch zijn broer, noch zijn zusje, noch zijn vader, noch zijn moeder, maar allen zagen mij en herkenden me meteen. Rosario, de neef van Teófila, stond me verbaasd aan te staren, terwijl hij een met bloed besmeurd mes door de lucht zwaaide, maar zij, die de haren voorzag van bordjes gekookte aardappelen met gebakken spek, niet zozeer als een warm onthaal, maar meer om ze te helpen de kou te verdrijven, begreep het onmiddellijk, en terwijl ze het blad op de stenen bank zette die langs de hele gevel liep, begon ze langzaam in mijn richting te lopen. Porfirio kwam in beweging, haalde haar in en rende naar mij toe. Hij wekte daarmee een automatisch gevoel van oneindige, mateloze dankbaarheid in me op, want op die plaats en op dat moment had ik niemand behalve hem, was hij de enige van al die mensen die bij mij hoorde.

'Wat doe jij hier, indiaantje?'

Porfirio en Miguel waren me zo gaan noemen toen ik dat woord nog voortdurend uit de mond van Fernando hoorde, en het had me toen niets uitgemaakt. Nu deed het pijn, maar ik protesteerde niet, ik zei niets, terwijl ik me verbaasde over de onverschilligheid waarmee ik het tafereel verdroeg, alsof ik het vanaf een of andere nabije heuvel stond te bekijken, alsof niets wat daar gebeurde iets met mij te maken had, zo volkomen vreemd was de grond waarop ik liep, de lucht die ik inademde, en die warme hand die mijn gezicht aanraakte en me op de plaats van het gat het ruwe contact liet voelen met twee geamputeerde vingers.

'Je bent ijskoud.'

Hij verwachtte nog geen antwoord. Hij nam me bij de hand en trok me mee naar de molen, leidde me zonder naar mijn mening te vragen tussen de ronde muren van de gang door, die in het huis een bocht maakte. De reusachtige schouw, die hoger was dan ik, nam met de in U-vorm om de haard heen gebouwde houten banken, het grootste deel van de keuken in beslag. Ik ging, nog steeds zwijgend, zo dicht mogelijk bij het vuur zitten en bedankte niet eens voor de deken die mijn oom over me heen legde, nadat hij mijn jas had uitgetrokken door de kraag te pakken en mijn armen uit mijn mouwen los te maken. Daarna pakte hij een kom en vulde deze uit een grote pan, die aan een dunne ijzeren ketting boven het vuur hing, met een heldere, door saffraan geel gekleurde vloeistof.

'Drink dit. Het is bouillon. Het smaakt goed.'

Het klopte. Het smaakte goed, zo goed dat ik, terwijl ik de vloeistof met kleine slokjes dronk, als een kind, en de warmte probeerde te benutten zonder mijn tong te branden, mijn vingers rond de kom drukte alsof ik ze ermee wilde laten versmelten, iets meer dan alleen de kou wilde kwijtraken, de controle over mijn lichaam terugvond, het bewustzijn dat ik dacht te hebben verloren.

'Het is heerlijk,' zei ik ten slotte. 'Wie heeft het gemaakt? Je moeder?'

Hij knikte en kwam dichterbij, ging gehurkt op de grond zitten, legde zijn ellebogen zachtjes op mijn knieën en keek me met een vreemde uitdrukking aan. Ik had het gevoel dat hij bezorgd was.

'Waarom ben je gekomen, Malena. Ik wil het nu weten.'

'Ik ben gekomen om Fernando te zien.'

'Fernando is hier niet.'

'Dat weet ik, maar ik dacht dat hij zou komen... voor Kerstmis... Nou ja, het maakt niet uit. Ik ben gekomen om hem te zien, en hij is er niet, dus ga ik naar Madrid terug en dat is dat.'

'Dat is dat…' herhaalde hij langzaam, alsof het hem moeite kostte enige zin te ontdekken in wat ik zei. Toen stond hij op, liep wat heen en weer, deed alsof hij iets te doen had door willekeurig wat potten en pannen te verplaatsen en zei: 'Hoe ben je gekomen?'

'Met de bus.'

'Weet je moeder het?'

'Nee, dat moest er nog bij komen. Luister, Porfirio, ik ben al groot, weet je. Ik ben achttien jaar. In Duitsland zou ik al volwassen zijn…'

Toen merkte ik dat ik huilde, zonder te snikken, zonder mijn mond te openen, zonder mijn neus op te halen, zonder naar adem te snakken, zonder geluid. De tranen maakten zich van mijn wimpers los alsof ze zelf de beslissing hadden genomen om te vallen, alsof ik het niet was die huilde, maar alleen mijn ogen. Mijn oom keek me even aan, en ik voelde dat ik voor hem in een volkomen vreemde was veranderd, terwijl ook hij een volkomen vreemde voor mij was.

'Wat denk je te gaan doen?' vroeg hij, terwijl dat afschuwelijke gevoel van vervreemding zich van ons meester maakte.

'Ik ga terug naar Madrid, zoals ik al zei.'

'Met de bus?'

'Ja, ik neem aan van wel.'

'Dan zul je hier moeten overnachten.'

'Nee.'

'Ja. De eerste bus gaat morgenochtend.'

'Dan neem ik de trein.'

'Hoe?'

'Vanuit Plasencia. Ik vind wel iemand die me naar het station brengt.'

'Blijf hier even wachten.' Hij stond op en verdween uit mijn gezicht, maar ik hoorde zijn stem vanuit de gang: 'Verroer je niet.'

Ik telde tot tien en liep het huis uit. Het was licht gaan sneeuwen. De zwakke, witte vlokken zagen eruit als wild door de wind voortgedreven pluizen. Ik hield me vast aan de deurstijl en probeerde niet storend te zijn voor degenen die rond de trog liepen en emmers kokend water in de zeug goten, die ze eerst van onder tot boven hadden opengesneden. De ingewanden en beenderen van het dier wreven ze met doeken schoon, nadat het water het bloed had weggespoeld en wit, onschuldig vlees te voorschijn was gekomen, dat alleen nog een zaak van de mannen was.

Ik had mijn eerste slachtfeest aan de hand van mijn grootvader gezien toen ik nog maar tien jaar oud was, en ik had het heidense ritueel tot het einde toe gadegeslagen. Hij zei tegen me dat ik iets ging zien wat ik niet leuk zou vinden, en dat hij dat wist, maar dat ik op een dag, als ik ouder was, zou begrijpen waarom hij besloten had mij mee te nemen, en ik had hem geloofd. Die keer was het slachtoffer een mannetjesvarken geweest, en toen het dier begon te krijsen, had mijn grootvader mijn hand stevig in de zijne gedrukt en zich voorover gebogen om me iets in mijn oor te zeggen. Degenen die doden, zijn mensen als wij, zei hij, maar het varken is alleen maar een dier, begrijp je dat? We doden het dier omdat we het gaan eten, zo simpel is dat. Ik had geknikt, hoewel ik er niets van begreep en het gekrijs zich in mijn oren boorde, mijn mond uitdroogde en mijn hersenen verscheurde. Open een varken en je ziet jezelf, mompelde hij daarna, en hij dwong me naar de trog te lopen, en aan het hart van het varken liet hij me mijn eigen hart zien, en mijn lever en mijn nieren, mijn longen en mijn ingewanden. Je moet er niet met afkeer naar kijken, waarschuwde hij, want jij ziet er van binnen precies hetzelfde uit. Onthoud altijd hoe gemakkelijk het is om te doden, hoe gemakkelijk het is om te sterven, en leef niet met angst voor de dood, maar houd er altijd rekening mee. Zo zul je gelukkiger zijn.

Toen mijn grootvader me op die ijskoude ochtend leerde aan welke kant ik moest staan, maakte hij me duidelijk hoe moeilijk het voor me zou zijn om me als mens te gedragen, maar ik begreep hem niet. Daarom had ik met mijn ogen naar Reina gezocht en geschrokken geconstateerd dat ze niet in de buurt was. Hij vertelde me dat ze er bij de eerste tekenen van de slachtpartij met tranen in haar ogen vandoor was gegaan. Toen we thuiskwamen, stond de schrik nog op haar gezicht te lezen en werd ze door mama getroost omdat ze net had overgegeven, en ik had me zo geschaamd voor mijn wreedheid, voor dat wilde instinct dat me in staat had gesteld die barbaarse voorstelling bij te wonen, dat ik de trap op was gerend om me in mijn kamer op te sluiten en alleen te zijn met mijn berouw. Mijn grootvader had me alleen maar op het spoor willen brengen van de weg naar de waarheid, en toen had ik hem niet begrepen, maar toen Teófila, aan het eind van deze andere ochtend van sneeuw en offerfeest, naar mij toe kwam om me een glas wijn aan te bieden, had ik op eigen houtje al uitgevonden hoe hard het lot van het menselijke dier is. Porfirio glimlachte toen hij me bij de deur een glas wijn zag drinken.

'Ik breng je naar Madrid,' zei hij. 'Ik was van plan vanmiddag te gaan, maar ik kan net zo goed nu gaan. Hier hoef ik niets meer te doen. Dit jaar is alles uitstekend verlopen.'

Op dat moment geloofde ik dat ik gered was. Ik had er alles voor over om onmiddellijk te kunnen verdwijnen uit dat valse landschap dat mijn geloof niet met gelijke, maar met valse munt had betaald, maar toen ik in de auto stapte en het onvermijdelijke scenario voor me zag van de dagen die gingen komen, de dagen die allemaal gelijk zouden zijn, van huis naar de faculteit en van de faculteit naar huis, voor altijd veroordeeld tot de eenzaamheid van de zachte waan die zojuist tussen mijn vingers door was geglipt, hoorde ik de oudste van de verdorven sirenen voor me zingen.

'Alsjeblieft, Porfirio, breng me niet naar huis, ik wil niet naar huis.'

Hij keek me verbaasd aan, maar zei niets, alsof mijn beurt nog niet voorbij was.

'Ik wil niet terug naar Madrid,' hield ik aan. 'Als ik terugga, ga ik op mijn bed liggen en ben ik drie dagen aan het huilen, en dat wil ik niet. Ik wil eerst ergens anders heen, terugkeren vanaf een andere plaats, het maakt niet uit welke, als het deze maar niet is... Zet me maar af in Plasencia, of in Avila, waar je ook maar langskomt. Daarvandaan neem ik wel een trein.'

Hij draaide de contactsleutel om en de motor startte, maar we kwamen niet veel verder dan zo'n honderd meter. Toen we uit het zicht waren van de anderen, die nog steeds zongen en dronken op de binnenplaats van de molen, stopte hij aan de kant van de weg. Zonder me iets te vragen, pakte hij een kaart uit het hanschoenenvak van de auto en bestudeerde deze een tijdje. Toen wendde hij zich tot mij.

'Sevilla. Lijkt dat je wat?'

'Sevilla of de hel, mij maakt het niet uit.'

'Dan liever Sevilla.'

De sneeuw begeleidde ons nog een flink stuk van de weg, verspreidde zich over velden die dit nog nooit hadden meegemaakt, en ik kon bijna zien hoe ze neerdaalde op de verkleumde, door de kou bevangen stad. Sevilla was ijskoud en absurd, zoals het accent van de receptioniste van het hotel, een oude, melodieuze zang van een warmte die mij ontbrak en schitterend van een gestorven zon. Ik had nooit moeten instemmen met Sevilla, dacht ik toen ik alleen op mijn kamer was, nooit Sevilla.

'We hadden naar Lissabon moeten gaan,' zei ik tegen mijn oom toen we elkaar in de hal ontmoetten. 'De kou past niet bij deze stad.'

Hij schudde zijn hoofd en nam me bij mijn arm. We liepen een paar uur door de verlaten straten, leeggeveegd door een wind die dwars door de huid sneed en langzaam het merg uit onze botten zoog, zonder over iets belangrijks te praten. Porfirio ging uitputtend gedetailleerd in op de gebouwen die we zagen, behandelde het ene na het andere lijstwerk, gebruikte technische termen die onbegrijpelijk voor me waren, waarbij ik niet eens de moeite nam om de betekenis te achterhalen, maar ik was dankbaar voor de klank van elke lettergreep. Tijdens de reis hadden we niet meer dan een stuk of vijf zinnen uitgewisseld, maar de muziek slaagde erin de stilte te verhullen door een warme sfeer van normaliteit te creëren. Toen we later stopten om te gaan eten, probeerde ik hem ervan af te brengen mij verder te begeleiden, of hem er op zijn minst van te overtuigen dat hij mij alleen moest laten in Sevilla, niet zozeer omdat ik hem niet verder lastig wilde vallen, maar meer omdat zijn gezelschap mij als een twijfelachtig geschenk voorkwam; hij bleef echter verschillende keren het tegendeel beweren waardoor ik al voor de komst van de tweede gang niet anders kon dan dit accepteren. Vanaf dat moment hielden we ons uitsluitend bezig met de goede en minder goede aspecten van de maaltijd. Ik vreesde dat de avondmaaltijd niet anders zou verlopen, en was daar bijna zeker van toen Porfirio op een belachelijk tijdstip, want het was nog maar vijf voor negen, een eethuis binnenging. Maar daarbinnen was het warm.

Voor hij ons zelfs maar de kaart gaf, zette de kelner twee glazen en een fles witte wijn voor ons op tafel. De wijn was fris, maar in plaats van me te verwarmen, bezorgde de eerste dosis mij een lichte rilling. De eetzaal was echter vol mensen, die dicht tegen elkaar aan op de lange houten banken zaten te praten en te lachen. In een hoek zat een man met gesloten ogen te zingen, en de melodie was zo mooi en werd door zijn rauwe stem zo gevoelig geïntoneerd dat de mensen aan de tafels om ons heen om stilte begonnen te vragen en een kelner snel de achtergrondmuziek, een monotone opeenvolging van commerciële *sevillanas*, uitzette. De man zong slechts twee liedjes, alleen begeleid door zijn geweldige vingerknokkels die echte muziek wisten te ontlokken aan het hout van het tafelblad, en toen hij het laatste lied had beëindigd, viel hij op de grond, dronkener van de wijn dan van de emoties van een publiek dat enthousiast voor hem klapte. Pas toen merkte ik dat de fles op onze tafel leeg was. De kelner die ons bediende had tot dat moment onbeweeglijk staan luisteren, met zijn rug tegen de muur geleund en een uitdrukking van bijna religieuze overgave op zijn gezicht. Nu kwam hij weer tot leven, verving onze lege fles voor een volle en laadde onze tafel vol met *tapas*, en terwijl we aten leegden we ook die fles, en een volgende, en nog een, tot alleen nog een paar verspreide goudkleurige meelkruimels op het witte aardewerk verraadden dat onze borden tot aan de rand gevuld waren geweest met gebakken vis. Het eerst deel van de vijfde fles gleed door mijn keel alsof het water was, maar ik was niet in staat nog meer te drinken. Porfirio dronk alleen, terwijl ik naar hem keek en in mijn eentje om niets speciaals zat te lachen. Ik had me in lange tijd niet zo verdwaasd en tevreden gevoeld. Hij leek nuchterder dan ik, maar toen hij ging betalen vergiste hij zich en stond tegenover de begrijpend glimlachende kelner een moment naar het biljet van duizend peseta's te kijken dat hij te veel had gegeven, alsof hij het niet kon onderscheiden van het biljet van vijfduizend in de hand van de kelner. Toen keek hij me aan en begon te lachen, en hij hield niet meer op voor we buiten op straat stonden, waar ik hem tegen een muur drukte en kuste.

De gedachte was tijdens het eten in me opgekomen, of, beter gezegd, tijdens het drinken, toen ik me realiseerde dat Porfirio en ik na het legen van de eerste fles niet meer waren opgehouden met praten. Toen begon ik op een speelse manier openlijk met hem te flirten, en hij ging erop in en keek me op een eigenaardige manier aan terwijl hij allerlei verhalen over Almansilla vertelde die mij krom deden liggen van het lachen. Vanaf dat moment werd elke verwijzing naar de familie uit het gesprek verbannen en gedroegen we ons alsof we elkaar net hadden leren kennen. Hij was maar tien jaar ouder dan ik, en het fantastische wezen dat hij samen met Miguel vormde, was de eerste man in mijn leven geweest tot wie ik me aangetrokken had gevoeld, maar ik wist dat hij me niet tot het eind zou laten gaan, en deze zekerheid, die eerder ergerlijk dan geruststellend was, doordrenkte al mijn handelingen van onschuld. Toen we van de tafel opstonden kon ik zonder rood te worden toegeven dat ik niets liever wilde dan met hem naar bed gaan en vastbesloten was het te proberen. Ik wist dat hij nee zou zeggen, dat het niet goed voor me zou zijn, dat ik veel te dronken was om te weten wat ik deed, dat het alleen de teleurstelling was dat ik Fernando niet had ontmoet waardoor ik iets met hem wilde, dat ik de volgende ochtend niet in zijn bed wakker zou willen worden, dat hij veel meer ervaring had dan ik en dat ik dat wist, dat ik een nicht van hem was, dat hij mij geboren had zien worden, dat hij me nooit zou kunnen behandelen als een gewone vrouw, ik wist dat hij dat allemaal zou zeggen, en ik was erop voorbereid om al zijn argumenten te weerleggen, maar ik kwam er niet eens aan toe mijn mond te openen.

Porfirio was fantastisch.

Ik lag op mijn rug op het bed en begon me beetje bij beetje weer van mijn omgeving bewust te worden, maar was me beslist niet bewust van de brede glimlach die rond mijn mond lag. Ik pakte de linkerhand van mijn oom, hield hem in de lucht en bekeek hem lange tijd. De ringvinger was ter hoogte van de knokkel geamputeerd en de pink slechts een klein stukje daarboven. De wijsvinger en middelvinger waren lang en smal, volmaakt. Ik boog ze omlaag om me uitsluitend met de stompjes bezig te houden, en daarna verborg ik deze om me te kunnen voorstellen hoe die hand er voor het ongeluk had uitgezien. Porfirio liet me zwijgend mijn gang gaan. Ten slotte nam ik zijn ringvinger tussen mijn vingers, legde het uiteinde, een vereelte, platte top, op een van mijn tepels en drukte het, alsof het een levenloos voorwerp was, in mijn vlees.

'Wat voel je?'

'Niets.'

Ik liet zijn vinger rond mijn borsten cirkelen en leidde hem toen over mijn lichaam omlaag naar mijn navel, waar ik stilhield.

'En nu?"

'Niets.'

Ik omklemde die gehavende vinger, die zo toegewijd en meegaand was als een gewillige, zwakbegaafde leerling, wat steviger, en bekeek hem terwijl hij langzaam omlaag gleed, het spoor volgend van de zwakke, kastanjebruine lijn die uitmondde in de krullende duisternis, waar ik hem niet de geringste pauze toestond. Toen ik hem ten slotte in mijn geslacht bracht en zijn pols blokkeerde met de hand die tot op dat moment mijn vrije hand was geweest, keek ik hem in zijn ogen en stelde de vraag opnieuw.

'Je voelt niets? Weet je het zeker?'

'Ik weet het zeker.'

'Je moet wel denken dat ik gestoord ben…' mompelde ik, terwijl ik hem nog niet liet ontsnappen.

'Nee, dat moet je niet denken. Bijna alle vrouwen doen dat.'

Ik barstte in lachen uit en liet hem los, en hij lachte met me mee. Toen ik later op mijn zij naast hem lag, mijn neus bijna tegen de zijne, begreep ik dat de impuls om mij met zijn kapotte vinger te strelen de definitieve epiloog was geweest van die vreemde episode van toevallige seks, en op dat moment betreurde ik het niet. Porfirio kuste me glimlachend op mijn voorhoofd en veranderde weer in de heerlijke jonge broer van mijn moeder, de helft van mijn eerste platonische liefde. Ik voelde een zwakke steek in mijn borst, alsof zelfs mijn pijn ontmoedigd was, en dwong mezelf zijn glimlach te beantwoorden.

'Zeg me één ding, Porfirio. Waarom heeft Fernando me verlaten?'

'Dat weet ik niet, indiaantje.' Hij leek oprecht te zijn. 'Ik zweer je dat ik het niet weet.'

Toen ik de volgende ochtend wakker werd, had ik het gevoel dat ik een reusachtige lege ruimte was. Met een ongekende, aan hallucinatie grenzende helderheid voelde ik dat mijn vingers hol waren, dat mijn hoofd hol was, en mijn beenderen, dat mijn schedel hol was, dat gerimpelde en gladde vlies, dat niets verborg, hoogstens nog een holte. Ik stond op, waste mijn gezicht en poetste mijn tanden, kleedde me aan en liep de kamer uit alsof iemand me had opgewonden, en met hetzelfde mechanische gevoel at ik en dronk ik en vroeg ik me af in welke ver verwijderde en vertrouwde leegte de kopjes koffie, de toost en de *churros* die in mijn mond verdwenen waren zich zouden verzamelen. Porfirio, die tegenover mij zat, keek niet op van zijn krant, die hij in stilte las, en ik moest het laatste restje belangstelling voor de wereld dat ik nog over had bijeenschrapen om me te realiseren dat hij zich niet goed voelde, dat hij zich schaamde en waarschijnlijk spijt had van wat er die nacht gebeurd was. Met een ijzige glimlach benijdde ik hem van een afstand. Ik kon me niet slecht voelen, want ik voelde mezelf niet.

Lange tijd leefde ik in een niemandsland, op een smalle grenslijn tussen het bestaan en het niets. Alles om me heen was in beweging en drukte zich uit, de mensen, de voorwerpen, de gebeurtenissen, de zon en de maan, alles vertrok van een punt en kwam bij een ander punt aan, alles ademde, alles bestond, behalve ik, en ik twijfelde nergens aan, behalve aan mezelf. Alle anderen leken echt te lopen, echt te praten, echt te lachen of te schreeuwen of te rennen, maar zij waren het, de anderen, die het volledige gewicht, de verantwoordelijkheid voor de werkelijkheid droegen. Ik had het vermogen verloren om gelijk aan hen te zijn en was veranderd in een van de duizenden miljoenen elementen die zij in hun macht hadden, in een van hun voorwendsels, hun materialen, in een van de ingrediënten van hun recepten, zoals de azijn in een salade. Als ik er niet onderuit kon om te antwoorden, antwoordde ik, als ik er niet onderuit kon om te groeten, groette ik, maar ik kon deze automatische handelingen niet in verband brengen met de uitoefening van een vrije wil, die ik niet meer kende. En hoewel ik mijn best deed niet aan hem te denken, om me de heftige pijn te besparen van een altijd open wond, was ik er niet eens zeker van of Fernando echt verantwoordelijk was voor mijn mysterieuze onvermogen om te begrijpen dat ik leefde.

Ik herinner me nauwelijks iets van de terugreis naar Madrid, ik herinner me nauwelijks iets uit die periode. Toen we stilstonden voor het portaal van mijn huis, stapte Porfirio met mij uit en liep mee naar boven om de familie te groeten. Hij gaf mijn moeder een kus, accepteerde een biertje en maakte een praatje, heel resoluut, geen enkele aarzeling in zijn triviale opmerkingen, die zo vloeiend over zijn lippen kwamen dat ze de voorstellen van een oude bedrieger hadden gesierd, een oplichter die weet dat hij straffeloos op de overwinning af gaat. Toen nam de korte gebeurtenis in mijn bewustzijn reusachtige afmetingen aan en kreeg de vorm van een wreed voorteken, en hoewel de verachting die ik op dat moment voor mijn oom voelde het meest intense was van alle fletse gevoelens waartoe ik lange tijd in staat zou zijn, was ik niet in staat mezelf buiten dat beeld te plaatsen dat in de loop der tijd zou verslechteren alvorens volledig in hem op te lossen, want vanaf die dag waren het gedurende maanden niet alleen de ogen van Porfirio, maar ook die van Miguel die op zo'n manier naar me keken dat ik me geen begerenswaardige vrouw meer voelde, maar een van die lappen die in een la worden bewaard voor huiselijke noodgevallen.

Niemand kwam erachter hoe ik me voelde. Mijn hele omgeving liet zich om de tuin leiden door mijn eetlust, mijn kalmte, door de schijnbaar rustige regelmaat van een aantal handelingen die nauwelijks tot het vermoeden konden leiden dat er sprake was van een natuurlijke stilstand, de vroege toepassing van de wet van de volwassenen, bij de fragiele vrouwen die mij omringden. Want ik zette elke avond de wekker en stond elke ochtend op, ik nam een douche en kleedde me aan, ik ontbeet en nam de bus, ging de collegezaal binnen en ging op een stoel zitten. Als Reina zich een keer niet goed voelde, kwam ze de hele dag niet uit bed, maar ik wel. Ik leefde net voldoende om op een stoel te gaan zitten. Wat er verder met me gebeurde, alles wat ik zei, alles wat ik dacht en alles wat me overkwam, was zuiver toeval. De stoel waarop ik zat, was het enige werkelijke, waardevolle en belangrijke voorwerp tussen alle dingen die me omringden.

Ik las niet, ik studeerde niet, ik wandelde niet, ik ging niet naar de film, ik ging zelfs niet naar de film, ik had geen zin om me te spekken met andermans leugens nu ik niet eens de kracht had om mezelf te voeden met eigen leugens. Reina was aan mijn zijde. Ik zag hoe ze haar lippen bewoog wanneer ze tegen me sprak, wanneer ze at, wanneer ze lachte, ik zag haar studeren, en dansen en zich 's avonds klaarmaken om uit te gaan, en ik luisterde naar haar, registreerde onverschillig het relaas over alle alledaagse handelingen die mij zo vreemd waren geworden en die zo ver van me af stonden. Op een dag zei ze tegen me dat ze bijzonder blij was om te zien dat ik weer de oude was, en ik reageerde niet. Ze kuste en omhelsde me regelmatig, en als ze vroeg in de ochtend thuiskwam, kroop ze bij mij in bed om de balans op te maken van de ten einde lopende nacht, net als vroeger toen we klein waren. Zo leerde ik al haar vrienden kennen, al haar bars, al haar gewoonten en al haar vriendjes. Toen ze voldoende garanties meende te hebben verzameld om afstand te kunnen doen van haar maagdenvlies, stelde ze me grootmoedig op de hoogte van de consequenties daarvan, en ik begreep niets, maar haar woorden, een relaas dat het midden hield tussen pijn en verwarring, een teleurstelling waarin ik mezelf absoluut niet herkende, bleven niet met een triomfantelijke echo in mijn oren naklinken. Alles betekende hetzelfde voor me. Namelijk niets.

Ik weet nu dat Fernando het begin en het eind was van die instorting. Ik schaam me niet meer om dat te erkennen en voel me daardoor zwak noch slap noch dwaas. Het heeft jaren geduurd voor ik begreep dat ik met hem veel meer had verloren dan zijn lichaam, meer dan zijn stem en dan zijn naam, meer dan zijn woorden, meer dan zijn liefde. Met Fernando was een van mijn mogelijke levens verdwenen, het enige mogelijke leven dat ik tot op dat moment vrij had kunnen kiezen, en daarvoor, voor dat leven dat nu nooit zou zijn, had ik die donkere, stille rouw aangenomen, die pathetische verbanning naar een eiland met rugleuning en vier poten, zo comfortabel als een kleine kerker met beschimmelde, vochtige en koude muren, waar een medelijdende bewaarder me toestemming had verleend om voor het raam een paar vrolijke gordijnen te hangen van gebloemde cretonne. Ik leefde om op een stoel te gaan zitten, tot de vriend van Mariana, op een van die zeldzame avonden waarop ik me, bij gebrek aan excuses, had laten meeslepen door mijn vrienden, een klein metalen doosje uit zijn zak haalde en mij de inhoud met een dubbelzinnig lachje aanbood.

'Neem er twee,' zei hij, 'van de gele. Ze zijn te gek.'

Het eerste van hem dat mijn aandacht trok, nog voor het me verbaasde dat ik juist die term had gekozen om dat gezicht te karakteriseren, was zijn schoonheid. Ik denk dat ik nooit eerder in de verleiding ben gekomen om dat concept in verband te brengen met het hoofd van een man, maar wanneer ik aan dat moment terugdenk, vind ik het ook nu nog moeilijk om een ander woord te vinden dat precies zou uitdrukken wat ik toen zag en voelde. Santiago belichaamde de perfectie, maar in tegenstelling tot de groteske starheid die echt knappe gezichten meestal lijkt te kwellen en elk van de gelaatstrekken voor eeuwig lijkt te onderwerpen aan de bovenmenselijke eisen van een in essentie statische harmonie, leek de perfectie bij hem in staat te zijn zich uit te drukken.

Verdekt opgesteld tussen een kleine menigte van automatische wezens, die zich met een glas in de hand in cirkels bewogen, periodiek de rituelen uitoefenend van een geprogrammeerd genoegen, bekeek ik hem lange tijd en bezweek op afstand voor de verrassende lijn van zijn zwarte wenkbrauwen en voor zijn ogen, zijn grote, ronde ogen, die tegelijk de vorm van spleetogen hadden en hun omgeving met een lichte angst, doortrokken van begerige sprankjes nieuwsgierigheid leken op te nemen. Zijn neus was volmaakt, en zijn lippen, bijna zo weelderig als de mijne, vormden een zo zelfbewuste mond dat deze me op dat moment bijna obsceen voorkwam. Gebruikmakend van de drukte en de anonimiteit bestudeerde ik straffeloos en rustig zijn lichaam, en terwijl ik zijn zeldzame kwaliteiten waarderend in ogenschouw nam, wachtte ik op het oordeel van mijn eigen lichaam, dat zich deze keer echter zeer afstandelijk toonde en weigerde zich te uiten. Mijn ogen begeerden hem echter en daarom ging ik naar hem toe, naar die man die daar zo alleen en geïsoleerd stond, op dat absurde feest zo uit de toon vallend, als een viool met één snaar in een kamerorkest, dat hij alleen moest zijn gekomen opdat ik hem zou ontmoeten.

Ik was al bijna zeven uur in dat huis, en al zo'n zeseneenhalf te lang. De bungalow, een vulgaire constructie van opzichtige steen – twee verdiepingen, een kelder met garage en een stapel brandhout, op een stuk grond van duizend vierkante meter, omzoomd en beplant met coniferen, een groot, rechthoekig terras met een metalen balustrade, dubbele aluminium kozijnen, een grote kamer met een open haard, inbouwkasten en deuren in Castiliaanse stijl – was eigendom van de vriend van een vriendin van een van mijn vrienden, een nogal linkse arts, die met een verdacht heftige minachting weigerde cocaïne te snuiven. Het idee van dit soort weekenden, waarin alles inbegrepen was – seks, drugs en decadente pop, want rock-'n-roll was gereduceerd tot de categorie van een proletarisch argument dat overliep van gewone energie, verwerpelijker wegens de energie dan het gewone – was het laatste van de grootse ideeën die we in die tijd uitputtend verkenden. Het enige probleem was dat ze wat mij betreft inmiddels niet meer groots en geen ideeën meer waren.

In het begin was alles anders, opwindend, spannend en vooral nieuw geweest. In het begin, lang voordat de smaragd van Rodrigo zijn doeltreffendheid bewees, hadden de amfetaminen mijn leven gered. En het mag dan zo zijn dat ik me, toen die eerste nacht al overging in de volgende dag, vreemd voelde toen ik me in mijn bed liet vallen, alsof mijn lichaam niets anders was dan een voorwerp dat niets te maken had met de handelingen waarmee het geassocieerd werd, als een zak of een pakket dat mijn vrienden met zich mee hadden moeten sjouwen en van de ene naar de andere bar hadden gesleept, maar het is ook zo dat ik heel snel leerde hoe ik deel kon uitmaken van die ochtendschemering, die erin toestemde zich tot de mijne te maken. Ik gebruikte die kleurige pillen – geel, rood, wit, oranje, rond, zuiver, krachtig, perfect – zoals je een medicijn gebruikt, en ze waren mijn slokdarm nog niet binnen, hadden mijn maag nog niet eens bereikt of ik stortte me op de bar van een of ander café en sloeg achter elkaar twee glazen achterover, zoals je water drinkt na het slikken van een pijnstiller, om me beter te voelen. Dat was de uitdrukking die we gebruikten, je beter voelen, en dat was de waarheid, dat we ons beter voelden, want vanaf dat moment begon de werkelijkheid te trillen, de voorwerpen en de personen, de muren en de muziek trilden, klonterden samen en scheidden zich weer met de snelheid die mijn bloed in mijn bloedvaten ontwikkelde. Mijn ogen werden zachter, mijn poriën openden zich, mijn lichaam gaf zich al bij voorbaat over aan de kleinste aanval van buiten, het leven telde dubbel, lachen was gemakkelijk en ik vederlicht. Ik wilde geen drugs die je in een beschouwende stemming brengen of helder maken, en hoewel ik alcohol, naast de effecten ervan, altijd een plezier op zich had gevonden, liet ik het drinken om het drinken en beperkte me tot de dosis die nodig was om de werking te versterken van die stoffen die me onbelangrijk in plaats van belangrijk maakten. Ik wilde niet herrijzen in het licht van de dronkenschap, mezelf niet aanschouwen in zijn verblindende en pijnlijke weerschijn, terwijl ik alert, snel en los kon zijn, als matglas, zelfs voor mijn eigen blik ondoordringbaar. Zeer snel beklom ik die helling en ontdekte ik een nieuwe, pathetische en glorieuze stad in het hart van de stad waarin ik altijd had geleefd, maar toen ik boven was, keek ik om me heen en kwam alles wat ik zag me oud voor, vermoeid, ziek, misschien wel dodelijk gewond door de verdorven routine van het ritueel. Toen ik Santiago leerde kennen, was ik nog geen tweeëntwintig, maar kon ik me niet meer vermaken.

Een paar jaar daarvoor was alles anders geweest. Ik was een heel studiejaar kwijtgeraakt op de benedenverdieping van Saldos Arias, in het souterrain van

Sepu, ik liep alle aanbiedingen af van de grote warenhuizen van Madrid, week na week ging ik van de ene kant van de stad naar de andere om biljartgroene mascara te vinden, of zwarte nagellak, of een of andere purperzilveren, goudkleurige of meerkleurige haargel, want alles was waardevol, alles gaf me hetzelfde als het maar beloofde zijn werkzaamheid op het belangrijkste moment van de nacht te bewijzen, me de magische schittering van een vluchtige roem te garanderen, die ik zou verkrijgen op het moment dat ik de profane drempel zou overschrijden van de dienstdoende tempel en met een heftige rilling van genot zou vaststellen dat alle ogen op mij gericht waren, dat alle ogen, in elk geval op dat moment, allemaal tegelijk op mij gericht waren. Ik probeerde er niet mooi of aantrekkelijk of begeerlijk uit te zien, en toch heb ik nooit zo veel tijd in mezelf gestoken als toen, heb ik me nooit met zo'n bezeten zorgvuldigheid verzorgd als toen, toen ik ernaar streefde mezelf te veranderen in het meest complete levende schouwspel dat in de stad te zien was. Elke extravagantie scheen me nog te discreet, elke overdrijving te conventioneel. Ik waste mijn haar elke dag en was uren bezig het in model te brengen, waarbij ik er met de krultang strakke golven in maakte of het toupeerde om knotten van meerdere etages te fabriceren. Een tijdlang ging ik de straat op met grote, gekleurde plastic rollers in mijn haar, als een onverzorgde dorpsvrouw, en hoewel me dat absoluut niet stond, lukte het me wel een aantal keren om daar opzien mee te baren. In de namiddag begon ik me te kleden. Ik leegde de hele kast boven op het bed om alle mogelijke combinaties uit te proberen voor ik een beslissing nam. Ik had honderden kledingstukken in alle kleuren, alle afmetingen en alle stijlen, goedkoop en van slechte kwaliteit, maar opvallend, en duizenden kousen, zwart, rood, groen, geel, blauw, bruin, oranje, bedrukte kousen, netkousen, kousen met naad, met noppen, met woorden, met cirkels, met muziek, met bloedvlekken, met lipafdrukken, met in reliëf opgebrachte contouren van mannelijke geslachtsdelen. Soms schrok ik van zo veel onbenulligheid, en dan maakte ik me op. Ook daarvoor had ik uren nodig. Daarna keek ik in de spiegel en beviel mezelf.

Die koorts heeft lange tijd gewoed en had nog meer tijd nodig om uit te doven, en toen het zover was, en ik terug kon vallen in een consistentere illusie, namelijk dat ik mijn leven weer volledig onder controle had, voelde ik het gewicht van al die verloren uren als een ondraaglijke last op mijn schouders rusten en had ik er spijt van ze vergooid te hebben, ze alleen in vermaak geïnvesteerd te hebben. Later begon ik te begrijpen dat tijd nooit te winnen, maar ook niet te verliezen is, dat het leven gewoon voorbijgaat, en soms, inmiddels verantwoordelijk en volwassen, met maximale controle over mijn eigen handelen, mis ik ze verschrikkelijk, die tijdelijke dagen, die strikte inleiding op een aantal eeuwige nachten waarvan ik nauwelijks wist hoe, wanneer en waar ze begonnen waren en nooit wist hoe ze zouden eindigen. Nu geloof ik dat ik die excessen nodig had en weet ik dat er een ergere hel is dan de schitterende tunnels die blind en doof doorlopen worden door diegenen die vergeefs trachten te ontsnappen aan de verveling, misschien wel de meest sluwe en vulgaire verhulling van de menselijke bestemming, maar het was toch hard, want ik slaagde er nooit in mijn bewustzijn volledig uit te schakelen, en ik wilde niet toegeven aan de gedachte dat iedereen hetzelfde zou overkomen als mij; ik geloofde liever dat de anderen met voordeel speelden.

Op die duistere zaterdagmiddag, in die vreselijke bungalow in Cercedilla, verwarde zijn voordeel me nog, en als enkele gebaren, zoals het ongeduld waarmee hij om zich heen keek op zoek naar iemand om afscheid van te nemen, me niet hadden gewaarschuwd dat die onbekende, de enige veelbelovende acteur in de uitgebreide bezetting, ons van het ene op het andere moment kon gaan verlaten, had ik misschien niet zo snel gehandeld.

'Hallo, neem me niet kwalijk, wacht even...' Ik legde twee vingers op zijn schouder, terwijl hij al met zijn rug naar me toe voor de deur stond. 'Ga je terug naar Madrid?'

Hij knikte langzaam terwijl hij naar me keek, en even voelde ik me belachelijk, hoewel ik me ervan bewust was dat ik er, in verhouding tot een paar jaar daarvoor, keurig, bijna ingetogen uitzag, of misschien juist daardoor.

'Heb je een auto?'

Opnieuw reageerde hij bevestigend, zonder zijn lippen te bewegen, maar hij glimlachte en ik dacht dat het nou ook weer niet zo erg kon zijn. Ik droeg mijn haar los, zonder een spoortje lak, had korte nagels en mijn lippenstift was van een gewone kleur rood. De rest had een soort vermomming als Robin Hood kunnen zijn, platte, korte, suède laarsjes, die bij een zeer korte rok pasten, een soort middeleeuws aandoende schoudercape, die aan één kant van mijn hals met twee paar haakjes en oogjes was bevestigd, over een wijd, zwart nethemd, passend bij mijn kousen, met daaronder een soort lijfje van lycra, ook zwart, en allemaal bijzonder *new romantic*.

'Vind je het erg om me mee te nemen?'

'Nee.' Hij glimlachte weer.

En ik volgde hem naar een prachtige, nieuwe, metalic grijze Opel Kadett, die niet van hem was maar van het bedrijf, zoals hij me haastig, enigszins beschaamd mededeelde.

'Wat doe je?' vroeg ik om iets te zeggen, terwijl ik kracht verzamelde om de rit af te leggen in gezelschap van Roxy Music, waarvan ik het gekunstelde raffinement, die zogenaamde verfijnde traagheid die zo banaal was, al had herkend in de eerste akkoorden, die nog voor het geluid van de startende motor te horen waren.

'Ik ben econoom. Ik werk bij een verzekeringsmaatschappij, maar ik houd me bezig met marktonderzoek.'

'Juist, net als mijn zusje.'

'Houdt ze zich bezig met marktonderzoek?'

'Nee, maar ze is econoom. Ze doet nu een postacademische cursus aan het instituut voor... bedrijfskunde, kan dat het zijn? Ik kan de naam nooit onthouden, maar het is een of ander instituut.'

'En jij?'

'Ik studeer Engelse taalkunde. Ik ben dit jaar klaar.'

'Geef je ook les?'

'Nee, dat kan pas als ik afgestudeerd ben.'

'Ik bedoel privé-les.'

'Privé-les?' Ik was even stil, want voor het eerst sinds we op de snelweg reden had hij me in mijn ogen gekeken, en zijn schoonheid, nu zo dichtbij, was overweldigend. 'Nee, ik heb het nog nooit gedaan, maar ik denk dat ik er vroeger of later mee moet beginnen, en ik zou het natuurlijk al kunnen doen. Waarom wil je dat weten?'

'Ik zoek een privé-leraar Engels. In theorie red ik me wel, want ik ben er op school al mee begonnen en later mee doorgegaan, maar hoewel ik het nu gemakkelijk kan lezen, spreek ik het niet goed, dat moet vloeiender. Niet dat ik het nu nodig heb, maar als ik ooit van baan verander... In mijn beroep is het belangrijk.'

'Maar als je alleen je spreekvaardigheid wilt verbeteren, zou je beter iemand kunnen nemen van wie Engels de moedertaal is,' zei ik, en voor ik was uitgesproken, had ik me wel voor mijn hoofd kunnen slaan.

'Ja, maar... die begrijp ik niet.' Ik moest hartelijk lachen en hij viel me bij. 'Ik heb daar geen gehoor voor.'

'Ik ook niet. Toen ik klein was wilde mijn moeder dat ik piano ging spelen, net als mijn zusje, maar ik kwam niet eens door de toonladders heen. Zij kan wel goed spelen.'

'Waarom praat je zoveel over je zus?'

'Ik?' Ik keek hem aan met een verbazing die minder gespeeld was dan ik had gewild.

'Ja, we praten nu ongeveer een kwartier met elkaar en je hebt haar al twee keer genoemd. Eerst heb je verteld dat ze econoom is en nu vertel je dat ze piano speelt.'

'Juist ja, je hebt gelijk, maar ik weet niet waarom... Het is toeval, denk ik, hoewel Reina wel belangrijk voor me is, waarschijnlijk omdat we een tweeling zijn en niet meer broers of zusjes hebben.'

'Zien jullie er hetzelfde uit?'

'Nee, we lijken niet op elkaar.' Even was er wat teleurstelling op zijn gezicht te lezen en ik glimlachte. 'Het spijt me.'

'O, nee, nee! Dat is onzin.' Hij was vuurrood geworden en dat verraste mij. Ik had niet verwacht dat hij zo verlegen zou zijn. 'Tweelingen hebben me altijd geboeid, ik weet niet waarom. Op de een of andere manier voel ik me tot ze aangetrokken, zonder dat er een speciale reden is.'

Ik noteerde dit in mijn geheugen, maar drong niet verder aan want hij leek zich niet op zijn gemak te voelen. Bovendien had ik al zo vaak opmerkingen gehoord over seksuele fantasieën met betrekking tot tweelingen dat de voorspelbare fixatie van mijn gesprekspartner voor mij niet erg interessant was.

'Heb je veel broers en zusters?' vroeg ik.

'Drie, twee meisjes en een jongen, maar degene die boven me komt is twaalf jaar ouder, dus was ik bijna enig kind.'

'De anderen volgen op elkaar?'

'Ja, ik... Laten we zeggen dat ik gekomen ben toen het eigenlijk niet meer de bedoeling was. Mijn moeder was al drieënveertig.'

'Een verwend kind.'

'Niet zo.'

Een mooi verwend kind, dacht ik, zeker van mijn oordeel en geamuseerd, voor ik het waagde een vraag te stellen over het enige onbekende dat me echt interesseerde?

'En wat deed je daar?'

'Waar? In Cercedilla?' Ik knikte, en hij tuitte zijn lippen in een gebaar van besluiteloosheid. 'Nou... eerlijk gezegd weet ik dat eigenlijk niet. Me vervelen, denk ik. Toen Andrés me uitnodigde, had ik al zoiets verwacht, maar hij drong nogal aan en ik had dit weekend toch niets beters te doen.'

'Je bent een vriend van Andrés?' Ik probeerde hem in verbinding te brengen met de bezitter van de bungalow waar we elkaar hadden ontmoet, maar ik kon geen enkel gemeenschappelijk punt tussen hen beiden vinden.

'Ja en nee. We zien elkaar nu nog zo af en toe, maar op school waren we boezemvrienden, onafscheidelijk, als broers. Je kent het wel...'

'Hoe oud ben je dan?'

'Eenendertig!'

'Eenendertig, allemachtig!'

Hij glimlachte om mijn oprechte verbijstering, terwijl ik mezelf probeerde te laten geloven dat deze donkere, slanke, soepele jongen echt had leren vermenigvuldigen in gezelschap van die uitgetelde, slappe, buikige oude man, wiens gastvrijheid we zojuist eensgezind hadden afgewezen.

'Nou, je ziet er niet naar uit.' Ik bekeek hem aandachtig en ontdekte een fijn net van rimpeltjes bij zijn ooghoeken, maar ook dat veranderde niets aan mijn eerste indruk. 'Maar dan ook helemaal niet.'

'Dank je,' zei hij glimlachend.

'Niets te danken, maar je mag er wel iets tegenover stellen. Vind je het erg om een ander bandje te draaien? Die Bryan Ferry vind ik iets vreselijks, daar kan ik niets mee, echt niet, dat zogenaamde intellectuele gedoe, gewichtigdoenerij, allemaal goedkope flauwekul.'

Lachend voldeed hij aan mijn verzoek en mompelde een beoordeling.

'Je bent een typische letterenstudente.'

'Ik? Waarom zeg je dat?'

'Omdat het waar is.' Door de manier waarop hij me op dat moment aankeek, kwam ik voor het eerst op de gedachte dat hij me leuk vond. 'Omdat je een typische letterenstudente bent.'

Toen we in Madrid aankwamen, hadden we al over heel wat dingen gepraat. Ik vermaakte me, en hoewel ik in die korte tijd al een paar irritante karaktertrekken bij Santiago had ontdekt, zoals de gewoonte om zich vast te klampen aan de letterlijke betekenis van mijn woorden, die, op het moment dat ze zijn oren bereikten, eeuwigheidswaarde schenen te hebben, absoluut geen metaforische betekenis leken te kunnen hebben, een starheid waarvan ik niet weet of deze de zijne of de mijne is, maar die me in de loop der tijd buiten mezelf zou brengen, merkte ik ook andere aspecten op die in zijn voordeel waren, want hij leek me nuchter en zelfverzekerd, en vooral, in toenemende mate, buitengewoon knap. Zijn gedrag tijdens de eerste helft van die avond versterkte deze indruk nog.

Hij reed me via een bekende route naar het centrum en sloeg op de plaza de Oriente linksaf om met een verrassende handigheid door de wirwar van straatjes te rijden die, minder door het oeroude stratenplan dan door de razernij waarmee de stedelijke autoriteiten de trottoirs maar blijven bezaaien met verkeersborden, de toegang tot de Plaza Mayor verhinderen met een doeltreffendheid die niet zou zijn bereikt met een zorgvuldig ontworpen en aangelegd labyrint uit de oudheid. Kort nadat we een van de hoofdstraten waren ingereden, die maar weinig breder was dan de rest, remde Santiago en reed naar rechts, en toen de deur aan mijn kant op het punt leek te staan de muur van een huis te raken, zette hij de motor af.

'Je zult er aan mijn kant uit moeten,' zei hij zonder me aan te kijken, terwijl hij op de zakken van zijn colbertje klopte alsof hij de inhoud wilde controleren. 'Kun je erover klimmen?'

'Natuurlijk.'

Ik tilde mijn linkerbeen op om het tussen de versnellingshendel en de handrem door te manoeuvreren, en mijn rok klom over mijn kousen omhoog en bleef strak en geplooid op de overgang tussen mijn dijen en heupen hangen. Ik zag een glimp van de middennaad van mijn kousen, en me bewust van mijn minder elegante houding bracht ik mijn gewicht naar mijn tenen om eerst mijn bovenlichaam en vervolgens mijn rechterbeen naar de andere stoel te verplaatsen, maar vlak voor ik deze beweging maakte, keek ik naar hem. Met één arm op de rand van de open deur en de andere op het dak van de auto rustend leek Santiago's blik gevangen in het net van zwarte draden dat mijn huid eerder ontblootte dan bedekte, en om zijn lippen lag een glimlach als die van een kind dat op de ochtend van Driekoningen de kamer binnenkomt en ziet dat al zijn verwachtingen overtroffen worden. Deze marketingdeskundige had de zaak goed ingeschat en feliciteerde zichzelf daar in het geheim mee. Ik liep weer eens in de val van de begeerte van een ander, die zich dikwijls gedragen heeft als de heftigste, maar ook verraderlijkste stimulans van mijn eigen begeerte.

Ik volgde hem over het trottoir en wachtte bij de ingang van een restaurant, terwijl hij zijn autosleutels afgaf aan een portier. Daarna hield hij de deur voor me open, en pas toen ik langs hem liep, sprak hij als vanzelfsprekend de woorden waarop ik had gewacht vanaf het moment dat zijn auto de stad was binnengereden.

'Kom, ik nodig je uit voor een etentje.'

Terwijl hij op zoek ging naar de ober, keek ik om me heen. Het was een soort eetcafé met pretenties dat gehuisvest was in een enorme gewelfde zaal die van oorsprong vast en zeker de grote zaal van een herenhuis was geweest. Het leek me een merkwaardige keuze, niet direct fantastisch, maar ook niet verkeerd. Ik had het leuker gevonden in een van de oorspronkelijke, echte oude bodega's te eten, waarvan de stijl, bepaald door het eeuwenlang ononderbroken functioneren, hier met zorgvuldige kunstmatigheid geïmiteerd werd met een resultaat dat niet wezenlijk verschilde van dat van decorbouwers in Hollywood die menen een middeleeuws Europees interieur te hebben gereconstrueerd. Aan de andere kant leek dit restaurant bepaalde voordelen te beloven ten opzichte van de restaurants waar ik meestal kwam, al zou het alleen maar zijn omdat hier te verwachten viel dat er ook echt een maaltijd geserveerd zou worden.

Toen ik aan een tafel ging zitten werd ik getroost door de totale afwezigheid van kant of papieren tafelkleedjes met ajourpatroon, maar pas toen ik het menu in mijn handen had, keek ik met echt enthousiasme op naar het gezicht van Santiago.

'Ze hebben zwezerik! Geweldig! Ik ben gek op zwezerik en het is zo moeilijk te krijgen…'

Ik meende in het plotseling trekken van zijn mondhoeken een licht ongenoegen te ontdekken, maar hij reageerde op mijn opmerking met een radicale verandering van onderwerp, en het kostte me geen moeite deze kleinigheid te vergeten. De uitdrukking die op zijn gezicht verscheen toen ik een bord vol heerlijke kalfszwezerik voor me had staan, mals, goudbruin gebakken en verrukkelijk, kon me echter niet zomaar ontgaan.

'Wat is er? Hou je hier niet van?'

'Ja,' zijn stem aarzelde, 'eerlijk gezegd heb ik er een geweldige afschuw van, niet alleen van zwezerik, maar van alle orgaanvlees, ik… Ik kan er niet tegen, ik vind het walgelijk.'

Plotseling hoorde ik een diepe, onbekende, maar verschrikkelijk echte stem in mijn hoofd, en ik hoorde de woorden zo duidelijk alsof iemand ze echt in mijn oor fluisterde.

'Maar het is toch gewoon vlees, net als ander vlees.' Ga niet naar bed met hem, zei de stem, het wordt een ramp. 'Je zou het gewoon moeten proberen, dan weet je het.'

'Nee, het is niet hetzelfde. Voor mij is het niet hetzelfde, dat is het nooit geweest. Van jongs af aan heeft mijn moeder geprobeerd me lever te laten eten, maar ik moest al kokhalzen van de geur en ik moest overgeven voor ik ook maar een stukje naar binnen had gewerkt, ik zweer het je. Daardoor kan ik het niet eens zien. Ik kan er gewoon niet tegen.'

'Het spijt me. Ik zal iets anders bestellen.'

'Nee.' Hij dwong zichzelf tegen me te glimlachen. 'Eet het maar. Het is in orde.'

Ga niet met hem naar bed, Malena, want hij walgt van zwezerik en begrijpt niet dat hij er van binnen net zo uitziet. De stem werd luider, dreunde door mijn hoofd, schreeuwde, maar ik wilde er niet naar luisteren en luisterde niet. Maar de stem bleef zijn boodschap herhalen, doe het niet, Malena, want hij wil niet erkennen dat hij een dier is, en daardoor zal hij nooit in staat zijn zich als een man te gedragen, je zult zien dat het niet werkt, hij zal ook van jou walgen, ook jouw weke en rozige ingewanden roepen afkeer in hem op, nu al...

'Wil je bij mij nog iets drinken?' vroeg hij, terwijl ik die oprechte en gehate stem probeerde te smoren in de goddelijke heerlijkheid van een vers gemaakt nagerecht van eierdooiers en stroop. 'Ik haat het namelijk om op zaterdagavond de bars af te gaan. Alles is vol, het duurt een eeuw voor je iets hebt besteld en je kunt niet praten van het lawaai. Maar als je dat liever doet, kunnen we wel ergens heen gaan...'

'Nee,' zei ik glimlachend. 'Laten we naar jouw huis gaan.'

Hij woonde daar in de buurt, in de calle León, dicht bij de plaza Antón Martín, in een modern appartementengebouw waarvan de smalle gevel, van een functionele middelmatigheid, als een etterende puist uitstak tussen de langs de trottoirs staande grote huizen uit voorbije eeuwen, die als woeste haaien van plan leken die verachtelijke indringer in de diepe en duistere muil van hun portaal te laten verdwijnen. Toen hij een afstandsbediening gebruikte om vanuit de auto de garagedeur te openen, bedacht ik dat die plaats me niet aanstond, dat ik liever had gezien dat hij in het huis daarnaast woonde, maar ik vond het ook niet heel erg, want een appartement in de calle Orense was veel erger geweest, en ik zei bij mezelf dat een dergelijk dubbel gevoel de avond dreigde te gaan overschaduwen. Zo was het echter niet.

De gebeurtenissen ontwikkelden zich zo voorspelbaar, dat ik het gevoel had het allemaal al eens gelezen te hebben in een van die damesbladen waarin ik in de kapsalon zat te bladeren wanneer ik met mama meeging om mijn haar te laten bijpunten. We parkeerden de auto op een voor hem gereserveerde plaats, waar zijn nummerbord in grote drukletters op de muur stond geschilderd, en stapten in een lift die rechtstreeks naar de appartementen ging. Hij drukte op de knop van de zevende verdieping en ik kreeg het benauwd, zoals ik het altijd benauwd krijg wanneer ik alleen ben in een lift met een man die me bevalt, zelfs als het een buurman is die ik dagelijks zie. Vanaf dat moment beschikte hij over acht etages om zich zonder enige uitleg op me te storten, acht etages om me te kussen, om me te omhelzen, om me te betasten, om mijn rok tot aan mijn middel op te trekken en me tegen de wand te persen, acht etages, acht, en hij benutte er niet één. Gespannen, rechtop, in een bijna uitdagende houding tegen de spiegel geleund, stond ik daar en ik had, zoals andere keren, de eerste stap kunnen zetten, maar dat deed ik niet, omdat ik de noodzaak er niet van inzag, en omdat ik toen al wist, hoe irritant ik dat ook vond, en hoewel ik me liever de keel had laten afsnijden en liever langzaam was doodgebloed dan het toe te geven, dat het me nog niet een kwart van het plezier zou geven als ik degene zou zijn die begon.

'Heb je zin om te dansen?'

Dat was het enige wat hij wist te zeggen toen hij, nadat hij me in zijn appartement had binnengelaten, een mini-appartement waarvan het kleine oppervlak, niet meer dan veertig vierkante meter, goed was ingedeeld, en na het uitvoeren van de onvermijdelijke handelingen – zijn jas aan de kapstok hangen, indirect licht aandoen en direct licht uitdoen, muziek opzetten – begreep dat hij er niet onderuit kon om iets te zeggen.

'Nee,' antwoordde ik, en ik had zin eraan toe te voegen: je zal toch een beetje meer je best moeten doen, mooie jongen.

'Iets drinken?' Hij glimlachte, ondanks het feit dat zijn wangen een rode kleur hadden gekregen, en zei heel zacht, bijna fluisterend: 'Wil je…?'

'Natuurlijk.' Ook ik glimlachte. Ik was vast van plan de zaak wat te vergemakkelijken. 'Daarvoor zijn we hier, niet? Om iets te drinken.'

In mijn ironie lag geen kwaadaardigheid, hoogstens een zachte, vriendelijke suggestie, een uitnodiging tot een of ander teken van medeplichtigheid, maar hij werd nog roder, en toen vroeg ik me af of ik niet bezig was het onmogelijke van hem te vragen. Toen hij met de glazen terugkwam, ging hij naast me op de bank zitten, en we dronken zwijgend. Ik wilde hem al bekennen dat ik het heerlijk vond om te dansen, toen hij zich in een aanval van ongebruikelijke vermetelheid bukte, mijn enkels pakte, en mijn benen, zonder rekening te houden met mijn evenwicht, dat ik verloor, over zijn benen legde.

'Laten ze afdrukken in je benen achter?' vroeg hij, terwijl hij een vinger in een van de gaten van mijn kousen stopte en het weefsel naar zich toe trok alsof hij de andere kant wilde zien.

'Ja, wil je ze zien?'

Hij knikte, en ik trok mijn kousen uit, zonder hem toe te staan me te helpen. Ik moest denken aan een soortgelijke situatie, een toevallige, onverwachte neukpartij, de naam van die figuur herinner ik me niet en ik weet niet eens zeker of ik die toen wist, toen ik met hem de straat op ging, een uur nadat ik hem had leren kennen, drie kwartier nadat ik gevoeld had hoe de lucht zich verdichtte, veranderde in een soort vloeibaar gas, zo dik dat ademen onmogelijk werd, toen mijn gezicht het zijne naderde, een kwartier nadat ik op zijn provocatie was ingegaan, de zelfgenoegzame brutaliteit waarmee hij op mij leek te wachten, zijn ellebogen op de bar geleund, zijn lichaam naar voren gebogen, een hak van een afgrijselijke – verrukkelijke – cowboylaars van bewerkt leer ritmisch op de linoleumvloer tikkend, tot ik me op hem had geworpen om hem te kussen, een musicus, dat is het enige wat ik me van hem herinner, en dat hij me, toen we bij hem thuis waren gekomen, vroeg of de naden van mijn kousen ook afdrukken achterlieten, en dat ik ja had gezegd, en dat hij zei dat hij ze graag wilde zien, en dat ik ze zonder zijn hulp had uitgetrokken, net als nu, maar hij was voor mij op de grond gaan zitten, terwijl ik op een stoel zat zonder goed te weten wat ik moest doen, en had mijn rechtervoet gepakt, en mijn been gestrekt, en met de punt van zijn tong de afdrukken van de naden gevolgd, van mijn dij tot mijn hiel, en ik was gesmolten, ik smolt. Maar Santiago besteedde uiteindelijk niet zo veel aandacht aan het geometrische raatpatroon dat het net van katoenen draden in mijn huid had gedrukt, en mijn temperatuur bleef moeiteloos gelijk toen hij mijn lichaam begon te veroveren met de mentaliteit van een examenkandidaat, niet te veel risico nemend, de juiste inzet tonend en nooit zijn zelfbeheersing verliezend, wat zo ver ging dat ik, toen hij net zo beleefd als hij mij bestegen had weer afsteeg, niet goed begreep wat er eigenlijk gebeurde. Tot op dat moment was ik punt voor punt in staat geweest de afgezaagde code te voorspellen die al zijn bewegingen reguleerde, zijn tot op de millimeter berekende en afgemeten avances, vanaf mijn middel omhoog staande in de eetkamer, vanaf mijn middel omlaag in bed, zonder te praten, zonder te lachen, zonder tijd te verliezen, maar nu had ik geen idee op welk punt van de les hij was blijven steken.

'Wat is er?' vroeg ik, en hij draaide zich langzaam om en glimlachte tegen me.

'Niets. Wat zou er moeten zijn?'

'Wil je niet klaarkomen?'

'Ik? Ik ben al klaargekomen.'

'Waaaat…?'

Zoiets was me nog nooit overkomen, en ik had zin om dat te zeggen, om het te schreeuwen, om het als een handschoen in zijn gezicht te werpen, maar ik kon mijn woede niet uiten, want hij keek me aan met een uitdrukking die zo hulpeloos was, zo'n mengeling van angst en onwetendheid, met ogen die zo weerloos waren, dat ik wist dat het niet meer zou zijn dan de eerste van een lange serie nederlagen.

'Wat is er met je?' Ik had het gevoel dat zijn woorden alleen door een wonderlijk toeval mijn oren bereikten, zo zacht klonk zijn stem.

'Ik heb het niet gemerkt.'

'Nou ja, ik heb ook niet gemerkt dat jij klaarkwam.'

'Ik ben ook niet klaargekomen.' Als ik klaargekomen was, stuk onbenul, hadden jullie het allemaal gemerkt, jij, de buren, de bakker op de hoek en een brandweerwagen die met loeiende sirene door de straat was gereden… Dat dacht ik, maar ik zei het niet.

'O, nou ja. Het spijt me, maar dat is toch niet zo belangrijk. Dat gebeurt zo vaak in het begin.'

'Ja.'

'Ben je boos op me?'

'Luister, grapjas,' zei ik, terwijl ik op het bed ging zitten en wild met mijn handen begon te gebaren alsof ik zo, in één klap, de padden kon verdrijven die door mijn ingewanden kropen, 'in zo'n situatie neem je al voor lief dat je de grot van Ali Baba niet tussen je benen hebt, snap je, maar het is behoorlijk vervelend… Op dit moment voel ik me als zo'n gokautomaat in een café, alsof ik…' Ik keek hem aan en gaf het op. 'O, laat ook maar. Je snapt het toch niet!'

'Had je liever gehad dat ik geschreeuwd had?' Hij zei het alsof hij het nooit zou hebben geloofd.

'Ja, ik had liever gehad dat je geschreeuwd had, gekreund had, gehuild had, gebeden had, om je moeder had geroepen, dat je me een trap had gegeven, dat je "kom op, Madrid" had geroepen, wat dan ook, sufferd, begrijp je dat niet?'

'Nee,' bekende hij, en hij veranderde van houding. Hij liet zich op zijn zij vallen en krulde zich om mijn lichaam, zijn hoofd op mijn buik, zijn armen rond mijn middel, en zei: 'Bovendien is het volgens mij niet belangrijk. Ik mag je heel graag, Malena. Ik vind het heerlijk om hier met je te zijn…'

Soms, wanneer ik het had uitgemaakt met een vent of als ik ten slotte thuiskwam na een nacht als die, scheurde ik heel voorzichtig het papier van een sigaret die op de Canarische Eilanden was gemaakt van tabak die verbouwd was in La Vera, bij Cáceres, schudde de inhoud in mijn hand, snoof het aroma op en vroeg me af waarom alles zo moeilijk was geworden. Dat was wat ik die nacht had moeten doen, toen Santiago zich als een plotseling teruggevonden wees aan me vastklampte, maar zijn zwijgen bracht de woorden van de meest heroïsche, de aanbiddelijkste, de hardste en de liefste Fernando terug, en ik sloot mijn ogen en kneep mijn oogleden met alle kracht dicht tot mijn pupillen zo begonnen te jeuken dat ik ze weer moest openen, waarmee ik instinctief de handeling herhaalde waaruit ik die zomerochtend, lang geleden, moed had geput, voor ik, op een warm en stil tijdstip, zoals ik in die tijd was, uit mijn bed was gestapt om te doen wat ik moest doen, wat ik volgens mij behoorde te doen.

Om Reina niet wakker te maken, verplaatste ik me behoedzaam, sloop op mijn tenen naar de deur en bewoog de deurkruk zo langzaam dat ik voelde hoe mijn vingers die hem omklemden er bijna van gingen slapen. Ik liet de deur open, om geen risico te nemen, en was een eeuwigheid bezig de trap af te lopen, waarbij ik zorgvuldig de krakende treden probeerde te vermijden, hoewel ik me een paar keer vergiste doordat ik andersom moest tellen, in een volgorde die precies omgekeerd was aan de volgorde die mijn stappen al die nachten had geleid. Toen ik in de ontvangstkamer was gekomen, bekeek ik mezelf in de kleine, vierkante spiegel van de groen geschilderde metalen kapstok. Ik droeg een nachthemd zonder mouwen dat tot op mijn voeten hing en mijn haar zat door de war doordat ik uren in mijn bed had liggen woelen, terwijl ik deed alsof ik sliep. Ik schoof een slipper tussen de deur, zodat deze niet kon dichtvallen, en betreurde het gemis daarvan al van tevoren, maar ik ging naar de veranda, daalde vijf treden af en liep over het grind, zonder ook maar één rand van een kiezelsteen te voelen, alsof ik op een wolk liep.

Fernando stond bij de poort op me te wachten. Toen ik achter het hek zijn gestalte zag, vertelde ik mezelf voor de laatste keer dat dit waanzin was. Er was geen enkele reden om zo veel risico te nemen. Het was niet verstandig om een plan uit te voeren dat zo onzinnig was en in verhouding zo weinig opleverde. Toen ik hem, in ruil voor de steen van Rodrigo, die toch al van hem was, plechtig beloofde dat ik hem in de Finca del Indio zou binnenlaten, dacht ik eerder aan een openbare actie, misschien aan een op tijd georganiseerde verrassingsmaaltijd, zoals Miguel voor Porfirio had gedaan, of gewoon een ochtend bij het zwembad, als een zo onschuldig voorwendsel dat het geen tegenstand zou oproepen, maar hij had geweigerd, had al mijn voorstellen afgewezen, en was koppig bij zijn voornemen gebleven om dit bezoek in het geheim te laten plaatsvinden in onze laatste vollemaansnacht, zodat het met voorbedachte rade, onder bescherming van de nacht en verraderlijk zou zijn. Vanaf het moment dat we de datum hadden vastgesteld, achtenveertig uur van tevoren, was ik ziek van angst, en hoewel ik bewust elke gedachte van me af zette aan wat er zou kunnen gebeuren als we pech zouden hebben, bijvoorbeeld zoiets onbenulligs als iemand die hoofdpijn had en midden in de nacht op zoek zou gaan naar aspirine, was ik verstijfd, verlamd en gek van angst. Maar toen ik de deur opende en hem binnenliet, verdween het gevoel van paniek op slag en nam een overweldigende emotie de vrijkomende ruimte in beslag, en alle vrije ruimten waarover mijn lichaam nog beschikte.

Fernando beroerde mijn voorhoofd met zijn lippen en liep in de richting van het huis, maar toen ik me niet bewoog, verrast door de onbeduidendheid van die begroeting, een zo armzalige beloning voor mijn stoutmoedigheid, draaide hij zich om, keek me aan en kuste me op mijn mond. Toen merkte ik dat hij zenuwachtig was en begon ik te vermoeden dat hij net zo bang was als ik, ook al was dat om geheel andere redenen. Tijdens het lopen zeiden we niets, en toen ik de deur openduwde en mijn uiterste best deed om geen geluid te maken, wisselde ik een zo veelbetekende blik met hem uit dat elk woord overbodig was. Ik nodigde hem met een handgebaar uit om binnen te komen, hij stapte langs mij heen de drempel over en bleef doorlopen, waarbij hij bij elke stap inhield om een hoek, een scheur, een lijst, al die details, al die voorwerpen te herkennen die zijn vader hem als kind had beschreven toen hij hem had meegenomen naar de bergen om hem van verre dat huis te laten zien dat hij nooit zou kunnen betreden. Ik volgde hem zwijgend en boog af en toe mijn hoofd om zijn gezicht in het maanlicht te kunnen bekijken. Ik kon aan zijn uitdrukking echter niet zien wat er in hem omging, maar als hij mij had aangekeken, had hij misschien moeiteloos het trillen kunnen interpreteren van mijn indiaanse lippen, want ik stond op het punt in tranen uit te barsten zonder te weten waarom.

Ik zal me altijd dat diepe, warme en duistere verdriet herinneren dat zo tegengesteld was aan de zelfbewustheid van Fernando, aan de vastbeslotenheid waarmee hij deuren opende, de zekerheid waarmee hij zich blindelings in de gangen van het huis oriënteerde, de arrogantie van zijn gebaren, alsof het zijn huis was en niet het mijne. Ik volgde hem naar de keuken, betrad na hem de voorraadkamer, liep langzaam, als een verbijsterde toeriste, om de grote marmeren tafel heen waaraan ik elke ochtend ontbijtte, keek naar de veranda aan de achterkant alsof ik die nog nooit had gezien en volgde hem stap voor stap op zijn schreden terug tot hij voor de woonkamer stond en mij liet voorgaan, alsof hij die deur niet durfde aan te raken, de enige waarachter een persoonlijk voorwerp van de bewoners van het huis te vinden zou kunnen zijn, want we waren stilzwijgend overeengekomen dat deze excursie noodgedwongen beperkt zou moeten blijven tot de benedenverdieping, de enige verdieping waar nooit iemand sliep.

Toen ik hem binnenliet in de grote, indrukwekkende ruimten waarop de faam gebaseerd was die de Finca del Indio in de hele streek genoot, bedacht ik dat het interieur niet wezenlijk veranderd kon zijn sinds 1940, toen zijn vader tussen de poten van de stoelen met tinnen soldaatjes had zitten spelen, want de meubelen, die voor het grootste deel net zo oud leken als onze grootvader, waren voor zover ik me kon herinneren nooit verplaatst en er was weinig nieuws aan toegevoegd. Misschien was die bijzonderheid, waaraan de verstikkende atmosfeer van die ruimten kon worden toegeschreven, wel schuldiger aan de geleidelijke metamorfose van de grote speelkamer op de eerste verdieping, de oorspronkelijke woonkamer van het huis, dan de scherpe weigering van mijn grootmoeder om een televisietoestel in de grote woonkamer te plaatsen, tussen de solide mahoniehouten zitmeubels en de lichte salontafels van ingelegd hout, die Fernando met een minachtende blik bekeek, alsof hun schoonheid een aanslag was op de nostalgie van een kind dat uit het paradijs is verbannen, of alsof hij dit gevoel op deze manier juist kon overwinnen. Het licht viel door de grote ramen die om de paar meter een hele muurhoogte in beslag namen en een schitterend tafereel aan mij onthulden dat ik nog nooit in het schemerige maanlicht had gezien. Ik ging op de rugleuning van een bank zitten en volgde alleen met mijn ogen de gestalte van mijn neef en realiseerde me dat ik me nog niet eerder, zelfs die nacht nog niet, zo bewust was geweest van het feit dat Fernando mijn neef was. Hij liep heel langzaam door de ruimte, registreerde elk detail, hoe onbetekenend het ook leek, met veel meer aandacht dan hij tevoren had getoond, en hoewel de dubbele deur, die de woonkamer scheidde van de bibliotheek, volledig openstond, bleef hij een moment staan en liet zijn ogen over de bovendrempel glijden, alsof hij zich er voor hij verder ging van moest overtuigen dat deze bestond. Nadat hij vervolgens de inhoud van een aantal kasten had bekeken, draaide hij zich naar links en raakte enige tijd uit het zicht. Door de plattegrond van de ruimte vormde de bibliotheek het eindpunt van een immense L, waarin zich aan de zijkant de woonkamer en de eetkamer bevonden. Afgaande op het doffe geluid van de gummizolen van zijn schoenen had mijn gast zich naar deze laatste ruimte begeven, en ik wachtte rustig op zijn terugkomst. Er was nog geen enkel teken dat iemand anders in huis op dat moment wakker zou zijn, en ik had me overgegeven aan de aangename duizeling van een salto met vangnet, zonder enig gevaar, alsof de risico's voor altijd verdwenen waren in de stilte die wij met stilte hadden opgeroepen.

Fernando verscheen weer in dezelfde hoek die hij gekozen had om te verdwijnen. Hij bleef midden in mijn blikveld staan, leunde op het blad van een stevig bureau dat van Peruaanse oorsprong was, kruiste zijn armen over elkaar en keek me aan. Ik wachtte een paar minuten, en toen ik er zeker van was dat hij niet van plan was in beweging te komen, stond ik op en liep naar hem toe, waarmee ik verraad pleegde aan het vaste voornemen, dat ik enkele minuten eerder in zijn afwezigheid had genomen, om een eind aan het avontuur te maken op het moment waarop hij terug zou keren uit de laatste ruimte die hij nog niet kende. Toch stond ik nu op en liep langzaam door de kamer naar hem toe. Toen ik bij hem was, drukte ik mijn lichaam tegen het zijne en boog mijn hoofd tot ik zijn gezicht tegen het mijne voelde. Ik wilde hem niet op een andere manier aanraken, wilde hem niet voelen met mijn vingertoppen, niet teruggrijpen naar de grove werkwijze die ik gebruikte om een werkelijkheid te leren kennen waar Fernando op dat moment al niet meer toe behoorde. Hij nam echter mijn hand in de zijne en dwong me mijn eigen gezicht te strelen voor hij hem over zijn lichaam leidde en ten slotte rond de scherpe hardheid van zijn geslacht legde, en op dat moment wist ik dat ik nooit van mijn leven meer zo'n intense emotie zou voelen.

Ik liet me op de vloer vallen en voelde nauwelijks pijn toen mijn knieën op de houten vloer stootten. Toen mijn voorhoofd zich op de plaats bevond die mijn hand net verlaten had, voelde ik in de eerste plaats warmte. Ik was me niet precies bewust van wat ik deed, maar ik wist dat al mijn zintuigen op scherp stonden; ik kon hun behoefte aan waarnemen bijna voelen. Ik ben daarna nooit meer, nooit meer, zo bedwelmd geweest als op dat moment. Nooit ben ik zo slecht in staat geweest mezelf te beheersen.

Hij had er al vaak over gesproken, meestal met betrekking tot die vrouw uit Lübeck die in zijn laatste jaar op de middelbare school de psycholoog had vervangen. Ze was getrouwd, weet je, legde hij altijd uit, alsof ik het hele verhaal over die heldendaad al niet uit mijn hoofd kende, ze was achtentwintig jaar en getrouwd, herhaalde hij, een beetje oud, niet, zei ik dan altijd, en hij deed alsof hij verbaasd was, wie, Anneliese? en keek me dan zo verbijsterd aan als wanneer ik bekend zou hebben dat ik het product was van een beetje gerotzooi met de Heilige Maagd, ach wat, zei hij dan, Anneliese had een geweldig lichaam... En achtentwintig, en getrouwd, en zij was begonnen, ik dacht toch niet echt dat hij de moeite had genomen om haar te verleiden, zij was dat gladde pad opgegaan, zij had dubbelzinnige opmerkingen gemaakt, zij had het gesprek op dat onderwerp gebracht, dat Fernando op een gevaarlijke leeftijd was, en dat zijn problemen op school misschien te maken hadden met een overmatige belangstelling voor seks... Op dat punt verplichtte mijn klassenbewustzijn me altijd om hem te onderbreken, ja, natuurlijk, jongen, alsof geil zijn geen invloed zou hebben op derdegraadsvergelijkingen! maar hij beperkte zich ertoe mij een misprijzende blik toe te werpen en praatte weer door, dat die fantastische Anneliese hem had toevertrouwd dat het haar tot op zekere hoogte logisch leek aangezien we in een maatschappij leefden die seksuele activiteit in de meest kritieke fase van het menselijk libido afstrafte, enz. enz. Ja, ja! Bij haar gaat die fase blijkbaar nooit voorbij, protesteerde ik soms, en ik dacht bij mezelf: de hoer… Maar toen nam Fernando dat vreselijke toontje van volwassen minnaar aan om mij te vertellen dat ik niet meer was dan een kind en hij een idioot dat hij probeerde me dingen duidelijk te maken die ik toch niet kon begrijpen, en dan werd het alleen maar erger, want dan werd ik razend en dat wist hij, en daarom probeerde hij me echt te pakken door te doen alsof het niets met mij te maken had, alsof hij alleen maar hardop aan het denken was, jij kunt het toch niet begrijpen, zei hij dan, soms begrijp ik het zelf niet eens, en dan werd hij melancholiek, wat zijn vrouwen ook merkwaardige wezens! Op jouw leeftijd doen ze nog een beetje normaal, maar later, als ze echte vrouwen zijn geworden… Hoezo later? Wat dan? hapte ik, en ik liep met de gehoorzaamheid van een tamme koe in de val, en Fernando begon het hele verhaal opnieuw te vertellen, van het begin tot het einde, van zijn verbazing toen zij, in het kantoor van de psycholoog, en zonder zelfs maar uit haar draaistoel te komen, hem naar zich toe had getrokken door haar wijsvinger in zijn broeksband te haken, tot zijn uitputting, die ertoe geleid had dat hij de volgende ochtend midden in de les in slaap was gevallen, terwijl zij, hoewel ze ook de hele nacht wakker was geweest, aan het neuken was geweest in een hotelbed, vrolijk door de gangen draafde alsof er niets was gebeurd, alsof die schreeuw van pijn er nooit was geweest, die zij, achtentwintig jaar, getrouwd, een geweldig lichaam, niet had kunnen onderdrukken toen hij voor de eerste maal bij haar was binnengedrongen, doordat, zoals hij op basis van die gebeurtenissen altijd concludeerde, haar man ongetwijfeld een veel kleinere had. Gelukkig maar, zo eindigde Fernando, deed ze het 's middags, op school, alleen maar met haar mond, want anders waren we beslist ontdekt, want je raadt niet hoe ze gilde, en je zult het niet geloven, maar ik had het gevoel, ik weet het natuurlijk niet zeker, maar ze gaf me het gevoel dat ze daar veel opgewondener van werd dan van neuken, dat ze dat bijna lekkerder vond, want je had haar gezicht moeten zien toen ik kwam, ze slikte alles door, en ze had haar ogen dicht, alsof ze nog nooit zoiets lekkers in haar mond had gehad, daarom zeg ik dat vrouwen maar vreemde wezens zijn, want ik vind het ongelooflijk, ik begrijp het niet. Ze zeggen dat het fantastisch is voor de huid, om het door te slikken, bedoel ik, maar in elk geval is het niet te begrijpen, ze… Aan me reet! gilde ik, hoor je me, Fernando, aan me reet! Al blijf je doorpraten tot sint-juttemis, mij zul je niet overtuigen. Ik? vroeg hij dan met een onschuldig engelengezicht, probeer ik je ergens van te overtuigen? En hij schudde langzaam zijn hoofd, alsof iets in mijn gezicht of mijn toon hem verschrikkelijk teleurstelde, ik vertel je alleen maar iets wat voor mij heel belangrijk is, ik probeer het alleen maar met je te delen, en ik heb het je nooit gevraagd, indiaantje, dat weet je, ik zou het nooit gedaan hebben met iemand van jouw leeftijd… Soms dacht ik dat Anneliese, dat tovernummer, niet eens bestond, dat haar naam, en haar leeftijd, en haar burgerlijke staat, en haar geweldige lichaam, weelderig maar stevig, rijp maar soepel, ervaren maar in staat zich te onderwerpen aan de onschuldige drang van een opgewonden jongen, nooit in Lübeck hadden gewoond, noch in Hamburg, noch op enige andere plaats dan in het koortsige brein van mijn neef, maar andere keren beefde ik echt, want Fernando zou nooit op het idee zijn gekomen om woorden als 'kritieke fase' en 'libido' en 'afstrafte' te gebruiken, en dan wist ik niet meer wat ik moest denken, behalve dat ik die slet graag met mijn eigen vingers de ogen had uitgekrabd, zelfs als het alleen maar een hersenschim was. Van de bleke Helga, dat arme katholieke kind, had ik nooit wakker gelegen, maar alleen maar het noemen van die unieke, onwerkelijke toverfee, bracht mijn overtuigingen zozeer aan het wankelen, dat ik meer dan eens een onherroepelijke beslissing nam die uiteindelijk zonder al te veel moeite door mijn gezonde verstand werd herroepen. En wat heb ik daaraan? riep ik dan uit, waarbij mijn stem onwillekeurig zo hoog werd dat dit vernietigend was voor het potentieel retorische karakter van die vraag, waarop het enig mogelijke antwoord ons beiden meer dan bekend was, wat heb ik daaraan, hè, kun je me dat vertellen? en dan sloeg hij zijn handen voor zijn gezicht alsof hij zich realiseerde dat het geen molens maar reuzen waren, maar ik bleef over hem heen walsen en liet me niet imponeren door de kleine farce van zijn verbittering, nou, ik zal het je zeggen, ik heb er niets aan, hoor je me, helemaal niets. Wat ben je ook stom, Malena! antwoordde hij ten slotte, alsof mijn gezonde verstand niet gezond was, wat denk je eigenlijk? Dat je zulke dingen alleen doet om iets te winnen of te verliezen? Laat je dan maar voor de gek houden, zei ik bij mezelf, want de Duitse vrouwen zijn blijkbaar dom en de Duitse mannen slim, en ik doorstond zijn blik zonder iets te zeggen, terwijl ik in stilte mijn conclusies trok, of is het soms niet zo, schat…

Maar toen ik, geknield op de vloer van de bibliotheek gezeten, het zachte geknars hoorde van slecht geoliede scharnieren, zo doordringend als trompetgeschal waarmee de onmiddellijke opkomst wordt aangekondigd van een derde personage, vermoedde ik al dat mij in het binnenste van dat barokke labyrint, dat me nooit zo had tegengestaan als het me enkele minuten daarvoor nog plotseling had aangetrokken, nog enig gewin wachtte, want het lot slokte in één hap mijn gezonde verstand op en toonde zich nog steeds hongerig. Toen iemand slechts enkele meters boven mijn hoofd wakker werd, en twijfelde of hij wel of niet op zou staan, en er ten slotte voor koos de warme lakens, vochtig van zijn eigen zweet, terug te slaan en iets te gaan doen waarvoor hij zijn kamer moest verlaten, was Fernando al tussen mijn lippen gegroeid en liet een voor mij zo wezenlijk, zo belangrijk zaadje ontkiemen dat ik met verbazing vaststelde het bestaan ervan niet eens te hebben vermoed. Eerst hield ik het voor ijdelheid, daarna geloofde ik dat het eerder om zekerheid ging, het teken van een groeiend zelfvertrouwen, en vervolgens beging ik de onzinnigste en meest troostende fout door het ten onrechte aan te zien voor onzelfzuchtige vreugde, de goede daad die meer plezier geeft dan inspanning vraagt, een eenvoudig bewijs van liefde en grootmoedigheid. De zekerheid dat ik me goed voelde kwam heftig in botsing met de overtuiging dat ik me heel slecht zou moeten voelen, en omdat dit de zaak bemoeilijkte, concentreerde ik me op de zelfgekozen uitdaging en niet op mijn eigen reacties, terwijl ik me met de grootste doeltreffendheid bezighield met Fernando's geslacht en de rest van mijn aandacht, op een veel vagere manier, wijdde aan de stappen die te horen waren op de houten vloer van de eerste verdieping, waarbij ik niet wilde opmerken dat ze langer te horen waren dan nodig was om van welke slaapkamer dan ook naar de bijbehorende badkamer te gaan.

Het trouwe gekraak van de eenentwintigste trede bracht me terug naar de wrede werkelijkheid. Iemand kwam de trap aflopen. Ik sloot mijn ogen, probeerde na te denken, begreep dat het me niet lukte, opende mijn ogen, hief, zonder te kunnen besluiten mijn buit los te laten, de gladde verdikking van vochtig vlees die samengesmolten leek met mijn mond en op mijn onderlip rustte, mijn hoofd op en keek Fernando aan. De trap kraakte weer, want onze metgezel, wie het ook mocht zijn, had de zeventiende trede bereikt. Ik kon de verleiding niet weerstaan om de punt van mijn tong over het zwaard te laten glijden dat me nu elk moment kon onthoofden, maar mijn neef leek dit detail niet op te merken terwijl zijn ogen de hele ruimte afzochten naar een oplossing die er niet was. Een ogenblik later keek hij me aan, legde zijn rechterhand op mijn hoofd en oefende zo veel druk uit dat ik het moest buigen, maar nog net kon zien hoe zijn oogleden zich langzaam sloten. Daarna voelde ik, zelf ook blind, als een liefkozing het contact met zijn vingers, die zich in mijn haar klemden om me te leiden, en een regelmatig ritme te ontwikkelen dat zich aanpaste aan die steeds naderbij komende, steeds gevaarlijker stappen.

Het kostte me geen moeite het denkproces te reconstrueren dat consistentie verleende aan de onvoorstelbare vermetelheid van Fernando. Aan de ene kant hadden we tot op dat moment geen woord gewisseld, geen lamp aangestoken, zelfs geen deur opengelaten, niets gedaan wat ons kon verraden. Aan de andere kant was, vanaf het moment waarop die gehate bemoeial zijn eerste stap op de trap zette, ontsnappen onmogelijk, want de deur die toegang gaf tot de ontvangkamer was vanaf de overloop van de eerste verdieping volledig in zicht. Het fatsoeneren van onze houding had zeker geluid gemaakt – op zijn minst dat van het dichttrekken van een rits – en op basis van statistische gegevens konden we ervan uitgaan dat de bestemming van die voeten de keuken zou zijn, want om vijf uur in de ochtend komt niemand op het idee dat het boek dat hij aan het lezen is nog in de woonkamer ligt, en bovendien was er geen doeltreffender middel om te voorkomen dat ik iets zou zeggen, en dat wist hij allemaal, en ik kon het begrijpen, en ook dat Fernando niet van plan was een zo absoluut, zo kostbaar en zo intens begeerd goed op te geven voor een zo relatieve bedreiging; zijn arrogantie bracht dit soort moed met zich mee, dat wist ik, en dat ik ondanks dat handelde zoals ik deed, en met de meest rigoureuze discipline gehoorzaamde aan de wil van die hand, kwam door een motief dat net zo weinig logisch als traditioneel was en waarin zelfs mijn liefde voor de schijnbaar twijfelachtige begunstigde van die handeling geen enkele rol speelde. Want ik deed het niet voor Fernando. Ik deed het alleen voor mezelf.

Het geluid van de blote voeten klonk al op de tegels van de gang en glipte onder de kamerdeur door naar binnen toen ik begreep wat wellustige psychologes krijgen van hun misleide, overrompelde leerlingen die zo vastbesloten zijn hun trots van vroegrijpe minnaar bevestigd te zien op de verraderlijke terreinen vol voetangels en klemmen, want ik weet wat ik, veel waardevoller, veel zeldzamer dan genot, wilde onttrekken aan de smachtende onmacht van mijn neef, ik weet waarom de aard van mijn bewegingen veranderde, waarom ze heftiger, begeriger, vasthoudender werden. Ik was ervan overtuigd dat Reina elk moment de bibliotheek binnen kon komen, dat zij het was die wakker was geworden en, toen ze mijn afwezigheid opmerkte, op zoek was gegaan, maar ik was niet bang, want ik kon me al niet meer herinneren wanneer ik mijn verstand had verloren, en daarmee de maat van alle dingen, en daarom wenste ik bijna dat mijn vermoeden bewaarheid zou worden, dat mijn zusje zou verschijnen, dat de deur tegen de muur zou knallen en haar zowel bevreesde als gevreesde gedaante zichtbaar zou worden op het moment waarop ik het hoogtepunt van mijn macht bereikte. Want wat ik voelde was macht, een overwicht dat ik nooit had bereikt wanneer mijn eigen vlees in het spel was, wanneer het genot van de ander nauwelijks meer was dan de prijs van mijn eigen genot. Macht, geknield op de grond, macht, verdorven bevrediging vinden in mijn eigen onthouding, macht, die van een hond die de smaak proeft van menselijk bloed wanneer hij een lijk likt dat op de stoep ligt, macht, macht, macht, ik had me nog nooit zo machtig gevoeld.

De nachtelijke bezoeker kwam de keuken uit, waar het spoor van de stappen verloren was gegaan, en begon, voor altijd in de anonimiteit verdwijnend, zwaar aan de terugtocht over de trap die hem naar ons toe had gebracht. Een ogenblik voor zijn dijen in mijn armen begonnen te beven, ontspande het lichaam van Fernando zich in mijn handen die hem bij de heupen vasthielden. Ik leerde een bittere smaak kennen, maar bleef bewegingloos zitten, mijn hoofd stevig tegen zijn buik, al mijn ingewanden geopend voor hem, tot alles voorbij was. Daarna keek ik hem aan en zag zijn bezwete gezicht, zijn gesloten oogleden, zijn open mond, die pijnlijk, bijna mystiek vertrokken was, als gekwetst door het hese, clandestiene karakter van zijn kreunen, elk van die diepe kreten, ingehouden schreeuwen die aan zijn keel waren ontrukt voor ze in mijn oren wegstierven. Ik aanbad hem, ik had willen doden voor hem, ik me laten doden terwijl ik van zijn vermoeide, gelukkige lippen de enige woorden hoorde die in deze van licht vervulde nacht gesproken zouden worden.

'Wauw, meisje, je hebt geen idee hoe dat is!'

En toen twijfelde ik aan alles.

F ernando ging op de heenweg met me mee, maar de terugweg, die veel moeilijker was, moest ik alleen afleggen.

Toen ik dacht dat ik anders was dan de andere meisjes, een jongen die in een verkeerd lichaam was geboren, een mislukt opstel, een armzalige aanloop tot een vrouw die door haar gebreken voorbestemd was nooit tot bloei te komen, had ik nooit kunnen denken dat uitgerekend het exces me op een dag zou doen besluiten het ideaalbeeld dat ik met zo veel inzet nastreefde de rug toe te keren, en toch was dat de waarheid die me door die vent werd onthuld in een onbeduidende seconde op een ochtend als alle andere, aan het gebruikelijke tafeltje in de faculteitskantine, tussen een kop koffie met melk en een glas cognac door, terwijl mijn vriendinnen aandachtig luisterden naar een bleke, tere, gekwelde nimf met puntige tepels die ver uitstaken, als een voortdurende daad van agressie op haar platte jongensborst, smalle, vaag gelijnde heupen, een koortsachtige blik: een meisje zoals ik nooit zou worden. Zíj was bij ons in de klas gekomen om zich te specialiseren na haar opleiding aan een of andere obscure academie in de provincie. Híj zal rond de veertig zijn geweest. Zijn postuur en bouw waren gemiddeld, en er viel niets bijzonders te ontdekken aan zijn gezicht en zijn lichaam, maar wel aan zijn manier van kleden, want hij had een heel merkwaardig gevoel voor charme, dat vooral tot uitdrukking kwam in zijn persoonlijke opvatting van raffinement, Britse soberheid die altijd opzettelijk werd verstoord door een of ander flitsend Mediterraan detail: gele handschoenen, een bril met een rood montuur, een grote vergulde ring waarin een ontzettend nepperige ovale steen prijkte, een das waarop, plaatje voor plaatje, een onbeschaamde striptease van Mickey Mouse te volgen was. Hij doceerde Franse literatuur, had me nooit les gegeven en zou dat ook nooit doen, maar op een of andere manier kenden we elkaar, en toen hij op die ochtend besloot bij ons te komen zitten ontbijten, wist hij van mijn bestaan, en ik wist van zijn bestaan, omdat we in het vorige cursusjaar op een dag in dezelfde bus naar Parijs waren gereisd. Hij had de hele rit tussen piepjonge studenten gezeten, van de keurig verzorgde, mooie soort die destijds zo moeilijk te vinden was in dat gebouw, waarvan de lokalen uitpuilden van alle mogelijke varianten van de extreem linkse, langharige soort, en ik had moeten blijven staan, vastgeklampt aan een lus, zo dichtbij dat ik hun gesprek woord voor woord had kunnen volgen, zelfs als ik het niet had gewild.

'Nou ja, goed, natuurlijk was het niet makkelijk voor me,' zei hij. 'De situatie was toen heel anders. Stel je voor, ik kreeg nog steeds elk jaar een docent die ons, meteen in het eerste college, vertelde dat hij heel wat runderlapjes had moeten eten om te worden wat hij was! Dat van dat rund is hem wel aan te zien, zeiden wij dan zachtjes op de achterste rij...'

Ze lachten allemaal, en ik kon me niet bedwingen en lachte mee. Hij antwoordde op mijn onbehoorlijke geschater door me alleen even aan te kijken, en vanaf dat ogenblik had ik het gevoel dat zijn woorden ook voor mij bestemd waren, want stuk voor stuk verdwenen ze in de verstikkende atmosfeer van de volgepakte bus, om te weerkaatsen als kleine maar heuse uitdagingen.

'Dus zo eenvoudig was het niet om met jongens naar bed te gaan, en voor mij was het allemaal nog niet zo duidelijk, ik geloof dat ik er liever niet te veel aan wilde denken, want een paar, of twee paar of drie paar keren, wat maakt het uit, ging ik met een vrouw naar bed, en eigenlijk vond ik het maar niets, het was alsof ik een glas water leegdronk – ik keek hem zonder blikken of blozen aan, glimlachend, maar hij gaf niet toe aan de verleiding mijn glimlach te beantwoorden en praatte verder – . Ik was toen heel vooruitstrevend, uiteraard, feministisch en zo, militant voorvechter van de democratie van het orgasme, en zij wisten dat, natuurlijk, het waren gewoon vriendinnen van me, en zij wonden er geen doekjes om. Dus we kleedden ons gescheiden uit, kropen in bed, kusten elkaar, lebberden elkaar helemaal af en zo, en dan zeiden zij, met je vinger, met je vinger, nu met je vinger... En zo was ik weer even bezig, zittend op bed, terwijl ik mijn vinger bewoog en probeerde te achterhalen wat Baudelaire aan dat stomme gedoe toch zo leuk vond dat ie er geen genoeg van kon krijgen...'

Het gelach van zijn discipelen overstemde zijn laatste woorden. Ik moest ook lachen, maar wendde mijn blik geen moment van hem af. Ik probeerde mijn ogen te laten spreken, en op een bepaalde manier verstond hij me, want aan het laatste gedeelte van zijn verhaal, toen we in de verte de Arc de Triomphe al konden zien, hoorde ik dat de blik was aangekomen.

'Ik ben misschien niet helemaal eerlijk. Waarschijnlijk had ik gewoon geen geluk, of verdiende ik het niet. Wat ik bedoel is dat Baudelaire vast niet verslaafd was aan vingeren.'

Hij was degene die me, maanden daarna, aankeek, toen hij met zijn ellebogen op tafel in de kantine onverschillig zat te staren naar de inmiddels niet meer dampende inhoud van een kopje waarvan hij nog steeds niet had besloten of hij het naar zijn lippen zou brengen, degene die naar me glimlachte, die met zijn ogen sprak en begreep, terwijl ik met een onnoemelijke weerzin luisterde naar het zoveelste mislukte avontuurtje van die literaire, symbolische domoor, die nog diezelfde nacht, na uren en uren te hebben geïnvesteerd in praten, discussiëren, aftasten, betasten, omhelzen, en lijden, vooral lijden, had besloten dat ze nog niet rijp was voor wat zij het lichamelijk hoogtepunt der penetratie noemde. Mariana hoorde haar met eindeloos geduld aan en knikte zachtjes alsof ze het begreep, en misschien begreep ze het inderdaad, want al mijn vriendinnen begrepen zulke dingen. Ik voelde me merkwaardig ongemakkelijk, schuldig omdat ik me verveelde en omdat ik niets begreep van de essentie van die gewelddadige stuipen waarvan de strekking, tot op zekere hoogte, toch ook aan mij was gericht, zozeer zelfs dat mijn gemoedstoestand mijn uitgestreken gezicht moet hebben verraden, want hij had me door, en toen onze blikken elkaar toevallig, min of meer onbedoeld, kruisten, zei hij die woorden.

'Jij bent een echte vrouw, Malena.'

Mijn hart sprong op in mijn borst, en ik pijnigde mijn ogen om een sprankje intelligentie te ontdekken in die ogen die me aandachtig, met een bepaalde dosis afgunst en vooral, verborgen onder een cosmetische, alleen ogenschijnlijke solidariteit, met het enorme medelijden dat is voorbehouden voor hen die nog niet hebben ontdekt dat ze slachtoffers zijn, observeerden.

'Een echte vrouw,' zei ik bij mezelf, en ik sloeg mijn ogen neer. 'Een echte vrouw, helaas wel…'

Die keer nam ik hem niet serieus. Weet hij veel, zei ik bij mezelf, en toch wist hij meer dan ik. Spoedig zou ik voor het verbluffende bewijs daarvoor moeten zwichten. Een echte vrouw, jawel, meer nog dan echt. Veel te echt.

Hij droeg een witte regenjas, als in films, met een heel hoge kraag en de ceintuur om zijn middel geknoopt met duidelijke minachting voor de gesp, die er als een nutteloos stuk vuil bruin plastic bij hing. Buiten was het droog, het was een heldere nacht, maar hij beschermde zijn kleine, gluiperige spleetogen met een zonnebril met rookkleurig glas tegen mijn ziekelijke nieuwsgierigheid. Ik keek niet alleen naar hem omdat hij de lelijkste man was die ik in tijden had gezien, die geteisterde huid vol littekens, zijn mond die in de hoeken sarcastisch omhoog krulde, het dunne, plukkerige haar boven op een schedel van aanzienlijke afmetingen; ik bekeek hem zelfs niet om te zien of hij blind was, wat ik aanvankelijk had gedacht. Al even daarvoor had ik geconstateerd dat er met zijn ogen niets mis was, en toch bleef ik naar hem kijken, zoals je naar vlammen kijkt, of naar de golven van de zee, zonder dat je weet wat je er precies in zoekt, en zijn lelijkheid werd voor mij steeds mysterieuzer, ik zou haast zeggen twijfelachtiger. Hij zag mij haast niet staan, in het begin. Later keek hij zo indringend terug dat hij me deed blozen, en was ik degene die de ogen neersloeg, totdat ik door mijn wimpers heen iets zag bewegen. Hij gebaarde me met de wijsvinger van zijn rechterhand dat ik naar hem toe moest komen. In een reflex zette ik mijn eigen wijsvinger tegen mijn borst en trok mijn wenkbrauwen op alsof ik iets vroeg. Hij lachte en bewoog zijn hoofd op en neer. Ja, natuurlijk bedoelde hij mij.

Terwijl ik de luttele meters die ons scheidden overbrugde, vroeg ik me af tot welke stam hij zou behoren. In die dagen was de heteroseksuele, min of meer mannelijke bevolking die regelmatig verscheen in de cafés die ik bezocht, in pak-weg drie soorten onderverdeeld: domoren, kasplantjes en ware goden. De tweede categorie bestond uit wezens die alleen qua uiterlijk op mensen leken.

Verder compenseerden ze ruimschoots de tekortkomingen van de kamerplanten waarmee cafés en discotheken met meer pretenties dan die waar ik hen avond aan avond zag meestal zijn aangekleed, want je hoefde ze geen water te geven of op de omgevingstemperatuur te letten. Ze groeiden vrijstaand en droegen, altijd, 's zomers en 's winters, grote, dikke, donkere wollen jassen, altijd grijs of zwart, met de kraag rechtop, en om hun broze nekjes kunstig een sjaal van mohair gedrapeerd. Ze dromden binnen in groepjes van drie of vier, soms in gezelschap van een vrouw die vrijwel altijd ouder was dan zij maar gekleed met hetzelfde gebrek aan frivoliteit, een gebrek waardoor ze er echter niet als lesbiennes uitzagen, en bleven dan met bedrukte gezichten de omgeving staan afturen totdat ze ergens in de verte een afgelegen tafeltje ontdekten, dat ze na een lange mars van kleine vermoeide pasjes bereikten. Ze dronken weinig, zwijgend, terwijl ze verveeld op hun stoelen wipten, en slikten af en toe Amerikaanse aspirientjes – waarin ze een vertrouwen hadden dat ze in Spaanse aspirientjes nooit zouden krijgen, zelfs niet in het geval dat ze dezelfde samenstelling hadden als de pijnstillers van de overkant van de oceaan – die een of andere gevoelige, medelevende vriend voor ze had meegenomen uit New York, nooit uit Arkansas. Ze waren allemaal artiest en, nog onwaarschijnlijker, dadaïst, hoewel ook Andy Warhol een flink aandeel van hun fascinatie opeiste. Wanneer ze alleen waren, vielen ze niet erg op, maar dat gebeurde maar zelden, want ieder groepje had zijn eigen opinieleider, een individu met grijzend haar dat gebukt ging onder zijn verantwoordelijkheid, die de enige spreker was terwijl zijn trouwe volgelingen met zo'n grote ijver naar hem luisterden dat menig onwetende toeschouwer had kunnen denken dat hij een geniaal denker was in plaats van slechts, en ook beslist niet meer dan een eeuwig door de uitgevers tot de anonimiteit gedoemde dichter, of een middelmatige doctorandus in de sociologie, of een goedbedoelende straatzanger, en soms zelfs dat nog niet eens, ook al had hij dan eens koffie gedronken aan de bar van het Algonquin en deed hij zijn uiterste best om zich bij foto's van Alicia Lidell af te trekken.

Maar hij miste, ondanks zijn manier van kleden, de bekrompenheid die nodig was om bij die opzichtige, onaangename Bloomsbury-figuren te horen, en hij vertoonde evenmin verwantschap met de leden van de andere twee families, die even verachtelijk als die ene waren, hoewel je in alle families bij wijze van uitzonderingen wel een paar verrukkelijke kerels had, domoren met gevoel voor humor die, tussen de LSD-pillen in, soms hun hersens gebruikten, en halfgoden die soms afdaalden om je eraan te herinneren dat ook zij uit een vrouw waren geboren, en je zelfs, in een opwelling van onbedwingbare menselijkheid, bekenden dat hun moeder Raimunda heette en uit een gehuchtje in de provincie Cuenca kwam. Van de eerste soort waren er een paar mijn leven binnengewipt voor een vluchtige liefdesepisode. Van de tweede soort hield ik omdat ze oogverblindend mooi waren, maar ik was altijd bij ze uit de buurt gebleven omdat ik vermoedde dat hun verlangen naar mensen al zo volkomen werd bevredigd door hun eigen schoonheid, dat ze er nauwelijks nog aan toekwamen naar anderen te verlangen. Dat zou nooit het geval blijken te zijn met degene die, om mij te begroeten, koos voor de meest onverwachte, meest effectieve formule die hij tot zijn beschikking had.

'Ik begrijp dat je niet elke avond zulke goed uitziende kerels als ik tegenkomt, maar je zou hoe dan ook niet zo naar me moeten zitten kijken, erg onverstandig. Ik ben heel gevaarlijk.'

Die presentatie boeide me evenveel als de grootte van de rode pukkel die achter zijn linkeroor verrees, zo uitdagend en barstensvol als een vulkaan die op uitbarsten staat, en ik reageerde niet.

'Wat heb je? Ben je soms doof?'

'Nee.' En ik liet hem nog even wachten. 'Hoe heet je?'

'Hoe heet jij?'

Net toen ik mijn echte naam wilde uitspreken, fluisterde een opstandig duiveltje een andere in mijn oor.

'Indiaantje.'

'Ga nou gauw.'

De zekerheid waarmee hij dat stomme, toch niet zo stomme, leugentje van de hand wees, maakte een redeloze, uitzinnige woede in me los, maar hoewel ik mijn best deed om mijn stem scherper te laten klinken, kwamen mijn voeten nog geen millimeter van hun plaats.

'Hoor eens even, wie denk je wel dat je bent, zeg…'

'Jij heet geen Indiaantje.'

'Nee, mijn naam…'

'Zeg maar niet hoe je heet. Ik hoef het niet te weten. Zullen we?'

'Waarheen?' wist ik uit te brengen, toen mijn verbazing opnieuw iedere poging om te begrijpen wat er met mij en om me heen aan de hand was, in de kiem had gesmoord.

'Wat maakt het uit?' En hij wachtte een paar seconden op een tegenwerping die ik niet kon maken, omdat ik me nog altijd de film niet herinnerde waarin ik een dergelijke dialoog eerder had gehoord. 'In ieder geval hier vandaan.'

'Wacht even. Even gedag zeggen, mijn tas pakken, ik kom zo.'

Ik liep een paar stappen van hem weg terwijl ik met mijn hand wees naar de hoek waar mijn vrienden zaten. Ik pakte mijn spullen en zei ze gedag. Ik vertrouwde erop dat ik zonder verdere uitleg kon verdwijnen, maar Teresa pakte me bij mijn arm toen ik me al had omgedraaid, en ze was zo opgewonden dat ze in het Catalaans tegen me begon te praten.

'Ga je daarmee op stap?' vroeg ze met ogen als schoteltjes toen ze zich ten slotte had hervonden.

'Ja.'

'Maar heb je hem weleens goed bekeken?'

'Ja.'

'En je gaat toch met hem mee?'

'Ja.'

'Maar waarom?'

'Ik weet het niet.' En op dat moment dacht ik dat dat inderdaad zo was.

'Wat is er…?' Mariana, die zwijgend het kruisverhoor had gevolgd, onderbrak ons op een fluistertoon. 'Heeft ie coke?'

'Nee.'

'Nou, wat heeft ie dan?'

'Niets.' Ik bevrijdde mijn linkerarm en liep verder. 'Morgen bel ik wel, dan krijgen jullie alles te horen.'

Toen ik naar de bar terugliep, was hij net aan het afrekenen. Hij zei niets tegen me, maar gaf een buitensporige fooi, een astronomisch bedrag in verhouding tot wat je normaliter – op het brandschone schoteltje – in die bar, op dat tijdstip achterliet, en nu weet ik dat het een manier was om me iets duidelijk te maken, net als het gebaar dat hij maakte toen hij voor de sigarettenautomaat, al praktisch bij de deur, bleef staan.

'Geef je jas maar,' zei hij. 'Ga alvast maar, ik haal je wel in.'

Ik overhandigde hem mijn jas zonder die twee zinnetjes met elkaar te verbinden en liep een paar stappen verder. Dat hij het type was dat je per se in je jas wilde helpen verbaasde me minder dan het feit dat ik geen enkel geluid hoorde dat erop wees dat hij de automaat gebruikte, en ineens begreep ik wat er aan de hand was, en plotseling draaide ik me om, om te zien wat hij deed, en daar stond hij met zijn handen in zijn zakken, zonder enige interesse voor de lichtjes die naast hem stonden te knipperen, naar me te kijken.

'Wat heb je?' zei ik terwijl we naar buiten liepen, nadat ik zelf mijn jas, die hij me aangaf met een hand waaruit absoluut alle galante bedoelingen verdwenen waren, had aangetrokken. 'Of ben jij er zo een die altijd hetzelfde nummertje opvoert?'

'Ik weet niet waar je het over hebt,' antwoordde hij met een glimlach.

'Nou, dat leuke trucje, dat je doet alsof je sigaretten trekt nadat je een vrouw voor hebt laten gaan, alleen maar om haar kont eens goed te kunnen bekijken.'

'Je bent slim,' zei hij schaterend.

'En jij een oversekste idioot.'

Hij pakte me toen bij mijn arm, alsof hij bang was dat ik ervandoor zou gaan, maar kwaad leek hij niet.

'Nu zou je het eigenlijk verdienen dat ik zeg dat ik, gelijk toen ik je zag, al kon raden dat je het soort meisje bent dat om twee uur 's nachts meegaat met de eerste de beste vent die een voorstel doet.'

Tot dan toe was al mijn verzet niets anders dan toneelspel geweest, maar die woorden kwetsten me, en ik voelde me beledigd, echt gekrenkt. Het kostte me maar weinig moeite mijn arm los te trekken, me om te draaien en, zonder om te kijken, weg te lopen. Ik nam aan dat het nu allemaal voorbij was, maar hij rende achter me aan en zette me klem tussen een muur en zijn handen.

'Ach, nee! Zo ben je toch niet… Ben je d'r zo een?'

Hij keek me verward aan, oprecht, maar niet genoeg om me zo te ontroeren dat ik mezelf ertoe kon brengen een antwoord te geven.

'Laat maar, het spijt me ontzettend, sorry, ik ben een beest, oké?'

Ik wilde bijna zeggen dat hij dat niet was, maar op het laatste moment besloot ik mijn mond te houden, want ik realiseerde me dat mijn zwijgen een accurater middel was om zijn geduld op de proef te stellen dan welke afwijzing ook.

'Dat kun je me toch niet aandoen...' Zijn stoere houding begon scheuren te vertonen, ik kon het bijna horen kraken, de daverende echo van zijn val horen aankomen, en daar hoorde ik reeds de eerste klanken van een magische klaagzang waarvan ik de heftige invloed nooit had kunnen weerstaan. 'Nou niet terugkrabbelen, alsjeblieft. Alsjeblieft...' Zijn rechterhand glipte mijn jas binnen, en zijn duim gleed over mijn borst met een beweging waarmee een pottenbakker de overtollige klei van het oppervlak van een net gedraaide vaas wrijft, van boven naar beneden, en vervolgens in omgekeerde richting, langzaam en rustig. 'Niet weggaan nu, je hebt de moeilijkste stap al gezet...'

Hij heette Agustín, was journalist, schreef voor de programmagids van een omroep en hoewel hij, tot zijn verdriet, slechts acht jaar ouder was dan ik, deed hij erg zijn best om zich te gedragen alsof hij twee keer zo oud was. Hij was een uitzonderlijk scherpzinnig type, en dat wist hij, en daar handelde hij ook naar: uit zijn gebreken haalde hij onvermoede pluspunten, en op handige wijze creeerde hij situaties waarin zijn kwaliteiten, een verbluffende welsprekendheid, een vernietigende luciditeit, een bijtend sarcasme, alles wisselgeld voor dat gruwelijke uiterlijk dat ik al snel niet meer zag, het best uitkwamen. Hij had maar één zwak, en dat was de eigenschap die het meest in zijn voordeel werkte, want nooit heb ik een radicalere vrouwenhater gekend, een man die zich met meer vuur verweerde tegen de hartstocht voor die wezens die hij van zichzelf uit pure zelfverdediging moest minachten, zelfs al wist hij dat hij de oorlog al had verloren voor de strijd begon. Als hij tijdig aan deze zekerheid toegaf, werd hij een onweerstaanbaar tedere minnaar, en altijd, zelfs wanneer hij zich had voorgenomen zich de hele wip goed te houden en onaangedaan te blijven, ging hij op een gegeven moment de mist in, en hoe vluchtig de tekenen van zijn nederlaag ook waren, ik merkte toch dat hij gebroken was en bleef, tot aan het einde, iets beters kon hij voor ons beiden niet doen. En toch werd ik niet verliefd op hem.

Als alles anders was gelopen, had de liefde, het beste alibi van de wereld, volstaan om de waarheid te bedekken, maar hoewel ik veel van Agustín hield, graag met hem naar bed ging en voelde dat ik hem om een of andere reden nodig had, wist ik dat ik niet op hem verliefd was en ik vertelde hem geen leugens, en ook mezelf wilde ik niets wijsmaken, omdat we dat allebei nergens aan hadden verdiend. We ontmoetten elkaar zo nu en dan, een paar keer per week, soms wat vaker, maar altijd om ergens naar toe te gaan, naar een plaats die vrijwel altijd in de lijstjes stond die de zondagsbijlage van de krant aanprees onder de wervende kop 'Trendy places', en ook dat beviel me goed, want ik had er geen behoefte aan me samen met hem op te sluiten in een onvindbare, kleine, geheime ruimte als de tabaksschuur van Rosario. Ik was niet verliefd op hem, maar er was nog iets anders, hoewel ik dat pas na enige tijd ontdekte.

'Heb je voor vrijdagavond al iets gepland dat beter is dan mijn gezelschap?'

Het vroege stadium waarin hij me uitnodigde, verraste me nog meer dan het tijdstip waarop ik hem aan de andere kant van de lijn hoorde.

'Nee. Hoezo? Ga je trouwen?'

'Ik?'

'Nou ja, omdat het pas maandag is, en pas kwart over tien in de ochtend... Normaal bel je voor een afspraak pas een halfuurtje van tevoren, om halfnegen op zijn vroegst.'

'Echt?'

'Echt, ja.'

'Nou daar was ik me helemaal niet van bewust.' Dit was zo'n grove leugen dat hij er zelf om moest lachen. 'Afijn, ik kom net binnen bij de radio. Vrijdagavond is er een knalfeest, meteen na de vertoning van een film die we sponsoren... Ik weet niet waarom, waarschijnlijk heeft de baas iets met de hoofdrolspeelster, zo'n lekker jong ding met zo'n onbenullige naam, Jazmín, of Escarlata, geloof ik.'

'Een lekker ding?'

'Min of meer, maar ze heeft wat moeite met het uitspreken van haar eigen naam.' Toen moest ík lachen, en niet alleen vanwege de geraffineerde essentie van zijn gemene roddeltje, maar van puur genot, want Agustín was de enige vent die ik tot dan toe had leren kennen, en ik betwijfel of ik er ooit nog een ben tegengekomen, die zei dat hij niet op domme vrouwen kon vallen. 'Het zit zo: ze gaan met de presentielijst rond, wat betekent dat ik erheen moet, en ik wil dat jij met me meegaat.'

'Moet ik iets chics aandoen?'

'Spectaculair... Je doet iets spectaculairs aan.'

Ik begreep heel goed wat hij bedoelde, want dat was het onderwerp van ons eerste ontspannen gesprek geweest, in een omgewoeld bed, te midden van stapels boeken, oude kranten en bergen cassettebandjes waarin geen orde viel te ontdekken, een compleet levensverhaal dat verspreid lag over de vloerbedekking die van oorsprong groen was, maar waarop inmiddels honderden schroeiplekken van vergeten sigaretten hun stempel hadden gedrukt.

'Je hebt geen geluk.' Ik lag op mijn rug en was zo slap dat ik me niet in staat voelde om mijn hoofd op te tillen en de bewegingen te volgen van een hand die me, met elke streling, duidelijk maakte dat haar eigenaar, die op zijn zij naar me lag te kijken, zichzelf al weer volkomen onder controle had. 'In je kleren zie je er niet half zo lekker uit als je eigenlijk bent, want naakt, echt...' Ik voelde zijn vingers bewegen alsof hij het vlees van mijn buik wilde kneden. 'Eigenlijk ben je echt een lekker stuk.'

Mijn verbazing gaf me de kracht om overeind te komen, en leunend op mijn ellebogen keek ik hem aan, niet zozeer dankbaar voor wat ik opvatte als een compliment, als wel met stomheid geslagen over de vleeskeuring die daaraan vooraf was gegaan.

'Maar dan heb ik toch juist geluk?'

'Vind je?' En de verbazing in zijn ogen maakte mijn verbazing alleen nog maar groter. 'Ik stel me zo voor dat je in de loop van je leven toch door meer mensen gekleed dan naakt bent gezien.'

'Oké, maar…' En daar zweeg ik, omdat ik niet precies wist wat ik moest zeggen.

'Niks maar. Het belangrijkste is hoe je eruitziet, en als je het daar niet mee eens bent, moet je maar naar mij kijken: ik zie er ook beter uit in mijn blootje.'

'O ja?' Even was ik bang dat ik hem met mijn scepsis had beledigd, maar hij barstte in lachen uit en antwoordde: 'Tuurlijk. Ik heb toch een normaal lichaam, nietwaar?' Hij pakte met het pincet van twee vingers een huidplooi in de buurt van zijn maag, terwijl ik het uitschaterde. 'Een beetje slap misschien, maar normaal, en een lul die in de statistieken een waardig plaatsje inneemt onder de meerderheid van…'

Nog altijd lachend omhelsde ik zijn normale lichaam innig, en kuste zijn abnormale mond totdat er in de mijne geen druppel speeksel meer over was.

'Je bent een heel boeiend type,' zei ik, en dat vind ik nu, na al die tijd, nog steeds.

'Ik weet het. Je bent niet de eerste vrouw die dat tegen me zegt. Ik denk er hoe dan ook liever niet te veel aan, weet je, anders word ik nog verwaand. Maar jij bent een heel ander geval. Als je nou om te beginnen eens iets anders aantrok dan die vodden…'

'Welke vodden?'

Hij pakte de kleren die hij me daarvoor had uitgetrokken van de grond en zwaaide ze in zijn gebalde vuist door de lucht, alsof het een militaire vaandel was.

'Maar dat zijn toch geen vodden,' protesteerde ik, opnieuw eerder verbaasd dan beledigd, terwijl ik keek naar de wollen maillot met gouden streepjes die ik bij een marktkraam, onder een bord met 'Alles 1 knaak' had gekocht, de minirok van paars tricot, honderd procent katoen, die ik had gekocht in Solana en waar ik zo dol op was omdat hij na verloop van tijd onregelmatige rafels had gekregen, net als de bandietencape van Cruella de Ville, en een korte blouse van transparante, zwarte glansstof, die ik in de India-uitverkoop van El Corte Inglés had gevonden, en waarvan ik zelf de plastic knoopjes, rond en discreet als bij rouwkleding, had vervangen door andere, veel mooiere, reusachtige zeskanten knopen van transparant plastic in verschillende felle kleuren.

'En dit?' vroeg hij vervolgens, nadat hij zonder enig ontzag mijn kleren op de grond had laten vallen.

'Nou, dat zijn twee laarzen,' zei ik op het moment van herkenning van de rijglaarzen met platte hak, vierkante neus en dikke veters aan de voorkant (een vleugje punk kan nooit kwaad, dacht ik toen ik ze kocht), die ik zelf had verfraaid met metalen klinknagels en bijpassende zilverkleurige kettingen.

'Dat kun je wel zeggen, ja. Van het soort dat Napoleons sappeurs gebruikten in de Russische veldtocht... Maar, zeg eens, is er soms iets tegen om je als vrouw te kleden?'

'Bedoel je als mijn moeder?'

'Ik bedoel als vrouw.'

Ja hoor, dat ontbrak er nog maar aan, zei ik toen bij mezelf. Ik was twintig, en kleding was heel belangrijk voor me, omdat ik daarmee mijn eigen identiteit kon bevestigen, niet alleen ten opzichte van de rest van de wereld, maar ook ten opzichte van mijn moeder, en vooral van Reina. Zij leidde toen een volkomen ander leven dan ik, en om het verschil op te merken was één blik op ons voldoende. In die tijd had mijn zusje de fundamenteel stijve, truttige kringen waarin ze haar hele puberteit had verkeerd, verlaten en was veranderd in de mascotte van een ziekelijk decadente sekte, waarvan de leden zich manifesteerden als het soort mensen dat ik vanuit de diepste draaiingen van mijn ingewanden verachtte: onvervalste imitaties van Leonard Cohen – dat is pas een te gekke vent –, van wie de zeurderige liedjes, weliswaar alleen 's nachts, uit de radio klonken, toneelregisseurs die ernaar zuchtten Arrabal definitief in ere te herstellen door zijn stukken op te voeren in Zaal Olympia, literatuurcritici van obscure provinciale blaadjes die in armoedige tweekleurendruk verschenen, en meer van zulk cultureel uitschot. Haar avonden sleet ze aan een tafeltje in café Gijón, ze gebruikte helemaal geen drugs, en dronk alleen Cutty Sark, geen enkele andere whisky, met spuitwater en ijs. Ze was altijd verliefd op een kerel die de veertig al niet meer hoefde te passeren en net was verhuisd naar een schakelwoning in een buitenwijk samen met zijn partner voor het leven, een traditionele vrouw die hem niet begreep, maar bij wie hij nooit zou kunnen weglopen omdat de jongste van hun drie kinderen problemen had. Hij begreep haar wel, hij had genoeg aan de wetenschap dat ze de enige was die zijn theorieën over Pollock waardeerde, en aan af en toe een vreugdeloos nummertje met een onbekende in een kamer van het Monaco, of in het liefdesnestje van een vriend die ten onrechte was geslaagd in het leven, en die zich daardoor een bohemienszoldertje tussen de yuppen in La Latina kon veroorloven en zo, misschien niet zo goedkoop, wat zelfwaardering kon kopen.

Ondanks alles bleef ze zich zeker en vol vertrouwen voelen, tevreden met haar leventje, en misschien was dat waarom ze zich niet bezighield met het ontwikkelen van een vaste smaak om zich naar te kleden. Soms droeg ze, wanneer ze 's avonds uitging, nog kleren die mama, die zich door niets liet ontmoedigen, nog altijd voor ons beiden kocht, keurige mantelpakjes van Rodier en onvervalste Schotse rokken die vers uit het Verenigd Koninkrijk waren geïmporteerd, en die ik, zonder zelfs maar de moeite te nemen om het etiket eraf te halen, aan een knaapje hing en voor altijd vergat, maar even plotseling zocht ze het soms in andere stijlen, zoals lange rokken, poncho's van wollen ajour die nog altijd de populairste versie van het uniform der progressieve luitjes was – de meeste van haar minnaars kleedden zich nog altijd als man – of ze zocht het ineens in de existentialistische look die ze versterkte met dikke, zwarte panty's, dicht geweven en begrafenisachtig, die naar mijn mening veel te veel weg hadden van de dikke kousen die Juana altijd droeg. Toen ik Agustín leerde kennen, maakte zij juist het eerste flitsende stadium door van een koortsachtige nieuwe rage en kleedde zich, in navolging van een zekere Jimena, die in de hoogtij-jaren van de Pigmalions van café Gijón de onmisbare muze van deze ongeregelde bende was geweest en dus precies oud genoeg was om onze moeder te kunnen zijn, als een als man verklede vrouw, in soepele katoenen billentikkers en bijpassende bandplooibroeken waarvan de lijnen wat ambigu waren, zonder echter tot verontrusting te leiden.

Als Reina niet uitgerekend die periode had gekozen om uitgerekend die stijl te omarmen, had ik misschien nooit de stap genomen die me naar precies het andere uiterste had gedreven, of misschien had ik het sowieso gedaan, gehoorzamend aan een intuïtie die ongevraagd kwam bovendrijven toen ik met Agustín voor de tweede of derde keer ging eten in een Frans restaurantje waarvan het interieur geen schokkende gebeurtenissen deed voorzien. Maar toen zij, onnodig hard duwend tegen een deur die niet eens helemaal dicht zat, de eetzaal binnenkwam, leken zelfs de moleculen in de lucht die we inademden groot alarm te slaan.

Ze zal een jaar of vijfendertig geweest zijn en zonder haar hooggehakte schoenen, als ze die tenminste ooit uit deed, zal ze niet veel langer zijn geweest dan ik. Ze was opgedirkt als een fregat, en ze kwam net van een kapper die een hekel aan haar moest hebben gehad, want haar haar was in zo'n lichte kleur blond geverfd dat haar slapen in het reflecterende schijnsel oplichtten, en niettemin vond ik haar knap, heel, heel erg knap, met haar grote, groene, melancholieke ogen en haar wrede mond die was aangezet met een weinig subtiele lijn van een dunne bruine lippenstift. Ze had zich onder hoge druk in een felblauwe jurk van zacht en soepel leer geperst. Een dure jurk, die ik als een echte Loewe had herkend, ware het niet dat hij een te geringe lengte had en een buitensporig diep decolleté, dat een groot deel van de kloof tussen haar borsten liet zien, een detail dat ik van buitengewoon slechte smaak vond getuigen, vooral omdat ik, wanneer ik met mijn moeder ging winkelen en zij per se iets voor me wilde kopen, altijd met veel ijver naar precies het tegenovergestelde effect streefde en, hoewel ik nooit een beha droeg, meestal dat model kocht dat blijk gaf van de grootste doelmatigheid bij het verdoezelen van dat verdomde gootje. Toen ik vervolgens de volumes van haar lichaam per stuk beschouwde, besloot ik dat ze behoorlijk dik was, en toch, als ik om welke reden dan ook een totaaloordeel had moeten geven, en als ik eerlijk was, zou ik toch hebben moeten toegeven dat haar weke, sponsachtige glans meer weg had van fluweelzachte molligheid dan van de pafferigheid die ontstaat door puur overgewicht. Ze was, kortom, een heel aantrekkelijke vrouw, zelfs al voldeed ze niet strikt aan mijn criteria op dit gebied, en daarom stoorde het me zo dat Agustín zijn blik niet van haar af kon houden.

'Zou je me misschien ook kunnen aankijken?' onderbrak ik mijn eigen verstrooide commentaar op een film die ik een paar dagen daarvoor had gezien, toen ik voelde dat mijn geduld opraakte. 'Ik ben tegen je aan het praten, weet je.'

'Sorry.' Agustín keek me aan, glimlachte en draaide een seconde daarna zijn hoofd weer in de oude stand. 'Ga verder.'

'Mogen we soms ook weten waarom je haar zo zit te bekijken?'

'Ja, natuurlijk. Ik bekijk haar omdat ze me aanstaat.'

'Dat daar? Ze ziet eruit als een hoer!'

'Daarom staat ze me aan.'

Op dat ogenblik viel mijn blik toevallig op mijn heel korte, zwart gelakte nagels, en dat uitzicht stond me zo tegen dat ik ze onder mijn oksels wegstopte, met mijn armen over elkaar. Toen ik Agustín die avond voor de deur van zijn huis had opgehaald, had hij met een glimlach tegen me gezegd dat ik wel een kaboutertje leek, en ik had er verder niet bij stilgestaan en zijn opmerking als een compliment terzijde geschoven, maar nu ik me realiseerde hoe raak die opmerking was – ik droeg een zwarte wollen coltrui, een minirokje van groen vilt, met langs de onderkant een rij kleine venstertjes, en twee parallelle, heel brede schouderbanden, een soort tuinjurk, een zwarte, doorzichtige panty met fluwelen bloemetjes in reliëf, en platte schoenen van groen leer, een soort kinderschoenen met één gesp aan de zijkant van de wreef – voelde ik me ineens belachelijk, en was bereid om de woede die in me ontplofte te onderdrukken. Ik bleef onbeweeglijk zitten, rechtop tegen de rugleuning, terwijl ik zweeg en noodgedwongen tegen de zijkant, vooral de nek, van mijn gesprekspartner aankeek. De ober zette op dat moment de twee koppen koffie op tafel en er zat voor hem niets anders op dan maar weer even recht op zijn stoel te gaan zitten, wat ik benutte om fluisterend mijn ongenoegen kenbaar te maken, en me nog ongemakkelijker te voelen.

'Vreemde smaak heb jij. Ik ben toch veel jonger.'

'Tuurlijk,' antwoordde hij, en hij keek me aan met een veelzeggende blik waarin ik kon lezen dat hij het absoluut niet met me eens was. 'En daarom maak je denkfouten die overduidelijk bij de jeugd horen, zoals het verwarren van leeftijd met kwaliteit. Maar ik vergeef het je, want al weet je het nog niet, jij ziet er veel beter uit. Daarom ben ik hier met jou aan het eten, en niet met haar.'

'Ja hoor! Alsof je haar soms kent!'

'Natuurlijk ken ik haar.'

'Dat wil ik wel eens zien.'

'Meen je dat?'

Hij stond meteen op, gooide zijn servet op zijn stoel met een zo nauwkeurig gebaar dat het wel ingestudeerd leek, en terwijl ik probeerde mezelf die mate van beheersing op te leggen die nodig was om niet gillend het restaurant te verlaten, begaf hij zich naar haar tafeltje. Als ik rustiger was geweest, had ik even gelachen bij de constatering dat Agustín niet haar, maar de heer die naast haar zat als eerste begroette, maar de twee paar zoenen die ze uitwisselden, waarbij hij haar bij haar middel vasthield alsof ze elk moment in zijn armen kon flauwvallen, maakten me zo nerveus dat ik voelde hoe mijn eigen hoofd al begon te fluiten voor het kookpunt bereikt was.

'Gezien?' zei hij toen hij weer tegenover me zat.

'Ja, nogal wiedes.'

'Dat is het enige voordeel van mijn werk: je leert iedereen kennen…' En hij strekte zijn wijsvinger en wees in mijn richting. 'Zal ik nog een koffie voor je bestellen?'

'Nee, dank je.'

'Nou, ik weet niet wat je dan wél gaat drinken.'

Ik keek omlaag en zag mijn kopje, dat zo goed als leeg was, en mijn rechterhand die een lepeltje met zo'n centrifugale kracht in het niets liet ronddraaien dat de meeste vloeistof inmiddels op het schoteltje lag te trillen. De rest lag verspreid over het tafelkleed.

'Wat verschrikkelijk!' zei ik.

'Ja,' antwoordde hij, en hij reikte me zijn eigen kopje aan. 'Neem dit maar.'

Met de grootst mogelijke voorzichtigheid roerde ik de suiker door de inhoud, terwijl hij nog een koffie en de rekening vroeg, en ik wachtte tot er geen damp meer van afkwam alvorens het kopje naar mijn mond te brengen, maar nog voordat ik die beweging had afgemaakt, keek Agustín me, ongetwijfeld aangespoord door al mijn voorzorgen, min of meer spottend aan.

'Is er iets met je?'

'Met mij?' Mijn vingers begonnen te trillen, en het kopje rinkelde luid op het schoteltje. 'Nee, wat zou er met me moeten zijn?'

De hitte van de vloeistof was zo enorm dat ze met gemak door het dikke weefsel van mijn rokje heen ging, mijn panty doorweekte en mijn benen verschroeide, maar ondanks de scherpe pijnkreet die uit mijn keel opwelde, was wat ik het meest betreurde de onbeheerste beweging die het mogelijk had gemaakt dat ik de koffie over me heen goot. Agustín echter vond het allemaal erg grappig.

'Zal ik er nog een bestellen?' zei hij schaterend.

'Rot toch op!' Ik stond op en was, opnieuw, zo woedend dat ik niet zag aankomen dat ten gevolge van mijn beweging het serviesgoed met een klap op de vloer aan scherven zou vallen.

'Nu ben je net Peter Pan na een mislukte landing.'

Inderdaad leken de egaal bruine, maar onregelmatig gevormde spatten op de voorkant van mijn rokje op moddervlekken, en ik moest vechten om de tranen die ik al voelde opwellen, tegen te houden. Toen we echter naar buiten liepen, sloeg hij een vriendelijke toon aan en vertelde me een of andere anekdote over een schoolvriend van hem die daar ergens woonde toen ze nog kleine kinderen waren, en vervolgens, toen ik naar het centrum reed, moest ik erkennen dat hij erg weinig te maken had gehad met de aanleiding en het verdere verloop van die scène, al dacht ik liever niet na over wat me had bezield, veel meer dan de valkuil der ordinaire gelegenheidsjaloezie, en ik vroeg me evenmin af waarom ik van mening veranderde over de rit, waarom ik hem niet bij zijn huis afzette en doorreed naar het mijne om hem nooit meer te zien zoals ik mezelf in het restaurant had beloofd, want ik parkeerde in het gaatje dat de voorzienigheid voor me had opengelaten en stapte samen met hem uit, onder het voorwendsel van de rampzalige staat van mijn rokje, en ik weet niet wat of aan wie ik iets wilde bewijzen door me te gedragen zoals ik vervolgens deed.

'Doet het pijn?'

Aanvankelijk dacht ik dat hij een grapje maakte, maar de bezorgdheid die van zijn gezicht straalde leek veel te veel op angst om poppenkast te kunnen zijn.

'Nee.'

'Voel je je niet goed?'

'Jawel,' loog ik, want ik voelde me niet goed, helemaal niet, ook al deed hij me geen pijn. 'Waarom vraag je dat?'

'Nou, ik weet niet, je trekt van die rare gezichten.'

'Omdat het zo lekker is, oei...!' Ik verlengde opzettelijk de laatste klank zodat ik een pruilmondje kon trekken, terwijl ik deed alsof ik steunde, met een grimas waarmee ik sinds we bezig waren even vrijgevig was geweest als met het frivole gekir en het extatische geknipper met mijn wimpers, om opnieuw te liegen, want vanaf het moment dat ik mezelf dwong te doen zoals ik dacht dat de vrouw in het blauwe leer het zou hebben gedaan, dwong ik mezelf tegelijk op mijn qui-vive te blijven, nauwlettend in de gaten te houden wat er iedere seconde gebeurde, en om dat te kunnen doen, had ik mijn eigen huid naar het vagevuur der minder urgente zaken moeten verbannen.

'Nou, dat is je niet aan te zien.'

Ik verminderde het volume van de geluidsband, maar bleef doorgaan met bepaalde handelingen uit het repertoire, en terwijl hij, met stramme armen, overeind kwam om me aan te kijken, kneep ik met ostentatieve vingers in mijn tepels en keek hem aan terwijl ik onbenullig aan mijn eigen onderlip likte zonder iets te proeven. Vervolgens gooide ik mijn hoofd naar achteren en pas toen miste ik zijn gewicht.

'Het spijt me,' hoorde ik links van mij, en ik ging rechtop zitten en trof hem naast me aan. 'Mijn lul is helemaal verschrompeld. Ik weet niet wat jou ineens bezielt, ik begrijp het niet, maar ik vind er niets aan.' Hij pauzeerde even en keek me aan. 'Ik heb niets tegen pornografie, eerlijk gezegd consumeer ik er heel wat van, maar als je er per se een liveshow van wilt maken, zou ik er toch op zijn minst voor betaald willen krijgen.'

Als ik alles zo snel deed, was dat om de tekenen van mijn schaamte te verbergen, de blos die zich als een besmettelijk virus over me uitbreidde, onstuitbaar. Gezeten op de rand van het bed, met mijn rug naar hem toe, schoot ik razendsnel in mijn panty en trok mijn schoenen aan zonder tijd te verliezen met het dichtgespen van de sluiting, vervolgens deed ik mijn trui aan en eenmaal weer helemaal aangekleed voelde ik me weer iets beter. Ik liep voor het bed langs naar de badkamer, pakte mijn rokje, dat nog steeds kletsnat was, van de radiator waarop ik het te drogen had gelegd, wrong het boven de wastafel uit, en terwijl ik verschrikkelijk verlangde naar Fernando, vroeg ik me voor het eerst af of met hem vrijen nu even makkelijk voor me zou zijn als toen, toen ik me alleen bezighield met de vraag hoe ik kon ophouden een meisje te zijn. Ik vond in de kast die soms als keuken dienst deed een plastic zak en stak mijn hoofd om de hoek van de slaapkamerdeur om gedag te zeggen, met wangen die nog altijd dieprood waren en gloeiden.

'Dag.'

Toen ik mijn rokje al in de plastic zak had gestopt, antwoordde Agustín ineens.

'Kom hier.'

Ik trok mijn jas langzaam aan, in het tempo dat mijn onbehagen me ingaf, maar toen ik het geluid van blote voeten naast het bed hoorde, versnelde ik al mijn bewegingen en binnen enkele seconden stond ik op de gang op de lift te wachten, nadat ik met een klap de deur van zijn appartement had dichtgeslagen.

Terwijl ik ongeduldig wachtte tot de rode pijl, naar boven, van kleur veranderde, ging de deur opnieuw met dezelfde vaart open, en in de spiegels waarmee de gang bekleed was, zag ik zijn hoofd achter het glas vandaan komen, duidelijk zichtbaar. Terwijl hij naar links en rechts keek om zich ervan te overtuigen dat we alleen waren, stampte ik luidruchtig met mijn hakken om de lift aan te sporen en het enige wat ik bereikte was dat die op een andere verdieping stopte en de bediening van de deuren in werking stelde. Hij liep toen spiernaakt zijn huis uit en kwam op me af. Ik volgde zijn bewegingen in de spiegel en kon zien hoe hij me van achteren beetpakte, me zonder veel moeite de bobbel van zijn gezwollen penis tegen mijn linkerbil liet opmerken, en ik voelde dat hij aan me trok, en ik kon me nog bedwingen, mijn ogen open houden, maar op dat moment gebruikte hij een wapen waarop ik niet had gerekend.

'Kom hier, slet.'

Tegen dat woord was ik niet opgewassen. Ik sloot mijn ogen en liet alles gebeuren, mijn voeten liepen zonder het te willen het eind dat ze net hadden afgelegd weer terug, mijn lichaam reisde in zijn armen als een dood gewicht, licht voor hem maar verpletterend voor mijn wil, en mijn rug was zich er niet van bewust dat hij door Santiago, toen deze me tegen de deur aan duwde, als deurdringer werd gebruikt. Samen gleden we af en veroverden de vloer, en ik sloot mijn ogen niet, deed mijn lippen niet van elkaar en bewoog nauwelijks meer dan strikt noodzakelijk was, totdat mijn lippen begonnen te trillen en uit zichzelf een paar keer samentrokken.

'Nu wel, ja.' Hoorde ik als in een droom.

En toen gilde ik, ik gilde vaak en heel hard, een lange tijd.

Aanvankelijk had ik geen idee wat er gebeurde, ik wist niet hoe diep de afgrond was waarin ik me zo vrolijk stortte, en ik vermoedde evenmin hoe steil die kloof diep in mijn ziel zou blijken te zijn. Aanvankelijk was ik nog zo stom om naar mijn lichaam te luisteren, en ik voelde me nergens schuldig over.

Bij het horen van dat schijnbaar zo onbeduidende woord – alleen maar een combinatie van klanken die ik duizenden keren had uitgesproken en gehoord, altijd met betrekking tot hetzelfde semantische veld dat ineens niet meer hetzelfde leek te zijn – begon ik te vermoeden dat mijn wezen niet het resultaat van alle goede en kwade kunstgrepen was, maar hun enige echte oorsprong, en toen, nog geen vierentwintig uur nadat ik het woord had gehoord, onderwierp ik mezelf aan een eenvoudig experiment dat de doorslag gaf. Ik had er de hele dag aan gedacht, en had nog niet durven besluiten of die ontdekking gunstig of ongunstig was, al kon ik niet voorbijgaan aan de koude rilling van genot die telkens over mijn rug liep wanneer ik me Agustíns stem herinnerde, een stem die doofde als een opgebrande kaars terwijl hij riep, kom hier, slet, totdat Reina een ommetje ging maken en ik alleen in de kamer achterbleef. Zonder al te zeer stil te staan bij wat ik deed, trok ik toen, met mijn rug naar de spiegel, een van de pakjes aan die zij achteloos op bed had neergesmeten nadat ze niet had kunnen besluiten welke kleren ze zou aantrekken. De broek, grijs met een witte krijtstreep, als van een gangster, was van flanel en prikte een beetje, maar sloot veel beter om mijn middel dan het jasje dat ik over een van mijn eigen t-shirts aantrok, want alleen in een science-fictionverhaal zou ik in een van Reina's blouses gepast hebben. Ik stond op het punt me om te draaien om het resultaat te bekijken, toen ik me realiseerde dat ik niets aan mijn voeten had, en ik besloot het spel eerlijk te spelen. Ik liep met gesloten ogen naar de kast en stak mijn voeten in twee zwarte penny-shoes, en keerde terug naar het vertrekpunt terwijl ik me mentaal voorbereidde op de klap en beloofde dat ik mezelf eerlijk zou beoordelen, zonder me te laten misleiden door de onherroepelijk te korte pijpen, en verder het jasje, dat onherroepelijk te nauw was, maar ik betwijfel of dat lukte want ik kon mijn ogen slechts een paar tellen openhouden.

Terwijl ik me haastig uitkleedde, probeerde ik me te herinneren of ik er ooit zo afschuwelijk had uitgezien en ik kon het me niet herinneren. Ik wist dat de resultaten aanmerkelijk beter zouden zijn geweest, als het pakje mijn maat had gehad, maar ik was hoe dan ook van mening dat die stijl niet voor mij was gemaakt, en ik liep weer terug naar de klerenkast. Aan het laatste hangertje, zelfs nog achter de Schotse ruitjesrokken die me in opeenvolgende sessies van kledingdistributie waren toebedeeld, hing al sinds het begin der tijden een oude feestjurk van Magda, die mijn moeder, vanwege de kleur en de stof – rood fluweel – uitermate geschikt had geacht voor de fabricage van het misdienaars-tuniekje dat Reina zou hebben moeten dragen tijdens een kerstdienst op school, en die uiteindelijk niet werd verknipt, omdat mijn zusje er bij de verdeling van de rollen vandoor ging met de glansrol van engeltje, zoals altijd, en ik, omdat ik deze lippen heb, koning Balthasar mocht spelen, ook zoals altijd. Met een zekere beklemming, alsof het aanraken ervan een onfatsoenlijke daad was, pakte ik de jurk uit de kast, en toen ik mijn voeten er al in had, stond ik op het punt ervan af te zien, maar ik deed het toch, met mijn rug naar de spiegel, net als daarvoor. Toen ik de schoudervulling op zijn plaats deed, keek ik naar beneden en zag dat de stof slap om mijn middel hing, maar naarmate ik de ritssluiting verder wist op te trekken, sloot de jurk zich, ondanks de onnatuurlijke houding van mijn armen, om mijn lichaam en zat als gegoten. Toen ik klaar was, drong het tot me door dat ik nog steeds de zwarte penny-shoes droeg die ik daarvoor uit de kast had gepakt, maar hoewel ik ze uit deed, ging ik geen andere schoe-nen zoeken, want ik voorvoelde dat ik die niet nodig had.

Het beeld dat de spiegel weerkaatste was zo prachtig – ronde borsten, smalle taille, ronde heupen, platte buik, lange benen: ik – dat ik me ervoor schaamde mezelf te bekijken, maar ondanks de pijnlijke druk op mijn borsten kon ik mijn ogen niet van mezelf afhouden. Het decolleté, een vijfhoek met de punt naar beneden, zoals Eva Perón ze altijd graag had, onthulde een gleuf die eruitzag alsof er op mijn donkere huid een diepe schaduw werd geworpen door een samenspel van het dikste potlood en mijn perverse neiging om uit te roepen dat mijn tepels violet waren, en hoewel de jurk aan weerszijden rimpelde in twee bedrieglijke draperieën die niet van plan waren de spanning op de stof rond mijn dijen op te vangen, en dat ook niet deden, zat alles goed.

'Goed,' zei ik hardop, terwijl ik mezelf van de zijkant bekeek, 'het zit hem dus alleen in de kleren, alleen in de kleren…' Ik keerde mijn gezicht naar de muur en draaide mijn hoofd over mijn linkerschouder in een poging mezelf van achteren te bekijken. 'Niets anders dan een paar lorren die met een draadje aan mekaar zijn genaaid zodat de mensen niet naakt over straat gaan…' Ik her-haalde de operatie om mezelf van de andere zijkant te zien. 'Dus dit hier hoort net zo goed bij mij, ik ga het niet laten amputeren, en bovendien…' Ik bekeek mezelf weer van voren. 'Postmodern of klassiek gekleed, wat maakt het uit, als het toch allemaal op hetzelfde neerkomt: kleren, alleen kleren, allemaal kle-ren…'

Ik trok een stoel naar me toe en ging zitten, en vervolgens stond ik op en ging op mijn knieën zitten, en ik boog voorover, ging op mijn hurken zitten en kwam opnieuw overeind, en ik draaide een paar keer om mijn as, en ik deed mijn mond overdreven ver open, om te brullen alsof ik een tijger was, voortdu-rend naar mezelf kijkend, en ten slotte voorspelde ik, met mijn handen in mijn zij, lettergreep voor lettergreep, het oordeel dat een met stomheid geslagen, bijna geschrokken Agustín tussen zijn tanden liet ontsnappen toen ik, een paar dagen later, ten slotte besloot in Magda's jurk over straat te gaan.

'Je ziet er te gek uit, joh.'

De zolder van mijn moeder overtrof al mijn verwachtingen en ontpopte zich al gauw tot een laboratorium met onbegrensde mogelijkheden, dat eindelijk eens zonder ook maar het geringste obstakel voor mij toegankelijk was. Ik maakte mama – die voortdurend in de angst leefde dat ze op een dag een telefoontje van de politie zou krijgen en te horen zou krijgen dat ik inderdaad al jaren in de drugshandel zat – ronduit gelukkig toen ik toestemming vroeg voor het opnieuw gebruiken van de oude kleren uit de jaren vijftig die ze al langer dan ik leefde in grote kartonnen dozen bewaarde, want ze gaf ons, de meisjes, alleen de informele rokken en overhemden, die ze 'ochtendkleding' noemde, en de blouses en mantelpakjes die ze overeenkomstig de eerste categorie 'middagkleding' noemde, maar ze had nooit afstand gedaan van de avondkostuums en cocktailjurken die ze destijds zo vaak droeg, om ons niet in verlegenheid te brengen, en trouwens, wat moesten we er eigenlijk mee. Een zo persoonlijke opvatting van liefdadigheid was voor mij een zegen, vooral omdat de kleren die mijn moeder in de jaren vijftig had gedragen me, hoewel ze van mijn taille naar boven toe enigszins strak zaten en enigszins ruim van mijn taille naar beneden, meestal pasten alsof ze voor mij op maat waren gemaakt, en wanneer dat niet zo was, gaf Juana overdadig blijk van een eindeloos geduld achter de naaimachine.

'Kijk nou toch eens, wat een plezier dat meisje nog van die oude lorren heeft,' zei mijn moeder. 'Natuurlijk, kindje van me, en dan te bedenken hoe jongensachtig je als kleine meid was, wie had dat gedacht! En dat terwijl je zusje, afijn...'

Maar het zat hem niet alleen in de kleren.

Luisterend naar een raadselachtig voorgevoel, kocht ik speciaal om met Agustín naar dat feest te gaan dat hij zo ver van tevoren had aangekondigd, een nieuwe, dure jurk. Ik zag bij voorbaat af van weer een opgelapt afdankertje, van het soort waarmee ik het afgelopen jaar zulke goede resultaten had geboekt, en speurde, een voor een, de meest extravagante etalages van Madrid af, op zoek naar iets wat alleen voor mij gemaakt kon zijn. Ik vond het nog diezelfde middag in de calle Claudio Coello, in een van de gekste winkeltjes waar ik ooit een voet had gezet, een soort tempel van moderniteit voor meisjes van goeden huize, waar barokke bruidsjurken met opgestikte glimmertjes en kristallen vreedzaam aan hun hangertjes hingen naast glitterpakken die rechtstreeks uit de kleedkamer van een of andere glamourzanger leken te zijn ontvreemd, met evenveel glitter en kristallen. Mijn ontdekking was veel minder schreeuwerig: zwart, van een stevige piqué met veel reliëf, behalve op de revers, de kraag en de omslagen van de mouwen, die van kunstzijde waren, een soort jacquet om alleen, zonder blouse of broek te dragen. Spectaculair.

Toen ik de trap van het tot discotheek verbouwde theater – dat deed het beter in dat semester – begon af te dalen, deed zich opnieuw een situatie voor waaraan ik al lang gewend had moeten zijn, maar die desondanks elke keer weer hetzelfde vreemde mengsel van verbazing en tevredenheid bij me teweegbracht. Naast mij, ongeveer een kop kleiner, liep Agustín met een houding die past bij iemand die weet dat hij de aantrekkelijkste man ter wereld is. Ik had hem een keer gevraagd of hij het niet erg vond dat hij korter was dan ik, een verschil in lengte waardoor ik me altijd ongemakkelijk voelde, en waarvoor een eenvoudige oplossing was, want zonder de hoge hakken waaraan ik me in korte tijd had gewend, was ik slechts twee centimeter langer. Hij wierp me een ontmoedigende blik toe en vroeg, beledigd, wie ik wel dacht dat hij was. Wanneer ik nu een rijpere vent ontmoet, let ik nog maar op twee dingen – dat hij zijn kaalheid waardig draagt, zonder een scheiding boven zijn oor te maken, en dat hij luchtig over straat kan lopen naast een vrouw die langer is dan hijzelf – om uit te maken of het een echte man is, maar destijds begreep ik hem niet, en ik moest hem vragen wat dat antwoord te beduiden had. Hij zei dat ik dat zelf maar moest raden, en zonder precies te weten waarom, bleef ik hoge hakken dragen, en al spoedig wende ik eraan mijn hoofd iets naar hem toe te buigen wanneer dat nodig was.

Het verschil in lengte gaf me echter geen gevoel van superioriteit, maar strekte, op mysterieuze wijze, juist hem tot voordeel, en dat was het meest fascinerende bestanddeel van de schok die onze verschijning overal veroorzaakte. Wanneer ik samen met Agustín was en zag hoe de andere mannen me aankeken, vooral de knappe, dan las ik op al die lippen dezelfde vraag, en dan glimlachte ik inwendig en antwoordde in mezelf, ik ben bij hem en niet bij jullie omdat hij alleen maar tegen me hoeft te praten en jullie zelfs niet zouden weten wat je moest zeggen, en omdat ik daar nou eenmaal zin in heb, dus wat moet je? De ogen van de vrouwen schoten regelmatig heen en weer tussen mijn lichaam en hun eigen lichaam, tussen mijn gezicht en dat van hem, waarop vroeg of laat een glimlach verscheen die zoiets betekende als, natuurlijk wel, ik zie het ook en ook mij bevalt het wat ik zie, en op zo'n moment zag ik in, hoewel ik niet op Agustín verliefd was en betwijfelde of hij dat wel op mij was, hoe sterk onze band was, en vroeg ik me af of ik op die manier niet nog heel veel jaren zou kunnen leven, om zo een redelijk deel van alles wat ik was kwijtgeraakt toen ik Fernando verloor, terug te krijgen, en hoewel dat alles met kleding niets meer van doen had, was het ook niet slecht, omdat het me goed deed, omdat ik het voelde, oprecht.

Het lot wilde me die avond echter niet verrassen met het griepvirus, het liet me niet van de trap rollen en mijn enkel breken, het vulde de jeneverflessen niet met brandspiritus, het spande zelfs niet tegen me samen door er een vervelend feest van te maken, wat de meeste feesten toch zijn. Toen we voor de zoveelste keer de zaal overstaken, richting de vierde bar, de enige waar we ons nog niet hadden vertoond, hadden we werkelijk veel plezier, zoveel dat ik me verschrikkelijk stoorde aan die vent die zijn arm opstak en naar ons wuifde, waarop Agustín zijn arm om mijn middel sloeg en me met een onmiskenbare uitdrukking van 'het spijt me, maar er is niets aan te doen' verplichtte hem daarheen te volgen.

'Hallo, Germán'

'Hallo.'

Ik gooide mijn hoofd in mijn nek om vanaf een nog grotere hoogte de blik van een van de onaangenaamste wezens die ik ooit heb gekend te beantwoorden. Hij maakte de indruk rond de vijftig te zijn, en hoewel hij niet de moeite nam om overeind te komen, leek hij erg lang. Uit zijn lichaam stak een vormeloze pens naar voren die, hoewel hij niet eens zo ver uitstak, toch de indruk wekte bijna te exploderen. Ik had mannen gezien die veel dikker waren, maar niet één zag er zo varkensachtig uit, en ik had mannen gezien die veel ouder waren, maar niet één die van binnenuit zo verrot door de ouderdom was, en geen enkele man die op zo'n traditionele manier knap was, want dat was Germán, en niet weinig, had ooit zo'n indruk op me gemaakt als zijn verlopen kop, zijn hangende oogleden, zijn verveelde mond, zijn pafferige onderkin, de ene wenkbrauw opgetrokken, de andere niet, en zijn uitdrukking van afschuw, afschuwelijk, net als de manier waarop hij me aankeek, met het soort aandacht dat een boer aan de dag legt wanneer hij op de veemarkt een koe ziet.

'Je zou me aan je charmante gezelschap kunnen voorstellen, nietwaar? Uiteindelijk ben ik nog altijd je programmadirecteur.'

Terwijl Agustín mijn naam uitsprak, verwedde ik mijn leven erop dat de hand die ik dadelijk ging schudden, mijn arrogantie niet zou beantwoorden en, week en plakkerig, als van een verwijfde bisschop, tussen mijn vingers vandaan zou glijden, en ik won.

'Hallo,' zei ik ondanks alles. 'Hoe maakt u het.'

'Malena!'

Toen ik naar hem toe liep, had ik wel gemerkt dat hij niet alleen was, maar ik had geen aandacht geschonken aan de twee vrouwen die naast hem zaten. Tot nu toe hadden ze zich volledig buiten onze conversatie gehouden, terwijl de ene het haar van de ander kamde, en die ander lag ogenschijnlijk te dommelen, met haar hoofd op een geïmproviseerd kussen van armen op tafel, totdat ze plotseling overeind kwam, als een automaat die alleen door mijn stem maar kon worden geactiveerd.

'Hallo, Reina.'

'Maar Malena! Wat doe jij hier?' Mijn zusje keek me aan alsof mijn aanwezigheid op een feest waarvoor slechts zeven- tot achthonderd mensen zouden zijn uitgenodigd, alleen kon worden uitgelegd als een wonderlijk toeval.

'Nou, dat zie je toch, hetzelfde als jij…' antwoordde ik, en ik hield het glas dat ik in mijn hand had omhoog. 'Iets drinken.'

'Kennen jullie elkaar?' Om voor mij onbegrijpelijke redenen was de verbazing op het gezicht van Germán nog heviger dan bij Reina.

'Natuurlijk,' zei ik. 'We zijn zusjes.'

'Tweelingzusters…' preciseerde de enige stem die tot dan toe nog niets gezegd had, en voordat iemand haar aan me voorstelde, wist ik dat zij, een jaar of veertig, blond zonder kleurspoeling en een grijze lok over haar voorhoofd, een onopgemaakt gezicht, een hard gezicht met twee zachte, ronde blauwe ogen, Jimena was. Ze droeg een zalmkleurig jasje en een bijpassende broek, een ensemble waarin ik Reina meer dan eens had gezien.

'Twee-eiige tweelingen,' verbeterde ik haar. 'Twee-eiig... En dat vinden we wel identiek genoeg.'

Alleen de haast waarmee haar man me bij mijn pols greep om mijn gezicht te kunnen bekijken, zorgde ervoor dat ik de vreemde, haast bekende glimlach op zijn gezicht te laat opmerkte om hem op tijd te kunnen herkennen als de glimlach waarmee kerels altijd hun seksuele fantasieën over tweelingzusjes openbaren, maar alles ging zo snel, en ik had onvoldoende aandacht om over beiden te verdelen.

'Ben jij het zusje van onze Reina?' Ik knikte instemmend, maar de verbazing verdween niet van zijn gezicht. 'Echt?' Ik knikte weer. 'Maar jullie lijken helemaal niet op elkaar.'

'Nee,' antwoordde Reina met een lachje waarvan de betekenis me ontging. 'Natuurlijk niet.'

'Natuurlijk niet,' herhaalde hij, en hij verhief zijn stem alsof hij ergens kwaad over was. 'Dit hier is een geweldig stuk, dat zie je meteen.'

'Germán, alsjeblieft zeg, zeg niet van die vulgaire dingen.' De stem van zijn vrouw snerpte als het blad van een ijzerzaagje.

'Ik zeg wat mijn ballen me ingeven,' antwoordde hij langzaam, alsof hij elke lettergreep tussen zijn tanden fijnmaalde voor hij die liet ontsnappen.

'Germán, vooruit, laat je ballen toch met rust, die stakkers moeten toch al helemaal zeeziek zijn van die beurtvaart over je lippen.'

'Niet alleen over de mijne, liefje, dat weet je toch wel...'

Ik greep Agustín met mijn vrije hand bij zijn arm en greep met mijn vingers zijn mouw, terwijl ik spijt had van mijn laatste drankje, waarvan de alcohol nu een versterkende uitwerking kreeg op de walging die dat stelletje seniele aasgieren bij me veroorzaakte. Toen besloot hij, die wellicht ook te veel had gedronken, tussenbeide te komen.

'Dit doet me denken aan een film die ik jaren geleden eens zag, in een filmforum waar ik heen ging toen ik in het laatste jaar van het atheneum zat, nou ja, ongeveer in die tijd. Ik herinner me niet of het een Scandinavische film was...' – op dat moment kreeg ik een enorme lachbui – 'maar hij moet toch op zijn minst Duits zijn geweest want iedereen was hoogblond...' – opnieuw schoot ik in de lach, niet in staat om me te beheersen, en ik stak hem aan – 'en ze zeiden aan de lopende band van die dingen, maar niemand liet ook maar een ogenblik zijn ballen zien... Dus erg leuk was hij niet.'

Terwijl Agustín en ik ons, in de greep van de slappe lach, aan elkaar vasthielden, keek Reina ons bestraffend aan.

'Dat is helemaal niet leuk,' zei ze.

'Reina,' zei ik terug, 'jij kende Agustín nog niet, hè? Ik wilde hem al graag een keer aan je voorstellen.'

Hij moest zijn zelfbeheersing weer hervinden om haar te kunnen begroeten, en ik volgde ogenschijnlijk zijn voorbeeld. Ik wilde verder lachen, achter hem aan lopen, in zijn voetspoor naar een groepje bekenden rechts van ons, dat voor hem een eervolle aftocht mogelijk had gemaakt, maar Germán, die nog altijd mijn pols vast had, hield me tegen toen ik langs hem probeerde te komen.

'Wel, wel!' en hij liet zich van zijn vriendelijke, misschien wel meest weerzinwekkende kant zien. 'Dus jij bent het zusje van Reina en je gaat met Quasimodo, toe maar… Maar vertel eens, ga je met hém naar bed?'

'En wat heb jij daar verdomme…?' Mee te maken, wilde ik zeggen, maar ik realiseerde me net op tijd dat hij zou kunnen denken dat die zin een ontkenning inhield, en de waarheid zou, zeer zeker, veel harder bij hem aankomen. 'Ja, natuurlijk ga ik naar bed met hem. Heel vaak. Waarom vraag je dat eigenlijk? Dat zie je toch zo?'

'Allicht, Agustín en jij, de wonderen zijn godverdomme nog niet de wereld uit.'

'Nou, weet je…' En ik probeerde mijn pols los te worstelen uit zijn vingers.

'Weet ik wat?' vroeg hij met een stralende glimlach, niet in staat het tweede deel van mijn zin, dat ik opzettelijk had ingeslikt, te raden.

'Het grootste wonder is dat er pratende eikels zijn!' En ik barstte uit in een gewelddadig, wreed, zalig, subliem geschater, terwijl de grauwe huid van zijn gezicht van de verwarring nog bleker was geworden.

Rennend ging ik op zoek naar Agustín, terwijl ik het gevoel had dat ik zo stampvol energie zat dat ik tussen mijn lippen een peertje had kunnen laten branden. Toen ik hem vond, likte ik hem eerst in zijn hals, en pas toen zei ik in zijn oor: 'Zullen we?'

Mijn wangen gloeiden, mijn ogen schitterden en er raasde een tinteling door de botten van mijn benen, die zo week aanvoelden dat het leek alsof ze mijn gewicht niet langer wilden dragen. Hij merkte het op, en nadat hij afscheid had genomen van zijn vrienden en richting uitgang liep, barstte hij in lachen uit.

'En? Vertel op.'

Hij kwam niet meer bij, ook niet toen we onze jassen ophaalden en naar buiten gingen.

Ik speurde in mijn tasje naar het kaartje van de parkeergarage, toen ik plotseling stilstond bij iets waaraan ik tot dan toe niet had gedacht.

'Ik hoop dat je hier geen nadelige gevolgen van ondervindt,' zei ik, ineens ernstig, in de lift die ons naar de derde ondergrondse verdieping bracht.

'Wat?'

'Nou dat gedoe met mijn zusje, wat ik tegen die vent heb gezegd, die bij de omroep zit en zo… Hij is toch je baas?'

'O, ach, alleen in theorie!' Met een glimlach stelde hij me gerust, terwijl hij wachtte tot ik was ingestapt in mijn moeders auto, die ik voor de gelegenheid van haar had geleend omdat de mijne in de garage was. 'Dat zou hij wel willen, maar in werkelijkheid…' Ik deed van binnenuit de deur voor hem open en hij kwam naast mij zitten. 'Wij gidsmedewerkers leiden een bestaan in de luwte, het zijn de omroepers die altijd de klappen krijgen.'

'Gelukkig maar,' zei ik, en ik drukte op de knop waarmee de stand van de stoel van degene die naast de chauffeur zit, wordt bediend – een kleine luxe waarover ik normaal niet beschikte – totdat de hoofdsteun tegen de rand van de achterbank kwam.

'Bovendien,' vervolgde Agustín, die zich gehoorzaam samen met de leuning in een liggende positie had laten zakken terwijl ik me omdraaide en een been tussen de zijne duwde, 'heeft die geilneef een huid als een olifant... Je hebt toch gezien wat hij allemaal over zijn kant laat gaan.'

'Des te beter,' zei ik, terwijl ik me op hem stortte, 'je weet niet half hoe blij ik ben...'

Ik kuste hem en de tinteling die ik in mijn benen voelde, verspreidde zich over de rest van mijn lichaam. Reina, Jimena en Germán dansten in mijn hoofd nog altijd op het ritme van dat mysterieuze sleutelwoord, pratende eikel, en het abstracte genot dat dit me bezorgde schreeuwde om een onmiddellijk lichamelijk tegenwicht, en ik begon heel langzaam op en neer te rijden op Agustíns lichaam, tegen hem aan, traag, vol begeerte draaiend vanuit mijn middel, en de stof smolt weg bij de aanraking met mijn huid, want er ging geen stadium van het proces ongemerkt aan me voorbij, een nauwelijks waarneembaar bolletje korrelige gelatine, eerst onbeduidend, dat vervolgens een langgerekte vorm werd die de aandacht opeiste en zijn spanning overdroeg op de rest; dan een regelmatige bolling die nog niet helemaal gestabiliseerd leek; en ten slotte een moorddadig, roodgloeiend ijzer, dat tegen mijn buik drukte alsof het die wilde verschroeien, voorgoed eroderen, er een gat in branden om zich daar te nestelen, mijn eigen vlees wegdrukkend. Pas toen bereikte ik een zekere rust. Terwijl ik voelde hoe zijn handen langs mijn bovenbenen opklommen, mijn rok omhoogschoven, hem opkreukelde tot aan mijn middel, keek ik hem aan en hij glimlachte naar me.

'Vooruit, slet, want een slet, dat ben je...'

Ik keek hem ook glimlachend aan, en pas toen antwoordde ik.

'Je weet niet half hoe erg.'

De volgende morgen stond ik op met een uitstekend humeur, honger als een wolf en niets wat op een kater leek. Uit de op de bodem van het wit porseleinen kopje achtergebleven korrels, weerzinwekkende bijenpollen waarmee Reina moest hebben besloten te ontbijten, maakte ik op dat ze al de deur uit was, en ik maakte voor mezelf een groots ontbijt klaar, met genoeg koffie voor drie koppen, zes geroosterde plakken boerenbrood met groene olijfolie en een warme croissant met veel boter, puur vergif dat door mijn lichaam met zo'n dankbaarheid werd geabsorbeerd dat ik erover dacht weer in bed te kruipen en nog een poosje te slapen. Maar ik nam een douche, waste mijn haar en ging naar de faculteit. Reina zag ik de hele dag niet. En het was al donker toen ik 's avonds nog even sigaretten ging halen in het dichtstbijzijnde café en ik haar aan de bar aantrof, achter een koffie met melk, alleen. Ze had gezwollen oogleden, alsof ze veel had gehuild.

'Wat een verrassing!' zei ze in een poging haar wanhoop te maskeren met een opgewekte, mondaine toon. 'Wat doe jij hier? Je had al een uur in de badkamer moeten zitten, om er zo goed mogelijk uit te zien voor je volgende optreden met Quasimodo...'

'Quasimodo,' antwoordde ik onbewogen, 'is vanochtend naar Zaragoza vertrokken om een documentaire voor te bereiden over een hommage aan Buñuel die daar ergens plaatsvindt.'

'En nou zit hij het hele weekeinde films te bekijken?'

'Precies!'

'Wat leuk! En waarom ben je niet meegegaan? Je bent nog wel zo'n cinefiel.'

'Jawel, maar de man van jouw vriendin Jimena betaalt geen onkosten voor een reisgenoot,' loog ik. Agustín had me niet mee gevraagd, en ook ik had er niet aan gedacht het voor te stellen. De vorige zomer waren we samen naar Zwitserland op vakantie geweest, omdat we tegelijkertijd op hetzelfde idee waren gekomen, maar aan de mogelijkheid dat ik naar Zaragoza meeging had geen van ons op tijd gedacht, een andere verklaring was er niet.

'Zo duur is dat anders niet, driehonderd kilometer met de auto. Het hotel betalen ze wel.'

'Agustín heeft geen auto.'

'En die zal hij ook nooit krijgen. Zolang hij jou heeft om zich overal te laten brengen en halen... Dat heeft hij zeker wel graag, hè?'

Ik keek haar geluidloos aan en probeerde haar wallen te relateren aan haar vlijmscherpe tong, zonder enig resultaat.

'Ik begrijp je niet, Reina.'

'Nou, dat is toch zo klaar als een klontje.'

'Dat je Agustín niet mag, ja. Maar wat ik niet begrijp is waarom. Je hebt maar drie minuten met hem gepraat. Je kent hem niet eens.'

'Ja hoor, Malena. Ik lieg natuurlijk! Ik heb honderden van zulke gasten gekend, er zit er een in elke Hollywood-film. Alleen zijn ze dan meestal een stuk knapper, want het spijt me dat ik het zeg, maar je smaak gaat met de jaren achteruit. Fernando zag er tenminste nog goed uit.'

Een zesde zintuig waarschuwde me dat ik onmiddellijk in het defensief had moeten gaan, maar ik luisterde er niet naar, omdat ik het gevaar niet zag aankomen.

'Fernando heeft hier niets mee te maken.'

'Natuurlijk wel. Want Quasimodo is precies hetzelfde als hij.' Ze laste een dramatische stilte in. 'Een *chulo*.'

'Ach, kom nou toch, Reina!' Ik probeerde te lachen, en dat lukte bijna. 'Elke keer dat ik iets met een vent begin, kom jij aanzetten met datzelfde lulverhaal. Nou is het wel genoeg, ja?'

Zij bestudeerde haar nagels, zodoende haar ogen aan die van mij onttrekkend, en sprak de woorden met ruime tussenpozen uit, alsof ze ze het liefst nooit had willen uitspreken.

'Dat zeg ik toch, want kijk nou toch eens hoe je eruitziet. Als je zo doorgaat, weet ik niet waar het met je heen moet…'

'Wat bedoel je?'

'Nee, niets.'

Toen keerde ze zich plotseling om en kuste me op mijn wang, en vervolgens viel ze me om de hals.

'Sorry, Malena, ik doe de laatste tijd erg moeilijk, ik weet het. Ik heb een hoop problemen, ik… Het gaat niet goed met me, echt. Ik weet niet meer wat ik moet doen.'

'Maar wat is er met je?' vroeg ik, en ik voelde me ellendig omdat ik tot dan toe geen enkel teken had opgevangen van het leed van mijn zusje. 'Ben je ziek?'

'Nee, dat is het niet… Ik kan het niet vertellen.' Ze keek me aan en glimlachte alsof ze zich ertoe probeerde te dwingen. 'Maak je maar geen zorgen, het is niets ernstigs. Het overkomt iedereen, vroeg of laat. Maar al hoor je het niet graag, wat we net besproken hebben heeft hier niets mee te maken. Maar hoe dan ook, als ik je zeg dat Agustín een chulo is, dan doe ik dat omdat hij er een is. Denk erover na. Luister naar me, voor je eigen bestwil.'

Die avond hield mijn eigen bestwil me uit mijn slaap.

Ik probeerde me tevergeefs in slaap te wiegen op de herinneringen aan een andere man die ik graag mocht maar die ook niet bij me paste, warme, hartelijke herinneringen als een bad vol kokendheet water dat me wachtte na een lange, barre voettocht door een sneeuwstorm, flarden van verrassend lange gesprekken, stimulerende weddenschappen, overspringende vonken, provocaties, medeplichtigheid, affectie, afhankelijkheid, ver voorbij de conventies, voorbij de wetten der verkering, voorbij het verplichte geluk, de verjaarscadeautjes en de omhelzingen met kerst. Ik kende hem nog niet goed, op die miserabele avond dat het vroor in Madrid, net als de nacht daarvoor, en die dáárvoor, maar hij kleedde zich om met mij uit te gaan, en toen ik hem vroeg waar we heen gingen, antwoordde hij dat we met zijn tweeën naar het recreatiepark Casa de Campo gingen, en ik reed daarheen, ik volgde zijn aanwijzingen zonder te vragen wat hij van plan was, want ik heb verrassingen altijd erg opwindend gevonden, al had ik nooit durven verwachten wat er gebeurde. Toen we onder een van de lantaarnpalen die de vijver verlichtten door reden, vroeg hij daar te stoppen, en ik parkeerde, en ik stapte samen met hem uit de auto. Het was verschrikkelijk koud en de temperatuur leek in de melkwitte vore van dat halogeenlicht nog lager, maar hij zei glimlachend, kijk, daar zijn ze, op het droge, ik heb ze jaren geleden ontdekt, als het vriest komen ze uit het water, er blijft er niet één achter, en toen begreep ik het, en ik keek aandachtig, en ik zag ze, en ik herkende ze, alle eenden zaten op het droge, en ik voelde warmte, en een enorme ontroering, en kippenvel, al mijn haar ging overeind staan, net als de veren van die arme, natte, verkleumde dieren, en ik barstte in tranen uit, met dezelfde hevigheid waarmee ik om alle tranen van Holden Caulfield had gehuild, al was hij niet als ik, want hij had het geluk dat hij als jongen was geboren.

Dat boek waardoor je een paar jaar geleden zo geobsedeerd was, weet je nog?, dat waarvan je zei dat het waarschijnlijk door een vrouw was geschreven omdat de auteur zich nooit had laten fotograferen, had Reina een paar dagen daarvoor tegen me gezegd. Nou, Jimena heeft me verteld dat de titel niets betekent, er is geen roggeveld, en ook niemand die daar iets vangt, dat is alleen maar de naam die aan een honkbalspeler op een bepaalde positie wordt gegeven. Nu ik dat weet, ben ik blij dat ik het niet gelezen heb. Jimena zegt dat ze niet kan geloven dat je het zo mooi vond, en al helemaal niet dat je je in de hoofdpersoon herkende, want het is duidelijk door een vent geschreven, ze zegt dat dat zonneklaar is, dat je maar een paar regeltjes hoeft te lezen om dat te begrijpen… Reina las geen romans, niet meer, ze las nu alleen serieuzere zaken, boeken over antropologie, over sociologie, over filosofie, over psychoanalyse, boeken die waren geschreven en uitgegeven door vrouwen om door vrouwen te worden gelezen. Als Holden nou Margaret had geheten, zou ze het misschien hebben geprobeerd, maar hij heette Holden en hij vroeg zich af wat eenden in de strengste winternachten deden, wanneer er op het water een dikke laag ijs komt, een gladde, dodelijke val, en in dit geheim wilde Agustín me laten delen, hij leerde me dat eenden uit het water komen als het vriest en op dat moment voelde ik een dankbaarheid waarvoor ik hem nooit van mijn leven, hoe lang het ook duurde, zou kunnen terugbetalen.

Als hij had ontdekt dat eenden creperen in de greep van een onverbiddelijke ijslaag, dat ze onder geluidloos gesnater van ontzetting creperen, als hij een paar bevroren kadavers had gevonden en ze onder woest gelach in mijn handen had gelegd, dan was alles veel eenvoudiger geweest en had ik niet getwijfeld, maar ik was net twintig, ik was niet verliefd op hem, en er was geen uitweg mogelijk, want ik had niet gekozen voor de jonge man die neerkeek op auto's en liever zonder hemd door de velden galoppeerde, die mijn grootvader was, noch voor een andere jongeman die ervoor koos moedig als een stier in de strijd tegen zijn vijanden te sterven, die mijn andere grootvader was, maar voor hem, en uit zijn hand kwam een ontdekking die meer inhield dan het fortuinlijke instinct waardoor stadseenden de strengste winters weten te overleven, de ontdekking van een onvermoede waarde van het woord, ik was voor dat mysterie bezweken, en nu kon ik niet meer terug.

Dat mama altijd diezelfde minachtende term, chulo, uitspuwde wanneer ze afkeurend over Fernando sprak, hielp me niet erg, want ik wist zeker dat zij hier niets mee te maken had. Dat was de heenweg geweest, met de wind in de rug, en het was niet moeilijk geweest het versleten, gebrekkige, onbegrijpelijke model te verwerpen, de weg die was afgelegd door een vrouw die niet dom was, maar wel de indruk wekte een halve idioot te zijn. Haar hele leven had ze alles maar geslikt, van huis naar de kapper en van de kapper naar huis, iedere middag had ze zich uitgesloofd om zich voor hem op te tutten en zich mooi aan te kleden, alleen maar om haar man te behagen wanneer hij van zijn werk thuiskwam. Ze had mijn vader steeds geraadpleegd over zelfs de kleinste uitgaves hoewel ze veel rijker was dan hij, en had uitsluitend voor ons, rondom ons, vanwege ons, in ons geleefd, om ons dag in dag uit te kunnen chanteren met haar niet aflatende zelfopoffering. Dat alles vond ik nu ellendig, belachelijk, onwaardig. Ik had een heel andere gedragscode, die me het best uitkwam en die ik had gehoorzaamd tot die nacht, waarin ik in bed lag te woelen zonder de slaap te kunnen vatten, totdat mijn onverdraaglijke slapeloosheid ineens een duister hoekje bescheen waarop ik nooit eerder had gelet.

Ik was niet in staat het verband te zien tussen mijn moeder en Reina, omdat het me daartoe aan de nodige levenservaring ontbrak. Het kwam ook niet bij me op dat ik, als ik twintig jaar eerder zou zijn geboren, de hele kwestie in een vloek en een zucht had kunnen oplossen. Ik vermoedde niet dat als ik in het Noorden zou zijn geboren, waar oorlogen nooit burgeroorlogen zijn, waar de schrijfsters van vrijwel alle boeken van mijn zusje vandaan kwamen, er misschien niet eens een kwestie had bestaan. Ik durfde niet te denken dat ik, als ik niet in Madrid zou zijn geboren, misschien nooit had gehoord van dat woord, dat in de rest van Spaanstalig Spanje niet eens tot het vocabulaire van welopgevoede personen hoort, noch die tweeslachtige klank heeft, eerder bewonderend dan minachtend, die het in de loop der tijd had gekregen in het lokale taaltje waarin ik me uitdruk en denk. Als je een chulo zoekt, moet je hier wezen, zei mijn vader soms wanneer hij van zijn werk thuiskwam in een triomfantelijke bui na onderhandelingen waarin zijn tegenstanders tevergeefs hadden geprobeerd hem met de rug tegen de muur te zetten. Je bent me wel een chula, zeg, zei mijn moeder als ze een meisje dat brutaal had geantwoord wegstuurde. Van mijn ouders had ik geleerd dat chulo staat voor een arrogante, opschepperige, overdreven trotse persoon, die soms, en misschien precies daarom, zelfverzekerd was, overtuigd van zijn gelijk, een mens uit één stuk. Ik wist echter ook dat een chulo bovendien, zelfs in Madrid, een man is die vrouwen exploiteert, die ze op straat voor zich laat werken en zich verrijkt ten koste van die vrouwen, van wie ik heel goed wist hoe ze genoemd werden. Als mijn zusje en ik niet in Madrid hadden leren praten, was het misschien nooit bij Reina opgekomen dat woord te gebruiken, maar zo kon ik niet denken, want ik was uitgerekend daar, in het Zuiden geboren, in 1960, toen de dictatuur hoogtij vierde, de periode en de plaats waarin je meer en harder je best moest doen om een lief meisje te worden, en onder die omstandigheden moest ik toch weet hebben van de bedrieglijke aard van woordomkering, waarmee je niet lichtvaardig mag omspringen en waaraan je nooit bepaalde moderne axioma's mag onderwerpen als je ongewenste resultaten wilt voorkomen, want hoewel je niet om de stelling heen kunt dat alle hoeren vrouwen zijn, is het absoluut onjuist te denken dat er, naast bepaalde oneigenlijke belangen die er onder zware, mannelijke druk zijn ingepompt, ook maar één reden zou bestaan die een vrouw ertoe brengt zich spontaan als een hoer te gaan gedragen. En wat ben ik dan? vroeg ik me af, en ik vond geen antwoord, en voor de laatste keer in mijn leven wenste ik uit alle macht dat ik een man was, en niets anders dan een man.

Op de heenweg werd ik door geen enkel obstakel gehinderd. Ik was niet van plan om mijn huid duur te verkopen, om mijn voordeel te doen met het verlangen van mijn gelijken, om te erkennen dat ze me gebruikten in de mate waarin ze me gebruikten. Het was een principekwestie, en het kwam me goed van pas, mijn lichaam was van mij en ik deed ermee wat ik maar wilde, toen wel ja, maar nu zag alles er anders uit, wanneer ik nu beweerde dat ik mijn lichaam bezat, leek dit onvermijdelijk de voorwaarde met zich mee te brengen dat ik er afstand van moest doen. En zoiets doe je niet.

Ik lag in bed te woelen en probeerde de gedachten die ongewild bij me opkwamen te ordenen, en zelfs op die manier begreep ik het niet, en die zin, zoiets doe je niet, galmde maar tussen mijn slapen als een levenslange straf. Duizenden keren had ik hem al gehoord, als kind, elke keer dat ik een regel overtrad, elke keer dat de vijand me ergens op betrapte, elke keer dat ik toegaf aan verboden pleziertjes, wanneer ik op bed sprong, of tussen de maaltijden door de provisiekast plunderde, of mijn gezicht onderklodderde met lippenstift, dan gaf mama of papa of oma een tik op mijn hand, of een klap op mijn billen, en daarna, toen ik ouder was, zelfs dat niet, maar altijd zeiden ze hetzelfde, zoiets doe je niet, en mij liet dat toen koud, net als later, toen mijn moeder bij elke stap die ik zette dat zinnetje weer uitsprak, zoiets doe je niet, weliswaar opgesmukt met belangrijke volwassen argumenten, maar het was hetzelfde zinnetje, laat je toch wat meer gelden, respecteer jezelf, kindje, dan word je ook gerespecteerd door de jongens, het gaat ze bij een bepaald soort vrouwen alleen maar om het pleziertje. Reina zei vergelijkbare dingen in een andere taal, laat ze niet aan je zitten, ik denk dat je dat beter pas kunt toelaten als er twee, drie maanden zijn verstreken, maar het was altijd hetzelfde liedje, zoiets doe je niet, en mij maakte het niets uit, ik deed alsof ik aandachtig luisterde en antwoordde met mijn mond dicht, mezelf aldus verschuilend achter een stil argument, stil maar krachtig, of net zo zwak als die waartegen ik me verzette, je bent stomvervelend, stomvervelend, een stomvervelend mens, en jij verliest het... Toen was dat makkelijk, nu niet.

Agustín liet me zien dat eenden uit het water komen wanneer het 's nachts vriest, en dat was goed, maar hij had me ook laten zien dat hij er plezier in schepte dat ik slet werd genoemd, en zoiets doe je niet. Hij schepte er plezier in mij openbaar tentoon te stellen als een seksuele verovering, en zoiets doe je niet. Hij schepte er plezier in mij in kleren te steken die eerder mijn naaktheid beloofden dan dat ze me bedekten, en zoiets doe je niet. Hij schepte er plezier in dat ik me uitdagend gedroeg en ondertussen deed alsof ik niets in de gaten had, dat ik voorover boog terwijl ik heel bedachtzaam mijn bedenkingen ten aanzien van Althusser uitte, terwijl mijn armen, waarvan de ellebogen op de tafel van een of ander restaurant leunden, mijn borsten tegen elkaar duwden, of dat ik verstrooid over mijn dijbeen wreef bij de opening van een schilderijen-tentoonstelling, en een meer dan onzekere invloed van Klimt opmerkte terwijl ik mijn rok iets optilde zodat het begin van een smalle, zwarte jarretel zichtbaar werd, en zoiets doe je niet, zoiets doe je niet, zoiets doe je niet. Op de tast zocht ik vaak zijn penis, waar we ook waren, in cafés, in bioscopen, op feesten, terwijl we over straat liepen, mijn hand gleed dan onopvallend onder zijn kleren, en wanneer ik hem te pakken had en merkte dat hij uiteindelijk op mijn kneepjes reageerde, zei ik hardop 'lul' en dan vulde mijn mond zich met de kracht van die 'l's', en zoiets doe je niet. Ik deed afstand van mijn lichaam, ik deed alsof het me niets kon schelen, ik stelde het tot zijn beschikking om het daarna, veel beter, veel meer van mij, weer in bezit te nemen, en zoiets doe je niet. Dan onderbrak ik abrupt dat half door ideologie, half door beleefdheid geïnspireerde ritueel, de vervelende halsbrekende toeren die ik onmisbaar en altijd te gauw voorbij had moeten vinden, die zo leuke spelletjes die ik nooit echt leuk had kunnen vinden, en op het laatst smeekte ik luidkeels, steek hem erin, alsjeblieft, steek hem er nu meteen in, en zoiets doe je niet, zoiets doe je niet, zoiets doe je niet. Ik verlangde naar zijn zaad, ik prees het, ik beschouwde het als onmis-baar voor mijn geestelijk evenwicht. En zoiets doe je niet.

Die avond hield mijn eigen bestwil me uit mijn slaap.

's Ochtends schenen smalle stralen zonlicht tussen de lamellen van een on-zorgvuldig gesloten blinde door het vensterglas naar binnen, toen Reina de kamer binnenkwam en zich aangekleed op haar bed liet ploffen. Een ogenblik daarna sprak ze zachtjes mijn naam uit, alsof ze niet zeker wist of ik haar kon horen.

'Hoi,' antwoordde ik.

'Ben je wakker?'

'Dat hoor je toch.'

'Dat dacht ik al toen ik binnenkwam... Zeg, hoe is het met mama?'

'Voor zover ik weet goed.'

'Ik bedoel haar humeur.'

'Nou... Ook goed, geloof ik.'

'Dat hoop ik maar. Ik wil naar Parijs. Drie maanden.'

'Waarvoor?'

'Nou... Jimena heeft een interessante baan aangeboden gekregen, in een soort centraal bureau voor alle galerieën, weet je. Een paar jaar geleden heeft ze er hier een opgezet en dat liep niet goed, maar ze wil het opnieuw proberen en nu moet ze het gaan voorbereiden. Dit lijkt haar een goede kans.'

'En jij?'

'Hoezo?'

'Wat moet jij in Parijs?'

'Ik? Nou... Geen idee. Voorlopig ga ik met haar mee. Als ik er eenmaal ben, kan ik bijvoorbeeld Frans gaan studeren, of iets anders, ik vind wel wat.'

En anders kun je mooi de huishouding doen, dacht ik, verse bloemen kopen, de keukenprinses uithangen, haar verplegen als ze ook maar een graadje verhoging heeft, de hond uitlaten, kortom, haar leven een stuk aangenamer maken, dat alles dacht ik, maar durfde ik niet te zeggen, want net zoals je dingen hebt die je gewoon niet doet, zo heb je ook dingen die je gewoon niet zegt en die je nooit zou mogen denken.

'Je zult je wel afvragen…' verbrak mijn zusje de als de pees van een boog zo gespannen stilte, waar geen einde aan leek te komen, maar die ten slotte toch wegstierf in de aarzeling die haar lettergrepen stuk voor stuk aantastte.

'Laat maar, Reina,' onderbrak ik haar. 'Je hoeft je niet te verantwoorden. Smaken verschillen nou eenmaal.'

'Je begrijpt er niets van, Malena,' protesteerde ze op een bedrukte toon, die de voorbode was van een op handen zijnde huilbui.

'Natuurlijk niet,' gaf ik toe. 'Ik begrijp nooit iets. Hoe is het mogelijk dat dat nog steeds niet tot je doorgedrongen is.'

'Ik ben verliefd, begrijp je dat niet? Verliefd! Voor het eerst in mijn volwassen leven, en het is een kwestie van personen, niet van geslacht, geslacht heeft hier niets mee te maken. Wat me nu overkomt is iets anders. Maar ik denk dat Jimena gelijk heeft, weet je, zij zegt dat… dat je zoiets niet… dat je je lichaam niet kunt verloochenen.'

Reina vertrok naar Parijs en ik gaf haar rugdekking, ik bevestigde punt voor punt een onwaarschijnlijke smoes, een merkwaardige beurs die alleen in reis- en verblijfkosten voorzag, omdat zij geen banden wilde verbreken, ze rekende erop dat ze vroeg of laat weer thuis zou komen, en meer dan eens wilde ik haar vragen wat voor een verliefdheid dat nou eigenlijk was als ze zo veel zekerheden moest inbouwen, maar dat vroeg ik haar nooit, want van het kleine beetje dat ik over die affaire wist, voelde ik me al beroerd genoeg.

Ooit had mijn grootmoeder me een verhaal verteld dat ik niet kon geloven, zelfs al was ik haar kleinkind. Als ik ooit een kleinkind heb en ik haar dit verhaal vertel, dan hoop ik maar dat ze me niet kan geloven, dan hoop ik maar dat ze nooit kan geloven dat ik me toen op dat moment nog altijd abnormaal voelde en op elke straathoek een vinger meende te zien die naar me wees, die me eruit pikte, die me scheidde van de rest van de vrouwen. Mijn zusje had dit afgedaan als iets onbelangrijks, nee dat is niets bijzonders, dat overkomt iedereen vroeg of laat wel eens, en toen dacht ik dat dat waar was, want alle kranten die ik las, alle films die ik zag bevestigden haar woorden, en daarmee kon Holden me niet meer helpen, want zelfs hij had nooit een vrouw zoals ik ontmoet. Toen ik mijn eigen gevoelens probeerde te rechtvaardigen door ze aan die van bekende modellen te toetsen, kon ik mezelf alleen herkennen in een handjevol stoffige figuranten, secundaire elementen in een landschap dat was gemaakt om de roem van de grote, geslachtsloze, passieloze hoofdrolspeler te bezingen. Wat mijn zusje meemaakte, was door de voornaamste vaders van de moderne tijd beschreven. Wat ik meemaakte niet. Wat ik meemaakte, gebeurde alleen maar in een boek. En dat boek was de bijbel.

Reina zou haar verhaal tijdens ieder etentje met academisch gevormde stedelingen uit de middenklasse kunnen vertellen en iedereen zou haar dan belangstellend aanhoren, iedereen zou haar begrijpen, want haar bevlieging was actueel, passend bij de tijd, in overeenstemming met de manier waarop ze dacht en tegen haar eigen leven aankeek. Ik, echter, zou mijn verhaal nooit ergens durven vertellen, want ik had niet eens hardop kunnen zeggen welke dingen ik lekker vond. Ik zou me kapot hebben geschaamd, en niemand zou het hebben begrepen. Wie zou er begrip hebben voor een vrouw die bij elke stap haar eigen gezonde verstand ontkende, die uren en uren in processen stak waarvan geen enkel profijt viel te verwachten. Ik durfde het niemand te vertellen, maar stak hier en daar mijn licht op, ik praatte met mijn vriendinnen en andere kennissen van de faculteit. Allemaal hadden ze zich wel eens tot een vrouw aangetrokken gevoeld, maar mij was dat nog nooit overkomen, ik had me zelfs nooit aangetrokken gevoeld tot een man, deze man, die daar, zomaar zonder meer, ik ging veel verder, wat mij aantrok waren de woorden die bepaalde mannen tegen me zeiden, en hun lul, en hun handen, en hun stem, en hun zweet, en dat was vreselijk, maar nog niet eens het ergste. Het ergste kwam uit de mond van een onbekende, het was zomaar een losse zin die ik opving, maar hij ontplofte in mijn oren als een bom, ik werd er zo rood van dat ik niet durfde kijken van wie hij afkomstig was, ik keek niet op, ik liet mijn gezicht niet zien. Van zulke dingen houden alleen flikkers maar, zei iemand, ik weet niet wie, maar dat was het ergste. Ik ben een flikker, zei ik bij mezelf, en ik kreeg een geweldige zin om te huilen, ik voelde me zo ellendig dat ik zelfs geen kracht had om te denken.

Dat was ook niet nodig. Mijn zusje en de anderen dachten al voor mij, met zo veel toewijding, met zo'n overtuiging, met een nauwgezetheid en een onfeilbaarheid als ik nog nooit had opgemerkt bij mijn moeder, of bij de nonnen van school, bij alle mannen en vrouwen die me ooit hadden gezegd dat ik het mis had. Toen raakte ik ervan overtuigd dat er aan mij iets mankeerde, en weer voelde ik me als het piepkleine dolgedraaide moertje dat piept en slijt zonder nut, gedoemd om andersom te blijven draaien, en zodoende de correcte werking van een perfect gesmeerde, perfecte machine in de weg te staan.

De vrouwen uit het Noorden hadden gesproken. Subject of object, er moest gekozen worden, en een tijdlang probeerde ik me te verzetten, mijn intrek te nemen in de contradictie, die om te toveren tot een gezellig huisje, erin te leven, met mijn hoofd in het Noorden, mijn geslachtsdeel in het Zuiden en mijn hart ergens in een land in de gematigde zone, maar het mocht niet zo zijn, niet met Agustín, want hij wist al wat mijn zwak was, en dat wist hij uit te lokken, en hij was niet bereid afstand te doen van een opwinding die hij nog meer waardeerde dan zijn eigen opwinding. Reina had de kiem gelegd, het plantje groeide alleen verder, ik was net twintig, ik begon het aandachtig te bestuderen, en uiteindelijk overtuigde ik me ervan dat ik de plicht had om alle woorden, alle blikken, alle gebaren waarvan ik vroeger had gehouden, voortaan als een belediging op te vatten. Wat heb je toch? begon ik mezelf te vragen, en ik deed mijn mond niet open, ik antwoordde niet, maar soms liet ik me gaan, want je kunt je onmogelijk tegen je eigen aard verzetten, hoe verkeerd en ellendig die ook is. In een van die nachten dat ik hem om meer en harder vroeg, bleef hij me aankijken met een merkwaardige glimlach, tegelijk slinks en geamuseerd, en terwijl hij me ter wille was, siste hij tussen zijn tanden, je bent een vieze hoer, en ik glimlachte, want dat hoorde ik graag, en toen realiseerde ik me dat ik glimlachte, ik werd me bewust van mijn glimlach en werd ineens ernstig, ik bevrijdde mijn rechterarm en gaf hem uit alle macht een enorme optater, haal het niet in je hoofd me ooit nog eens voor hoer uit te maken. Daarop gaf hij mij zonder veel kracht een klap, terwijl hij in me bleef bewegen, en ik begon hem weer te slaan, onophoudelijk, als antwoord op zijn aanval, en hij antwoordde nu serieuzer, samen rolden we over het bed, terwijl we elkaar sloegen en doorneukten. Ik zei toen dat hij moest ophouden, dat hij hem er onmiddellijk uit moest halen, ik zei dat ik niet wilde doorgaan, en hij luisterde niet, brak mijn bedrieglijke verzet terwijl hij hoer tegen me schreeuwde, keer op keer op keer. Je bent klaargekomen als een beest, het is ongelooflijk, zei hij ten slotte, en hij kuste me op mijn slaap, en hij had gelijk, maar toch kwam ik overeind en gaf hem een laatste dreun. Hé, wat heb je, wil je dat nou eindelijk weleens zeggen? vroeg hij toen, terwijl hij me door elkaar schudde met een geweld dat veel echter was dan het ingehouden geweld van de klappen van daarvoor. Je hebt me verkracht, Agustín, klaagde ik zachtjes. Je kunt me nog meer vertellen, zus, antwoordde hij nog meer beledigd dan ik, kom daar nu niet mee aanzetten. Ik heb gezegd dat je moest ophouden, vervolgde ik, en ik sloeg mijn ogen neer, en je hebt niet naar me geluisterd, je hebt me verkracht, geef dat dan tenminste toe… Je kunt de pot op, zei hij daarentegen, je hebt zelf geen seconde stilgelegen! Hij leek woedend, maar keek me aan en dwong zichzelf tot bedaren om vervolgens op een andere toon verder te praten, wat heb je Malena? Het is de vloek van het eerste jaar, hè? We zijn een jaar bij elkaar en nou heb je het gevoel dat je je tijd verdoet, is dat het? Ik schudde mijn hoofd, maar hij geloofde me niet. Wil je bij me intrekken? vroeg hij, maar ik antwoordde met een tegenvraag, kunnen we niet als gewone vrienden neuken? Hij keek me aan alsof hij niet kon geloven wat hij zojuist had gehoord, en het duurde een hele tijd voor hij antwoordde, nee, dat kunnen we niet. Waarom niet? Mijn lippen beefden, ik wilde dat mijn oren zo zouden krimpen dat ze zich helemaal afsloten, ik wist zeker dat ik een nieuwe versie van het bekende axioma zou horen, vrouwen om te neuken en vrouwen om verliefd op te worden, en ik wist zeker dat ik het aan mezelf te danken had, vrouwen om te neuken als gewone vriendin, vrouwen om te neuken als hoer, altijd twee soorten vrouwen en ik van het slechtste. Hij zei echter niets wat daarop leek, en voordat hij het uitlegde, glimlachte hij, omdat we geen vrienden zijn, begrijp je dat soms niet? Dat begreep ik maar al te goed, maar ik kon het niet hardop toegeven. Wil je bij me intrekken? drong hij aan, en ik had een ontzettende zin om ja te zeggen, maar ik zei nee, en nam afscheid van hem, en dat deed ik voorgoed. Hij geloofde me niet, maar het was voorgoed.

Ik had ervoor gekozen een nieuwe vrouw te worden, en om dat te bereiken verloochende ik mijn lichaam meer dan driemaal, ik vilde mezelf, met moeite en pijn, ik stroopte mijn huid af om niet meer te voelen, omdat ik dacht dat dat de prijs was die ik moest betalen, maar toen ik thuiskwam, in die verschrikkelijke nacht, was ik niet trots op mezelf, en ik voelde me niet vrijer, of waardiger, of tevredener, en ik stapte huilend in bed, terwijl ik al voorvoelde wat ik jaren daarna zou ontdekken, en bedenkend dat ik geen afscheid had genomen van een chulo, maar van een man, en dat hij misschien wel de laatste zou zijn, viel ik in slaap terwijl ik me vastgreep aan een oude, klinkende uitdrukking: aan alles komt een eind.

Bij wijze van uitzondering had ik het bij het juiste eind. Aan alles kwam een eind, en het zou lang duren voor er weer iets begon.

De laatste ballast die ik over boord gooide, waren de woorden.

Santiago ging er als vanzelfsprekend van uit dat ik bij hem zou blijven slapen. Voor mij stond dat nog niet helemaal vast, maar mijn laksheid werkte in zijn voordeel, net zozeer als, of meer nog dan zijn eigen schoonheid. Ik had nog geen beslissing genomen toen hij, nadat hij me welterusten had gewenst en zich had omgedraaid, op zijn zij ging liggen, met zijn gezicht bijna tegen het mijne. Nadat hij zich behaaglijk onder de lakens had genesteld, keek hij me met een slaperige, lauwe glimlach aan, en hij was zo knap, en ik vond hem zo leuk, dat de waarheid niet tot me wilde doordringen. Hij moet iets voor me verbergen, zei ik bij mezelf, het kan toch niet waar zijn dat hij nu al klaar is, en ik beantwoordde zijn glimlach en kuste hem in een poging om opnieuw te beginnen, vanaf het begin.

'Wat doe je?'

De paniek, een nieuw ingrediënt, stond in zijn ogen terwijl mijn nagels zachtjes over de binnenkant van zijn bovenbenen krasten.

'Tja, wat denk je?' vroeg ik, en ik pakte ten slotte met mijn linkerhand zijn penis stevig vast.

'Maar, wat heb je?'

'Niets…' glimlachte ik. 'Ik ben zo geil als een loopse teef.'

'Malena, alsjeblieft, zeg niet van zulke dingen.'

Zijn stem was het eerste teken. Mijn lichaam raakte helemaal verlamd, en mijn nek deed zeer toen ik mijn hoofd optilde, mijn ogen deden zeer toen ik zag dat zijn wangen dieprood kleurden en dat zijn hele gezicht gloeide van een onverklaarbare hitte.

'Zeg het alsjeblieft niet meer,' drong hij aan, en hij durfde me eindelijk aan te kijken. 'Ik vind het niet prettig.'

'Maar waarom?' Hij wilde niet antwoordden en ik drong aan. 'Wat heb je?

Het zijn maar woorden, een grapje.'

'Ja, maar we kennen elkaar nog maar amper, we...'

'Maar Santiago, doe me een lol, je hebt hem net nog in me gestoken.'

'Jezus, zeg toch niet van die dingen!'

Ik ging op de rand van het bed zitten en sloot mijn ogen, en hoewel ik geen zin had om me te herinneren wat je wel en wat je niet hoorde te voelen, voelde ik me diep vernederd. Hij had me vernederd als geen enkele man ooit eerder had gedaan.

'Dit is een aanfluiting,' zei ik bijna fluisterend.

'Malena, het spijt me,' hoorde ik achter me. 'Sorry, ik wil je geen verdriet doen, maar...'

'Wat wil je?' snauwde ik, zonder hem aan te kijken. 'Moet ik soms het woord penetreren gebruiken? Penetreer me nog een keer, kom op, please? Schaam je je niet als je zoiets zegt? Nou, ik wel, ik schaam me kapot, zoiets zal ik nooit kunnen zeggen.'

'Nee, ik... Maar er zijn andere manieren om het te zeggen. Ik heb zin, of ik ben in de stemming, bijvoorbeeld, dat klinkt goed, dat las ik in een roman, weet je? Maar ik vind dat je er beter niet bij kunt praten.'

'Helemaal niets zeggen?'

'Precies, ik denk dat dat het beste is.'

Niet praten, dacht ik, maar niet praten is niet leven, dat is doodgaan van afkeer. En toch was het geen afkeer wat ik voelde toen hij me zacht op het laken neerlegde, en ook niet toen hij op me klom met de voorzichtigheid waarmee hij een breekbaar kunstvoorwerp zou hebben behandeld, en ook niet toen hij last had van het licht en zijn hand uitstak om het uit te doen, en ook niet toen hij een dosis genot in me vond die net voldoende was om klaar te komen met zijn mond dicht. Ik voelde geen afkeer, en ook niets anders.

'Zouden we op maandag kunnen beginnen?' vroeg hij voordat hij in slaap viel, tussen twee geeuwen in.

'Waarmee?' antwoordde ik.

'Met de lessen Engels.'

'Best.'

En paar maanden lang ging ik op maandag, woensdag en vrij-dag naar zijn huis. In die tijd vond ik dat vooral een winstge-vende zaak. Santiago was een buitengewoon toegewijde leer-ling met weinig talent voor het leren van talen, en tegelijk een vrijgevige klant, maar zelfs dat zou me niet met hem hebben verzoend als hij zich niet had ge-dragen zoals hij deed. Ik was vastbesloten de deur uit te lopen bij de geringste toespeling, maar die kwam de eerste dag niet, noch de volgende dag, noch de dag daarop; ik denk dat hij aanvoelde dat die niet goed zou vallen en langzaam, met alleen zo nu en dan een nadrukkelijke, troebele, verdacht theatrale blik, met wenkbrauwen die hij fronste tot een hoek die honderden keren voor de spiegel was gerepeteerd, liet hij mij het beste wat hij in zich had ontdekken.

Altijd was hij vriendelijk en meegaand. Hij had geen grote meningsverschil-len met de hem omringende werkelijkheid, was optimistisch en legde zich mak-kelijk neer bij tegenslagen. Hij had een groot gevoel van eigenwaarde en hield geen rekening met de mogelijkheid dat het standpunt dat hij verdedigde, van in de futielste discussie tot in de belangrijkste beslissingen, niet het juiste zou zijn. Nooit twijfelde hij. Zijn belangstelling verschilde radicaal van die van mij en concentreerde zich op terreinen, zoals dat van zijn beroep, die voor mij niet eens bestonden. Hij ontwikkelde een heel scherpzinnig praktisch vernuft bij problemen van allerlei aard en verzette zich met een benijdenswaardige, want zo grote en zo volkomen, vastberadenheid tegen elke hartstocht, dat ik soms weleens dacht dat hij misschien helemaal geen hartstocht bezat. Hij leed aan een gebrekkig gevoel voor humor, was niet gevat, nauwelijks grappig, was onbe-kend met sarcasme, minachtte metaforische capriolen, hield niet van woorden en speelde er niet mee, brood was brood, en wijn was wijn, maar misschien voelde ik me precies daardoor veilig bij hem.

Na afloop van onze zevende les haalde hij ergens de moed vandaan die no-dig was om me onaangekondigd te kussen. Hij bood me niets te drinken aan, vroeg me niet nog even te blijven, gebruikte geen enkel voorwendsel om me nog even te laten blijven. Toen ik mijn tas al had gepakt en me had omgedraaid om gedag te zeggen, kwam hij naar me toe en kuste me. Toen ik hem opnieuw naakt zag, overrompelde zijn schoonheid me als in de eerste nacht, maar als de dingen anders verliepen dan toen, was dat niet daaraan te danken. Ik voelde zijn botten, de lijnen die deze onder twee perfecte schouders tekenden, de suggestie van een spitse, ijle driehoek op zijn borst, waarop de spieren precies genoeg uitstaken om de borstkas te verbreden en de maag te spannen, de onderste ribben verdoezeld door een brede, massieve taille, een verrukkelijke mannentaille. Ik voelde zijn huid, en de lichte, zwarte beharing die haar bedekte, naar beneden toe een donker snoer vormend, dat de navel schampte en van daar af de breedte in ging tussen twee vierkante heupen, hard als stenen, net als zijn dijen, stevig maar soepel onder de lichte spanning die er in de lengte doorheen voer. Ik voelde zijn vlees, zijn immense rug, glad, een perfect trapezium, en de kuiltjes van de nieren als twee welhaast tot aan de rand gevulde trechters, boven een volmaakt stel billen, de mooiste van alle billen die ik ooit heb gezien, rond en vierkant en vlezig en vlak en hard en stevig en elastisch en licht en zacht, en om te kneden en om in te bijten en om op te vreten en om door te slikken zoals geen enkele ander paar billen dat ooit heeft bestaan. Ik voelde zijn hele lichaam, raakte het aan, streelde het, krabde het, kuste het, beet het, bedekte het van onder tot boven met speeksel, zonder aandacht te schenken aan de protesten van zijn eigenaar, alsof er onder mijn tong niets leefde, alleen het oppervlak van een levenloos dier, en ik genoot van elke centimeter, elke millimeter van dat sobere, schuchtere festijn, maar kreeg er geen rillingen van. Mijn eigen huid, ooit een gevaarlijk wapen, was nu een dociel, gewillig, verstrooid orgaan, wat ze vroeger was geweest en maar beter had kunnen blijven, en mijn wil bestuurde dat orgaan met zo'n gemak dat ik er bijna van overtuigd was dat het geen enkele inspanning had gekost. En toch was dat niet waar.

Ik heb het geprobeerd, zei ik bij mezelf terwijl ik naar huis liep, dat andere heb ik geprobeerd, de ware liefde, de pure passie, het ongetemde verlangen, ik begon namen, episoden, verlatingen met elkaar te verbinden en vond geen enkele ruimte voor twijfel, en ik begon mezelf weer te troosten, me bij voorbaat te rechtvaardigen, ik heb het al geprobeerd en het is me niet goed bekomen, dat is de waarheid, het ligt me niet. Voor mijn ogen strekte zich ineens een heel ander leven uit dan dat ik daarvoor had gekend, een doel dat anders was dan alle uitdagingen waarvoor ik tot nu toe had gekozen te bezwijken, en ik kon het resultaat al bijna zien, een landschap dat het tegenovergestelde was van dat wat me werd geboden door mijn eigen geweten, dat zo vaak versteld was met zo veel bonte lapjes, die elkaar uit onverzettelijke schraapzucht met de randjes overlapten, dat er geen lapje meer bij kon, net zoals een goed gebonden beslag geen meel meer opneemt. Nooit eerder had ik me zo moe, zo verslagen gevoeld als op het moment dat ik zicht kreeg op dat witte, spierwitte, net gestreken, misschien nog warme laken zonder één vouwtje of kreukeltje op het onschuldige, vertrouwde oppervlak, uitnodigend als een maagdelijke blinde kaart, die onbevreesd de komst van de zinnelijke letters afwacht. In die zachte wereld van wit weefsel zag ik geen gevaar, ik stond er niet bij stil dat die schittering alleen kon zijn bereikt met bleekmiddel.

Ik trouwde met Santiago, maar hetgeen in hem waarvan ik hield, was niet Santiago. Nooit. Ik hield van andere dingen, vooral van mezelf, en dat deed ik op de verkeerde manier. Ik hield van de afwezigheid van problemen, die oneindige rust, als een correcte vlakte met verdachte randen, een wielerbaan, langzaam en glad als een spiegel van asfalt, waarop mijn verdoofde benen moeiteloos peddelden om een oude, pas geoliede fiets aan te drijven, een fiets met oneindig veel glanzende lagen metallieke lak, die echter nooit in staat waren het oppervlak van grote, koppig open blijvende poriën van hardnekkige roest helemaal te sluiten. Er kwam een eind aan de kwelling van de telefoon, omdat hij altijd een paar uur voor de afgesproken tijd belde, en aan de kwelling van de jaloezie, omdat hij in mijn bijzijn nooit naar andere vrouwen keek, en de kwelling van de eeuwige gedachte de ander kwijt te raken, omdat hij er nooit mee rekende dat hij me kon kwijtraken, en de kwelling van de verleiding, omdat hij te goed was opgevoed om te proberen mij te verleiden, de kwelling van de laagste instincten, waarvan hij nooit de virulente kracht ontdekte, hoewel hij deze, zelfs wanneer ik de moeite had genomen haar in detail te beschrijven, niet eens had kunnen begrijpen. En de tijd verstreek, zo snel, alsof er niets van belang gebeurde, totdat hij op een dag, zonder waarschuwing vooraf, mijn monopolie op het initiatief doorbrak en over de bruiloft begon, en ik dreef met de stroom mee, en we begonnen verdiepingen te bekijken, en meubelen, en bezochten bankkantoren die hypotheken aanboden tegen een rente die een kwartprocent lager was dan die van het filiaal ernaast, en elke avond, voordat ik in slaap viel, vroeg ik me af of wat ik ging doen goed was, en elke ochtend, bij het opstaan, gaf ik mezelf het antwoord, ja, omdat ik me goed voelde, me rustig voelde en nog steeds, terwijl ik wakker was, op geen enkele manier terugverlangde naar mijn fouten in het verleden.

Integendeel. Ik veranderde uiteindelijk in een voorspelbare vrouw, dat wil zeggen, een buitengewoon efficiënt iemand. Ik besloot dat we geen geld hadden om een huis te kopen, weigerde naar een rijtjeshuis ergens in een buitenwijk te verhuizen en liep alle huurappartementen van Madrid af, totdat ik een heuse tachtig vierkante meter vond, plus tien van de hal, in de calle Díaz Porlier, vlakbij de kruising met de calle Lista, een voorhuis, veel licht, centrale verwarming en een gevaarlijke lift, die bijna uit elkaar viel, een appartement waar het nodige aan te doen was, maar wel spotgoedkoop, 34.000 peseta's per maand in 1983 en geen servicekosten, echt een buitenkansje, dat zei iedereen. Ik stelde de huisbewaarder gerust, zocht een aannemer voor de verbouwing, selecteerde de werklui, onderhandelde over de prijs, haalde Santiago over een paar bouwtekeningen te maken, legde de werklui precies uit wat ik wilde, kocht de materialen, koos zelfs het model van de badkuip, leefde maanden in een maalstroom van prijzen, data, leveranties, klachten, termijnen en betalingen op rekening, weerstond met stoïcijnse minachting de boude voorstellen van de stukadoor, een jongen uit Parla, die ik zo onverklaarbaar leuk vond, alsof het lot had besloten mij voor een defect stoplicht, dat hardnekkig oranje bleef knipperen, te zetten, en toen ik met dat alles klaar was, voelde ik me heel goed, correct, voldaan en trots op mezelf.

Vervolgens, toen me geen andere taak restte dan de bruidsjurk passen, werd ik door een vreselijke weemoed overvallen. De laatste twee weken ging ik door de ergste hel die ik me kan herinneren. In die tijd begon ik stommiteiten uit te halen. Ik belde Agustín op, en de telefoon werd opgenomen door een meisje. Ik hing op, ook al wist ik niet eens zeker of het zijn nummer nog wel was, of het huis dat ik kende zijn huis nog wel was, want er waren drie jaren verstreken sinds de laatste keer dat we elkaar hadden gezien. Ik belde de *Hamburger Rundschau*, die uiteraard nog altijd hetzelfde nummer had, en plaatste die oproep, de laatste, omdat Fernando, die ergens in een vredig hoekje van mijn geheugen een kwijnend bestaan leek te leiden, een steek in mijn zij gaf bij elke speld die de naaister gebruikte om de sleep de juiste breedte te geven.

Zelfs aan mijn vrijgezellenavond beleefde ik geen plezier, al waren mijn vriendinnen bereid geweest voor één keer naar een Japans restaurant te gaan en een hoeveelheid drank te verzwelgen die alleen de meest hardnekkige nachtbraker had durven voorspellen. Toen we de kroeg waar we de een na laatste hadden gedronken, verlieten, probeerde ik de anderen ervan te overtuigen dat de laatste nog ontbrak, maar niemand wilde meedoen. Ik stapte dus in de auto en aanvaardde de weg naar huis, maar toen ik op de plaza Colón kwam, keerde ik om en nam de calle Goya, terwijl ik een verwoede zelfstrijd voerde omdat ik geweldig veel zin had om op zoek te gaan naar een man, zomaar een man, het maakte niet uit, een man die me aanstond, die me zou aanspreken aan de eerste bar van de eerste kroeg die ik op mijn weg zou vinden, een man, klein of groot, knap of lelijk, slim of dom, het kon me niet schelen, maar een man, iemand die zonder blozen durfde te zeggen wat er onderaan zijn buik groeide en die de woorden vond om het me te vertellen, dat wilde ik, en toch reed ik haastig naar de calle Díaz Porlier, vlakbij de kruising met de calle Lista, ik wist wonder boven wonder te parkeren, draaide voor het eerst het slot van het portaal open, want ik was alleen nog overdag, tijdens conciërge-uren in mijn nieuwe huis geweest, en nam de lift naar de vijfde verdieping. Het appartement was koud, rook naar muurverf en naar lak, de meubelen stonden op elkaar gestapeld, sommige nog verpakt in een hoes van bubbeltjesplastic. Daar stonden ze, rustend tegen een maagdelijke muur, in de woonkamer, met hun gezicht naar de muur, gewikkeld in twee oude plaids, blind en verveeld, alsof ik ze voor straf eeuwig had willen laten kijken naar dat eentonige landschap van vochtige, witte rauhfaser, dat te schoon was naar mijn smaak, en vast en zeker ook naar die van hem.

Terwijl ik het kleinste uitpakte, herinnerde ik me de laatste keer dat ik het vol ontroering had bekeken, die ochtend dat ik me ermee opsloot, alleen, en nauwelijks een woord kon zeggen, omdat zij ons meteen onderbrak.

'Wat doe je daar, Malena?'

'Niets. Ik kijk alleen naar je, oma.'

'Dat ben ik niet meer.'

'Jawel. Dat ben je wel. Voor mij zul je altijd krullend haar hebben.'

Ze nam me toen in haar armen en drukte me zo stevig tegen haar aan dat het zeer deed, maar alleen in die bedrieglijke, warme pijn vond ik de kracht om verder te praten.

'Je man was zo'n vent, oma, dood én levend,' vertrouwde ik haar toe, zonder haar aan te kijken. 'Ik ben heel trots dat ik zijn kleinkind ben. En nog trotser ben ik omdat ik jouw kleinkind ben, ik wil dat je dat weet.'

Ik dacht dat ze weer boos zou worden, maar ze berispte me niet en drukte me nog iets steviger tegen haar aan.

'Je vader heeft je hier nooit iets over verteld, hè?' zei ze ten slotte, en ik wentelde me in haar armen en schudde mijn hoofd ontkennend. 'Zeg dan maar tegen niemand wat je weet, vertel het aan niemand, zelfs niet aan je zusje, goed?' Ze pauzeerde even en keek me aan. 'Niet dat het er zoveel toe doet, en nu al helemaal niet meer, het is een oud verhaal, maar hoe dan ook…'

Toen durfde ik dat schilderij te vragen, ik zei dat ik het dolgraag wilde hebben, en zij knikte zachtjes dat het goed was. Toen papa ons kwam ophalen, zei zij waar Reina en ik bij waren dat ze wilde dat hij, als zij zou overlijden voordat ik uit huis ging, dat schilderij voor mij zou bewaren, en het me zou geven zodra ik mijn eigen muren had om het op te hangen, en daarna, toen we elkaar gedag zeiden, deed ze iets nog veel belangrijkers, ze pakte me bij mijn hand, legde er stiekem iets in en drukte hem met haar vingers dicht. Het was een klein doosje van lichtgrijs karton, als de verpakking van een goedkoop sieraad, en pas toen ik alleen was, wilde ik het openmaken. Erin zaten twee hele pinda's met een harde, gefossiliseerde, stoffige dop, die zo oud was als de wereld, als de alleroudste en kostbaarste schat.

Nu leidde de Republiek het Volk naar het Licht der Cultuur, alsof dat volk zich aan de andere kant van de terrasdeur bevond, en de Republiek had van die koortsachtige ogen, vlammend van onbehouwen intensiteit en passie, waarnaar ik amper keek terwijl ik haastig het tweede pakket uitpakte en voorzichtig optilde om het om te draaien, waarna ik de hoek die het met de muur maakte corrigeerde zodat de forse mannenarm, gehuld in rood fluweel, ten slotte de driekleur fier omhoog hield. Toen liep ik naar de andere kant van de woonkamer, ging op de grond zitten en keek ze aan.

Rodrigo keek terug met een spottende glimlach onder zijn dikke, zwarte, koket geglaceerde en omgekrulde knevel. Hij had me altijd een gelukkig type geleken, tevreden met zijn juwelen, met zijn dure kleren en zijn elegante voorkomen, die haarlok die met zorgvuldige zorgeloosheid over zijn voorhoofd was gelegd, zijn parelwitte tanden, zijn lippen in de kleur van het vruchtvlees van aardbeien, en toch ontdekte ik die nacht een andere uitdrukking op het gezicht dat ik uit mijn hoofd kende, in het spoor van die brede glimlach die ineens in een grijns wilde veranderen, in de plooien van die grimas die niet meer uit de leeftijd werd geboren, maar uit een ziekelijke wil tot onverschilligheid, en zonder het te willen ving ik het stemgeluid van mijn grootvader op, zijn echo donderde door de lucht, als een vogel fladderend tussen de vier hoeken van naakte muren, jij bent er een van mijn soort, Malena, van mijn soort, van het bloed van Rodrigo, terwijl Mercedes met de echo van haar vervelende gepreek zijn woorden weerkaatste, het is de kwade ader en daar doe je niets tegen, wie haar erft, komt er niet meer van af, tegen een kwade ader kun je niet vechten. Toen ontwaakte mijn grootmoeder en voegde zich ineens bij hen, haar woorden, uitgesproken met die gebarsten stem van een rookster met longemfyseem, spatten in mijn oren uiteen om met een duizelingwekkende snelheid af te dalen in mijn binnenste, mijn keel verschroeiend, mijn maag verwoestend, totdat ze uiteindelijk de gekwelde meanders van mijn ingewanden veroverden, een veel diepere bestemming dan ze de eerste keer dat ik ze hoorde hadden bereikt, geen verdriet en geen schaamte, Soledad, dit moet de man van je leven zijn, terwijl ze in een punt ergens voorbij het terras bleef speuren naar het Volk, en hoewel de stilte volkomen was, kon ik ze horen, en ik bedwong de lust ze weer met hun gezichten naar de muur te zetten omdat ik me nooit zo verbonden met iemand had gevoeld, en ik bedwong de lust om te huilen omdat ik wist dat daar geen plaats meer voor was, en ik dacht bij mezelf hoeveel beter het voor me was geweest als ik die nacht op zoek was gegaan naar een man.

Drie dagen daarna woonde ik met een zekere nieuwsgierigheid mijn eigen bruiloft bij. Van de mensen die me echt iets konden schelen, was Reina de enige die me feliciteerde.

Toen ik met Santiago trouwde, wist ik al dat hij geen orgaanvlees at, zelfs geen Madrileense *callos*, ook al was hij in Madrid geboren. Daarna ontdekte ik geleidelijk aan dat hij ook geen mosselen at, noch oesters, noch dwergmosselen, noch alikruiken, noch zee-egels, noch slakken, noch aaltjes, noch gebakken spiering, noch inktvis, noch de verschillende soorten gefrituurde vis. Ook proefde hij geen pekelvlees, varkensbout, varkensoor, varkenskop of varkenspoot, noch geroosterd speenvarken, noch ossenstaart, noch wild, met uitzondering van gefokte kwarteltjes, omdat hij van al het andere wild – eenden, hazen, patrijzen, fazanten, everzwijnen, herten of reeën – niet wist hoe, waar, door wie, en met welke schone of vuile handen ze waren geschoten en van de grond geraapt. Om dezelfde redenen weigerde hij producten die thuis waren geslacht, en terwijl ik – daar vieze varkens niet vet worden – de chorizo en de lende en de bloedworst en de Iberische ham verslond die de zuster van Marciano mijn moeder vanuit Almansilla toestuurde, belegde hij zijn broodjes met een vettige, industriële chorizo uit Pamplona, die zijn vingertoppen rood kleurde, ondanks alle controles van de Keuringsdienst voor Waren die hij was doorgekomen. Sommige verse groenten lustte hij niet, en ook geen asperges, en geen snijbiet, en geen gewone biet, en natuurlijk ook geen paddestoelen, met uitzondering van champignons uit blik, de enige die voldoende garantie boden dat ze goed waren gewassen. Kroppen sla, rode kool, groene kool en andijvie ontleedde hij altijd helemaal, met neurotische precisie hield hij elk blad onder de koudwaterstraal en boende het af met een cilindrisch borsteltje, dat ik vaak gebruikte om de glazen te spoelen, totdat hij een wormpje tegenkwam, en dan gooide hij de hele plant weg, zodat we vaak pardoes zonder voorgerecht kwamen te zitten.

Hij had een hekel aan scherpe spijzen, zelfs de zachtste, waartoe mosterd hoorde, en uien en knoflook, en in een stoofschotel kon hij het geringste spoortje van een rode-pepersnipper niet groter dan een derde deel van een nagel onderscheiden. Ik mocht geen zelfgemaakte mayonaise in de koelkast bewaren, niet eens een paar uur, niet eens in een pot met een luchtdichte deksel, want de enige manier om salmonella te bestrijden was je onmiddellijk te ontdoen van alle resten. Hij verplichtte me iedere koekenpan, braadslee, bakvorm of ijzeren kom weg te werpen zodra een vork, of alleen het randje van de schuimspaan een krasje in de anti-aanbaklaag had gemaakt, zelfs wanneer het maar een kort krasje was, zo smal als een potloodlijntje, om te voorkomen dat de carcinogene stoffen van de gegalvaniseerde laag, die nu in zicht was, in het voedsel zouden doordringen; die zouden vast en zeker uit die open wond vloeien. Hij dronk uitsluitend mineraalwater omdat hij de chloorsmaak van het water dat direct uit de kraan stroomde niet kon verdragen, en elke maand kocht hij een nieuwe tandenborstel. Als de telefoon ging wanneer hij net aan zijn dessert wilde beginnen, leegde hij, bij zijn terugkeer aan tafel, zijn glas sap in de gootsteen en perste opnieuw drie sinaasappelen uit die hij onmiddellijk consumeerde, bewust als hij zich was van de vluchtige natuur van vitaminen. Hij waste zelfs een pan die alleen was gebruikt voor het koken van water gewetensvol af, met zeep en schuurspons, en hij waste zijn appels, zijn sinaasappels en zijn peren om ze vervolgens te schillen en ze zonder hun schil op te eten. Zijn zucht om alles onder controle te hebben beperkte zich echter niet tot zijn en mijn handelingen, tot hetgeen er in huis voorviel, maar strekte zich in alle richtingen uit, gevoed door de geheime ambitie de uithoeken van het universum te omspannen.

De eerste dag dat ik in mijn eigen huis wakker werd, liep ik halverwege de ochtend de keuken in en vond een handgeschreven briefje op de deur van de koelkast. Toen ik de magneet die het op zijn plaats hield van de deur trok, had ik het handschrift van mijn man al herkend, de ruim gespatieerde hoofdletters, waartoe hij altijd zijn toevlucht nam wanneer hij wilde getuigen van het belang van een aangelegenheid. Het was een lijst van alle kleurstoffen, conserveermiddelen, zoetstoffen en rijsmiddelen die hij, hoewel ze aan de wettelijke normen in kwestie voldeden, kennelijk niet helemaal vertrouwde. Ten slotte werd ik, in een soort postscriptum, verzocht me ervan te vergewissen dat geen van deze stoffen deel uitmaakte van de samenstelling van enig voedingsmiddel dat we, in welke vorm dan ook, zouden kunnen consumeren. Toen ik bij het laatste punt kwam, moest ik hartelijk en geamuseerd lachen, want eigenlijk vond ik dat allemaal wel leuk, toen wel, maar telkens wanneer ik naar de markt ging en de helft van de kramen voorbijliep, kreeg ik langzaam een pesthumeur, zelfs nog voordat de gebruikelijke reeks bittere discussies met meeste kraamhouders begon.

'Wat is dat? Spierstuk?' De slager knikte glimlachend. 'Dat hoef ik niet.'

'Maar zeker wel, mevrouwtje? Hier haalt u me toch een paar smakelijke lapjes uit!'

'Maar wel met zeentjes.'

'Hoezo zeentjes? Dit hier bovenaan is vet. En dat daar, dat is inderdaad zeen, maar zonder zeen is het vlees niet mals en smaakt het nergens naar. Toe, luister naar me. Spierstuk moet u hebben.'

'Nee, nee,' drong ik aan, hoewel ik donders goed wist dat wat hij gezegd had waar was. 'Mijn man wil het niet eten, heus. Geeft u maar liever schnitzels.'

'Schnitzels? Maar die zijn lang niet zo mals, en ze kosten haast hetzelfde. Schnitzels zijn heel fijn, goed om te paneren, dat wel, maar spierstuk is véél smakelijker, niet te vergelíjken.'

De dames die naast mij op hun beurt wachtten keken me dan aan alsof ik gek was, en vroeg of laat was er altijd een, meestal de oudste, die besloot zich er op moederlijke toon in te mengen.

'Die moet je niet nemen, kind, luister maar naar hem. Ze zijn natuurlijk wel zonder zeentjes en zien er mooi uit, maar als het om eten gaat...'

Ik kreeg dan zin om te antwoorden dat mijn man het verdomde om het te eten. Daarna ruziede ik met de man van de vleeswaren omdat ik ham zonder vetrandjes vroeg – Dan wilt u dus gewoon geen varkensvlees: geen vet, geen varken! – en met de poelier over die vervloekte kippenhormonen – Weet ik veel... Dan gooit u het strotje toch in de vuilnis! –, en met de visboer, omdat er ergens een garnaal met een donkere kopje uit mijn verpakking stak – Ja, dat komt doordat de kleurstof die er vroeger overheen werd gedaan, nu verboden is, daardoor verkleuren ze zo, ook al zijn ze vers, natuurlijk... zo vers dat je ze haast niet gepeld krijgt! –, en met de bakkersvrouw omdat de arme vrouw me botercakejes probeerde te verkopen – Ze zijn echt zalig, ze vallen in je mond uit elkaar, zo smeuïg, het beste wat we in de winkel hebben – die de honingzemer uit een dorp bij Guadalajara elke week bracht, en ik hield voet bij stuk en verliet de winkel met een zakje vierkante, absoluut smakeloze *magdalena's*, die echter waren gefabriceerd zonder een spatje dierlijk vet.

Mijn man at niet, maar die kant van zijn persoonlijkheid paste nog binnen het pakket van legitieme, zelfs tolereerbare buitenissigheden, vooral vanaf de dag, ongeveer zes maanden na de bruiloft, waarop ik me erbij neerlegde voortaan dubbele boodschappen te halen, twee maaltijden 's middags en 's avonds, en twee soorten broodjes voor bij het ontbijt. Maar mijn leven veranderde langzaam in een mijnenveld, ogenschijnlijk rustig, goed begaanbaar, redelijk vruchtbaar, totdat ik op zomaar een dag, bij verrassing, altijd tegen mijn wil, per ongeluk precies op het veertje stapte dat de explosieve lading onder mijn voeten activeerde, en de bom ontplofte onvermijdelijk, rukte weer een stuk uit mijn lijf, deed weer een orgaan openbarsten, verminkte me telkens een beetje meer, en erger dan de vorige bom. Het kostte me veel moeite te aanvaarden dat Santiago niet verliefd op me was, en nog meer moeite om te erkennen dat hij desondanks in zo veel zaken zo intens afhankelijk van mij was, als een klein kind. Het kostte me nog meer moeite te begrijpen dat iemand die zo zwak, zo gevoelig, zo geneigd tot zelfmedelijden was, zich niet kon voorstellen dat ook ik een beetje zorg nodig had, en dat hij mij nooit verzorgde zoals andere mannen hadden gedaan, veel hardere, veel norsere mannen, die veel strenger voor mij en voor zichzelf waren dan hij ooit zou worden. Nooit zei hij iets aardigs over de kleren die ik had gekocht, het kapsel dat ik droeg, de oorbellen die ik indeed. Jij staat toch boven die dingen, zei hij soms, en ik voelde me oneindig neerslachtig, omdat niemand me een klapje op mijn kont gaf of zei dat ik er lekker uitzag, of me koortsachtig aankeek terwijl hij met moeite de baas bleef over zijn vingers, die krom stonden van de spontane artrose van het verlangen en de haast om me uit te kleden zodra ik onberispelijk gekleed, gekamd, opgemaakt en opgedoft uit de badkamer te voorschijn kwam om een goede verschijning te maken op een zakendiner met aanhang. Je ziet er netjes uit, een beetje overdreven, zei hij altijd. Hij vond me bijna altijd een beetje overdreven, bij wat ik ook deed.

Op een zonnige lentemiddag gingen we winkelen en toen we beladen met pakjes een winkel uit stapten, kleurde de lucht helemaal zwart en binnen twee minuten barstte er een waanzinnige plensbui los, zo'n bui die je tot op de draad doorweekt om ineens, voordat je er erg in hebt, op te houden. We kwamen thuis met druipende kleren en het onverdraaglijke gevoel dat we uit alle plooien van ons lichaam dampten, en toen vroeg ik hem of hij me in bad wilde doen. Agustín waste me soms, en ik vond het heerlijk als hij dat deed, maar Santiago keek me aan, stomverbaasd, en vroeg: waarvoor? En ik vroeg hem nooit meer iets. Mij hoefde je niets te vragen, ik dééd de dingen, veel dingen, en over het algemeen deed ik ze goed, maar hij stond nooit stil bij de mogelijkheid dat dit gedrag voor mij niet normaal was, en daarom bedankte hij me gewoonlijk niet, en wanneer er iets ontbrak, wanneer ik een luie dag had of de leerlingen me zo hadden afgemat dat ik een bezoek aan de bank of aan de markt of aan de stomerij tot de volgende dag had uitgesteld, reageerde hij alsof hij gewoon niet kon begrijpen wat er was gebeurd. Misschien is het wel zo dat ik geen zin meer had om dingen te doen, of dat ik, nadat ik erin was geslaagd een huis in te richten, met meubels te vullen en te stofferen, te leren koken en geld te gaan verdienen met het geven van lessen Engels op een taleninstituut driemaal in de week, er niet langer plezier in schepte een uitzonderlijk efficiënte persoon te zijn.

Vaak had ik het gevoel niet rechtvaardig tegen hem te zijn, want in feite deed Santiago niets, bijna niets wat hem in het bijzonder kon worden verweten, en naast zijn irritante gewoonten ontbraken bij hem alle theoretische en praktische manco's van de slechte echtgenoot, met uitzondering van zijn ambities op het professionele vlak, die hem ertoe dreven langer te werken dan in zijn arbeidscontract was overeengekomen. Ik denk dat we het alleen daardoor zo lang met elkaar hebben uitgehouden. Verder dronk hij niet, speelde niet, gebruikte geen drugs, maakte niet zelf zijn hele inkomen op, bedroog me niet, gebruikte nooit geweld tegen me, protesteerde niet wanneer ik aankondigde dat ik van plan was een bepaalde nacht, of twee nachten, uit te gaan zonder hem, oordeelde niet over mijn vrienden al wist ik absoluut zeker dat hij ze niet mocht, probeerde me de zijne niet op te dringen, had geen moeder, en zijn oudere zusters, die allerliefst waren, konden uiteindelijk beter met mij opschieten dan ze ooit met hem hadden gekund, misschien omdat ik tenslotte hetzelfde was als zij: een oudere zus erbij, de zus die hem het meest na stond. Daarom kon hij niet buiten mijn nabijheid. Ik geloof dat hij het niet zou redden als hij niet vlakbij een vrouw was, dat hij dat nooit zal kunnen, en die wetenschap maakte gedurende een aantal jaren veel goed. Wanneer hij, vrijwel altijd in het pikdonker, thuiskwam, deed hij zijn stropdas af, plofte neer in een stoel en praatte tegen me, vertelde me alles, hoe zijn dag op het werk was geweest, welke beslissingen hij had genomen of niet had genomen, waar, met wie en wat hij had gegeten, hoe het hem was bekomen, welke wijn ze hadden gekozen, wanneer, op welk tijdstip hij precies in een etalage een paar handschoenen had opgemerkt die hij mooi vond, hoezeer hij had getwijfeld, hoe hij ten slotte was binnengegaan en ze had gekocht. Ik luisterde naar hem, en vertelde op mijn beurt haast niets aan hem, want het gebeurde me zelden dat de dingen die ik tijdens een gewone dag meemaakte het waard leken om verteld te worden. Mijn werk beviel me in zoverre dat ik het niet vervelend vond. Het was lekker dichtbij en bracht nooit onverwachte zaken met zich mee. Ik had gevraagd 's ochtends ingeroosterd te worden en had in plaats daarvan een groepje huisvrouwen gekregen die voor het laatst een schoolboek hadden aangeraakt toen ze nog kniekousen droegen, maar alles was verkiesbaar boven een plaats als lerares Engels op mijn oude middelbare school, zoals mijn moeder me meer dan eens enthousiast had voorgesteld, zodat ik steeds van maandag tot vrijdag een anekdote moest bedenken om later op de dag in de avondles te vertellen. Het vervelende was dat na vijf dagen van vredige eenzaamheid en twee uur conversatie, altijd het weekeinde aanbrak.

Een typische zaterdag in die dagen, Santiago gekluisterd aan de televisie, de video staat aan, erop liggen drie plastic hoezen met daarin drie spionagefilms. Tot mijn verrassing vroeg ik me af of ik niet liever een man als mijn grootvader Pedro had gehad, zelfs als dat bezit had ingehouden dat ik hem vroeg of laat onvermijdelijk had moeten delen met een of andere Teófila. Ik speelde met de gedachte dat ik, ondanks alles, liever het leven van Teófila dan van mijn grootmoeder had geleid, toen mijn man me aankeek en me onschuldig glimlachend aanspoorde me op de film te concentreren, ik vrees dat dit er zo een is waarbij je in het begin goed moet opletten, zei hij, omdat je er anders al snel niets meer van snapt... en ineens voelde ik me niet alleen verachtelijk, maar ik verachtte mezelf ook echt en probeerde die wrede, onzinnige fantasie voorgoed te verbannen. Ik had oud en wijs genoeg moeten zijn om, zonder mijn liefde voor mijn grootvader te verloochenen, te begrijpen dat hij voor niemand een goede echtgenoot zou zijn geweest, maar af en toe zat alles me tegen.

Toen het gebeurde, had Santiago niet in de gaten dat dit de druppel was die de emmer deed overlopen. Ik zei er nooit iets over tegen hem, het had geen zin meer om over dat soort dingen te praten, maar ik ben er zeker van dat het nooit bij hem was opgekomen dat dit detail zo belangrijk zou worden. Het was ons, in twee jaar huwelijk en daarvoor nog eens een paar jaar verkering, niet eerder gebeurd, omdat hij altijd met een onvoorstelbare nauwgezetheid had gewaakt over mijn lichaam, waarmee ik me beslist niet al te veel bezighield, misschien omdat voor mij alle dagen al sinds lange tijd even rein waren. Ik wist dat hij er niet van hield en vermoedde dat achter het argument van solidariteit – dit is net zo goed mijn als jouw zaak – waarmee hij zijn periodieke invallen in de lade van mijn nachtkastje meestal verkocht, alleen die reden schuilging. Ik had me gerealiseerd dat hij het vermeed, nog voordat ik hem zijn gewelddadige bekentenis ontlokte door rustig en zonder speciale bedoelingen, kwade noch goede, in het openbaar te verklaren dat ik het veel lekkerder vond om te neuken wanneer ik ongesteld was, dat ik daar meer van genoot en dat ik dat mijn gynaecoloog had verteld, en dat die tegen me had gezegd dat dit heel natuurlijk was, omdat tijdens de ongesteldheid de productie van een of ander hormoon hoger is. We waren thuis, net getrouwd, gaven voor het eerst een diner voor twee vrienden van Santiago, beiden econoom en nietszeggend, met hun vrouwen, de ene zes jaar ouder dan ik, de ander slechts drie, beiden bedrijfsadviseurs – de een fiscaal, de ander juridisch – en al even nietszeggend, en volgens een gouden regel die in deze vriendenkring, en geen enkele andere kring die ik ken, zonder uitzondering werd toegepast bij dergelijke gelegenheden, was de tafelschikking gebaseerd op geslacht. Santiago zat geflankeerd door mannen, aan het hoofd, en ik, tegenover hem, geflankeerd door vrouwen, met wie ik, zo was de gedachte, over veel meer interessante onderwerpen zou kunnen praten, dus binnen de kortste keren hadden we het over anticonceptiemiddelen, vóór de pil, tegen de pil, en mijn zuster is er anders wel zo dik als een olifant van geworden, en ja, ja, dat kan wel waar zijn, maar een vriendin van mij gebruikte zo'n Frans sponsje dat zo goed zou werken en wat denk je? Over een week moet ze bevallen. Ik voel er niets van, zei ik meer om een goede gastvrouw te zijn dan om nou werkelijk mijn mening te geven over een zaak die me al langer dan ik me kon herinneren niet meer bezighield, ik bedoel dat ik er niets van merk, ik word er niet dik of depressief of wat dan ook van, het enige is natuurlijk dat je niet echt ongesteld wordt. Ach, dat maakt toch niet uit joh, zei de vrouw aan mijn rechterhand, en toen zei ik het, heel terloops, zonder er veel belang aan te hechten, wat het ook niet had, maar iedereen, ook de mannen, keek me aan alsof ik gek was, alsof ik ineens gek was geworden, en daarmee was het onderwerp van de anticonceptiemiddelen van tafel. Mijn gesprekspartners mengden zich in de conversatie van de andere kant van de tafel, over de wet Boyer geloof ik, en ik ging er maar niet op in, ik zweeg de rest van de avond, terwijl ik me afvroeg waarom Santiago me met zo'n kwade blik aankeek. Toen we weer alleen waren, vroeg hij wat ik dacht te bereiken door zijn vrienden op die manier in verlegenheid te brengen, en ik begreep hem niet. Toen hij vervolgens na honderd omwegen en vele malen van kleur verschieten de manier vond om me uit te leggen dat normale vrouwen het smerig vonden om het te doen wanneer ze ongesteld waren, was het mijn beurt om iets te vragen, en zijn antwoord was nee, het was nooit bij hem opgekomen dat ik meende wat ik zei, dat hetgeen ik tijdens het diner had gezegd, waar was. Maar het is waar, zei ik ten slotte, dat is niet mijn schuld, en bovendien, andere kerels maakt het niet uit. Je neef zeker? giste hij met een zweempje van ironie. Bijvoorbeeld, antwoordde ik, hém kon het geen zak schelen. Nou, voor mij blijft het een vieze boel, besloot hij, en op dat moment werd ik me ervan bewust op welk een merkwaardige wijze bepaalde normen van normale vrouwen overeenkomen met bepaalde normen van normale mannen, maar hoe dan ook, over dat onderwerp spraken we nooit meer.

Sindsdien wist ik dat hij het onprettig vond, maar die ene keer was ik onschuldig, want voordat hij begon vroeg hij of ik ongesteld was, en als ik nee zei, was dat omdat ik het nog niet was geworden. Nog steeds zie ik zijn gezicht voor me, het zal me tot mijn dood bijblijven, zijn trillende neusvleugels, zijn donkere lippen verwrongen tot een belachelijke grimas, zijn van afschuw en ontzetting wijd opengesperde ogen schichtig heen en weer schietend tussen zijn met bloed besmeurde pik en mijn reine ogen. Ik zou hem in zijn gezicht hebben gespuwd als ik over voldoende tijd had beschikt om in mijn uitgedroogde mondholte een fluim te verzamelen die vet genoeg was. Hij ging mijn lichaam weer binnen, strekte een hand uit naar het nachtkastje, worstelde met het doosje met papieren zakdoekjes dat in de lade lag, trok er minstens tien uit, die hij provisorisch in de palm van zijn linkerhand legde, en met deze hand behielp hij zich terwijl hij mijn lichaam opnieuw verliet. Vervolgens sprong hij zo ongeveer uit bed en rende weg, niet meer dan een halve minuut in de hele operatie investerend, terwijl ik stil naar hem bleef liggen kijken.

'Toe maar,' zei ik luid, hoewel niemand me kon horen, 'ren maar naar de badkamer, mietje.'

Toen ontdekte ik dat mijn oude angsten hun uiterste houdbaarheidsdatum hadden overschreden, zoals je ontdekt bij een pak yoghurt dat onopgemerkt onder in de koelkast is achtergebleven, of een oud medicijn dat ergens op een plank is vergeten, en toen ik me probeerde te herinneren welke lange, bewogen opeenvolging van omstandigheden me in dat bed hadden doen belanden, kostte het me geen enkele moeite mijn gevoelens te reconstrueren, maar ik zag er geen enkel heil in. Met mijn zesentwintig en een half jaar kon ik de toekomst niet meer zien als een enorm, appetijtelijk pakket dat ik kon openen wanneer ik wilde, wanneer ik me verveelde, wanneer ik er zin in had, wanneer het me goed uitkwam. Mijn toekomst was al begonnen, zonder mij om toestemming te vragen, als een van die spionagefilms waarvan je onmogelijk de plot kunt begrijpen als je in het begin niet goed hebt opgelet. Hoewel de tijd niet stilstond, verstreek ze niet meer: van nu af aan telde ik af. Die ontdekking dompelde me plotseling onder in een nieuwe angst, die zo sterk was dat deze alle andere angsten verdreef zonder er zelf maar in het minst van te verzwakken, maar ik zwoer dat ik, vanaf die minuut, nooit meer zou twijfelen over de vraag welk soort mannen me aanstond.

Zo begon 1986, het jaar van de grote gebeurtenissen.

'Zie je niets aan me?'
Reina draaide een paar keer op haar hakken alvorens me met een stralende glimlach te bedelen.

'Nee,' antwoordde ik. 'Wil je koffie?'

'Ja, graag...' antwoordde ze op gedempte en vanwege de alledaagsheid van mijn antwoord haast teleurgestelde toon.

Rond die tijd, half twee 's middags, had ik nooit veel trek in koffie, maar ik besloot ineens dat het me goed zou doen eventjes alleen te zijn, al was het maar om te kalmeren. Ik was erg boos op Reina, maar het had me zoals altijd aan kracht ontbroken om dat te laten merken, en ik was nog erger van streek door haar houding, de vanzelfsprekende vrolijkheid waarmee ze tegen me had gesproken – Ha die Malena, daar ben ik! – nadat ik de deur opendeed zonder eerst een blik te hebben geworpen op de gestalte die, geleund tegen de muur links van mij, deed denken aan een vrouw die stond te wachten op iemand die ik niet kon zijn. Mijn zusje gedroeg zich alsof we een paar dagen geleden nog samen hadden gegeten, en dat was, zelfs in mijn ogen, wel erg brutaal.

We leefden aan het eind van april van dat zwarte jaar dat de geurige versheid van het nieuwe al binnen hooguit enkele uren na zijn begin had verloren, toen mijn vader, die achtenveertig levensjaren en zevenentwintig huwelijkse achter de rug had, op drie januari mijn moeder verliet voor de eeuwige verkering van zijn twee jongere broers, de nooit beroemd geworden popzangeres Kitty Baloo, die er op haar zevenendertigste eindelijk als een respectabele advocate uitzag, en met wie hij de laatste twee jaar een spectaculaire liefdesrelatie had – zij zei de hele tijd dat ze, wanneer ze niet had geneukt, had gehuild. Voor mijn moeder kwam de klap hard aan, al moet ze sommige dingen toch van verre hebben zien aankomen. Ze was er zo van ondersteboven dat ze drie hele lagen liet verstrijken voordat ze de telefoon pakte om me te bellen, en toen ik naar haar huis was gerend, smoezelde Reina in de hal dat zij het ook nog maar net had gehoord. Ik denk dat ze nog hoopte dat hij zou terugkomen, zoals hij altijd was teruggekomen na zijn uitzinnige strafexpedities, op zijn achtenveertigste, na tweeënzeventig uur, uitgeput en stil, bereid om zich te laten verzorgen en troosten, tegelijkertijd de gever en ontvanger van medelijden, als een eeuwige verloren zoon. Maar die keer kwam hij niet terug, omdat hij daarvoor de leeftijd niet meer had.

Dat durfde ik niet tegen mijn moeder te zeggen, ik durfde haar niet uit te leggen dat hij waarschijnlijk gevoeld had dat dit zijn een na laatste kans was, en dat hij, als hij deze niet aangreep, misschien helemaal niet over een laatste zou beschikken. Zij keek me aan, en ik voelde dat ze mijn gedachten las.

'En ik? Wat moet ik nu? Waar moet ik heen op mijn vijftigste?'

Ik wist dat ze net tweeënvijftig was geworden en dat ze, als het een beetje tegenzat, helemaal nergens meer heen ging.

'Het is een rotstreek,' antwoordde ik. 'Een ontzettende, smerige rotstreek. Het is niet eerlijk!.'

'Nee, dat is het niet,' bevestigde ze. 'Daarom is het mijn lot, en ook jouw lot, het is het lot van alle vrouwen.'

Op dat moment hoorde ik een heel ander geluid, de woorden van een vrouw die zich niet in haar lot had willen schikken, en door het troebele gordijn van mama's snikken heen hoorde ik weer de woorden die mijn grootmoeder had gesproken, bij de enige gelegenheid dat ze me een geheim had durven toevertrouwen dat niet alleen over haar ging, toen ze voor het eerst en het laatst met mij over mijn vader sprak, en uiteindelijk voelde ik haar schaamte, de schandelijke passie die tot dan toe nog nooit over haar lippen was gekomen, als een zelfverwijt.

'Jaime liet me God zien.'

Ze herhaalde deze zin verscheidene malen, steeds dezelfde woorden gerangschikt in dezelfde volgorde, op een zachtmoedige, matte toon, met een onbeweeglijke glimlach waardoor ik niet kon aanvoelen naar welke diepten haar herinnering haar terugvoerde.

'De eerste keer kon ik geen andere verklaring bedenken voor wat me was overkomen. Ik nodigde twee vriendinnen uit om bij mij te komen lunchen en ik voelde dat ik het ze moest vertellen, het liefst had ik het voortdurend herhaald, het op de muren geschreven, het blijven zeggen totdat iedereen het wist, maar ik kon de juiste manier niet vinden, ik wist niet hoe ik moest beginnen, en toen dacht ik even nergens aan en kwam dit uit mijn mond, gisteren heb ik met een man geslapen, en ik zag God...'

Vervolgens zweeg ze, en dreigde weer verder te gaan, maar dat deed ze niet, het was alsof haar adem bevroor zodra die haar lichaam verliet, haar stem werd zwakker als een opgebrande kaars, om ten slotte helemaal te doven voordat ze hoorbaar werd, maar mij kon dat niet schelen, mij hoefde ze niets meer te vertellen, ik wist wat ze miste en had geen woord meer nodig.

'Maar Jaime kwam niet terug,' zei ze ten slotte. 'Hij kon niet terugkeren, natuurlijk niet, want hij was dood. Ik was dertig jaar, eenendertig, tweeëndertig... Met mijn vijfendertigste voelde ik me een eeuw oud.'

Ze kon de verleiding niet weerstaan, het zou geen enkele zin hebben gehad die te weerstaan. Er brak een dag aan, ergens in 1941, zomaar een ochtend in het begin van mei, en toen zij rond het middaguur de school verliet, voelde ze dat haar jasje te warm zat en trok het uit met een werktuiglijk gebaar, zich niet bewust van het belang dat dit zou krijgen. De zon overstroomde haar ontblote armen en een warme bries deed de beharing op haar benen overeind staan, dwars door het dichte schild van haar zwarte kousen heen, haar dikke weduwe-kousen. Soledad rilde verwonderd en glimlachte, want na al die tijd was haar lichaam weer in staat om zomaar lichamelijk genot op te merken, ze voelde zich weer lekker in haar lichaam, alleen omdat het lente was.

'Als ik zijn lichaam alleen maar had kunnen zien, als ik het had kunnen aanraken en begraven op een rustig plaatsje, dan had ik zijn graf van onkruid kunnen ontdoen en het met bloemen kunnen bedekken, en misschien was alles dan anders geweest. 't Is grappig, weet je, hoe de dingen veranderen. Je hele jeugd moet je niets hebben van bijgelovigheid, en de rest van je leven verlang je hevig naar een grafzerk waartegen je het voorhoofd kunt laten rusten om te huilen. Want elke keer dat ik zijn naam ergens las, in het familieboek, op een visitekaartje dat ergens uit een boek stak of op een brief die toevallig uit een lade was gevallen, elke keer dat ik zoiets vond en onverwacht zijn naam las, had ik het gevoel dat iemand zijn nagels in mijn keel dreef en uit alle macht mijn huid naar beneden trok, me helemaal vilde, mijn keel, en mijn borst, en mijn buik, en mijn bovenbenen, en dan greep ik naar mijn gezicht, en mijn wangen brand-den, alsof ik koorts had. Onwillekeurig moest ik dan denken dat, als ze me bij hem hadden gelaten, als ik zijn lichaam had mogen meenemen en begraven en zijn naam in de hardste steen die te vinden was, had mogen laten graveren, dat ik het dan tenminste had kunnen verdragen.'

De lente liep ten einde, en mijn grootmoeder liet zich wiegen in de verstik-kende apathie die het enige wapen was tegen de meedogenloze hitte van een desolate stad in augustus, wanneer de armen meer op de rijken gaan lijken, omdat schaduw niets kost, en het water in elke wijk kokend uit de kraan spuit, en de ziedende zon zelfs de honger verdrijft, en je overal even slecht slaapt. Mijn vader was toen twee jaar en brabbelde losse klanken en was nog niet goed opge-voed, maar wel heel grappig. Zijn broers maakten absurde, bijna wrede grapjes met hem. Ze vroegen of hij een banaan wilde, of hij boter wilde, of hij chocola wilde, en hij zei op alles ja, hoewel hij geen van die dingen ooit had geproefd, maar hij accepteerde het aanbod met zo veel gretigheid, zei op alle vragen beves-tigend ja, ja dat wil ik, dat zelfs zijn moeder uiteindelijk ook lachte. En toch gebeurde er toen nog niets, en er zou nog lang niets gebeuren. Jaime was al geen zachte, lieve jongen meer, maar een voorlijk kind dat al voor zijn zesde verjaar-dag had leren delen en altijd hetzelfde antwoord gaf – rijk – op de vraag wat hij later als hij groot was wilde worden, toen juffrouw Soledad Márquez het trieste aanbod van een trieste man, die net als zij verweduwd was, aanvaardde en be-greep dat God haar voorgoed de rug had toegekeerd.

'Toen je vader ouder werd, gebeurde me weer hetzelfde, en dat terwijl ik zelf had gewild dat hij die naam droeg, zodat er in de wereld iemand zou blijven bestaan die net zo heette als je grootvader. In het begin maakte het natuurlijk niets uit, want kinderen krijgen nog geen post, maar later... Op de dag dat hij voor de militaire dienst werd opgeroepen, sprongen de tranen me in de ogen toen ik die envelop uit de brievenbus in de gang haalde, ik begon haast te huilen, maar hij rukte het papier uit mijn handen en zei, genoeg poppenkast, mama, je moest je schamen...'

Want ze sliep met andere mannen.

'Hij kon het me niet vergeven, probeerde het niet eens te begrijpen. Met de andere kinderen was het anders, want die waren ouder, verstandiger, denk ik, of minder kwaadaardig en begrepen die dingen beter, we hadden het samen heel moeilijk gehad toen Jaime nog een baby was die alleen at en sliep, of misschien is het enige verschil dat de oudsten hun vader hadden gekend, ik weet het niet...'

De herinnering aan die weduwnaar bezorgde haar nog altijd een bittere smaak in haar mond. Ze voelde zich geen verraadster, geen echtbreekster, noch een bedriegster. Ze voelde zich leeg, gedoemd zich altijd leeg te blijven voelen. Ze probeerde het niet opnieuw, maar bijna een jaar daarna probeerde een andere man het met haar. Hij was taxichauffeur en had altijd in Lavapiés gewoond, zijn grappige manier van spreken deed haar denken aan het bargoens dat haar man vroeger soms gebruikte, en hij wist haar langzaam maar zeker te paaien. Haast had hij niet. Hij was getrouwd. Mauricio heette hij.

'Hij was heel... aangenaam.'

Als een vanille-ijsje of een onderhoudende film of een keukenmeidenroman die goed afloopt, aangenaam als een wals van Strauss, zo was Mauricio, en zo waren de mannen die na hem kwamen. Ze was bang dat wat haar eens was overkomen, opnieuw zou gebeuren, dat vreesde en wenste ze tegelijk, maar aan woorden om iemand uit te leggen wat ze voelde ontbrak het haar nooit meer, altijd, tot aan het einde toe, had ze een hele hoop adjectieven bij de hand, allemaal synoniemen van aangenaam, van aardig tot allercharmantst.

'Daarom kon ik met geen van hen trouwen, begrijp je? Je vader zei het de hele tijd tegen me, verhief zelfs zijn stem tegen me, alsof hij meende dat hij het recht had het van me te eisen, trouw nu toch, mama, zei hij, waarom trouw je niet? Trouw met hem of kap ermee. En dat terwijl zelfs hij had kunnen bedenken dat ik dat, al had ik het gewild, en ik wilde nooit, niet eens had kunnen doen, omdat ze bijna allemaal al getrouwd waren.'

Zij kon de onverzoenlijke houding van haar zoon nooit plaatsen en zocht de aard en oorsprong ervan in klassieke kinderlijke jaloersheid, in de kwellende druk van zijn omgeving, de lucht die werd ingeademd in dat land dat was bevolkt door mensen die zo anders waren dan die onbekende man die hem had voortgebracht en van wie hij nooit had kunnen vermoeden dat deze dergelijke hommages niet had kunnen waarderen, want zij, de moeder, vertelde haar zoon die nog nooit bang was geweest, uit angst vrijwel niets over zijn vader, hooguit een verzameling onbelangrijke anekdotes die hem nooit te binnen zouden schieten wanneer hem dat niet uitkwam, en toch wees ze uiteindelijk vrijwel altijd al die hypotheses van de hand en vonniste dat niemand behalve zijzelf schuldig was, omdat ze niet de goede moeder, weer een variant van het onschuldige wezen – ronde borst, reine geest – was geweest die goede de moeders van die tijd hoorden te zijn, de sfinx die alle moeders van de wereld ooit een keer moeten zijn, overal en altijd.

'Het kan me niet schelen wat hij van me heeft gedacht. Ik weet dat ik zijn vader trouw ben gebleven, dat ik dat al deze jaren ben geweest, dat ik dat altijd zal blijven. Eén keer, toen hij al volwassen was, spraken we over al deze dingen, en ik kreeg het gevoel dat hij me eindelijk wilde geloven, maar hij begreep het niet, hij kon het niet begrijpen, omdat hem nooit iets dergelijks was overkomen. Zoiets overkomt alleen jullie vrouwen maar, mama, jullie worden niet verliefd, maar gek, dat zei hij tegen me. En ik antwoordde dat dat niet waar was, want Jaime hield op diezelfde manier van mij, dat weet ik, en dat wist hij ook, dat hem hetzelfde gebeurde als mij. Maar je vader niet, hij heeft geen geluk gehad en zal het nooit krijgen ook. Soms maakt het me woest dat hij, nadat hij tegen mij zo hard is geweest, uiteindelijk zo'n rokkenjager is geworden, uitgerekend hij, maar ik koester geen wrok, ik heb eerder medelijden met hem.

Ook ik was bereid met hem mee te voelen toen hij uiteindelijk, bijna twee weken na de grote schrik, durfde te bellen om me uit te nodigen voor een diner in een van die goede, dure, bekende restaurants, waar hij altijd zijn toevlucht zocht wanneer hij zich onzeker voelde. Niemand begreep iets van dat etentje. Voor mijn moeder was het sabotage en samenzwering, mijn zusje was radicaler en vond het verraad, en zelfs Santiago vroeg me waarom ik de uitnodiging aannam. Hij is mijn vader, zei ik tegen iedereen, maar ik kreeg het gevoel dat niemand het begreep.

'Mama is er kapot van,' zei ik nog voordat ik plaatsnam, toen ik het gevoel kreeg dat oma zich had vergist, want hij was zo knap dat je er van moest kokhalzen, leek zo gelukkig dat het gewoon eng was, zo lichtvoetig dat je zou zeggen dat hij, in plaats van iets te wegen, zweefde. 'Je had het eerder kunnen doen, dat was beter geweest, maar nu… Ze voelt zich behandeld als een stuk vuil. Soms denk ik dat ze daarom meer verdriet heeft dan omdat ze jou kwijt is. Dat is de grootste rotstreek.'

'Ja.' Hij richtte zijn aandacht op een van zijn nagels alvorens zijn lippen te krullen in een poging om te glimlachen zonder de berekende bittere uitdrukking op zijn gezicht tegen te spreken. 'Maar, het is niet mijn schuld.'

'Misschien niet.' Ik moest me bedwingen om niet te gaan gillen, want die glimlach maakte me razend. 'Maar je zou het toch ten minste kunnen toegeven.'

'Goed,' zei hij terwijl hij me aankeek alsof hij zich eerlijk wilde voordoen. 'Het is een grote, enorme, monsterlijke, reusachtige rotstreek, maar het is niet mijn schuld, en jij en je moeder hebben er niets aan als ik zeg van wel. Ik word ook ouder, Malena, ik ook. En ik wilde niet op weer een vrouw verliefd worden, daar ben ik nooit op uit geweest, daar kun je zeker van zijn. Ik weet dat je me wel een klootzak zult vinden omdat ik dat zeg, maar objectief bekeken was ik beter af toen ik bij een vrouw woonde die zich voor mij het vuur uit de sloffen liep, die me nooit zou hebben verlaten, die me alles toestond, ik…'

'Je bent een klootzak, papa.'

'Dat zal ik best zijn, maar dat was voor mij het beste, het allerbeste, twijfel daar maar niet aan. Nu is alles anders… Kitty is veel jonger dan ik. Ik ben onzeker, begrijp je? Ik ben voortdurend onzeker. Ik barst van jaloezie en ben als de dood dat ik niet meer… Op een dag krijg ik hem niet meer omhoog, en dan is zij nog steeds elf, bijna twaalf jaar jonger dan ik. Ik ben bang. Laatst dommelde ik in voor de tv en daarna kon ik niet in slaap komen, ik voelde me oud, opgebrand… Ik weet dat ze me zal verlaten, zoals ik je moeder heb verlaten. Ik loop nu hetzelfde risico als zij.'

'Iedereen loopt altijd risico's,' mompelde ik. Ik zag groen en geel van afgunst.

Zijn woorden bezorgden me een vieze smaak in mijn mond, maar tijdens het eten praatten we verder. Ik zou mijn moeder bijstaan, want zij had me nodig en hij niet, en dat zei ik tegen hem, maar ik zei ook dat hij altijd, wat er ook gebeurde, op mij kon rekenen, en hij antwoordde dat hij dat wist, dat hij dat altijd had geweten.

Na de koffie ging ik rechtstreeks naar mijn moeder om haar op te halen, en samen gingen we naar de bioscoop, en daarna aten we gebak met slagroom. Ik zou nog veel meer uren investeren in het bedenken, plannen en uitvoeren van soortgelijke plannen, waarmee ik probeerde haar erbovenop te helpen, haar op een trampoline te zetten, met behulp waarvan ze op een dag zou besluiten zelfstandig het leven in te springen, maar ik had niet alleen geen succes, mijn gezelschap begon ten slotte ook te veranderen in een onmisbaar bestanddeel van haar leven. Opeens kon die vrouw die nooit iets had gedaan, die nooit ergens heen was geweest, die alle middagen van mijn kindertijd zittend in een fauteuil in de huiskamer voor de televisie met overbodig naaiwerk had doorgebracht, geen halve dag meer binnen zitten. Dan pakte ze de telefoon en belde me op.

'Wat gaan we vandaag doen?'

We gingen naar alle films, alle toneelvoorstellingen, alle exposities. We bezochten alle demonstratieparty's waarvan we hoorden: Tupperware, Lady-Vap stoomreiniging, pannen voor vetvrij koken, luchtverfrissers, revolutionaire fornuizen, Scandinavische donsdekens, naaimachines zonder naald, Japanse cosmetica. We struinden de hele stad af tijdens de prijsverlaging van januari, de uitverkoop van februari en de opruiming van maart, in alle grote warenhuizen, hypermarkten, winkelcentra en winkelketens die op alle radio's hun reclames rondbazuinden. Ik deed voorstellen voor cursussen keramiek, woninginrichting, ikebana, tuinieren, macramé, yoga, kokkerellen, psychologie, grimeren, boekbinden, kalligrafie, schilderen, muziek, kaartlezen, occulte wetenschappen, papier-maché, het kon me niet schelen wat. We gingen samen kijken bij tientallen fitnesscentra, ik spoorde haar aan zich in te schrijven bij een volksuniversiteit, een winkeltje te openen, te verhuizen, een boek te schrijven, wat ze maar wilde, we liepen samen langs alle Madrileense opleidingen voor volwassenen zonder vaste bezigheden, maar, hoewel ze het eerste bezoek meestal leuk vond, er was altijd iets waardoor ze er uiteindelijk van afzag, uiteindelijk was alles tevergeefs. Wanneer me niets bijzonders te binnen viel, kwam ze bij mij thuis op de thee, en dat was nog veel erger, want in weerwil van mijn goede bedoelingen, solidariteit en begrip, die ik als een ondoordringbaar pantser over me heen trok, kon ik haar eigenlijk niet uitstaan, ik had haar nooit kunnen uitstaan en nu nog veel minder. Als de situatie het haar niet toestond iets te kopen, en niemand anders eiste haar aandacht op, bleven er twee onderwerpen over die haar interesseerden: het hartinfarct dat hopelijk een einde aan mijn vaders leven zou maken terwijl hij ginds lag te rotzooien met die hoer die zijn dochter wel had kunnen zijn, en het geheimzinnige leven van mijn zusje.

Op dit laatste punt moest ik haar wel gelijk geven, maar ook ik was weinig te weten gekomen sinds ze, bijna anderhalf jaar na Jimena, uit Parijs was teruggekeerd. Toen had ze me te verstaan gegeven dat dit experiment – ze had geëxperimenteerd, dat was alles – niet zo goed was verlopen, maar ze gaf geen details en legde niet uit waarvan of hoe ze had geleefd in de tijd dat ze officieel alleen woonde, en ik drong niet aan, hoewel de vragen me soms op de lippen brandden vanwege de manier waarop ze liep en haar handen bewoog, haar manier van spreken en de dingen die ze zei, die nog altijd een vreemde invloed van Jimena verraadden, alsof ze haar banden met Jimena had verbroken, maar op een of andere manier nog altijd door een gammele brug was verbonden met haar herinnering. Daarna deelden we onze kamer nog slechts zes maanden, totdat ik trouwde, en toen ik alle nachten bij Santiago sliep, was haar gezelschap eigenlijk het enige wat ik niet miste. Zij scheen het echter nogal leuk te vinden dat ik was getrouwd, kon het heel goed met mijn man vinden en bezocht ons regelmatig, met voor elke gelegenheid een passend excuus. Met veel inzet hielp ze met het inrichten van het appartement, ze schonk me honderden even overbodige als handige spulletjes – een speciaal couvert voor het opdienen van pasta, een blikken dingetje om hardgekookte eieren in plakjes te snijden, weer een ander apparaatje om eiwit van eigeel te scheiden, een dikke glazen schijf die op de bodem van een pannetje werd gelegd zodat de melk niet overkookte, een stalen netje dat zorgde dat de erwten niet stuk kookten, en veel meer van dergelijke prullen, het soort spullen waar alleen zij aan had kunnen denken –, ze hielp met de indeling van de ruimte, zette het terras vol met planten en compenseerde, puur op basis van haar intuïtie, één voor één mijn ernstigste huishoudelijke tekortkomingen, totdat ze plotseling, zonder waarschuwing vooraf, voor een tijdje verdween en ik haar hooguit een enkele zondagmiddag zag wanneer ik bij mijn ouders ging eten. Vier of vijf maanden daarna stond ze weer in de deuropening met een ficus in haar armen, en de hele cyclus begon weer van voor af aan. Dit gebeurde verschillende keren, Reina kwam en ging, soms verliet ze Madrid, andere keren uitsluitend het landschap van de familie, maar nu, juist nu ik geen geheimen meer voor haar te verbergen had, nu mijn leven gladjes en eentonig was als dat van welke andere vrouw dan ook, verviel zij over haar eigen leven tot stilzwijgen, en moeiteloos loste mijn nieuwsgierigheid op in het vermoeden dat haar gezelschap alleen zo, zolang ik niets wist, verenigbaar bleef met de wisselende affectie die zij nog altijd, bij vlagen, bij me losmaakte.

Wat ik echter nooit had durven denken, was dat zij, die per slot van rekening altijd mama's lieveling was geweest, met enkele weken tijdsverschil in het voetspoor van mijn vader zou treden. Het kwam zelfs niet bij me op toen ik mijn moeder op een avond naar huis bracht en zag dat ze haar koffers aan het pakken was.

'Waar ga je heen?'

'Naar de bergen, de Alpujarras. Ik ga een paar dagen naar het huis van een vriend.'

'Nu? Het zal er wel verschrikkelijk koud zijn.'

'Ja, maar het huis is verwarmd en… Ik heb er echt zin in, ik ken die streek niet.'

Toen, terwijl ik een manier zocht om haar te zeggen dat het moment misschien was aangebroken om me een handje te gaan helpen met het verdriet van haar moeder, want dat van mijn moeder was te veel voor mij alleen, keek ze me met een theatrale glimlach aan en overlegde hardop met zichzelf.

'Zal ik het zeggen of niet?'

'Wat?' moest ik nu wel vragen.

'Wedden dat je niet weet waar ik een paar dagen geleden ben geweest?' Ik schudde mijn hoofd, maar dat was voor haar niet genoeg.

'Nee, Reina, ik weet het niet.'

'Ik was op een bruiloft.' Uit haar uitdrukking leidde ik af dat dit bericht een heuse bom was, maar ik kon nog niet vaststellen in welke richting hij zou exploderen. 'Het was puur toeval, want ik was natuurlijk niet uitgenodigd, maar ik had met een vriend afgesproken voor het diner, weet je, en toen hij verscheen, kwam hij aanzetten met hetzelfde verhaal van altijd, dat hij al een afspraak had, dat hij er beslist heen moest omdat het iets van zijn werk was, dat hij er niet aan had gedacht toen we onze afspraak maakten omdat hij zo verstrooid is… Dat is waar, hij is erg verstrooid, kortom, het bekende verhaal, hij vroeg of ik met hem meeging naar wat een huwelijksbanket bleek te zijn. En wedden dat je niet weet wie de bruidegom was!'

'Nou, nee, natuurlijk niet.'

'Mens, je kunt het je gewoon niet voorstellen, je raadt het in nog geen duizend jaar! Ik kon mijn ogen niet geloven.' Ze liet een zenuwachtig lachje ontsnappen, en ik antwoordde met een glimlach dat ik, als ze zo doorging, eerder ongeduldiger dan nieuwsgieriger zou worden. 'Ik stond paf, maar ja, in het leven…'

'Wie was het, Reina? Zeg het nou.'

'Agustín, mens!' Haar glimlach weerklonk in mijn hoofd alsof mijn schedel altijd al met kurk bekleed was. 'Dat is toch om je dood te lachen.'

'Welke Agustín?' vroeg ik fluisterend, terwijl ik me afvroeg: ja welke Agustín zou dat nou zijn.

'Nou, Quasimodo natuurlijk.' Ze keek me verrast aan. 'Welke Agustín? Die vent met wie je jaren geleden ging, weet je nog wel?'

'Ja, ik weet het nog.'

'Ik was verstijfd, echt, en daarna moest ik lachen. Dat was gewoon het laatste wat ik had verwacht. En hij zag er goed uit, dat moet ik toegeven, hij ziet er beter uit, of misschien vond ik hem vroeger zo'n imbeciel dat ik me hem erger herinner dan hij is, want lelijk is hij natuurlijk nog steeds, oerlelijk...' ze pauzeerde even, zeker om te zien welke uitwerking haar woorden op me hadden, maar toen ik stil bleef sprak ze zonder veel aandacht aan me te besteden verder, terwijl ze haar kleren in de geopende koffer legde. 'Wel een heel knappe bruid, zeker, overdreven grote borsten, naar mijn smaak, ze puilden bijna uit haar decolleté, en bepaald niet mager, maar met een goed figuur. Mijn vriend vertelde me dat Agustín van dat soort vrouwen houdt. Altijd flikte hij het weer om met een moordgriet aan de haal te gaan, zei hij, en ik zei dat het deze ene beslist geen kwaad zou doen eens op dieet te gaan, omdat ze niet bepaald mager was, maar hij bleef naar haar staren met ogen als schoteltjes en hij zei, nergens voor nodig, ze ziet er toch hartstikke lekker uit...Enfin, je weet hoe kerels zijn.'

Niet allemaal, wilde ik zeggen, maar uit luiheid zag ik ervan af. Mijn zusje keek me aan alsof mijn houding, mijn opeengeperste lippen, haar uit het veld hadden geslagen, maar uiteindelijk vervolgde ze haar verhaal op een andere, vertrouwelijke toon.

'Ik dacht dat hij mij niet zou herkennen, maar hij herkende me, weet je. Hij vroeg naar jou, hij deed heel aardig. Ik vertelde dat het heel goed met je ging, dat je getrouwd bent met een geweldige, heel goed uitziende vent... Op dat moment bedacht ik dat ik iets verkeerds had gezegd, maar hij vatte het goed op, ik bedoel dat hij zich niet aangesproken voelde. Hij gaf me een heel stel kussen voor jou en vroeg je telefoonnummer, en zei meteen daarna dat ik het toch maar niet moest geven, dat het niet uitmaakte, en daarna bedacht hij zich en vroeg het opnieuw. Ik zei dat je net was verhuisd en dat je je nieuwe nummer nog niet had, omdat ik wist dat jij... Maar ik zei dat hij zíjn nummer maar moest geven.'

'Ik wil het niet hebben.'

'Hoe dan ook,' oordeelde ze ten slotte, terwijl ze de koffer sloot, 'wat is de wereld toch klein.'

'En vol snotneuzen,' antwoordde ik, en ik gebruikte de eerste de beste smoes die me te binnen schoot om te verdwijnen.

Die klap raakte me zo ver onder de gordel dat ik er niet aan toekwam Reina voor te stellen de middagen met mama te verdelen, wat ik me had voorgenomen. Ik had er hoe dan ook weinig aan gehad, omdat Reina's uitstapje naar de Alpujarras de rest van de winter en het grootste deel van april zou voortduren.

Al deze tijd kwelde mijn moeder zich dag in dag uit met de meest buitenissige verklaringen, dan wel de gruwelijkste fantasieën, om rechtvaardiging te vinden voor de afwezigheid van die dochter die, naar mijn mening, niets anders deed dan zich drukken, hoeveel betekenisvolle stiltes ze ook liet vallen wanneer ze, ongeveer elke drie weken, afdaalde naar een telefooncel om te zeggen dat het goed ging met haar en dat het gesprek werd verbroken omdat haar muntjes opraakten. Ik vertel het later nog wel, zei ze tegen mij, de enige keer dat ze mij aan de lijn had gekregen, ik maak van alles mee… Ik ook, begon ik. Ik was op het idee gekomen haar te waarschuwen dat als ze niet onmiddellijk terugkwam, ik mama een tijdje naar Granada zou sturen zodat ze elkaar een poosje gezelschap konden houden, maar voordat ik de tijd had om dit ultimatum te formuleren, maakte een schel, ééntonig gepiep me duidelijk dat ik me de moeite kon besparen.

Inderdaad maakte ik van alles mee, nog los van de zenuwcrisis waarin ik me bevond vanwege de verwoede strijd die ik was begonnen tegen de verveling van mijn moeder, voor wier eindeloze hoeveelheid vrije tijd ik half maart een gaatje vond bij de bridgeclub die door een van mijn leerlingen werd geleid, een bescheiden overwinning die me van het ene op het andere moment mijn dinsdag- en donderdagmiddagen teruggaf. Ongeveer in diezelfde tijd werd op het taleninstituut een nieuwe leraar Duits, die al maanden als invaller werkte, in vaste dienst genomen. Hij heette Ernesto, was veertig jaar en niet getrouwd, maar leefde al achttien jaar samen met dezelfde vrouw. Hij was lang en slank, haast benig, en hoewel hij er niet jonger uitzag dan hij in werkelijkheid was, had hij een zekere jeugdige uitstraling waarvan ik de oorzaak niet goed onder woorden kon brengen. Misschien was het zijn haar, lang als van een romantische dichter en zorgvuldig verwaarloosd om een meer dan beginnende kaalheid te verbergen, of de frequentie waarmee de verbazing op zijn gezicht verscheen, alsof alles hem verraste, als een klein kind. Misschien had hij zelfs de gespleten geest van een wezen dat zich tegelijkertijd kwetsbaar en onverstoorbaar waande, zoals pubers altijd hebben. Hij had een puntige neus, zeer dunne lippen en lichtbruine ogen, heel mooi, zelfs toen ik de onmiskenbare pupillen van een alcoholist herkende in wat ik aanvankelijk aanzag voor een alleronschuldigste vorm van bijziendheid. Maar zelfs na die ontdekking vond ik hem nog een knappe man, in die zin dat hij het favoriete model van de meest veeleisende prerafaëlitische fijnschilder had kunnen zijn. Hoewel hij helemaal niet op Fernando leek, stond hij me aan. Toen dacht ik nog dat dit verschil een garantie was.

Ik was daarentegen nooit helemaal zeker van wat hij met mij voorhad wanneer hij naarstig in de gangen naar me zocht en zich vervolgens als een idioot gedroeg als hij me vond; wanneer hij met alle geweld met mij naar de film wilde gaan en twee uur voordat die zou beginnen telefonisch afzegde; wanneer hij tegelijkertijd van me hield en toch weer niet van me hield. Maar altijd bewoog hij met dezelfde intensiteit tussen die twee uitersten, terwijl ik zijn stappen met een sceptische glimlach volgde. Als onze roosters 's ochtends op hetzelfde uur begonnen, gingen we altijd samen ontbijten, of we namen een borrel na de lessen. Hij was een groot prater, maar moeilijk af te brengen van zijn favoriete onderwerp, dat hij in wezen zelf was, de dingen die hij dacht, die hij deed, die hem overkwamen of die hij zich herinnerde. Ook had hij het vaak over zijn vrouw, waarbij hij telkens herhaalde hoezeer hij haar aanbad, met een nadrukkelijkheid die ik niet kon doorgronden, hoewel hij me soms, in het begin vooral, tijdens het vurigste deel van zijn betoog met een van zijn benen aanstootte, of voorover boog alsof hij me zonder voorafgaande waarschuwing wilde bespringen. Wanneer onze wegen zich dan weer scheidden, vroeg ik me af wat ik zou doen als de situatie zich op een dag zou ontwikkelen in de meest voorspelbare richting, en tot mijn eigen verrassing bezorgde het idee een verhouding te beginnen met Ernesto me een verlammende lusteloosheid, een gevoel dat niet langer dan een paar uur duurde, want de dag nadat hij zich zo ver door zijn enthousiasme had laten meeslepen dat hij van die kleine gebaren begon te maken, koos hij ervoor de rest van de week onzichtbaar te blijven. Zijn houding verwarde me, maar hinderde me helemaal niet, omdat ik hem in feite nooit helemaal serieus nam. Ik wist dat hij niet gevaarlijk voor me was, daarvoor leek hij te veel op Santiago. Eigenlijk vond ik hem wel grappig.

De hevige verontwaardiging die me overviel toen ik mijn zusje zag, duurde niet veel langer dan de paar minuten die ik gebruikte om me van de huiskamer naar de keuken te verplaatsen. De verrassing bleef echter, omdat ik niet had gedacht dat Reina nog zou terugkeren, en al helemaal niet dat ze, als ze terugkwam, eerst mij, nog vóór mijn moeder, zou opzoeken. Terwijl ik een sigaret opstak om het koffieapparaat de tijd te geven, vroeg ik me af wat er zo opvallend nieuw aan het uiterlijk van mijn zusje was dat ik het in één oogopslag had moeten zien, en het beste wat ik kon bedenken was een dwaze plastisch-chirurgische ingreep. Toen ik in de huiskamer terugkwam, wierp ik een blik op haar strategische streken en stelde vast dat haar borst er minder plat uitzag dan vroeger. Ik herinnerde me haar commentaar op Agustíns bruid en hield me niet langer in.

'Je hebt je aan je borsten laten opereren.'

'Nee!' riep ze, lachend. 'Ik ben zwanger.'

'Ach kom!'

'Echt, ik ben zwanger, ik meen het.'

Ze keek me met zo'n brede glimlach aan dat ze bijna haar tandvlees ontblootte, en ik kreeg het gevoel dat haar gezicht was veranderd in een reclameboodschap, zo een waarin mevrouw Jansen aan haar schoondochter het geheim van haar oogverblindend witte was onthult. Mijn gezicht was echter als bevroren.

'Ik geloof het niet,' zei ik, en dat was waar.

'Mens!' zei ze geprikkeld, bijna beledigd door het voelbare uitblijven van mijn enthousiasme. 'Zo moeilijk is dat toch niet.'

'Oké, maar...' Ik ging in een fauteuil zitten, en zij volgde mijn voorbeeld en nam tegenover mij plaats. 'En van wie is het?'

'Van een vent.'

'Ja dat heb je zo. Van een paard zal het allicht niet zijn.'

Ze gaf geen antwoord, en, verrast als ik was door mijn eigen reactie, door de mysterieuze effecten van dat goede nieuws dat me eerder bang dan blij maakte, schonk ik, om tijd te winnen, een kop koffie in: daar smachtte ik nu naar.

'En, laat je het komen?'

Achter die vraag staken geen kwade bedoelingen. De woorden die over mijn lippen stroomden, waren het gevolg van een puur willekeurig mechanisme. Vele jaren daarvoor, toen ik nog met Agustín ging, had ook ik eens gedacht dat ik zwanger was, en dit was wat mijn vriendinnen me het eerst vroegen, en ik voelde me niet beledigd, het leek me een van de meest logische vragen die je kon stellen, maar Reina keek me nu met een minachtend lachje aan, terwijl ze zacht haar hoofd schudde, alsof ze medelijden met me had vanwege mijn stommiteit.

'Natuurlijk laat ik het komen.'

'Dus je hebt voor hem gekozen?'

'Nee! Hoe kom je erbij?' Tot dan toe had ik niet opgemerkt hoe zenuwachtig ze was. 'Ik ken hem al jaren, maar...'

'Ik heb het niet over de vader,' verduidelijkte ik, zonder meteen te besluiten of het onbegrip van mijn zusje tot de categorie der ordinaire misverstanden of tot het nietsontziende verraad van het onderbewuste hoorde. 'Ik heb het over het kind.'

'Dus je wilt weten of het de bedoeling was?' Ik knikte. 'Nou, dat niet precies, maar ik heb er ook niets aan gedaan om het te voorkomen. Het is moeilijk uit te leggen. Ik was er ook door verrast, maar ik begreep meteen dat ik het nodig had, dat ik behoefte had aan een kind, begrijp je? Het was alsof mijn hele lichaam erom vroeg, alsof ik net had ontdekt dat ik van binnen leeg was, en toen gebeurde het, het was gewoon gebeurd.'

Reina had altijd veel van kinderen gehouden, dat was zeker. In Almansilla, waar altijd massa's baby's waren, had ik haar vaak een kindje de fles zien geven of voeren, terwijl ze het in haar armen wiegde, en toen ze zelf nog maar een klein meisje was, speelde ze altijd het liefst moedertje. Toen, aan het einde van de zestiger jaren, werd de markt overstroomd door poppen die iets konden, baby's die huilden, sprekende poppen van karton, monsterlijke meisjes in natuurlijke proporties en met bewegende benen, teddyberen die woordjes brabbelden, en dikke drinkpoppen, met een mond met een gat in de vorm van een kapitale O, die waren voorzien van een magische zuigfles waarvan de wittige inhoud op raadselachtige wijze verdween wanneer de fles werd gekanteld en de speen tussen de plastic lippen werd geduwd. Ze waren vast en zeker verschrikkelijk, en toen al vond ik de mechaniekjes die de poppen tot leven brachten grof, primitief en lichtjaren verwijderd van de verfijnde elektronische apparaatjes waarin de hedendaagse poppenziel huist. Het waren poppen met van die verborgen luidsprekertjes in hun buik en in plaats van een navel een rondje met gaatjes, als een bericht in braille halverwege het lijfje, en een minuscuul platenspelertje in de rug geperst, achter een klepje dat altijd kapot ging of versleet zodat het niet meer dicht kon en dan zelfs door de poppenkleertjes heen te zien was, waardoor het wisselkind het uiterlijk van een piepkleine bochelaar kreeg, maar toch vond ik ze prachtig. Mijn moeder was spinnijdig dat ik altijd zo'n pop, de pop met het meest gemuteerde uiterlijk uitkoos, wanneer ik mijn wenslijstje voor Driekoningen schreef, maar ze wist me nooit op andere gedachten te brengen, omdat poppen waarmee je kon spelen me het meest aanspraken, en niet die baby's van Reina.

Mijn zusje hield alleen van de poppen van Sánchez Ruiz, een grote speelgoedzaak aan de Gran Vía die uitsluitend poppen van eigen productie verkocht, een collectie die alle formaten omvatte, van kleine wezentjes die in je broekzak pasten tot reusachtige beren van witte pluche die alleen een volwassen persoon maar kon tillen, maar altijd met een karakteristieke, onmiskenbare stijl, dat wat volwassenen kwaliteit noemden. In de volle lengte van wat in mijn ogen een immense etalage van meerdere etages was, minstens zo hoog als twee verdiepingen van een gewoon huis, stond een lange rij echte poppen, van die ouderwetse, met hetzelfde gezicht, hetzelfde lijf en dezelfde kleren die mijn moeder op dezelfde plek zou kunnen hebben gezien toen zijzelf een meisje was. Het celluloid en het porselein waren vervangen door plastic, de oude pruiken van vlas waren vervangen door nylonvezel, de kleertjes waren niet meer met de hand genaaid, maar toch verkondigde ieder detail, hoe klein het ook was, discreet zijn perfectie. Reina stond uren op straat, met haar neus tegen de ruit gekleefd, kijkend naar de poppen, weifelend welke ze zou vragen wanneer zich de gelegenheid zou aandienen, en nooit kreeg ze er genoeg van. Aangezien ze erg duur waren, kreeg ze er soms een als gezamenlijk cadeau van een aantal familieleden, maar teleurgesteld was ze daardoor nooit. Ze had er veel: een Chineesje, gekleed in een kimono van echte zijde met heus borduurwerk en op haar hoofd een opzichtige wrong met drie stokjes dwars erdoorheen; een blonde, iets grotere, die er als een gewoon meisje uitzag, met een strooien hoedje en een bloemetjesjurk met veel stijve onderjurken; een donker paar, jongen en meisje, feestelijk uitgedost met snoezige pakjes van zeeblauw fluweel dat was afgezet met kant, en met dezelfde witte kousjes van opengewerkt katoen die mama ons altijd aantrok wanneer we 's zondags naar de kerk gingen; en een echte juffrouw, een pop met kastanjebruin haar en karamelkleurige ogen, iets groter dan de andere poppen, die reisde met een hutkoffer vol kleren voor alle gelegenheden. De grote ster was echter de baby, een heel grote pop met de lengte van een kind van zes maanden, een enorm kaal hoofd dat was bedekt met een batisten mutsje dat onder de kin werd vastgestrikt, op het gezicht de uitdrukking van een pasgeborene, en een zacht, mollig, sponsachtig lichaam onder een echt hansopje, een geborduurde slab en een hemelsblauw wollen jasje met ronde, glanzende knopen, net als in het echt. Op de borst was met een piepkleine veiligheidsspeld een satijnen lint bevestigd waaraan de fopspeen hing. Wanneer Reina de pop genoeg had gesmoord, gekust en geknuffeld, vroeg ik hem en probeerde de fopspeen in zijn mond te steken, maar dat lukte niet omdat die dwerg zijn lippen niet, zoals mijn poppen, opendeed, zodat ik hem maar teruggaf aan zijn moeder, niet zonder enige jaloezie te voelen, vooral vanwege de wollen babyschoentjes die hij aan zijn voeten droeg. Mijn poppen waren veel lelijker, maar konden iets doen, en bovendien hadden De Drie Koningen me dat jaar iets gegeven wat veruit mijn meest favoriete speeltje aller tijden zou worden, een groentekarretje van rood plastic met echte wieltjes en een gestreept afdakje met een bord waarop stond: GROENTEN EN FRUIT. Op de toonbank stonden een weegschaal en een goudkleurige kassa, met muntjes en bankbiljetten, die rinkelde wanneer hij openging. Eronder stond een hele batterij witte mandjes met wat ik interpreteerde als een grote verscheidenheid aan groenten en fruit: courgettes, paprika's, tomaten, bananen, aardbeien en appelen van plastic, en verder nog een rood-geel net vol sinaasappelen dat aan een haakje hing. Het was prachtig, maar toen ik er al geen belangstelling meer voor had, speelde Reina nog altijd met haar baby, die ze volgens een eenvoudig procédé, door hem in het roze te steken, in een meisje had veranderd, en ze kocht er kleertjes voor, breide petjes en truitjes, deed haar in bad en nam haar 's avonds mee naar bed. Nu, vijftien jaar later, overwoog ze, te oordelen naar de stralende blik waarmee ze me aankeek, weer hetzelfde te gaan doen.

'Is het niet geweldig?'

Dat zal het wel geweest zijn, maar van vrouwen die in films diezelfde woorden uitriepen, kreeg ik altijd een pesthumeur, en werd ik zelfs een beetje bang.

'Ach, als jij het zegt...'

Mijn zusje kwam naast me zitten, pakte mijn hand beet en begon vriendelijk en bezorgd tegen me te praten.

'Wat is er, Malena?'

'Nee, niets. Ik begrijp het niet.'

'Wat begrijp je dan niet?'

'Nou, ik begrijp er niets van, Reina,' en ik schreeuwde een beetje, alsof ik kwaad was. 'Niets! Ik begrijp niet hoe je op jouw leeftijd onverwacht zwanger kunt raken, ik snap niet hoe het kan dat je het niet wilt en tegelijk niets doet om het te voorkomen, ik snap niet hoe je kunt begrijpen dat een kind het enige is wat je nodig hebt, alleen maar omdat je het krijgt, daar begrijp ik niets van. Mijn baarmoeder roept niet, wat wil je dat ik zeg, mijn maag misschien, wanneer ik twaalf uur niets heb gegeten... En een kind krijgen lijkt me een te serieuze zaak, te ernstig zelfs, als je wilt, om lichtvaardig over te denken.'

'Het is een heel natuurlijke toestand.'

'Nee. Menstrueren is de normale toestand. Zwangerschap is een uitzonderlijke staat.'

'Goed goed, wat je wilt. Maar ík hoef er niet over na te denken. Dit is waarop ik me al mijn leven lang voorbereid.'

'Jee, wat goed,' mompelde ik, 'net Lady Di.'

De verbijstering week moeiteloos voor het bewijs. Reina was zwanger en het leek haar geweldig eindelijk het kind te krijgen dat ze altijd al had willen hebben om haar leven echt inhoud te geven en het gevoel te krijgen volmaakt te zijn op het hoogste plan waarop een vrouw zich als mens kan ontplooien.

Dat was, min of meer, wat zij keer op keer herhaalde, steeds met andere woorden, een andere zinsbouw en andere uitdrukkingen, maar geen moment kon ze voorkomen dat haar betoog zich in mijn oren ontpopte tot de irritante essentie van het spreekwoord, waar de taart verbrandt, strooit men de meeste suiker. Geen moment geloofde ik dat Reina helemaal eerlijk was, omdat ze geen moment over de angst of de ongerustheid sprak, en zich al evenmin verbijsterd of onzeker toonde, alleen ongeduldig. Ik stond op het punt haar concrete vragen te stellen, maar zover kwam ik niet, omdat ik dan mijn eigen gevoelens had moeten blootgeven en ik had het idee dat zij die even onjuist als onredelijk zou vinden. Ik rekende erop ooit, wanneer ik er hartstochtelijk naar verlangde, kinderen te krijgen, maar telkens wanneer ik eraan dacht, aan mijn denkbeeldige, toekomstige kinderen, onderging ik een lange reeks imaginaire verschrikkingen die nu, en dat begreep ik nu ik naar Reina luisterde, niets anders kon zijn dan een van mijn vele eigenaardigheden. Omdat het zelfs niet bij haar opkwam dat er iets mis kon gaan, hield ze geen rekening met de mogelijkheid dat ze een mismaakt, ziek, gehandicapt of halfdood kind zou kunnen baren, en daarom zou ze andere zaken al helemaal niet begrijpen. Ik begreep dat het krijgen van een kind belangrijker is dan er goed uitzien, maar ik vond het helemaal niet leuk om als een olifant te worden, of alleen pafferig, met hangtieten en een huid vol zwangerschapsstriemen, maar dat behoorde tot de categorie waarheden die ik nooit aan mijn zusje zou durven onthullen. Het moederschap leek me een reuzenstap op weg naar de volwassenheid, in één klap oud worden, en die metamorfose verontrustte me, want van dan af zou er in het huis waar ik leefde altijd iemand zijn die jonger was dan ik, met meer toekomst voor de boeg. Het krijgen van een kind betekende afstand doen van het onverantwoordelijke gedrag dat ik nog altijd, zo nu en dan, als een geheime, genotvolle, intieme ondeugd koesterde. Dag alcohol, dag drugs, dag gelegenheidsminnaars, dag vluchtige seks, dag lange nachten vol warme, lege woorden van mensen die even onverantwoordelijk waren als ik. Een vrachtwagen met aanhanger, dat zou ik een aantal jaren zijn, en onontkomelijk een referentiepunt zolang mijn kind leefde, voorgoed meer moeder dan vrouw, mijn lichaam een tempel van oneindige vrijgevigheid en liefde, een heilig oord dat niemand meer zal willen schenden. De verandering stond me niet aan, maar dat alles woog veel minder zwaar dan de kans dat ik een ongelukkig kind zou baren.

Telkens wanneer ik een dik meisje, een klein jongetje met bril, een verlegen dwerg die ergens eenzaam in een hoekje zat te spelen zag; telkens wanneer ik die vernietigende kinderlijke scheldwoorden hoorde, of merkte dat het kindje met de groene of rode of blauwe trui, zonder enige reden, met geen enkel clubje mocht meespelen; wanneer ik zag dat er eentje vuurrood werd en ik hem hoorde stotteren, wanhopig strijdend met de woorden die weigerden ongebroken uit zijn mond te komen terwijl degenen die om hem heen stonden zich in koor bescheurden van de lach; dan raakte ik in paniek van het idee een kind te krijgen, alsof ik het idee had dat een uit mij geboren kind veroordeeld zou zijn om voorgoed bij het legioen van de stuntels, van de eenzamen, van de ongelukkigen te horen. Maar Reina leek het gevoel te hebben dat deze gevaren bij haar geen kans hadden, zoals alle rampen die mij, vroeger of later, één voor één hadden getroffen, aan haar voorbij waren gegaan.

'En wat ga je doen?' vroeg ik om in ieder geval een snel einde te maken aan die stortvloed van stil geluk.

'Met wat?' haar verbazing leek oprecht.

'Nou met alles… Ga je trouwen, ga je samenwonen met de vader, ga je je van niemand iets aantrekken? Ik wil niet zeggen dat het niets voorstelt, maar mij lijkt het dat bevallen, wat je bevallen noemt, nog het makkelijkst van alles is.'

'Ik krijg het alléén. De vader is het ermee eens.'

Op dat ogenblik vermoedde ik ineens in welke situatie mijn zusje verkeerde, die twee zinnetjes achter elkaar verklaarden een mysterie dat ik niet had kunnen oplossen toen Reina, een paar jaar daarvoor, of misschien korter geleden, op een avond had besloten rond etenstijd bij mij te verschijnen met, naar het scheen, geen ander voornemen dan de onuitgesproken intentie zich door mij te laten uitnodigen, en ik stelde haar niet teleur. Zonder enige inleiding, terwijl we met de televisie aan en een Martini in de hand op Santiago's thuiskomst wachtten, stelde ze mij toen een merkwaardige vraag.

'Wat zou jij vinden van een knappe man, knap en verzorgd, die al jaren getrouwd was met een lesbische meid en die ondanks alles, en ondanks het feit dat ze niet met elkaar naar bed gaan, van haar houdt en haar beschermt en haar niet verlaat?'

'Zo, zonder meer?'

'Hoe bedoel je?'

'Zonder dat je me meer feiten geeft.'

'Nee, dat is niet nodig.'

Ik dacht er enige seconden over na. Mijn zusje keek me aan met een geamuseerde uitdrukking, die bij mijn eerste vraag meteen overging in een ontstemde grimas.

'Is hij een flikker?'

'Nee.'

'Is zij dan miljonair?'

'Ook niet.'

'Dan zou ik hem een grote stumper vinden.'

'Goed… Het kan toch ook zijn dat hij verliefd is?'

'Natuurlijk,' stemde ik in. 'Dan is hij een verliefde stumper.'

Zij maakte een wat vaag hoofdgebaar en zei niets meer. Het viel me op dat het mysterieuze onderwerp van haar ondervraging precies overeenkwam met de figuur van Germán, maar de toon van dat gesprek en de kalmte waarmee Reina het voerde, dreven me ertoe dit vermoeden snel weg te stoppen in mijn geheugen voor onbelangrijke zaken. Santiago deed de deur open, ik ging naar de keuken om het eten op te warmen en er werd met geen woord meer over dat onderwerp gesproken. Sindsdien had Reina het niet meer over hem gehad, hoewel ik voelde dat alleen hij de mysterieuze vriend kon zijn die haar mee had genomen naar de bruiloft van Agustín, maar toen ze verklaarde van plan te zijn een alleenstaande moeder te worden met instemming van de vader van haar kind, begreep ik dat de toevallige aard van haar zwangerschap uitsloot dat ze het van tevoren overeen waren gekomen, en ik vroeg me af wat dat voor een man kon zijn, die geen rekening hield met een kind en het vervolgens na zo'n kletsverhaal aanvaardde, en ik kwam met tegenzin tot de conclusie dat het alleen een grote stumper kon zijn.

'Het kind…' probeerde ik voorzichtig, bijna angstig, 'is zeker niet van de man van Jimena, hè?'

'Ja.' Mijn zusje keek me stomverbaasd aan. 'Hoe weet je dat nou?'

'Goed zo, Reina, meid,' riep ik zonder de moeite te nemen een antwoord te geven, 'een grotere puinhoop had je er niet van kunnen maken, al had je je door de dobbelstenen laten leiden.'

'Ik weet niet waarom je dat zegt,' zei ze, terwijl ze me aankeek met glinsterende ogen en bevende lippen, alsof ze bijna moest huilen. 'Ik ga al jaren met Germán. Het is geen gewone maar… een perfecte relatie, perfect in vele opzichten. Hij leidt zíjn leven en ik het mijne, maar we hebben samen een eigen plekje, een plaats waar we praten, waar we elkaar vertellen wat we denken, wat we voelen. Ik ben verliefd op hem, Malena, verliefd, voor het eerst sinds ik volwassen ben. We begrijpen elkaar zo goed dat we, wanneer we de liefde bedrijven, niet eens woorden nodig hebben…'

'Hou even op met die aanstellerij, Reina, doe me een lol zeg.'

'Het is geen aanstellerij!' gilde ze harder dan ik tot dan toe had gedaan, en ze huilde niet meer, omdat ze woedend was geworden om mijn commentaar. 'Dat is de waarheid. Wat er aan de hand is, is dat jij nooit van je leven zo'n geweldige vent hebt gehad als ik.'

'Zo gevoelig ook,' zei ik, met een gelegenheidsglimlach, alsof ik al aanvoelde dat ze mijn ironie nooit zou opmerken.

'Ja!' gilde ze. 'Precies. Gevoelig, dat is hij!'

'Nee…' bevestigde ik, terwijl ik met mijn rechterhand hoorntjes op mijn voorhoofd maakte en wanhopig een stuk ongeverfd hout zocht. 'Ik heb nog nooit een verhouding met een gevoelige vent gehad, en daar heb ik ook geen behoefte aan…'

Ik moest opstaan om zonder mijn arm te strekken bij een bijzettafeltje te kunnen waarop een olijfhouten kistje stond, waarin ik mijn oorbellen bewaarde, en pas nadat ik voelde dat mijn knokkels begonnen te slijten van het geklop, legde ik uit wat ik had bedoeld.

'Ik heb al meer dan genoeg aan die ene met wie ik ben getrouwd.'

Santiago had datzelfde woord, gevoelig, gekozen om zichzelf te karakteriseren aan het eind van de bochtigste, pijnlijkste monoloog die hij ooit tot me zou richten, toen hij op een avond weigerde te wachten op de slotscène van de laatste akte, en het licht uitdeed, en me zijn rug toekeerde.

'Malena, ik... Ik weet niet hoe ik het moet uitleggen, maar het stoort me... Nee, nee, storen is niet het juiste woord, ik ben bezorgd, ik ben bezorgd over die gewoonte van jou dat je niet... niet tegelijk met mij klaarkomt. Je doet het vast niet expres, maar ik geloof dat alles beter zou gaan als je... als je van jouw kant iets meer, ik weet niet, ik bedoel dat dit, je zo te zien voor mijn heel ontmoedigend is, ik voel me niet goed en ik weet dat het niet mijn schuld is, en ook niet van jou, dit allemaal, maar... In het begin was het anders, toch? Toen kwamen we vaak tegelijk... Ik... Ik ben een man, Malena, een gevoelig mens maar ook een man, en dit is toch allemaal erg pijnlijk voor mij.'

Toen hij klaar was, voelde mijn lichaam zo zwaar alsof mijn aderen vol vloeibaar lood zaten, een dof metaal, zonder glans, dat eerst, toen het nog een modderige, grijze vuurzee was, mijn bloed had verdreven, om vervolgens, heel langzaam, in mij af te koelen. Ik voelde dat ik de matras doorboorde, dat ik wegzonk in haar onuitstaanbare zachtheid, dat ik de samengedrukte spiraalveren met mijn gewicht verpulverde, maar ik stond zonder moeite op en liep met alle vanzelfsprekendheid naar de badkamer, ging op de wc-bril zitten, steunde met mijn ellebogen op mijn knieën en was verbaasd dat ik geen enkele schaamte voelde, alsof het zelfs al te laat was om me te schamen. Toen rekende ik uit dat Fernando nu dertig moest zijn, en ik probeerde me hem voor te stellen: zijn leven, hoe hij zich kleedde, waar hij werkte, op welke motor hij reed, hoe hij nu met zijn vrouw zou neuken, in Berlijn; ik wist dat hij daar woonde, dat hij uiteindelijk vliegtuigen was gaan bouwen, dat hij getrouwd was en ook een dochtertje had; ik dacht vaak aan hem, om me ervan te overtuigen dat hij ook aan mij dacht, dat hij zo nu en dan aan mij moest denken, en die fantasie beviel me goed, maar die avond, toen ik me had opgesloten in de badkamer, probeerde ik me ervan te overtuigen dat Fernando vast en zeker niet veel zou verschillen van Santiago of van Ernesto, van de meeste kerels die ik kende, de mannen met wie ik omging op mijn werk, de jongens in mijn klas, de vrienden van mijn man en de mannen van mijn vriendinnen. Pantoffelhelden, zoals ik een paar maanden daarvoor in de deuropening van een café een gezonde veertigster, knap gezicht, tegen de vrouwen in haar gezelschap had horen zeggen, ga gerust naar binnen als jullie willen, maar hier valt niets te beleven, kijk ze toch eens, allemaal pantoffelhelden.

Ik realiseerde me dat ik was gaan huilen omdat mijn ogen prikten. Hoe ik ook mijn best deed om het me voor te stellen, ik wist dat Fernando nooit een

pantoffelheld zou worden, en daarom gleden de tranen gehoorzaam naar beneden, onderweg met hun lauwe vochtigheid mijn kin strelend. Op dat ogenblik
kreeg ik ineens het idee dat ik misschien wel bevoorrecht was, dat huilen voor
een man als Fernando een voorrecht was, en ik was trots op mijn verdriet, bekeek hooghartig mijn wonden, alle tranen die ik had gelaten om mijn lichaam
vol gevoel te houden, en ik had niet langer medelijden met mijn moeder, en ik
had geen medelijden meer met mezelf. Daarentegen voelde ik voor Reina, terwijl zij tegen me praatte over de kwaliteit van gevoelige mannen, een zo diep
medelijden als ik niet meer voor haar had gevoeld sinds we kleine meisjes waren.

Ik herinner me slechts vagelijk de rest van ons gesprek. Mijn zusje zat hardop plannen te maken en haar verhaal werd naar mijn idee bij elke wending
onzinniger, totdat ik op een bepaald moment mijn belangstelling verloor en ik
haar zag met een afstandelijkheid die ik tot dan toe nog nooit had gevoeld. Ik
realiseerde me dat als zij het niet was geweest, maar een neutrale persoon, iemand die helemaal buiten mijn leven stond, ik haar alleen had kunnen beschrijven als een neuroot, ze leek op een neuroot, een zieke, ijskoude gek, hoewel ik
kon vaststellen dat haar betoog was doorspekt met sleutelwoorden die even
gewoon, even plat, even begrijpelijk waren als de wanhopige kreten uit haar
trieste, lege baarmoeder dat voor de meeste mensen zouden zijn geweest. Ze
heeft niets met mij gemeen, alleen haar geslacht, concludeerde ik, en ik stond
niet stil bij de beangstigende waarheid die in deze zo eenvoudige redenering
besloten lag.

Nadat ze was opgestapt, klonk haar verhaal nog uren in mijn hoofd, en ik
nam me voor het te ontleden met hetzelfde geduld, dezelfde precisie waarmee
je een opwindspeeltje demonteert dat je later weer in elkaar wilt zetten omdat
het altijd perfect heeft gewerkt. Lettergreep voor lettergreep ontrafelde ik haar
woorden, probeerde ik zelfs haar intonatie precies na te bootsen, haar glimlach
in mijn herinnering te reconstrueren en in haar door te dringen alsof mijn blik
het uiteinde was van een sonde die uitgerust was met een piepkleine videocame-
ra, om in verborgen spleten te spieden, langs de steilste wanden af te dalen, in
de verste uithoeken van haar holtes binnen te dringen, hun oppervlakte te verkennen. Ik deed er uren over, en toen dagen, weken, maanden om de nuances
van haar stem weer te vinden, alsof ik hem nooit eerder had gehoord, en toen
ik dat bereikt had, veranderde ik in het onpartijdige lid van een door het lot
aangewezen jury, waarvan de namen door gerechtsbodes met behulp van dobbelstenen uit het telefoonboek waren geselecteerd.

Toen luisterde ik opnieuw naar haar en zag uiteindelijk in dat je geslacht
niets anders is dan je vaderland, je schoonheid of de manier waarop je gebouwd
bent. Puur toeval.

'Er is maar één wereld, Malena…'

Daarmee antwoordde Magda meestal wanneer ik het gevoel dat ik eigenlijk een jongen in een verkeerd lichaam was, meer kracht bijzette, en ik begreep haar nooit. Zij wilde haar verhaal nooit afmaken, ze verliet die weg voordat ze etappes bereikte die alleen met eenvoudige woorden kunnen worden uitgedrukt: er is maar één gedachte, er is maar één gevoel, één opvatting van het kwaad, één idee van genot, van verdriet, van angst, van liefde, van terugverlangen, van tegenspoed, van het lot, één idee van God en van de hel.

Magda, die net als ik was, probeerde het me voorzichtig duidelijk te maken toen ik nog te jong was om het te snappen. Reina, die zo van mij verschilt, was er zeker van dat ik haar beter dan wie ook zou begrijpen omdat ik net als zij ben, en pas toen ontdekte ik dat het vrouwelijk-zijn niets anders betekent dan het bezit van een vrouwenhuid, twee X-chromosomen en de mogelijkheid tot het ontvangen en voeden van de jongen die het mannetje van de soort verwekt, al het overige is cultuur.

Ik bevrijdde me van het keurslijf van de universele gedragscode dat ik had gedragen zo lang ik me kon herinneren, en ik had geen spijt van al mijn tevergeefse opofferingen aan de verraderlijke afgod van de vrouwelijke essentie. Ik voelde me zo zalig rustig dat het weken duurde eer ik me realiseerde dat er, in flagrante tegenspraak met de wet van de zwaartekracht, nog geen teken was van mijn ongesteldheid.

En lange tijd weigerde ik de verantwoordelijkheid van het lot in wat daarna gebeurde te erkennen, alsof alleen mijn besluiteloosheid, mijn twijfels, de schuldbewuste apathie die me aanvankelijk overviel, de tegenzin waarmee ik een weg insloeg waarvan ik niet wist of het wel de goede was, schuilgingen achter een ramp die ik had zien aankomen, hoezeer iedereen me er ook van probeerde te overtuigen dat deze onvoorspelbaar was, en van tijd tot tijd leek het me terecht dat dat was gebeurd, want alles spande samen om mij te laten vergeten dat het vrouw-zijn vrijwel niets inhoudt, en me ervan te overtuigen dat, hoe weinig vrouw ik ook was, mijn eigen lichaam me had gestraft.

Eerst kon ik het gewoon niet geloven. Omdat het onmogelijk was. Omdat alles wat er op deze planeet is, wordt bestuurd door de wetten van een fenomeen waarvan de mensen de werking nog niet helemaal hebben ontrafeld, maar dat ze zonder ook maar de behoefte te voelen het te leren kennen, ondergaan sinds de dag dat de eerste geëvolutioneerde aap zijn naaste op het hoofd mepte met een kaakbeen dat hij toevallig ergens op de grond had gevonden. Omdat alleen vogels de aantrekkingskracht van de grond maar ontvluchten. Omdat er een appel op het hoofd van Newton viel. Omdat al wat omhoog gaat, weer naar beneden moet komen.

Sinds Santiago me de onaangename taak had toebedeeld het orgasme te simuleren, en daar het al in de begintijd van onze relatie ontbrak aan rendabele toekomstverwachtingen die me ertoe bewogen die marketingtechniek spontaan in te zetten, neukten we steeds minder, een liefdesuiting die de rauwe inconsistentie van het niets al gevaarlijk dicht naderde toen hij op het idee kwam dat we er misschien eens over konden praten. Tegen die tijd was mijn man voor mij veranderd in een zuiver eenzijdig conflict, iemand die bij me hoorde als een prijs die je in de tombola wint, iemand om voor te zorgen en om te troosten, en ook om van te houden, want ik hield van Santiago, en ik hield veel van hem, zoals ik van een broer had gehouden als ik die had gehad. Hij bleef vriendelijk, meegaand en opgewekt, een goede echtgenoot in de klassieke betekenis van het woord, en als er iets tussen ons was veranderd, lag de schuld alleen bij mij. Daarom kon ik met hem over alles behalve dat praten, ik kon hem niet de waarheid zeggen, dat het gedwongen enthousiasme waarin ik me had gehuld, alsof het een bontmantel was die je voor een bruiloft leent van een vriendin, nu op was, dat ik geen zin meer had mezelf schouderklopjes te geven en in mijn eigen oren te fluisteren dat alles goed ging, dat er nooit meer zou zijn dan een ijzeren wil, die was bezweken onder het gewicht van de onvermijdelijke normaliteit die de ouderdom afzette op de oevers van het leven, als een gladde, kalme rivier. Want hij was zo onschuldig als een proefkonijn waarvan het lichaam een verkeerde reactie geeft wanneer het in aanraking komt met een nieuw vaccin, en ik was nog te goed bij mijn verstand om te durven denken dat ik het recht had hem nog ergens verantwoordelijk voor te stellen.

Santiago wist heel weinig van mijn vroegere leven en van Fernando, niet meer dan de dingen die hij te horen kreeg van Reina, die zich, wanneer we nog natafelden, gretig stortte op wat zij beschreef als een typisch verhaal van een neef en een nicht in de puberteit, zodat ze al bij voorbaat iedere complicatie uitsloot die kon voortkomen uit dit klassieke plot van de rijke jonkvrouw die valt voor de charmes van de uitgesloten bastaard, en de egoïstische, van wraakzucht vervulde, wrede listen die deze laatste vervolgens aanwendt om haar te verleiden. Ik had geen zin hem nog meer te vertellen, dus besloot ik dat we niet zouden praten, dat het me minder pijn en moeite zou kosten wanneer ik me zo nu en dan op mijn man stortte en een paar holle zuchten liet ontsnappen. Vanaf dat moment begon het uitzicht op een toekomstige zwangerschap me onzinniger dan ooit te lijken en daarom paste ik beter dan ooit op om die te voorkomen, maar die ene keer vond ik het onnodig die moeite te doen, want ik geloofde, gesteund door de unanieme mening van alle handboeken, alle specialisten en alle moeders van kroostrijke gezinnen, dat de wet van de zwaartekracht me beschermde. Ik was tijdelijk gestopt met de pil en had geen zin om Santiago voor de zoveelste keer te horen zeggen dat hij het nog liever niet deed dan met een condoom, de zoveelste principekwestie die ik niet interpreteerde als een daad van egoïsme of een gebrek aan solidariteit, maar als een klotestreek, de zoveelste. En voordat we begonnen, twijfelde ik even, maar mijn hoofd stond er niet naar om hem af te trekken. Gelukkig herinnerde ik me niet meer het ongeremde meisje dat de prille ontboezemingen 's ochtends in de kantine van de faculteit verstoorde door hartstochtelijk met haar vuisten op tafels te slaan en te beweren dat de penetratie het mooiste was wat God had bedacht sinds hij de man een pik had gegeven. De situatie van de vrouw die, om niet met hem te hoeven praten, op hem klom, was bijna de tegenovergestelde, want hoewel ik het tot mijn verbazing lekker vond om het te doen, had ik er absoluut niet naar verlangd. Meestal was het ongeveer op dat moment al voorbij, maar ook daar was ik niet rouwig om.

In april 1986 neukte ik twee keer, en beide keren klom ik op hem. Begin juni moest ik vaststellen dat ik zwanger was. Ik geloof nooit meer in natuurwetten.

Maandagsmorgens was ik vastbesloten me te laten aborteren en bij Santiago weg te gaan om in één klap alle fouten die zich de laatste tijd hadden opgestapeld, te herstellen. Maandagsavonds vroeg ik me dan af of het wel verstandig was me tegen de wil van het lot te verzetten. Dinsdags, bij het slapen gaan, realiseerde ik me dat het verlaten van mijn man gelijk zou staan aan het achterlaten van een twee maanden oude baby op de middelste rijstrook van de drukste verkeersader van Madrid in de vrijdagavondspits. Woensdagsochtends leek het tot me door te dringen dat er in mijn lichaam een mensje zat, een tweede hoofd, een tweede hart, mijn kind. Woensdagsavonds stopte ik met roken. Donderdags, nog voor het opstaan, kon ik alleen maar een gevaarlijke, levensbedreigende bobbel voelen, een cyste of een tumor die ik tijdig moest laten verwijderen. Donderdags voor het slapengaan stak ik de ene sigaret met de andere aan en rookte ze beide tot aan het filter op. Vrijdagsochtends vroeg ik me af waarom ik toch zo'n pech had. Vrijdagsavonds was ik weer vastbesloten me te laten aborteren en bij Santiago weg te gaan om in één klap alle fouten die zich de laatste tijd hadden opgestapeld, te herstellen.

Toen mijn kind geboren werd, en we allebei erg leden, beloofde ik mezelf dat ik hem nooit de waarheid zou vertellen, dat hij nooit te weten zou komen dat hij een ongewenst kind was. Nu denk ik dat ik op een dag precies het tegenovergestelde zal doen en hem zal vertellen dat hij alleen maar is geboren omdat ik niet op tijd kon zeggen dat hij niet geboren moest worden, omdat ik dat de makkelijkste weg vond, omdat ik ervan overtuigd was dat ik tien jaar later niet zo makkelijk meer een kind zou kunnen krijgen, omdat ik getrouwd was en een man, twee inkomens en een huis had, omdat ik misschien geen tweede kans zou krijgen, omdat het gebeurde, omdat het was gebeurd hoewel ik niet wilde dat het gebeurde. Als hij dat weet, zal hij nooit kunnen betwijfelen hoeveel ik van hem heb gehouden, ook al vergeet ik misschien een paar keer zijn boterhammetje op de aanrecht klaar te leggen en heb ik niets te eten voor in het speelkwartier, want toen ik hem voor het eerst zag, drie dagen na de bevalling, zo alleen en zo klein en zo mager en zo weerloos in die doos met gladde, transparante wanden, als een kleine glazen doodskist, en begreep dat mijn liefde alleen diende om hem te voeden en dat hij niets anders nodig had om te overleven, las ik op zijn minuscule lippen de kenmerkende trek van de kaste der Alcántara's en zwoer in stilte, van achter een wit en steriel venster, de grens die de ongelukkige ouders buitensluit, dat alles goed zou gaan, dat ik elke prijs, hoe hoog die ook was, zou betalen, opdat we ooit samen om al die dingen konden lachen, en ik kreeg een band met hem zoals mijn moeder nooit met mij had gehad, een binding die steviger was dan de mama's van die mollige, gelukkige baby's op wie ik al die jaren zo afgunstig ben geweest ook maar konden vermoeden.

Alsof de geschiedenis te werk gaat met de perverse bedoeling zich te herhalen, bleek mijn zwangerschap net zo vriendelijk, sereen en comfortabel te zijn als ooit de zwangerschap van mijn moeder was geweest, en maandenlang was er niets wat een dergelijke ontknoping deed vermoeden, totdat ik, steeds wanneer ik mijn zusje zag, het gevoel kreeg dat als het wezen dat zij ging krijgen een kindje was, het mijne ongetwijfeld iets anders zou zijn. Het leek alsof Reina jaren op mij voor lag in plaats van twee maanden, en het verschil leek, in plaats van kleiner te worden, met het verstrijken van de tijd alleen maar groter te worden. Nog nooit had ze er zo slecht uitgezien. Ze gaf bijna iedere ochtend over, verloor haar eetlust, had oprispingen in de meest onwaarschijnlijke situaties, werd misselijk en kreeg schele hoofdpijn, maar tegelijkertijd werd ze kolossaal, werd ze zo snel dik dat ze al na de derde maand haar gewone kleren niet meer aan kon en erbij liep alsof ze vermomd was als luchtballon. Ik probeerde dat moment voor me uit te schuiven zolang ik kon, en tot de vijfde maand gebruikte ik nog broeken die ik al had. Twee of drie dagen liet ik het ontbijt staan omdat ik voelde dat het niet goed zou vallen, maar ik hoefde niet één keer over te geven. Verder merkte ik amper dat ik in verwachting was. Ik had dezelfde gelaatskleur als anders, at met evenveel smaak en sliep geweldig goed. Ik werd langzaam zwaarder, met nog geen kilo per maand, omdat ik me aan een dieet hield dat zeer gezond en compleet was, en toch het aantal calorieën rigoureus terugbracht tot vijftienhonderd per dag. Ik at geen zoetigheid, geen in olie gebakken gerechten, geen jus, alleen vlees en vis van de grill, groenten en fruit, maar ik sloeg geen enkele maaltijd over, zelfs niet wanneer ik geen trek had. Tijdens de eerste helft van mijn zwangerschap rookte ik helemaal niet en vanaf de vijfde maand stak ik drie sigaretten per dag op – na het ontbijt, na de lunch en na het avondeten – die ik wegdeed wanneer ze nog maar half op waren. Elke morgen deed ik een heel eenvoudige oefening: mijn voeten naar voren en naar achteren en in cirkeltjes bewegen om de bloedsomloop in mijn benen te stimuleren en me de spataderen die mijn moeder had te besparen, en toen ik nog geen drie maanden in verwachting was liep ik dood van schaamte een apotheek binnen en zei tegen het meisje achter de toonbank dat ik een kind ging krijgen en dat ik daar zo gelukkig van was, ze kon zich niet voorstellen hoe gelukkig, maar dat ik me afvroeg of er ook iets was waarmee ik heelhuids door die toestand heen kon komen. In plaats van me bestraffend aan te kijken en me op te drijven met het gloeiende zwaard waarmee schaamteloos kokette vrouwen worden verdreven uit het paradijs waar de universele lieve moeders wonen, lachte ze en begon potjes op de toonbank te zetten.

'Deze zijn allemaal hetzelfde,' zei ze, 'en ze zijn goed, maar als je het mij vraagt, kun je het best een collageengezichtscrème kopen en die op je lichaam doen, alle dagen, zonder uitzondering. Niet dat je dan goedkoper uit bent, zeker niet, maar bij mij heeft het fantastisch gewerkt...'

Ik volgde haar advies en koos uiteindelijk de crème die zijzelf had gebruikt. Toen ze me het wisselgeld overhandigde, dempte ze haar stem zodat de andere klanten haar niet konden horen en glimlachte.

'Slaap met je beha aan. Doe hem alleen af om te douchen, en douche niet te heet. Over een paar maanden begin je enorme zakken te krijgen. Dan ga je op de grond liggen en til je eerst je ene been op en dan je andere, totdat ze een rechte hoek met je bovenlichaam maken. Niet meer dan tien keer per dag. Elke dag.'

Het simpele feit dat er zo veel verschillende mogelijkheden waren om alles te doen maakte me al enthousiast voordat er genoeg tijd was verstreken om de resultaten te kunnen zien. Toch voelde ik nooit een specifiek lichamelijk geluk vanwege mijn toestand, en ik moest mijn grootmoeder gelijk geven, want geen moment vond ik mezelf knapper of gelukkiger of sterker dan voorheen, en ook het tegenovergestelde gebeurde niet. Ik was net als anders, alleen had ik elke dag iets minder taille. Reina, die soms een ronduit groenig gezicht had, en bijna altijd wallen, omdat ze 's nachts niet goed kon slapen, beweerde daarentegen dat ze zich nog nooit zo goed had gevoeld, en wanneer ik haar in een opwelling van solidariteit op de hoogte bracht van mijn ontdekkingen, was haar dank een snerpende schaterlach.

'Maar Malena, hoe bestaat het, wat ben je toch een rare... Hoe kun je je daar op dit moment nou druk over maken?'

'Het kan toch ook geen kwaad? Het enige wat ik wil is er fantastisch uit blijven zien, op een dag is mijn zwangerschap voorbij.'

'Tuurlijk, maar dan is alles anders.'

'Ik zie niet in waarom.'

'Nou, omdat je dan een kind hebt! Besef je dat niet?'

'Nee, dat besef ik niet. Of denk jij soms dat je na de bevalling nooit meer...' – zult neuken, wilde ik zeggen, maar de hemelse uitdrukking op het gezicht van mijn zusje deed me voor het eufemisme kiezen – 'uitgaat?'

'Jawel, natuurlijk zal ik wel weer eens uitgaan, maar na zoiets belangrijks zal mijn relatie met mijn lichaam voorgoed zijn veranderd.'

'Wat fijn voor je,' zei ik toen. 'Je zult minder lijden.'

'Maar mens, asjeblieft, jij maakt het wel erg bont! Ik zeg niets meer...'

'Nee, je kunt beter maar niets meer zeggen.'

'Hoe bestaat het, Malena, hoe kun je nou zo praten, terwijl je zo veel geluk hebt.'

Daarin was ik het ten slotte met haar eens, want mijn lichamelijk welbevinden was slechts een klein deel van een geheel waarom ik me zeer fortuinlijk voelde. Santiago was zo fantastisch blij toen hij hoorde dat hij vader werd, dat hij voor een tijdje zowaar veranderde in een hartelijke, warme persoon, en zijn enthousiasme werkte aanstekelijk. Toen drong het tot me door dat de situatie vanuit verschillende perspectieven kon worden bekeken, die even juist waren als het mijne, maar lang niet zo verbitterd. De wereld zat vol met alleenstaande vrouwen, met vrouwen die waren verlaten of mishandeld door weerzinwekkende mannen, met steriele vrouwen of verweksters van monsterlijke kinderen. Er bestonden duizenden rampen die helemaal aan mij voorbijgegaan waren, tragedies die ik me niet eens kon voorstellen. Ik leefde rustig met een vriendelijke man voor wie ik genegenheid voelde, en ik ging een kind krijgen onder de best denkbare omstandigheden, tenminste, in vergelijking met de kasteelroman waarin vroeg of laat mijn neef een keer zou moeten opduiken.

Reina had haar intrek genomen in de gastenkamer van Germáns huis, een klein herenhuis met tuin in een oude voorstad langs de M-30, en deze had op zijn beurt de zolder verbouwd tot een soort geïmproviseerd vrijgezellenappartement. Het grappige was dat zijn vrouw nog altijd de grootste slaapkamer gebruikte en niet van plan was die in de nabije of verre toekomst op te geven. Toen mijn zusje aan me vroeg waarom ik zo keek, vroeg ik haar of dat nou was wat ze verstond onder alleenstaande moeder zijn, en zij antwoordde, ja, want dat was zij toch. Vervolgens ving ik op dat Germán er een soort vriendin op na hield, een ongelukkig schepsel dat geen idee had van wat er allemaal werd bekokstoofd in dat kleurrijke bordeel van de liefde. Reina vond het de gewoonste zaak van de wereld voor de tijd waarin we leefden, en daar moest ik het wel mee eens zijn, maar toen ik vroeg hoe ze het klaarspeelde verliefd te zijn op een vent die boven haar hoofd met een ander naar bed ging, zonder dat haar handen jeukten om die ander van jaloezie de ogen uit te rukken, was haar antwoord dat zij en haar liefde boven een zo ordinair conflict als gewone jaloersheid verheven waren. Vervolgens wilde ik weten wat Jimena daar allemaal van dacht, en het bleek dat ze het geweldig vond, dat ze ernaar uitkeek een baby in huis te hebben. Reina keek me met een verbijsterde blik aan toen ik zei dat ik zijn gedrag, hoe dan ook, niet erg loyaal vond ten opzichte van die vrouw die nog niet zo lang geleden voor het eerst in haar volwassen leven echt verliefd was geweest, en nadat ze me had gezworen dat zij nooit zoiets gezegd had, liet ze me eerst beloven dat ik mijn mond zou houden en pas toen vertrouwde ze me toe dat dit voor Jimena achteraf bekeken toch wel een eervolle nederlaag was geweest, omdat ze nooit met lesbiennes naar bed was geweest, alleen maar met vrouwen. Ik moest haar vragen dit toch eens uit te leggen, en zij herhaalde dat Jimena niet in het homoseksuele circuit kwam, dat ze alleen met vrouwen naar bed ging. Ik moest mezelf hardop vragen of een lesbienne misschien minder vrouw was dan Mae West om mijn zusje zo ver te krijgen dat ze eindelijk eens besloot klare taal te spreken, en ze zei dat je het, in plaats van met een manwijf, beter met een man kon doen, want die is er tenslotte beter voor toegerust. Ik zuchtte. Dat had ze tenminste begrepen.

Ondanks alles leek Germán me nog het kleurrijkste personage van het hele verhaal. Vanaf het moment dat Reina de toestand publiek maakte, en zelfs toen ik de mijne nog niet kende, begon ze zich te gedragen alsof mijn huis de enige plek ter wereld was waar ze graag haar tijd verdreef, en Germán kwam vrijwel altijd met haar mee, zodat ik hem dus vaker zag dan me lief was. Nooit kon ik uitmaken wat hij voelde, wat hij werkelijk dacht over die soort substituutfamilie die hem was aangewaaid. In de aanwezigheid van vreemden, wat Santiago en ik al niet meer waren, gedroeg hij zich tegenover mijn zusje als een haast hinderlijk bezorgde echtgenoot, en niet alleen omdat hij zo bereidwillig leek om mijn zusje naar al haar familiebijeenkomsten te begeleiden, maar omdat hij veel meer aan haar leek te hangen dan Santiago ooit aan mij hing, wat ik zeer op prijs stelde, en haar voortdurend behandelde alsof ze ziek was, door toe te zien op wat ze at, wat ze dronk, op de snelheid waarmee ze de trap op liep en het aantal minuten dat ze dagelijks wandelde, maar er was ook iets in zijn houding, misschien de onaangename toon die hij aansloeg wanneer hij haar verwijtend toesprak omdat ze het roken niet had kunnen laten, wat me op de gedachte bracht dat hij niet bezorgd was om de moeder, maar om het kind, zijn kind. Reina had me verteld dat hij, toen ze hem het nieuws vertelde, zei dat hij niets van dat kind wilde weten, maar dat hij het nooit goed zou vinden als ze het zou laten aborteren, want het was tenslotte de eerste keer dat de gelegenheid een kind te kunnen krijgen zich aan hem voordeed en de helft van dat wurmpje was al van hem, want het bevatte zíjn genetische materiaal, dat stond geschreven in zíjn zaad, dat opgeslagen was geweest in zíjn ballen totdat het ontsprong aan zíjn pik, die het meest eigen deel van zijn eigen wezen was. Ik vroeg aan mijn zusje of ze hem niet een geweldige lel had gegeven, en op haar gezicht verscheen een alleronschuldigste verbazing, en ze vroeg waarom ze dat zou hebben moeten doen. Ik realiseerde me toen dat het haar niet stoorde een wandelende broed-machine te zijn, en hoewel ik op het punt stond haar eens haarfijn uit te leggen dat een echt belangrijke wip voor mij toch iets anders was, onthield ik me vanaf dat moment van commentaar. Per slot van rekening was zij altijd de feministe van ons tweeën geweest.

Hij was nog altijd een bijzonder onaangenaam individu, omdat hij geen steek was veranderd sinds de laatste keer dat ik hem zag. Toen ik aan hem iets positiefs probeerde te ontdekken, was het enige wat mijn aandacht trok dat hij zo langzaam oud leek te worden. Hij ziet er nog goed uit, zei ik tegen Reina toen ik haar even alleen sprak. Vind je? antwoordde ze, ik weet het niet, hij is zesenveertig… Dat betekende dat ík hem had ontmoet toen hij nog rond de veertig was, en toen had ik hem tien jaar ouder geschat. Maar naast de twijfel-achtige deugd dat hij de leeftijd begon te krijgen die ik hem toen al had gege-ven, kon ik geen andere deugden aan hem ontdekken, en tot mijn verbazing, want Santiago en ik waren het in dit soort omstandigheden nooit met elkaar eens, liet Santiago van meet af aan weten dat hij hetzelfde vond als ik, en uitein-delijk verdedigde hij zijn standpunt feller dan ik. Ik was hem dankbaar voor deze zeldzame opwelling van vastberadenheid, want de manier waarop Germán zich tot mijn man richtte, was zo langzamerhand de meest onuitstaanbare kant van zijn aanwezigheid geworden.

Zelfingenomen, narcistisch, laks, obsceen, onbeschoft, onbenullig, onopge-voed en aanstellerig pedant als hij was, had hij honderden gelegenheden voorbij laten gaan om tot zich door te laten dringen dat hij niet welkom was, wat hem echter niets kon schelen. Hij liep bij mij in en uit alsof het zijn eigen huis was, ging direct door naar de koelkast om een biertje te pakken en zeeg neer op een plaats die afhing van de zitplaats die ik vóór hem had gekozen. Vervolgens be-gon hij me dan aan te kijken met een geprefabriceerde, glazige, verlangende uitdrukking, zijn lippen iets van elkaar en naar één kant scheefgetrokken, waar-na hij alles begon te bekritiseren: het huis, de meubelen, een boek dat open op een tafeltje was neergelegd, mijn haar, de schoenen die ik droeg, mijn werk, mijn preutse, kleinburgerlijke-damesmentaliteit, de contouren van de beha die zich onder mijn blouse aftekenden, de verse bloemen die ik net in een vaas had gezet of zomaar een mening die ik bijna ongemerkt had kunnen uiten, en naast hem zat Reina voortdurend te knikken, alsof ze het in alles met hem eens was, alsof ook zij altijd had gevonden dat irissen maar armzalige bloemen zijn. Santiago was de grote afwezige bij deze sessies, omdat Germán alleen iets tegen hem zei als hij iets van hem nodig had, alsof Santiago de butler was, maar altijd probeerde hij me te laten merken hoe groot de minachting was die hij voor mijn man voelde. Ik was bang voor hem omdat ik het gevoel had dat hij alles wist, dat alleen hij en ik de beheersing hadden over alle elementen die in die situatie een rol speelden, en wanneer ik mijn best deed om me aan de goede kant te scharen, door Santiago onder het meest onzinnige, of helemaal geen voorwendsel op zijn mond te kussen, of hem zo achteloos mogelijk over zijn rug te wrijven terwijl we praatten, krulde hij zijn lippen tot een onmiskenbaar sarcastische hoek, waarin ik moeiteloos kon lezen dat mijn initiatief, wat dat ook geweest was, de zaken alleen maar had verergerd. Maar op een dag deed hij een misstap en gleed uit.

Hij was bijzonder kleverig en heel wat meer dan halfdronken toen hij bij verrassing aanbelde, tegen halftien 's avonds. Niemand verwachtte hem. Die middag was een van de zeldzame keren dat ik samen met Reina uit was gegaan, want al kwam ze sinds haar terugkeer vaak bij me langs, vrijwel altijd op tijdstippen waarvoor een aankondiging niet nodig is, nooit gingen we samen uit. Wanneer ik zin had om ergens iets te gaan drinken of een beetje plezier te maken, sprak ik af met mijn vrienden van vroeger, met mensen van de faculteit, met Mariana of met Ernesto. Die dag echter had ik met mijn zusje afgesproken om samen naar de bioscoop te gaan omdat ik elke gelegenheid aangreep om maar niet thuis te hoeven zitten, en aangezien ik haar, voordat we vertrokken, niet meer dan twee zinnen achtereen over de film had weten te ontlokken, vermoedde ik dat die film niet veel zaaks zou zijn, en daarom nodigde ik haar uit voor het avondeten. Ik was druk bezig met het omkeren van een bijna gare kip, en met het 'duidelijk aangegeven blauwe lijntje', zoals de bijsluiter vermeldde, dat al sinds enkele weken mijn gedachten volkomen beheerste, toen ik toevallig opkeek en hem op de drempel van de keukendeur zag staan. Ik begroette hem, en hij antwoordde door met zijn rechterhand een paar keer hetzelfde slappe, overdreven gebaar te maken dat een Noord-Amerikaanse president gebruikt zou hebben om zijn zoveelste herverkiezing te vieren. Toen ik naar hem toe liep, verwaardigde hij zich eindelijk me gedag te zeggen en pakte me bij mijn schouders om me te kussen. Dat deed hij eerst op mijn linkerwang, en toen ik automatisch mijn hoofd draaide om hem de rechterkant aan te bieden, draaide hij ineens zijn hoofd en kuste me op een merkwaardige plaats, halverwege mijn mondhoek en mijn bovenkaak, en ik bedacht op dat moment dat hij me nooit kwader zou kunnen maken dan ik nu was, maar voordat we aan de tweede gang toe waren, had hij die grens al ruimschoots overschreden.

Ik was zijn voetjegevrij onder tafel zo zat dat ik, toen ik opstond om de kip te gaan halen, even met de gedachte speelde hem luidkeels te ontmaskeren, al weet ik niet of Reina en Santiago, die helemaal opgingen in een van die intense gesprekken die ze in die tijd steeds vaker begonnen te voeren, wel naar me geluisterd zouden hebben. Ik besloot dat ik bij mijn terugkeer Reina voor zou stellen met mij van plaats te wisselen, en ik merkte niet dat hij achter me aan kwam, gedienstig de vuile borden met zich meedragend.

'Zet ze maar op de vaatwasmachine, wil je?' zei ik zonder me om te draaien, terwijl ik het gas aanstak om de saus op te warmen die ik van tevoren in een steelpan had bereid.

Vervolgens hoorde ik het geluid van de deur die werd dichtgetrokken. Ik keek hem aan en stelde vast dat hij op me af kwam, langzaam, met een glimlach die breder was dan gewoonlijk. Toen hij voor me stond, bracht hij zijn hoofd tot vlakbij het mijne totdat ik bijna zijn wang voelde en zijn geur rook, een typische mannengeur, zuur en zoetig, maar niet aangenaam. Een ogenblik later voelde ik zijn hand om een kaveltje vlees tussen mijn dij en mijn linkerbil, en zo snel ik kon rukte ik me los, maar ik had er niet op gerekend dat de muur zo dichtbij was, nog geen handbreedte van mijn rug vandaan.

'Germán, je gaat te ver,' zei ik als een manier om mijn kalmte te bewaren, en ik prentte mezelf in dat het belachelijk was dat ik me in de keuken van mijn eigen huis bedreigd zou voelen.

'O ja?' antwoordde hij met een lachje. 'Waarom? Zit ik soms te laag naar je zin?'

Zijn vingers kropen langzaam omhoog langs de ronding van mijn kont, totdat ik met een flinke tik zijn hoop de grond in boorde.

'Hoor eens even,' begon ik heel langzaam, terwijl ik mijn armen strekte om zijn lichaam van me weg te duwen. 'Ik wil geen scène maken, weet je? Niet nu, niet hier, niet met Reina in de huiskamer, begrijp je? Ik moet niets van je hebben, absoluut niets, hoor je me? Dus doe me een lol en laat me met rust. Daar is de deur, ga terug aan tafel, en we doen alsof er niets gebeurd is, oké?'

'Malena…,' hij lachte geluidloos, hij was stomdronken. 'Malena, voor wie zie je me aan? Kom bij mij niet aanzetten met dat preutse gedoe, vooruit…'

'Hoepel op, Germán.' Ik was niet bang voor hem, maar hij liet zich langzaam voorover vallen, en ik was er niet zeker van dat ik zijn gewicht nog veel langer kon tegenhouden. Wat me echter de meeste zorgen baarde, was dat Reina ieder moment kon verschijnen. Ik vreesde meer voor haar, voor de onvermijdelijke ontgoocheling, dan voor mijn persoonlijke veiligheid, waarvan ik wist dat ik er zelf meer dan voldoende voor kon zorgen. 'Hoepel alsjeblieft op.'

Hij ging weer rechtop staan en pakte met twee handen mijn hoofd beet.

'Jij bent me wel een feestnummer, zeg!' hij keek me recht in mijn ogen, maar ik voelde nog steeds geen angst, zelfs geen afschuw. Hij was gewoon een ontzettende eikel. 'Een echte lolbroek… dat merk je meteen, weet je?'

'Natuurlijk ben ik een feestnummer,' zei ik, terwijl ik mijn hand uitstrekte naar het keukenblok in de waan dat ik hem zo wel voldoende afgeschrikt had. 'Je moest eens weten…'

'Dat is al beter,' zei hij goedkeurend, en zijn handen zakten af langs mijn hals, gleden over mijn sleutelbeenderen en streken neer op mijn borsten. 'Ik heb altijd al geweten dat jij en ik elkaar zouden begrijpen. En je moest eens weten hoeveel zin ik in je heb. Al sinds de eerste keer dat ik je zag…'

Al even loerde ik vanuit mijn ooghoeken naar de saus. Die kookte nog niet, al kwam er wel damp vanaf, maar ik zei in mezelf dat een zo hardleers type zonder enig probleem over een dergelijke onvolkomenheid zou heenstappen. Ik pakte de pan bij de steel en goot de inhoud langzaam over de linkerarm van mijn metgezel.

Toen, ten gevolge van een zo korte, zo eenvoudige, zo schone handeling, veranderde de situatie radicaal. Hij lag te kronkelen op de grond. Zijn pijnkreten moesten zeker vier verdiepingen lager, midden op straat, te horen zijn geweest, en ik stond naar hem te kijken. Ik stapte over hem heen terwijl ik een toepasselijke zin mompelde die ik me niet precies herinner, iets in de trant van sodemieter toch op, idioot, en ik gaf toe aan de verleiding mijn spelbeurt af te ronden met een niet al te harde trap in zijn mollige lendenen. Toen ik de deur opende, stond daar mijn zusje, die met een gealarmeerde uitdrukking de keuken inliep, en terwijl ik haar op hem af zag rennen, zei ik zacht het eerste wat me te binnen schoot.

'Een ongelukje. Hij probeerde me te helpen en uiteindelijk heeft hij de saus over zich heen gegooid. Per ongeluk, maar ik zou maar eens tegen hem zeggen dat hij wat minder moet drinken. Ik denk dat dat hem goed zal doen.'

Niemand miste de gemorste saus, omdat Santiago de enige was die van de kip at, en hij nam er nooit iets bij. Reina pakte Germán beet, smeerde zijn arm in met tandpasta en ging snel met hem naar huis. Toen ze de deur uit waren, keek mijn man me aan en barstte in lachen uit. Hij vond het prachtig.

'Nou, het mooiste heb je nog niet gehoord,' zei ik, en hij keek me onderzoekend aan. 'Hij heeft de saus niet over zichzelf heen gegooid. Dat heb ik gedaan.'

'Ja?' Ik knikte, terwijl zijn gelach langzaam wegstierf en verbazing bezit nam van zijn gezicht. 'Maar waarom?'

'Omdat hij zijn handen niet thuis kon houden.'

Als ik ineens klassiek Latijn had gesproken, had ik hem niet zo kunnen verbazen als nu het geval was. Hij wreef zijn ogen uit, alsof hij net uit een boze droom kwam en koos ervoor mijn laatste woorden heel langzaam te herhalen op de toon van een hypnotiseur die zijn patiënt langzaam wil laten ontwaken.

'Waarom heb je mij niet geroepen?' zei hij ten slotte.

'Omdat ik het zelf wel af kon,' loog ik. 'Ik wist dat ik mijn eigen boontjes wel kon doppen, en verder… Jij kon toch ook wel zien dat hij de deur had dichtgedaan. We hebben daar bijna tien minuten binnen gezeten, lang genoeg om…'

'Ik weet het, ja,' onderbrak hij me. 'Maar ik had nooit gedacht dat zoiets kon gebeuren.'

En wat zou je eraan gedaan hebben, mispunt? vroeg ik me af terwijl hij aan tafel ging zitten en begon te eten. Toen zei hij, zonder me aan te kijken, dat hij het met me eens was.

'Eigenlijk is het maar beter zo, want ik zou niet geweten hebben wat ik had moeten doen, dat meen ik. Je bent geweldig, Malena, ongelooflijk.'

'Dank je,' zei ik met een glimlach.

'Kun je je voorstellen dat ik met hem op de vuist was gegaan?' zei hij met een hoog, geamuseerd, bijna kinderlijk lachje. 'Als hij me met een van die armen van hem raakt, breek ik meteen iets, zeker…'

Ik lachte met hem mee, dat waren de momenten waarop ik het meest van hem hield, dat waren de momenten die me het meeste verdriet deden wanneer ik alleen was en hem precies zag als op dat moment, een knappe, gezonde, slimme, onuitstaanbare en weerloze jongen, een soort groot kind, tevreden met zijn leventje en trots op mij, zijn vrouw die er altijd aan dacht koekjes zonder twijfelachtige kleurstoffen voor hem te kopen en zijn omgeving vrijhield van ongewenste gevaren, de ideale moeder: incestueus, gedecideerd, liefhebbend en zorgzaam. Onmisbaar.

'Hoe dan ook,' vervolgde hij, en hij sloeg zijn arm om mijn schouder toen we al op de bank zaten, 'wat die vent gepresteerd heeft, is werkelijk verbijsterend.'

'Hij is een ongelooflijke zak,' zei ik instemmend.

'Nee, hij is een varken.'

'En een sukkel.'

'En ook nog een smeerlap, je arme zusje…'

'Nee,' zei ik ineens zonder na te denken over de betekenis van mijn woorden, alsof mijn oordeel recht uit mijn hart kwam, 'Germán, dat is een chulo.'

Toen het tot me doordrong wat ik gezegd had, keek ik naar het gezicht van mijn man. Hij maakte instemmende hoofdgebaren, gaf me gelijk, en even dacht ik dat hij ging gillen.

'Ja!' zei hij ten slotte. 'Vooral een chulo.'

Hoewel dat absoluut niet leuk was, werd ik plotseling overvallen door verschrikkelijke lachstuipen die Santiago niet wist te interpreteren. Toen hij over me heen boog, gaf ik hem een kus die niet voor hem bestemd was, en omarmde hem en streelde hem zoals ik met alle mannen waarvan het lot me had beroofd zou hebben gedaan. Ik liet me naar bed slepen en neukte met ware overgave, met een venijn dat ik me haast niet kon herinneren, zonder mijn ogen ook maar een seconde open te doen. Toen we klaar waren, veegde hij met een weke, koele hand het haar uit mijn gezicht.

'Zo zou het altijd moeten zijn,' fluisterde hij. 'Vandaag voelde ik dat het anders was. Ik geloof dat we vandaag… echt de liefde hebben bedreven.'

Ik deed mijn ogen open en vond zijn gezicht daar, op het kussen, een paar centimeter verwijderd van mijn eigen gezicht. Hij was het, en geen ander, hij zweette en lachte, hij zag er gelukkig uit. Nooit is er iemand geboren die zo door en door slecht was dat hij de blozende globe die hij in zijn handen hield, van hem af durfde te pakken.

'Tuurlijk,' zei ik instemmend, en ik kuste hem nog eens op zijn mond. Ik denk dat ik op dat moment besloot dat mijn kind geboren zou worden.

Ik stond op het punt te besluiten dat ik zou thuisblijven, want ik voelde er eigenlijk maar weinig voor om in mijn toestand van gedwongen geheelonthoudster ergens iets te gaan drinken, maar Santiago belde vanuit zijn kantoor om te zeggen dat hij niet thuis zou komen eten, en Ernesto drong zo aan, en er waren zulke slechte films op tv, en het was een zo verrukkelijke avond, met een voor half juli zeer ongebruikelijk koel briesje dat de verstikkende warmte van overdag deed vergeten, dat ik uiteindelijk een heel licht mantelpakje van wit linnen aantrok, dat ik diezelfde middag nog had gekocht in de uitverkoop, met een double-breasted jasje, dat ruimschoots wijd genoeg was om de beginnende bolling van mijn buik aan het oog te onttrekken, en de straat op stoof alsof ik in een onweerstaanbaar zwembad vol koud water sprong. Toen ik het portaal uit liep, leek het wel of de lucht met elektriciteit geladen was, maar dat gevoel krijg ik altijd wanneer ik onverwacht een zomernacht in duik. Ik ging te voet naar de afgesproken plaats, al lag dat terras behoorlijk ver van mijn huis, en toen ik zag dat Ernesto niet alleen was, kreeg ik opnieuw het vermoeden dat er die nacht iets stond te gebeuren, en dat dit, of het nou goed of slecht was, iets vreemds, iets unieks zou zijn.

Toen hij opstond om me te begroeten, herkende ik het silhouet van zijn vrouw, die naast hem zat. Het was niet de eerste keer dat ik haar zag. Uiteindelijk had hij besloten toch maar af en toe in haar gezelschap te verschijnen, altijd wanneer we met nog meer mensen hadden afgesproken, docenten van het Instituut, of een groepje leerlingen van hem, of van mij, en dan speelde hij altijd een spelletje dat ik belachelijk vond, dan flirtte hij verlegen met mij, niets wat niet door de beugel kon, terwijl zij langzaam bozer werd, en wanneer voor haar de maat vol was, keerde ze hem de rug toe en probeerde naarstig een willekeurige jonge jongen te verleiden. Na tien minuten zei ze dan dat het al laat was en dat hij de volgende dag weer vroeg op moest, en hij gaf haar weer gelijk en ging met haar mee, altijd hetzelfde, als twee acteurs die zijn veroordeeld hetzelfde scenario tot in de eeuwigheid te blijven repeteren. Die avond echter kreeg ik de indruk dat haar aanwezigheid hem stoorde, alsof hij niet in het minst op haar had gerekend toen hij met mij afsprak, en dat gaf hij me te verstaan toen hij me aan de anderen voorstelde.

'Zoals je ziet, heeft Lucía besloten haar hele familie mee te nemen.'

Zij begroette me met de typisch huichelachtige vriendelijkheid die ze bij dergelijke gelegenheden altijd tentoonspreidde. Ze was niet onaantrekkelijk en had nog veel aantrekkelijker kunnen zijn, als ze niet altijd probeerde zich te kleden en te praten en op te maken en te bewegen alsof ze twintig jaar jonger was. Ze had bruin haar met blonde lokken, een expressief gezicht, lichte ogen als opvallendste eigenschap en was erg slank, hoewel niemand haar vel over been zou hebben genoemd. Ze maakte altijd grapjes, was zelden echt leuk, genoot ervan te doen alsof ze de toon aangaf, en hoewel ze een groot gevoel van eigenwaarde moest hebben, had ik haar eigenlijk altijd onbeduidend gevonden.

De kring bestond uit nog vijf personen: twee paren en een vrouw alleen. Dit, zo zei Lucía, was haar beste jeugdvriendin die een paar dagen bij haar in Madrid verbleef omdat ze net was gescheiden en het er nog steeds moeilijk mee had, waaruit ik opmaakte dat zij de verlaten partij was. Ik kwam er niet achter hoe het zat, omdat ze de hele avond haar mond alleen maar opendeed om 'nog een whisky, alstublieft...' te bestellen. Nog voordat ik werd voorgesteld, raadde ik dat een van de andere vrouwen haar zuster was, omdat ze erg op elkaar leken. De man die naast haar zat was haar echtgenoot, en het andere paar bestond op zijn beurt uit een broer van deze man met zijn vrouw. De broers hadden echter niets van elkaar weg. De zwager van Lucía, die het grootst was, keek ik haast niet aan. De kleinste, die zeker heel wat jaren ouder was dan ik, beviel me beter. Veel beter. Geweldig, realiseerde ik me nog voordat ik wist hoe hij heette. Toen Ernesto vroeg wat ik wilde drinken, vroeg ik een Coca-Cola. Hij keek me verbaasd aan, en hoewel ik me had voorgenomen te vertellen dat ik zwanger was, hoorde ik mezelf ineens beweren dat ik juist die ochtend was begonnen met een antibioticakuur, en nog voor ik besefte dat ik tegen hem had gelogen, was ik al uitgesproken.

In mijn glas stond nog meer dan de helft van de oorspronkelijke inhoud toen hij, die Javier heette, opstond en zonder zijn blik ook maar even van me af te wenden, met zijn handen in zijn zakken, zei dat hij er niet veel voor voelde om in dat café te blijven.

'We hebben lang op je zitten wachten,' zei hij op een toon die het midden hield tussen paternalistisch verwijt en grap. 'Je bent wel heeel laat.'

Hij droeg roodbruine, lederen mocassins die met de hand waren geregen en een rode, bijna kersrode spijkerbroek, die zijn gebruinde, tegelijkertijd benige en massieve enkels onbedekt liet. Een wit overhemd van een stof die vanwege haar stugheid flatteerde, zonder boord en met slechts één knoopje geopend onder de grens die voor mannen met smaak als onaantastbaar wordt beschouwd, omlijstte een diepbruine, voor de tijd van de zomer waarin de eerste lichting vakantievierders nog niet in de stad was teruggekeerd, bijna spectaculair bruine huid. Hij was tamelijk kort, slank, had zwart haar met hier en daar wat grijze haren, een enorme neus en bijpassende handen, en waarschijnlijk een stel fantastische billen, te oordelen naar de ronde contouren van zijn broek. Bovendien, dacht ik bij mezelf om me te kalmeren toen ik merkte dat ik over mijn hele lichaam was gaan te zweten, is hij getrouwd met een heel leuke vrouw, die hier is, en ik ben zwanger van een man die er veel beter uitziet dan hij. Dat was waar, hij zag er niet zo goed uit als Santiago. Maar hij was wel aantrekkelijker.

Toen we de boulevard op liepen, bleef hij opzettelijk achter om op gelijke hoogte te komen met mij, die alleen liep, met een lach op mijn mond, maar toen hij me bijna bereikt had, haalde Ernesto hem links in, pakte me bij een arm beet en versnelde zijn pas totdat we de voorhoede van het groepje bereikt hadden.

'Het spijt me, Malena, hier had ik niet op gerekend.' Ik vroeg me af waar die idioot het over had. 'Ik dacht dat er vandaag... Nou ja, dat er niemand anders zou zijn.'

Ik begreep dat hij me die avond had willen verleiden, uitgerekend die avond, en niet tijdens een van de avonden van aantrekken en afstoten, niet op een van die eindeloze, steriele, vervelende, idiote avonden, de stereotiepe en voorspelbare avonden die we in de loop van dat jaar samen hadden doorgebracht, en ik dacht bij mezelf dat het leven toch eigenlijk een te gekke plaats was om te wonen.

'Wie is die vent?' vroeg ik als antwoord, terwijl ik met mijn vinger Javier aanwees.

'O, ik weet niet veel van hem, zijn broer ken ik beter... Ze zijn van hier, maar hij woont het hele jaar in Denia, hij is tekenaar. Hij illustreert kinderboeken, tijdschriftartikelen, filmaffiches en zo.'

'Is hij al lang getrouwd?'

'Hij is niet getrouwd.' Die precisering, die zo typerend was voor Ernesto, de meest getrouwde man die ik ooit had gekend, vond ik zo meelijwekkend dat ik geen moeite deed om het ongeduld op mijn gezicht te verbergen. 'Ze wonen al vijftien jaar samen, hij zwaaide net af uit dienst, hij was nog een kind... zij ook natuurlijk.'

'Maar ze is ouder dan hij, nietwaar?'

'Ja, maar niet veel, een jaar of twee, drie. Zij schildert. Ze hebben twee kinderen. Hij aanbidt haar.'

'Ja, ja.'

Net toen ik hem wilde vragen waarvoor ze in Madrid waren, bereikten we de deur van het café dat onze bestemming was, en we waren nog maar amper de drempel over, of een vent sprong boven op me, kuste me en begroette me alsof we al ons hele leven bevriend waren. Ik had hem nooit eerder gezien, dat wist ik zeker, en toen ik bemerkte dat de gasten die een tafeltje naast de ingang bezetten om zijn uitbundigheid giechelden en elkaar aanstootten, vermoedde ik dat hij het nog zekerder wist dan ik. We gingen dicht bij hen, aan het enige vrije tafeltje zitten, en een flinke tijd gebeurde er niets van belang. Ernesto, die tegenover me zat, keek me met een obsessief strakke blik aan. Rechts van mij voerde Javier, omringd door vrouwen, een gesprek waaraan ik liever niet deelnam. Ik stond op om naar het toilet te gaan, uitsluitend om zijn aandacht te trekken, en voordat ik hem mijn rug toekeerde, zag ik vanuit het hoekje van mijn ogen dat hij naar me keek, zonder zijn gesprek met de andere vrouwen te onderbreken. Terwijl ik me afvroeg of hij zou besluiten om me te volgen, kwam de vent die me daarvoor had begroet op hetzelfde idee, en hij kwam achter me aan. Ik versnelde mijn pas en bereikte de toiletten. Ik deed de deur dicht, keek in de spiegel, veegde met de achterkant van mijn vingers de ongewenste donkere schaduw van uitgelopen oogpotlood, het zwarte, hele vette oogpotlood waarmee ik een lijntje op mijn onderste oogleden had gezet, weg, deed een dunne laag lippenstift op, draaide de kraan open en begon te tellen. Toen ik bij twintig was, deed ik hem dicht, en ik zei bij mezelf dat ik de toiletten wel kon verlaten.

Die idioot stond op me te wachten, geleund tegen de muur, waardoor hij de nauwe opening die de gang met de rest van het café verbond voor de helft afsloot. Ik bleef staan, tegenover hem, zonder goed te weten wat ik moest doen, toen ik ineens voelde dat er van achteren af een arm om mijn middel werd geslagen, en ik voelde de aanwezigheid van iemand die groter was dan ik, en een golf warme lucht, de aanraking van onregelmatige, zachte lippen tegen het randje van mijn linkeroor.

'Zal ik hem afmaken?'

Er was geen enkele spiegel waarin ik mezelf kon zien, maar ik wist dat er op mijn gezicht een zo pure uitdrukking van genot stond dat ik mezelf gelukkig prees met de aanpak die hij niet wetend dat hij het zonder uitzicht op mijn gezicht zou moeten stellen, had gekozen. Ik draaide me heel langzaam om, terwijl mijn dronken belager zich discreet uit de voeten maakte. Toen Javier voor me stond, maakte hij een hoofdgebaar in de richting van de ander, en sprak tegen mij op dezelfde aangename, veelzeggende toon die hij daarvoor had gebruikt.

'Wil je dat ik hem afmaak?'

Op dat ogenblik trok Ernesto vanaf het andere eind van de gang met een sissend geluid onze aandacht. We hadden besloten te verkassen, want in dat café werd het ons te vol. Hetzelfde gebeurde nog eens, en nog eens, één uur, twee uur, drie uur in de ochtend, en ons groepje werd bij elke straat minder compact, langgerekter, en de vermoeidheid op de gezichten groeide, wallen onder ogen, gegeeuw, halfdichte, uitgeputte, slaperige oogleden, behalve in mijn eigen gezicht, dat fris en blozend als een pasgeplukt appeltje was, en in het gezicht van de twee mannen die op een onnozele manier met elkaar wedijverden om een lichte aanraking van mijn arm, of me van voren te mogen toelachen, alsof mijn lichaam een mysterieuze energie uitstraalde en er om me heen een onweerstaanbaar magnetisch veld was. In het laatste café, hetzelfde laatste café als altijd, gingen we niet allemaal meer naar binnen. Javiers broer en zijn vrouw liepen met ons mee naar de deur en namen daar afscheid. Eenmaal binnen zette Lucía haar gebruikelijke boom op, het is al erg laat, laten we gaan, morgen moet ik weer vroeg op, maar Ernesto, die geen aanstalten maakte om haar te steunen, koos een neutrale, onverschillige en tegelijkertijd hoffelijke toon en vroeg waarom ze niet van de gelegenheid gebruik maakte en met haar zuster meeging. Daarop antwoordde zij met een woedende blik, en vastberaden gooide ze de deur open en stapte naar binnen.

Paco ontving ons van achter de bar en heette ons met grote gebaren welkom. Hij was altijd erg blij ons te zien, en zijn genegenheid werd, tenminste in mijn geval, op gulle wijze beantwoord. De ruimte, een soort wijnkelder die er zo vervallen uitzag dat je haast niet kon geloven dat die zich al bijna twintig jaar met gemak op de lijst van succesrijke cafés had weten te handhaven, was bijna verlaten, maar ook al zouden de paar stamgasten die nog aan de bar stonden spoedig opstappen, en ook al zou er in wat er nog van de nacht over was geen mens meer komen, de eigenaar zou de zaak pas dichtdoen zodra wij besloten te vertrekken, al zou de zon op dat moment al zijn begonnen de straat te verwarmen. Dat alleen zou al voldoende zijn geweest om onze trouw te belonen, maar Paco zong bovendien vaak oude verzen, de oude liederen die hij in zijn jeugd, luisterend naar zijn vader, de flamencozanger, had geleerd, en waarvan hij zich de tekst maar voor de helft herinnerde.

Dit zou niet een van die nachten worden, en dat zag hij al in één oogopslag. Terwijl de drie vrouwen die bij ons waren, aan een tafeltje gingen zitten, bleven Ernesto, Javier en ik aan de bar staan, maar we stonden geen ogenblik stil. We veranderden voortdurend van positie, alsof we een merkwaardig ballet repeteerden, een oud menuet waarbij de dansers elkaar ordelijk de rug toekeerden en een seconde daarna alweer met hun gezichten naar elkaar toe stonden en vervolgens een kwartslag draaiden, zonder over iets bepaalds te praten, glimlachend, met duizenden malen gerepeteerde, precieze, opzettelijke gebaren: vingers die het haar van een voorhoofd veegden, gefronste wenkbrauwen bij het aansteken van een sigaret, handen die op gezette tijden in en uit broekzakken gleden, de gewichtloosheid van een onderarm die slap achterover hing wanneer de elleboog even uitrustte op het randje van de bar, tanden die deden alsof ze op de onderlip van hun eigen mond bijten, het lied van de ijsblokjes die binnen de transparante wanden van het glas tegen elkaar botsten, alle drie deden we hetzelfde, de hele tijd, tegelijkertijd.

Ik bestelde uiteindelijk iets te drinken, misschien met de bijbedoeling een concreet steunpunt te zoeken voor de spontane impuls die het inwendige van mijn lichaam had veranderd in een onschuldig glas water waarin iemand één voor één alle bruistabletten van een reusachtige buis Aspro had laten vallen, en toen stond Javiers vrouw gapend op en, nadat ze had meegedeeld dat ze met haar hoofd op tafel in slaap was gevallen zonder er maar iets van te merken, gaf ze te kennen dat ze ervandoor ging omdat ze doodop was. De alleengelaten vrouw stond op en liep achter haar aan naar de deur zonder ook maar iets tegen ons te zeggen. Lucía pakte Ernesto beet en trok hem mee naar het einde van de bar, ze begonnen heel zachtjes te ruziën, en ik keek de andere kant op en Javier keek me met opgetrokken wenkbrauwen aan. Op dat moment viel de deur dicht. Ernesto bleef, waar hij stond, oplettend naar de deur kijken totdat het geluid van hakken op het plaveisel wegstierf. Vervolgens overbrugde hij met drie grote passen de afstand die ons scheidde, boog over me heen en kuste me, zonder me aan te raken met iets anders dan zijn aarzelende lippen. Noch de verrassing, noch de zachtheid van zijn lippen, die puur waren alsof ze niets te maken hadden met de rest van de wereld, weerhield me ervan mijn ogen open te houden, totdat Javier in mijn blikveld kwam en me aankeek, en glimlachend het glas dat hij in zijn rechterhand hield, hief alsof hij ergens een dronk op wilde uitbrengen. Toen gingen mijn oogleden vanzelf dicht, maar ik wilde me niet laten gaan in een situatie die zo absurd was, dus ik rukte me los van Ernesto en rende, je zou haast kunnen zeggen dat ik vluchtte, zonder uitleg naar het toilet.

Toen ik mezelf in de spiegel bekeek, nadat ik mijn nek met koud water had gedept, berispte ik in gedachten de vrouw die me vanaf de andere kant aankeek, maar zij keek zonder een spoor van emotie terug.

'Je bent zwanger...' predikte ik ten slotte hardop. 'En je hebt al genoeg stommiteiten uitgehaald.' Ik bekeek mezelf aandachtig, en hoewel ik me erg inspande om me zwanger te voelen, viel me niets bijzonders op in mijn lichaam, en ook niet aan mijn uiterlijk. 'Je bent nog erger dan je zuster,' zei ik ten slotte, maar ook toen gebeurde er niets.

Een paar minuten lang stond ik roerloos voor de spiegel, zonder één beweging, niet in staat tot denken. Vervolgens, terwijl ik de deurklink krachtig vastgreep, besloot ik dat ik mijn tas zou pakken, dat ik afscheid zou nemen, en dat ik, definitief alleen, eindelijk naar huis zou lopen, maar ik deed de deur open en kwam niet verder, omdat Javier aan de andere kant op me stond te wachten. Terwijl hij me recht in mijn ogen keek, zonder blijk te geven van nervositeit of enige andere emotie in het bijzonder, sloeg hij eerst met een langzame, rustige beweging zijn rechterarm om mijn middel en ondersteunde daarna met de andere hand mijn hoofd, om ten slotte een woedende, gretige tong in mijn mond te duwen die meteen een eind maakte aan iedere illusie van kalmte. Pas toen zette hij een stap naar voren, waarmee hij mij het vertrek in duwde, samen met hem, en nadat hij de deur met zijn hak had dichtgeduwd, vervolgde hij zijn weg blindelings, struikelend, zijn handen stevig rond mijn bovenbenen, zijn buik tegen de mijne drukkend, terwijl hij me als een onbaatzuchtige waarschuwing het reliëf van zijn pik liet voelen, me bijna optilde en meenam, me tegen de achterwand zette en zich ten slotte, verwonderd en verward als een klein kind, liet vallen tegen mijn onverdraaglijk gespannen huid, die zijn gewicht als een geschenk ontving.

In de beste houding die we vervolgens konden vinden, ik schrijlings op hem zittend en hij op zijn beurt op de wc-bril, hervond hij langzaam zijn tegenwoordigheid van geest in de wilde gretigheid van zijn vingertoppen, toen zijn handen onder mijn dijen weggleden om me met een dubbelzinnige, bijna gewelddadige beweging bij de revers van mijn jasje vast te grijpen. Met een scherp getinkel vielen de nieuwe knoopjes, die nog slechts met enkele steken vast zaten, op de linoleumvloer. Hun echo was nog niet vervlogen of een lager geluid vestigde mijn aandacht op een strijd die op mijn lichaam werd uitgevochten. Javier had nog niet ontdekt hoe mijn massieve zwangerschapsbeha in elkaar zat, en omdat hij aan de achterkant geen haakje kon vinden, probeerde hij met

beide handen en uit alle macht de stof te scheuren. Ik maakte de twee haakjes die midden op de voorkant verborgen zaten los en voelde hoe mijn borsten, groot en vol, strak en rond, langs zijn wangen streken. Ik zag hoe hij ze van elkaar duwde om ze te bekijken, hoe hij met een machinale beweging zijn haar uit zijn gezicht veegde, hoe hij zich op me stortte, hoe hij in de lucht zijn mond opende, hoe hij zijn lippen om mijn linkertepel sloot, ik voelde het scherp van zijn tanden, de sponsachtige aanraking van zijn tong, het dikke slijmspoor dat hij trok, ik voelde hoe hij sabbelde, en zelfs toen veranderde er niets, en als ik hem de waarheid vertelde, dan was dat niet omdat ik bang was dat hij me met zijn ontdekking voor zou kunnen zijn, en ook niet om te proberen terug te krabbelen zodra ik die woorden hardop hoorde, en zelfs niet om te gehoorzamen aan de perverse drang om mezelf voorgoed te bestempelen als verdorven, verachtelijk en voor eeuwig schuldig. Als ik de waarheid vertelde, was het alleen om dat ene antwoord te horen.

'Ik ben zwanger,' zei ik, en hij leek helemaal niet te reageren. 'Drie maanden.'

Een paar seconden daarna, toen zijn tanden er uiteindelijk in toestemden mijn tepel los te laten, gooide hij zijn hoofd achterover, keek me aan en glimlachte naar me.

'Dat maakt me niet uit,' zei hij, en vervolgens viel hij aan op mijn rechterborst. Toen we daarvandaan kwamen, bijna een uur later, was van Ernesto geen spoor meer te bekennen. Paco lag met zijn hoofd op een tafel te slapen, en pas toen ik hem bij zijn schouders door elkaar schudde, werd hij net wakker genoeg om de deur voor ons open te doen. Javier wilde beslist met mij in dezelfde taxi, hoewel het huis van zijn ouders in tegenovergestelde richting lag, en ik vreesde dat het weer zo'n ongemakkelijke rit zou worden, met die typisch triviale gelegenheidsconversatie of een massieve stilte, wat nog veel erger was, maar ik kreeg amper de tijd om uit het raampje te kijken. Voordat de auto kon optrekken, had hij zich al over me heen gebogen om me te kussen, en dat bleef hij onophoudelijk doen, met in al zijn gebaren een tederheid die ik daarvoor zelfs niet had kunnen vermoeden, totdat de taxi voor het portaal van mijn huis stopte. Toen zeiden we geen van beiden iets. Hij bleef wachten terwijl ik in mijn tas graaide totdat ik mijn sleutelbos te pakken had, en hij stond daar nog steeds toen ik, al aan de andere kant van de glazen deur, voor het laatst een blik wierp naar de straat. Terwijl ik, dronken van een euforie die ik nog van vroeger kende, de trap op liep, vroeg ik me af of ik hem nog eens zou terugzien, ondanks het solide voorgevoel dat zich ongevraagd in mijn hoofd had genesteld toen ik zo veel uren geleden over dezelfde trap naar beneden liep.

Jaren later probeerde ik met hem in contact te komen. Ik schreef hem twee keer, liet tientallen berichten achter op zijn antwoordapparaat, en hij pakte nooit de telefoon op, belde nooit terug, nooit ving ik nog een woord van zijn lippen, maar toen ik die nacht tussen de lakens gleed kon ik dat nog niet weten, en het enige wat me toen bezighield was de nachtmerrie die me de ochtend daarop uit mijn slaap zou doen opschrikken, de slapeloze nachten die volgden, de stormen die mijn geweten gedurende weken, wellicht maanden, misschien wel mijn hele leven zou teisteren.

De volgende dag stond ik meteen op, goedgehumeurd en met een flinke trek. Tegen alle verwachtingen in voelde ik me een moordwijf.

D oor het venster kon ik alleen de kruin zien van twee verkleumde, oude, grijze populieren. De door de wind gegeselde takken bogen ver naar achteren, alsof ze het uitschreeuwden van pijn tegen het weerzinwekkende decor van een onmogelijke, roodbruine hemel, precies die kleur die een hemel nooit zou moeten hebben. Het leken binnenbomen, zei ik bij mezelf; als er binnenbomen bestonden, moesten ze altijd zijn als deze twee arme, naakte, zwakke populieren. Toen begon het te regenen, de eerste dikke, galzwarte druppels spatten met veel lawaai op het glas uiteen, iemand deed de deur open en die zwakke luchtstroom deed de aan het kozijn bevestigde slinger van zilverkleurig plastic heen en weer zwaaien, en met de slinger bewogen ook de gekleurde transparante bolletjes die op regelmatige afstanden tussen de franje hingen. De deur werd weer dichtgedaan, en het geluid werd onverdraaglijk. Ik draaide mijn hoofd, om de waarheid eindelijk eens onder ogen te zien, en de man van de echograaf, die de sensor die hij met zijn rechterhand bestuurde maar driftig bleef bewegen, terwijl hij met zijn linker op het toetsenbord rammelde, wierp me een ontmoedigende blik toe.

'Ik weet niet…' zei hij zacht. 'Ik ga nog een keer meten, vanaf het begin.'

Het was de derde keer dat hij die woorden zei, de derde keer dat hij mijn buik schoonwreef met tissue, de derde keer dat zijn assistente over me heen boog en me insmeerde met die ijskoude transparante gel, de derde keer dat ik de sensor op mijn geschrokken buik voelde drukken, de derde keer dat niets resultaat leek op te leveren, en opnieuw wendde ik mijn blik naar het raam en probeerde te kiezen voor het verdriet van de populieren, maar ongevraagd rolden er twee tranen, dikker en bitterder dan de eerste regendruppels, uit mijn ogen.

'Ik begrijp het niet,' gaf hij uiteindelijk toe. 'Het is niet gegroeid, uiteraard, maar het kan zijn dat je je hebt vergist met de berekening en nog niet zo lang zwanger bent als je wel denkt. Als je de pil al jaren gebruikt, kan het zijn dat de ovulatie helemaal van slag is. Het zou niet de eerste keer zijn dat dat gebeurt.'

Maar hij wist dat dit niet waar was, want zes weken daarvoor had hijzelf nog een echogram bij me gemaakt, en toen was één enkele meting al voldoende, alles ging goed, alles was perfect voor de zesde maand. Het is er maar één, zei hij, en dat was de eerste blije boodschap, want het idee dat ik een tweeling zou krijgen, bezorgde me een panische angst. Een jongen, zei hij vervolgens, en ik was opnieuw oneindig blij, voor hém, ik was zo tevreden dat het geen meisje was... Nu, terwijl ik mijn regenjas zo langzaam aantrok dat het leek alsof die meer woog dan een ijzeren harnas, was ik met hem begaan, terwijl ik hem nog niet kende, en ik vroeg hem om vergiffenis voor het feit dat ik hem in me droeg.

Mijn moeder wachtte boven, in Reina's kamer, maar ik wilde niet naar boven, ik wilde niet zien hoe mijn zusje straalde in een van die witte nachthemden met lichtroze linten die mama voor ons allebei had gekocht, en waarvan ik voorvoelde dat ik ze nooit zou gebruiken, alsof ik mezelf al kon zien in dat groene operatiehemd waarin ze me, wanneer het mijn tijd was, naar een kamer zouden brengen die identiek was aan de kamer waarin zij nu lag, maar dan alleen. Ik wilde Reina niet zien, ik wilde me niet buigen over het wiegje van transparant plastic naast haar bed en de serene slaap van dat volmaakte meisje dat net als haar moeder Reina heette. Ik liep zonder mijn benen te voelen, duwde de deur open zonder dat ik mijn handen voelde, liep naar buiten en zette het op een lopen in de regen, zonder bescherming tegen die bruine hemel, die razende donderslagen, zonder te voelen hoe zwaar het regende, alsof het niet regende of alsof de regen, een voorbijgaande, beheersbare tegenslag van buitenaf, uiteenviel bij de aanraking met het geheime, onherroepelijke verval van mijn verdorven bloed, mijn rode bloed, onveranderlijk en stabiel als de beschikking van het lot.

Hoewel ik langzaam liep, belandde ik al snel in een wijk die ik niet kende, ongeasfalteerde straten met aan weerszijden lage, witte huizen, straten van aangestampte aarde, uitgewist door de regen, een modderpoel zonder duidelijke grenzen, snelstromende donkere beken die uitmondden in een plein dat zo diep was als een smerige, valse zee. Ik liep eromheen en vervolgde mijn weg, verdoofd van angst, zonder iets te voelen, en het idee dat ik die ochtend al eerder had beleefd, maakte alles nog veel moeilijker voor me. Twee dagen daarvoor was Reina in de kliniek opgenomen met perfect normale en regelmatige weeën om de drie minuten, een waggelende tred, benen die doorbogen onder het gewicht van een buik die bolde en bonsde als de ronde omtrek van een jonge planeet, schouders naar achteren, haar handen in haar zij, geflankeerd door Germán en mijn moeder. Ik volgde met de koffer, en ik wist al dat het bij mij niet zo zou gaan, ik wist al dat die scène niet zou worden herhaald, dat er iets misging, want ik voelde me te goed, mijn lichaam herinnerde zich haar oude vorm te goed om een kind van zeven maanden te kunnen dragen, mijn buik vertoonde naar voren toe een voorzichtige, beheerste ronding, een parodie op de sensationele bolling die al een paar maanden lang de verschijning van de rest van Reina's lichaam ruim van tevoren aankondigde. Reina ging met de lift naar de kamer, kleedde zich in de badkamer uit, trok dat nachthemd van moeder Barbie aan, een exacte replica van het hemd waarin ik me nooit zou vertonen, en stapte in bed, werd aan een infuus gelegd, gilde, zweette, jammerde en huilde, huilde veel, huilde onophoudelijk, alsof ze gemarteld werd, alsof ze doormidden werd

gebroken, vaal en krachteloos, hysterisch van de pijn, met haar nagels gedreven in mama's armen en in Germáns handen, die zich over haar heen bogen, haar voorhoofd streelden, lieve woordjes zeiden, en werkelijk haar leed deelden zonder zich over wat dan ook te beklagen. Een verpleegster maande haar een paar keer streng tot kalmte, en mijn zusje schold haar uit, u hebt er geen benul van hoe dit is, zei ze, en de ander antwoordde met een daverend gelach, nee, ik niet, ik heb er maar drie gekregen.

Reina's bevalling was laat, langdurig en pijnlijk, zoals alle eerste bevallingen horen te zijn. Reina's baby bleek een meisje, broos en blozend zoals alle baby's zouden moeten zijn. Reina's kamer leek wel een feestzaal, bloemen, glimlachende mensen, tranen van ontroering, opgewonden kreten, zoals alle kamers waar een wieg staat horen te zijn. Reina's gezicht was na de inspanning glanzend en vochtig, rozig en voldaan, zoals de gezichten van alle jonge moeders horen te zijn. Ik woonde dat spektakel bij met dezelfde moedeloosheid die een ter dood veroordeelde voelt wanneer hij zijn eigen graf moet graven. Ik leefde al weken in doodsangst. De gynaecoloog maakte zich nog geen zorgen, omdat ik naar behoren dikker werd, regelmatig in gewicht toenam, maar hij wist niet dat ik vals speelde. Halverwege de zesde maand had ik zelf mijn dieet veranderd, vier, vijfduizend calorieën per dag in plaats van vijftienhonderd. Ik stopte me vol met chocola, *churro's*, brood, gebak, patat, en de diameter van mijn armen nam toe, en ook die van mijn benen, mijn gezicht werd gehoorzaam rond en de omvang van mijn borsten dreigde het onbehoorlijke te naderen, maar mijn kind groeide niet, want mijn buik wilde niet uitdijen, mijn contouren vervormden niet, mijn buik begon niet zwaar te worden, en ik had er alles voor over gehad om de staat te veroveren die ik in de eerste maanden zo had vervloekt, alles om maar te veranderen in een van die lompe, overvoerde olifanten die ik vroeger op het spreekuur van de dokter met zo veel minachting had bekeken, alles, en ik gaf niet meer om mijn toekomst, ik gaf niet meer om mijn huid, ik gaf niet meer om mijn lichaam, het enige wat ik wilde was zwanger zijn, reusachtig, immens, weerzinwekkend, een groteske meelijwekkende luchtballon, alleen dat wilde ik, ik had er alles voor over gehad om gewoon dat te zijn, een vrouw als alle andere, en ik at, ik at als een wolf, ik propte me vol tot het mijn neus uit kwam, en dat deed ik voor ons tweeën, maar ik realiseerde me dat hij er niets aan had.

'En jij... vijf maanden? Zes?' vroeg de verpleegster aan mij, terwijl we in de kamer wachtten tot Reina uit de kraamzaal terugkwam.

'Nee,' antwoordde ik, 'ik ben al bijna zeven en een halve maand.'

Ze keek me aan met in haar blik een mengsel van verbazing en vrees, maar een ogenblik later herwon ze de controle over haar gelaatsspieren en glimlachte naar me.

'Wat fijn, zeg! Zo lekker slank...'

'Ja,' zei ik, en ik keek mijn moeder aan, en zij wilde me niet langer dan een paar seconden aankijken, maar daarna, terwijl we over de gang ijsbeerden om de tijd te doden, legde ze haar hand op mijn schouder en durfde te zeggen dat ook zij het ergste vreesde.

'Wij, de Alcántara's, zijn ongeschikt voor het moederschap, Malena, en dat wordt doorgegeven van moeder op dochter, weet je. Mijn grootmoeder kreeg uit zes pogingen maar twee kinderen, papa en tante Magdalena, en mijn moeder verloor twee kinderen voordat Pacita werd geboren, een heel uitzonderlijk geval, dat weet je wel, dat komt maar bij één op de honderdduizend zwangerschappen voor, en gewoonlijk sterft de baby voor de geboorte, maar mijn zuster werd geboren, jij hebt haar gekend. Ikzelf ben maar één keer zwanger geweest, en toen gebeurde dat met Reina, dus...'

'Maar dat met Reina was mijn schuld,' zei ik, en haar gezicht verstarde onder een onverwacht hevige verbazing.

'Welnee. Hoe kan dat nou jouw schuld zijn? Als er iemand de schuld had, ben ik dat natuurlijk, omdat ik niet twee placenta's met voldoende voeding voor jullie beiden heb gekregen.'

'Maar jouw placenta's waren goed, mama, ik zoog alles op en liet voor haar niets over, dat zeiden de doktoren toch.'

'Nee, meisje, nee. Niemand heeft ooit iets dergelijks gezegd...'

Jawel, mama, jawel, had ik kunnen tegenwerpen, dat was wat jullie allemaal zeiden, maar je wilde het je niet herinneren omdat die schuld nu ieder moment kan worden ingelost. Toen klonk de telefoon, en zij holde naar de kamer. Het was Germán, vanuit de kraamzaal, mijn nichtje was zojuist geboren, drie kilo en tien gram, 48 centimeter lang, groot en zwaar voor een meisje, ze maakte het uitstekend, Reina minder, die voelde zich zwakjes, ik bleef door de gang ijsberen, van top tot teen een Alcántara: zwarte krullen, Indiaanse lippen, ongeschikt voor het moederschap, de echogram zou niets onthullen wat ik niet al wist, en bijna kon ik mezelf al zien wandelen door een onbekende wijk, lage, witte huizen die grijs kleurden onder de regen, terwijl ik keer op keer nadacht over de logische reeks, de feilloze keten van gebeurtenissen die me daar op die ochtend hadden gebracht, kwaad in het bloed, een kwaad gesternte, een slechte vrouw, een slechte moeder, omdat ik het kind dat ik ging krijgen niet had gewenst, omdat ik zo vaak had gewenst dat ik het niet zou krijgen, omdat ik zijn bestaan een maand lang voor zijn vader had verzwegen, omdat ik niet blij was geweest toen ik zo'n verschrikkelijk jasje met matrozenkraag aandeed, omdat ik me naakt in de spiegel had bekeken en weerzin, en een beetje angst had gevoeld, omdat ik nog steeds niet één vervloekt slabbetje had gekocht, omdat ik me zo vaak had afgevraagd wat ik toch verdomme aan moest met de godganse dag een kind in mijn armen, omdat ik niet bij elke baby die me op straat in zijn wagentje voorbijschoot mijn lippen tot een dwaze glimlach had gekruld, omdat ik had geprobeerd ieder teken van zijn aanwezigheid van het oppervlak van mijn huid te verwijderen, omdat ik als een straathond met een vreemde had geneukt toen híj al vredig in mijn binnenste ronddreef, omdat ik nog steeds nergens mijn vervloekte instinct had kunnen vinden, omdat ik had gedacht dat het moederschap niets betekent. Voor dat alles moest ik nu boeten. Ik zou ook de andere kolom met cijfers kunnen hebben analyseren, want Reina had gedurende haar hele zwangerschap gerookt en ik niet, Reina was wijn blijven drinken en ik niet, Reina draaide af en toe een stikkie en ik niet, Reina had geweigerd te gaan wandelen omdat ze er zo moe van werd, Reina had een hele hoop maaltijden vervangen door een overeenkomstig aantal dozen bonbons en ik niet, Reina had geen zin gehad om naar een cursus pijnloos bevallen te gaan, en ik had niet één les overgeslagen, ik had zelfs de theorielessen gevolgd, die nog erger zijn dan die waarmee je wordt lastiggevallen wanneer je leert autorijden, en ik had het allemaal alleen gedaan, maar op die getallen lette ik niet, want ik wist al dat de cijfers in die kolom er niet toe deden.

Wat er wel toe deed was dat je een hansopje kocht op de eerste dag dat je over tijd was, zei ik in mezelf, en ik probeerde te glimlachen, en pas toen moest ik huilen. Ik keek om me heen en er stonden al geen huizen meer, er was alleen een kale, halfontgonnen vlakte, alsof er van het ene op het andere moment een industrieterrein uit de grond kon schieten. Ik draaide me om en keerde terug op mijn schreden. Het was niet rechtvaardig. Maar uitgerekend zo was het.

Ik stond op om zes uur 's ochtends, half verdwaasd door het effect van zo veel uren van onrustige slaap, die vaak was onderbroken door een scherpe pijn, die echter naar mijn mening niet hevig genoeg was om van de mythische, definitieve pijn te kunnen spreken, en toen ik vervolgens naar de badkamer liep, voelde ik ineens een vreemde kleverigheid tussen mijn benen en ik stuurde met een grenzeloos bang voorgevoel mijn hand daarheen. Onmiddellijk zaten mijn vingers onder een doorzichtig soort taai en smerig slijm. Ik was drie maanden later uitgerekend, maar wist niet meer welke telling ik nou moest vertrouwen. De gynaecoloog, een optimistisch type, was het met de afdeling echografie eens dat het nog veel te vroeg was om me druk te maken. Je bent beslist nog geen zeven maanden, maar zes, zei hij, we doen je echogram over een paar dagen nog eens over en als het resultaat je niet aanstaat, wekken we de bevalling op, maar alles gaat goed, maak je maar niet druk... Santiago, zijn zusters, mijn ouders, iedereen koos ervoor zijn woord te geloven. Ik niet. Ik wist dat het kind niet groeide, maar ik hield mijn angst voor me, omdat ik het tegenovergestelde wilde geloven, het was voor mij nodig het tegenovergestelde te geloven, en het uitspreken van de waarheid zou gelijk hebben gestaan aan het tarten van het lot. Ik voelde hoe dat spul, wat het ook was, uit mijn lichaam begon te stromen en tussen mijn benen vandaan gleed. Het was een enorme prop slijm, maar hij zag er verschrompeld, dor, verdroogd uit. Ik zocht steun tegen de wand. Ik had inderdaad de afsluiting geloosd, en dus moesten nu de vliezen breken. Ik wachtte, maar er kwam verder niets uit mijn lichaam, alsof er daarbinnen nooit meer was geweest. De pijn nam toe, daar mocht ik van mezelf niet op letten, want mijn vliezen zouden moeten breken, maar braken niet, er gebeurde niets, mijn hele lichaam leek net zo dor en verschrompeld als die ellendige droge slijmprop.

Ik maakte Santiago wakker en zei dat de bevalling begonnen was, dat we onmiddellijk naar de kliniek moesten, en hij antwoordde met een ongelovige blik. Onmogelijk, zei hij, zo ver is het nog lang niet, dat soort weeën heb je waarschijnlijk al vanaf het begin, het kind keert zich om, dat is alles. Toen ik zag dat hij zich omdraaide om weer verder te slapen, begon ik met gebalde vuisten op zijn schouder te slaan en schreeuwde, schreeuwde opnieuw terwijl hij opstond en zich aankleedde en me aankeek met die ontzette blik van hem. Ik schreeuwde dat het kind al lang goed lag, dat het geen gewone bevalling ging worden, dat hij moest ophouden met op zijn horloge kijken want het maakte niet uit in welk tempo de weeën terugkeerden, dat er iets mis ging, dat ik de afsluiting had geloosd maar dat de vliezen niet waren gebroken, dat hij die ademhaling uit zijn hoofd moest zetten, dat we snel moesten gaan, meteen, onmiddellijk, nu.

Het was zondag, de straten waren verlaten. Ik kan me de pijn niet herinneren, ik zou niet kunnen zeggen of ik veel heb geleden of dat ik helemaal niet heb geleden, ik zou niet meer weten in welk ritme die hamerslagen bij vlagen tegen mijn nieren dreunden. Het kind was in leven, alleen daaraan dacht ik, het moet in leven zijn, als het dood was, zou het niet bewegen, zou het me niet bezeren. We waren heel snel in de kliniek. De receptioniste schrok op toen ze ons naar binnen zag komen rennen, wierp een blik op mijn gezicht, en ik legde zo goed als ik kon uit waarom ik daar was, ik wist dat ik ging bevallen en het lukte me mijn overtuiging op haar over te brengen, kom maar mee, zei ze, en ze bracht me naar een soort lege behandelkamer waarin alleen een brancard stond waarover een groen laken lag, je mag je uitkleden en even wachten, ik kom er zo aan. Ik realiseerde me op dat moment ineens dat er verder niemand was, Santiago was niet met mij naar binnen gegaan. Ik kleedde me uit en ging op de brancard liggen, en ik voelde me eenzaam, vies en had het ijskoud. De verpleegster kwam terug met een dikke, nors kijkende, korte, potige vrouw, die eruitzag alsof ze haastig uit een blok graniet was gehakt. Terwijl ze een groen laken over me heen legde, stak de nieuwkomer haar hoofd tussen mijn benen, en ze leek aan één enkele blik genoeg te hebben. Ze ging rechtop staan, keek me aan met grote loense ogen, en draaide zich om naar de receptioniste.

'Is ze alleen?'

'Nee,' antwoordde de ander, 'haar man staat op de gang.'

Toen draaide de verloskundige zich op haar hakken om en liep zich naar de deur, zonder naar mij te kijken.

'Heeft iemand de dokter geroepen?'

'Ja,' antwoordde de receptioniste weer. 'Haar man heeft net opgebeld om te zeggen dat ze eraan kwam, maar het kan nog wel even duren. Ze woont immers in Getafe.'

De deur werd dichtgedaan en ik was weer alleen. Hoewel ik nog in staat was om te voelen dat de pijn toenam en zich in verschillende richtingen tegelijk vertakte, dat de intensiteit en frequentie van de pijnscheuten toenam, was ik me alleen bewust van het feit dat ik mijn ogen openhield. Ik keek naar een witte muur. Verder deed ik niets.

'Komt u maar…' hoorde ik de stem van de verloskundige zeggen voordat de deur opnieuw openging. 'U kunt het maar beter zien.'

Santiago, schuchter, bleekjes, ziekelijk, kwam achter haar aan de kamer in, zo langzaam dat het leek alsof hij lood in zijn schoenen had. Hij keek me aan met ogen die in tranen zwommen, en ik neem aan dat hij naar me wilde glimlachen, maar ik kon de betekenis van die grimas niet thuisbrengen, ik besefte alleen dat hij erg bang was, en toen ik dat begreep, werd ik overspoeld door een golf van medelijden. De verloskundige tilde met haar rechterhand het laken op en sprak op de ervaren toon van een makelaar in onroerend goed die een verdieping laat zien.

'Dit hier zijn de testikels van het kind… Ziet u? En dat de benen. Het ligt helemaal verkeerd.'

'Ja.' Ik kon hem amper verstaan, maar zij was van oordeel dat het volume van zijn stem voldoende was.

'Ik wilde dat u het zou zien.'

'Ja,' zei Santiago weer, en toen trok ze het laken helemaal van me af, zette mij rechtovereind en stak mijn armen in de mouwen van een groen operatiehemd, dat koud was en net als de vloertegels op school naar bleekmiddel rook.

'Is het dood?' vroeg ik, maar ze antwoordde niet.

Ze liep om de brancard tot ze achter me stond, en we zetten ons in beweging, rolden de kamer uit en doorkruisten de hal van de kliniek. We reden heel snel, Santiago had mijn hand vastgepakt en moest rennen om ons bij te houden, dat besefte ik, en ik vond het bijna een komische, belachelijke situatie. Meer herinner ik me niet, behalve dat ik niet helder kon denken, niets kon voelen, zelfs geen pijn, ik beleefde die scène als een buitenstaander, alsof ik er niets mee te maken had, alsof dat alles iemand anders overkwam, ik bekeek die rennende vrouwen in het groen en het van paniek verwrongen gezicht van mijn man, en de contouren van dat toevallig tussen mijn benen gelegde trillende hoopje, alsof we allemaal figuranten in een slechte, goedkope, sentimentele film waren in plaats van de hoofdrolspelers van een concreet deel van mijn leven, want ik begreep niet eens dat ik leefde, dat ik daar was, op die brancard; het enige wat ik kon denken was dat ik me voelde alsof ik twee LSD-pillen tegelijk had geslikt, en toen ik sprak, herkende ik mijn eigen stem niet.

'Ze brengen me naar de kamer, nietwaar?'

'Nee,' antwoordde de verloskundige achter me. 'We gaan direct naar de kraamzaal.'

'Ah!' zei ik. Santiago keek me aan. Hij huilde, en ik glimlachte naar hem, ik glimlachte echt, een onvervalste, brede glimlach en ik wist niet waarom ik het deed, maar ik was me er absoluut van bewust dat ik glimlachte. 'Het kind is dood, hè?'

Niemand beantwoordde mijn vraag, en ik zei bij mezelf dat het ogenblik was aangebroken om de ademhaling die ik op de cursus had geleerd in praktijk te brengen, en hoewel ik ook hiervan niet wist waarom ik het deed, begon ik bij het begin en voerde, één voor één, alle stappen van de oefeningen uit, diep inademen, dan zuchten, en ik merkte ook niet dat ik ademhaalde, en ik vroeg me af of die techniek enig effect had, en daar had ik geen antwoord op, want, behalve een onverdraaglijke druk op mijn maag, voelde ik geen lichamelijke pijn, en daardoor kon ik ook geen verlichting voelen. De voorkant van mijn brancard botste tegen een zachte deur, twee zware plakken soepel plastic met in het bovenste deel een patrijspoort, en Santiago's hand liet de mijne los.

'U blijft buiten.' Het was de stem van die vrouw.

'Nee,' protesteerde hij. 'Ik wil naar binnen.'

'Nee. Onmogelijk. U blijft buiten.'

Er hing een hele batterij lampen boven me, een hele hoop ronde lichtpunten die waren opgehangen aan een soort cirkelvormig hemeltje van donker plastic, en veel mensen die om mij heen bewogen terwijl ik ademhaalde, eerst diep inademen, dan zuchten; het waren allemaal vrouwen en ze deden van alles met me, ik zuchtte, en vervolgens haalde ik diep adem, en ik wist niet wat er gaande was, totdat de verloskundige, die zich net als daarvoor tussen mijn benen had verstopt, eindelijk tegen me wilde spreken.

'Ik ga je een prikje geven. Het is een verdoving...'

'Uitstekend,' antwoordde ik, en ik voelde de prik. 'Het kind is dood, hè'

'Nu ga ik een insnijding maken met een scalpel, dat doet geen pijn.'

Het deed geen pijn. Toen kwam die andere vrouw, een jonge dokter die ik niet kende. Ze droeg een witte ziekenhuisjas en zag er ook geschrokken uit, en de vertoning begon.

'Hoe heet je?' vroeg een verpleegster aan mijn linkerkant.

'Malena,' antwoordde ik.

'Goed zo, Malena,' zei ze. 'Nu persen!'

En ik perste.

'Persen!' zeiden ze, en ik perste. 'Goed zo, Malena, je doet het uitstekend. Nu nog een keer...'

Zij zeiden dat ik moest persen, en ik perste, zo waren we een hele tijd bezig, iets anders herinner ik me niet, die kreten, en mijn antwoord, persen Malena, en ik perste, en zij complimenteerden me omdat ik had geperst, zo deed ik het goed, en ik vroeg steeds of het kind dood was en niemand gaf antwoord want ik moest nu geen vragen stellen, alleen persen, en ik perste, en later heb ik me vaak afgevraagd waarom ik toen niet huilde, en waarom ik niet jammerde, waarom ik geen verdriet voelde om dat moment, nu ik er zeker van ben dat ik mijn leven lang niet meer zo'n verschrikkelijk moment zal meemaken, en zelfs nu kan ik het nog niet begrijpen, want ik voelde niets, ik kon niet denken, kijken, luisteren of iets begrijpen, ik wilde alleen maar weten of het kind dood was, dat er eindelijk eens iemand antwoord gaf, erachter komen of het kind dood was, en niemand zei iets, ze zeiden alleen, nu, persen Malena, en ik perste, en iedereen zei, goed zo, goed zo, je doet het uitstekend, totdat de stem van die vrouw het ritme doorbrak.

'Het kind leeft, Malena, het leeft, maar is heel klein, het ligt helemaal verkeerd, en het heeft pijn. Dit moet zo snel mogelijk gebeuren, voor zijn welzijn, begrijp je?'

Ik begreep het niet, maar ik zei ja.

'Ik ga nu een extractie bij je doen. Ik ga met mijn arm naar binnen om het kind bij zijn hoofd te pakken en het naar buiten te duwen, begrijp je?'

Ik begreep het niet, maar ik zei weer ja, en zij boog over me heen, en vanuit de verte, vanuit een lichaam dat niet helemaal van mij was, kreeg ik het gevoel dat ik van binnen werd verscheurd, een onmenselijke kwelling, de verpleegsters waren opgehouden met praten, ik keek naar de lampen en zei niets, en ik miste bijna de stemmen van daarvoor, want nu kon ik zelfs niet meer persen, ik kon niets meer doen, en ik vertrouwde dat mens niet, en toen vroeg ik voor de laatste keer of het kind dood was, en alles hield op te bestaan.

Ik kreeg mijn zoon niet te zien. Ze lieten hem niet zien, maar ik hoorde hem huilen. Toen kreeg ik ook zin om te huilen, en ik ging klaarliggen om hem in mijn armen te nemen, want nu zouden ze hem dan moeten brengen, hem op me leggen, en ik zou hem aanraken, dat was wat er moest gebeuren, wat er altijd gebeurde in de krant en in films. Hij leefde, dus nu zouden ze hem bij me moeten brengen, maar ik hoorde stemmen in de verte, gedempt gefluister, en gehuil dat in de verte verdween.

'Staat er een ambulance klaar?'

'Ja. Heb je hem gewogen?'

'Ja: zeventienhonderd tachtig gram.'

Toen begreep ik dat ze hem niet bij me zouden brengen, en zelfs de lust om te huilen verging me. De verloskundige had net de laatste hechting gemaakt, toen eindelijk mijn gynaecoloog, schoon, goed gekleed en smetteloos, verscheen. Ik vroeg me af of hij eerst had ontbeten, en ik antwoordde zelf, ja, want waarvoor zou hij het hebben moeten overslaan. Hij begroette me, zei dat ik me geen zorgen moest maken, dat het kind het goed leek te maken, gezien de omstandigheden, dat ze het zojuist naar een couveuse hadden gebracht, dat Santiago met hem was meegegaan, dat dat andere ziekenhuis de beste afdeling neonatologie van Madrid had, dat we moesten afwachten, maar niet de hoop moesten verliezen, en dat ook hij daarheen ging om zich van alles op de hoogte te stellen, dat hij daarna terug zou komen en me alles zou vertellen. Op dat moment ervoer ik een nieuw gevoel, niet pijnlijk, maar wel bitter, al kon ik het zelfs nu niet precies thuisbrengen. Ik had zojuist de placenta naar buiten geperst.

'Wil je hem bewaren voor onderzoek?' Ik herkende de stem van de verloskundige.

'Nee, laat maar,' zei hij. 'Kijk eens, hij is volkomen verkalkt.'

Mij legden ze verder niets uit. Ze reden me uit de operatiekamer, stopten me in een lift, brachten me naar een kamer, legden me op een bed en lieten me alleen achter. Door het raam kon ik de kruin zien van wat oude grijze populieren, verkleumd van de kou, even ongelukkig als die andere die ik al kende. Binnenbomen, zei ik in mezelf toen ik ze herkende.

Meer dan een uur was ik alleen, liggend in mijn bed, terwijl ik uit het raam keek, met mijn benen strak tegen elkaar, zonder een spier te bewegen. Om de tien minuten kwam er een verpleegster die mijn benen van elkaar haalde, mijn buik een woeste massage gaf, een soort reusachtig, met bloed doorweekt kompres verwijderde en er een schoon voor in de plaats deed. Zij spraken niet, ik ook niet. Hun kon het allemaal niets schelen, mij ook niet. Ondertussen dacht ik aan de bomen.

Mijn man belde me op. Hij vroeg hoe het met me ging, en ik zei goed, op dezelfde toon waarop ik dat al duizenden keren had gezegd. Ik was kalm, onverschillig, afwezig, en toch durfde ik niet naar het kind te informeren, er viel een lange, massieve stilte, en ik wist dat ik naar hem zou moeten informeren, maar ik durfde niet. Santiago verbrak ten slotte de stilte en vertelde alles. In het ziekenhuis hadden ze hem nog een keer gewogen, negentienhonderd tien gram, dat was het definitieve gewicht, en hij leek gezond te zijn, ze hadden hem uitgebreid bekeken, ze hadden röntgenfoto's van hem gemaakt en spoedonderzoeken uitgevoerd en het was een compleet kind, alle organen waren goed ontwikkeld en hij kon zelfstandig ademhalen, de kinderartsen hadden gezegd dat dat het belangrijkste was, dat hij geen kunstmatige ademhaling nodig had, maar hij was natuurlijk heel zwak, heel klein en heel dun. Naar het scheen had hij in mijn buik gewicht verloren, had hij veel honger geleden voordat hij werd geboren, omdat mijn placenta op het laatst in een nutteloos vod was veranderd, niemand weet wat de oorzaak is van wat er bij mij was gebeurd, het is nog niet bekend waarom zich kalk vastzet op de placenta, waardoor die hard en nutteloos wordt, maar iedereen was het erover eens dat ik hem al maanden niet had gevoed, daardoor was de bevalling zo veel eerder gekomen, je zou kunnen zeggen dat hij die om te overleven zelf had veroorzaakt, hij had veel geleden, er konden allerlei complicaties optreden, het meest voorspelbare gevolg was een nierbeschadiging, maar tot nu toe hadden ze niets gevonden wat daarop wees, en het was heel goed mogelijk dat hij zonder problemen het hoofd boven water zou houden. Het enige wat hij nu moest doen was eten en aansterken.

'En nog iets anders, Malena,' zei Santiago ten slotte. 'Hoe wil je dat hij gaat heten?'

We waren het er zo goed als over eens dat, als het een jongen was, we hem Gerardo zouden noemen, maar op dat moment vermoedde ik dat voor mijn kind maar één naam geschikt zou kunnen zijn, één enkele naam, en die sprak ik vastberaden uit.

'Jaime.'

'Jaime?' vroeg hij verrast. 'Maar ik dacht dat we...'

'Het is een heldennaam,' zei ik. 'Die heeft hij nodig. Ik weet niet hoe ik het moet uitleggen, maar ik weet dat hij zo moet heten.'

'Goed dan, Jaime,' stemde hij in, en nooit zou hij weten hoe dankbaar ik hem daarvoor was. 'Ik moet nog even wachten om voor de laatste keer met de dokter te praten. Daarna kom ik naar je toe.'

Ik hing op en zei in mezelf dat ik tevreden zou moeten zijn, heel tevreden, maar ik slaagde er niet in me zo te voelen. Op dat moment ging de deur open en mijn vader kwam binnen. Hij was alleen. Hij zei niets. Hij keek me aan, schoof een stoel naar mijn bed en ging naast me zitten. Ik raakte zijn hoofd aan.

'Het kind maakt het goed.' zei ik.

Hij keek me opnieuw aan en begon te huilen, waarbij hij zijn hoofd tegen mijn borst liet vallen. Op dat moment begon ik te vermoeden waar alle anderen waren. Reina en mama waren eerst naar het kind gaan kijken, dat wist ik zeker, maar hij niet. Hij was eerst mij komen opzoeken. Al het haar op mijn lijf ging ineens overeind staan. Het was de ontroering, en uiteindelijk barstte ik in snikken uit, en ik huilde een hele tijd, met mijn hoofd rustend op het hoofd van mijn vader.

Mijn kamer leek nooit op een feestzaal.

Ik wilde niemand zien, alsof ik de behoefte had de stille schaamte om mijn falen voor anderen te verbergen, maar druppelsgewijs kwam iedereen binnen, eerst de gynaecoloog, toen Santiago, daarna mijn moeder, mijn schoonzusters, oma, en nog veel meer mensen, aardige, welopgevoede mensen die praatten en elkaar kusten, en die de bonbons opaten die ze zelf voor me hadden meegenomen en waarvan ik zelfs niet wilde proeven, als een gebaar van onmacht dat waarschijnlijk door niemand werd opgemerkt. Reina, die nadat ze mijn kind had gezien, snel naar mijn moeders huis vertrok omdat het tijd was om haar dochtertje te voeden, kwam pas tegen vijven, met Germán, en haar kind in haar armen.

Toen ik haar door de deuropening zag binnenkomen, kwam de koude waan waarin alle gebeurtenissen van die dag zich één voor één hadden voltrokken, abrupt tot een einde, en kwam ik eindelijk met beide benen op de grond terecht: ik had een zwak en ziekelijk wezentje gebaard, dat nog steeds met pijn, in levensgevaar, in een couveuse lag, die werd bediend door vreemden, in een ander gebouw, heel ver van mij vandaan. Zij was de moeder van dat blonde, mollige kind, dat haar fopspeen tussen haar armen had laten vallen, gekleed in een kruippakje van wit fluweel met op de voorkant van fuchsiarode glanszijde 'Baby Dior' geborduurd. En ze had haar meegenomen. Zodat ik haar kon zien. Want ik zag haar al.

Ik keek mijn moeder aan, en zij keerde haar gezicht naar het raam. Oma nam in een onbedwingbare opwelling, neem ik aan, het meisje in haar armen en begon tegen haar te lachen en lieve woordjes te zeggen, en in een ogenblik verzamelde zich om haar heen een kleine kring van gegadigden die allemaal de kleine Reina wilden vasthouden. Santiago zat naast me op de rand van het bed, waar hij bijna ononderbroken had gezeten sinds hij van het ziekenhuis terug was. Santiago, die rustig en optimistisch, verantwoordelijk en volwassen, nauwlettend in de gaten hield of het me ergens aan ontbrak, al waren het de onbenulligste dingen, leek uit de tegenspoed een verrassende kracht te hebben geput, of misschien had hij alleen de kracht die hij altijd al bezat weten te behouden, terwijl de mijne steeds verder afnam en vervolgens verdween in een draaikolk van pure zwakte. Toen hij aankwam, had hij de dokter gevraagd ons even alleen te laten en verder iedereen de toegang tot mijn kamer te verbieden, was op bed tegenover me gaan zitten, had me in mijn ogen gekeken en had gezegd dat het kindje niet zou sterven, omdat het mijn kind was en hij dus onvermijdelijk van mij het zaad der overlevenden en een hele hoop vechtlust moest hebben gekregen. Van die woorden moest ik glimlachen en huilen tegelijk, en hij glimlachte en huilde met me mee en nam me in zijn armen en stond toe dat ik op hem steunde zoals ik nooit eerder had kunnen doen. Nooit waren we zo dicht bij elkaar geweest. Daarom wilde ik niet zwijgen, en boog ik mijn hoofd naar dat van hem om iets in zijn oor te fluisteren.

'Santiago, zeg alsjeblieft tegen mama dat ze mijn nichtje hiervandaan haalt, laat iemand haar even naar de gang brengen, alsjeblieft, ik wil haar niet zien.'

Toen deinsde hij achteruit, alsof hij afstand wilde nemen alvorens me aan te kijken, en antwoordde fluisterend, 'Maar Malena, in godsnaam, hoe wil je dat ik dat doe? Ik kan je zuster toch niet zomaar beetpakken en zeggen dat...'

'Ik wil dat kind niet zien, Santiago,' drong ik aan. 'Ik kan haar niet zien. Doe wat, alsjeblieft. Alsjeblieft.'

'Hou op, Malena, toe! Hoe is het mogelijk. De hele tijd heb je je zo goed gedragen, en nu, ineens, stel je je aan als een kind.'

Ik zweeg omdat het me onmogelijk was verder te gaan en de woorden die ik zojuist had gehoord te verwerken, alsof ik ze wel had kunnen horen, maar niet opvangen, ontcijferen, begrijpen. Het moment van betovering was voorbij, was op, voorgoed. Op dat moment keek Germán, die zich van de hele situatie bewust was, me aan, nam zijn dochter in zijn armen en liep met haar mijn kamer uit. Die namiddag zag ik geen van beiden meer.

Reina bleef nog meer dan een halfuur, maar ik wisselde geen woord met haar, totdat ze, voor haar vertrek, even aan het voeteneind bleef staan.

'Trouwens, hoe gaat het kind heten?'

'Jaime,' antwoordde ik.

'Net als papa?' vroeg ze verbouwereerd.

'Nee,' antwoordde ik vastberaden. 'Net als grootvader.'

'Aha!' zei ze, en ze begon haar spulletjes te verzamelen, maar voordat ze naar de deur begon te lopen, keek ze me nog eens aan, met op haar gezicht de sporen van totale verwarring. 'Welke grootvader?'

Het zwembandje was van geel plastic met kleurenplaatjes, een blauwe zeester, een groen met bruine boom, en het silhouet van een oranje hond. Ik had liever gehad dat het effen was, en in een andere kleur, maar Santiago, die daarvóór al zonder resultaat alle speelgoedwinkels in de buurt had afgelopen, zei dat er hij maar twee identieke bandjes had gevonden, in de uitdragerij waar hij het uiteindelijk kocht. Het is niet eenvoudig zwembandjes te vinden in januari, of taxi's op regenachtige morgens. Ik had pas vierentwintig uur later de deur uit gehoeven, maar ik voelde me te goed, of misschien te beroerd om iets te merken van de vermoeidheid van de bevalling, van die vage pijngolven, waarvan ik zelfs nu nog niet weet of ik ze echt voelde, en van de hechtingen die me nooit echt hinderden, omdat ze niet konden wedijveren met de hevige pijn in mijn hart, dat gruwelijk leed onder de afwezigheid van het onbekende kind, met de leegte in mijn hoofd, dat uitriep dat het hol zou blijven zolang ik hem niet kon zien, aanraken, bekijken en me hem herinneren. Dus toen mijn man naar zijn werk ging, zei ik niets, en een halfuur later ging ik naar buiten met dat uiterlijk van een demente, verdwaalde badgast in winterjas. Die ochtend stortregende het, en ik stond meer dan een kwartier op een straathoek, met in mijn linkerhand mijn paraplu en in de rechter het bandje, voordat ik een lege taxi vond.

De chauffeur nam me nieuwsgierig helemaal op, maar zei niets. De receptioniste van het ziekenhuis keek daarentegen nauwelijks een tel op van het vel waarop ze schreef, en wees me met een vinger de weg. Ik wachtte een hele tijd voor de deuren van de lift, terwijl de cabine eentonig tussen de hoger gelegen verdiepingen op een neer ging, en ten slotte vatte ik moed en begon de trap op te lopen, heel langzaam, op iedere trede twee voeten plaatsend. Het litteken hield het drie verdiepingen vol zonder een klacht geven. Ik duwde een klapdeur open en kwam terecht in een witte wereld.

De hele volgende maand zou ik dit traject vijfmaal per dag herhalen, zonder enige afwijking, om tien uur 's ochtends, om één uur en om vier uur 's middags, en om zeven uur en om tien uur 's avonds, en al snel raakte ik gewend aan doelloos rondlopen door die smetteloze gangen die naar vinyl roken, en aan de aanraking met de ruwe stof van de duizenden keren gewassen en gesteriliseerde groene ziekenhuisjassen, en aan het vredige gezicht van de babyplaatjes op de inentingskalenders die als wandversiering waren opgehangen, en toch heb ik nooit een oord gekend dat zo troosteloos was. In een kale wachtkamer met het uiterlijk van een kloosterzaal zat altijd een groep vrouwen van alle mogelijke leeftijden en verschijningen geanimeerd te kletsen, waarbij ze het onmiskenbare geroezemoes maakten dat je altijd hoort wanneer je langs de deur van een cafetaria in een van de grote warenhuizen loopt. Ik nam aan dat het de moeders waren van de pasgeborenen die mijn zoontje gezelschap hielden, en ik verbaasde me over de gelaten vrolijkheid van hun conversatie, zonder ook maar te vermoeden dat ook ik binnen enkele dagen een van hen zou zijn. Langzaam liep ik verder door de gang totdat ik ineens voor het venster stond dat de couveuses van de koude werkelijkheid scheidde, en ik richtte mijn aandacht op de glazen kistjes terwijl een onbestemd gevoel van angst omhoogklom via mijn keel. De meeste patiëntjes lagen te slapen, op hun buik, en ik had geen enkel aanknopingspunt om te zien van welk geslacht ze waren. Een warme, zure smaak steeg echter naar mijn mond toen ik een piepkleine bekende mond ontdekte in de middelste couveuse van de tweede rij, een kindje met donker haar, heel mager, en klaarwakker, zijn ronde, zwarte ogen gericht op het plafond, zijn armen gespreid aan weerszijden van zijn lichaam, de polsen vastgebonden met twee riempjes aan de zijkanten, als een gekruisigde jeugddelinquent.

Toen ging er rechts van mij een deur open en op de drempel verscheen een vrouw die in het groen was gekleed, jas, schoeisel, en een wegwerpmaskertje om haar hals.

'Wat wilt u?'

'Ik ben de moeder van Jaime,' antwoordde ik. 'Maar ik ken hem niet. Ik heb hem nog nooit gezien.'

Ze kwam glimlachend naar me toe en ging naast me staan, voor een ruit.

'Dat is hem... Ziet u? Daar op de tweede rij, in het midden. Hij is altijd wakker.'

'Waarom is hij vastgebonden?' vroeg ik, en tot mijn verrassing hoorde ik mijn eigen stem, neutraal en vredig, terwijl mijn ogen zich met tranen vulden.

'Uit voorzorg, zodat hij het slangetje niet uit zijn neus trekt.'

Ik wilde zeggen dat ik liever op een andere manier kennis met hem had gemaakt, maar zij nam me bij de arm en voerde me mee naar de deur waardoor zij net was gekomen.

'Komt u maar mee, dan kunt u hem vasthouden. Het is tijd voor een voeding, u bent toch wel ingelicht over het rooster?'

Terwijl ik me uitkleedde, kon ik niet precies thuisbrengen wat ik voelde. In mij streden schuld, ontroering, angst, en de vreemde indruk dat ik daar niet hoorde te zijn, onbehagen dat telkens wanneer ik mijn kind daar op die plaats aanraakte mijn vingertoppen deed jeuken, alsof het kind niet van mij was, maar eigendom van het ziekenhuis, van de doktoren, van de verpleegsters die hem omringden, en zij overeen waren gekomen dat ze mij het gelukkige voorrecht gunden dagelijks vijf keer een halfuur bij hem te mogen zijn, net lang genoeg om hem te voeden en amper om hem te kussen, aan te raken, tegen hem te praten, om voorrang, terwijl ik doordrong in het lauwwarme vertrek van hen die waren geboren zonder geluk. Ik liep naar de couveuse toe en boog mijn hoofd om hem te bekijken. Toen tilde de verpleegster de deksel op, maakte de riempjes om zijn polsen los, trok het slangetje uit zijn neus en keek me aan.

'Pak hem maar,' zei ze.

'Ik durf niet.'

Met een glimlach tilde ze hem op en dumpte hem in mijn armen, maar ik wilde hem nog altijd niet zien.

Terwijl ik, oneindig behoedzaam, probeerde hem, een warm, klein pakje van een verbazende stevigheid, vast te houden zonder te hard te drukken, liep ik langzaam naar een hoek en ik voelde me de alleronhandigste moeder ter wereld. Ik draaide een stoel die voor het raam was achtergelaten om en ging erop zitten met mijn gezicht naar de muur en mijn rug naar de kamer, en geen moment dacht ik aan de zwemband die ik had meegebracht om te voorkomen dat mijn hechtingen los zouden gaan. Ik wilde niet dat iemand me op dat ogenblik zag, dat er iemand aanwezig was bij mijn uitgestelde kennismaking met dat kind dat vier dagen daarvoor niet op mijn borst had mogen liggen, en dat daardoor nog steeds gewoon een van de vele kinderen voor me was. Toen ik me ervan had overtuigd dat we eindelijk alleen waren, veilig in die hoek, deed ik het laken waarin hij was gewikkeld opzij en keek hem in de ogen. Voordat de tranen mijn ogen vertroebelden, meende ik te zien dat hij mij ook aankeek, net voordat ik in huilen uitbarstte met een heftigheid waarvan ik schrok. Ik nam aan dat hij honger had, maar het duurde eeuwen eer ik, met handen, een hart en ogen die tegelijk, in hetzelfde ritme trilde, mijn linkerborst had gevonden en zijn hoofd ertegenaan had gelegd. Hij klemde mijn tepel tussen zijn lippen en begon zo hard te zuigen dat hij me pijn deed. Toen glimlachte ik, en ik beloofde dat hij niet zou sterven.

Ik kwam thuis tegen middernacht, want het was donderdag, en alle lampen waren uit. Ik wierp een blik in de kamer van Jaime, die zwaar ademend lag te slapen, zoals gewoonlijk met zijn gezicht naar de muur, en bleef in de gang stilstaan, voor zijn deur, niet wetend wat ik moest doen. Er is niets aan de hand, zei ik in mezelf, er is niets gebeurd, en ik dwong mezelf tot andere gedachten. Ik was moe, maar had geen slaap, en de stapel na te kijken tentamens die al dagen op een hoekje van mijn bureau op me wachtte, reikte al haast tot het plafond toen ik me het bestaan ervan herinnerde. Uiteindelijk greep ik lukraak een stapel papier en ging ermee naar de keuken. Terwijl ik me voor de geopende koelkast afvroeg wat in mijn omstandigheden redelijk zou zijn om te drinken, verweet ik mezelf voor de zoveelste keer dat ik nog altijd niet had kunnen wennen aan 's avonds werken.

Dat verschrikkelijke rooster was verder het enige houvast in de hectische jaren die volgden op de geboorte van Jaime, het kind dat was geboren zonder een brood onder zijn arm. Van de eerste etappe herinner ik me amper de angst, de stille, lichte maar constante ontzetting, waarmee mijn lichaam leerde omgaan, dag in dag uit, met dezelfde mechanische vanzelfsprekendheid als waarmee mijn lichaam de voedingsstoffen opnam uit het eten waarmee ik me voedde. Vervolgens, toen mijn moederschapsverlof ten einde was gelopen, ging ik 's avonds werken, maar ik kan me niet voor de geest halen hoeveel leerlingen er in die periode in mijn klassen zaten, en evenmin hun gezicht, hun naam, niets, niet één van de boeken die ik toen las, niet één van de films die ik toen zag, niet één van de mensen die ik toen leerde kennen, niet één van de dingen die ik toen moest doen, die ik toen ongetwijfeld deed, op de momenten dat Jaime me niet nodig had en ik alleen bleef met mijn angst en mijn schuldgevoel. Daarentegen herinner ik me met angstaanjagende precisie de geur van de ziekenhuisgangen, de vorm van de bankjes, de namen van de afdelingshoofden, de gezichten en de namen van de zieke kinderen die ik toen zo vaak zag, en hun aantal, de gezichten en de namen van de ouders, en hun aantal.

'Ik ben de moeder van Jaime.'

'Ah! Jaime…' De dienstdoende voorlichter keek zijn papieren na en trok een beleefde, ledige glimlach die voor mij was bestemd. 'Het gaat goed met hem, gisteren is hij veertig gram aangekomen.'

'En verder?'

'Verder niets.'

Een aantal dagen bleef ik nog even zitten, terwijl ik in mezelf schreeuwde, hoezo verder niets? zak, hoezo verder niets? varken, flikker, klootzak, verder niets... Wat denk je wel dat dat betekent? Soms voelde ik de verleiding om de waarheid te roepen, het is mijn kind, hoor je me? Het heeft me veel moeite gekost om te accepteren dat hij bestond, ik heb negen maanden met hem in mijn buik rondgelopen, ik heb thuis een kamertje voor hem ingericht, ik heb hem gebaard, ik heb om hem gehuild, ik ben al veel te vroeg van hem gaan houden, ik heb me honderden keren voorgesteld hoe hij eruit zou zien, en niet één keer dacht ik dat ik hem in het wit gekleed in een van jullie steriele, transparante wiegen zou zien, en nu wil ik hem meenemen, hem de wereld laten zien, hem zien slapen en hem ruiken, hem aan mijn armen wennen en hem vertroetelen, en hem hiervandaan halen, en hem een kleurige pyjama aantrekken, en met hem in het zonnetje gaan zitten, en speeldoosjes, en beertjes, en plastic hondjes uit Taiwan die tegelijk met hun ogen en hun oren draaien voor hem kopen, en een baby als alle andere van hem maken, dat is het enige wat ik wil, dus vertel me niet dat er verder niets is, vertel me dat ik hem gauw kan meenemen, dat jullie hem spoedig aan me meegeven, zeg dat iedere morgen, ook al is het een leugen... Een paar dagen stond ik op het punt om te gaan gillen, maar ten slotte glimlachte ook ik, en ik bedankte het personeel als een welopgevoede dame, en stond op, en vertrok, en ging rustig in de wachtkamer zitten, omdat ik wist dat er verder niets was, en dat er ook de volgende morgen niets nieuws zou zijn, dat mijn zoon onder observatie was, dat ze wachtten totdat hij zwaarder werd en dan nog wat proeven zouden doen, dat er nog maar twee of drie of vier dagen waren verstreken sinds hij uit de couveuse kwam, en dat hij voor hen niet meer dan een nummer was omdat hij niets anders kon zijn.

Soms had ik het gevoel dat iedereen me kwaad aankeek. Ik meende in hun woorden, in hun glimlachen een bitter verwijt te bespeuren en dacht dat ik wel kon raden wat ze zeiden, wat ze mij in stilte zeiden: hoe was het mogelijk dat een vrouw als ik, een net, welopgevoed meisje dat bereisd en belezen was, haar talen sprak en een universitaire opleiding had genoten, kon reageren zoals ik reageerde, precies als de moeder van Victoria, van wieg nummer 16, die in een bakkerij achter de toonbank stond, of als de vader van José-Luis, die vrachtwagenchauffeur was. Maar ik deed geen moeite om mijn paniek of mijn woede of die vage, universele wrok die zelfs geen ruimte liet voor zelfmedelijden, te verbergen en ik hoefde hun medelijden niet, ik had meer dan genoeg van het medelijden van iedereen, want niemand zal ooit weten hoe taai en massief de grijze klont was die ik toen in plaats van een lichaam had, noch een vermoeden van de koele precisie van een niet te verhelpen troosteloosheid, de ijskoude werking van het lot dat iedere afzonderlijke minuut dat ik wakker was mijn keel folterde, en de kwelling van onvervalste angst, een absolute hartstocht zonder enige nuancering, die me iedere keer dat ik een lege wieg aantrof, de dood aandeed voordat er een verpleegster op me af kwam om te zeggen dat ze Jaime hadden meegenomen naar een of ander routineonderzoek, van die dood zal niemand ooit de gruwelijke wreedheid kennen, niemand behalve de moeder van Victoria of de vader van José-Luis. Ik had een bedrukt hart, schouders die te zwak waren vanwege een opvoeding waaraan je bij een nederlaag niets hebt, en daarbinnen een kind, een eenzaam kind dat omringd door vreemden zwaarder werd, veertig gram per dag, en dat je elke drie uur een halfuurtje mocht aanraken, om tien uur 's ochtends, om één uur en om vier uur 's middags, om zeven uur en om tien uur 's avonds. Toen de ochtend aanbrak waarop ik eindelijk te horen kreeg dat de resultaten goed waren, geen enkele aandoening, geen enkele infectie, en dat ik Jaime mee naar huis mocht nemen, begreep ik dat er sinds de bevalling in feite nog maar tweeëntwintig dagen waren verstreken, en ik voelde een oneindige dankbaarheid jegens al die doktoren en verpleegsters die het zieltogende, paarse, hongerige wezentje dat ze nog maar drie weken geleden hadden opgenomen, nu aan me teruggaven, en dat gevoel was veel oprechter, maar niet sterker, dan het gevoel dat nog altijd in mij smeulde toen ik, amper tien minuten daarvoor, het ziekenhuis was binnengelopen, toen ik ze haatte zoals ik nooit meer iemand zou kunnen haten in mijn hele leven.

Het waren vreemde dagen, lang en verwarrend als de dagen van de hoofdpersoon uit een oude horrorfilm die in slow-motion wordt gedraaid. Nooit, nooit heb ik me zo egoïstisch, zo laag, zo slecht, zo zwak, zo schuldig, zo gestoord gevoeld als in die dagen, toen de moeder van om het even welk geel kind, van die baby's met aangeboren geelzucht die met drie, vier dagen hooguit het nest al verlaten, mij met dezelfde zelfgenoegzame, medelijdende blik aankeek waarmee ik naar de moeder van Jesús keek, die was geboren met een open verbinding tussen zijn slokdarm en zijn luchtpijp, en waarmee zij op haar beurt naar de moeder van Victoria keek, van wie de ingewanden verstopt zaten met een soort vezelproppen die na elke operatie weer terugkwamen en waarvan geen dokter de oorzaak kende, die weer net zo keek naar de moeder van Vanessa, die met verscheidene misvormingen in verscheidene organen was geboren, en die keek uiteindelijk op dezelfde manier naar de vader van José-Luis, het jongetje met het waterhoofd, de hoofdattractie van dat geïmproviseerde gruwelkabinet, wiens moeder het nog steeds niet had aangedurfd hem te bezoeken, terwijl de arme vader van dat spontaan ontstane monster zelfs de Dood de eerste twaalf of dertien jaar nog geen gunst zou kunnen vragen, en buiten zichzelf niemand had om meewarig naar te kijken, hoewel hij net als alle anderen de schijn ophield.

We zaten allemaal in hetzelfde schuitje, maar we voeren zo dicht langs de rand van de wanhoop dat de zogenaamde saamhorigheid die ons verbond slechts een cynische schijnvertoning was, en soms, wanneer ik met de andere ouders zat te wachten op het verslag van de dag, keek ik om me heen en herkende op de gezichten die me omringden de spanning van gekooide beesten die klaar stonden om bij de eerste de beste reprimande de temmer te verscheuren.

Ik wist dat zij wisten dat mijn zoon samen met nog wat andere kinderen deel uitmaakte van het groepje nukkige kalkslachtoffers, de gewone, complete kinderen die alleen maar een beetje hoefden aan te sterken om naar huis te kunnen, en 's avonds, wanneer het tijd was voor de flesjes, liet de hoofdverpleegkundige ze met een grapje over aan de nieuwbakken, nog snel ontroerde leerling-verpleegsters, zodat ze niet zouden schrikken, en ik wist dat ze daarom een hekel aan me hadden, maar dat kon ik hun niet verwijten, want op mijn beurt had ik een hekel aan de moeders van die gele kinderen, en aan alle moeders die met weldoorvoede, blozende baby's over straat liepen, als ik dat zag, dan beklaagde ook ik me luidkeels over mijn kwade gesternte. Nooit heb ik me zo ellendig gevoeld als toen, nooit heb ik zo veel ellendige mensen gekend als toen. Ik had er alles wat ik bezat voor over gehad om ze nooit meer te hoeven zien. Ik ben er zeker van dat zij al hun bezittingen zouden hebben gegeven om mij van hun levensdagen niet meer te hoeven zien, en toch bleef ik ze tegenkomen – hoe gaat het? Heel goed, en wat groot is Jaime! Ja, en jouw dochter ook, ze ziet er al veel beter uit, godzijdank, goed, ik ga, ik heb een beetje haast, natuurlijk, tot de volgende keer, dag, dag – in de gangen, twee jaar lang, jaren die wel eeuwen leken, altijd in het gezelschap van onze kinderen, die kinderen die, wanneer ze er niet nog altijd afschuwelijk uitzagen, nog altijd vel over been waren.

In die periode leek het alsof er niets bewoog, wankelde of veranderde, alsof de tijd er een pervers genoegen in schiep zichzelf te herhalen. Wat ik wilde interpreteren als een definitieve overwinning toen ik met Jaime in mijn armen over de drempel van mijn huis stapte, bleek slechts een kortstondige wapenstilstand te zijn, de aanloop naar een ellenlange bedevaart die ons, van gang tot gang, van spreekuur tot spreekuur, van specialist tot specialist, tot in de verste uithoeken bracht van dat immense gebouw dat ik voorgoed dacht te hebben verlaten. Mijn kind groeide te langzaam en kwam nooit voldoende aan, maar hij was heel gezond. Toch leek het alsof die gezondheid fundamenteel onverenigbaar was met zijn ziektegeschiedenis, en daarom besloten ze hem, net als ooit met mijn zusje was gebeurd, binnenstebuiten te keren, hem met de allersterkste lenzen te onderzoeken, argumenten van een geavanceerde technologie waarmee mijn moeder nooit te maken had gehad, en ze opperden en verwierpen zelf de meest vergezochte hypothesen, en zochten, en zochten opnieuw, en zochten nog eens, en ze meetten hem, en bekeken hem, en bestudeerden hem, in het begin eens per week, vervolgens eens per twee weken, ten slotte een keer per maand, en Jaime liep al, en begon al te praten, maar zij bleven testen, testen en nog eens testen op hem uitvoeren, en wij gingen steeds weer naar het ziekenhuis, ochtend aan ochtend aan ochtend, terwijl ik leerde me beetje bij beetje in een sfinx te veranderen.

Toen een van de jongste en meest optimistische van alle kinderartsen die zich met mijn zoon bemoeiden – kop op, wanneer deze hier groot is, kijkt hij ons allemaal vanuit de hoogte op onze kruin, wie weet wordt hij wel één meter negentig, weet jij veel, zei hij altijd bij het afscheid – hem na meer dan tweeënhalf jaar eindelijk definitief genezen verklaarde, hadden mijn gelaatsspieren reeds de hoogste graad van handigheid bereikt in het trekken van een stalen gezicht, om mijn gevoelens met een raadselachtige efficiëntie te verbergen voor de mensen in mijn omgeving. Ik had al heel spoedig ontdekt dat ik die weg helemaal alleen zou moeten afleggen, omdat Santiago besloten had zich geen zorgen te maken, zich te gedragen alsof alles piekfijn in orde was, en hij verweet me zelfs met een zekere regelmaat de meegaandheid waarmee ik de aanwijzingen van de doktoren opvolgde, een houding die naar zijn mening grensde aan de hypochondrie. De hele godganse dag zit je daar, zei hij, met het kind op schoot, je moet wel erg van dat ziekenhuis houden, want hém mankeert niets, dat is wel duidelijk, dat zie je toch zo... Dat was waar, het ging heel goed met Jaime, hij was wakker, lief, pienter en sociaal, knap zelfs, tenminste voor zover een zo magere baby dat kan zijn, maar hij groeide erg langzaam, en kwam niet voldoende aan, en ik was nog altijd bang, maar dat gevoel kon ik met niemand delen, zodat ik er uiteindelijk voor koos het niet te uiten, mezelf niet te uiten, en wanneer er een dame naar mijn kind bleef staan kijken, op straat, op de markt of in het park, keek ik de andere kant op, en als ze naar zijn leeftijd informeerde, antwoordde ik met een uitentreuren gerepeteerde glimlach, het stralende enthousiasme dat alle verdere opmerkingen in de kiem smoort, en als ze dan de moed nog had om aan te raden dat ik toch vooral goed moest blijven eten, want dat ze wel kon zien dat ik te weinig at, of om verbaasd te roepen hoe zo'n grote moeder als ik zo'n klein kindje als hij kon hebben, dan nam ik, nog steeds glimlachend, haastig afscheid en nam mijn kind mee naar een willekeurige andere plaats, de stoep, de kraam of het bankje waar geen mensen waren die vragen wilden stellen, die zich afvroegen wat voor een leven ik tijdens mijn zwangerschap had geleid dat ik nu met zo'n uitgeteerd kindje rondliep, welke ernstige ziekte hem zo had toegetakeld, of wat voor mishandeling hij van ons, zijn ouders, te verduren zou hebben gehad dat hij er zo uitgehongerd uitzag. Niemand weet waarom zich kalk vastzet op de placenta van sommige vrouwen, waarom die hem verhardt en ongeschikt maakt, maar voor mij zat er niets anders op dan te erkennen dat het ook niemand interesseerde, en dat die ongeschikte, harde, verkalkte placenta die van mij was geweest, me in zekere zin voorgoed had veranderd in de hoogste verantwoordelijke van het lot.

Soms echter keek ik om me heen, naar mijn zoon, mijn huis, mijn werk en mijn man, en vroeg ik me oprecht af waar, waarom, wanneer en hoe mij dat alles toch was overkomen.

Enige tijd daarna begon ik 's avonds te werken, en had ik niet langer tijd om ook maar even om me heen te kijken en me te verwonderen over wat ik zag. Jaime was drie geworden en leek, naast het feit dat hij nu een beetje sneller – van drie procent, waarop hij sinds zijn geboorte zat, naar 8,5 procent in zes maanden – langs de laagste curve van de groeitabellen omhoog kroop, nu definitief vrij van elke verdenking van dwerggroei, achterlijkheid en ziekelijkheid die me de laatste tijd had gekweld, toen Santiago met tegenslag te kampen kreeg.

Eerlijk gezegd was ik niet erg betrokken bij zijn carrière, waarop hij zich na de geboorte van onze zoon driftiger dan ooit leek te storten, slachtoffer als hij was van een dadendrang die ik heel redelijk vond en waarop ik meer dan eens afgunstig was, al was het alleen maar omdat die op efficiënte wijze de aandacht van zijn problemen afleidde, en daarom moedigde ik hem, zonder er lang over na te denken, aan toen hij me wilde raadplegen over zijn plannen voor die toekomst die hem zo veel hoofdbrekens bezorgde. Hij, die altijd aan zichzelf was blijven denken, die zich nooit bezeten had gevoeld, of weggevaagd door de angst, waarvan ik denk dat hij die nooit echt zal ervaren, was tot de slotsom gekomen dat hij, na enkele stappen te hebben gezet op de ladder bij het bedrijf waar hij al werkte sinds ik hem leerde kennen, aan zijn plafond zat en dat het moment was aangebroken om voor eigen rekening marketing te gaan studeren. Hij zei dat de vooruitzichten op dat moment uitstekend waren, en ik geloofde hem, want hij had zich nog nooit vergist, en tot dan toe hadden we het goed gehad, heel goed zelfs, zo goed dat het, als ik het huwelijk niet had beschouwd als een toevallige lotsbeschikking, als een verblijf in een huis dat zo klein was dat het, hoeveel jaren er ook verstrijken, nooit meer dan een tijdelijke haven kan zijn, helemaal niet nodig was geweest dat ik werkte. Ik had inderdaad na Jaime's geboorte de mogelijkheid overwogen bij het Instituut weg te gaan, en als ik dat niet deed en uiteindelijk koos voor een rooster waarbij ik mijn ochtenden vrij hield om naar het ziekenhuis te gaan, was dat alleen omdat het werk me ertoe dwong mijn huis uit te komen, veel mensen te ontmoeten, te praten over onbelangrijke onderwerpen, kortom, om voor een paar uur grammen en centimeters uit mijn hoofd te zetten en me op totaal andere dingen te concentreren, conversatie en grammatica, fonetische bijzonderheden, het genitief in het Engels, onregelmatige werkwoorden.

Toen Santiago zijn eigen bedrijf opzette, dacht ik dat de dingen alleen maar ten goede zouden veranderen, maar nauwelijks een jaar verder, dacht ik, terwijl ik een fles Coca-Cola Light in de koelkast terugzette nadat ik een glas meer dan vol had geschonken om het leed van het nachtelijke correctiewerk te verzachten, dat de zaken moeilijk nog slechter zouden kunnen lopen. De financieringsproblemen van alle vennootschappen die mijn man vrolijk had opgericht om de belastingen te slim af te zijn, waren veel minder denkbeeldig gebleken dan voorzien. Het was geen kwestie van werk, benadrukte Santiago, maar van een voorbijgaande schaarste aan liquide middelen. De leveranciers zetten hem onder druk, de werknemers moesten hun salaris hebben, de klanten betaalden niet op tijd. Het kaartenhuis zakte langzaam in, iedere kaart nam weer andere mee in zijn val, en ten slotte had hij aan het eind van de maand altijd te weinig geld om zijn eigen salaris van te betalen. Net toen Jaime wat minder tijd begon te vragen en ik er al op rekende mijn eigen leven weer op te kunnen pakken, of in ieder geval een beetje tijd voor mezelf te hebben, begon de wereld weer in een hoogst gecompliceerd oord te veranderen. Iedere ochtend leverde ik mijn kind af bij het enige prettige en medisch gezien doodgewone kinderdagverblijf – zonder psycholoog, zonder logopedist, zonder psychomotorische lessen, zonder voortijdig muziekonderwijs, alleen een hele hoop kinderen en twee uurtjes in de openlucht, in het dichtstbijzijnde park, onder de zon – dat ik tussen de goedkopere had gevonden, en dat, natuurlijk, heel ver van huis was. Vervolgens gaf ik privé-lessen tot het lunchtijd was, ging ik Jaime ophalen, en bracht hem weer weg, kookte het avondeten, besteedde mijn middagen en de meeste weekeinden aan het maken van zo veel vertaalwerk als ik maar kon vinden, terwijl het kind om me heen zoemde, en om halfzeven vertrok ik naar het taleninstituut, want de avondlessen betaalden beter dan die van overdag. Te moe om nog even te blijven en iets te gaan drinken met het groepje leerlingen en docenten dat na de les ging stappen, kwam ik om middernacht gebroken thuis, kleedde me uit, stapte in bed, en viel in slaap wanneer Santiago eindelijk wilde stoppen met snikken op mijn schouder en beschrijven hoe slecht alles was verlopen, hoe ellendig hij zich voelde, hoe moe hij was, en hoe gemeen hij in de steek was gelaten door het geluk, iets waarvan hij het idee moest hebben dat hij er het wereldomspannend monopolie op had.

Mijn kind baarde me nog zo veel zorgen dat ik aanvankelijk niet eens stilstond bij mijn betreurenswaardige nieuwe situatie, als een doofstomme blinde ezel die van de wereld niet meer heeft gezien dan de tredmolen waarvoor hij op zijn eerste levensdag werd ingespannen, maar met het verstrijken van de maanden, en het besef dat ik onze enige werkelijke bron van inkomsten was geworden, en de ondraaglijke druk van een verpand leven, waarin aan elk uur al van tevoren een concrete taak die geen uitstel verdroeg, was toegewezen, werd het iedere ochtend een beetje moeilijker voor me om eruit te komen, en als Reina me niet snel te hulp was geschoten, had ik het op een bepaald moment moeten opgeven, mezelf ongeschikt moeten verklaren om zo veel zaken, al was het maar op inefficiënte wijze, tegelijk af te handelen. Toen ze echter aanbood om, op de avonden waarop dat nodig was, bij mij thuis op Jaime te komen passen tussen het tijdstip van mijn vertrek en Santiago's thuiskomst, die op sommige dagen tot heel laat doorwerkte, probeerde ik haar aanbod af te weren, in het besef dat zij al genoeg problemen had om ook nog een probleem van een ander op zich te nemen, maar ze wilde me niet laten uitpraten.

'Onzin, Malena. Het is voor mij toch een kleine moeite om 's avonds een poosje hier te zijn. Bovendien verveelt Reina zich thuis in haar eentje, ze kan veel beter hier met haar neefje spelen, en… goed, vandaag doe ik iets voor jou, en morgen jij weer voor mij, jij hebt mij ook geweldig geholpen toen dat met Germán gebeurde.'

Dat was niet helemaal waar: het enige wat ik toen voor haar kon doen, was naar haar luisteren, helpen met de verhuizing en haar een paar weken onderdak geven, de weken die ze nodig had om te besluiten dat ze naar mama terugging, een beslissing die ik nooit had begrepen, maar die leidde tot het emotionele herstel van mijn moeder, die eindelijk weer tegen iemand kon klagen dat ze op, uitgeput en hondsmoe was, precies wat ze graag was.

'Het is voorbij,' had ze op een goeie dag, nog voordat ze doorliep naar binnen, tegen me gezegd toen ik de deur opendeed en haar tot mijn verrassing aan de andere kant zag staan in een bijzonder verkreukelde jurk, ongekamd en onopgemaakt, met een asgrauwe huid.

'Kom erin,' antwoordde ik. 'Het is een klein wonder dat je me nog thuis vindt, ik ging net met Jaime naar het park. Heb je de kleine meid niet meegenomen?'

'Ik heb d'r bij mama gelaten.'

'Ach, wat jammer! Want anders hadden we...' samen kunnen gaan, wilde ik zeggen, maar toen ik haar weer aankeek, raakte ik ervan overtuigd dat ze er te gekweld uitzag om haar onverzorgde voorkomen toe te dichten aan een plotselinge opwelling van gemakzucht. 'Wat is er aan de hand, Reina?'

'Het is voorbij.'

'Wat is er dan voorbij?'

Zij maakte een vaag gebaar met haar handen, en ik liep naar haar toe. Ze liet zich in mijn armen vallen, en op dat moment vergat ik, zoals altijd in dergelijke situaties, alle afgelegde etappes die van haar onverbiddelijke oefening in perfectie hadden getekend, en die haar, meer nog dan me van haar te vervreemden, in mijn ogen werkelijk afstotelijk maakten.

Reina had als moeder een kwaliteit bereikt waarbij de kwaliteit die ze als kind had weten te bereiken verbleekte, maar het beeldige plaatje dat ze vormde, zou me niet hebben geërgerd, als de actieradius van de wereldwijde projectie van haar instincten zich niet had uitgebreid tot mijn eigen zoon. Mijn zusje verkondigde bij iedere stap dat ze uitsluitend en alleen voor haar dochtertje leefde, en toch leek ze daar nooit genoeg aan te hebben, want ze vond het nodig mij hardop te vragen of ik niet hetzelfde voelde als zij, en ze keek me aan met een weerzinwekkende blik vol neerbuigend medelijden wanneer ik het waagde haar voorzichtig tegen te spreken, in het besef dat op dat terrein, haar mening – want het lukte me nooit de status van echte gevoelens toe te kennen aan dat zeurderige vertoon van deugdzaamheid – de wil van het lot, het gezonde verstand en de wijsheid tot uitdrukking kwamen. Telkens wanneer mijn zusje Jaime zag, nam ze hem in haar armen, wiegde hem, kuste hem, zong voor hem en drukte hem tegen zich aan, maar ze bleef hem altijd behandelen met een speciaal soort vertedering die ze bij haar eigen dochtertje achterwege liet, alsof mijn zoontje ziek was, alsof hij er breekbaar uitzag, beklagenswaardig, voor altijd gestigmatiseerd door een weekje couveuse. Hij is toch al heel lang, zei ze, en dat was een leugen, meisjes groeien nou eenmaal sneller, merkte ze op, en ze zette Reina naast Jaime zodat iedereen kon zien dat dat blonde kopje haast een handbreedte uitstak boven de zwarte krullen van mijn zoontje. En welke maat heeft hij nu? vroeg ze, en wanneer ik antwoordde dat hij maat 68 had, terwijl hij al anderhalf was, of 80, hoewel hij al bijna twee was, trok ze liever een geïmproviseerde grijns dan toe te geven dat de kleren die hij droeg veel te ruim zaten.

In die dagen probeerde ik haar te ontlopen, nooit met haar alleen te zijn, onze ontmoetingen te beperken tot de onvermijdelijke familiebijeenkomsten in het weekeinde, want mijn eigen overgevoeligheid baarde me zorgen, ik had het idee dat ik haar ten onrechte naar een bepaalde maatstaf beoordeelde, dat ik ziek werd van een boosaardige, krankzinnige, gevaarlijke jaloezie, en aan de andere kant leek niemand ons erg te missen. Op gezellige bijeenkomsten werd mij nooit mijn baby uit handen genomen, niemand wilde met hem op de foto, niet één aanstellerige puber bood mij ooit aan hem in bed te stoppen, allemaal glimlachten ze naar hem, keken naar hem, en brabbelden lieve woordjes, maar van een afstand, alsof ze bang waren dat hij in hun armen uit elkaar zou vallen. Hij besefte het niet, maar ik wist hoeveel liefde hij had misgelopen, en ik miste Soledad, die hem, als ze niet dood was geweest, zou hebben vertroeteld zonder ooit een vervloeking aan een kus te hechten, en Magda, die hem, als ze niet ver weg was geweest, in haar armen zou hebben gewiegd met de filter van haar sigaret nog op haar lippen, en ik probeerde ook namens hen van het lelijke eendje te houden dat geen andere grootmoeder had dan zijn echte grootmoeder, die vrouw die veel van hem hield, daarvan ben ik zeker, maar die altijd liever haar andere kleinkind op schoot nam. En alleen de moeder van dat stralende meisje had aandacht voor hem, maar die paradox kon ik niet verdragen, ik kon me niet onttrekken aan het gevoel dat Reina er alleen op uit was haar eigen goedheid te benadrukken, zich te verheffen tot grotere deugdzaamheid, haar kroon te tooien met nog een parel, de zeldzaamste, die het moeilijkst te bereiken was, de meest waardevolle. Spoedig begreep ik echter dat ik de enige was die de zaken zo zag.

'Ik weet niet, Malena,' zei Santiago in de auto op de terugweg van mama, terwijl hij rook door zijn neus uitblies. 'Maar volgens mij overdrijf je een beetje, de laatste tijd. Waarom erger je je zo aan alles wat je zusje doet?'

'Ik erger me niet,' loog ik, terwijl ik wanhopig een ander gespreksonderwerp zocht.

'Jawel, je ergert je wel,' drong hij aan, zonder mij de tijd te gunnen om het te vinden. 'Telkens wanneer ze Jaime aanraakt, vlieg je overeind alsof je buskruit in je reet hebt. En zij heeft alleen het beste met je voor, en met het kind, dat weet ik zeker.'

Misschien dat ze daarom iedere keer dat ze Jaime's rug kriebelde hardop vroeg of ik hem ook even kriebelde. Misschien dat ze hem daarom allervriendelijkst de tweede gang liet overslaan, zonder het mij even met haar ogen te vragen, wanneer we allemaal samen aten. Misschien dat ze daarom in ijltempo t-shirts en broeken die haar dochtertje nog prima pasten afdankte omdat het meisje ze zogenaamd niet meer aan kon omdat ze haar te kort en te nauw waren geworden. Misschien dat ze daarom op alle feestjes een stuk tortilla verstopte, en wanneer die op was en alle kinderen huilden om meer, ermee op de proppen kwam, als de goede fee uit sprookjes, zodat haar dochtertje nog aan de tortilla zat, en mijn zoontje niet, omdat hij het kind was van een luie dienstmaagd. Misschien dat ze daarom, telkens wanneer ik bij mama thuis kwam en zei dat ik hem niet meer kon verdragen, dat ik er niet meer tegen kon, dat ik genoeg had van mijn kind, Jaime tegemoet rende, en hem omhelsde en hem hoog in de lucht hield en hem naar beneden liet zweven en met hem over het vloerkleed rolde. Misschien deed ze dit allemaal wel omdat ze mijn welzijn voor ogen had, en dat van het kind, maar toen, uitgerekend toen, besloot ik een uit het oog verloren en wanhopig instinct te gehoorzamen, de stem van Rodrigo die met een kracht die ik me niet kon herinneren in mijn oor fluisterde, en ik kreeg de gewoonte voortdurend tegen Jaime te zeggen dat ik van hem hield, zonder enige aanleiding, zelfs al kwam het helemaal niet te pas, ik hou van je, Jaime, ik hou van je, Jaime, ik hou van je, Jaime, en door de herhaling verloren mijn woorden hun waarde, maar dat kon me niet schelen, en mijn kusjes, zo veel gekke kusjes zonder reden, verloren misschien hun waarde al voordat ze hun bestemming bereikten, maar dat was me om het even, ik bleef de hele tijd die woorden zeggen, ik houd van je, Jaime, opdat hij ze niet alleen zou kennen, maar ook zou opzuigen met de lucht die hij inademde, opdat mijn zoon altijd, zelfs als ik te moe was om hem op zijn rug te kriebelen, om tortilla voor hem te maken, om samen met hem over het vloerkleed te rollen, wist dat ik van hem hield, en dat mijn liefde het kostbaarste was dat ik bezat, het beste wat hij ooit van zijn moeder kon verwachten, een moeder die zijn aanwezigheid zo vaak niet kon verdragen, die er niet meer tegen kon, die genoeg had van kinderen. Maar die ochtend, toen Reina met vochtige ogen en bevende lippen per verrassing bij mij thuis opdook, vergat ik al die dingen, zoals ik altijd alles vergeet op dergelijke momenten, en ze oogde zo broos, zo droevig, zo wanhopig mat, zo arm en eenzaam, dat ik heel even het gevoel kreeg dat ze altijd een ziekelijk meisje was gebleven, en ik haar grote, sterke zuster die voor haar moest opkomen.

'Germán heeft gezegd dat hij verliefd is,' mompelde ze.

'Aha,' zei ik, en ik beet op mijn tong.

'Op een meisje van eenentwintig.'

'Natuurlijk,' mompelde ik, en ik verbeet me weer.

'Waarom zeg je dat?'

'Nee, zomaar.'

'Ze gaan trouwen. En hij heeft gezegd dat ik in zijn huis mag blijven wonen, dat is toch wel het toppunt, nietwaar?' Ik knikte, en mijn tong begon zeer te doen. 'Ik vermoedde al iets, wat denk je, want we neuken al maanden niet meer, maar ik dacht dat het wel weer goed zou komen, weet je, daarom drong ik aan, en gisteravond hebben we ruzie gehad. Ik vroeg hem met me te neuken, echt, en aangezien hij niets deed, zei ik dat we erover moesten praten' – ik hield mijn lippen stil, hoewel mijn tong al één rauwe vellenhoop was – 'en toen kwam hij daarmee aanzetten, hij hoefde niet zo nodig meer te neuken, hij wilde alleen knuffelen, begrijp je?'

Op dat ogenblik ontplofte ik, omdat mijn tong, die ik door de pure marteling al niet meer voelde, protesteerde.

'Wat krijgen we nou, heeft hij nu in plaats van een lul een onweerlegbaar godsbewijs tussen zijn benen hangen?'

Maar zij glimlachte niet eens.

'Dat zal wel,' zei ze, en ze begon te huilen.

Toen sloeg ik mijn armen om haar heen, kuste haar, monterde haar op, troostte haar en zei dat ze bij mij mocht blijven zo lang ze wilde. Dat aanbod beschouwde ik nooit als een gunst, en daarom rekende ik dus nooit op een wederdienst, en toch zou geen enkele weloverwogen en geplande manoeuvre zo profijtelijk blijken. Meer dan een jaar lang, van de lente van '90 tot de zomer van '91, gedroeg Reina zich als de ideale oppas, terwijl ik te druk was met de kostwinner uithangen om ook maar iets van zo veel onafgebroken perfectionistisch exhibitionisme op te merken. En de zekerheid dat onze economische situatie nog veel zorgwekkender zou zijn als we, ik bedoel als ík een meisje had moeten betalen om 's avonds op Jaime te passen, hielp me bepaalde details over het hoofd te zien die me onder andere omstandigheden toch zeker een lichte zenuwcrisis hadden bezorgd. Steeds wanneer ik me realiseerde dat iemand, die niemand anders dan Reina kon zijn, op eigen initiatief de keukenkastjes had opgeruimd, moest ik glimlachen, steeds wanneer ik in Jaime's lade een nieuw hemdje vond, of een ongedragen truitje dat ik niet kende, zei ik in mezelf dat dat niet eeuwig kon duren, steeds wanneer ik om één uur 's nachts helemaal gebroken thuiskwam en op tafel een wit tafelkleed en twee lege wijnflessen aantrof, en op het terras Reina en Santiago die bezig waren de derde soldaat te maken, en ik zei dat ik honger had omdat ik geen tijd had gehad om iets te eten, en ze me aankeken met absoluut onschuldige gezichten, om nog geen ogenblik daarna in koor te zeggen dat ik dan zelf even een eitje moest bakken omdat ze er niet op hadden gerekend dat ik zo vroeg thuis zou komen en iets zou willen eten, prees ik mezelf gelukkig met de uitstekende verstandhouding waarvan mijn zusje en mijn man blijk gaven, want in het tegenovergestelde geval zou alles nog moeilijker zijn geweest.

Die vrijdagmorgen, toen het al vrijdag was en ik langzaam genietend een glaasje dronk aan de keukentafel, koos ik kalm een rode ballpoint, trok aandachtig het kapje eraf, pakte het eerste tentamen, en dwong mezelf aan de warmte te denken, een veel te hoge temperatuur voor een nacht in juni, als extra techniek om tot rust te komen, want ik hoefde niet door het huis te lopen om me ervan te overtuigen dat ik alleen was, dat wil zeggen, dat Jaime om middernacht helemaal alleen was, hoe akelig hij misschien ook droomde. Ik slaagde erin een vlaag van woede te onderdrukken, zei keer op keer tegen mezelf dat er niets was gebeurd, en ging aan de slag. Toen ik een blik op de linkerpapierstapel wierp en schatte dat die al even hoog was als de oorspronkelijke stapel, rechts van mij, stond ik op om nog een glas in te schenken. Op dat moment zwaaide de buitendeur open. Ik keek op mijn horloge. Het was kwart over twee.

'Malena?'

'Ik ben hier,' antwoordde ik, terwijl ik ervan afzag om te gaan zitten.

Santiago verscheen even later in de keuken met het gezicht van iemand die zich heeft voorgenomen een strijd te gaan leveren waarvan hij helemaal niet zeker is dat hij die wint.

Er was niets bijzonders aan zijn gezicht, niet aan zijn kleren, niet aan zijn houding, maar ik vermoedde toch dat er iets bijzonders aan de hand was, iets bijzonders aan de verstrooide kus van iedere avond, en zag af van de verwijten die ik had voorbereid, en hij zag af van het aanvoeren van redenen, zei niet dat hij Reina met de auto naar huis had gebracht, ik vroeg niet of hij het verstandig vond om een kind van vier jaar alleen in huis achter te laten, hij antwoordde niet dat hij Jaime slapend had achtergelaten en dat hij nou ook weer niet zo lang was weggeweest, ik hoefde me er niet van te overtuigen dat het zinloos was verder te praten, hij hoefde zich niet te verontschuldigen en me te beloven dat het nooit meer zou gebeuren. Ik keek hem aan en realiseerde me dat hij er voor het eerst niet meer als een jongetje uitzag, hij keek mij aan en ik zag mezelf weerspiegeld in zijn afwezige, sombere ogen, ik ging langzaam zitten, en hij nam de stoel tegenover me, ik bedacht dat we al twee maanden salaris ontvingen en dat zijn bedrijf, als het in dit tempo bleef groeien, in december zelfs winst zou gaan maken, en ik zei in mezelf dat het grappig zou zijn als dit uitgerekend nu stond te gebeuren.

'Wat ben je aan het doen?'

'Tentamens nakijken.'

'Kunnen we even praten?'

'Tuurlijk.'

Een paar weken daarvoor had Reina me met praktisch dezelfde woorden, we moeten eens praten, uit eten gevraagd, en hoewel ik eronderuit probeerde te komen met een slappe smoes, ik heb absoluut geen geld, geen tijd en geen trek, zei ik, drong zij aan, en verduidelijkte dat ze me graag zou trakteren, dat ze mama alvast had gezegd dat het mij bijzonder goed uit zou komen als ik Jaime die dag bij haar kon brengen, en dat ze een ongelooflijk goed Japans restaurantje kende dat bovendien nieuw, leuk en zelfs goedkoop was. Ik ben dol op Japans eten, en ze had al zoveel voor mij gedaan dat ik haar niet voor onbepaalde tijd aan het lijntje kon houden. Bij haar derde poging gaf ik me gewonnen.

De reden waarom ik niet veel trek had in dat etentje, was het overdreven informele karakter van haar uitnodiging. Als het Reina betrof, deed dat 'we moeten eens praten' ongeveer het ergste vermoeden, want tussen onze gedragscodes gaapte al een, op zijn minst opvallende, kloof toen we nog pubers waren, en hoewel de tijd er in theorie voor gezorgd zou moeten hebben dat die afstand kleiner werd, was in de praktijk het tegenovergestelde gebeurd, en inmiddels was het voor mij bijna onmogelijk met haar tot overeenstemming te komen over alles wat ingewikkelder was dan de trefzekerheid van de weersverwachting in de krant. Het moederschap had, als een magische panacee, mijn zusje veranderd in een zo uiterst conservatieve vrouw dat haar gezicht nu het zeldzame karakter had van een rariteit die alleen vergelijkbaar was met de rariteit die Pacita's neurale kaart op een dag beroemd maakte, want uiteindelijk was ze erin geslaagd, hoogst kostbaar bewijs leverend voor een onwaarschijnlijke overwinning van de ideologie op de genetica, lichamelijk meer op onze moeder te lijken dan ik, en ik moet toegeven dat ik, steeds wanneer ik haar hoorde klagen over 'die verschrikkelijke straten vol bedelaars en hoeren, en negers die prullen verkopen en junkies die op bankjes zitten te spuiten en kiosken boordevol pornografie waar iedere ochtend kleine kinderen langs moeten op weg naar school, en wat doet de regering er verdomme aan, en de verdomde gemeente, en wat gebeurt er verdomme met ons nette burgers die belasting betalen, en wat gebeurt ermee? De rechters laten de misdadigers die door de ene deur naar binnen komen, er door de andere weer uit, en dat is toch geen vrijheid zeker, en op wat voor mestvaalt moeten onze kinderen opgroeien, en ik ben sociaal-democraat en progressief, als iedereen dat maar weet', ik de invloed miste die Germán inmiddels niet meer op haar had, want die stumper was per slot van rekening toch nog altijd een vertrouwde, verwante, onschuldige stumper, een stumper van mijn eigen slag dus.

Ik snap niet hoe je zo kunt leven, zei Reina vaak tegen me, ik snap niet hoe je over straat kunt lopen zonder ontzettend kwaad te worden, en ik antwoordde dat Santiago zich al kwaad genoeg voor ons tweeën maakte, en dat ik ook luchtig was over andere onaangename zaken, zoals vrees voor de toekomst, de grondprijs, het opbouwend-kritische onderwijs, de aan het meerpartijenstelsel inherente corruptie, de invloed van duistere, subversieve krachten op de media, de toekomst van de peseta binnen het Europees monetair systeem, en nog eens veertien, vijftien kletspraatjes waarvan ze overtuigd was dat ze van essentieel belang waren voor het dagelijks leven. Wat mij echt zorgen baarde was of Jaime over twintig jaar een gelukkig mens zou zijn – of in ieder geval van een acceptabel postuur –, de enorme snelheid waarmee ik mijn jeugd zag vervliegen, of de steeds terugkerende vraag of we het einde van de maand zouden halen zonder weer geld te moeten lenen, iets waarover zij zich echter geen van beiden zorgen maakten. Reina had nog nooit gewerkt, en de stipte vrijgevigheid van Germán maakte het onwaarschijnlijk dat ze ook maar één dag voor zijn dood zou besluiten dit te gaan doen. Mijn man werkte daarentegen zoveel dat, al verdiende hij geen rooie cent, hij vond dat hij vrijgesteld was van dit soort zorgen. Ik had nooit vermoed dat hij nog andere zorgen had, totdat Reina, met rechte rug en een ernstige blik, de handen ineengevouwen op het tafelkleed, met een haast komische plechtigheid in al haar gebaren, een voorschot nam op de shushi en zonder omhaal die wonderlijke zin op me afvuurde.

'Malena, ik geloof dat de tijd is gekomen om te besluiten of je je huwelijk nog kunt redden.'

Ik verslikte me in een slok wijn en hoestte een paar minuten demonstratief alvorens in lachen uit te barsten.

'Welk huwelijk?' vroeg ik.

'Ik meen het,' zei zij.

'Ik ook,' antwoordde ik. 'Als je het echt wilt weten, ik voel me als een oorlogsweduwe met twee kinderen, een van veertig en een van vier. Af en toe ga ik, uit pure lamlendigheid, met het oudste naar bed.'

'En verder?'

'Niets.'

'Echt waar?'

'Echt.'

Toen stak zij van wal, en ze praatte een hele tijd, over Santiago, over Jaime, over mij, over mijn leven, over alles wat ze zag nu ze zo veel uren bij mij thuis was, over wat ze goed vond gaan, over dingen waar niets aan te doen viel, en over dingen die nog verholpen konden worden, en ik werd zo zenuwachtig van haar dat ik op een bepaald punt mijn aandacht verloor en alleen nog antwoordde met eenlettergrepige woorden, ah, oh, ja, nee, want zij scheen niet te accepteren dat het me allemaal niets kon schelen, en ík had er geen trek in haar een andere waarheid te fabriceren en haar die op de mouw te spelden.

'En als je man nou een ander had?' vroeg ze ten slotte.

'Dat zou me zeer verbazen.'

'Maar zou het je geen verdriet doen?'

'Nee.'

'Of woest maken?'

'Nee, ik denk het niet. Ik zou hetzelfde doen als ik er tijd voor had. Ik denk echt dat momenteel niets me zo goed zou doen als dat, maar ik heb nog geen minuut de tijd om iets met iemand te beginnen, ik heb alle uren waarover ik beschik hard nodig om centjes te verdienen als een goede, verantwoordelijke echtgenoot, dat weet je toch.'

'Wees toch niet zo cynisch, Malena.'

'Dat ben ik niet.' Ik keek haar aan en kreeg de indruk dat ze van mijn woorden schrok. 'Ik meen wat ik zeg, Reina. Het is niet alleen zo dat ik geen plezier heb in mijn leven, want dat heb ik helemaal niet, maar ik geloof bovendien echt dat ik het niet verdien te leven. En ik zou het heerlijk vinden stapelverliefd te worden op een vent, maar een oudere vent, een volwassene, een man, begrijp je? en dan twee lange maanden rond te fladderen, me niets van Santiago aan te trekken en zelfs voor een tijdje te veranderen in een dure concubine, vertroeteld worden, overal als pronkstuk geshowd worden, poen krijgen om lekker uit te geven, in bad gestopt worden... Ben jij wel eens in bad gestopt?' – ze schudde haar hoofd, en ik bleef even stil, zonder woorden, gevangen in een dromerige glimlach die ik energiek verdreef – . 'Ik wel, en het was fantastisch. Ik zweer je dat ik het heerlijk zou vinden, dat ik er alles voor over zou hebben om weer eens rond te fladderen, maar het overkomt me niet, en ik heb geen tijd om er zelf naar op zoek te gaan. De laatste keer dat ik een vent tegenkwam met wie ik wilde neuken, was ik zwanger, dus wen alvast maar aan het idee.'

'En waarom ga je niet bij hem weg?'

'Bij wie?' vroeg ik. 'Bij Santiago?' Ze knikte. 'Nou, omdat hij economisch en emotioneel absoluut van mij afhankelijk is. Bij hem weggaan staat gelijk aan het achterlaten van een twee maanden oude baby op de middelste rijstrook van de drukste straat van Madrid in de vrijdagavondspits. Ik heb de moed niet om zoiets te doen zonder concrete aanleiding, en aangezien ik ben geboren in 1960, in Madrid, de hoofdstad van de universele schuld en de eeuwige waarden, kan ik mijn eigen walging niet als concrete aanleiding zien, ik kan het niet helpen. Als ik in Californië was geboren, was alles misschien anders geweest.'

'Ik zie dat toch anders.'

'Wat?'

'Alles. Voor mij, als buitenstaander, is jouw man een van de aantrekkelijkste types die er rondlopen. Er zijn heel wat vrouwen die zich voor hem het vuur uit de sloffen zouden lopen.'

'Nou, ik weet niet waar ze nog op wachten.'

'Dat is het hem nou juist,' fluisterde ze toen, terwijl haar vinger cirkeltjes beschreef op het tafelkleed. 'Ik ben bang dat er een is die niet langer heeft gewacht.'

Toen we elkaar gedag hadden gezegd, barstte ik weer in lachen uit, en ik bleef een hele poos in mijn eentje lachen terwijl ik over straat liep, hoewel er aan mijn situatie in feite niets leuks was. Reina's hypothese vond ik daarentegen wel grappig. Die avond, toen ik tussen de lakens gleed, vroeg ik me af of er een vrouw zou bestaan die bij haar volle verstand was en een buitenkansje als mijn man van me wilde afpakken, en opnieuw glimlachte ik in mezelf. Daarna vergat ik de kwestie, totdat Santiago, in de keuken, besloot het vuur te openen in open terrein.

'Ik heb een ander,' zei hij terwijl hij me in mijn ogen keek, een staaltje van moed dat ik nooit in hem had durven vermoeden.

'Aha,' mompelde ik, en daarna viel me niets meer te binnen.

'We zijn al een tijdje bij elkaar, en…' op dat punt liet hij zijn hoofd zakken, 'zij kan niet langer tegen deze situatie.'

'Dat lijkt me nogal logisch.' Ik probeerde me te concentreren om erachter te komen hoe ik me voelde en merkte niet eens dat mijn hart sneller dan gewoonlijk klopte.

'Ik… Ik denk dat dit allemaal… we kunnen erover praten.'

'Er valt niets te praten, Santiago,' mompelde ik, en ik voelde me voor het laatst zijn moeder. 'Je hebt het me alleen maar verteld omdat zij belangrijker voor je is dan ik. Als dat niet zo zou zijn, had je niets gezegd. Dat weet jij, en dat weet ik ook.'

'Nou, eh, tja… Je bent zo kalm dat ik niets meer weet te zeggen.'

'Zeg maar niets meer. Ga maar naar bed en laat me alleen. Ik moet nadenken. We praten morgen wel.'

Bij de deur aangekomen draaide hij zich om en keek me aan.

'Ik hoop... Ik hoop dat we dit als beschaafde mensen kunnen oplossen.'

Toen het tot me doordrong dat hij teleurgesteld was, beledigd bijna, door mijn onverschillige houding, kon ik een glimlach niet onderdrukken.

'Jij bent altijd een beschaafd mens geweest,' zei ik om die goed te maken. 'En vooral een gevoelig mens.'

'Het spijt me, Malena,' stamelde hij, en hij verdween uit het zicht.

Ik verzamelde de tentamens, waste het glas af en leegde de asbak, verdoofd door mijn verbazing en doordat ik nog altijd niet had weten te reageren op de scène die zich net had afgespeeld. Ik ging opnieuw aan de keukentafel zitten, stak een sigaret op en kreeg ineens zin om in lachen uit te barsten toen ik me de bittere verwijten herinnerde die ik mezelf zo veel jaren geleden had gemaakt, toen ik mezelf niet eens fluisterend durfde toegeven dat ik liever de kwelling van een echtgenoot als mijn grootvader Pedro zou hebben ondergaan dan de zegeningen van een huwelijksleven aan de zijde van die huichelaar. Toen ik die hardnekkige beklemming opnieuw doormaakte, kreeg ik opnieuw zin om te lachen, maar het lukte niet, want niet alleen had ik al bij voorbaat afgezien van het bezit van een man als mijn grootvader, die huichelaar had míj bovendien net verlaten, en behalve stomverbaasd, was ik aan het huilen.

Vanaf de weg was slechts een vage, witte vlek zichtbaar, verscholen in een dichte begroeiing van palmbomen en eucalyptussen, als de begrenzing tussen de wereld van over de vlakte verspreide witte huisjes – gordijnen van plastic kralen voor alle deuren, kippen die op geïmproviseerde binnenplaatsjes van aangestampte aarde doelloos rondpikten, goed onderhouden potten oleanders met felle, giftige, rode bloemen, hier en daar een kinderfiets met steunwieltjes die tegen een halfopenstaand hek was gezet – en de overweldigende horizon van een kale, onherbergzame, grijze berg, die loodrecht neerdaalde in een eveneens naakte zee.

Vanaf beneden schatte ik dat het pad, een smalle strook zand, niet breed genoeg zou zijn om een auto door te laten. Ik parkeerde de mijne voor de deur van een café, waartegen zich het gehucht geschurkt leek te hebben dat zich het dichtst bij de hoeve bevond, en zonder iemand iets te vragen begon ik te lopen, alsof ik de weg al mijn hele leven kende. Het was halfzes 's avonds, erg warm, en ik was nog niet eens halverwege toen de helling flink begon te klimmen, en ik te transpireren. Een eindje verderop maakten twee rijen oude bomen zich op om een armetierige schaduw over mijn voetstappen te werpen. Ik liep langs een paar primitieve bouwsels, met een heel laag dak, waarschijnlijk opslagplaatsen, of in onbruik geraakte varkensstallen, en passeerde een denkbeeldige scheidslijn tussen het open veld en een stuk grond dat daar nauwelijks van te onderscheiden was, en waar ook hier en daar agaven en vijgencactussen groeiden, maar dat desondanks een tuin was. Er was geen afrastering, geen hek, en nergens een deur. Het pad kwam uit op een rond plaatsje met enorme aarden kruiken, de witgepleisterde muren uiteengereten door de lange uitlopers van klimgeraniums, die de cirkel van pas begoten aarde begrensden.

In het midden zat een man van een jaar of vijftig op een krakkemikkig houten krukje naar een wit doek te staren dat hij met zijn linkerhand op zijn knieën hield. Tussen de roerloze vingers van zijn rechterhand rustte een staafje houtskool. Ik bekeek hem aandachtig en vroeg me af wie hij was en wat hij daar precies deed. Hij had het typische voorkomen van een bohémien, dat je alleen nog aantreft bij oude hippies die op straat leren armbanden verkopen, in de dorpjes aan de kust. Hij had een lange, verwarde haardos, waar kwijnende, vuilgrijze haren doorheen schemerden, alsof ze dood waren, en een korte grijze baard, en hij droeg een bruin overhemd met de mouwen opgerold tot boven zijn ellebogen, en een verschoten, gekreukelde spijkerbroek, die hem veel te groot was. Misschien was hij wel echt schilder. Misschien deed hij alleen maar zijn best het te lijken.

Toen ik hem al bijna tien minuten zwijgend stond op te nemen, draaide hij langzaam zijn hoofd in mijn richting en veerde geschrokken op. Hij had me niet alleen gezien, maar iets in zijn houding, een bepaalde verbazing in zijn blik die veel weg had van ontsteltenis, deed me vermoeden dat hij me dacht te herkennen. Hij kwam overeind en gebaarde naar me, zijn geopende handpalm naar me toegekeerd.

'Even wacht hier, alstublieft.'

Het verraste me niet dat hij een buitenlander was, waarschijnlijk een Duitser, te oordelen naar de eigenaardig slepende manier waarop hij de 'r' uitsprak, en de oe-klank van de 'u', die uitspraak die ik me nog zo goed herinnerde. Hij kwam overeind maar stond na een paar stappen in de richting van de deur al weer stil, want daar, geleund tegen de deurpost, stond zij, ikzelf, maar dan vijfentwintig jaar later. Terwijl ik naar haar keek, voelde ik hoe mijn hart sneller begon te kloppen, mijn ogen begonnen te prikken en de haartjes op mijn arm overeind gingen staan. Ze was niet zoveel veranderd, haar haar was nog steeds zwart, een strakke diadeem die haar voorhoofd omlijstte, en haar lichaam had nog ongeveer dezelfde vormen, hoewel er geen sprake meer was van de dubbelzinnigheid van die gevaarlijke contouren die meanderen tussen slank en weelderig, maar eerder, het beste bewijs van haar leeftijd, van geruststellend, ingetogen slap vlees. Ze droeg een wit t-shirt met korte mouwen, en een hele dunne broek in dezelfde kleur, met een elastieken broekband. Ze haalde haar rechterhand uit haar zak en het vlees van haar arm deinde een ogenblik rond haar elleboog, zachtjes en vermoeid. Ze was heel bruin, en haar gezicht vertoonde, rond haar ogen en mond, nieuwe rimpeltjes, diep als oppervlakkige wondjes die slecht genezen zijn, maar toch was ze, met haar vijfenvijftig jaar, nog altijd een zeer aantrekkelijke vrouw. Ze spreidde haar armen, liep langzaam op me toe, en toen glimlachte ze. Met gesloten ogen stortte ik me in haar armen, en zij ving me met open ogen op.

'Dat heeft lang geduurd, Malena…'

Ik weet niet hoe lang we daar zo stonden, maar toen we elkaar loslieten was de schilder verdwenen. Ze pakte me bij m'n schouder en we liepen tussen de agaven door, over een weggetje dat me nog niet was opgevallen, een smal paadje dat pal langs de berg liep en zich verbreedde in een soort natuurlijke verhoging waar precies een houten bank en een tafel konden staan. Vanaf die plek zag je alleen de zee, een reusachtige plas groen water, of blauw misschien, want ik heb altijd zo ver van haar vandaan gewoond dat ik de kleur nooit goed heb leren kennen.

'Het is prachtig hier, Magda,' zei ik enthousiast tegen haar. 'Weet je, ik heb het me zo vaak geprobeerd voor te stellen, maar ik had nooit gedacht dat het zo mooi zou zijn.'

'Ja, mooi is het zeker,' beaamde ze, terwijl ze zich op het bankje liet vallen. 'Het lijkt wel een ansichtkaart, hè?, of zo'n goedkoop zeegezicht dat mensen boven hun bank in de zitkamer hangen, om er met hun rug naar toe te gaan zitten en naar de televisie voor ze te staren…' Ze keek me aan en beantwoordde mijn verwarring met een brede glimlach. 'Ik weet niet, aanvankelijk vond ik het ook schitterend, maar daarna begon ik het binnenland te missen, vooral de omgeving van Almansilla, de kersenbomen, de eiken, zelfs de sneeuw in de winter. En Madrid, al ging ik daar nog weleens naar toe, als ik de zee even zat was.'

'Ben je in Madrid geweest?' Ze knikte bevestigend, heel bedachtzaam, en even wist ik niet wat ik moest zeggen, alsof ik niet kon accepteren wat ze me vertelde. 'Maar je hebt nooit gebeld…'

'Nee, ik zei het tegen niemand, zelfs niet tegen Tomás, die altijd heeft geweten waar ik woon. Ik logeerde in een hotel aan de Gran Vía, vlak bij de Red de San Luis, waar je via een gewoon portaal binnenkomt, en dan wandelde ik hele dagen en ademde smog in en luisterde naar de mensen, want ik kon het niet verkroppen dat ik jullie niet kon verstaan, mensen van jouw leeftijd bedoel ik. Toen ik jong was, spraken wij ook een eigen taaltje, heerlijk vond ik dat, en bovendien kreeg ik m'n moeder ermee op de kast, maar de codes zijn razendsnel veranderd… En dat niet alleen. De waarheid is dat ik erachter ben gekomen dat Vicente gelijk had, een ouwe vriend van me, een vreselijk slechte, maar heel elegante flamencodanser, een hopeloze nicht die altijd hetzelfde tegen me zei: Magdalena, meisje, zorg dat je vriendjes uit het binnenland komen hoor, Huesca, Jaén, León, Palencia, Albacete, Badajoz, eventueel Orense, ik meen het. Luister naar mij, het leven aan de kust maakt van elke man een nicht.'

'En hij wist waar hij het over had omdat hij zelf van de kust kwam.'

'Mis!' Ze schaterde het uit. 'Hij kwam uit Leganés, al maakte hij iedereen wijs dat hij in Chipiona geboren was, voor z'n stamboom, snap je, dat was het beste van het beste, en toch, inmiddels weet ik dat hij in zekere zin gelijk had, en niet omdat er hier meer homoseksuelen zouden zijn dan elders, maar omdat alles hier anders voelt, zachter, vochtiger. Ik kan zelfs heimwee hebben naar de heimwee die ik voelde toen ik in Madrid woonde, en ik ben tot de conclusie gekomen dat die daar veel heftiger was, veel pijnlijker misschien, maar ook veel vitaler, en dat het daarom ook korter duurde, hoewel het in een grote stad aan zee wellicht anders zou zijn, want dat mis ik ook, die eindeloze, brede straten. Ik woon hier nu twintig jaar. Dat is lang, en toch ben ik er nog niet helemaal aan gewend.'

Ik bekeek haar aandachtig en verbaasde me erover dat ik haar niet oud had zien worden, want ik weigerde afstand te doen van de illusie dat zij naast mij ouder had willen worden.

'Ik heb je ontzettend gemist,' mompelde ik.

Ze zei niets omdat dat overbodig was. Twintig jaar later was het even gemakkelijk voor mij om met haar te praten als het vroeger voor haar was geweest om met mij te praten, toen ik de enige persoon was tegen wie ze zich oprecht durfde uitspreken op dat lugubere, betegelde schoolplein, dat stonk naar schoonmaakmiddel en naar die gezonde blijdschap die uit God voortkomt.

'Maar je had me moeten bellen, Magda,' drong ik aan, 'ik kan een geheim bewaren, dat weet je, en dan hadden we kunnen praten, ik zou je van alles verteld hebben. Ik ben getrouwd, weet je, nou, eigenlijk niet meer, maar nu nog wel, dat is een ingewikkeld verhaal, en ik heb een zoon, en...'

Ik stokte omdat ze aan een stuk door traag knikte en me te kennen gaf dat ik haar niets nieuws vertelde.

'Dat weet ik,' zei ze, 'Jaime. Heb je hem meegenomen?'

'Ja, hij is in het hotel gebleven voor een siësta, met de beide Reina's.'

'Ben je met je zus hier?' vroeg ze, ze leek verbaasd, en ik knikte bevestigend.

'Ja. Eerlijk gezegd was ik het liefst alleen gekomen, maar ze wilde per se mee, omdat mijn man me pas een week geleden heeft laten zitten voor een ander, en zij is ervan overtuigd dat ik er kapot van ben, en, nou ja, je snapt het wel, zoals dat gaat, ze voelt zich verplicht me gezelschap te houden, me een schouder te lenen om op uit te huilen en zo.'

'Haar hoef ik niet te zien, maar ik zou het geweldig vinden je zoon te leren kennen. Hoe gaat het met hem?'

'O, het gaat nu goed met hem,' in haar verbaasde blik bespeurde ik een glimp wantrouwen en ik moest glimlachen. 'Echt, Magda... Nou ja, hij is niet al te groot, dat is een ding dat zeker is. Reina, mijn nichtje, zou zijn moeder kunnen zijn en ze zijn van dezelfde leeftijd, maar hij is flink aangekomen, hij is nu op een normaal gewicht, en de ontwikkeling van zijn gebit loopt erg achter. De kinderarts is ervan overtuigd dat dat een fantastisch voorteken is, want dat wil zeggen dat de rest van zijn botten vertraagd zullen groeien, net als zijn tanden, maar dat hij in ieder geval zal groeien, al is dat misschien pas als hij over de twintig is. Daar maak ik me geen zorgen meer over.'

'Maak je je meer zorgen over de breuk met je man? Hij schijnt wel aantrekkelijk te zijn, hè?'

'Ik niet,' glimlachte ik. 'Hij mag gezien worden, dat wel, maar ik maakte al plannen om bij hem weg te gaan voor ik zwanger bleek te zijn, weet je, want ik wist al lang dat het niet goed ging tussen ons, ik wilde met alle geweld met hem trouwen, maar ik heb altijd geweten dat het niet zou werken... Ik had tijden geleden al bij hem weg moeten gaan, maar ik durfde nooit, want vanaf het begin heeft hij zich gedragen als een groot kind, jarenlang heb ik het gevoel gehad dat ik twee kinderen had, een volwassen kind en een kleintje, en moeders laten hun kinderen niet in de steek, nietwaar?, dat hoort niet, en nu, nu hij mij in de steek laat, en in de steek laat voor een ander, voelt dat zo raar... Ik weet niet, ik ben verbaasd, in de war, ik begrijp niet goed wat er gebeurt. Het is heel vreemd.'

Magda haalde een ivoren sigarettenpijpje uit haar broekzak en duwde daar de filter van een lichte sigaret in, nog altijd hetzelfde merk, zag ik. Ze stak hem met een traag gebaar op, met zorg, en inhaleerde, en ik had het gevoel dat de tijd was blijven stilstaan.

'Toch vind ik dat je er heel goed uitziet, Malena. Wallen hebben ons nooit slecht gestaan, daar lijken onze ogen nog zwarter door,' lachte ze, en ik lachte met haar mee. 'De Alcántara's maakt het uiteindelijk niets uit, ze zijn altijd de lelijke eendjes van de familie geweest. Trouwens…' ze zweeg even en haar lach veranderde in een onzekere glimlach, die bijna onmiddellijk daarop verdween, 'hoe is het met je moeder?'

'Oei! Nou, behalve dat ze heel dik is, maakt ze het uitstekend, in ieder geval vergeleken met hoe ze er vijf jaar geleden aan toe was.'

'Toen je vader bij haar wegging.'

'Ja. Ik snap best dat ze een rottijd heeft gehad, maar eerlijk gezegd was ze onuitstaanbaar. Ze maakte me het leven onmogelijk, ze zoog zich aan me vast als een bloedzuiger, echt, de godganse dag zat ze tegen me aan te snotteren, tot ik het voor elkaar kreeg dat ze lid werd van een bridgeclub, ze ging ernaar toe en kreeg een vriend. En daarmee, en met het dochtertje van Reina, die weer bij haar is ingetrokken, heeft ze in ieder geval weer iets om handen.'

'Je moeder?' Ze leek met stomheid geslagen. 'Heeft die een vriend?'

'Zoiets, ja. Een weduwnaar van zestig…' ik laste een pauze in om de juiste spanning te creëren voor wat ik verder nog ging zeggen, 'kolonel bij de Landmacht. Artillerie, geloof ik.'

'Je meent het!' riep Magda schaterlachend uit. 'Nou, het had erger gekund.'

'Inderdaad,' gaf ik toe, en door haar aangestoken schoot ik ook in de lach, en we hielden niet meer op, als twee kleine meisjes, of als twee onnozele wichten, totdat zij met de rug van haar hand een traan wegveegde en het gesprek voortzette.

'En je vader maakt het goed, hè?'

'Ja, uitstekend. En díe mag wat je noemt gezien worden.'

'Dat was altijd al zo.'

'Maar hij is erg veranderd, hoor. Hij heeft een vrouw die behoorlijk jonger is dan hij en hij is als was in haar handen,' zij knikte lachend, 'nee, echt, je hebt er geen idee van. Hij drinkt nog maar de helft van wat hij vroeger innam, en hij gaat niet meer alleen op pad 's avonds. Ze gaan overal samen naar toe, en hij behandelt haar als een porseleinen poppetje, het is onvoorstelbaar.'

'Ja, zoiets dacht ik al.'

'Ja?' vroeg ik verbaasd. 'Van papa?' Ze knikte opnieuw. 'Daar begrijp ik niets van.'

'Het is altijd hetzelfde liedje, Malena, met mannen als jouw vader gaat het altijd hetzelfde. Vroeg of laat komen ze een vrouw tegen bij wie ze aan de leiband lopen, en bovendien…' ze keek me op een andere manier aan nu, ondeugend bijna, en glimlachte, 'eerlijk gezegd dacht ik het al omdat hij me, eh…, even rekenen… zeven jaar? Nee, acht. Hij heeft me al acht jaar niet opgezocht.'

Na die woorden laste Magda een strategische pauze in. Ze keek over zee, streek een kreukel in haar broek glad, pakte een sigaret, stak die aan, begon te roken. Voor hij half was opgerookt, porde ik haar zachtjes met mijn elleboog, maar zij wilde hem niet beschuldigen.

'Ik heb het altijd geweten,' zei ik tegen haar. 'Of, nou ja, misschien verbeeldde ik het me alleen maar, maar ik verbeeldde het me heel vaak, ik weet niet of je begrijpt wat ik bedoel...'

Ik wilde de situatie wat luchtiger maken, haar aan het lachen brengen, aan de praat krijgen, maar zij werd heel ernstig, en toen ze uiteindelijk haar mond opendeed, keek ze me niet aan.

'Ik was er niet op uit, hoor. Eigenlijk gebeurde het gewoon. En stomtoevallig, dat moet gezegd. Jij was al geboren, je zal een jaar of vier, vijf geweest zijn, het was een absurde avond, een van die doelloze avonden dat we kroeg in, kroeg uit liepen, achter mekaar door. Ik geloof dat ik geen glas leeg heb gedronken. We kwamen ergens, bestelden, namen een slok, betaalden en gingen weer weg...'

'Wie waren de anderen?' Ze keek me verwonderd aan, en ik verduidelijkte: 'Je hebt het de hele tijd over "we".'

'O! Tja, ik weet niet of ik me alle namen nog herinner. Eentje was Vicente uiteraard, samen met een vriendje dat hij in die tijd had, een knul uit Zaragoza die in dienst zat in Alcalá, bij de para's, hij mocht zijn uniform geen moment uittrekken, de arme jongen. Zíjn naam herinner ik me nog wel, want hij heette Magín, jawel. Dan was er nog een zanger... was hij zanger? Ja, of goochelaar, dat weet ik niet meer, zoiets, een Fransoos die bij dezelfde club werkte als Vicente. En mijn toenmalige vriendje natuurlijk, een of andere idiote existentialist die me fascineerde, want hij leek me ontzettend slim en hij wilde per se samen op IJsland gaan wonen, vanwege de vulkanen, moet je je voorstellen, IJsland, alsof er dichter in de buurt niets was, afijn... Hij is tegenwoordig directeur-generaal van het een of ander, dat herinner ik me niet precies, maar af en toe verschijnt hij op de tv, en hij lijkt nog dommer dan toen, hoewel, ik weet het niet, het is een hele toer hoor. In ieder geval, die zanger, dat vriendje van Vicente, en die herinner ik me echt niet meer, zelfs niet hoe hij heette, die was aan de cocaïne, of misschien was hij niet echt verslaafd, maar hij moest en zou met alle geweld cocaïne hebben, en dat was in die tijd niet zo eenvoudig, hoor, helemaal niet, die arme Magín wist niet eens wat het was, we moesten hemel en aarde bewegen voor hij het woord kon uitspreken, kun je nagaan... Hij was ook eigenlijk niet de snuggerste, een goeierd, dat wel, maar niet bepaald snugger.'

'Heb je het nu over '64?' onderbrak ik haar, stomverbaasd.

'Ja, '64 of '65, dat weet ik niet meer precies. En wat maakt het ook uit? Waarom trek je nou zo'n gezicht? Je denkt toch niet dat jullie de cocaïne hebben uitgevonden?'

'Nou, nee...'

'Precies. Dus we zwierven urenlang van het ene café naar het andere, we volgden een spoor dat weer naar een ander spoor leidde en dat leidde wéér naar een ander spoor, op jacht naar die verduivelde cocaïne, en we raakten steeds verder uit het centrum, want in Chicote wilde het niet lukken die avond. Ik was al behoorlijk aangeschoten en doodop, toen iemand ons een adres gaf waar je alleen met de auto naar toe kon. We namen die van Vicente, een hemelsblauwe Renault Dauphine, hoewel hij weigerde te rijden. Hij ging achterin zitten, met Magín en mij, en ze zaten elkaar de hele tijd op te vrijen, mijn vriend reed, en de zanger zat naast hem. Ik werd dat gezoen en gelebber spuugzat, nog afgezien van het feit dat Magín zijn elleboog steeds midden in mijn maag plantte als Vicente zich weer boven op hem stortte, al denk ik wel dat ik anders in slaap gevallen was, want die rit duurde eindeloos. Ik keek uit het raampje en zag vreemde, slecht verlichte straten die me volkomen onbekend voorkwamen, en als ze me verteld hadden dat het Stuttgart was, of Buenos Aires, weet ik veel, dan had ik het geloofd, eerlijk waar, ik was nog nooit in dat deel van Madrid geweest. We reden langs een metrostation, maar ik kon de naam niet lezen, en een hele poos later reden we een hele lange straat in waar geen einde aan leek te komen, en die vanaf halverwege tot het eind op een dorp leek, want er ston-den geen flats meer, zelfs geen gebouwen van twee verdiepingen, alleen maar lage, witgepleisterde huizen, met voor de ramen in plaats van bloempotten een paar vijfliterblikken waarin gevulde olijven hadden gezeten, met daarin allerlei kleuren geraniums. Toen we parkeerden vroeg ik waar we waren, en mijn vriendje antwoordde, helemaal achter in Usera, en ik zei in mezelf, fantastisch hoor, want ik wist niet eens waar het begin was… Weet jij waar Usera is?'

Ik had het gevoel dat ze me die vraag alleen stelde om tijd te winnen, alsof ze even wilde nadenken, besluiten hoe ze het vervolgens zou aanpakken, welk pad ze zou inslaan. Hoe dan ook, ik schudde ontkennend mijn hoofd, glim-lachend, tot ik me iets herinnerde wat mijn grootmoeder Soledad ooit had ge-zegd.

'Aan de overkant van de rivier, neem ik aan.'

'Ja,' bevestigde Magda, 'maar niet zo'n klein eindje voorbij de rivier, een ontzettend eind.'

'En daar was papa…'

'Nou,' en ze keek opzettelijk van me weg, 'zo ongeveer.'

'Waar?'

Maar ze gaf geen antwoord. Ze bleef zwijgen, en na een tijdje begon ze op dezelfde toon als vroeger, toen ik nog klein was, tegen me te praten.

'Ik zat te denken… Heb je geen dorst? Wil je niet iets gaan drinken in huis?'

'Toe nou, Magda!' riep ik uit, oprecht geschokt door háár geschoktheid. 'Ik ben eenendertig. Ik ben een geëmancipeerde vrouw, getrouwd, in de steek gela-ten, en ook nog ontrouw. Vertel op!'

'Ik weet het niet…' ze maakte een afwerend gebaar, 'al denk je nu misschien van wel, ik ben er niet zeker van of het je straks nog wel zo kan bekoren.'

'Waar maak je je nou druk om?! Als je eens wist wat een onschuldig lammetje als ik allemaal wel niet heeft uitgespookt!'

'Ik zeg het niet om mezelf,' viel ze me in de rede. Het kan me niet schelen wat je van me denkt. Ik zei het vanwege Jaime. Tenslotte is hij je vader.'

'Ik ben altijd stapelgek op de jouwe geweest, Magda, op jouw vader, dat weet je best.' Ze knikte bedachtzaam. 'Ik denk niet dat de mijne het veel bonter heeft kunnen maken.'

'Nee…' begon ze, en ze stokte abrupt, 'of ja, ik weet niet wat ik tegen je moet zeggen. Maar hij deed het beter, dat staat buiten kijf.'

'Nou, vertel op dan.'

'Oké, ik zal het je vertellen, maar je moet me niet onderbreken want daar word ik nerveus van, en ik wil verder geen vragen. Ik vertel je toch niks wat ik je niet wil vertellen, ik waarschuw je, en ik ben non geweest, vergeet dat niet, dus ik heb veel meer ervaring in dit soort dingen dan je je kunt voorstellen. Ik ben een expert in geheimen.'

'Is dat je laatste bod?'

'Precies.'

'Afgesproken.'

Ze stak een een nieuwe sigaret op, streek voor de zoveelste keer haar broek glad, en begon te vertellen zonder me aan te kijken. Dat zou ze alleen vanuit haar ooghoeken doen, vluchtig, terwijl ze in haar geheugen zocht en ik zwijgend luisterde, trouw aan onze eeuwige belofte.

'Van buitenaf leek het een doodgewoon huis, met één verdieping, laag en armoedig, zoals allemaal. Er hing geen uithangbord aan de gevel, en zelfs niet een van die lichtreclames van Coca-Cola, helemaal niets, en de deur was heel onopvallend, een plaat aluminium, en het bovenste deel was een matglazen ruit, met een gordijn erachter. De rolluiken voor de ramen waren naar beneden, en er was geen bel. Vicente klopte een paar keer, maar er kwam geen reactie, toen begon hij luidkeels te roepen, maar er gebeurde niets, ik verwachtte inmiddels al dat er een oud ventje in pyjama dreigend met een jachtgeweer naar buiten zou komen, toen de deur plotseling op een kier openging en de een of andere vent, hij zag er nogal boers uit, z'n kop om de hoek stak, en ik weet niet wat ze tegen hem zeiden, maar in ieder geval liet hij ons binnen. Binnen had het veel weg van een café, maar het was er leeg, ik zag drie of vier formicatafeltjes met de stoelen erbovenop, en achterin een bar, maar er was niemand, en het was er donker. Ik zei bij mezelf dat hier niets te halen viel, maar plotseling liepen de anderen achter die vent aan die ons had opengedaan, en ik volgde ze onder een boog naast de bar door. Eerst liepen we door een kleine gang, met maar één deur, aan de linkerkant, dat moest de wc zijn want het stonk er ongelooflijk naar pis, en daarna kwamen we in een kamertje dat een soort magazijn leek, want er stonden bierkratten vol lege flessen en meer van dat soort spul, en achterin was een bruin geschilderde deur. Die vent deed hem met een sleutel open en ging ons voor op een trap die naar de kelder afdaalde, en we kwamen op een soort overloop, die ook al vol stond met lege en volle kratten met bier en wijn, en die weer uitkwam op een boog waar een gordijn voor hing, waarachter je licht zag en geschreeuw en muziek en gelach hoorde. Ik had het gevoel dat ik droomde, want het was vier uur 's ochtends, of halfvijf, weet ik veel, en het kwam me allemaal onwerkelijk voor, dat Usera een einde had, het tijdstip, de cocaïne, en dat huis dat helemaal niet op een café leek maar het wel was, en dat bovendien een verborgen hol in de kelder had. Toen ik onder het gordijn door liep, betrad ik een van de eigenaardigste plekken waar ik ooit geweest ben, een soort grot met gipsen stalactieten aan het plafond, en ronde tafeltjes met houten stoelen die in allerlei kleuren waren geschilderd, rondom een soort podium in het midden. De bar was achterin, en die was modern, van donker hout, met een koperen leuning en een grote rookkleurige spiegel erachter, maar op de grond stonden aan weerszijden twee grote aarden potten die rood waren geschilderd met witte stippen, en de mensen die er rondliepen waren al net zomin door-snee, helemaal niet zelfs. Er was een groep zigeuners in showkleding, strakke zwarte nylon broeken, en overhemden van glanzend satijn die in een knoop boven hun navel vast waren gemaakt, en eentje had een paar bakkebaarden..., de grootste neukteugels die ik ooit gezien heb, heel breed, driehoekig, de vorm van een bijl ongeveer, maar de klanten daarentegen leken meer op een stelletje criminelen in allerlei soorten en maten. Sommigen stonden met hele dikke vrouwen te praten, die ouder leken dan ze waarschijnlijk waren, en die dellerige maar dure kleren droegen, ze waren opgemaakt, of liever gezegd beschilderd, alsof ze bang waren zichzelf tekort te doen, alsof de wereld nog die nacht ten onder zou gaan en ze bang waren niet op tijd een balsemer te kunnen vinden. Op een paar meter afstand rook je hun dure, zware, Franse parfum, het leek wel of ze hun gezicht ermee gewassen hadden. Ik herinner me er eentje die haar valse wimpers verkeerd had aangeplakt en die de hele tijd met haar ogen knip-perde, tot die van haar rechteroog uiteindelijk op de grond viel en ze hem niet meer kon vinden, hoe ze ook zocht, maar ze kwam ook niet op het idee die andere eraf te halen, het was pijnlijk om te zien, het arme mens... Er waren nog andere meisjes, een stuk jonger, die niet aan de man leken. Er waren er twee die me vooral opvielen, en die aan de bar stonden met een of andere vent, eentje had haar als een pluizige ragebol, half platinablond geverfd, en de ander had een hele lange bos, tot op haar kont, geverfd in een van die tinten die ze maho-nie noemen, maar die niet op de kleur van het hout en ook niet op enige andere bestaande kleur lijkt. Ze hadden alle twee een heel slechte huid, oneffen en vol puistjes, dat kon je door hun make-up heen zien, en ze waren beiden maar deels aantrekkelijk. De blonde had prachtige benen, een mooie, hoge, strakke kont en bijpassende, goed gevormde heupen, maar ze had een opvallende, dikke buik, opgeblazen leek het wel, onder een minirokje met lovertjes, en haar bor-sten waren juist weer bijna plat. Ze had geen knap gezicht, maar die met het mahoniekleurige haar wel, heel knap, met grote ogen en mooie, dikke lippen, zoals wij, en fantastische tieten, rond en stevig, maar vanaf haar middel naar beneden zat ze als een worst in een donkerrood fluwelen jurkje geperst en was

ze een tank, breed en massief, met een paar enorme dijen die bij de minste beweging trilden als een pudding, en klutsknieën boven een paar hele hoge hakken, een bizarre combinatie met haar postuur. Je zou een echte stoot kunnen
maken van hen samen, schoot het door me heen, misschien zijn ze daarom wel
met dezelfde vent... Van hem kon ik het gezicht eerst niet zien, want zij stonden er de hele tijd voor, ze zoenden hem op z'n mond en zaten hem op te
vrijen, allebei tegelijk, en alleen z'n schoenen vielen me op, een paar Engelse,
handgemaakte mocassins, peperduur, een vreemd contrast met de vloer waar ze
op stonden, en ook de mouwen van zijn overhemd, van ruwe zijde, met gouden
manchetknopen bij zijn polsen in de vorm van een knoop, heel subtiel, die zal
ik nooit vergeten. Maar aan zijn handen, die af en toe even opdoken maar meteen weer verdwenen tussen die opeengepakte zwetende lichamen, zaten geen
juwelen. Geen slavenarmbanden, geen ringen, geen gevatte stenen, alleen een
smalle trouwring aan zijn rechterhand, en korte nagels, zonder de sporen van
een manicure. Een echte heer, zei ik bij mezelf, hoe is het mogelijk, en ik keek
even een andere kant op, en toen ik mijn hoofd weer in hun richting draaide
stond híj daar, met zijn ellebogen op de bar, de twee bovenste knoopjes van zijn
hemd open, en de knoop van zijn stropdas los, zijn hals nat van zweet en speeksel, zijn haar door de war, met een brede glimlach en dronken. Je vader.'
    'De big shot,' mompelde ik. Ik kon me de scène voorstellen alsof ik er zelf
bij was geweest.
    'Wat?' Magda keek me verbaasd aan. 'Wat zei je?'
    'Dat papa de big shot was,' ik sprak wat harder nu, maar ze leek me nog niet
te begrijpen. 'Dat hij het mannetje was.'
    'Precies. Daar stond hij, de triomfator van Usera, met in iedere hand een
trofee, groetend naar de voorste rijen... Hij zag mij wel direct, en hij herkende
me ogenblikkelijk, dat had ik meteen door, maar hij wilde me niet begroeten,
hij wilde niets zeggen, hij kwam niet eens overeind van de bar, alsof ik degene
was die naar hem toe moest gaan, die zonder toestemming zijn territorium was
binnengedrongen, en niet andersom. Ik keek hem aan en moest onwillekeurig
glimlachen, ik wierp nog een blik om me heen en toen begon het tot me door
te dringen. Die vent was een hele andere man dan de man die ik kende, want
tot dan toe had ik hem alleen maar bij mijn ouders thuis gezien, met je moeder,
of daarvoor nog, met mijn broer Tomás, en daar leek hij klein, verloren, onzeker over alles. Iedere beweging die hij maakte, ieder woord dat hij zei, werd
voorafgegaan door een behoedzame, maar geen geslepen blik, hij gedroeg zich
alsof hij zich bij voorbaat verplicht voelde vergiffenis te vragen voor wat hij fout
zou doen, en hij deed nooit iets fout, maar hij slaagde er ook nooit in zichzelf
te overtuigen dat hij het goed deed, dat was het vreemde, dat zijn zelfvertrouwen niet groeide bij ieder succes dat hij behaalde. Ik geloof dat hij pas zelfvertrouwen kreeg toen hij iets met mij begon, want ik was de enige die de waarheid wist, en die ook zijn andere kant had leren kennen.'
    'Die nacht.'

'Ja, die nacht. Tot dan was hij me eigenlijk nooit zo opgevallen, echt niet, of eigenlijk mocht ik hem niet zo, helemaal niet zelfs, en eerlijk gezegd weet ik niet waarom, want ik had geen persoonlijke redenen om hem te haten, maar ik haatte hem wel, ik vond hem een kruiper en een zeur, de klassieke streber uit een beeldromannetje, snap je wat ik bedoel, en dat terwijl hem wat dat betreft weinig te verwijten viel, want Reina had achter hem aan gezeten, dat was echt gênant, en dat is nog zwakjes uitgedrukt, ze gingen nog maar een maand met elkaar om toen ze al met elkaar naar bed gingen, moet je nagaan... Toen ik erachter kwam, was ik perplex, kun je het je voorstellen, in die tijd, je moeder! Tjee, ik kon het niet geloven... Natuurlijk niet, ik niet en niemand niet, want het was ook ongelooflijk, ik ben nog nooit zo stomverbaasd geweest als toen, en dan te bedenken wat ik allemaal had moeten doorstaan... Ik geloof dat mijn eerste opwelling was haar te vermoorden, en dat meen ik serieus, als ik haar voor de loop had gekregen dan had ik haar vermoord, of op z'n minst ernstig verwond.'

Ik sloeg geen acht op de agressie die in die woorden doorklonk, gespannen als de pees van een kruisboog, want alle beschikbare ruimte in me werd volledig in beslag genomen door verbijstering, en daarbinnen was ook weer sprake van verbijstering, want het lukte me niet aan mijn moeder te denken, ik kreeg haar niet op mijn netvlies, in plaats daarvan zag ik Reina, en ik dacht aan mijn zus, ik zag haar bewegen, ik hoorde haar praten, in ieder detail dat Magda me beschreef.

'En hoe ben jij erachter gekomen?'

'Nou, zoals iedereen natuurlijk. Omdat ze zwanger raakte.'

'Mijn moeder?!'

'Maar..., nee, dat meen je niet...!', en even verbleekte mijn verbijstering bij de verbazing van Magda. 'Je gaat me toch niet vertellen dat je dat niet wist!'

'Nou, nee,' gaf ik onthutst toe. 'Dat heeft niemand me ooit verteld.'

'Nee? Nee, natuurlijk...,' ze stokte even en dacht na, 'op de foto's is het niet te zien. Maar je moeder was zwanger toen ze trouwde, jullie zijn zes maanden na de bruiloft geboren. Destijds waren er een hoop mensen die het ook niet wisten, echt, want de ceremonie vond plaats in Guadalupe en er waren bijna geen genodigden, en later, omdat jullie een tweeling waren, en Reina zo zwak was, vertelde mijn moeder aan iedereen...'

'Dat wil dus zeggen,' was ik haar voor, 'dat we helemaal niet te vroeg geboren zijn.'

'Inderdaad,' beaamde Magda, 'jullie zijn precies op tijd geboren, ongeveer op tijd, net als jouw zoon.'

Ik zweeg een tijdje terwijl zij naast mij, rustig glimlachend, op een reactie zat te wachten.

'Natuurlijk, dat is verdomme het toppunt, godallemachtig,' gaf ik toe, en toen pas reageerde ze en schoot in de lach.

'Ja, vind je niet?'

'En in die tijd kon je nog niets slikken natuurlijk...'

'Oh, zij wel!' Ik keek haar aan en zag dat ze nog steeds lachte. 'Iets dat de vruchtbaarheid bevorderde, neem ik aan. Om het zo gauw mogelijk voor elkaar te hebben. Ze was de koning te rijk, neem dat maar van me aan, en je vader ook, vergis je niet. Ze hadden allebei hun zin. Zij had hem gevangen, want daar ging het om, en hij had de Toekomst gevangen, met een hoofdletter. Van hetzelfde laken een pak, dacht ik toen, en misschien had ik daarom wel zo'n hekel aan hem, moet je je voorstellen... Dat is grappig, daar heb ik nooit eerder over nagedacht, maar misschien was het daar wel om, want uiteindelijk waren ze voor mij twee zijden van dezelfde medaille, en ik wist inmiddels veel te goed wat die waard was. En toch vergiste ik me, want ze waren het niet, althans voor mij zijn ze het nooit geweest.'

Ik stond op het punt haar te vragen of zij óók verliefd was geworden op mijn vader, maar uiteindelijk had ik de moed niet, en de vastberadenheid waarmee ze de glimlach van haar gezicht haalde die een ogenblik om haar lippen had gespeeld – haar lippen van een indiaanse, die zo sprekend op de mijne leken dat ik soms huiverde als ik ze zag bewegen – deed me vermoeden dat ze me nooit het hele verhaal zou vertellen. Maar ze deed het wel, ze praatte rustiger nu, zat gewoon beweeglijk op haar stoel en keek me ook af en toe aan, en ze had nog maar een paar woorden gezegd of ik begreep dat ze nooit verliefd was geweest op papa, en ik was blij voor haar.

'Afijn, als ik hem die nacht niet toevallig tegen het lijf was gelopen in die spelonk, dan had ik je vader nooit ontmaskerd, want de koning van de wereld die alleen even zijn elleboog van de bar tilde om op ons te wijzen en daarna een draaiende beweging te maken met zijn hand, om de ober te kennen te geven dat we allemaal werden vrijgehouden, dat was de helft die ik nog van hem miste, en toen ik me dat realiseerde, wierp ik nog een blik om me heen en begon alles me duidelijk te worden. Die slechte imitaties van fantastische mafiosi, proleten maar toch arme sloebers, verwaand maar slecht gekleed, zo nepperig dat ze bijna komisch zouden zijn geweest als er niet ondanks alles een paar echte engerds bij waren, dat waren zijn vrienden, ze waren samen opgegroeid, snap je? Hij had net zo kunnen zijn, een van hen, of een van degenen die nu bijna op moesten staan om om zes uur op de fabriek te kunnen klokken met het ontbijt net achter hun kiezen, de keurige jongens van het stel, die misschien het geluk hadden gehad, of de pech, zich te verloven voor ze in dienst gingen, met een al even keurig meisje, dat ze gedwongen had te sparen om in aanmerking te komen voor een nog te bouwen flat in Arroyo Abroñigal, of in een andere wijk met een vergelijkbare naam, de heuvels en dalen rond Madrid waar je de ene dag alleen maar schapen en struikgewas zag, het oude vertrouwde landschap, en de volgende dag twee dozijn torenflats met premieappartementen die uit de aarde te voorschijn waren gekomen als konijnen uit de hoed van een goochelaar, zoiets in ieder geval... Hij was de zoon van een onderwijzeres, dat is waar, en hij was advocaat, hij had gestudeerd, hij kon uiteraard hogere ambities koesteren dan putjesschepper worden, maar niet erg veel hoger, echt niet. Hij was wel naar een andere wijk verhuisd, en als beste uit de bus gekomen bij de vergelijkende tests voor een openbare functie, en hij had wel een auto gekocht, misschien zelfs een appartement, met een vijfentwintigjarige hypotheek erop, en hij had altijd wel een conciërge gevonden die hem met don aansprak, want daar had hij tenslotte voor gestudeerd, maar veel meer zat er niet in, echt. Ze hadden de hele bende hier vrolijk opgeschilderd en tegen de mensen gezegd, wat is er aan de hand, hebben jullie soms niet iedere dag te eten?, nou dan, verdomme nog aan toe, wat willen jullie nog meer?, jullie zijn toch al rijk... En de mensen geloofden het, dat was het ongelooflijke, dat ze het geloofden, en als je het in je hoofd haalde iemand te vertellen hoe het leven in Duitsland eruitzag, dan antwoordden ze dat ze dat wel wisten, maar dat het daar een stelletje slappe zakken waren, en dat ze ook geen zon hadden, wat wilden we nog meer, en bovendien, als puntje bij paaltje kwam, dan hadden we altijd nog Portugal, vlak naast de deur, en daar was het een stuk slechter dan hier, zeiden ze, een heel stuk slechter... En zo redden de mensen het net, dankzij de zon, en omdat zij geen slappe zakken waren, en de kantoorbediendes met twee baantjes namen hun kinderen op zondag in de Fiat 600 mee naar het zwembad in het Vakbondspark, maar ze waren allemaal rijk, ja hoor, want hier was niemand arm, er waren namelijk geen armen hier. Ze slikten het allemaal, maar je vader niet, hij slikte het niet, integendeel. Hij kreeg de kans het Spanje van het Plan voor de Vooruitgang een oor aan te naaien, en hij greep die kans, en hij flikte het 'm, hij werd rijk, maar echt rijk, een geïmporteerde Mercedes, een appartement van tweehonderd vierkante meter in de calle Génova en een landgoed van honderden hectaren in de provincie Cáceres, zoals een... hoe noemde je dat ook weer daarstraks?'

'Als een big shot.'

'Precies. En die nacht, toen ik hem daar in dat hol zag, met die mensen, probeerde ik me voor te stellen wat hij zou voelen iedere keer als hij terugkeerde naar zijn wijk, om met zijn vrienden te praten, met ze te drinken, om een van die meisjes met die slechte huid te versieren die kennelijk nog steeds zo veel aantrekkingskracht op hem uitoefenden, en dat terwijl hij kon kiezen uit de ex-leerlingen van het Heilig Hart College, die onberispelijke, dure, goedgeklede en pas gekapte vrouwen die hun leven wijden aan de god van de massage en van wie de pneumatische hamers op hol slaan als ze met klikkende hakken langs een bouwterrein lopen... Ik weet niet, ik keek naar hem en probeerde me voor te stellen hoe hij zich zou voelen, en ook hoe hij vroeger geweest was, op zijn veertiende, z'n zestiende, z'n achttiende, wat hij zou hebben gegeten, wat voor kleren hij droeg, wat voor idee hij had over z'n eigen toekomst, en ik vergeleek het met mijn eigen jeugd, de overvloed en verspilling, de weerzin om te pronken met alles wat je bezat, de verveling en de goede manieren, en even voelde ik me heel dicht bij je moeder staan, en was ik zelfs jaloers op haar, want zij had hem schadeloosgesteld voor zijn schamele speelgoed, en zijn afgedragen kleren, en de knoflooksoep, en de uitzichtloosheid, en de afgunst, en de wrok, voor het vele dat hij gemist had. In haar verenigden zich alle meisjes van goede komaf, bij wie hij jarenlang niet eens in de buurt durfde komen, als hij verlangend naar ze keek in de metro, of in een park, of op straat. Dat maakte me jaloers, en ook dat ze meer geweest was dan zijn verloofde, zijn vrouw, veel meer dan dat, een banier voor in de strijd, een vitaal bezit, een klavertjevier, snap je?, dat hij iedere keer dat hij haar kuste, iedere keer dat hij haar aanraakte, iedere keer dat hij haar neukte, in feite veel meer deed dan dat, omdat hij de hele wereld tussen haar benen neukte, hij neukte de wetten van de logica, en die van de afkomst, en die van het lot, zij was tegelijkertijd zijn wapen en zijn triomf, snap je?, en op dat moment leek me dat allemaal heel opwindend, en geweldig, en fascinerend…'

'Dat begrijp ik zeker,' gaf ik fluisterend toe, 'want ik heb ooit iets heel vergelijkbaars gevoeld, maar ik weet zeker dat mama het nooit zou begrijpen, zij zou niet eens op het idee komen de zaken zo te interpreteren, eerder het tegenovergestelde.'

'Dat weet ik, maar ik dacht al niet meer aan je moeder, ik dacht alleen maar aan mezelf, dat ik het fantastisch had gevonden daar met hem naar toe te gaan, en beleefd te glimlachen terwijl hij me aan zijn vrienden voorstelde, met me pronkte als zijn rijke, verliefde, toegeeflijke vrouw waar hij mee aan de haal was gegaan en de anderen niet, en vervolgens die stomme dorpse dellen uit te dagen, ze te laten uitvinden dat ik veel erger was dan zij, en dat ik veel meer aan m'n trekken kwam met 'm dan zij zich ooit zouden kunnen voorstellen…' Ze keek me van heel uit de verte aan en daalde heel geleidelijk van een vuurrode, voortjagende wolk af, tot we ons weer op gelijke hoogte bevonden. 'Ik weet wel dat het niet bepaald netjes is, dit soort gevoelens.'

Ik schoot in de lach en haar gezicht ontspande zich.

'Dat is tot daar aan toe,' kon ik tussen het lachen door uitbrengen. 'Bovendien zijn de enige nette mensen in dat soort omstandigheden degenen die zich niet vermaken.'

'Misschien is dat wel zo,' erkende ze, terwijl ze met me mee lachte, 'ja, waarschijnlijk heb je gelijk. In ieder geval oefende je vader een aantrekkingskracht op me uit alsof hij een onzichtbare teugel in zijn handen hield, maar ik stond doodstil, ik was zo verdiept in zijn aanblik en in mijn eigen gedachten, dat ik me rotschrok toen Vicente iets in m'n oor fluisterde, want ik herkende zijn stem niet eens. Ken je hem? vroeg hij, en ik knikte, maar ik zei niets en hij zweeg, hij bleef even zwijgen en stelde me toen de gebruikelijke vraag: weet je of hij van de club is, en ik zei nee, dat hij niet van club was, en hij drong aan, weet je het zeker?, en ik antwoordde weer van ja, dat ik er honderd procent zeker van was, jammer, zei hij ten slotte, na een tijdje, want die mond van hem vertelt heel andere verhalen… Het ergerde me dat hij dat zei, alsof ik op dat moment de enige was die over hem mocht fantaseren, en eindelijk hakte ik de knoop door en liep naar de bar. Je vader glimlachte tegen me, en toen ik naast hem stond zei hij alleen maar, hé, schoonzusje, en ik antwoordde, hé, en toen schreeuwde de ober: politie, handen omhoog, en ik keek naar de deur en zag drie mannen in grijs pak binnenkomen, de voorste dik en bezweet, en al aardig kaal, de twee die achter hem aan kwamen waren jonger, wat minder kaal, en hun pak zag er sjofeler uit. Als dát geen smerissen zijn, zei ik in mezelf, ze lijken er in ieder geval wel op, en als ze erop lijken zullen ze het wel zijn, en als ze het zijn, dan zijn we allemaal de sigaar, maar vervolgens merkte ik dat ik de enige was die zich druk maakte, en ik keek naar je vader en ik zag dat hij tegen de nieuwko- mers glimlachte, al kwamen ze rechtstreeks naar ons toe. De dikke gaf ons heel beleefd een hand, en ging een beetje opzij staan, maar de jongste van de drie spreidde zijn armen, waardoor we de leren holster zagen die onder zijn linke- roksel zat, en uiteraard ook het pistool dat erin zat, en stortte zich op je vader om hem te omhelzen, verdomme, Gouden Pik, zei hij tegen hem, gelukkig ben je je vrienden nog niet vergeten...'

'Gouden Pik?' vroeg ik geamuseerd. 'Noemden ze papa Gouden Pik?'

'Ja, zo hadden ze hem altijd genoemd, nog voor hij met je moeder trouwde, echt waar, omdat hij op z'n veertiende of vijftiende, dat weet ik niet meer, een nummertje had gemaakt met het meisje van de apotheek, en vervolgens had hij de spullen waar hij voor kwam niet mogen betalen van d'r, en bovendien had ze hem twee doosjes condooms cadeau gedaan en weet ik wat nog meer, nadat ze gezegd had dat hij altijd mocht terugkomen... Althans, zo wilde het verhaal, weet jij veel wat er in werkelijkheid gebeurd is, nog niet de helft waarschijnlijk.'

'Dus ze arresteerden jullie niet.'

'Nee, geen sprake van. En bovendien verkochten ze ons vier gram, al kon dat me geen lor meer schelen, want je vader had me aan dat politievriendje van hem voorgesteld en die had, nadat hij een blik op me had geworpen en tegen me had gezegd dat hij het prettig vond kennis met me te maken, tegen hem ge- zegd dat hij zo'n aantrekkelijke vrouw niet verdiende, maar hij zei het met veel eerbied, alsof het een compliment was, en je vader sloeg een arm om m'n mid- del en drukte me stevig tegen zich aan, vlak onder mijn boezem, en hij legde uit, terwijl hij ieder woord zorgvuldig uitsprak, dat ik zijn vrouw niet was, maar het tweelingzusje van zijn vrouw. De smeris zei niets, maar glimlachte en trok een wenkbrauw op, toch prettig kennis te maken, zei hij nog eens, hij praatte zonder pauzes in te lassen, prettiger zelfs, nietwaar?, reageerde Jaime, en hij keek me niet aan toen hij dat zei, alsof ik hem niet kon verstaan, alsof ik er niets van zou begrijpen, alsof ik achterlijk was. Toen stortte ik me plompverloren op hem, ik sloeg mijn armen om zijn nek en kuste hem, want ik hield het niet meer, ik voelde dat ik gek zou worden van verlangen als ik hem niet zou kussen, en het was heerlijk, ik vond het zo lekker dat ik hem heel lang bleef kussen. Toen we ons van elkaar losmaakten, keek hij me met glinsterende ogen aan, alsof hij verbaasd was, en dat was hij ongetwijfeld ook, dat kan niet anders, en daarna glimlachte hij en zei in mijn oor, tjongejonge, jij lijkt geen spat op je zus, Magdalena, want als we samen waren noemde hij me altijd zo, voluit, en ik vroeg hem me ergens mee naar toe te nemen, waarheen hij maar wilde, mij maakte het niet uit, maar ik wilde daar weg, en ik wilde met hem weg. Toen we vertrokken, kwam mijn existentialistische vriendje me om uitleg vragen en ik zei 'm dat ie moest opsodemieteren, nog voor hij z'n mond open kon doen. Natuurlijk vond ik het niet leuk om het uit te maken, maar ik had er geen spijt van, ik heb er nooit spijt van gehad, op IJsland moet het tenslotte walgelijk koud zijn.'

Dat was alles wat ze vertelde, en meer had ik ook niet nodig, want ik dacht al lang niet meer aan Reina, aan haar leven, maar aan het mijne, mijn eigen leven, dat op het ritme van haar woorden heel langzaam de juiste plaats kreeg in mijn herinnering, dat betekenis gaf aan iedere lettergreep die ze uitsprak, maar Magda kon dat nog niet weten, en misschien besloot ze haar betoog daarom wel met zo'n overbodige uitweiding.

'Ik zou het vervelend vinden als je door deze geschiedenis anders over je vader zou gaan denken, Malena, als dat zo is, zou ik het mezelf nooit vergeven. Misschien had ik je dit allemaal niet moeten vertellen, want ik weet niet of je het wel goed zult begrijpen, alles is zo anders tegenwoordig... Trouwen om het geld is nooit netjes geweest natuurlijk, maar hij was twintig, en hij was arm. En armoede is sowieso onrechtvaardig, maar in zijn geval was het nog erger, want zijn familie was heel verraderlijk in de rug aangevallen, ze waren niet gewend aan zo'n leven, en je vader groeide op in armoede, maar zijn moeder kon hem niet leren zich te verweren omdat haar dat zelf nooit door iemand geleerd was. Bovendien konden wij niet kiezen, weet je, wij hadden de keuze niet. Mijn ouders wel, en de hunne, en jullie ook, jij hebt zelf kunnen beslissen wat je wilt worden, hoe je wilt leven, wat je wilt doen, maar wij... Toen ik jong was had de wereld maar één kleur, tamelijk donker, en de dingen waren zoals ze waren, er was maar één leven, het enige goede, en je kon kiezen of kiezen, want delen was er niet bij, snap je?, je kon je aansluiten bij de Communistische Partij, of hoer worden, of een pistool kopen, het maakte allemaal niet uit. De rijke mensen gingen in het buitenland wonen, maar het enige wat de armen konden doen was emigreren naar Duitsland, en dat was niet helemaal hetzelfde, je snapt me wel... Als je dat niet begrijpt, en waarom zou je het begrijpen, want je hebt het niet meegemaakt, dan zul je je vader nooit begrijpen, want hij was een streber, en misschien zelfs een oplichter, maar voor hem was het gewoon nog oorlog. Bovendien waren we eraan gewend altijd alles stiekem te doen, in het geniep, van jongs af aan, niet tegen de andere kinderen vertellen dat we thuis ham eten, zei Paulina tegen ons als ze ons meenam naar het park, in de nadagen van de oorlog, en dat bleef zo, we hadden allemaal geheime vrienden, we logen allemaal thuis, vroeg of laat kochten we allemaal iets verbodens, op de een of andere zwarte markt, boekhandels, platenwinkels, apotheken waar ze het niet zo nauw namen met de recepten, allemaal hielden we de politie voor de gek, de een wat beter dan de ander, de vrienden uit je eigen clubje, je studiegenoten, de mensen die je hier en daar leerde kennen, alles gebeurde op die manier, dat vonden we normaal, dus een verhouding beginnen met je vader leek me ook niet zo'n ernstige zaak, en ook niet zo gevaarlijk of bijzonder als het op het eerste gezicht misschien wel lijkt, en ik weet zeker dat voor hem hetzelfde gold. Het was gewoon het zoveelste geheim, een van de twee- of driehonderd geheimen, en we liepen niet eens het risico in de cel te belanden. Ik word oud, en ik zal je niet vertellen dat ons leven slechter was dan dat van andere mensen waar dan ook, misschien was het wel beter, zelfs dat zal ik niet ontkennen, maar we hebben nooit de kans gekregen ons te vergissen, dat was het, dat we ons zelfs niet konden vergissen. Voor mij is je vader altijd een goed mens geweest, Malena, betrouwbaar, gul, dapper en eerlijk, de beste vriend die ik ooit heb gehad.'

'Maar je werd niet verliefd op hem.'

'Nee, en hij ook niet op mij.' Ze stokte even en probeerde te glimlachen, maar haar lippen vertoonden hoogstens een bittere grimas. 'Misschien was het anders gelopen als de omstandigheden anders waren geweest, maar in die tijd konden we niet verliefd op elkaar worden, daar hadden we geen ruimte voor. We waren allebei te zeer vervuld van haat.'

'Kinderen moet je leren van hun ouders te houden, nietwaar? Dat zeggen ze…'

Ik schrok van haar stem zoals ik geschrokken zou zijn van een nieuw, vreemd geluid dat ik nog nooit gehoord had, want ik hield er geen rekening mee dat ze die middag nog meer wilde vertellen, ik kon me niet voorstellen dat ze door wilde gaan. We zwegen al meer dan een kwartier, zij keek naar haar handen, ik keek naar haar, zij zweeg en ik probeerde de juiste woorden te vinden om haar te zeggen dat ik van haar hield, en dat ik daarom alles zou begrijpen en alles zou goedkeuren en alles zou rechtvaardigen, ieder gebrek, iedere zonde, iedere fout die de oorzaak zou kunnen zijn van de diepste en onzichtbaarste rimpel op de huid van dat gezicht waarin ik altijd naar mezelf had kunnen kijken als in een schoongewreven spiegel zonder barstjes. En toen, terwijl ze nog steeds haar handen bestudeerde, sprak ze die woorden, en daarna schuifelde ze wat op haar stoel, stak een sigaret op, draaide zich naar me toe en praatte verder.

'Kinderen moet je leren van hun ouders te houden,' zei ze nog eens, heel rustig, 'maar mij hebben ze dat nooit geleerd. En ik kan me niet precies herinneren wanneer ik die litanie voor het eerst gehoord heb, maar ik moet nog heel klein zijn geweest, misschien was hij nog wel op het landgoed met Teófila. Paulina, het kindermeisje, de dienstmeisjes, ze noemden hem eigenlijk altijd zo als ze het over hem hadden, in ieder geval wanneer er geen volwassenen in de buurt waren, in de keuken, in de gang, als ze de bedden opmaakten, en ze probeerden wel iets zachter te praten, maar ik hoorde ze toch, die smeerlap van een meneer, die smeerlap van een meneer, die smeerlap van een meneer, altijd hetzelfde, en ik moest blozen, ik schaamde me dat ik ze hoorde, en vervolgens kwam altijd het tweede mysterie van dezelfde rozenkrans, mevrouw is een heilige, mevrouw is een heilige, mevrouw is een heilige… Het is niet eenvoudig om gelijktijdig de dochter te zijn van een smeerlap en van een heilige, nou ja, dat weet jij maar al te goed, want natuurlijk moet je kiezen, je kunt niet van allebei evenveel houden, en als je een meisje bent is het nog erger, want later moet je de verkorte versie leren, alle mannen zijn hetzelfde, varkens, allemaal, en wij vrouwen zijn dom, omdat we alles maar slikken, en heiligen, vooral heiligen, allemaal heiligen, afijn, altijd hetzelfde. Mijn broers mochten wel trots zijn op bepaalde eigenschappen van papa, streven naar succes in zaken, lid zijn van dezelfde voetbalclub, met hem gaan jagen, en zelfs zeggen dat ze als ze groot waren een hele hoop vrouwen wilden hebben, dat werd nooit helemaal als verkeerd gezien, maar de meisjes niet. Wij moesten zoals mama zijn, heiligen, want dat was onze rol, en de smeerlap thuis was gewoon een voorafschaduwing van de toekomstige smeerlap, ofte wel de vijand. Alsof we geen vader hadden, alsof mijn vader alleen maar, op zijn hoogst, de vader van de jongens was, zo werd ik opgevoed, dat was wat ze me leerden.'

Toen onderbrak ik haar, met de bedoeling haar te dwingen een cirkel te sluiten die nog steeds niet helemaal rond was.

'Paulina heeft me eens verteld dat toen hij weer thuis kwam wonen, jij 's nachts naar het bed van grootmoeder ging, en je doodschrok toen je hem daar aantrof. En dat je hem de volgende dag niet eens wilde zien.'

'Nee,' ze glimlachte, 'ik wilde hem zelfs niet zien, dat is waar, het was precies hetzelfde verhaal als met je vader, het gaat bij mij altijd hetzelfde met mensen die uiteindelijk belangrijk voor me worden, met jou heb ik het ook gehad, vergis je niet.'

'Kon je mij niet uitstaan?'

'Nee, niet bepaald. Want je deed me denken aan toen ik zelf klein was, en toch vond je me niet aardig.'

'Nee, ik vond je niet aardig,' gaf ik toe, 'want je leek precies op mama, maar je was zo anders dat het me trouweloos leek je aardig te vinden.'

'Dat is het sleutelwoord, trouw, trouweloosheid, daar draait het allemaal om, maar dat kon ik nog niet weten toen ik mijn vader leerde kennen, daar was ik te klein voor. De eerste keer dat ik hem wakker zag was de volgende ochtend bij het ontbijt, ik was pas vijf, maar ik weet het nog precies, ik zal het nooit vergeten, als ik mijn ogen dichtdoe zie ik het nog zo voor me, ik denk dat geen enkele andere situatie ooit zo veel indruk op me heeft gemaakt. Mama nam ons bij de hand, Reina rechts en ik links, en liep de eetkamer met ons binnen. Hij zat aan het hoofd van de tafel, een lange, heel imposante man met donker haar, woeste wenkbrauwen, heel breed en borstelig, en met mijn lippen. Hij zag ons niet binnenkomen want hij zat met gebogen hoofd, zijn handen gevouwen op zijn dijen, maar toen zij tegen hem zei, dit zijn je dochters, Reina en Magdalena, ging hij rechtop zitten tegen de leuning, bracht zijn hoofd omhoog en keek van heel hoog op ons neer. Reina liep naar voren en gaf hem een kus en ik was bang dat ik zou sterven van angst als ik eraan dacht dat ik nu aan de beurt was, maar hij zei hallo tegen me, en ik kuste hem ook, en kennelijk pakte ik zijn hand, dat weet ik niet meer, zo gaat dat, zie je, maar dat vertelde papa altijd, dat ik niets tegen hem had gezegd, maar dat ik in zijn hand had geknepen terwijl ik hem kuste, ik weet het niet... Hoe het ook zij, of ik z'n hand nu wel of niet heb gepakt, het is inderdaad waar dat ik hem absoluut niet wilde zien, want hij was een vreemde, en ik vond het doodeng om naar hem te kijken, en vooral dat hij naar mij keek, dan wist ik echt niet waar ik het zoeken moest. Op een keer, een jaar of drie, vier later, kwam hij onverwacht zijn werkkamer uit terwijl ik door de gang liep, en we botsten bijna tegen elkaar op. Ik weet niet waarom, maar ik had het idee dat hij iets tegen me zou zeggen, ik dacht dat hij tegen me zou gaan praten, en ik werd zo zenuwachtig dat ik in mijn broek pieste...'

'En wat zei hij?'

'Niets.'

'Want hij deed z'n mond nooit open, hè?'

'Nee, hij deed z'n mond niet open, alleen om het hoogstnoodzakelijke te zeggen, weet ik veel, aan tafel om het brood vragen, informeren waar zijn paraplu was, dat soort dingen, maar hij mengde zich nooit in de gesprekken van anderen, en hij deed al het mogelijke om ons te laten merken dat hij niet eens naar ons luisterde. Als hij in een goede bui leek, deed mijn moeder haar best hem aan de praat te krijgen, maar het enige wat ze uit hem kreeg was gegrom, bevestigend of ontkennend gebrom, en hooguit af en toe een éénlettergrepig woord. Toen zij hem ging ophalen in Almansilla, na de oorlog, bezwoor hij haar dat als zij hem dwong terug te komen, hij niet helemaal terug zou komen, en natuurlijk hield hij woord. Aanvankelijk zagen we hem nauwelijks. Hij sloot zich de hele dag op in zijn werkkamer, en hij ging altijd alleen weg, en vertelde nooit waar hij heen ging, en met wie, en wanneer hij weer thuis dacht te komen, maar als hij tien minuten te laat was, als hij te laat kwam voor het middageten of niet verscheen bij de avondmaaltijd, dan was het huis te klein, want dan nam iedereen aan dat hij was teruggegaan naar het dorp, naar Teófila, ze gedroegen zich allemaal alsof ze wisten dat dat onvermijdelijk was, dat hij vroeg of laat zou teruggaan, want daar was hij een smeerlap voor, dat woord verklaarde alles, maar vervolgens, zodra het geknars van een sleutel in het slot klonk, was de hal ineens weer leeg, de groepjes losten op, de meisjes, mijn oudere broers, mama, ze gingen allemaal mokkend weer over tot de orde van de dag, want hij ging over de centen, weet je, en de centen van mijn familie, dat waren behoorlijk wat centen.'

'Maar ik dacht dat je moeder heel rijk was,' wierp ik verbaasd tegen.

'Dat was ze ook, bijna net zo rijk als hij, maar zij bemoeide zich niet met het geld en bovendien luidde de officiële versie heel anders. Mama heeft zich altijd gedragen alsof ze financieel afhankelijk was van haar man, want om succes te hebben als heilige, kon je maar beter arm zijn, snap je?' Ik knikte glimlachend, maar Magda volgde niet alleen mijn voorbeeld niet, de uitdrukking op haar gezicht verstrakte zelfs geleidelijk. 'Aanvankelijk geloofde ik het ook, ik dacht net als de rest dat zij een heilige was, en misschien was ze dat ook wel, dat zal ik niet ontkennen, want ze had het absoluut niet makkelijk gehad natuurlijk, en ze leefde alleen maar voor haar kinderen, dat is waar, en dat hielp ze je zo vaak herinneren dat je het onmogelijk kon vergeten… Nooit in mijn leven heb ik iemand gekend die minder lachte dan mijn moeder. Toen Miguel begon te lopen en steeds op zijn billen viel, als mijn broer Carlos, die heel grappig was, moppen vertelde als hij uit school kwam, als Conchita het uitmaakte met haar vriendje en wij haar in de maling namen tot ze begon te huilen, weet ik veel, altijd als wij de grootste lol hadden, kon er bij haar amper een glimlach vanaf, haar lippen trokken strak alsof ze haar pijn deden, want alles deed haar pijn, weet je, alles. Ze liep heel langzaam, sleepte met haar voeten, ze was voortdurend met haar haar in de weer, al had ze het net gekamd, en soms sprak ze zachtjes in zichzelf, wat heb ik in godsnaam misdaan?, of waaraan heb ik zo'n man toch verdiend? Dan doken Paulina of het dienstmeisje plotseling op, die haar verdriet op kilometers afstand schenen te ruiken, en pakten haar hand, of legden hun eigen hand op haar schouder, en dan stonden ze hoofdschuddend naast haar en keken even droevig als zij. Jullie moeten heel veel van je vader houden, kinderen, zei ze keer op keer tegen ons, en ze zei het op dezelfde toon als wanneer ze goeie cijfers van ons eiste, alsof ze een verschrikkelijk offer van ons vroeg, alsof ze maar al te goed wist dat we ons vreselijk zouden moeten inspannen om dat voor elkaar te krijgen, maar ze voegde er nooit aan toe dat we ook veel van haar moesten houden, want in dat geval werd onze liefde als vanzelfsprekend beschouwd, en soms keek ik naar hem en dan had ik het idee dat hij veel verdrietiger was dan zij, en veel eenzamer, en dan vroeg ik me af wat hij allemaal wel niet uitgespookt zou hebben waardoor iedereen hem smeerlap noemde en niemand van hem hield, niemand, in dat huis vol mensen waar zelfs de honden dol waren op mijn moeder.'

Magda zoog haar lippen naar binnen, tot ze verborgen zaten in haar mond, en haar hele gezicht trilde even. Haar ogen glinsterden, en ook die verborg ze, onder haar oogleden, en zo bleef ze stil zitten, alsof ze dood was, zo onbereikbaar dat ik er spijt van had dat ik mijn mond had opengedaan nog voor ik uitgesproken was.

'Totdat jij van hem ging houden, hè?' zei ik. 'En Pacita natuurlijk. En ook Tomás.'

'Ik was geen heilige, Malena,' antwoordde ze, terwijl ze traag haar hoofd bewoog, 'ik was niet heilig, daar was ik niet voor gemaakt, ik begreep het niet eens goed, weet je, dat van opofferingsgezindheid, en dat van de vreugde om je aan anderen te geven, alles wat de nonnen ons op school vertelden, ik begreep het niet, en ook niet dat mijn moeder een voorbeeldig leven leidde, wat moet ik erover zeggen, het leek mij eerder klote, en natuurlijk ambieerde ik zo'n leven niet, ik lachte veel te graag… Aanvankelijk voelde ik me heel rot, ik voelde me ontzettend schuldig, maar langzamerhand kwam ik achter de waarheid, altijd uit de mond van vreemden uiteraard, want zij heeft nooit een andere versie erkend dan de hare. Toen Paz ziek werd, raakte de boel in een stroomversnelling. Papa was niet zo blij met zijn nieuwe dochtertje, hoewel we thuis allemaal gek waren met de baby, want Reina en ik, de kleintjes, waren al negen, maar op een avond werd ze ziek, met hele hoge koorts, en ze gingen met haar naar het ziekenhuis, daar bleven ze een paar dagen, en toen ze terugkwamen leek mijn vader een ander mens. Mama ging in bed liggen, in het donker, en kondigde aan dat ze op was van vermoeidheid, dat ze niemand wilde zien, en toen ontfermde hij zich over alles, hij praatte, hij lachte, hij organiseerde het huishouden en verzorgde de baby, maar zelfs dat mocht niet echt baten, want hoewel mijn broers hem natuurlijk wel antwoord gaven, en ze zich de hele tijd tot hem moesten richten, om hem geld te vragen, of toestemming om weg te gaan en dat soort dingen, wilden ze geen van allen toenadering zoeken tot hun vader, en ik was nog veel te bang voor hem. Later, toen we teruggingen naar Almansilla en hij weer een relatie begon met Teófila, werden de dingen weer net als vroeger, met dat verschil dat hij 'm af en toe smeerde, en dat niemand ons vertelde waar hij naar toe ging, maar ook niemand er meer van leek te schrikken; zelfs mijn moeder, je hoort het goed, leek veel tevredener, ze was rustiger als hij wegging, we waren allemaal beter af zonder hem, dat was het raarste en het vreselijkste van alles.'

'Ze waren tot een vergelijk gekomen.'

'Ja, precies, ze waren eindelijk tot een vergelijk gekomen, hoewel hij niet bereikt had wat hij wilde. Toen ik erachter kwam dat Teófila bestond, dat mijn vader nog een huis had, nog een vrouw en andere kinderen, vroeg ik mijn moeder waarom ze hem had laten terugkomen, want ik dacht natuurlijk dat hij op eigen initiatief was teruggekeerd, dat lag voor de hand, en ik begreep het niet, hoe had zij dat allemaal kunnen slikken, waarom had ze zich zo laten vernederen? Ik deed het voor jullie, zei ze tegen me, alleen voor jullie, en ik glimlachte en gaf haar een kus, maar ik geloofde er geen snars van, eerlijk gezegd... Later, toen ik veertien was, hoorde ik ze ruzie maken in Almansilla, nou ja, we hoorden het allemaal, ze moesten zelfs in het dorp te horen zijn, want ze schreeuwden de hele boel bijelkaar, hij wilde zijn leven verdelen tussen Cáceres en Madrid, het huis in Almansilla het hele jaar openhouden en zijn aanwezigheid eerlijk verdelen, de schijn ophouden, maar zij weigerde: nooit, hoor je?, nooit, zei ze tegen hem, en dat begreep ik ook niet. Mama, zei ik op een dag tegen haar, toen we al weer terug waren in Madrid, als je er zo onder lijd wanneer hij thuis is, als je het zo moeilijk hebt, als je zo ongelukkig bent... waarom laat je hem dan niet gaan? Ik wilde nog zeggen dat ik dacht dat dat het beste voor iedereen zou zijn, maar ze liet me niet uitspreken, ze begon als een furie tekeer te gaan, je hebt zeker met hem gepraat, hè?, dat is het, je hebt met hem gepraat, zei ze tegen me, en ik ontkende, beschaamd, alsof praten met mijn vader een zonde was, want het was de waarheid, hij had niets tegen me gezegd, ik had het zelf bedacht, ik had haar tenslotte mijn hele leven al zien huilen en gezien hoe ze haar vele kruizen droeg, en hoe ze God smeekte haar eindelijk tot zich te nemen omdat dit leven een marteling voor haar betekende, dus... Maar lijd jij soms zo graag, mama? vroeg ik haar, en ze gaf niet eens antwoord. Het is mijn man, zei ze, mijn man, hoor je me?, mijn man. Als ze me de waarheid had verteld, als ze me bekend had dat ze ondanks alles verliefd op hem was, of dat ze hem nodig had, of dat ze hem zo haatte dat ze hem de rest van zijn leven zoveel mogelijk dwars wilde zitten, dan had ik het begrepen, maar ze zei alleen maar tegen me dat mijn vader haar man was en dat hij bij haar moest wonen. Ook al wil hij dat niet? vroeg ik, ook al wil hij dat niet, antwoordde zij, en toen had ik er genoeg van, maar voor ik de kamer uitliep draaide ik me om en zei, mama, mag ik soms niet met papa praten? Ze keek me aan alsof ze van woede uit elkaar zou spatten, en daarna antwoordde ze, nee, dat mag je niet nee, als je tenminste met mij wilt blijven praten.' Ze stopte om een sigaret op te steken, maar daarvoor lachte ze even kort. 'Zij ging met hem naar bed, begrijp je?, ze was zwanger geworden van Pacita, en later zou ze zwanger worden van Miguel, dat mocht wel, zij mocht dát wel doen, maar ik mocht niet met mijn vader praten, ik moest ineenkrimpen van walging en weerzin, dat monster compleet afwijzen uit naam van dat huwelijk, het huwelijk van mijn moeder uiteraard, ik moest niet alleen mijn vader opgeven om mama's huwelijksband te beschermen, maar zij, de ziel, gaf niet alleen haar man niet op, ze verdedigde hem zelfs met man en macht, en ze bleef gewoon iedere nacht met hem slapen, en ze neukte met hem zonder ineen te krimpen van walging en weerzin, en nog probeerde ze me te verkopen dat dat niet meer dan haar plicht was. Fraai, niet? En toch gehoorzaamde ik haar, ik hield me een paar jaar lang nauwkeurig aan haar instructies, want ik was volkomen de kluts kwijt, en zij leek me nog altijd de zwakkere partij, het onbetwistbare, enige slachtoffer van de hele situatie.'

'Omdat ze heilig was,' zei ik glimlachend.

'Uiteraard, en omdat ze zielig was, net als jouw moeder. Ik weet niet hoe ze het voor elkaar krijgen, maar sommige vrouwen worden altijd door iedereen zielig gevonden.'

'Inderdaad ja. Mijn zusje bijvoorbeeld, en mama ook, dat klopt. Ik zou er ook wat voor geven, dat mag je best weten,' en ik begon te lachen, 'maar het lukt me niet, niemand vindt mij ooit zielig, het is zoals met de vierkantswortels.'

'Weet je wat het enige verschil is tussen een zwakke en een sterke vrouw, Malena?' vroeg Magda me, en ik schudde ontkennend het hoofd. 'Dat de zwakken altijd op de rug van de dichtstbijzijnde sterke kunnen klimmen om die leeg te zuigen, maar wij, de sterken, hebben nooit een rug waar we op kunnen klimmen, want mannen zijn daar niet geschikt voor, en als er niets anders op zit, dan moeten we onszelf leegzuigen, ons eigen bloed opzuigen, zo is het nou eenmaal.'

'Dat is mijn levensverhaal…' mompelde ik, al wist ik nog niet hoezeer het waar was wat ik zojuist gezegd had.

Magda luisterde lachend naar mijn commentaar, en gaf me een klapje op mijn bovenbeen voor ze opstond.

'Laten we naar huis gaan,' zei ze. 'Ik wil je nog iets vertellen, maar daar kan ik wel een borreltje bij gebruiken.'

Maar eerst liet ze me de hoeve zien, ze reconstrueerde de geschiedenis van het gebouw voor me, kamer voor kamer, wees me op de uitbreidingen en de verbouwingen, haalde herinneringen op aan welk schilderij er aan welke muur hing, welk meubelstuk er in welke hoek stond, welke mat er op iedere vloer lag toen ze voor het eerst de drempel over was gegaan. Daarna wandelden we door de achtertuin, een rechthoek van rode plavuizen, die hier en daar stuk waren omdat er een vetplant doorheengebroken was, felgroene takken die zich aan de vloer vastgrepen als de tentakels van een inktvis, honderden minuscule bloemetjes, roze, gele en paarse, die alles bedekten, en we gingen naar de moestuin om courgettebloemen te plukken voor het avondeten.

De zon was al moe toen we uiteindelijk weer op het binnenplaatsje stonden, met twee oude tuinstoelen van hout en stevig wit linnen. Magda schonk plechtig een tweede glas in, en ging pas weer door met haar verhaal nadat ze het hare had leeggedronken.

'Het eigenaardigste van alles was de obsessie van mijn vader voor Pacita. Dat begreep niemand, dat een man die kennelijk niet van kinderen hield, want hij had zich nooit geïnteresseerd voor zijn gezonde kinderen, zo veel geduld had, zo zijn tijd wilde verspillen, dat hij de hele dag in de weer was met dat kleine monstertje waar niets van te verwachten viel, geen enkele verbetering, absoluut geen vooruitgang. En toch lagen de zaken zo. Papa gaf Paz te eten, ging met haar wandelen, zat uren met haar in zijn armen, stopte haar 's avonds in bed, en hij was de enige die haar begreep, de enige die in staat was haar te kalmeren en te troosten. Mama nam vanaf het begin een meisje in dienst dat uitsluitend voor het kleintje moest zorgen, maar als mijn vader thuis was, viel er voor haar weinig meer te doen. Daar stond tegenover dat het kindermeisje als hij weg was handen te kort kwam, want dan was er niets te beginnen met mijn zusje, ze krijste en huilde de hele tijd, overdag en 's nachts, en weigerde te eten en te slapen, tot hij terugkwam. Ze herkende zijn voetstappen, en als ze die hoorde bedaarde ze onmiddellijk. Wij wisten dat en probeerden haar heel vaak voor de gek te houden, maar dat had geen enkele zin. Paz hield alleen maar van papa, het was alsof de rest niet voor haar bestond, alsof de rest nooit bestaan had, en ze brachten hele dagen samen door, in de tuin, of op zijn werkkamer, zonder verder iemand te zien. Mijn moeder werd ziek. Ze zei altijd dat hij dat alleen deed om haar te kwellen.'

'En was dat zo?'

'Nee. De waarheid was veel en veel gruwelijker. Ik kwam erachter op een middag in de lente, ik weet niet of iemand anders er ook achter is gekomen, maar dat liet hij dan natuurlijk niet merken... We waren denk ik alleen thuis, Pacita, hij en ik. Het was donderdag, de dienstmeisjes hadden hun vrije middag, en mama was met mijn zusjes naar de schouwburg, misschien ook met een van de jongens, waar de rest was weet ik niet. Ik moest thuisblijven omdat ik straf had, ik geloof omdat ik iemand had tegengesproken, ik werd altijd gestraft omdat ik mensen tegensprak, al herinner ik me niet eens meer wat ik gezegd had, en bovendien vond ik het best, want toneel verveelde me stierlijk, vooral de stukken die mijn moeder altijd uitkoos, die was dol op Casona. Ik liep de gang in om ergens heen te gaan, waarheen weet ik ook niet meer, en heel in de verte hoorde ik gemompel, een geluid dat ik nooit had kunnen horen als het huis vol mensen was geweest, zoals altijd, altijd behalve die dag. Ik liep heel stilletjes door de gang en had het idee dat het geluid van beneden kwam. Eerst schrok ik, maar de stem bleef doorpraten, en hij klonk heel rustig, dus trok ik mijn schoenen uit en liep heel zachtjes de trap af, en op de overloop van de eerste verdieping meende ik de stem van mijn vader te herkennen, al had ik hem in mijn hele leven nog niet de helft van het aantal woorden horen uitspreken dan hij die middag al gezegd had. Op mijn tenen, zonder geluid te maken, kwam ik bij zijn werkkamer en ik drukte mijn oor tegen de deur om te horen met wie hij praatte, maar ik hoorde geen andere stem, alleen de kreten van Pacita, en toen nam ik het risico de deur open te duwen en zag ik hen, ze waren met zijn tweeën, hij met een bord op zijn knieën en een lepel in zijn rechterhand en zij ineengedoken in die rolstoel met riemen waar ze tot aan haar dood toe in heeft gezeten, een baby van acht die niet wil eten, en het stonk naar fijngeprakt fruit...'

'Maar ik begrijp het niet,' zei ik, en ik begreep al evenmin iets van de traag opwellende tranen die zo mogelijk nog langzamer hun weg naar beneden zochten over het gezicht van Magda. 'Met wie praatte grootvader dan?'

'Met Paz, Malena! Hij praatte met haar, snap je het niet?, omdat hij met niemand anders kon praten, daarom. En daarom brachten ze samen zo veel tijd door, op dat moment begreep ik alles, daarom zorgde hij zo graag voor haar, en was hij zo graag in haar gezelschap, en liet hij haar geen moment alleen, want met die dochter kon hij wel praten, en zij wist op haar manier naar hem te luisteren, ze herkende zijn stem, ze zweeg als ze die hoorde, en hij vertelde haar dingen die hij tegen niemand anders kon vertellen, want voor Pacita hadden ze geen betekenis, ze zou nooit leren praten, en ze zou ze nooit kunnen navertellen... Vandaag heb ik weer over de straatklinkers gedroomd, weet je, kleintje, zei hij tegen haar, en Pacita deed haar mond open, hij stopte de lepel erin en praatte verder, de laatste tijd droom ik dat bijna iedere nacht, maar jij bent er nooit, je bent de enige die er niet is, alle anderen zijn er, van hier en van daar, je moeder en Teófila, alle twee omringd door hun kinderen, op een balkon, maar jij niet, Paz, godzijdank...'

Magda zweeg even en veegde met twee handen haar tranen weg. Ze probeerde te kalmeren, maar dat lukte niet, haar stem haperde steeds meer, en zijzelf leek volkomen verscheurd te worden bij ieder woord dat ze uitsprak, alsof ze op het punt stond te breken, tot ik me realiseerde dat ze al gebroken was, misschien wel sinds die middag dat ze besloot dat ook zij uit de dromen van mijn grootvader zou stappen.

'Weet je wat mijn vader droomde, Malena? Weet je wat hij droomde? Hij was op het plein van Almansilla en zat geknield op de grond, en hij trok een klinker uit de bestrating en sloeg zich daarmee op het hoofd, dat was alles, en wij stonden op een balkon en keken naar hem, en niemand deed iets om te voorkomen dat hij zichzelf pijn deed, al zijn kinderen en zijn beide vrouwen, we waren daar allemaal, behalve Paz, en hij sloeg zichzelf met die klinker op zijn hoofd, hij sloeg zijn schedel stuk, en hij bleef slaan, en op een bepaald moment deed het geen pijn meer, de pijn was zo hevig dat het geen pijn meer leek maar een prettig gevoel, een troostend gevoel zei hij, aangenaam bijna, maar hij werd duizelig, en dat baarde hem zorgen, want hij wilde niet op die manier doodgaan, hij mocht niet buiten kennis raken, want midden op het plein stond een galg, en hij was van plan zich op te hangen, maar alleen wanneer hij dat wilde, hij zou besluiten op welk moment hij zou sterven en dan zou hij opstaan en een paar passen lopen, hij zou op het bankje gaan staan, de strop om zijn hals doen en het bankje wegtrappen, en dan zou hij sterven, maar niet eerder, het enige wat hij daarvoor wilde doen was zich op het hoofd slaan met die klinker, die tot zijn hersens laten doordringen, een keer, en nog een keer, en nog een keer, tot hij bijna het bewustzijn verloor, en ik stond in de deuropening van de werkkamer en hoorde dat, en ik wilde dood, ik zweer het, Malena, ik wilde dat ik nooit geboren was zodat ik nooit naar dat verhaal had hoeven luisteren, ik had kippenvel, en ik had zo'n verstikkend gevoel dat ik geen adem kon halen, want zelfs de lucht die ik binnenkreeg deed pijn, en toen rende ik naar hem toe, het bord viel van zijn schoot op de grond, hij schrok zich een ongeluk, Pacita keek naar ons met haar onnozele ogen, en ik wilde tegen hem zeggen dat hij met mij moest praten, met mij, dat ik ook zijn dochter was, maar dat ik hem kon begrijpen en antwoord kon geven, met mij, al was het alleen maar omdat ik ook met niemand kon praten in dat huis waar verder niemand zich ergens schuldig over voelde, dat wilde ik tegen hem zeggen, en dat had ik ook moeten zeggen, maar ik kon het niet, want toen ik me bovenop hem stortte en hem omhelsde was het enige wat in me opkwam: vertel het aan mij, papa, aan mij, want ik ben ook slecht, net als jij…'

Ze tilde haar hoofd op om me aan te kijken, en glimlachte.

'Hij had het fijn gevonden te weten dat jij ook gehuild zou hebben die middag.'

'Hij wist dat ik tot zijn kamp behoorde,' zei ik, terwijl ik mijn tranen met het uiteinde van mijn mouw wegveegde. 'Dat heeft hij ooit tegen me gezegd.'

'Ja, hij kende zijn kinderen… Hij was niet verbaasd dat ik zijn kant koos, die avond aten we samen in zijn werkkamer, toen ik het tegen Paulina zei sloeg ze een kruis, en ik schoot in de lach. Ik kwam er heel laat vandaan en ik wilde niemand zien, mijn moeder lag al op bed, maar toen ik mijn kamer binnenkwam trof ik de jouwe daar aan op de grond, op haar knieën, haar armen ter hoogte van haar borst, haar vingers verstrengeld, echt een heilige op een bidprentje. Wat doe jij nou? vroeg ik, en zij keek me met een smartelijke blik aan en zei tegen me, ik bid voor je, Magda, en ik antwoordde, rot toch op, Reina. Uiteraard vertelde ze het aan mama, en die strafte me met een uitgaansverbod voor onbepaalde tijd omdat ik dat had gezegd, maar de volgende dag glipte ik tussen de middag de deur uit en smeerde hem, en er gebeurde niets. Mijn vader zorgde voor me. Dat bleef hij altijd doen, ook als we ruzie maakten, als we boos op elkaar waren, als ik beslissingen nam waar hij het niet mee eens kon zijn, hij bleef altijd voor me zorgen, gewoon in ruil voor het feit dat ik zijn dochter was, dat ik hem iedere middag vertelde wat ik allemaal had meegemaakt, dat ik samen met hem naar een film op de televisie keek of op zaterdagochtend een keertje met hem naar de bank ging. Alles in ruil voor niets, zo was de afspraak, en dan maakte hij zich ook nog zorgen over het feit dat ze zeiden dat ik bij mijn geboorte al verdoemd was.'

'Het bloed van Rodrigo,' zei ik, en zij knikte. 'Dat heb ik ook.'

'Bazel toch niet, Malena!' antwoordde ze, alsof ik het niet serieus meende.

'Echt, Magda!' Ik kneep in haar arm en werd ernstig. 'Ik heb het ook en hij wist het.'

'Wat klets je nou?' Ze keek me met grote ogen van verbazing aan, maar ze was eerder woedend dan verbijsterd. 'Hoe kun je nu op deze leeftijd in godsnaam nog in die flauwekul geloven?'

'Omdat dat het enige is wat een aantal dingen kan verklaren.'

'Toe, Malena! Straks word je net als je grootvader, dan ga je ook dat soort dingen dromen... Hij was gewoon geobsedeerd door dat oudewijvengeleuter, al vanaf dat hij een klein jongetje was, want toen zijn oom Porfirio zelfmoord pleegde, zag hij alles, hij was in de tuin, en hij zag hoe hij van het balkon sprong, en hij kon het lijk bekijken en zelfs aanraken, en daarna zei Teófila het tot gekmakens toe tegen hem, want ze wist alles omdat ze al van jongs af aan in Almansilla woonde, dat hij haar nooit in de steek zou laten, dat hij haar toch niet zou kunnen vergeten, hoe hij zich ook zou inspannen, dat hij altijd weer bij haar zou terugkomen, omdat dat zijn lot was en in zijn bloed geschreven stond, en dat dag in dag uit... Tot hij er zelf ook van overtuigd raakte, of liever gezegd, hij raakte ervan overtuigd dat hij overtuigd was, om dezelfde reden die jij aanvoert, omdat hij dankzij die vloek zichzelf kon verklaren, vooral om te rechtvaardigen waarom Teófila uiteindelijk gelijk bleek te hebben, waarom hij haar niet uit zijn hoofd kon zetten... Hij kwam nooit op het idee dat miljoenen mensen op de hele aarde precies hetzelfde overkwam. Mijn vader was niet verliefd geworden op Teófila omdat ze zo gevoelig was, of zo intelligent, of zo begaafd, of zo tactvol, en ook niet vanwege hun gedeelde interesses, en al helemaal niet omdat het hem goed uitkwam. Hij was uitsluitend en alleen achter haar aangegaan omdat hij met haar naar bed wilde, en daar werd hij verliefd op haar, zomaar, zonder nadenken, zonder te praten, verraderlijk bijna, voor hij goed en wel besefte wat hem gebeurde. Ik weet niet hoe hij het zou vertellen, maar volgens mij was dat het, dat moet het geweest zijn, en in die omstandigheden maakt het weinig uit of je een tiental vloeken met je meesleurt of dat je je hele leven nog geen doem hebt horen uitspreken, want je doet er niets aan. Als het gebeurt, gebeurt het altijd op een ongepast moment, een ongepaste manier, een ongepaste plek en met een ongepast iemand, net als die garages waar je moet betalen vóór je de auto ophaalt.'

'Of net als een vloek,' mompelde ik, en zij keek me aan en barstte in lachen uit.

'Oké,' erkende ze, 'ik moet toegeven dat als je er goed over nadenkt het soms heel verleidelijk is om in vervloekingen te geloven, maar wij hebben geen verdoemd bloed, Malena, het bloed van Rodrigo was net als dat van iedereen, vloeibaar en rood.'

'En verder?'

'Verder niets. Hoogstens roze.'

Aanvankelijk begreep ik niet wat ze bedoelde. Ik dacht rustig na, terwijl zij onderuit zakte in haar stoel en begon te lachen.

'Rodrigo?' riep ik ten slotte uit, en door mijn verbijstering begon ze alleen nog maar harder te lachen. 'Was Rodrigo homoseksueel?'

Zij knikte bedachtzaam, glimlachend.

'Wist je dat niet? Mijn vader heeft het je natuurlijk niet verteld, ik geloof dat hij zich vreselijk opwond als hij dat vertelde, maar Rodrigo was in ieder geval een flikker, ik zou zelfs durven beweren... Een nicht, zo nat als een dweil.'

'Hij probeerde het goed te doen, zoals mijn vader dat ook probeerde, zoals ik dat zelf heb geprobeerd, maar hij had geen geluk, natuurlijk niet, geluk bestaat niet... Wat is er? Je ziet eruit of je er met je verstand niet bij kan.'

Toen ik haar hoorde praten, realiseerde ik me dat mijn mond openstond en ik klapte resoluut mijn tanden op elkaar, de ene rij op de andere, tot ik ze hoorde knarsen. Daarna sloot ik mijn lippen en glimlachte.

'Dat is wel het laatste wat ik verwacht had,' zei ik. 'Ik had al heel lang het vermoeden dat de oorsprong van de vloek iets met seks te maken had, want dat was het enige wat hout sneed, maar ik stelde me voor dat Rodrigo overspelig was geweest, zoals Porfirio, of bigamist, zoals grootvader, ik weet niet, iets dergelijks. Misschien iets met incest, want dat is geloof ik het enige wat we nog missen.'

Magda schaterde het uit voor ze verder ging.

'Ja, je hebt gelijk, incest hebben we niet gehad. Maar hij was wel overspelig, en ook bigamistisch, 't is maar hoe je het bekijkt.'

'Want hij was getrouwd.'

'Inderdaad. Met een halfbloed, de wettige dochter van een edelman uit Biskaje en een indiaanse van goede komaf, Ramona heette ze, een lelijk mormel. Officieel woonden ze in Lima, maar hij was de helft van de tijd weg, op het platteland. Hij bezat een hele hoop huizen, met een hele hoop bouwland, en een hele hoop zwarte, breedgeschouderde slaven van twee meter, daar was hij helemaal gek van, God mag weten waar hij ze vandaan haalde... Zolang hij in de stad was gedroeg hij zich als een heer, zoals het hoorde, hij was ook een heer, als je een paar details over het hoofd zag natuurlijk, bijvoorbeeld dat hij erop stond zich elke dag te wassen en te parfumeren. Maar hij was een hele goede rentmeester, en hij verdiende veel geld, en desondanks had hij de reputatie een eerlijk man te zijn. Zijn huwelijk leek ook gelukkig, en hij voldeed kennelijk vrij moeiteloos aan zijn verplichtingen, want zijn vrouw baarde twee kinderen in een paar jaar tijd, en hoewel ze weinig tijd samen doorbrachten, was hij altijd goed voor haar, althans dat werd verteld, dat Ramona volledige vrijheid genoot, dat ze kon gaan en staan waar ze wilde. Voor hetzelfde geld had zij zich ook op de negers gestort, en dan was er niets aan de hand geweest, maar je gelooft het gewoon niet, het was een deugdzame vrouw, héél deugdzaam, en heel vroom, toegewijd aan haar gezin en zo, en natuurlijk kreeg ze er in de loop van de jaren schoon genoeg van, en uiteindelijk betrapte ze hem, ik weet niet hoe, of waar, dat hebben ze me nooit verteld, maar ze betrapte hem met een neger, op heterdaad, hij was er wat je noemt vies bij, en ze maakte een enorme scène... En toen heeft ze hem vervloekt, hem en zijn kinderen, en de kinderen van zijn kinderen, en ze voorspelde dat het kwaad zich in het bloed in zijn aderen zou nestelen, en dat het al zijn nakomelingen net zo zou vergaan, en dat geen van ons ooit rust zou vinden zolang hij de vleselijke lusten diende, of ervoor bezweek..., dat weet ik niet, ik herinner me niet meer wat mijn vader precies zei, of de slaaf was van zijn hartstochten, nou ja, zoiets, zo vertelde hij het me tenminste, je weet maar nooit wat die heks in werkelijkheid gezegd heeft want het schijnt dat ze half indiaans sprak en de goden van haar moeder aanriep, en om de haverklap onbegrijpelijke profetieën uitkraamde, om Rodrigo nog zenuwachtiger te maken, neem ik aan. Uiteindelijk kondigde ze aan dat ze terugging naar Lima, maar ze verbood hem haar te volgen, en hij vond dat natuurlijk best, de rest van zijn leven daar een beetje lui rondhangen met zijn negers, gekleed als een zigeunerin, moet je je voorstellen, de droom van zijn leven. Hij stelde zich er veel van voor, maar het ongeluk was met hem, en sindsdien was het ongeluk met ons allemaal, want als Rodrigo longontsteking had gekregen, of als hij nog tien jaar had geleefd, vloek of geen vloek, dan was er niets aan de hand geweest, maar hij stierf binnen het jaar, elf maanden na het bezoek van Ramona, precies de incubatietijd van een gruwelijke infectie.'

'Een geslachtsziekte?' vroeg ik zachtjes, in de hoop me te vergissen.

'Ja, een geslachtsziekte, maar kijk me niet zo aan, want met het leven dat hij leidde, in die contreien en in die tijd, was dat wel het minste wat hij kon oplopen, en dan heeft het nog lang geduurd, de helft van de Spanjaarden in Amerika is daaraan gestorven, dus, je begrijpt...'

'Wat was het? Syfilis?'

'Nee, erger nog. Als het syfilis was geweest was er ook niets aan de hand geweest, want dat was zoiets als nu de griep krijgen. Nee, mijn vader probeerde erachter te komen wat het precies geweest was, maar hij slaagde er niet in, want blijkbaar verdween het gros van die infecties voor ze serieus werden onderzocht, en de studies uit die tijd zijn niet erg betrouwbaar. Een epidemioloog met wie hij lang gecorrespondeerd heeft, was van mening dat het waarschijnlijk een larve was geweest die zich onder de huid nestelt, maar dat is maar een mening, er staat niets vast. Hij heeft in ieder geval erg geleden, hij klaagde over hevige pijnen, overdag en 's nachts, en hij had ontzettend hoge koorts, een opgeblazen buik, en zijn pik zat vol rare, gelige bulten, die op een nacht openbarstten en een miljoen witte, zachte, stinkende draadjes uitbraakten. Onmiddellijk nadat die te voorschijn waren gekomen stierf hij, en de indianen zeiden dat het wormpjes waren, maar waarschijnlijk waren het pushaarden, ik weet het niet. Het moet in ieder geval een afschuwelijke dood geweest zijn, zo erg dat het verhaal vanaf toen de wereld inging, de macht van Ramona, het kwaad in het bloed en de hele rest. De vrouw van Rodrigo werd beroemd in heel Peru, ze maakte naam als heks en de mensen probeerden haar te mijden, als ze haar op straat tegenkwamen sloegen ze zelfs een kruis. Haar dochter, een armzalig schepseltje, was uiteindelijk zo bang geworden voor de macht van haar eigen moeder, dat ze op haar vijftiende de wereld de rug toekeerde en in het klooster ging, en toen ze non werd, koos ze de naam Magdalena, als symbool om te laten zien dat ze boete wilde doen voor de zonden van haar vader. Daar komt mijn naam vandaan, en de jouwe natuurlijk, maar verder niet, want hoewel ze carrière maakte binnen de Kerk, ik geloof dat ze het zelfs tot abdis heeft gebracht, heeft ze, althans voor zover men weet, de gevolgen van de vloek nooit zelf ervaren. Dus de rest komt van haar oudere broer, een boef eerste klas, totaal anders dan zijn vader, maar dan ook totaal anders, en niet alleen omdat hij een rokkenjager was, maar ook omdat hij gokte, een oplichter was, een zuiplap, van alles, een echte smeerlap… Hij vermoordde verscheidene mannen, de echtgenoot van een van zijn minnaressen onder anderen, en bovendien verstrekte hij leningen tegen woekerrentes, maar hij werd niet alleen nooit in de gevangenis gegooid, hij stierf rustig in zijn bed zonder zelfs ooit een druiper te hebben opgelopen, zo zie je maar, gewoon van ouderdom, over de tachtig, bedekt met scapulieren, en verzekerd van een plaatsje in de hemel dat al zo'n half dozijn keer bij vooruitbetaling gekocht was, en zo eindigde de reputatie van zijn moeder waar ook de reputatie van de moeders van zijn ruime dozijn kinderen was geëindigd, dus, je ziet, Ramona was geen heks en er is geen sprake van een vloek.'

Nog voor ze uitgepraat was, bestudeerde Magda gespannen mijn gezicht, angstig bijna, en in haar ogen herkende ik het sceptische geloof van de blik waarmee ze me zo vaak had aangekeken toen ik nog een angstig meisje was dat tegelijkertijd in staat was anderen angst aan te jagen, iedere keer dat ze een vertrouwen van me eiste waar ze niet om dacht te hoeven vragen, alsof de hele wereld aan een dun draadje hing dat in haar lippen verankerd zat, en ik, een oude, wijze vrouw, dat al geraden had. Terwijl ik bedachtzaam knikte, mijn glimlach als een waarborg, vermoedde ik dat dat nog een bewijs was van haar leeftijd, het zegel van een generatie die alleen maar had willen ontkennen, nooit geloven, en dat ze het daarom niet geloofde, maar tegelijkertijd begreep ik dat ze de vloek even hard nodig had als mijn grootvader hem gerespecteerd had, of zoals ik hem zelf gecultiveerd had, al was het alleen maar om er om te lachen, om hem te ontkennen, en vandaaruit haar eigen leven te verklaren.

'Waar is het portret van Ramona, Magda?' vroeg ik na een tijdje langs mijn neus weg. 'Volgens mij heb ik dat nog nooit gezien.'

'Vast wel, toen je klein was moet je het gezien hebben, het hing in het huis aan de Martínez Campos, in het trappenhuis geloof ik, een vierkant paneel, niet zo groot, zij stond er in het zwart gekleed op, met een doorzichtige sluier over haar voorhoofd... Herinner je je het niet?' Ik schudde ontkennend mijn hoofd. 'Dan zul je haar nooit leren kennen. Mijn vader heeft het portret op een middag vernield, hij trapte er met zijn voet doorheen, haalde het schilderij uit de lijst en versplinterde het. Hij verbrandde het in de open haard van de zitkamer, het hele huis stonk walgelijk, naar dood, het duurde een week voor de lucht eruit was.'

'En waarom deed hij het?'

Toen ontweken haar ogen de mijne. Ze verborg ze onder haar oogleden en vervolgens verborg ze die door haar kin tegen haar borst te laten zakken. Ze praatte zo zachtjes dat ik bijna niet kon verstaan wat ze zei.

'Die ochtend had ik hem verteld dat ik in het klooster wilde.'

'En waarom deed jij het, Magda?'

Ik kende geen speciaal belang toe aan die vraag, jaren geleden al was ik afgestapt van het idee dat dat er was, en zeker tijdens deze middag, die een stortvloed van antwoorden teweegbracht, en toch reageerde zij alsof het een verrassingsaanval betrof en ze kromp ineen om zich ertegen te beschermen, ze trok haar benen op en strekte haar armen naar voren, haar vuisten gebald alsof ze zich wilde verdedigen tegen een onzichtbare vijand, en pas daarna schudde ze traag en ontkennend haar hoofd.

'Dat zou ik je niet graag vertellen,' zei ze ten slotte. 'Van alle stommiteiten die ik tot nu toe heb uitgehaald, is dat de enige waarvan ik echt spijt heb, de enige, in mijn hele leven.'

'Maar waarom in godsnaam,' protesteerde ik, eerder verbaasd dan teleurgesteld door de stelligheid van haar weigering, 'zij hebben je er toch toe gedwongen, jij hebt niet...'

'Zij?' onderbrak ze me, en er lag een soort wilde blik in haar ogen toen ze me aankeek. 'Wie zijn zij?'

'Je familie, toch? Jouw moeder, de mijne, ik weet niet, ik heb altijd gedacht dat ze je gedwongen hebben.'

'Mij?' Het sarcasme vervormde haar lippen, en veranderde de aanzet tot een glimlach in een groteske grijns. 'Denk eens na, Malena. Sinds mijn tiende had niemand in dat huis genoeg lef om mij tot wat dan ook te dwingen,' ze stokte even, ontspande haar lippen geleidelijk, en de uitdrukking op haar gezicht werd smartelijker maar tegelijkertijd zachter. 'Nee, ik ben door niemand gedwongen. Ik heb het zelf gedaan, en dat is waar ik nu spijt van heb.'

'Maar waarom, Magda? Ik begrijp het niet.'

'Ik kon geen kant meer op, geen kant meer, en ik moest een uitweg zien te vinden, een weg die me hiernaar toe zou voeren, naar de vergetelheid. Ik had een andere oplossing kunnen kiezen, maar de verleiding was te groot, en ik bezweek ervoor. Wraak is als een platonische liefde, weet je? In je dromen koester je hem, nacht in nacht uit, je raakt opgewonden van het plannen maken, het erover nadenken, het verlangen ernaar, iedere ochtend als je opstaat moet je eraan denken, op straat lach je in jezelf, vooruitlopend op de grote dag, en dan... Dan, op het juiste moment, doet de kans zich voor, je grijpt hem, je wreekt je, en het belangrijkste moment van je leven gaat voorbij en er blijft niets van over, doodgewoon, ordinair stof, net als de rest, of nog grijzer.'

Op dat moment herkende ik het geluid van een motor zonder uitlaat in wat tot dan toe alleen maar als een dof, ver geronk had geklonken, en toen ik het stof al kon ruiken, draaide ik mijn hoofd in de richting van het pad en zag een onmiskenbare bruine wolk in de lucht.

'Kijk nou eens wat een mazzel!' zei Magda, terwijl ze opstond en de bezoeker tegemoet ging. 'Curro komt precies op tijd om me te redden, zoals gebruikelijk.'

Curro was lang, donker, grappig en iets jonger dan ik. Zijn lichaam was slank, maar pezig, en zijn huid, die egaal gekleurd was in de donkere, matte, bijna doffe tint van mensen die zelfs op regenachtige wintermiddagen nog gebronsd lijken, had het atletische dat je alleen maar krijgt van noodgedwongen lichaamsbeweging, als een onverbrekelijk deel van het dagelijks werk. Ik stelde me voor dat hij visser was maar ik had het mis, al zat ik er niet ver naast. Hij had jarenlang op de visafslag gewerkt, maar nu had hij een bar in de jachthaven van het dorp, een klein etablissement met een groot terras dat in de zomer overstroomd werd door mensen, en in de winter precies genoeg opleverde om het hoofd boven water te houden. Magda stelde hem aan me voor als haar compagnon, en aanvankelijk durfde ik me niet voor te stellen dat er iets meer tussen hen was, maar ook dat had ik mis. Terwijl ik dat afleidde uit de manier waarop hij met zijn vlakke hand haar rug streelde, verscheen de schilder weer, met onder zijn arm nog altijd het maagdelijke doek, de houtskool ongebruikt tussen de vingers van zijn rechterhand.

''t Wil niet lukken, hè?' zei Magda tegen hem, en hij schudde zijn hoofd en begon te lachen. 'We gaan eten maken, goed? Volgens mij moet iedereen zo onderhand wel honger hebben. Kom, Malena, help me even, zij dekken de tafel wel even.'

Terwijl ik een krop sla plukte en in het water zette, frituurde Magda de bloemen en vertelde fluisterend over de beide mannen. De oudste heette Egon, hij was een Oostenrijker en was verscheidene jaren haar vriend geweest, in haar eerste tijd in Almería. Hij wilde met haar trouwen, maar zij wilde niet met hem trouwen, en toen het uitging, keerde hij terug naar Graz, een prachtige stad, zei ze, maar oersaai, ik ben er regelmatig geweest maar ik vond het niks. Ze had lang niets van hem gehoord, maar sinds een paar jaar kwam hij haar af en toe opzoeken, en dan logeerde hij een hele tijd op de hoeve. Hij was geen schilder, maar ondernemer, hij stond aan het hoofd van een farmaceutisch laboratorium, een familiebedrijf, samen met een zus van hem.

'Maar we hebben het altijd goed met elkaar kunnen vinden,' zei ze ten slotte. 'Hiervoor en nu, we zijn hele goede vrienden.'

'En Curro?' vroeg ik, en ik probeerde niet eens een glimlach te verhullen.

'Curro…?' herhaalde zij, en stokte, precies nadat ze zijn naam had uitgesproken. 'Tja, Curro… Curro dat is een heel ander verhaal.'

'Lachend kwamen we weer buiten, en we hielden de hele maaltijd niet meer op. Bij Magda leek plotseling alles wat ze 's middags gedronken had effect te gaan sorteren, en ze begon hardop herinneringen op te halen aan alle grappige dingen die ik altijd uithaalde toen ik klein was. We aten weinig, dronken veel en het eind van het liedje was dat we voor de vuist weg rumba's aan het zingen waren. De tijd ging zo snel dat ik, toen ik op mijn horloge keek na de laatste, memorabele versie van *Volando voy*, die Egon van begin tot eind had uitgevoerd zonder het ook maar één keer bij het rechte eind te hebben wat het juiste geslacht van een woord betrof, ontdekte dat mijn horloge twee uur voorliep op mijn verwachtingen.

'Ik moet nodig weg, Magda. Reina is alleen in het hotel, met de twee kinderen, en ik wil niet al te laat terug zijn. Morgen kom ik weer, met Jaime.'

Ze smoorde me in een verrassend stevige omhelzing, alsof ze de oprechtheid van mijn laatste woorden in twijfel trok, maar even daarna werd de druk van haar armen wat minder en kuste ze me zachtjes op mijn wang.

'Misschien gaat Curro al terug naar het dorp,' zei ze hardop, terwijl ze hem aankeek, 'en kan hij je afzetten bij je hotel.'

'Natuurlijk,' antwoordde hij, en hij sprong energiek op. 'Ik breng je met alle genoegen weg, maar…' zijn stem werd zachter, en klonk minder zeker, al ontwaarde ik iets gekunstelds, bijna bestudeerds, in zijn intonatie, 'eerlijk gezegd was ik van plan om hier te blijven.'

'O, natuurlijk!' riep Magda uit, terwijl ze haar best deed een overduidelijk gevoel van tevredenheid te maskeren met een uitdrukking van verbazing die me minder gespeeld leek dan passend zou zijn geweest. 'Natuurlijk kun je blijven.'

'Ik ben met de auto,' legde ik uit. 'Ik heb hem beneden geparkeerd, bij het café. Jullie hoeven me niet te brengen, ik loop naar beneden, het is maar tien minuten.'

'Wacht even,' zei Magda en ze wendde zich weer tot Curro. 'Kun je me op de motor komen ophalen bij het café over… laten we zeggen een halfuur?' Hij knikte, en zij gaf me een arm. 'Dan loop ik met je mee, Malena, een eindje lopen zal me goed doen, dan zakken de koteletjes wat sneller.'

We liepen een paar meter zonder iets te zeggen, maar we waren nog maar net uit het zicht van de aanwezigen op het plaatsje, of ze drukte mijn arm en schaterde het uit van puur plezier.

'Het is een smeerlap, vergis je niet… Zo aardig is hij niet voor me, maar afijn, ik kan het hem niet kwalijk nemen, hij is negenentwintig, het staat als een paal boven water dat ik niet de vrouw van zijn leven zal zijn.'

'Dat doet er niet toe.' Ze wierp me een onderzoekende blik toe en ik verklaarde me nader. 'Of hij het waard is of niet, dat maakt niet uit, dat hij zich gedraagt als een klootzak of als een echte heer, dat is tot daar aan toe. Het belangrijkste ben jij. En jij vindt hem leuk, hè?'

Toen stond ze plotseling stil en dwong mij ook stil te staan, en ze nam lachend mijn hoofd tussen haar handen, alsof ik iets heel grappigs had gezegd, maar voor het eerst sinds onze ontmoeting leek ze tevreden, en ik glimlachte met haar mee.

'Weet je wat het fascinerendste van alles is? Dat je zo groot bent geworden, Malena, dat jij dit soort dingen tegen me zegt, terwijl je vanochtend nog maar elf was, hoeveel Tomás me ook over je verteld heeft, en hoeveel je vader dat ook gedaan heeft, voor mij was je in feite nog altijd elf, zoals toen ik je de laatste keer zag. Ik heb altijd vermoed dat we het nog steeds goed zouden kunnen vinden als we elkaar weer zouden tegenkomen, daarvoor hielden we te veel van elkaar, maar nu hoor ik je praten en ik kan het maar niet geloven, echt niet.'

We liepen verder, rustiger nu, remden onze pas regelmatig af terwijl de helling van het pad steeds meer weg had van een glijbaan. Het was prettig om de helling af te dalen en in je rug het zachte zomerse briesje te voelen, terwijl je de zee rook en amper iets kon onderscheiden.

'Waarom ben je nooit getrouwd, Magda?'

'Ik?' zei ze, bulderend van het lachen. 'Met wie dan? Ik vond degenen die met me wilden trouwen altijd een stelletje sukkels, en de big shots waren nou niet bepaald op zoek naar een vrouw als ik als echtgenote. En later trouwde ik met God. Waar had ik een betere partij kunnen vinden? Bovendien hou ik niet van kinderen. Ik had er een kunnen hebben, één keer, flink wat jaren geleden, soms denk ik weleens dat het een vergissing was het op te geven, maar zelfs nu, nu er toch niets meer aan te doen is, ben ik daar niet zeker van. Ik was geen goede moeder geweest.'

'Dat was je wel,' protesteerde ik. 'Voor mij ben je het geweest.'

'Nee, Malena, dat is wat anders. Heb jij weleens een abortus gehad?'

'Nee, maar toen ik zwanger was, heeft het niet veel gescheeld. Ik heb er vaak over gedacht, ik heb zelfs de telefoonnummers van een paar klinieken opgevraagd. Ik ben ook geen goede moeder, Magda, dat wist ik al voor ik eraan begon.'

'Je zoon is het vast niet met je eens.'

'Waarom zeg je dat?'

'Omdat je hem gekregen hebt, Malena, je hebt voor hem gekozen, zoals ik voor jou gekozen heb, en als hij groot is zal hij hetzelfde tegen je zeggen als jij daarnet tegen mij zei. Maar ik heb hem niet gekregen, daarom was ik geen goede moeder geweest. Dat lijkt onzin, maar het is de waarheid, en het is beter zo.'

'Goed,' zei ik, en ik praatte verder zonder echt stil te staan bij wat ze gezegd had. 'Je kunt de grootmoeder van mijn zoon zijn.'

Ze begon te lachen en ik had er spijt van zo'n onbeholpen belediging uitgekraamd te hebben.

'Sorry, Magda, zo bedoelde ik het niet.'

'Hoezo?' onderbrak ze me. 'Ik heb een vriendin in het dorp, een heel leuk mens, je vindt haar vast aardig, ze is stapelgek, nou ja, niet veel erger dan ik, dat moet gezegd… Ze heet Maribel en komt uit Valencia, maar ze woonde hier eerder dan ik, ze was een van de eerste mensen die ik leerde kennen, en we mochten elkaar meteen. Drie jaar geleden overleed haar dochter aan aids, ze was een junkie, en zij nam haar kleindochter bij zich in huis, een meisje van zeven die Zoé heette, met veel nadruk op de "e", tot haar grootmoeder haar een andere naam gaf. Nu noemen we haar allemaal María en zij vindt het allang best, want op school wordt ze nu niet meer uitgelachen door de andere kinderen. We gaan veel op pad samen, naar het strand, ergens op het platteland eten, of in Almería, en we nemen María bijna altijd mee, en als je het echt wilt weten, ik ben een beetje jaloers op Maribel, en als je het niet gelooft dan moet je het haar maar vragen. Oma zijn vind ik veel leuker dan moeder, en ik heb er ruimschoots de leeftijd voor. Een kind verwennen, hem in de watten leggen, hem laat op laten blijven en naar films laten kijken die hij eigenlijk niet mag zien, hem aansporen gerookte zalm te eten, zijn hoofd vol te stoppen met rare, subversieve ideeën, en hem af en toe z'n ouders de huid vol laten schelden, dat vind ik een stuk leuker dan hem opvoeden, en dat meen ik serieus. Hoe kan hij het met je moeder vinden?'

'Goed, al ziet hij haar veel minder vaak dan zijn nichtje, die bij haar woont. En eerlijk gezegd…' ik moest glimlachen, 'houdt mijn moeder er totaal andere ideeën op na dan jij over de rol van een grootmoeder, in feite is zij veel strenger dan ik, ze maakt me de hele tijd verwijten omdat ik hem geen discipline kan bijbrengen. Mij maakt het niet uit als hij zich eens een dag niet wast, weet je, of dat hij iedere avond op een ander tijdstip eet, en al stop ik hem vroeg in bed, om zelf rust te hebben, als hij protesteert omdat hij geen slaap heeft, dan mag hij het licht aanhouden om te lezen, en ik zeg er nooit iets van als hij in zichzelf praat. Dat soort dingen begrijpt ze niet, en mijn zusje ook niet, maar als ik niet van snijbieten houd, dan is het toch ook zijn goed recht om er niet van te houden?, ik ga hem niet dwingen ze op te eten en dat hij ze dan tien minuten later weer uitkotst, ik weet niet, dat soort dingen…'

'Ik haatte ze, Malena.'

Ze stond midden op het pad stil en keek me aan, en ik keek haar aan zonder van mijn ogen gebruik te maken, ik keek naar haar met mijn geheugen, en met mijn hart, en met mijn binnenste, tot mijn keel werd dichtgeknepen door een golf van emoties, omdat ik haar aardig vond, en van haar hield, en haar nodig had, en ik had haar al die jaren nodig gehad aan mijn zijde om het verdriet als een lichte tegenslag te kunnen accepteren, maar iemand had haar beeltenis van me gestolen, iemand had mijn enige spiegel kapotgemaakt, en de scherven ervan hadden me veel meer dan zeven jaar ongeluk gebracht.

'Ik hou van je, Magda,' zei ik op mijn beurt. Zij ging op een steen zitten en praatte verder.

'Ik haatte ze, daarom deed ik het, in het klooster gaan, en omdat ik geen kant meer op kon natuurlijk, ik moest hoe dan ook weg zien te komen, en ze hadden me klemgezet, maar ik haatte ze, ik haatte ze meer dan wat ook.'

Ik ging naast haar zitten en luisterde zwijgend, zonder haar ook maar één keer te onderbreken, want het leek haar ontzettend veel moeite te kosten het verhaal uit te spuwen. Ze sprak met horten en stoten, struikelde over haar woorden, slikte aanvankelijk de adempauzes in, daarna sommige lettergrepen, en ten slotte zelfs hele woorden, terwijl ik naar haar luisterde en af en toe in haar hand kneep, om haar te laten voelen dat wat ze ook gedaan had in het verleden, voor of na het klooster, dat dat nooit iets zou veranderen aan wat ze zelf in mij gezaaid had.

'Het was je moeder, en ik heb het tegen haar gezegd, ik heb het haar gesmeekt, luister, Reina, wat je ook doet, het verandert niets aan de zaak, dus doe maar liever niets, dat is het beste, dat heb ik tegen haar gezegd, maar ik hoefde maar naar haar te kijken en ik wist dat ik kon praten als Brugman, maar dat ik haar niet zou overtuigen, want ze was weer een bidprentje, net als die ene nacht, een zelfde bidprentje maar veel gevaarlijker want ik herkende haar nu al zonder dat ze hoefde te bidden, en mijn geweten dan? zei ze handenwringend tegen me, een grijze waas over haar ogen, het is een gewetenskwestie, net als die andere klootzak, hem had ik ook gevraagd zijn mond te houden, dat was waarschijnlijk mijn fout, ik had hem niets moeten vragen want ik kende hem maar al te goed, alle handlangers van mijn moeder waren hetzelfde, ik had niet naar hem toe moeten gaan, ik had makkelijk een andere dokter kunnen uitkiezen, er waren er duizenden, weet u waar datgene wat in uw baarmoeder is geïmplanteerd voor dient?, vroeg hij me, de imbeciel, natuurlijk weet ik dat, zei ik tegen hem, of zie ik er soms uit alsof ik stom ben?, nou, dat heeft dan nergens toe gediend, zei hij tegen me, alsof hij er blij om was, het is in tweeën gebroken, maar dat is niet waar u last van hebt, en hij keek me de hele tijd met een glimlach van oor tot oor aan, alsof hij tegen me wilde zeggen, ja, schatje, boontje komt om zijn loontje, de vuile schoft, Pereira heette hij, ik zal hem m'n leven lang niet vergeten, ik zie hem nog voor me, ik begrijp wel dat de situatie wat gevoelig ligt, zei hij tegen me, want, voor zover ik weet, bent u niet getrouwd, en toen vroeg ik hem z'n mond te houden, ik refereerde aan de eed van Hippocrates, het beroepsgeheim, de hele santenkraam, ik praatte eindeloos op hem in, als een kip zonder kop, en uiteindelijk stuitte ik op hetzelfde, en mijn geweten dan?, vroeg hij me, u moet niet vergeten dat medici ook een geweten hebben, wat een lul, wat kon het hem verdomme schelen, dat zou ik nog weleens willen weten, en toch was hij de ergste niet, hij niet, want hij had m'n moeder kunnen bellen, maar hij liet het zich alleen maar ontvallen tegenover de jouwe, die in de wachtkamer op me zat te wachten, en het was jouw moeder, Malena, jouw moeder die... Van wie is het? vroeg ze me, dat was het enige wat haar interesseerde, van wie het was, dat doet er niet toe, antwoordde ik, maar zij bleef maar doorzeuren, ze hield niet op, je moet me vertellen van wie het is, van wie is het, van wie is het, en ik had haar iets anders kunnen vertellen, stel je eens voor, ik had het bijna gedaan, ik had kunnen glimlachen, een paar keer met m'n ogen kunnen knipperen en deemoedig kunnen zeggen, op zoetgevooisde, fluisterende toon, het is van jouw man, liefje, weet je, bijna alsof het van jou is, maar dat deed ik natuurlijk niet, want ik dacht dat zij zoiets absoluut niet verdiende, en nu, na alles wat er gebeurd is, zou ik het opnieuw bijna doen en zou ik uiteindelijk opnieuw zwijgen, want ik zou het weer, bij voorbaat, zielig vinden voor je moeder, want dat is het verdomme met die bidprentjes, het kind kon van Jaime zijn of niet, het kon drie verschillende vaders hebben, hoe kon ik nou weten wanneer dat klereding godverdomme gebroken was, geen idee, en ik had absoluut geen zin om dat uit te rekenen... Dat had ik papa ook verteld, dat ik geen kind kon krijgen dat ik door puur toeval verwekt had, zonder zelfs maar te weten wie de vader was, maar hij vergaf het me niet, we hadden het in Almansilla groot kunnen brengen, zei hij de hele tijd, je had het me eerder moeten vertellen, dat vond hij nog het ergste, dat ik het hem niet verteld had, dat mijn moeder het eerder had geweten dan hij, dat ik naar Londen was afgereisd zonder iets tegen hem te zeggen, dat vond hij nog het ergste, want dat had hun een wapen in handen gegeven om tegen hem te gebruiken, en mijn moeder gebruikte het tot het uiterste, dat heeft zelfs die hoer van je vader nooit gedaan, schreeuwde ze me toe toen ik terugkwam, zelfs zij niet, hoor je me?, en hij hoorde haar ook, hij moest het wel horen, en hij kon het niet begrijpen, want het was waar, Teófila had al zijn kinderen gekregen, en ze had ze in veel slechtere omstandigheden dan de mijne grootgebracht, maar Teófila was ook een heilige, een heilige op haar manier, en ik niet... Mijn vader heeft het nooit kunnen begrijpen, hij vertrok naar Cáceres en bleef daar zes maanden, maar hij liet toe dat mijn moeder me kortwiekte, geen cent, zei ze tegen me, geen cent, hoor je me?, geen cent, en zo zat ik ineens zonder één rooie cent, zomaar, van de ene dag op de andere, ze blokkeerde mijn betaalrekening, ze trok mijn toelage in, en ze schrapte mijn naam uit alles wat ze op dat moment bezat, wat van haar was, van haar en van mijn vader natuurlijk, die niets deed om het te verhinderen, en ze gooide me het huis niet uit omdat ze er dan minder van had kunnen genieten, ze had me liever daar, opgesloten in mijn kamer, zonder dat ik wist hoe ik de tijd moest doden, want ik was al vierendertig en wist niet hoe ik zonder geld moest leven, zonder het geld dat mijn hele leven lang al uit de hemel kwam vallen, geld om te reizen, om aan de boemel te gaan, om kleren te kopen, om me te vermaken al met al, het enige wat ik hoefde te doen was mijn hand ophouden en dan viel het vanzelf, een enorme berg geld, totdat zij de kraan dichtdraaide en ik niet wist wat ik moest doen... Tot hier gaat het goed, kun je het verhaal begrijpen, me volgen, mijn kant kiezen, maar vanaf hier zal het moeilijker worden, ik waarschuw je, maar je zult het moeten nemen zoals het is, want ik had een waardige beslissing kunnen nemen, ik had kunnen gaan werken, uit huis kunnen gaan, de kost verdienen zoals iedereen de kost verdient, dat had ik moeten doen in plaats van daar te blijven en alles te slikken, toe te kijken hoe mijn moeder een kruis sloeg iedere keer dat ze me in de gang tegenkwam, getuige te zijn van haar triomf over mij en over mijn vader, die van al zijn kinderen alleen maar zo'n verstokte crimineel als ik had weten te strikken, ik had weg moeten gaan maar ik deed het niet, omdat ik daar helemaal geen zin in had, ik had geen zin om te werken, of de kost te verdienen, of een doodgewone vrouw te worden, iedere twee jaar je jas binnenstebuiten keren en lenen om het eind van de maand te halen, niet dat me dat een schande leek, maar zo'n leven was echt niet voor mij bedoeld, ik had niet geweten hoe ik arm moest zijn, want ik ben nooit beter, maar slechter dan je vader geweest... Sluit een verstandshuwelijk, raadde hij me aan, hij was bijna de enige vriend die ik wist te behouden in die ellendige tijden, dat heb ik ook gedaan en het heeft me geen windeieren gelegd, en het leek me geen slecht idee, maar ik kon geen geschikte kandidaat vinden, en toen vertelde Tomás me het grote nieuws, hij was er via onze zwager, de man van María, die bij de gemeente in Almansilla werkte, achter gekomen dat mijn moeder alle papieren in orde aan het maken was om de hele boel te verkopen, landerijen, landgoederen, huizen, al haar bezittingen, en ons het geld bij leven na te laten, want ze wilde kost wat kost voorkomen dat ook maar één peseta van haar vermogen in handen zou komen van een van de kinderen van Teófila, en ze vertrouwde het testament van mijn vader niet... Toen begon ik het allemaal helder te zien, mijn moeder, het was gewoon ongelooflijk, zou mijn leven weer op orde brengen, haar geld zou voor mij, uitgerekend voor mij, de kastanjes uit het vuur halen, en toen kreeg ik die vreselijke gewetensnood, ik sloot me een hele week op in mijn kamer, ik lag op bed en deed of ik de hele tijd huilde en wilde niet eten, lag hele dagen en nachten te zuchten, en toen ik naar buiten kwam, vroeg ik geld aan haar voor de kapper, en ik liet mijn haar afknippen, ik liet me kaalknippen als een rekruut, en toen ik terugkwam wierp ik me aan haar voeten en smeekte haar me te vergeven, ik zei haar dat ik gek werd van wroeging, dat ik stierf van verdriet en spijt, dat mijn leven een nachtmerrie aan het worden was, dat het geen zin meer leek te hebben om 's morgens op te staan, dat ik een uitweg moest vinden voor mijn leven en dat ze me moest helpen, omdat zij de enige was die me kon helpen, me bevrijden van de bovenmenselijke last van mijn schuld... Het kostte me geen enkele moeite haar te overtuigen, dat is wel grappig, en ik had zelf al plannen voor het klooster, eerlijk gezegd dacht ik daar al vanaf het begin aan, maar degeen die het hardop zei was zij, zij, godbetert, en toen kwam mijn vader wel naar huis, als de wiedeweerga, want hij geloofde er niets van, hij heeft het nooit geloofd, waar ben je mee bezig, Magda? vroeg hij me, ben je gek geworden of hoe zit het?, en als ik op dat moment een beroep op hem had gedaan, als ik hem de waarheid had verteld, dan had hij me geholpen, dat weet ik, ik ben er zeker van dat hij mijn

kant had gekozen, maar ik deed het niet omdat ik geen zin had de dingen goedschiks te regelen, helemaal niet zelfs, ik wilde me wreken, voorgoed met hen
afrekenen, zelfs de herinnering aan de schaduw van hun naam uit mijn toekomst bannen, en goedschiks was me dat nooit gelukt, want vroeg of laat zou
alles weer geworden zijn zoals vroeger, daarom vertelde ik de waarheid niet aan
mijn vader, en hij geloofde me niet, hij heeft het nooit geloofd, geen moment,
en dat zal ik mezelf nooit vergeven, hij verdiende niet dat ik tegen hem loog,
en ik heb tegen hem gelogen, hij verdiende niet dat ik hem verraadde, en ik heb
hem verraden... Je vader zei ook tegen me dat het gekkigheid was, meteen vanaf het begin, het is maar een jaar, Jaime, zei ik tegen hem, misschien nog niet
eens een jaar, en hij antwoordde dat een jaar heel lang was, te lang, dat ik het
niet vol zou houden, dat het de moeite niet waard was, dat het mijn dood zou
worden, maar ik was vastbesloten, en ik deed het, maar ik had het bijna niet
naverteld, ik zweer het je, want binnen vier dagen vloog ik al tegen de muren
op, kon ik niet meer van afschuw, en woede, en verveling, en ik kon me bijna
niet bedwingen om de deur uit te glippen en hem te smeren, onterfd en al,
zonder ooit nog een cent te bezitten, maar dan kon ik tenminste weer ademhalen... Ik dacht dat haat een sterkere emotie was, ik dacht dat het even diep ging
als liefde, zo is het toch?, dat wordt altijd beweerd, en toch is het niet waar, of
ik voelde het in ieder geval niet zo, misschien heb ik te intens liefgehad, of misschien haatte ik hen niet diep genoeg, maar ik kon absoluut geen energie putten
uit mijn zelfvernietiging, zoals me dat één keer wel gebeurd is, de enige keer dat
ik verliefd ben geweest, en ik kon niet wachten, ik kon mezelf niet zien als het
precieze, gevoelloze stuk gereedschap van mijn eigen haat, ik kon mijn leven
niet beschouwen als een instrument dat maar één doel diende, de liefde maakte
dat wel in me los, maar de haat niet, misschien haatte ik niet diep genoeg, hoe
dan ook, het scheelde maar een haartje... Mama kondigde in de Goede Week
aan dat ik bij leven van haar zou erven, en ik voelde me verplicht een klein
toneelstuk op te voeren, haar geld te weigeren, mijn gelofte van armoede te
bevestigen, en toen zij zei dat haar dat een goed idee leek, dacht ik dat ik iets
kreeg, ik dacht dat ik er ter plekke in zou blijven, maar mijn vader weigerde
ronduit, en dat terwijl hij van niets wist, hij had geen idee wat ik van plan was,
maar zelfs toen speelde hij het klaar om voor me te blijven zorgen, en hij stond
het niet toe, non worden is één ding, zei hij, maar dat wil niet zeggen dat ze
dood is, en uiteindelijk erfde ik, en hier ben ik dan... De dag dat ik hem smeerde uit het klooster, voelde ik me alsof ik een hele week achterelkaar opium had
gerookt, ik was opgewonden en versuft tegelijk, wakker en slaperig, zenuwachtig en rustig, alles tegelijk, je vader had het meteen door toen hij me zag en hij
begon te lachen, vandaag lijk je echt op een bruid, zei hij tegen me, hij was de
laatste van de familie die ik in Madrid zag, hij was vanaf het begin mijn steun
en toeverlaat geweest, hij had veel risico's gelopen, hij heeft dit huis gevonden,
hij is gaan kijken en heeft op jouw naam getekend om het te kunnen kopen, en
als ik voelde dat ik het niet meer uithield, dan belde ik hem met een of andere

smoes en dan maakte hij me door de telefoon aan het lachen, urenlang, daarom zei ik tegen mezelf dat ik hem moest belonen, en bovendien deed ik dat graag... Die ochtend ging ik rechtstreeks naar hem toe, met mijn habijt nog aan, en hij begreep onmiddellijk wat ik van plan was, ik hoefde het hem niet eens voor te stellen, hij wist dat dit de dag was, en dit het uur, en hij wist ook dat zijn ande- re... laten we zeggen project, nooit uitgevoerd zou worden, dat hij het nooit tegelijk met zijn vrouw en met mij zou kunnen doen, hoe vaak hij het me ook zou voorstellen, hoe lastig hij ook zou worden, wat hij ook zou proberen, hij wist dat het er nooit van zou komen, en hij wist heel goed waarom, en dat je moeder, als het erop aankwam, dat ze geen andere keus had, en let goed op wat ik zeg, Malena, hij rekende erop dat je moeder, onder bedreiging en in het ui- terste geval, akkoord zou zijn gegaan, maar ik niet, mij had hij nooit kunnen overtuigen, nooit, en als hij het ooit serieus geprobeerd had, wat hij nooit ge- daan heeft, zelfs niet voor de grap, dan was dat de laatste keer geweest in de eeuwen der eeuwen amen, en dat wist hij, maar dat van dat habijt, waar hij zich zoveel van voorstelde, dat maakte me niet uit, dus gaf ik aan die gril toe, de laatste, en het laatste wat ik in Madrid deed was gekleed als non, en als non, want dat was ik nog, met je vader naar bed gaan, en daarna verdween ik... Aan- vankelijk voelde ik me fantastisch, voldaan en tevreden, ik dacht dat alles goed was gegaan, ik maakte heel snel vrienden, ik had zo nu en dan eens een vriend- je, ik vermaakte me, ik had geld en gaf het uit, dat was wat ik had willen heb- ben en dat had ik, al was de wraak al snel niet meer zo zoet, want ik heb het gezicht van mijn moeder nooit kunnen zien toen ze de brief las die ik haar geschreven heb, en ook niet het gezicht van de jouwe; en me een voorstelling maken van hun schaamte, van de onherstelbare schade die mijn laatste zonde hun reputatie had toegebracht, dat is nooit voldoende genoegdoening geweest voor alles wat ik had moeten doorstaan... Daarna zocht ik weer contact met mijn vader, natuurlijk, hem schreef ik ook een brief, een hele lange brief, ik vertelde hem alles, alles wat ik hem kon vertellen zonder nog meer kapot te maken, en hij was ontzet, wat hebben we met je gedaan, meisje?, zei hij tegen me door de telefoon, en verder niets, maar ik merkte het, al wilde hij er verder niets over zeggen, en de eerste keer dat we elkaar weer zagen, toen we samen een week in Mojácar doorbrachten, zei hij tegen me dat hij er niet over wilde pra- ten, maar hij begon hardnekkig één voor één de dingen te beschrijven die hij in zijn leven fout had gedaan, en dat was zijn manier om me mijn eigen fouten te verwijten... Hij zette me op het spoor van de waarheid, maar het duurde nog even voor ik erachter was dat ik in feite met lege handen stond, dat ik niets bezat behalve geld, en niet dat wat ik achter me had gelaten nou het einde was, het was eerder dat ik niets meer, geen einde en geen begin, helemaal niets meer had om naar uit te zien, ik had alleen de zee nog, althans dat dacht ik een tijdje, tot me de moed ontbrak om naar onze laatste afspraak te gaan en ook ik vreemd begon te dromen, en sinds die tijd verkeer ik in dat gezelschap, iedere nacht droom ik de dromen van mijn vader, en ik zie hem in Madrid, in zijn dooie eentje, zonder Pacita en zonder mij, echt helemaal alleen, terwijl hij zijn hoofd kapot slaat met een klinker en glimlacht, in zijn werkkamer, omringd door lijken, die van zijn dode vrouwen en die van al zijn kinderen, ook dood, behalve Pacita en ik, wij ontbreken altijd, maar hij leeft nog, en hij huilt, en hij doet zichzelf pijn al blijft hij glimlachen, en soms roept hij me, Magda, kom, Magda, kom, zegt hij, maar ik verschijn nooit, ik zie hem, en ik zeg tegen mezelf dat ik naar hem toe moet maar ik kan me niet bewegen, ik weet niet eens waar ik ben, ik weet alleen maar dat ik hem zie en dat ik naar hem toe zou moeten gaan, maar ik ga niet, en hij blijft maar roepen, hij roept me iedere nacht, bijna iedere nacht.'

'Nee, Magda,' protesteerde ik, razend van woede, 'hij roept je niet, hij kan je niet roepen.'

Ze draaide zich met een woest gebaar om op de steen, en pakte me bij mijn polsen, ze kneep hard, drukte haar nagels in mijn vel, en ze schreeuwde zo vlak bij mijn gezicht dat ik de mengeling van drank en van schuld in haar adem kon ruiken.

'Hij roept me wel, Malena! Hij roept me iedere nacht, en ik ga niet, ik ga niet...'

'Je bent wel gegaan, Magda,' legde ik haar uit, terwijl ik mijn best deed mijn kalmte te bewaren, 'op een nacht, in het huis aan de Martínez Campos, toen hij op sterven lag, toen ben je bij hem geweest. Tomás had me verboden bij hem te gaan kijken, maar ik ben naar zijn kamer gegaan, en hij werd even wakker. Hij vroeg of ik jou was, en ik zei ja.'

Toen ik de deur van de kamer opendeed, klopte mijn hart nog sneller dan gewoonlijk en was ik doodmoe, maar ik had geen slaap. Ik voelde me triest en tevreden tegelijk, alsof elke traan en elke lach die via de stem van Magda urenlang langs mijn oren waren getrokken, uiteindelijk allemaal in mijn binnenste waren versmolten, alsof ze altijd al op me hadden geaasd als op een solide, definitief thuis, en ze zich nu aan het installeren waren, en toch dacht ik nergens speciaal aan, ik dacht nergens aan toen ik de deur opendeed die de kamer van Reina van de mijne scheidde, en ik dacht niets toen ik Jaime in mijn armen nam en hem moeizaam naar mijn bed droeg, en ook dacht ik niets toen ik mijn tanden poetste, en toen ik mijn make-up verwijderde, en ook niet toen ik mijn gezicht invette, ik dacht nergens aan, maar toen ik naar mezelf keek, en mezelf zag in de badkamerspiegel, met een schoon gezicht, toen, zonder erover na te denken, begreep ik het.

Het duurde lang voor mijn zusje wakker werd, al schudde ik haar zo stevig als ik kon door elkaar terwijl ik hardop haar naam zei, met het lampje van het nachtkastje aan, dat recht in haar gezicht scheen, tot ze haar ogen opendeed en me doodsbang aankeek.

'Wie is daar? Wat is er aan de hand?' bracht ze er hortend en stotend uit, hijgend, en ze kneep met haar ogen om zich tegen het licht te beschermen, ze had me nog nooit zo weerloos geleken. 'O, Malena, wat laat jij me schrikken!'

'Jij bent het, hè Reina?'

'Wie? Ik weet niet… maar waar heb je het in vredesnaam over?, het moet zes uur 's ochtends zijn, ben je soms gek geworden…?'

'Het is pas kwart over twee, en zij, dat ben jij, het vriendinnetje van Santiago, jij bent het, ja hè?'

Ze gaf geen antwoord. Ze deed haar ogen dicht alsof ze pijnlijk schrijnden, ze draaide de lamp weg tot de lichtbundel op de muur scheen, ze legde de kussens goed en ging rechtop in bed zitten.

'Het is niet wat je denkt,' zei ze tegen me. 'Ik ben verliefd op hem, verliefd, Malena, hoor je?, en dit keer is het serieus, ik zou zelfs zeggen… Ik geloof dat het voor het eerst is sinds ik volwassen ben dat me dit overkomt.'

De volgende ochtend ging Reina met haar dochtertje terug naar Madrid. Ik bleef tot begin september bij Magda, met Jaime.

I edere ochtend, bij het opstaan, kostte het me een beetje meer moeite een beslissing te nemen over de datum van onze terugkeer. We hadden het naar ons zin daar, zonder dat we iets bijzonders deden, en tegelijkertijd deden we iedere dag iets anders. Jaime kon uitstekend opschieten met María, en al spoedig raakte hij bevriend met de kleinkinderen van de eigenaar van het café beneden, die vaak de berg opkwamen, naar de hoeve, om met ze hem te spelen. Tegen mijn onuitgesproken verwachtingen in en voor één keer overeenkomend met mijn wensen, had zijn eerste ontmoeting met Magda een stormachtige verliefdheid tot gevolg, misschien wel omdat zij niet van plan was zich de liefde van die late, onverwachte kleinzoon te ontzeggen, en ze hem op alle mogelijke manieren probeerde te paaien, waar mijn zoon overigens zonder enige terughoudendheid op inging, op iedere rode lap kwam hij voortvarend afstormen. Ik hield me afzijdig van hun geheimen, hun kleine bondgenootschappen, en soms deed ik of ik boos werd over zo veel verwennerij, alleen maar om te zien hoe Jaime moest lachen om mijn bezwaren. Het gaf me een prettig gevoel als ik hen samen bezig zag, als ze tekenden, commentaar leverden op de tekenfilms op tv of een boek lazen en de stemmen van de prinses en de boze reus nadeden. Op een ochtend, toen ik op het strand lag te zonnen met Maribel, Egon en nog een paar vrienden van hen, zag ik Magda in haar blootje in het zand zitten, met Jaime naast haar, terwijl ze ieder hun handpalmen tegen elkaar wreven, in een gebaar waarvan ik de zin op die afstand niet kon ontdekken. Ik stond op en liep naar hen toe en zag dat ze het natte zand tussen hun vingers door lieten lopen en het vanaf een bepaalde hoogte op het strand lieten neerkomen, en op die manier, ogenschijnlijk op goed geluk, de muren van een spookkasteel uit een griezelfilm optrokken. Ze hadden niet door dat ik zo vlak bij hen was, en ik ging stilletjes bij hen in de buurt zitten en keek lange tijd zwijgend toe, ik luisterde alleen maar, en op dat moment voelde ik een vreemd soort vredigheid die ik niet precies zou kunnen omschrijven. Ik keek naar Magda's lichaam, zacht, uitgezakt vlees, ik volgde één voor één de rimpels op haar gezicht, ik herkende haar glimlach in de glimlach van mijn zoon, in zijn ogen, die gefascineerd waren door de plotselinge macht van zijn handen, en ik was niet langer bang om oud te worden.

Die avond, voor we naar bed gingen, zei ik tegen haar dat ik erover dacht de rest van het jaar te blijven.

'Ik kan Jaime inschrijven op de school waar María heen gaat, in El Cabo, Maribel vertelde dat ze nog plaats hebben, en ik vind waarschijnlijk wel…'

'Nee,' viel ze me in de rede.

'… ergens een baantje,' ging ik verder, zonder te willen laten blijken dat ik haar gehoord had, 'vast wel, met al die buitenlanders die hier wonen.'

Opnieuw onderbrak ze me, maar dit keer zei ze niets, ze stak alleen maar haar rechterhand op, alsof ze haar beurt opeiste, en ik liet haar praten.

'Hou maar op, Malena, je blijft hier niet.'

'Hoezo?'

'Omdat ik dat niet zal toestaan. Ik weet dat ik je ontzettend zal missen als je weggaat en dat kleine jong met je meeneemt, maar al zou ik weten dat ik jullie geen van beiden ooit nog zou zien de rest van mijn leven, dan nog zou ik het niet toestaan. Je moet onmiddellijk terug naar Madrid, zo snel mogelijk, daar loop ik al dagen over te denken, en ik heb het alleen maar niet tegen je gezegd omdat ik het helemaal niet leuk vind dat je weggaat, maar dat betekent niet dat ik niet dondersgoed weet dat je weg moet. Je hebt geen enkele reden om hier te blijven, of zie je dat soms niet? Hier wonen alleen mensen die geen plek hebben om naar terug te keren, en dat is bij jou niet het geval, dus je kunt me nog meer vertellen, maar jij gaat gewoon terug naar Madrid, en reken maar dat ik absoluut geen medelijden met je heb. Dit is een rattennest. Comfortabel, zonnig en met uitzicht op zee, maar niets meer of minder dan een rattennest, misschien wel het beste, en daarom juist een van de ergste. Bovendien, als jullie blijven, zal Jaime nog een hekel aan me krijgen,' ze lachte, 'want hij beult me af, en ik hou het niet lang meer vol om veertien uur per dag verstoppertje te spelen.'

'Dat is waar,' zei ik glimlachend. 'Jullie lijken wel een verliefd stel.'

'Precies, daarom is het beter dat jullie gaan. Hij heeft me al beloofd dat hij iedere zomer bij me zal komen logeren, en op die manier zal onze idylle eeuwig duren. En er is nog iets, Malena… Ik hoop niet dat je me verkeerd begrijpt, ik weet dat je het goed kunt vinden met je zus, en ook met je man, toch?, en, nou ja, ik mag dan wel op een eilandje leven, maar het is ook weer niet zo dat er niets tot me doordringt. En als ik het goed begrepen heb, heb jij het echtelijk huis verlaten, en het feit dat je tweelingzus daar nu rondloopt lijkt me geen al te best voorteken, wat zal ik zeggen, ik weet niet zo goed hoe ik het moet uitleggen…'

Ze durfde verder niets te zeggen, maar op haar voorhoofd en in de ironische trek om haar mond las ik wat zich achter die laatste onafgemaakte zin verborg, en voor het eerst voelde ik me niet beledigd door haar achterdocht, omdat ik in geen enkel opzicht meer twijfelde tussen haar en Reina.

De avond voorafgaand aan ons vertrek gaven we een massaal feest, iedereen was er. Jaime mocht opblijven tot hijzelf vond dat hij omviel van de slaap, en zelfs Curro gedroeg zich voorbeeldig, hij kwam een paar uur eerder met drank uit het café, hielp ons tortilla's bakken en gedroeg zich bijna als de gastheer des huizes, zelfs zo dat hij het niet eens nodig achtte aan te kondigen dat hij van plan was te blijven. 's Morgens dacht ik dat ik als eerste op was, maar Magda en Jaime hadden al ontbeten en zaten op het plaatsje op me te wachten, in de zon, hand in hand. Het afscheid was kort, zonder grote gebaren of welluidende woorden, een sobere, bescheiden droefheid. Toen we in de auto stapten, ging Jaime languit op de achterbank liggen, op zijn buik, en deed twintig kilometer lang of hij sliep om daarna abrupt overeind te komen en plotseling te gaan praten, waarbij ik uit de dikke keel waarmee hij praatte kon opmaken dat hij gehuild had.

'En als ze nou doodgaat, mama?' vroeg hij. 'Stel je nou voor dat Magda zomaar ineens doodgaat. Ze is al heel oud, als ze nu doodgaat, dan zien we haar nooit meer.'

'Ze gaat niet dood, Jaime, want ze is niet oud, ze is wel wat ouder, maar niet oud, en ze is gezond en sterk, toch? Vind jij dat grootmoeder Reina eruitziet of ze binnenkort dood zal gaan?' Hij schudde ontkennend zijn hoofd, en ik zei in mezelf dat zich geen betere gelegenheid zou voordoen om het onderwerp aan te snijden dat me het grote risico van onze terugkeer leek. 'Nou, Magda en zij zijn even oud, ze zijn tweelingzusjes, maar... Weet je, ik weet niet precies hoe ik het moet uitleggen, Magda en grootmoeder kunnen het niet zo goed met elkaar vinden, snap je?, heel lang geleden...'

'Ik hoef niemand te vertellen dat ik haar ken,' onderbrak hij me, 'ik heb haar nooit gezien en ik weet niet waar ze woont, we zijn op vakantie geweest in het huis van een paar vrienden van je... Dat bedoel je toch, hè?'

'Ja, maar ik weet niet precies hoe...'

'Ze heeft me alles verteld, en ik heb haar beloofd nooit aan iemand te vertellen waar onze schuilplaats is. Maak je maar geen zorgen, mama,' hij legde een hand op mijn schouder en keek me via het achteruitkijkspiegeltje aan. 'Ik kan een geheim bewaren.'

Die woorden raakten me zo diep dat ik er niet in slaagde me op mijn onmiddellijke toekomst te concentreren. Ik vond het prettig ruim zeshonderd kilometer over een bijna verlaten weg te rijden, en af en toe een blik op mijn zoon te werpen en me te verbazen over de eeuwigheidswaarde van sommige bondgenootschappen, en terwijl ik me afvroeg waarom ik het niet kon betreuren dat ook bij Jaime het bloed van Rodrigo door zijn aderen stroomde, werd ik overvallen door het bord – WELKOM IN DE GEMEENTE MADRID – alsof ik niet verwacht had dat ik dat nog ooit tegen te komen. Ik wist zeker dat ik terugging, maar ik wist niet precies waarheen, en ik realiseerde me dat ik het tot op dat moment niet begrepen had omdat ik het niet had willen begrijpen. Santiago en ik hadden een paar keer gebeld, korte, beleefde gesprekken, laf en vriendelijk, met ons gaat het goed, met mij ook, we blijven hier tot het einde van de maand, ik ga twee weken naar Ibiza, leuk, ja, een kus van je zoon, geef hem er ook eentje van mij, dag, dag. Hij was niet over Reina begonnen, en ik ook niet, maar ik veronderstelde dat ik in ieder geval naar huis moest gaan, naar het huis waarvandaan ik vertrokken was, al was het alleen maar omdat niemand per slot van rekening tegen me gezegd had dat het mijn huis niet meer was, en al was het een feit dat ik het verlaten had, het was net zo goed een feit dat mijn man mij in eerste instantie verlaten had.

Terwijl ik de onwaarschijnlijke hypothese overwoog dat Santiago er vertrokken zou zijn, en de meest waarschijnlijke, dat het verblijf in de echtelijke woning, al met al een eenvoudig huurappartement, onderdeel uitmaakte van de zaken die besproken moesten worden, zag ik zijn auto op een paar blokken afstand van het huis geparkeerd staan. Jaime slaakte een vreugdekreet, dat is papa's auto, mama, kijk, kijk, dat is papa's auto, en op dat moment stortte de hele wereld boven op me. De straten, de huizen, alles en alles, drukten een ogenblik op mijn schouders, en al had ik het niet warm, ik begon te zweten, het stuur slipte tussen mijn vingers door, mijn blouse plakte aan mijn lijf en mijn hart bonkte in mijn slapen. De paniek was kort maar zeer hevig. Toen ik het portier opende en op straat stapte, constateerde ik met verbazing dat mijn handen nog trilden, ondanks het feit dat ik er zeker van was dat ik mijn kalmte hervonden had.

Jaime haalde zijn hele arsenaal vreugdesprongen uit de kast toen we de trap opliepen en op de lift wachtten, en zijn enthousiasme deed me meer pijn dan ik voorzien had, al wist ik dat ik het hem niet mocht verwijten. Ik herinnerde me wel duizend keer toevallig ergens gelezen te hebben dat kinderen over het algemeen veel conservatiever zijn dan hun ouders, terwijl ik hem door de gang zag rennen om maar zo snel mogelijk bij de voordeur te zijn en hem op de bel zag drukken, ongeduldig op het hout bonkend tot de deur opening. Aan de andere kant stond Reina. Jaime hing meteen om haar nek en zij tilde hem op en overdekte hem met kussen tot ik, traag mijn ene voet voor mijn andere zettend, naast haar stond. Toen maande ze hem naar binnen te gaan, om met zijn nichtje te spelen, en probeerde bij mij hetzelfde, maar ik ontweek haar, glipte snel naar binnen door de opening tussen de deurpost en haar lichaam en stapte een huis binnen dat, en ik zag het bij de eerste aanblik, al niet meer het mijne was.

'Je zult het allemaal wel een beetje veranderd vinden, hè?'

Tegen de tijd dat ze dat durfde op te merken, stond ik al midden in een onbekende huiskamer, die me tegelijkertijd vaag bekend voorkwam, zoiets als Los Angeles, Californië, waarvan ik zeker weet dat ik er nooit gewoond heb maar dat ik onmiddellijk in iedere film herken. Het bedrijf van Santiago was kennelijk plotseling winst gaan maken in juni, want voor mijn ogen strekte zich een goedkope imitatie uit van een willekeurige middenpagina uit de *Nuevo Estilo*, effen okergeel geverfde muren, plinten en plafonds wit, geplisseerde zonnegordijnen voor de ramen, en een veelkleurige Turkse kelim in de hoek die gevormd werd door twee avantgardistisch vormgegeven banken die er hoogst oncomfortabel uitzagen, respectievelijk bekleed met lichtoranje en bleekroze, twee tinten die, hoewel ze in theorie met elkaar vloekten, beslist een harmonieus geheel vormden. Terwijl ik in mezelf zei dat ik nooit in staat was geweest twee van dergelijke kleuren te combineren, ontdekte ik de specifiek vrouwelijke hand waarvan de zeurende ondertoon me sinds ik een voet over de drempel had gezet zo geërgerd had, de verzameling buisvormige glazen vazen die bijna overal stonden en die allemaal één enkele aronskelk bevatten, kwijnend en armetierig, duur en bijzonder smaakvol. Toen realiseerde ik me dat Rodrigo me vanaf de achterwand toelachte, op dezelfde plek waar hij altijd had gehangen, boven een namaak Franse schouw van gepolijste steen, die er daarentegen nooit geweest was.

'Ongelooflijk!' zei ik, terwijl ik ernaar toe liep. 'En dan zeggen ze dat je in Madrid in augustus onmogelijk werklui kunt krijgen…'

'Ja,' zei Reina, nog altijd achter me, 'we hebben eerlijk gezegd veel geluk gehad, we vonden toevallig een paar schilders. Wat doe je?'

Ik plantte vastbesloten niet één, maar allebei mijn vuile voeten op de spiksplinternieuwe eigele katoenen zitting van een van de eetkamerstoelen, en gaf haar antwoord terwijl ik Rodrigo redde.

'Ik neem dit schilderij mee. Dat is van mij.'

'Maar dat kun je niet doen, ik dacht…'

Ik haakte het schilderij van de muur en schoot in de lach. In de muur zaten een paar onnodige gaten en een buitensporig grote afgebladderde plek. Doehet-zelven en mijn man, die combinatie was nooit erg succesvol geweest.

'Dit schilderij is van mij, Reina, dat heeft grootvader me nagelaten,' ik keek haar aan en zij boog het hoofd, 'jij hebt de piano geërfd, weet je nog, je bent de enige die heeft leren spelen, en bovendien bewijs ik jullie een enorme dienst door het mee te nemen. Nu hebben jullie tenminste plek om een *Gran Vía* van Antonio López op te hangen. Dat is het enige wat er nog aan ontbreekt hier.'

'Santiago zei dat je dat schilderij niet mooi vond, en ik dacht, omdat het tenslotte vroeger bij mama thuis hing…'

'Dat is gelogen, Reina,' ik zette het schilderij tegen de muur, schoof de stoel terug op zijn plaats en liep met mijn armen over elkaar naar haar toe, en ondertussen drukte ik mijn nagels in mijn handpalmen om mijn verontwaardiging de kop in te drukken met de kortdurende pijn die als bliksemafleider fungeerde. 'Dat schilderij hing niet bij mama thuis, het hing boven mijn bed, in mijn kamer, in het huis van mama, en Santiago heeft nooit kunnen beweren dat ik het niet mooi vind, want dat is niet waar. Wat ik me afvraag is of het bij geen van jullie beiden is opgekomen om, tussen al dat werk door, tegen de ander te zeggen waarom ik godverdomme weg moet hier en jullie hier blijven wonen.'

'Jij bent weggegaan,' ze keek me verbaasd aan, haar pupillen wijd opengesperd van uitgekauwde onschuld. 'We gingen ervan uit dat je andere plannen had.'

'Die heb ik ook,' loog ik, 'natuurlijk heb ik die. Waar is het schilderij van grootmoeder?'

Ik volgde haar door de gang naar mijn oude slaapkamer. Omdat de Republiek geen achternaam met toeters en bellen had, hadden ze haar met haar gezicht naar de muur gezet, naast drie volgepropte koffers.

'Mijn kleren, neem ik aan.' Reina knikte. 'En mijn spulletjes? Heb je die in vuilniszakken gestopt of hebben jullie die aan een voddenboer verkocht?'

'Nee, die staan allemaal daar, op het bureau... Ik dacht dat je het wel prettig zou vinden als ik ze voor je bij elkaar zocht, dat je dat minder erg zou vinden.'

Een halfuur later stond ik weer bij de deur. Ik had het schilderij van Rodrigo onder mijn linkerarm, mijn oude juwelenkistje tussen mijn vingers, en een grijs kartonnen doosje met twee pinda's tegen mijn handpalm gedrukt. In mijn rechterarm hield ik het portret van mijn grootmoeder, en aan mijn linkerhand, waar aan de middelvinger een verchroomde ringmoer schitterde, liep Jaime, mopperend omdat hij liever bij zijn nichtje wilde blijven slapen.

'Morgen, of overmorgen, of binnenkort, zal ik mijn kleren komen ophalen, en mijn boeken en de dingen die ik in die twee dozen heb gestopt die op de gang staan.'

'Neem je verder niets mee?' vroeg Reina, die met me mee wilde lopen tot de deur.

'Nee,' antwoordde ik. 'Dit is alles wat ik wil.'

Langzaam liep ik naar de lift, drukte op de knop, en terwijl ik stond te wachten, draaide ik mijn hoofd om om naar haar te kijken. Toen zei ik nog iets, al wist ik dat zij het nooit zou begrijpen.

'Dit,' en met een zwaai door de lucht wees ik op mijn weinige bezittingen, 'is alles wat ik ben.'

Het penthouse was niet veel groter dan honderd vierkante meter, hoewel het oppervlak van de terrassen, die zich op beide hoeken van de woonkamer bevonden en die van elkaar gescheiden waren door een lichte, stenen ballustrade, het woonoppervlak ruimschoots moest overtreffen. Maar zelfs zonder die terrassen zou het een fantastisch huis zijn.

'Vind je het mooi?'

Ik knikte en liep nog wat rond, mijn handen verstrengeld op mijn rug, en met dat tweeslachtige trieste gevoel dat me meestal overvalt als ik weet dat ik mooie dromen droom. Ik liep de gang weer op en bekeek nogmaals alle kamers, een voor een, in een zwijgend afscheid, drie slaapkamers, twee badkamers, een plaatje van een keuken met een bovenlicht en een grote bijkeuken, een piepklein halletje en een sensationele, bijna halfronde woonkamer, in drie ruimtes verdeeld door twee rijen oude smeedijzeren pilaren die ongetwijfeld nog origineel waren, en Madrid aan mijn voeten.

'Ik kan hier niet gaan wonen, Kitty. Ik zou het graag willen, maar dat kan ik niet doen.'

De vrouw van mijn vader, die in de woonkamer op me stond te wachten, wierp me een blik toe die zo vol verbazing was dat de uitdrukking op haar gezicht aan achterdocht grensde.

'Waarom?'

'Dit is te duur, en ik moet rondkomen van het salaris van een lerares Engels, het is belachelijk als ik in zo'n huis ga wonen.'

'Maar het zou je geen cent kosten!'

'Dat weet ik, maar het blijft van de gekke, ik... Ik weet niet hoe ik het moet uitleggen, maar ik kan hier niet gaan wonen.'

'Nou, ze zullen er niets van begrijpen. Geen van tweeën. Ze zullen het kort-zichtig van je vinden, en ik ook, want ik begrijp je al evenmin.'

Toen ik de avond daarvoor onverwacht bij hen thuis was komen aanzetten, had mijn vader zijn ergernis maar met moeite kunnen onderdrukken, maar zij had zich daarentegen als een voorbeeldige gastvrouw gedragen. Ze had ons geholpen ons te installeren, ze had uitentreuren herhaald dat we zolang mochten blijven als we wilden, en ze had me zelfs even apart genomen en me toevertrouwd dat ze heel goed begreep dat ik, tegen de traditie in, niet naar het huis van mijn moeder had willen gaan omdat Reina daar tenslotte tot een paar weken geleden gewoond had. Toch had ik niet durven hopen dat ze meteen de ochtend daarop al, na het ontbijt, tegen me zou zeggen dat ze een appartement voor me gevonden had, en als ze vervolgens geen toespeling had gemaakt op het feit dat we haar eigenlijk ook in de weg zaten, zou ik al die edelmoedigheid zelfs nog zijn gaan wantrouwen.

'Ik kan ze niet zo veel geld door de neus boren,' legde ik ten slotte uit, terwijl ik haar bij haar arm pakte om haar mee de kamer uit te tronen, 'daar zou ik me hoogst ongemakkelijk over voelen.'

Als antwoord barstte ze in lachen uit, haar hoog opgetrokken wenkbrauwen lieten geen twijfel bestaan over haar verbazing.

'Maar Malena, lieve hemel, ze barsten van het geld! Ze verdienen zoveel dat het gewoon gênant is, echt... Je denkt toch zeker niet dat dit het enige appartement is dat ze bezitten, hè? Ze laten zich al twintig jaar in natura betalen, ze houden één of twee woningen van ieder project dat ze aannemen, half Madrid is hun eigendom, serieus. Porfirio heeft een vliegtuigje gekocht, heb je dat niet gehoord? Hij heeft een opdracht gekregen voor een hotel in Tunis en hij heeft een vliegtuigje gekocht, om heen en weer te pendelen, je gelooft het gewoon niet, en vervolgens, toen Miguelito tegen hem zei dat hij zo'n babymotorfiets wilde voor zijn verjaardag, kwam hij aanzetten met dat daar geen sprake van kon zijn, dat dat geldverspilling was en dat hij niet van plan was hem te verwennen en aan al zijn grillen toe te geven, je moet maar lef hebben...'

'Maar hij is vast dol op hem.'

'Natuurlijk, en zijn zusje ook, vergis je niet, al zien ze hem zelden, dat moet gezegd, maar omdat Susana ook dol op hem is, en zij de godganse dag bij de kinderen is...'

'En Miguel?'

'Och! Ik neem aan dat het met hem nog beter gaat dan met zijn broer, want hij heeft trouwplannen.'

'Op zijn leeftijd?'

'Ja, maar hou je mond erover, want er is nog niets officieel. Hij heeft een verloofde van tweeëntwintig, twintig jaar jonger dan hij,' ze legde de uitdrukking op mijn gezicht goed uit en wisselde een intelligente blik van verstandhouding met me. 'Nou ja, je snapt, ze mag er natuurlijk wezen, maar ze is ook niet dom, dat spreekt voor zich, en ze is heel grappig, heel gek, afijn... Heel jong. En hij is vooral helemaal verslingerd aan d'r, hoe zal ik het zeggen, echt tot over zijn oren verliefd. Hij heeft haar een weekje meegenomen naar New York om haar in te pakken, kun jij het geloven?, en sinds hij terug is, is hij helemaal van de wereld, misschien dat het nog wel goed gaat ook, weet jij veel.'

Ze zweeg lange tijd, en ik probeerde me te herinneren met welke van de twee ze het laatst een relatie had gehad, maar het lukte me niet. Ze rukte zich los van de vluchtige, melancholieke schaduw die even haar oogleden had beroerd, en glimlachte naar me.

'Nou ja, wat ik wilde zeggen, het huis waar wij wonen was ook van hen, en ik heb daar jaren gratis en voor niks gewoond, totdat je vader het kocht. Zij vinden dat heel gewoon, en ze zullen het geld dat nu aan hun neus voorbijgaat echt niet missen, neem dat maar van me aan, ze hebben zelfs een belastingadviseur op de loonlijst staan, dus je kunt je wel voorstellen...'

'En hoe weet jij dat allemaal?'

'Omdat ik de belastingadviseur ben die op de loonlijst staat.' En toen haalde ze de sleutel uit haar tas, deed de deur open, en draaide hem achter me op slot. 'Kom, ik trakteer je op een kop koffie.'

Ze zei niets meer tot we in de zon zaten, aan een van de tafeltjes van de kiosk op het plein. Vervolgens, nog zonder van de Coca-Cola te hebben gedronken die ze besteld had, plantte ze haar ellebogen op het metalen tafelblad en glimlachte naar me. Ik vermoedde dat ze een bekentenis ging doen, en voor de zoveelste keer verbaasde ik me erover dat ik zo'n jonge stiefmoeder had.

'Je moet niet tegen je vader zeggen dat ik het je verteld heb, hoor. Hij vindt het maar niks dat ik nog steeds voor hen werk, weet je, hij is geobsedeerd door zijn leeftijd, volgens mij is hij jaloers en tot op zekere hoogte begrijp ik dat eerlijk gezegd wel, want ik ben zolang hun vriendinnetje geweest, beurtelings van alle twee... Op een of andere manier kan ik gewoon niet zonder hen, en daarmee wil ik niet beweren dat ik niet verliefd ben op je vader, want dat is het niet, helemaal niet, ik geloof dat ik de allereerste keer dat ik hem zag al verliefd op hem werd, ook al was dat in die tijd, in het huis in Almansilla, met je moeder en jullie, afijn, het kwam niet eens in me op een poging te wagen. Ik ben dol op je vader, Malena, maar ik heb Miguel en Porfirio nodig, en dat weten ze, het is moeilijk uit te leggen.'

Zonder iets te zeggen stond ze op en verdween achter de kiosk. Ik nam aan dat ze naar de wc was, en ik vroeg me af of ze, ondanks het feit dat ze zo verliefd op mijn vader was als ze zei en ik dacht, nog altijd zin had om af en toe met haar twee gewezen minnaars naar bed te gaan, en ik was jaloers op haar omdat ze dat kon, dezelfde soort jaloezie die ik met betrekking tot Reina voelde iedere keer dat ze me toevertrouwde dat ze voor het eerst sinds ze volwassen was echt verliefd was.

'Weet je wat ik ineens bedacht?' zei ik toen ze terugkwam, en ik dacht hardop verder, zonder me helemaal bewust te zijn van de betekenis van de woorden die ik uitsprak. 'Misschien worden we allemaal wel met een bepaalde hoeveelheid liefde geboren, een vastgestelde hoeveelheid die voor iedereen hetzelfde is, en misschien krijgen verwende kinderen, die types waar heel veel mensen altijd van gehouden hebben, zoals Miguel en Porfirio, wel een veel minder intense liefde dan mensen zoals ik die op een bepaald moment in hun leven krijgen, de mensen die over het algemeen weinig geluk hebben gekend.'

'Hoe kom je daar nou bij?' Kitty moest lachen. 'Of grossier jij soms in dit soort gedenkwaardige uitspraken?'

'Ik weet het niet,' lachte ik met haar mee. 'Het kwam zomaar ineens bij me op. Het onderbewustzijn, neem ik aan.'

'De kracht van het verlangen.'

'Misschien.' Ik legde mijn hand uitgestrekt op tafel, de handpalm naar boven. 'Oké. Geef op die sleutel.'

'Je doet het?' Ik knikte. 'Bravo, Malena! En veel geluk. Eerlijk gezegd verdien je dat zo langzamerhand weleens.'

Gedurende een paar maanden geloofde ik echt dat die woorden een voorspellende waarde hadden die op korte termijn en onherroepelijk bewaarheid zou worden, en nadat ik afscheid had genomen van Kitty en op mijn schreden was teruggekeerd naar het huis dat puur door de wil van het lot nu mijn huis geworden was, terwijl ik er rustig doorheen liep, genietend van ieder detail, met mijn vingertoppen de muren beroerde, met mijn blote voeten op een onberispelijke verhoging van honingkleurig vurenhout liep, begreep ik dat wat Reina met al die moeite voor elkaar had gekregen weinig meer was dan dat oude appartement waar ik absoluut geen heimwee naar had veranderen in een slechte kopie van de plek waar ik voortaan zou wonen, en die paradox interpreteerde ik als het eerste teken dat mijn lot op het punt stond van richting te veranderen.

Ik belde naar de studio van mijn ooms om hen te bedanken, maar ik kreeg alleen Miguel te spreken omdat Porfirio op reis was. We spraken iets af, en dat tot twee keer toe, maar in beide gevallen belde een van hen uiteindelijk af op het moment dat ik net de deur uit wilde gaan. Uiteindelijk ging ik hen op een ochtend in oktober ophalen in hun studio, een indrukwekkend gebouw in de calle Fortuny, met een hal als een arena, twee verdiepingen die met een monumentale vrijstaande trap met elkaar verbonden waren en een heel leger zo te zien drukbezette secretaressen. Ik was van plan hen mee uit eten te nemen, maar ze brachten me naar een peperduur Japans restaurant en verboden me godzijdank uitdrukkelijk ook maar een poging te wagen.

Ondanks de grijze haren die hier en daar door de haardos van Porfirio heen begonnen te schemeren en die het hoofd van Miguel bijna volledig bedekten, had ik het gevoel dat ze in de loop der jaren niet zoveel veranderd waren. Het waren nog altijd net twee verwende pubers, onverantwoordelijk en wispelturig, rijk, opgewekt en tevreden met het leven. We dronken bijna drie flessen wijn en, net als toen ik klein was, in Almansilla, maakten ze me voortdurend aan het lachen onder het eten. Porfirio stak omstandig de draak met Miguels op handen zijnde huwelijk, en deze liet zich ook niet onbetuigd en deed hem na als hij in trance achter de stuurknuppel van zijn vliegtuigje zat. Desondanks tafelden we niet lang na, omdat ze om halfvijf een vergadering hadden en, al deden ze hun best het niet te laten merken, beiden hielden hun horloge nauwkeurig in de gaten. Na het toetje kondigde Miguel voor de derde of vierde keer aan dat hij even naar het toilet ging, en Porfirio keek me met een veelbetekenend lachje aan, waardoor de medeplichtigheid iets pervers kreeg, en voor het eerst sinds lange tijd kon ik zonder met mijn ogen te knipperen zijn blik weerstaan.

'En zou jij het niet leuk vinden een keertje met me te vliegen?' vroeg hij. Ik begon te lachen, en hij lachte met me mee. 'Het is een unieke ervaring, dat weet je... Vliegen, de Afrikaanse hemel, alles bij elkaar.'

Miguel voegde zich weer bij ons terwijl hij luidruchtig zijn neus ophaalde, en we verlieten het restaurant.

'Zal ik je bellen?' fluisterde Porfirio me in het oor, toen hij me op mijn rechterwang kuste.

'Bel me maar,' ging ik akkoord, profiterend van dezelfde gunstige omstandigheden.

Hij deed het niet, maar ik vond het niet erg, want de verhuizing maakte dat oktober voorbijvloog, en pas na Kerstmis had ik tijd voor de geneugten van het vrijgezellenbestaan, die me tot dan toe onbekend waren. Met een zucht van verlichting kreeg ik mijn ochtendlessen weer op het instituut, ik raakte eraan gewend aan het eind van iedere maand zonder zeuren het benodigde bedrag opzij te leggen om het krediet waarmee ik het huis had kunnen inrichten af te lossen, en ik had het gevoel dat ik daar al mijn hele leven woonde, naast de *Capilla del Obispo*, in het penthouse van een luxe, gerestaureerd herenhuis, met een zoon van amper vijf die het huzarenstukje had volbracht maar liefst zes centimeter te groeien sinds het begin van de zomer. Ik voelde me niet eenzamer dan toen ik met mijn man woonde, en het exclusieve gezelschap van mijn zoon bleek minder moeilijkheden met zich mee te brengen en veel dankbaarder dan ik had kunnen vermoeden, zozeer zelfs dat ik me er sommige weekeinden een beetje over opwond dat ik hem moest afstaan, ofschoon ik moet toegeven dat ik me ongeveer een zelfde aantal keren verheugde op een paar dagen helemaal voor mij alleen, al voelde ik al aankomen dat ik niets speciaals zou gaan doen.

Terwijl ik me steeds meer ging hechten aan Jaime, nu zijn vermogen om de dingen te begrijpen en zich ermee te vermaken zo snel toenam dat er maar zelden een dag voorbijging waarop hij me niet wist te boeien met onverwachte initiatieven of opmerkingen, vervaagde Santiago steeds meer in mijn herinnering tot hij gereduceerd was tot de triviale afmetingen van een bijfiguur, misschien omdat mijn contact met hem uiteindelijk verwerd tot een bijkomend verschijnsel van de relatie met mijn zusje. Aanvankelijk deed die afstand pijn, want ik moet toegeven dat ik na de eerste verbijstering eerder dankbaar was dat hij me verlaten had dan dat ik wrok koesterde, en ik kon me niet losmaken van de schuldige genegenheid die me zo lang met hem verbonden had, maar hoe ik ook mijn best deed, het lukte me nooit hem alleen te zien, en de tweede keer dat hij, nadat hij haar naam niet had laten vallen toen we telefonisch een afspraak maakten, met Reina verscheen voor het eten, staakte ik mijn pogingen. Zij was het die boven kwam om Jaime te halen, die hem terugbracht, die me regelmatig opbelde om te vragen hoe het was, die zich aanbood om alle kleine moeilijkheden op te lossen – kwitanties, autoverzekeringen, correspondentie, achterstallige belastingaanslagen – die zo veel jaar samenwonen tijdelijk met zich meebrachten. Zij stelde me ook op de hoogte van hun plannen om in de lente te verhuizen naar een schakelwoning – het bleek meer een uitschakelwoning – in Engelse stijl, met een tuin, de grote droom van mijn man, in een nieuwe woonwijk die ongeveer even eenzaam gelegen was als de Hof van Olijven, tegenover de uiterste uithoek van het recreatiepark Casa de Campo. Zij was het ook die me in februari om een scheiding vroeg en aankondigde dat ze tegen de zomer wilden trouwen omdat ze graag samen een kind wilden, en die me later zou uitnodigen voor de bruiloft. Zij was het die me in maart voorstelde dat Jaime in de paasvakantie met hen mee zou gaan, en dat was het enige wat ik weigerde, want wij hadden plannen gemaakt om naar Almería te gaan en Magda op te zoeken. Maar Jaime smeekte me met tranen in zijn ogen hem met hen mee te laten gaan, en ik liet mijn verzet varen, want ik kon me er ook wel iets bij voorstellen dat de Wereldtentoonstelling in Sevilla hem niet echt trok. Na die reis was het ook Reina die een zoon bij me afleverde die niet veranderd leek.

In juni echter zei Jaime tegen me dat hij, vanaf volgend schooljaar, bij haar en zijn vader wilde wonen.

Als mijn zoon al niet voor hen gekozen had, dan was ik nooit naar die bruiloft gegaan waar ik ongewild meer blikken, elleboogstootjes en commentaar veroorzaakte dan ik me als oogst kon herinneren van mijn eigen huwelijksdag. Maar ik wilde niet dat Jaime zou denken dat ik vol wrok zat, of jaloers of verbitterd was, en hij had zo aangedrongen, en Reina had zijn smeekbeden zo gedecideerd gesteund, dat ik uiteindelijk besloot naar het diner te gaan, al voorzag ik dat ik op die manier Santiago's avond misschien zou bederven. Voor het overige, en afgezien van het feit dat mijn eigen situatie me volslagen belachelijk leek, die ogenschijnlijke emotionele promiscuïteit – 'we zijn hier allemaal westerlingen, beschaafde, progressieve mensen' – die volslagen nep was, maar die veel van de gasten ongetwijfeld afleidden uit mijn aanwezigheid, was ik niet bang het echt te kwaad te krijgen op het kritieke moment, het voorspelbare feestmaal waar ik trouwens niet de enige ster was die in staat was de glans van de hoofdrolspelers te doen verbleken.

Mijn zusje had een Bruiloft met een hoofdletter b georganiseerd, eentje van de klassieke school, met verschillende aperitieven, een officieel diner, een groot feest met dansen en orkest en vrij drinken. Het eerste bedrijf verliep gladjes. Tijdens het tweede waren er al een paar prominente gasten verschenen die redelijke bekendheid genoten, klanten van de bruidegom, en een tv-presentatrice, een oud klasgenootje, dat jarenlang met de bruid in dezelfde schoolbank had gezeten. De kerel die Reina van tafel deed opstaan zodra hij in de deuropening verscheen aan het begin van het derde bedrijf, herkende ik niet, al merkte ik hoe een groot deel van de aanwezigen tegelijkertijd hun aandacht op hem richtten, een donkere gedaante, opvallend fors, lang en zwaar, een bijna grof gezicht, alsof het ontworpen was met het strikte verbod kromme lijnen te gebruiken.

'Wie is dat?' vroeg ik aan Reina, toen ze aan tafel terugkeerde.

'Rodrigo Orozco,' antwoordde ze, verbaasd over mijn onwetendheid. 'Je wilt me toch niet vertellen dat je hem niet kent.'

'Nou, nee, ik geloof niet dat ik hem ooit gezien heb.'

'Het is een neef van Raúl,' legde ze uit, terwijl ze op de beste vriend van Santiago wees. 'Hij is net terug uit de Verenigde Staten, daar is hij een paar jaar geweest, met een beurs van een hele belangrijke stichting, weet je, ik kan me de naam even niet herinneren... Jawel, joh, je moet weleens van hem gehoord hebben, hij heeft een paar maanden terug een boek gepubliceerd, alle kranten hebben erover geschreven.'

'Geen idee,' bekende ik. 'Waar houdt hij zich dan mee bezig?'

'Hij is psychiater.'

'O! Nou, hij heeft meer weg van een portier van een nachtclub...'

Mijn zusje wierp me een minachtende blik toe als antwoord en zei verder niets, maar nog geen kwartier later pakte ze me bij mijn arm en troonde me mee de zaal door.

'Kom,' zei ze. 'Hij heeft me gevraagd of ik jullie aan elkaar wil voorstellen.'

Ik had nog niet door over wie ze het had, toen ik plotseling oog in oog stond met die kolos waarvan de gelijkenis met een kleerkast de intellectuele reputatie van zijn eigenaar bijna even efficiënt tenietdeed als zijn gezicht van opperhoofd van de Sioux. Mijn zusje sprak zijn naam uit, en hij stak zijn hand uit precies op het moment dat ik me vooroverboog om hem te kussen, en de verwarring frustreerde zowel zijn als mijn poging. Zonder problemen begroette ik de man die naast hem stond, een kleine, schriele Amerikaan die zichzelf voorstelde, en ik stond daar en wist niet wat ik moest zeggen. Op dat moment werd ik van achteren besprongen door mijn nicht Macu, die me bij mijn arm pakte en meesleurde naar haar man, die moppen stond te vertellen midden in een groepje waar ik me met een paar welwillende lachsalvo's bij aansloot. Toen, waarom weet ik niet precies, voelde ik dat die twee mannen die nog altijd onbekenden voor me waren, al had Reina hen dan net aan me voorgesteld, het over me hadden.

Ik draaide me abrupt om en betrapte hen. De neef van Raúl stond openlijk naar me te wijzen terwijl hij zich vooroverboog om iets in het oor van zijn vriend te fluisteren, dat kennelijk onweerstaanbaar geestig was, te oordelen naar het ironische lachje dat de Amerikaan in mijn richting wierp, terwijl hij mijn blik even schaamteloos weerstond als de fluisteraar zelf. Misschien had ik die scène in een andere levensfase op een andere manier geïnterpreteerd, maar op dat moment zei ik in mezelf dat ze me op zijn minst een dikkerd noemden, en hun lachen en hun blikken boorden zich als de punt van een dolk in mijn nek. Ik maakte me zo snel als ik kon uit de voeten, terwijl ik binnensmonds beledigingen mompelde om de verontwaardiging die mijn wangen kleurde de kop in te drukken, en toen, toen ik me meer dan ooit een toeristische attractie voelde, was het Santiago die me tegenhield. Mijn ex-man was zo dronken dat hij niet in staat was een verstaanbare smoes uit te brengen om me te vragen mee naar buiten te gaan, en uiteindelijk beperkte hij zich ertoe me mee te trekken naar de gang, waar hij nog een paar meter liep, tot hij me, samen met hem, opsloot in een telefoonhokje. Daar keek hij me recht aan, mompelde mijn naam, liet zich tegen me aan vallen en probeerde me te zoenen. Zonder al te veel moeite maakte ik me los uit zijn omhelzing, maar de vreemde glans die op dat moment in zijn ogen kwam, zorgde voor de bittere finishing touch, het absolute dieptepunt, aan het eind van een avond die uiteindelijk stereotiep was, omdat hij zo rampzalig was.

Het scheiden van mijn zoon veroorzaakte een fysieke pijn, een aanwijsbare, gruwelijke pijn, een ondraaglijk gevoel in mijn maag, mijn navel, mijn buik, mijn geperforeerde huid brandde in mijn vlees. Hij glimlachte nadat hij me een kus had gegeven, en ik kuste en glimlachte op mijn beurt en poogde iets zinnigs te zeggen, bel me af en toe eens op, zorg dat je het naar je zin hebt, maar ik kon het niet.

We waren net terug uit Almería, van een vakantie die ogenschijnlijk erg leek op die van het jaar daarvoor, maar daar in feite hemelsbreed van verschilde. Ik wilde geloven dat Jaime's keuze om weg te gaan gebaseerd was op puur materiële overwegingen, hij had ze vaak genoeg voor me opgesomd, een onbekommerdheid in zijn stem die volstond om overtuigd te zijn van zijn onschuld, en ik had me voorgenomen me naast hem op te stellen, zelf weer vijfeneenhalf te worden om hem niets te hoeven verwijten, maar soms werd de verleiding van emotionele chantage – ik heb alles voor je overgehad, en nu laat jij me zomaar zitten – te sterk, en als ik alleen in Madrid met hem was geweest, denk ik dat ik uiteindelijk dezelfde zonde had begaan die mijn moeder zo dikwijls tegen mij had begaan.

'Want papa's huis heeft een tuin, mama, en ze hebben twee schommels neergezet, eentje voor Reina en eentje voor mij, en als ik daar woon kan ik met haar spelen, en heb ik twee keer zo veel speelgoed, weet je, en boeken, want dan kan ik de hare en de mijne lezen, en ik hoef me niet te vervelen, want er zijn ook een heleboel kinderen in die wijk, en we mogen ook in de tuin van de buren, en tante Reina heeft me beloofd dat ze een fiets voor me aan de Drie Koningen gaat vragen, en in ons huis heb ik eigenlijk niemand om mee te spelen, en daar kun je ook niet fietsen...'

Magda overtuigde me ervan dat er verder echt niets achter hoefde te zitten, behalve het overduidelijke verlangen van mijn zusje en Santiago om hem bij zich te hebben, maar ik dacht vaak na over mijn eigen geschiktheid, over mijn onregelmatige kookneigingen, mijn gebrek aan geduld om hem bij zijn huiswerk te helpen, over hoe vaak ik 's avonds uitging en hem in handen van een oppas achterliet, over mijn onvermogen tijdschema's te respecteren, mijn manier van leven, die hij hardop, en steeds vaker, vergeleek met de manier van leven van mijn zusje, bij wie hij nu bijna ieder weekeind doorbracht sinds die paasvakantie.

'Weet je mama? Tante Reina komt 's avonds altijd naar onze kamer om ons een kus te geven voor ze gaat slapen, echt iedere avond, ze vergeet het nooit. En ons bed ligt altijd al opengeslagen, dat doet ze voor we gaan eten.'

Op een goede dag vroeg hij of er schuim in het bad mocht, want dat deed Reina ook. De volgende ochtend wilde hij een broodje verse tortilla met chorizo mee naar school, gewikkeld in aluminiumfolie en dat weer in een isolatietas waardoor het warm zou blijven, want zo waren de broodjes die Reina voor haar dochter klaarmaakte. Diezelfde middag vroeg hij of ik een spaarpot voor hem wilde maken van een kartonnen melkpak, want Reina wist hoe dat moest. Een paar avonden daarna vroeg hij me waarom ik met een stel vrienden uit eten ging in plaats van thuis te blijven, want Reina had hem verteld dat ze nooit meer alleen uitging sinds de geboorte van haar dochtertje. Om de haverklap wilde hij bij mij slapen omdat hij voelde dat hij eng zou dromen, want van Reina mocht hij bij haar en zijn vader slapen. Als we naar het park gingen, wilde hij met mij spelen in plaats van vriendjes te worden met andere kinderen, want Reina speelde in het weekeind altijd met hem. Als we naar de film gingen, moest ik kaartjes voor het balkon kopen omdat Reina zei dat kinderen het daar beter kunnen zien dan vanaf de parterre. Als ik hem 's middags op een hamburger trakteerde, moest ik die eerst voor hem ontdoen van ieder sliertje groene garnering, want Reina vond het nooit erg om dat te doen. Hij vond het raar dat ik naakt door het huis liep, al waren we alleen, omdat Reina dat nooit deed, en hij vond het niet leuk als ik hoge hakken droeg of mijn lippen en nagels rood verfde, of zwarte panties aantrok, omdat Reina dat soort dingen nooit deed. Op een dag vroeg hij me waarom hij bijna nooit een standje van me kreeg als hij iets verkeerd deed, want Reina deed altijd of ze boos werd als ze hem op een fout betrapte. Een andere keer verweet hij me dat ik per se wilde werken, want Reina had hem verteld dat ze niet werkte om ten volle van haar dochter te kunnen genieten. Op de uren dat ik werk, zit jij op school, antwoordde ik, dus dat maakt niet uit. Dat is niet waar, zei hij, volgens mij maakt het wel uit. Reina had blijkbaar altijd tijd.

'Jij hebt hem opgevoed,' zei Magda voor de zoveelste keer, 'en je hebt hem geleerd dat hij kan kiezen. Hij heeft gekozen, dat is alles.'

Ze spoorde me aan in augustus terug te komen naar de kust, nadat ik Jaime bij zijn vader had gebracht, en ik beloofde dat ik dat zou doen, ik dacht ook dat ik het echt van plan was, maar toen ik thuis kwam voelde ik me ontzettend moe, en de volgende dag was ik nog steeds moe, en de volgende ook, en de daaropvolgende. Eén voor één draaide ik de telefoonnummers die ik uit mijn hoofd kende, maar niemand nam op, de hele wereld was op vakantie, en eigenlijk kon het me niet schelen, het was zelfs zo erg dat ik een vreemde steek van genot voelde iedere keer dat ik de telefoon tien keer hoorde overgaan zonder dat er werd opgenomen, want eigenlijk had ik geen zin om iemand te zien.

Nog nooit, mijn hele leven niet, had ik me zo mislukt gevoeld.

Ik ging iedere middag naar de bioscoop, omdat daar airconditioning was.

Ik deed de deur open en zag hem niet eens. Ik tilde de lege gasfles met twee handen op, zette die op de overloop en haalde een briefje van duizend peseta uit mijn zak, in een werktuiglijke serie gebaren die ik al een miljoen keer had herhaald, maar toen zei hij de prijs van de nieuwe fles hardop, en zijn accent maakte me erop attent dat het niet de bezorger van vorige keren was. Ik keek hem aan en hij glimlachte naar me.

'Pools?' vroeg ik, om iets te zeggen, terwijl hij naar wisselgeld zocht in een kleine beurs die met een riem om zijn middel was bevestigd.

De rits van zijn butaankleurige overall stond bijna tot aan zijn navel open, en zijn mouwen waren opgerold tot boven zijn ellebogen. Hij was een kop groter dan ik, en zijn armen wekten de indruk me meer dan twee keer te kunnen omvatten. Hij had zwart haar, groene ogen, een hele lichte huid en een volmaakte kop. Het was lang geleden dat me zo'n schouwspel werd geboden.

'Nee!' antwoordde hij met een gemaakte glimlach, alsof mijn veronderstelling een belediging was. 'Niet Pool, niets Pool. Ik Bulgaar.'

'O! Sorry.'

'Polen, brrr…' voegde hij er nog aan toe, terwijl hij een minachtend gebaar met zijn hand maakte. 'Katholieken, vervelend, allemaal als Paus. Bulgaren veel beter.'

'Natuurlijk.'

Hij pakte de lege gasfles op, gooide die alsof hij niets woog op zijn schouder, glimlachte naar me en zei me gedag. Die middag ging ik niet naar de bioscoop.

Twee dagen later zag ik dat de buurman een lege gasfles voor zijn deur had gezet, en ik ruilde hem om voor de gasfles die hij bij mij had achtergelaten, maar degeen die naar boven kwam om hem te vervangen was de Pool van altijd, blond, klein, met een snorretje, en een ketting vol medaillons van de Maagd om zijn nek.

'En de Bulgaar?' vroeg ik hem, en hij wierp me een weinig vriendelijke blik toe en haalde zijn schouders op. ''t Maakt niet uit, hier, alsjeblieft.'

'Geen fooi?' vroeg hij alleen maar.

'Geen fooi,' antwoordde ik, en ik deed de deur dicht.

Halverwege september zag ik hem weer, op een zaterdagochtend, zuiver toevallig. Ik kwam het portiek uit om boodschappen te gaan doen, met Jaime aan mijn hand, en ik zag hem op de hoek staan, naast de vrachtwagen. Ik durfde niets tegen hem te zeggen, maar hij herkende me en glimlachte weer naar me, en toen zag ik dat er, wanneer hij dat deed, twee kuiltjes in zijn wangen verschenen.

'Hallo!' zei hij, en hij stak zijn hand naar me op.

'Hallo', antwoordde ik en ik liep naar hem toe. 'Hoe gaat het?'

'Goed, goed.'

Toen werd hij geroepen, maar ik verstond zijn naam niet. Hij tilde twee gasflessen van de grond en wierp me een verontschuldigende blik toe.

'Nu, het werk.'

'Natuurlijk,' zei ik. 'Dag.'

'Dag.'

Een dag of tien daarna, toen ik net wilde gaan lunchen, ging de bel, en het ergerde me zo dat ik van tafel moest opstaan dat ik er even over dacht niet open te doen. Terwijl ik naar de deur liep en probeerde te raden wie er op zo'n ongelegen moment zou langskomen, herinnerde ik me zijn bestaan niet eens, en toch was hij het die voor de deur stond, glimlachend als altijd.

'Wil je niet?' hij wees op een gasfles die op de grond stond.

'Oei! Ja zeker wel…' loog ik, terwijl ik het servet dat ik in mijn hand hield in mijn zak frommelde. 'Wat een toeval! Ik heb precies een lege gasfles. Ik ga hem meteen halen, heel erg bedankt.'

Ik holde naar de keuken, koppelde een fles af die nog half gevuld was, en transporteerde die zo bevallig mogelijk naar de gang, alsof hij exact de helft woog van wat hij in werkelijkheid woog.

'Wil je hem binnen?' vroeg hij me, wijzend op de nieuwe gasfles, en ik schoot in de lach.

'Ja, graag,' antwoordde ik, en hij glimlachte, al was duidelijk dat hij niet begreep waarom ik lachte. 'Dat doet me denken aan een heel oud grapje dat we op school aan elkaar vertelden, toen ik nog klein was, snap je?'

'School,' zei hij, 'jij meisje?' en ik knikte.

'Een bezorger van gasflessen komt bij een huis en vraagt de vrouw des huizes of hij hem naar binnen moet brengen, en zij zegt tegen hem, een klein stukje vind ik wel prettig, en als mijn man thuiskomt schuift die hem wel helemaal naar binnen… Hij is heel flauw, maar wij vonden hem erg leuk.'

Terwijl ik het uitschaterde, deed hij zijn best ook te lachen, alsof hij nog nooit zoiets grappigs had gehoord, en ik dacht dat hij er absoluut niets van begrepen had, maar ik vergiste me, want even later, zijn blik strak gericht op zijn beurs waarin hij omslachtig naar wisselgeld zocht, bracht hij zijn conclusies te berde in een voorzichtig gemompel.

'Maar jij niet man, hè?'

Ik wilde nog geen antwoord geven, maar mijn lippen krulden zich in een onbewuste glimlach. Hij sloeg zijn ogen op en praatte verder, terwijl hij me aankeek.

'Jij wel kind, ik heb gezien, maar niet man. Klopt?'

Ik kon een nieuwe lachaanval niet voorkomen, een luidruchtige lach vanuit mijn tenen, en dit keer lachte hij wel met me mee, en we wisten alle twee waarom we lachten.

'Dat wel,' bracht ik uit, zonder zelfs maar een poging te doen mijn lachen in te houden, 'dat is overal hetzelfde, hier, in Bulgarije, en in Papoea Nieuw-Guinea, natuurlijk, zo is dat, er is niets nieuws onder de zon...'

'Ik begrijp het niet,' antwoordde hij.

'Laat maar. In ieder geval klopt het,' gaf ik toe, en ik had zin eraan toe te voegen, ik bedoel, dat jij denkt dat ik zo onderhand tegen de muren opvlieg van pure ellende, en dat ik weet dat dat klopt.

'Scheiding?'

'Ja.'

'Dan kunnen wij afspreken.' Ik knikte. 'Vanavond?' Ik knikte weer. 'Half-negen.'

Ik stemde nog steeds zwijgend in, maar hij vond dat kennelijk niet voldoende garantie, want terwijl hij de trap al afliep draaide hij zich om en keek me aan.

'Goed?' vroeg hij.

'Goed.'

Die avond, om drieëndertig over acht, drukte hij op het knopje van de intercom. Toen ik zei dat ik er zo aankwam, antwoordde hij dat dat niet hoefde, dat hij wel bovenkwam, en dat deed hij heel snel, de hakken van zijn zwarte laarzen roffelden op de traptreden. Hij droeg een ontzettend strakke spijkerbroek, die niets te raden overliet, en een lichtgrijs katoenen T-shirt zonder mouwen.

'Zullen we wat gaan drinken?' stelde ik voor toen hij de hal binnenstapte, in een poging het plan te redden dat ik van tevoren had uitgedacht, de gebruikelijke volgorde, wat drinken, eten, nog meer drinken, bedoeld om de situatie een zekere schijn van normaliteit te geven.

'Nee,' antwoordde hij, terwijl hij zijn armen om mijn middel sloeg. 'Waarom?'

'Ja, dat is ook waar,' fluisterde ik, terwijl ik mijn handtas op de grond liet vallen, een seconde voor ik hem kuste.

Hij heette Hristo en was veruit het beste wat me in lange tijd overkwam.

Hij was geboren in Plovdiv, vierentwintig jaar eerder, maar hij woonde al heel lang in Sofia toen de Muur viel, en een paar maanden later al was hij naar een klein dorpje aan de grens met Joegoslavië verhuisd om er bij de eerste tekenen van verandering tussenuit te knijpen, want hij wilde niet het risico lopen dat ze op een dag spijt zouden krijgen en de grens weer dicht zouden gooien voor hij het hek gepasseerd was, zo legde hij me uit. Hij had door half Europa gereisd voor hij in Spanje was beland, maar Duitsland beviel hem niet vanwege het klimaat, in Italië waren de zaken niet zo best gegaan, en in Frankrijk waren al te veel vluchtelingen toen hij daar arriveerde. Hij woonde nu achttien maanden in Madrid en had het naar zijn zin, ondanks het feit dat ze hem de status van politiek vluchteling keer op keer geweigerd hadden, met het redelijke argument dat hij Bulgarije niet verlaten had om politieke redenen, een stelling die hij uitlegde als een smerig excuus, aangezien er, zo had hij uitentreure herhaald tegenover een honderdtal ambtenaren bij even zovele gelegenheden, in zijn land geen vrijheid en geen eten was, en omdat hij dus geen enkele andere reden nodig had om weg te gaan.

'Bovendien,' voegde hij eraan toe, 'ik zei dat ons koning hier woont. Maar niets. Zij nee, nee, nee.'

Zijn aanvankelijke plan was zo snel mogelijk naar de Verenigde Staten te emigreren, maar toen hij hier kwam hadden zijn landgenoten hem verteld dat het Spaanse Rode Kruis een maandelijkse toelage betaalde aan iedere vluchteling uit het Oosten, terwijl ze daar, in het hoogst hypothetische geval dat hij in Amerika zou worden toegelaten, zelfs geen dankjewel meer tegen hem zouden zeggen, en dus veranderde hij zijn plannen zonder een centje pijn en razendsnel. Maar in eerste instantie was het niet gemakkelijk geweest. Hij deelde een smerige, donkere kamer met vier andere Bulgaren, in een miezerig pension waar de bazin hen zoveel mogelijk afzette, in de wetenschap dat ze een vast adres nodig hadden, het liefst steeds hetzelfde, om hun verblijfsvergunning iedere maand verlengd te krijgen, en hij werkte als dagloner bij een project waar de omstandigheden al niet veel beter waren. Later, toen ze hem eindelijk een vergunning voor een jaar wilden geven, was hij er vertrokken en op eigen houtje dingen gaan ondernemen.

'Nu heb ik zaken,' zei hij hoogst raadselachtig tegen me.

Hij bezorgde nu pas een maand gasflessen, en hij was niet van plan dat nog veel langer te blijven doen. Hij hield de plek vrij voor zijn broer, die een auto-ongeluk had gehad, maar hij was het zat. Ik vroeg hem wat voor werk hij deed toen hij nog in Bulgarije woonde, en hij moest lachen.

'In Bulgarije werken alleen vrouwen,' zei hij. 'Mannen doen andere dingen.'

'O ja?' vroeg ik stomverbaasd. 'Wat dan, de pooier uithangen?'

'Geld verdienen.'

Ik verzocht hem me dat mysterie te verklaren en begreep dat hij het werkwoord 'werken' alleen maar gebruikte voor het uitvoeren van legale taken, een terrein waar zijn voorkeur niet bepaald naar uitging. In Bulgarije had hij van alles gedaan, van het illegaal invoeren van een grote verscheidenheid aan voorwerpen afkomstig uit Oost-Duitsland, tot het omwisselen van vals geld, en dat laatste was zijn voornaamste bezigheid geweest toen hij het land verliet. Het lukte me niet uit hem te krijgen in wat voor soort zaken hij nu verwikkeld was, maar toen ik hem waarschuwde dat de zaken hier enigszins anders lagen en dat je met tienduizend peseta de gevangenis niet uitkwam, zei hij tegen me dat hij niet gek was en dat hij heel goed wist wat hij deed, en ik besefte dat hij het meende. Hij wilde niet zoals zijn broer leven, tien uur per dag werken, zonder contract en zonder sociale verzekeringen, weinig verdienen en alles opsparen om zijn vrouw en twee kinderen over te laten komen, alsof hij een Pool was, zei hij. Hij was niet getrouwd, en hij was absoluut niet van plan zich te laten poloniseren. Toen hij zich in Madrid vestigde, had hij zijn vriendin een ansichtkaart van drie regels gestuurd: 'Het gaat goed met me, ik ben niet van plan terug te komen. Haal het niet in je hoofd hierheen te komen. Dag.'

'Zij huilt dagen en dagen,' legde hij me uit, 'maar dingen zijn zo.'

Hij miste de meegaandheid van de vrouwen in zijn land, want die stelden geen eisen in ruil voor het gehoorzamen aan de mannen.

De eerste nacht die we samen doorbrachten, vertelde hij me dat hij kort na aankomst een Andalusisch vriendinnetje had gekregen dat in Carabanchel woonde, een alleenstaand meisje, jong en knap, dat lekker kon neuken, maar niet zo lekker als ik – een detail dat hij specificeerde alsof het van groot belang was, wat mij wel kon bekoren – en dat wel met hem wilde trouwen, maar hem het leven onmogelijk maakte.

'Zij zei altijd, waar ga je heen, en dan, nee, nu ga je niet, nu neuken, neuken, altijd neuken wanneer ik ging.'

'Logisch,' legde ik hem tussen het lachen door uit, 'om je droog te zetten, want de wip die je met haar maakte, die kon je niet meer elders maken.'

'Ik begrijp,' hij knikte, 'ik begreep maar niet leuk. Soms zei ik, nee, niet neuken, ik weg, en zij zei, ik pleeg zelfmoord, ik pleeg zelfmoord, ik ga zelfmoord plegen. En altijd neuken voor ik ging.'

Ondanks alles had hij nog energie om het gezelschap van zijn vriendinnetje te combineren met dat van een medevluchtelinge, een Roemeens meisje dat op uurbasis als schoonmaakster werkte, en hij deed het niet stiekem omdat hem dat niet nodig leek. Toen de Andalusische van de situatie op de hoogte werd gesteld door een andere Bulgaar die naar haar hand wilde dingen, werd ze woest en trapte een vreselijke scène, midden op straat, en daarna had ze zijn kleren en al zijn spullen door het raam naar buiten gegooid voor de onverschillige blik van de voorbijgangers, een detail dat hem uiteindelijk uit zijn vel had doen springen.

'En nationaliteit... paf! Weg.'

'Logisch, je bent ook een smeerlap,' zei ik lachend. 'Hoe kon je dat arme meisje zoiets aandoen?'

'Wat doen? Haar maakte niet uit. Ik behandel haar goed. Beter dan andere. In mijn land, vrouwen zijn niet zo. Spaanse vrouwen heel anders. Hier is moeilijker man zijn. Vrouwen geven meer, meer passie, maar jaloers, bezetten...'

'Bezitterig.'

'Ja, bezitterig. Zij willen weten waar jij gaat, altijd waar jij gaat, waar jij woont. Zij geven alles, maar vragen alles. Zij zeggen dat zij zelfmoord plegen, zij zeggen altijd dat jij haar vermoordt, dat zij zelfmoord gaan plegen. Ik heb liever Bulgaarse vrouwen, makkelijker tevreden. Je verdient geld, je geeft haar, je behandelt haar goed, en klaar.'

'Dit is het Zuiden, Hristo.'

'Ik weet het.'

'Het Zuiden, hier zijn de oorlogen bijna altijd burgeroorlogen.'

Ik wist nooit van tevoren wanneer we elkaar zouden zien. Ik kon hem niet bereiken omdat hij kennelijk geen vast adres had, en hij belde me bijna nooit, maar hij was vreselijk boos als hij langskwam en ik er niet was. Hij was geestig, slim, energiek, en verbazend gul op zijn manier. Als hij geld had, nam hij me mee naar hele chique gelegenheden en gaf hij me de meest fantastische cadeaus. Als hij geen geld had, vroeg hij het aan mij alsof dat de normaalste zaak van de wereld was, en omdat het dat ook was, leende ik het hem en hij betaalde me een paar dagen later nauwgezet terug, met een bos bloemen of een doos bonbons, een discreet detail bij wijze van rente. Altijd als we elkaar zagen belandden we uiteindelijk in bed, vaak begonnen we daar zelfs en ondernamen we verder niets. Zoals eigenlijk wel logisch was, ontbrak het hem aan alle symptomen van het syndroom van de moderne westerse man. Hij toonde zich verbluffend zelf-verzekerd, hij was niet bang voor zijn gevoelens uit te komen, hij hoefde niet de harde jongen uit te hangen, het leek of hij nooit moe was, of geen zin had, en hij behandelde me met een soort ironische welwillendheid – alsof hij zonder zijn mond open te doen tegen me zei, en nu ga ik je neuken want dat is wat je wil – die ik erg grappig vond, vooral omdat onze relatie in grote lijnen en anders dan het op het eerste gezicht leek, eerder het tegenovergestelde was. Hij was het die mij opzocht en me over zijn leven vertelde, die om steun en begrip vroeg, die, van ons beiden, altijd het best af leek te zijn.

Op een vrijdag kwam hij met flink de pest in bij me langs, op een nog niet eerder vertoond tijdstip, bijna twee uur 's ochtends. Hij was op een feest geweest, legde hij me uit, andere Bulgaren hadden hem meegenomen, maar niemand had hem gewaarschuwd waar hij zou belanden.

'Het was een feest voor mannen alleen. En wat gebeurd is vind ik niet leuk. Met een Spanjaard,' verduidelijkte hij.

'Dat verbaast me niks, Hristo,' zei ik, met het vermoeden waar het allemaal om draaide, 'moet je zien hoe je erbij loopt.'

'Ik begrijp het niet.'

'Kom, kijk eens in de spiegel.'

Ik troonde hem bij zijn elleboog mee naar de hal, deed het licht aan, en plaatste hem pal voor de spiegel. Die avond was hij behangen met al zijn bezittingen van huis gegaan, een half dozijn kettingen om zijn nek, twee slavenarmbanden om zijn rechterpols, een Rolex en nog een polshorloge om zijn linker, en diverse ringen aan zes van zijn vingers, een scheepslading zuiver, vierentwintig karaats goud.

'Wat is er?'

'Godallemachtig!' riep ik uit. 'Zie je het dan niet? Je lijkt het liefje van m'n opa wel...' Ik realiseerde me dat hij me zo nooit zou begrijpen en drukte me duidelijker uit. 'Hier dragen mannen geen juwelen, niet eentje. Dan ben je geen echte man, snap je? Echte mannen dragen geen goud. Goud is iets voor vrouwen.'

'Ja,' zei hij. 'Ik wist dat.'

'Nou dan?'

'Ik kan niet geld houden. Als ik geld houd en zij gooien mij uit, in Bulgarije is Spaans geld weinig waard. Goud is veel waard daar.'

'Maar ze gooien je er niet uit, Hristo! Jou niet. Als je nou een Palestijn was, of een Gambiaan, dan zou het wat anders zijn, maar jullie gooien ze er niet uit.'

'Ik weet niet.'

Ik keek hem aan en hij vertrok zijn gezicht. Tegen die tijd had hij me met tegenzin bekend dat hij in van alles handelde, van deviezen tot reserveonderdelen van gestolen auto's, alles behalve drugs, de enige handelswaar die hem te gevaarlijk leek in zijn omstandigheden.

'Oké, weet je wat we doen? Vertrouw je me?' Hij knikte. 'Nou, als je je op die manier rustiger voelt, blijf dan maar gewoon goud kopen, maar draag het niet, want afgezien van dat ze je er op straat op aanspreken, begin je op een wandelend reclamebord voor een overval te lijken. We kopen een geldkistje met één sleutel en die hou jij, maar we bewaren hem hier, in mijn huis. Je kunt hem altijd openen om te controleren wat erin zit, ik zal er niets uithalen, en de dag dat je er wordt uitgegooid, kom je hierheen en neem je hem mee, goed?'

'En als geen tijd is?'

'Dan stap ik op het vliegtuig en breng het goud naar je toe in Sofia.' Hij keek me met een eigenaardige blik aan en ik werd ernstig. 'Ik zweer het, Hristo.'

'Op zoon?'

'Op zoon. Ik zweer het op mijn zoon.'

'Jij zou dat voor mij doen?'

'Natuurlijk, schei toch uit.'

'Ik zou jouw ticket betalen.'

'Dat is nog tot daaraan toe.'

'Jij zou echt naar Sofia komen?'

'Echt.'

Hij keek me aan alsof hij zo'n aanbod nooit had durven verwachten, en heel rustig begon hij zich van zijn kettingen te ontdoen en hij liet ze langzaam in de kom van mijn handen glijden, alsof mijn houding hem echt had aangegrepen.

'Deze mag ik houden?' vroeg hij me, wijzend op de dikste. 'Die vind ik erg mooi.'

'Natuurlijk, en je horloge, en een of twee ringen,' zei ik, toen ik besefte dat het er ook niet om ging dat hij een echte heer zou lijken.

Ik bracht de buit naar mijn kamer en borg hem voorlopig op in de la van het nachtkastje. Hij kwam achter me aan en gooide me op bed nog voor ik het goed en wel in de gaten had.

'Hou jij van mij?' vroeg hij later, toen ik de verse sporen van zijn zaad nog op mijn dijen voelde.

'Ja,' antwoordde ik, en kuste zijn lippen, 'natuurlijk hou ik van je.'

'Maar je hebt mij niet echt nodig, hè?'

Ik was zo verbaasd een zin te horen die zo vlekkeloos was uitgesproken, dat ik vermoedde dat hij die misschien van tevoren bedacht had, en toch zei ik hem de waarheid.

'Nee, Hristo. Ik heb je niet echt nodig. Maar ik ben graag bij je, daar gaat het ten…'

'Ik wist het,' viel hij me resoluut in de rede. 'Jij zegt nooit ik pleeg zelfmoord als ik ga.'

Ik had het gevoel dat hij bedroefd was, en het irriteerde me dat hij misschien verliefd op me was geworden. Terwijl ik wanhopig naar woorden zocht, begon hij plotseling in een vreemde taal te praten, terwijl zijn rechterhand in de lucht bewoog en hij met de uitdrukking van zijn stem speelde, alsof hij een gedicht voordroeg. Toen hij ophield, bleef hij me aankijken, en ik meende te zien dat hij huilde.

'Poesjkin,' zei hij alleen maar.

Daarna stortte hij zich bovenop me en begon me te neuken alsof iemand hem in het oor had gefluisterd dat de wereld nog maar zo'n tien minuten zou bestaan.

De volgende ochtend leek hij zichzelf weer volledig onder controle te hebben. Hij stond pas op toen ik uit de badkamer kwam, gedoucht en aangekleed, maar we ontbeten samen, en toen vertelde hij me dat hij Russisch sprak doordat hij dat op school had geleerd. Ik dacht dat hij niet meer op het onderwerp zou terugkomen, maar buiten, toen we afscheid namen, zei hij iets voor hij me kuste.

'Alles hetzelfde?'

'Natuurlijk,' antwoordde ik, terwijl ik hem ook kuste. 'Alles precies hetzelfde.'

Hij glimlachte naar me en ik ging naar mijn werk.

Diezelfde middag belde Reina me op om te vragen wat mijn plannen met Kerstmis waren, en voor ik iets kon zeggen, vertelde ze me dat zij van plan was met zijn allen bij haar thuis te eten, zij, de kinderen, papa en mama met hun respectievelijke partner, en ik zonder partner.

'Begrijp me goed, hoor,' zei ze, 'dat veronderstellen we tenminste, maar je mag natuurlijk meenemen wie je wilt.'

Het was ruim twee weken voor kerstavond en eerlijk gezegd had ik er nog helemaal niet over nagedacht. Ik was er zeker van dat Hristo met me mee zou gaan als ik het hem zou vragen, maar het leek me een rotstreek om hem mee te nemen. Uiteindelijk belde ik Reina op en ging akkoord, en in ruil daarvoor stelde ik voor dat Jaime oudjaar bij mij zou zijn. En toen vroeg ze of ik de laatste tijd niets vreemds aan mijn zoon had gemerkt.

'Nee,' antwoordde ik, zonder te hoeven nadenken. 'Volgens mij gaat het goed met hem, hetzelfde als altijd. Waarom vraag je dat?'

'Nee, nergens om.'

'Kom op Reina, natuurlijk zeg je het ergens om. Wat is er met hem aan de hand?'

'Ik weet het niet…' mompelde ze. 'Hij wil ineens niet meer praten, en hij maakt heel veel ruzie met zijn nichtje. Misschien is het wel omdat je inmiddels kunt zien dat ik zwanger ben.'

'Wat een onzin! Laatst zei hij nog tegen me dat hij het zo leuk vond om een zusje te krijgen.'

'Denk je?'

'Ja, natuurlijk, waarom zou hij dat anders tegen me zeggen… Bovendien,' bracht ik haar in herinnering, zoals altijd als ik de kans kreeg, 'ben jij zijn moeder niet. Zou er niet iets op school gebeurd zijn? Hoewel hij goeie cijfers gehaald heeft dit trimester.'

'Nou ja, oké, hij zal wel slechtgehumeurd zijn.'

Verder zei ze niets, maar ik hoefde ook niets meer te horen om me ongerust te maken. Toch hield ik Jaime dat weekeind vanuit mijn ooghoeken in de gaten en ik vond dat hij uitstekend gehumeurd was, tevreden, en zelfs bijzonder communicatief. In de week daarop haalde ik hem een keer van school en nam hem mee naar de film en daarna gingen we iets eten, en na afloop vroeg hij of hij bij mij mocht slapen, en toen ik zei dat dat natuurlijk mocht, dat hij mocht komen wanneer hij maar wilde, want dat mijn huis ook zijn huis was, zei hij tegen me dat Reina soms tegen hem zei dat ik hem niet naar school kon brengen voor mijn werk omdat dat te ver was en ik dan te laat voor mijn lessen zou komen.

'Maar jij vindt het toch niet erg om een kwartier voor de bel op school te zijn?' vroeg ik hem.

'Nee, helemaal niet.'

'Nou, dan kun je hier altijd komen slapen als je wilt. Je hoeft alleen maar op te bellen en dan kom ik je halen.'

Die avond bleef ik even bij hem zitten toen ik hem naar bed bracht.

'Is er iets, Jaime?'

'Neeeee!' antwoordde hij, met zijn hoofd schuddend.

'Zeker weten?'

'Tuurlijk.'

'Mooi zo,' zei ik, glimlachend.

Daarna gaf ik hem een kus, deed het licht uit en liep de kamer uit, maar voor ik de deur dichtdeed, hoorde ik dat hij me riep.

'Mama!'

'Ja?'

'Als ik vakantie heb, dan kunnen we naar Almería gaan, hè?'

'Dat denk ik niet, schatje,' zei ik, terwijl ik weer naar hem toe liep, 'want dit is een hele korte vakantie, en op kerstavond moeten we met de hele familie eten, en daarna krijgen we oudjaar, en dan komen de Drie Koningen, en als die je niet thuis vinden dan krijg je geen cadeautjes. Maar we gaan er het eerste lange weekend van het nieuwe jaar naar toe, afgesproken?'

'Ja,' hij deed zijn ogen dicht en kroop inelkaar tegen zijn kussen. Hij leek moe.

'Welterusten,' zei ik.

'Welterusten,' antwoordde hij, maar vervolgens riep hij me weer. 'Mama.'

'Ja?'

'Ik heb het aan niemand verteld, hoor. Dat van onze schuilplaats...'

Twee dagen later belde Reina me weer om te vertellen dat ze vond dat Jaime zo vreemd deed, en dit keer loog ik opzettelijk toen ik antwoordde dat ik niets bijzonders aan hem had gemerkt.

De lange met snor heette Petre, maar Hristo fluisterde in mijn oor dat hij zich Vasili liet noemen omdat niemand in Spanje verwachtte dat een Bulgaar zo zou heten. Hij somde de namen van alle anderen op terwijl hij hen aan me voorstelde, Giorgios, nog een Hristo, Nikolai, nog een Hristo, Vasco, Plamen, een Petre zonder complexen, een echte Vasili en nog een stuk of wat Hristo's.

'Mijn naam erg beroemd in Bulgarije,' zei hij, alsof hij zich moest verontschuldigen.

Het was ontzettend koud, maar dat kon je moeilijk voelen. De Puerta del Sol was vol haastige, glimlachende mensen, de gekleurde lampjes brandden boven ons hoofd, en de nietsontziende geluidsinstallaties van een paar grote warenhuizen lieten een eentonige reeks traditionele kerstliedjes op ons neerdalen die venijnig galmend door de lucht daverden en alles doordrongen van een nepperige, weeë nostalgie. Geleidelijk arriveerden er steeds meer gasten op dat vreemde kerstfeest, bijna allemaal Bulgaren, maar ook Roemenen, Russen, en zelfs Polen, allemaal heel jong en voor het overgrote deel mannen, sommigen in het gezelschap van een Spaans meisje, anderen met hun vrouw en soms een klein kind, tot ze een kleine menigte vormden rond de fontein op de rand waarvan Hristo en ik op wonderbaarlijke wijze een plekje hadden gevonden om te zitten. Al snel gingen er twee-literflessen Coca-Cola rond die voor de helft gevuld waren met gin, en geen enkel glas. We dronken zo uit de fles, maakten met onze handpalm de hals schoon voor we de fles aan onze mond zetten, en gaven hem na de eerste slok door naar links, tot er van rechts een volgende kwam, en iemand begon in een vreemde taal te zingen, anderen vielen even in, daarna stopten ze en lachten, ze leken het erg naar hun zin te hebben, dat zei ik tegen Hristo en hij keek me verbaasd aan, natuurlijk hebben we het naar ons zin, zei hij, morgen is het Kerstmis. Toen schoot ik in de lach en hij kuste me, en ik voelde me beter omdat ik daar was, met die bezitsloze miljonairs, die absoluut niets hadden maar absoluut alles van de toekomst verwachtten, omdat ze leefden, en vol levenslust waren, en omdat het de volgende dag Kerstmis was, en meer had je niet nodig om het naar je zin te hebben. Ik hield hen gezelschap en dronk met hen, niet met de bedoeling om door het lint te gaan maar ik deed ook niets om het te voorkomen, ik keek met een schuin oog op mijn horloge en vervloekte bij voorbaat de bijeenkomst die me wachtte, alsof ik niets afschuwelijkers kon bedenken dan de verplichting me die avond op te sluiten in het huis van mijn zusje, om te eten, te glimlachen en mooi weer te spelen, een kwelling waarvan de armoedige optimisten om me heen tenminste verlost waren, voor vele jaren. Daar toostte ik zwijgend op, en ik ging verder met drinken, en lachen, en ik kuste iedereen die naar me toe kwam op de wangen en liet me op mijn beurt kussen, zalig Kerstmis, zalig Kerstmis, zalig Kerstmis voor iedereen, godverdomme.

Zij zagen mij voor ik hen kon onderscheiden in de stromen mensen die elkaar kruisten en tegen elkaar aanbotsten als mieren bij de uitgang van een mierennest, tegen elkaar aanduwend in tegengestelde richtingen tegenover de plek waar de calle Preciados op het plein uitkwam. Ze deden een paar stappen in mijn richting en stonden, met stomheid geslagen, stil voor het koor van vluchtelingen, dat onmiddellijk uiteenweek om hen door te laten, de leden plotseling verlegen door de altijd imponerende en universele verschijning van gezaghebbende mensen. Beladen met pakjes, welvarend en goedgekleed, leken ze op een van die modelgezinnen die in tv-reclames verschijnen om de fantastische mountainbike te showen die hun bank hun cadeau heeft gedaan alleen vanwege het feit dat ze een rekening hebben geopend die spaargeld beloont met een rente van zeven komma zoveel procent, ongelooflijk maar waar, en waar wacht ú nog op?

Reina ging van top tot teen gehuld in een piksplinternieuwe nerts, hij hing tot op haar voeten, en ze stonk naar haarlak alsof ze net bij de kapper vandaan kwam. Haar dochter was een volmaakte replica van de meisjes die wij op haar leeftijd geweest waren. Santiago droeg een goudbruine jas van kamelenhaar, en daaronder een donker pak en een stropdas, uiteraard, op zo'n dag, en ook Jaime had eraan moeten geloven. Onder zijn houtje-touwtje jas ontwaarde ik een marineblauwe blazer met vergulde knopen die ik hem nog nooit had zien dragen.

'Hé, mama!'

Mijn zoon was de enige die me groette alsof er niets aan de hand was, en als hij niet zo overduidelijk blij was geweest me te zien, was de situatie waarin ik me bevond wellicht niet eens goed tot me doorgedrongen, maar zijn begroeting ontnuchterde me in één klap, en toen pas kon ik van buitenaf naar mezelf kijken, alsof ik het niet zelf was, een vrouw van middelbare leeftijd met haar armen om een acht jaar jongere man geslagen en aan alle kanten omringd door een escorte van armoedzaaiers, illegale buitenlanders zonder identiteitspapieren, die er rusteloos uitzagen, die iedere keer dat ze in de verte een agent zagen aankomen op het trottoir aan de overkant gingen lopen, en het zag er allemaal heel normaal uit, maar die vrouw was ik, en ik was de moeder van dat kleine jongetje met indiaanse lippen dat stond te zwaaien, dat me begroette alsof ook hij het allemaal heel gewoon vond, en plotseling begreep ik dat die glimlach alles voor me betekende, en ik probeerde hem aan te raken, maar mijn zusje, die hem bij de hand had, deed een stap naar achteren.

'Kom je nog eten vanavond?' vroeg ze.

'Natuurlijk,' antwoordde ik, zonder te kunnen voorkomen dat mijn stem lijzig klonk.

'Nou, dan zou je er beter aan doen eerst naar huis te gaan om je om te kleden, want je ziet er niet uit.'

Ik boog mijn hoofd en zag de sporen van verscheidene straaltjes coca-cola op mijn witte blouse. Ik was zo woedend dat ik niets passends kon bedenken om terug te zeggen. Toen ik weer opkeek, hadden ze zich al omgedraaid en haastten zich van me weg, met hun rug naar me toe.

'Jaime!' schreeuwde ik, met een verschrikkelijke dronkemansstem. 'Krijg ik geen kus?'

Mijn zoon draaide zich om om naar me te kijken, keek weer voor zich, en keek opnieuw om. Toen gebaarde hij naar me, een verzoek om op hem te wachten, en ondanks de afstand kon ik precies zien hoe hij zijn hand probeerde te bevrijden uit die van mijn zusje, en hoe Reina de zijne nog steviger beetpakte, waardoor hij struikelde. Even later draaide hij zich om en trok zijn schouders op om zijn onmacht te laten blijken, terwijl hij me een handkus toewierp.

Hristo, die het allemaal gezien had en er niets van begrepen had, pakte me bij mijn schouders toen ik begon te huilen, en daarna omhelsde hij me en begon me te kussen, mijn gezicht te liefkozen en mijn tranen af te vegen, en ik was hem in stilte dankbaar voor zijn zorgzaamheid, en ik had hem graag uit willen leggen dat noch hij, noch iemand anders, ooit, met geen enkel gebaar, die hevige tranenvloed zou kunnen stelpen, maar ik kon niet praten, alleen maar luidkeels snikken, waarbij lange, gierende uithalen aan mijn keel ontsnapten, het schrille geluid van de ontroostbaarheid, totdat iemand me ergens vandaan een bijna volle fles aanreikte en ik in één teug de helft van de inhoud achteroversloeg, en door het effect van de drank in mijn binnenste slaagde ik er ten slotte in mijn ogen open te doen en mijn lippen te bewegen.

'Poesjkin,' zei ik, en hij knikte.

Daarna pakte hij me weer met twee handen bij mijn schouders, drukte me tegen zijn borst, en ik huilde verder.

Ik werd wakker met mijn kleren aan, ik lag languit op een bank in de woonkamer van een huis dat ik niet kende. Als ik mijn ogen dichthield hoorde ik alleen het gierende geluid van een zaag die mijn hoofd in tweeën zaagde, maar ik hoefde maar één ooglid op te tillen, en een onzichtbare hand gaf een enorme dreun met een hamer op een hele dikke spijker die dwars door mijn hoofd ging. Ik herinnerde me vaag hoe ik daar de vorige avond terecht was gekomen, maar ik kon me niet herinneren waar ik anders heen had gemoeten in plaats van in dat appartement te belanden waar overal mensen op de grond lagen te slapen. Toen ik er ten slotte in geslaagd was alles weer op een rijtje te krijgen, stond ik op en, terwijl ik mijn ogen zoveel mogelijk dichthield, lukte het me zonder problemen alle lichamen te ontwijken die zich op mijn weg naar de deur bevonden, ik ontdekte mijn jas op de kapstok in de hal, trok hem aan en ging naar buiten.

Ik rekende er niet op in de gauwigheid een taxi te vinden, op kerstochtend, en in, als ik me goed herinnerde, de Batánbuurt, maar voor ik bij de metroingang was zag ik er eentje. Toen ik thuiskwam, loste ik twee zakjes Frenadol op in een half glas water, en zonder te wachten tot ze zouden werken, schonk ik mezelf een tomatensap met veel peper en een flinke scheut wodka in. Daarna ging ik naast de telefoon zitten met een handdoek die droop van het koude water op mijn ogen, en draaide uit mijn hoofd een nummer.

'Bel je om je excuses aan te bieden?' vroeg Reina nadat ze had opgenomen.

'Nee. Ik wil alleen met mijn zoon praten.'

'Ook goed, wacht even.'

Jaime kwam meteen aan de telefoon, en ik vroeg hem me te vergeven dat ik de avond daarvoor niet was komen eten.

'Maak je maar geen zorgen, mama. Het was een heel vervelend etentje en de kalkoen was taai. Jij hebt het vast veel leuker gehad met Jezus Christus.'

'Misschien kunnen we vandaag samen eten...' stelde ik weinig hoopvol voor.

'Nee, dat kan niet, want vandaag gaan we bij tante Esperanza eten.'

'O ja, natuurlijk,' zei ik, me herinnerend dat Santiago met Kerstmis altijd bij zijn zusjes at. 'Nou, goed, dan kom ik je morgen halen.'

Hij zei dat dat goed was en hing op, nadat hij me erop gewezen had dat er tekenfilms op tv waren.

Ik dook in bed, de ramen verduisterd, en sliep een paar uur. Toen ik wakker werd voelde ik me stukken beter. Ik douchte me, kleedde me aan, en ging naar buiten met in mijn linkerhand een plastic tas. Het was een koude dag, maar de hemel was blauw, met een stralende zon. Het leek me een goed voorteken en ik besloot om, ondanks de afstand, te gaan lopen.

Boven de deur kondigde een uithangbord spoedreparaties aan, vierentwintiguursservice, maar de ruimte achter de jaloezieën die voor de deur hingen maakte een verlaten indruk. Ik belde zonder al te hoge verwachtingen aan, maar op mijn tweede poging verscheen er een heel jonge monteur, in een blauwe overall geperst, die er niet veel beter uitzag dan ik. Op zijn gezicht las je de ergernis die in hem opwelde als hij zich herinnerde dat hij moest werken op een dag die zelfs voor de bakkers een feestdag was. Zwijgend volgde ik hem naar de toonbank, opende mijn tas om hem de inhoud te laten zien en stond op het punt me alvast te excuseren voor de futiliteit van mijn probleem nog voor het hem uit de doeken te doen. Maar hij schonk me een brede glimlach. Hij tilde het kistje op, bestudeerde het slot heel vluchtig, verdween ermee door de deur achterin en was onmiddellijk weer terug, nadat ik een droog geluid had gehoord.

'Wat goed!' riep ik uit, terwijl ik het kistje, dat nu open was, terugstopte in mijn tas, het deksel ontzet door de sporen van de koevoet. 'Wat snel! Hoeveel ben ik je schuldig?'

'O, laat maar,' antwoordde hij. 'Hoe kan ik je nou laten betalen voor zo'n onnozel klusje?'

Ik drong kort aan maar hij bleef koppig bij zijn voornemen me niet te laten betalen.

'Echt, het stelde niets voor.'

'Heel erg bedankt, en nogmaals sorry. Het spijt me dat ik je heb lastiggevallen met zoiets pietluttigs.'

'Geen dank,' geeuwde hij, zich voorbereidend op zijn terugkeer naar de droom die ik verstoord had. 'En zalig Kerstmis.'

'Zalig Kerstmis.'

Ik vervolgde mijn weg en hield mezelf voor hoe de goede voortekens zich opstapelden in het korte tijdsbestek van die ochtend, en ik genoot zelfs van de wandeling die me naar mijn uiteindelijke doel bracht, maar toen ik mijn vinger al op de knop van de intercom had, zei ik bij mezelf dat ik had moeten opbellen om mijn komst aan te kondigen, want ik was nooit degene die daarnaar toe ging, tot dan toe was hij het altijd geweest die naar mij toe kwam. Toch deed hij de deur onmiddellijk open en hij leek niet geërgerd over mijn bezoek. Ik veronderstelde dat hij alleen was en zich verveelde, zoals vrijwel altijd.

'Malena, wat een leuke verrassing!' hij liep op me toe om me te omhelzen, en drukte een klinkende kus, echte kussen, op mijn beide wangen.

'Hoe is het met je?'

'Klote,' gaf ik toe. 'Daarom ben ik hier, je weet toch dat ik alleen maar naar je toe kom als het slecht met me gaat.'

'Ja…' hij lachte, 'ondankbare wezens zijn jullie vrouwen, niets aan te doen.'

We gingen in een grote woonkamer zitten die iets onmiskenbaar vertrouwds uitstraalde dat veel verder ging dan de aanwezigheid van een aantal voor mij overbekende meubels.

'Dit appartement is van jou, toch?' Hij knikte bevestigend. 'Maar het lijkt net een huis van Porfirio.'

'Omdat hij het gebouwd heeft, meisje, zoals de rest,' hij schoot in de lach en ik lachte met hem mee. 'Zeg het maar, wat wil je drinken?'

'Niets, absoluut niets, echt, ik heb een afschuwelijke kater.'

'Oké, zoals je wilt.' Hij schonk een flinke bel whisky voor zichzelf in, zakte onderuit in een leunstoel, warmde het glas in zijn handen, en keek me aan. 'Nou, voor de draad ermee.'

Ik opende de plastic tas die ik bij me had en zette het zojuist geforceerde geldkistje op tafel zonder iets te zeggen. Hij kwam dichterbij om erin te kijken, en toen hij de inhoud zag, floot hij bewonderend, op bijna dezelfde manier als ik ooit gedaan had. Daarna haalde hij hem voorzichtig te voorschijn, kwam overeind, en liep naar het raam om hem in het volle licht te bekijken.

'Ongelooflijk!' zei hij even later glimlachend. 'Ik dacht al dat ik hem nooit meer zou zien.'

'Koop hem van me, Tomás,' smeekte ik hem. 'Alsjeblieft, koop hem van me. Je vader heeft tegen me gezegd dat hij ooit mijn leven zou redden, en ik kan echt niet meer. Ik ben bijna blut, serieus.'

Hij kwam naast me zitten, legde hem terug in het kistje, en pakte mijn hand.

'Ik kan hem niet van je kopen, Malena, want ik heb niet genoeg geld om hem te betalen. Ik zou alles wat ik heb moeten verkopen en ik heb er de leeftijd niet meer voor me in dat soort avonturen te storten, maar ik ken iemand die zeker geïnteresseerd is, en die kan in korte tijd wél veel geld bij elkaar krijgen. Als je wilt, bel ik hem morgenvroeg, al weet ik niet of hij onmiddellijk kan komen, want hij woont in Londen... Maar nu ik erover nadenk, wij kunnen natuurlijk ook daarheen gaan. Ga je iets bijzonders doen met oudjaar?'

'Eten met mijn zoon.'

'Heel goed! Dan gaat hij met ons mee. We kunnen hem de Tower laten zien, en langs de Theems wandelen, en naar het British Museum gaan, de mummies van de Egyptenaren bekijken, hij vindt het vast prachtig.'

Ik moest glimlachen om zo veel enthousiasme, maar schudde tegelijkertijd mijn hoofd.

'Dat kan ik niet doen Tomás, onmogelijk. Ik zou het heel leuk vinden, en dat meen ik echt, en vooral voor Jaime, maar ik heb bijna mijn hele gratificatie al uitgegeven, en ik heb nog niet eens de helft van mijn cadeautjes voor Driekoningen, ik kan nu geen twee vliegtickets betalen, en het hotel, en...' Zijn bulderende lach onderbrak me halverwege mijn zin. 'Waarom moet je nou lachen?'

'Om jou, meisje, om jou. Ik zal alles betalen, en je zult het me veel eerder dan je denkt kunnen terugbetalen, maak je maar geen zorgen,' hij pauzeerde even om te bedaren en sloeg toen een ernstige toon aan. 'Je wordt een hele rijke vrouw, Malena, wen maar vast aan het idee.'

IV

Oom Griffiths nam haar een paar seconden zwijgend op. Toen zei hij: 'En waar is je man?'

Nauwelijks hoorbaar antwoordde Julia: 'Eh... Ik dacht dat je het wist... Ik ben weg bij hem. Hij was de laatste tijd onhandelbaar.'

'Het was een fout type.'

Bedroefd zei Julia: 'Nee, dat was hij niet.'

'[...] Wat zeg je? Hij trouwt met je en laat je daarna zitten, en dan wil je beweren dat het geen fout type is?'

'[...] Als hij geld had, was hij heel vrijgevig,' en zachtjes voegde ze eraan toe: 'Hij kocht cadeaus voor me, hele mooie cadeaus, echt heel mooi.'

Halsstarrig zei oom Griffiths: 'Ik heb nog nooit van mijn leven zo veel onzin horen uitkramen.'

Plotseling, en vanwege de toon waarop oom Griffiths die woorden had uitgesproken, voelde Julia minachting voor hem. Ze dacht: ik ken je. Ik zou er mijn hoofd om durven verwedden dat jij nog nooit een mooi cadeau hebt gegeven aan wie dan ook. Ik durf te wedden dat jij nog nooit van je leven iets moois aan iemand hebt geschonken. Je bent niet eens in staat iets moois op waarde te schatten, al zetten ze het vlak voor je neus.

Jean Rhys, *After leaving Mr. Mackenzie*

Terwijl ik hem zijn pyjama aantrok zonder enige hulp van zijn kant, dacht ik dat hij staand in slaap was gevallen, leunend tegen de rand van het bed. Hij was zo moe dat hij een dronkelap in het klein leek, en toch glimlachte hij even en stelde me met zijn ogen dicht een vraag.

'Hé, mama, denk je dat ik me dit allemaal nog kan herinneren als ik later groot ben?'

'O, vast wel, als je er je best maar voor doet.'

Hij reageerde niet en ik nam aan dat hij in slaap was gevallen. Ik liet hem tegen me aanleunen om mijn handen vrij te hebben, sloeg het bed open, en stopte hem er zo voorzichtig mogelijk in. Hij ging op zijn linkerzij liggen, zoals altijd, en mompelde nog een paar woorden, op de grens van verstaanbare klanken.

'Ik zal m'n best doen,' meende ik op te vangen.

Toen ik de deur dichtdeed en me alleen in de zitkamer bevond, verdween voor het eerst sinds onze aankomst het onaangename gevoel van misplaatstheid dat werd veroorzaakt door de onzinnige suite die Tomás had uitgezocht, twee tweepersoonsslaapkamers, met hun bijbehorende badkamers, die aan weerszijden van een ovalen zitkamer lagen die je via een gescheiden vestibule betrad, wat je noemt een uitwas in een van de alleroudste, traditioneelste en meest prestigieuze luxehotels van Londen. Hij had me niet willen zeggen hoeveel deze grap hem ging kosten, en ik had er ook niet op eigen kracht achter kunnen komen omdat ik, hoe ik ook zocht, er niet in slaagde ergens het gebruikelijke lijstje met de kamerprijzen te vinden, een detail dat van een bijzonder slechte smaak getuigde, veronderstelde ik, gezien de criteria waardoor de directie van een dergelijk etablissement zich zou laten leiden. Ik was ervan overtuigd dat het allemaal slecht zou aflopen, dat die kleine Libanees met zijn sik nooit over de brug zou komen met de schaamteloze berg miljoenen waarop mijn oom de prijs van de smaragd had vastgesteld, dat science-fiction getal dat Tomás zonder blikken of blozen had uitgesproken, terwijl ik op mijn handen was gaan zitten om niet te laten merken dat ik zat te trillen als een espenblad, van de zenuwen die door me heen gierden sinds ik dat bedrag gehoord had. Toch nestelde ik me die avond op de bank met ganzenveren kussens alsof ik mijn hele leven niets anders had gedaan, en stak met flair en een Bic-aansteker een Ducados op, de aansteker had ik gekregen in de kroeg bij mij op de hoek – 'Casa Roberto, Huisgemaakte Gerechten, Verschillende Soorten Tapa's, Producten uit Extremadura' – om vervolgens de smetteloos zilveren asbak bevallig te bezoedelen, een ondiep bassin dat op drie watersalamanders steunde en dat ik, zonder speciale reden, nog steeds niet had willen gebruiken. Ik was ervan overtuigd dat het allemaal slecht zou aflopen, maar Jaime zou zich die reis nog jaren herinneren, en dat betekende dat het de moeite waard was geweest.

Ik hoorde gestommel achter de deur maar bewoog me niet, dat deed ik zelfs niet toen ik Tomás begroette, die glimlachend de kamer binnenkwam.

'Hoe was het in de schouwburg?' vroeg hij.

'Ontzettend leuk. Je hebt er geen idee van, hij vond het geweldig, het was zelfs zo dat hij me halverwege vroeg of ik niet meer voor hem wilde vertalen, want mijn stem leidde hem af. Hij was nog nooit naar de schouwburg geweest, en het was een fantastische voorstelling, de acteurs, en de muziek, het was allemaal even prachtig. Het enige is wel dat ik hem nu, als we terug zijn in Madrid, natuurlijk elke week mee moet nemen, maar…'

'Ho even, ho even,' onderbrak hij me, terwijl hij een gebaar maakte om me tot kalmte te manen. 'Wat het zwaarst is moet het zwaarst wegen. Heb je gegeten?' Ik schudde ontkennend mijn hoofd. 'Goed, dan bestellen we iets, waar is de menukaart?'

Hij verdiepte zich in het overdadige aanbod van de room service en pakte de hoorn van de haak om zonder mij te raadplegen een copieus koud maal te bestellen.

'Ah!' zei hij ten slotte, in zijn zeer acceptabele Engels. 'En een fles champagne, graag…'

Toen ik hem de naam van dat merk met een afschuwelijk Frans accent uit hoorde spreken, had ik er spijt van dat ik niet eerder had ingegrepen.

'Dat is zonde,' waarschuwde ik hem, 'ik houd niet van champagne.'

'Ik ook niet,' zei hij. 'Maar rituelen moet je in ere houden, en jij hebt iets te vieren.'

'O ja?' vroeg ik, en toen pas realiseerde ik me hoe nerveus ik was sinds zijn terugkomst.

'Natuurlijk,' zei hij glimlachend. 'Onze vriend is akkoord.'

Ik was me er niet van bewust dat ik mijn mond had opengedaan, maar uit mijn keel steeg zo'n diep geloei op dat er drie minuten later een keurige en bijzonder welopgevoede meneer van de receptie belde om heel vriendelijk naar onze gezondheid te informeren.

'Er is niets aan de hand,' legde Tomás uit, terwijl ik op en neer stond te springen en tegelijkertijd met vochtige ogen en gebalde vuisten onsamenhangende dankgebedjes richtte aan een niet nader gespecificeerde god, zonder hem los te laten. 'Het is mijn nicht, die zojuist goed nieuws heeft ontvangen. Ach, u weet hoe wij Spanjaarden zijn, nogal warmbloedig.'

Daarna, nadat hij had opgehangen, maakte hij zich uit mijn omhelzing los, liep naar het barmeubel, schonk een overvloedige hoeveelheid gin in een glas en reikte me dat met een autoritair gebaar aan.

'Goed,' zei hij, 'oorlog is oorlog. In één teug opdrinken. Zo… Voel je je nu wat beter?'

'Ja, maar ik kan het nog steeds niet geloven.'

'Maar waarom niet? We hebben hem ongeveer tegen de marktwaarde verkocht. Mijn adviseur zei dat we er tien procent boven moesten gaan zitten, omdat het tenslotte een historisch exemplaar is, maar kennelijk is het in dat geval altijd gewoonte wat meer te betalen. En we hadden hem zelfs voor een betere prijs kunnen verkopen volgens hem, maar dan hadden we ruim de tijd nodig gehad voor de onderhandelingen, jaren misschien wel… Ah, het eten!'

Ik probeerde een paar happen te nemen terwijl ik hem met smaak zag eten, maar ik voelde me alsof iemand voor de grap een zeemansknoop in mijn ingewanden had gelegd. De wijn daarentegen deed me goed, en alleen met steun daarvan durfde ik een vraag te stellen die me al van voor ons vertrek uit Madrid bezighield.

'Vind je het niet jammer, Tomás?'

'Om die steen te verkopen?' vroeg hij, en ik knikte. 'Nee. Waarom zou ik?'

'Nou, omdat hij van je vader was, en jullie zouden hem hebben moeten verkopen, jij en je broers, dat in de allereerste plaats, en verder omdat het het laatste is… hoe zal ik het zeggen, het laatste grote stuk dat over was van het Peruaanse fortuin, toch? Ik weet niet, ik vond het zelfs al vervelend dat ik het aan je moest vragen.'

'Ik heb altijd geweten dat jij hem had, Malena, altijd, al vanaf het begin. Mijn vader heeft het me nog diezelfde middag verteld, dat hij ontdekt had dat jij net als wij was, als hij en als ik, en vooral net als Magda.'

'De kwade ader,' mompelde ik, en hij knikte.

'Precies, en hij was woest, want hij was al oud en af en toe was hij een beetje de kluts kwijt, vergis je niet. Het is niet eerlijk, zei hij, wanneer houdt het nu eens op?, welke prijs moeten we in godsnaam nog betalen?, afijn, dat soort dingen…'

'Heeft hij me hem daarom cadeau gedaan?' vroeg ik, ontgoocheld en in de war. 'Omdat hij niet meer helemaal helder was?'

'Geen sprake van!' haastte hij zich me te corrigeren. 'Toen hij je hem gaf, was hij er met zijn volle verstand bij, hij was zich volkomen bewust van wat hij deed. Nee, dat bedoelde ik niet, wat ik wilde zeggen was dat hij in die tijd alleen al bij het horen van de naam Rodrigo razend werd, dan leek het of hij in al zijn zenuwen tegelijk werd gesneden. Maar hij heeft je de smaragd niet zomaar cadeau gedaan, maar met de bedoeling dat je hem precies op een dag als vandaag zou verkopen, als je zou voelen dat je het alleen niet meer aankon. Jullie hebben mij, zei hij tegen me, en ik heb altijd het geld gehad, maar ik zal spoedig sterven, voor zij volwassen is, en wie zal er dan voor haar zorgen? Daarom gaf hij je de smaragd, opdat die schat voor jou zou zorgen, dat hij je zou beschermen tegen de rest, en vooral tegen jezelf, snap je? Hij was een wijs man, en hij had je al lange tijd in stilte geobserveerd, hij kende je heel goed, en hij wilde dat je je zou onderscheiden van de rest, dat je sterk zou worden, zodat je je machtig en belangrijk zou voelen, zodat niemand je kwaad zou kunnen doen. Hij wilde dat je meer en beter van jezelf zou houden dan daarvoor, want hij had je dezelfde zin horen uitspreken als Magda te pas en te onpas zei toen ze nog klein was.'

'Welke zin?' vroeg ik. 'Dat kan ik me niet meer herinneren.'

'Ik wel,' hij glimlachte. 'Je zei dat je zusje Reina veel beter was dan jij.'

Alleen gedragen door die woorden, waarvan ik me niet meer herinnerde dat ik ze had uitgesproken, kon ik ten slotte teruggaan, terug naar de werkkamer van het huis aan de Martínez Campos, wanneer de zon stilletjes door de ramen naar binnen viel om de enorme wijsvinger te verlichten die op een landkaart mijn oorsprong aanwees, op de grenzen van een niet bestaande wereld, en de liefde die ik toen voelde, stroomde opnieuw door mijn lichaam en vulde alle cellen, terwijl ik me afvroeg of hij, de geliefde overledene, toen al de zegenende aard kende, zoals ik die nu kende, van sommige oude vloeken.

'Ik hield van hem, Tomás, ik hield ontzettend veel van hem. Ik heb altijd van hem gehouden, zolang als ik me kan herinneren, en toch weet ik niet waarom.'

'Dat is vreemd, want hij was niet makkelijk om van te houden.' Hij zweeg even en staarde peinzend naar het plafond. 'Maar, afijn, je moet van alles wat hebben. Dat zei ik tegen hem toen ik hem de waarheid vertelde.'

'Welke waarheid?'

'De enige.'

'Ik begrijp je niet… Ik heb je wel altijd een erg mysterieus figuur gevonden, weet je. Toen ik klein was, was ik zelfs bang voor je. Je deed meestal je mond niet open, net als grootvader, en je was heel ernstig. Tijdens de familiefeesten, Kerstmis en zo, zong je nooit, en je lachte ook nooit.'

'En ik amuseerde me zelden of nooit,' maakte hij het rijtje lachend af, en ik lachte met hem mee.

'Ik weet niet eens wat jouw eigenaardigheid is.'

'Om bij de club van de verdoemden te horen, bedoel je?' Ik knikte en hij bleef even zwijgen.

Daarna strekte hij zijn hand uit naar zijn jasje, haalde een pakje sigaretten uit de zak, maakte het zorgvuldig open, stak een sigaret op, boog zich voorover, met zijn ellebogen op zijn knieën, en keek me aan.

'Nou, alles,' zei hij zachtjes. 'Ik heb alles, Malena, ik heb meer recht op het lidmaatschap dan jullie allemaal bij elkaar. Ik ben homoseksueel. Ik dacht dat je dat wist.'

'Neeee…' mompelde ik met wijdopen mond, en pas toen het me lukte die weer dicht te doen, deed ik een poging me te verontschuldigen. 'Het spijt me, ik… Ik neem aan dat het me had moeten opvallen, ik weet niet…'

'Maar, waarom?' Ik keek hem aan en zag dat hij naar me glimlachte. Hij leek nogal geamuseerd en scheen niet in het minst beledigd. 'Het is niet aan me te merken, nooit geweest. Ik kom nog altijd af en toe klasgenoten tegen die het ook niet weten, er is er zelfs eentje die er al jaren van overtuigd is dat ik weduwnaar ben, en altijd wanneer hij me ziet, vraagt hij of ik haar nog steeds zo mis. Magda was de enige die het doorhad, ook omdat ze me op heterdaad betrapte, toen ik met mijn poten aan een neef van Marciano zat die me het hoofd op hol bracht, de schoft, wat een ellende, wat voor dwaasheden ik allemaal wel niet had kunnen uithalen omwille van die jongen, iedere keer dat ik eraan denk… Later maakten we allebei die grap. Dat is nou eenmaal een feit, zeiden we, als je veertien kinderen hebt, dan zit er altijd van alles tussen, een emigrant, een miss, een vegetariër, een mankepoot, een non, een homo, een procureur bij de rechtbank, een voortijdige ejaculator…'

'Wie?' kraaide ik, bevangen door een lachwekkende, bijna kinderlijke uitgelatenheid.

'Ah!' antwoordde hij, terwijl hij een vraagteken in de lucht tekende met een vinger die hij vervolgens op zijn borst zette met een komisch hoogdravend gebaar. 'Ik uiteraard niet.'

'Pedro vast,' gokte ik. 'En die zal hem flink aan het werk hebben gezet.'

'Ik zeg geen ja en geen nee,' antwoordde hij lachend, 'maar het maakt ook niet veel uit, vergis je niet. Papa heeft een fortuin gespendeerd aan hoeren, en uiteindelijk is het verholpen toen hij nog maar een jochie was, het schijnt dat het aardig gelukt is…'

'En heeft hij bij jou nooit pogingen gedaan het te verhelpen?'

Hij schudde bedachtzaam zijn hoofd.

'Nee, want ik heb hem er nooit om gevraagd. Bovendien was ik al zevenentwintig, ik was al lang volwassen, en ik ben nooit achterlijk geweest. Ik zou zelfs durven beweren dat hij het wist lang voor ik het hem vertelde, al maakte hij er nooit een toespeling op, op wat voor manier dan ook, hij bracht seks gewoon nooit ter sprake in de gesprekken die hij met me voerde. Zo hadden we ons hele leven door kunnen gaan als mijn moeder niet zo lastig was geworden, maar op mijn vijfentwintigste verjaardag zei ze tegen me, zoonlief, ik ben niet van plan je met rust te laten eer je aan de vrouw bent, en ze heeft zich aan haar woord gehouden, dat spreekt voor zich… Zij had niets in de gaten, geloof ik, ze dacht eerder dat ik gefrustreerd was en dat ik daarom nog nooit een meisje had gehad, want op mijn vijfentwintigste al was ik niet om aan te zien, laten we er geen doekjes om winden, en toen besloot ze dat zij voor me zou zoeken, en je weet niet half wat voor kermis ze ervan maakte. Van 's avonds tot 's morgens was het huis vol meisjes, vriendinnen van mijn zussen, van mijn nichtjes, van de verloofdes van mijn broers, dochters van de vriendinnen van mijn moeder, blonde en donkere, dikke en dunne, lange en kleine, gedecideerde en schuchtere, weet ik veel, een catalogus vol, voor elk wat wils, sommigen heel knap, en anderen bovendien nog aardig. Met twee van hen kon ik het in het bijzonder goed vinden en we raakten bevriend, we gingen samen stappen, naar de film, of uit eten, maar voordat ze zich illusies konden maken, vertelde ik hun alle twee de waarheid. Eentje werd ontzettend kwaad, ze zei dat ze me nooit meer wilde zien, en ik verloor haar snel uit het oog, maar met de ander, María Luisa, die later getrouwd is, twee keer, en die een hele stoet kinderen heeft, en ook nog een stoet kleinkinderen, ben ik nog steeds dik bevriend, en moet je je voorstellen, het is eigenlijk wel grappig, ik denk dat mijn moeder zich zou omdraaien in haar graf als ze erachter kwam, maar met haar ben ik in al die jaren, veertig bijna, weleens naar bed geweest, en ik weet niet waarom, want dat heb ik met andere vrouwen nooit gehad, maar plotseling, op een goede dag, had zij daar wel zin in en ik ook, en misschien dat we elkaar daarna twee of drie jaar niet aanraakten, tot er op een dag weer precies hetzelfde gebeurde, we zijn een stel vreemde minnaars geweest…'

'Ofte wel, jullie hadden ook kunnen trouwen.'

'Zeker. En op een gegeven moment zag ze dat het zo slecht met me ging, en dat ik zo wanhopig was, dat ze zei dat ze daartoe bereid was, en dat zij haar leven zou leiden en ik het mijne, maar dat we officieel in hetzelfde huis zouden wonen. Daarom ging ik met mijn vader praten, want zoiets kon ik haar niet aandoen. Wekenlang draaide ik om de hete brij heen, ik bereidde een heel betoog voor en ik zette het zelfs op papier voor ik mijn kamer verliet, maar later, op zijn werkkamer, liep ik naar zijn bureau, ging zitten, en in mijn hoofd was het in één keer helemaal blanco. Hij keek me zwijgend aan, als om me aan te sporen mijn mond open te doen, en uiteindelijk gooide ik het er in één keer uit, zonder enige consideratie, ik heb me nooit met jouw leven bemoeid, papa, zei ik tegen hem, ik weet niet wat je met Teófila hebt, en het interesseert me ook niet, maar jij moet me begrijpen, en ik weet dat ik je verschrikkelijk teleur zal stellen, dat het voor een man als jij een ramp moet zijn om zo'n eerstgeborene te hebben, maar ik kan er niets aan doen, papa, ik heb er geen schuld aan, ik houd van mannen… Hij sloot zijn ogen, gooide zijn hoofd in zijn nek en bewoog zijn lippen niet. Dat antwoord maakte zo veel indruk op me dat ik tegen hem zei dat ik zou trouwen als hij dat van me verlangde. Nee, antwoordde hij, nog zonder zijn ogen open te doen, geen sprake van, dat zou een martelgang voor je zijn en een rotstreek tegenover je vrouw. Ik bedankte hem en hij stond op, liep een paar keer de kamer rond, en kwam toen precies achter me staan, legde een hand op mijn schouder, kneep me, en vroeg me hem alleen te laten. Ik moet nadenken, zei hij, maar maak je geen zorgen, en niets tegen je moeder zeggen, dat zal ik wel doen, dat lijkt me het beste.'

'En zij? Wat zei zij?'

'Niets. Geen woord, het was alsof mijn vader en moeder de rollen plotseling hadden omgedraaid. We konden alleen nog maar over koetjes en kalfjes praten, en dat had ik echt niet verwacht, dat zweer ik, want ik had altijd gedacht dat zij er beter mee om zou kunnen gaan dan hij, dat het haar minder pijn zou doen.

Uiteindelijk had ze meer dan genoeg redenen om die stoere macho's te wantrouwen, ze had er zelf haar hele leven onder één geleden, en toch raakte hij eraan gewend met me te leven, al heeft hij het nooit begrepen, maar mijn moeder heeft het me niet vergeven. Nooit.'

'Omdat ze een heilige was.'

'Ja, dat zal wel, daar zal het wel door komen. Ik herinner me nog goed, en ik geloof niet dat ik dat ooit zal vergeten, de triomfantelijke blik die ze me toewierp op de dag dat er om de hand van je moeder werd gevraagd. Ik weet nog hoeveel pijn die blik me deed, en haar wrange, arrogante, onverbiddelijke commentaar. Ze huwelijkte een zwangere dochter uit, maar dat was het ergste niet.'

'Het ergste was mijn vader.'

'Ja. Of als je wilt, de grote mislukking van mijn leven,' hij barstte in lachen uit, maar het klonk zo gemaakt dat ik vermoedde dat het zelfs hemzelf niet kon overtuigen. 'Zo dacht ik er toen tenminste over, inmiddels ben ik er niet meer zo zeker van. Je vader liet zich niet pakken, hij liet zich nooit pakken, en trek niet zo'n gezicht want ik meen het serieus, en als het anders gegaan was, zou ik het je ook zeggen, want voor mij is het, zoals je zult begrijpen, verre van krenkend, of beledigend, integendeel, maar je vader zei niets tegen me, niet dat hij wilde en ook niet dat hij niet meer wilde, al slaagde hij er uiteindelijk altijd in tussen m'n handen door te glippen voor ik het goed en wel in de gaten had, en uiteraard heeft hij me in zekere zin misbruikt, hij gebruikte me schaamteloos om mijn ouderlijk huis binnen te dringen en jouw moeder te verleiden...'

'Volgens Magda is het andersom, die zegt dat mama hém heeft verleid.'

'Ja? Die indruk had ik niet, wat zal ik zeggen, maar misschien heeft ze wel gelijk, ik weet niet, eigenlijk doet het er allemaal niet meer toe. Feit is dat je vader een spelletje met me gespeeld heeft, maar later heb ik altijd op hem kunnen terugvallen, hij heeft altijd aan mijn kant gestaan. En hij heeft me uit heel wat beroerdere situaties gehaald dan dat Balkanfestijn waar jij laatst gesignaleerd bent, vergis je niet...'

'Heb je dat al gehoord?' Hij knikte grijnzend. 'Verdomme, dat soort nieuwtjes gaat als een lopend vuurtje rond!'

'Niet als een lopend vuurtje,' lachte hij, 'als een bosbrand. Maar je kunt de dingen altijd van een andere kant bekijken... Tenslotte zou deze episode in sommige kringen je prestige alleen maar doen toenemen, want het is natuurlijk wel volgens de laatste mode, het is het helemaal dit seizoen.'

'Wat?' vroeg ik glimlachend.

'Een Bulgaars vriendje,' antwoordde hij, en we schoten samen in de lach.

'Bulgaren niet, brrr...' zei Hristo tegen me, terwijl hij een minachtend gebaar maakte, 'voor werk, Polen beter. Getrouwd, katholiek... Zij houden van werken. Beter allemaal Polen, ik kies.'

'Oké, wat je wilt.'

Aanvankelijk was ik van plan geweest een taleninstituut op te zetten, maar toen ik het er met hem over had, vroeg Porfirio of ik soms zo'n behoefte had failliet te gaan, en daarna deed hij een beter voorstel.

'Koeriersdiensten,' zei hij in mijn oor terwijl hij erin beet, met een flagrante minachting voor de romantische Afrikaanse hemelkoepel, en terwijl ik mezelf zachtjes liefkoosde met zijn vingerstompjes op het terras van zijn appartement, een penthouse in het allernieuwste Tunesische hotelcomplex. 'Die moet je gaan opzetten. Miguel en ik betalen ons iedere maand scheel aan koeriers, en ik weet zeker dat dat bij je vader ook het geval is. Vanaf nu in jij dat, en vort met de geit, je bent stom als je het niet doet.'

Hij vroeg me niet waar ik het geld vandaan had, zelfs niet toen ik opbelde en hem vroeg me het appartement waar ik woonde te verkopen, en ik vertelde het hem niet, zelfs niet op het moment dat ik het hem contant betaalde, want we hadden alle twee geleerd dat je dat soort dingen nooit vraagt en nooit vertelt. Sinds ik terug was uit Londen, maakte ik een nauwkeurige studie van de traditionele gedragsregels van mijn familie, en nadat ik dagenlang in het kantoor van een notaris had gebivakkeerd, stap voor stap de aanwijzingen van Tomás volgend, die het prachtig vond plotseling zoveel te doen te hebben – vennootschappen oprichten, donaties doen, zetbazen benoemen, en bezittingen verwerven onder alle mogelijke legale pseudoniemen – was mijn fortuin even onnaspeurbaar geworden als het onbestaand was geweest voor mijn vertrek naar Londen. Ik voelde me een onvervalste Fernández de Alcántara, en toen ik Hristo zo ver kreeg dat hij de leiding van mijn toekomstige koeriersdienst op zich nam, stopte ik met werken. Vervolgens kocht ik de grootste schommel die ik kon vinden, en liet een van de terrassen van mijn huis met kunstgras stofferen. Ik zei bij mezelf dat het moment gekomen was om stap voor stap terrein te heroveren, met gebruikmaking van dezelfde wapens waarover tot nu toe alleen de vijand beschikt had, en toch kwam Jaime met diepere wonden bij me terug.

Het was halftien op een hondse vrijdagavond in maart, koud en donker als de meest ontmoedigende voorbode van de lente, toen Santiago zonder waarschuwing vooraf ineens bij me op de stoep stond. Eerst dacht ik dat hij alleen was, maar Jaime dook onverwacht uit zijn schaduw op, rustig lopend tot zijn voeten over de drempel van mijn huis waren. Daarna begon hij te rennen en wierp zich met zacht, trillend geweld tegen me aan.

'Misschien begrijp jij wat er met dit jongetje aan de hand is!' schreeuwde mijn ex-man me op bitse toon toe. 'Hij drijft me verdomme tot het uiterste, er is geen land met hem te bezeilen, ik snap verdomme niet wat hij wil... Hij heeft de hele middag hysterisch liggen huilen, dat hij hiernaar toe moest, zei hij, dat hij je moest zien, en toen ik tegen hem zei dat dit weekeind een thuisweekeind was, antwoordde hij dat als ik hem niet zou brengen, hij lopend hierheen zou gaan, ik...'

'Zo is het wel genoeg, Santiago! Hij is zes,' gilde ook ik. Jaime stond te trillen en huilde, zijn hoofd tegen mijn maag gedrukt, hij leek doodsbang. 'Oké, ga maar, hij blijft hier, we hebben het er nog wel over.'

Hij probeerde nog een paar klassiek verontwaardigde gebaren, en draaide zich toen abrupt om, zonder iets te zeggen. Terwijl hij wegliep, vroeg ik me af waar hij ineens zo veel karakter vandaan haalde. Daarna deed ik de deur dicht, nam Jaime mee naar de kamer, ging met hem op de bank zitten en liet hem uithuilen.

'Ben je moe?' Hij schudde ontkennend zijn hoofd, maar ik drong aan, ik had de indruk dat hij doodop was. 'Wil je naar bed? Ik kan je een kop melk brengen, en dan praten we daar.'

'Mama, zeg eens,' antwoordde hij echter. 'Iñigo Montoya is een held, hè?'

'Iñigo Montoya...?' herhaalde ik hardop, volledig in de war.

Hij merkte dat ik niet wist wat hij bedoelde, en met een vaag ongeduldig gebaar stond hij op, liep naar de andere kant van de kamer, stak zijn rechterhand met gebalde vuist in de lucht, alsof hij zijn zwaard trok, en kwam op me aflopen, terwijl hij met de zwaarste stem die hij kon opzetten die vreemde bezwering herhaalde.

'Hallo! Ik ben Iñigo Montoya. Jij hebt mijn vader vermoord. Bereid je voor om te sterven.'

Hij deed een stap naar voren en zijn stemgeluid en de theatrale gebaren werden nadrukkelijker. Als ik de tranen niet gezien had die zijn ogen vertroebelden en die vervolgens over zijn wangen rolden, zou ik hartelijk gelachen hebben om die spontane voorstelling.

'Hallo! Ik ben Iñigo Montoya. Jij hebt mijn vader vermoord. Bereid je voor om te sterven.'

Hij kwam nog iets dichterbij en zijn woorden dreunden nu door de lucht.

'Hallo! Ik ben Iñigo Montoya. Jij hebt mijn vader vermoord. Bereid je voor om te sterven.'

'*Het verloofde prinsesje*,' mompelde ik, eindelijk in staat die welluidende dreun thuis te brengen.

'Hèhè,' zei hij met een diepe zucht tegen me, alsof mijn reactie hem van een ondraaglijke last bevrijd had. 'Gelukkig dat je het weer weet.'

We hadden die film samen op tv gezien, en we hadden alle twee op hetzelfde moment gehuild, toen de slechte ridder met de zes vingers met de snede van zijn zwaard de armen van Iñigo Montoya inkerfde, en hem even gemeen vernederde als hij het al een keer eerder had gedaan, jaren daarvoor, toen hij zijn gezicht had gebrandmerkt, waarbij het bloed over de wangen van een eenzaam weesjongetje was gelopen dat deels gevoed werd door trots en deels door wanhoop. We hadden samen gehuild, we leden onder de onmacht van die haveloze edelman uit Toledo die veroordeeld leek om eeuwig te verliezen, en alle twee hadden we met hem wraak genomen op de afschuwelijkste van de fictieve beledigingen toen we toekeken hoe hij er, moedeloos en gewond, alleen, en bespot door het noodlot, in slaagde zijn woede in kracht om te zetten, en uit de pijn die energie te putten die nodig was om eindelijk de dood van zijn vader te wreken. Wij kozen er allebei voor Iñigo Montoya te zijn, en allebei overwonnen we met hem. Daarna had ik de tv uitgezet. Het was een mooie film, maar slechts een film, gewoon een verhaal, zoals er zoveel waren, en toch greep Jaime me nu bij mijn polsen en huilde, smekend om een onbegrijpelijke troost, alsof mijn antwoord van levensbelang voor hem was.

'Iñigo Montoya is een held, hè, mama? Zeg nou ja. Voor jou is hij ook een held, hè?'

'Natuurlijk, Jaime,' ik keek hem aandachtig aan en schrok, want ik had hem nog nooit zo angstig gezien. 'Natuurlijk is hij een held. Zoals de zeerover en de reus, zij drieën zijn de held van de film.'

'Reina zegt van niet.'

'Welke Reina?'

'Alle twee. Ze zeggen dat hij geen held is omdat hij in het gevecht met zeerover Roberts verliest, en omdat hij daarna weer verliest, als de slechterik zijn mouwen afsnijdt. Ze zeggen dat hij aan het eind alleen maar toevallig wint, en dat de zeerover ook geen held is, omdat hij gedood wordt door de slechteriken, en zijn vrienden maken hem weer levend, en omdat niemand echt weer levend wordt, daarom is er geen een held... Ze zeggen dat alleen mensen die oorlogen winnen echte helden zijn.'

'Dat is niet waar, Jaime.'

'Dat weet ik wel, mama, want ik heet zoals een held die een oorlog verloor, hè?, dat heb je altijd tegen me gezegd, en dat heb ik ook tegen Reina gezegd, maar zij gelooft het niet...'

'Welke Reina?' vroeg ik hem, terwijl de tranen willoos over mijn gezicht stroomden, in mijn wimpers bleven hangen, langs mijn neus liepen, en daarna over mijn wangen, tot ze opdroogden in mijn kurkdroge mondhoeken.

'Alle twee. Ze zeggen alle twee dat je geen held kunt zijn als je toch verliest.'

Ik omhelsde hem zo stevig dat ik bang was hem pijn te doen, maar hij gaf geen krimp. Hij zat op mijn knieën en hield zich met verkrampte vingers aan de stof van mijn blouse vast terwijl ik heen en weer schommelde, hem wiegde als toen hij een baby was, en zo zaten we een hele tijd, maar hij was eerder bedaard dan ik en tilde zijn hoofd op om me aan te kijken, en formuleerde de moeilijkst te beantwoorden vraag die me ooit gesteld is.

'Ik heb nog een vraag, mama, eentje die nog veel belangrijker is... De Alcántara's hebben Amerika toch veroverd?'

Ik wist dat hij een onmiddellijke bevestiging verwachtte, en ik voelde hoe mijn lippen verstijfden, en hoe mijn tong opdroogde tot hij in een gerafelde, onbruikbare spons was veranderd, en hoe de lucht plotseling stolde tot de dikke, vloeibare massa die mijn keel in een oogwenk vulde. Toen, vastberaden de onvoorziene teleurstelling te bestrijden, maakte mijn zoon zich van me los, stond abrupt op, en zocht bescherming bij het portret van Rodrigo, terwijl hij met een gekromd, trillend vingertje naar het gloednieuwe zwaard uit het kostuummagazijn wees.

'Zeg nou ja, mama, zeg nou dat het zo is... Hij was het, hè?, en zijn broers, en zijn vader, zij hebben Amerika veroverd. Reina zegt van niet, maar het is wel zo. Ja hè, mama, het is toch zo?'

Magda had altijd haar vader gehad, mijn grootvader had altijd het geld gehad, ik had altijd de smaragd gehad, en nu begreep ik dat ik niet met lege handen stond, want mijn zoon zou mij altijd hebben. Ik liep naar hem toe, tilde hem op en glimlachte.

'Natuurlijk is het zo, Jaime. Op school zullen ze vertellen dat het Francisco Pizarro was, maar er waren heel veel Alcántara's bij hem. Wij hebben Amerika veroverd…' met mijn kin wees ik op het schilderij en keek hem aan, hij huilde niet meer, 'Rodrigo en al zijn kinderen.'

Op het aanrecht stond een houten bak gevuld met een soort draadjes van een doorzichtige pannenspons die er nogal goor uitzag. Ik pakte er eentje uit tussen mijn vingertoppen, keek ernaar, beet erin, en toen helderde Jaime, die niet buiten had willen blijven, het mysterie voor me op.

'Alfalfa,' legde hij uit. 'Grootvader zei een keer dat hij er niet over dacht het te proeven, omdat alleen paarden dat eten, maar tante Reina zegt dat het heerlijk is. Ik vind het niet lekker.'

Op dat moment kwam zij de keuken inlopen. In de zesde maand van haar zwangerschap was ze even kolossaal als de eerste keer, maar daar hield de gelijkenis op. Ik bekeek haar nauwkeurig en kwam tot de conclusie dat iedere onwetende toeschouwer even overtuigd als onbeholpen zou oordelen dat die vrouw die er zo saai uitzag – halflang steil kastanjebruin haar met blonde plukken en de punten naar binnen gekruld, te sterk geëpileerde wenkbrauwen, haar gezicht glimmend van zojuist opgebrachte vochtinbrengende crème, korte, glanzend gelakte nagels, gouden kettinkjes om haar hals, kleurloze panty's en bruine penny-shoes met een platte hak – minstens vier of vijf jaar ouder was dan ik, maar uiteindelijk is dat, schoot het door me heen, altijd de prijs die je betaalt voor een bepaald soort geluk.

'Malena!' ze kwam naar me toe, gaf me een kus die ik niet kon beantwoorden, en probeerde mijn zoon op te tillen, die dat verhinderde door mijn hand stevig te omklemmen. 'Kom je Jaime brengen?'

'Nee. Ik ben gekomen om met jou en je man te praten.'

'O ja?' ze leek perplex. 'Maar we hebben mama voor de lunch uitgenodigd, en een stel buren, en we hebben nog geen tijd gehad om de barbecue klaar te zetten.'

'Barbecue?' riep ik uit. 'Maar het is hartstikke koud!'

'Ja, maar toch, omdat het tot gisteren zulk mooi weer was hadden we dat nou eenmaal gepland en… Zou het niet op een ander moment kunnen?'

'Nee. Het kan niet op een ander moment.'

Ik stuurde mijn zoon naar de tuin, om te spelen, en volgde Reina naar de woonkamer. Zij ging Santiago halen en kwam even later met hem terug.

'Ik kan het heel kort houden,' kondigde ik aan, 'ik zal jullie niet lang ophouden. Ik neem Jaime mee naar huis, want hij wil hier niet meer wonen. Aangezien ik geen enkel bezwaar heb gemaakt toen hij tegen me zei dat hij naar jullie wilde verhuizen, verwacht ik dat jullie het mij nu ook niet moeilijk maken.' Ik keek mijn ex-man aan en kon niets bijzonders aan hem ontdekken, mijn zusje echter was met stomheid geslagen, en daarom richtte ik me speciaal tot haar. 'Dat zou eerlijk zijn, en tenslotte waren we het er, toen Santiago en ik scheidden, alle drie over eens dat hij bij mij zou komen wonen. Dat is alles.'

'Ik wist het,' zei hij op fluistertoon.

'Maar ik begrijp het niet!' protesteerde Reina. 'Wat heb je tegen hem gezegd om hem...?'

'Niets,' onderbrak ik haar, me ervan bewust dat ik nu beter niet woedend kon worden. 'Helemaal niets. Hij heeft het zelf besloten, en trouwens, ik wil wel even kwijt dat ik er altijd van heb willen uitgaan dat jullie ook niets tegen hem gezegd hebben toen hij de vorige keer zijn beslissing nam.'

Dat was het moment dat mijn zusje uitkoos om voor het eerst in haar bestaan haar ware aard te tonen.

'Als een rechter horen zou met wat voor mensen jij omgaat, dan zou hij waarschijnlijk van oordeel zijn dat jij niet de meest geschikte persoon bent om zorg te dragen voor de opvoeding van...'

'Zo is het genoeg, Reina!' Santiago, eerder geschokt dan boos, protesteerde heftig met een gezicht dat purperrood was aangelopen. Van binnen moest ik glimlachen nu ik ontdekte hoe het kwam dat hij had moeten leren zo veel karakter te tonen, hoewel er in werkelijkheid niets grappigs aan deze gênante vertoning was. 'Hou alsjeblieft je mond, ja?'

'Het was maar een opmerking,' verdedigde ze zich.

'Natuurlijk,' zei hij. 'Maar het is een stuitende opmerking.'

'Daar ben ik het zowaar mee eens,' voegde ik daaraan toe.

Er viel een korte, maar loodzware stilte, terwijl we elkaar alle drie scherp in de gaten hielden. Mijn zusje verbrak het zwijgen en ze had haar mond nog niet opengedaan of uit de toon die ze aansloeg maakte ik op dat ze van strategie veranderd was.

'Hoe het ook zij, Malena, zo eenvoudig is het niet, weet je?' Moeder de Gans keek me nu aan met een blik die beter paste bij haar bijnaam. 'Om het kind nu drie maanden voor het einde van het jaar naar een andere school te sturen, dat zou hem geen goed doen...'

'Niemand heeft het hier over een andere school.'

'Nee, natuurlijk, 's morgens zou jij hem kunnen brengen, en hem na school hier laten tot...'

'Dat is niet nodig, Reina. Er is een buslijn die stopt bij San Francisco el Grande.'

'Ja, ja, natuurlijk, dat is vlakbij voor jou, maar ik bedoelde ook, ik weet niet... De kinderpsycholoog is van mening...'

'Dat interesseert me niet,' viel ik haar voor de derde keer in de rede, in de veronderstelling dat dat afdoende zou zijn. 'Als het jou soms interesseert, ik ben van mening dat alle kinderpsychologen opgehangen moeten worden.'

Op dat moment herinnerde Santiago zich dat hij nog van alles te doen had.

'Jullie kunnen het verder wel zonder mij af,' lispelde hij, en we beaamden dat allebei.

'Uiteraard,' ging ik verder, 'want Jaime blijft immers bij mij wonen, en als ik ergens witheet van word dan is het wel van lekenpriesters, dus uiteraard zal ik volgend jaar een school proberen te vinden zonder psycholoog, iets gewoons, je weet wel, niet agnostisch, niet progressief, niet alternatief, zonder ecologielessen en met Latijn. Maar dat is gewoon een kwestie van esthetiek, vergis je niet, niks persoonlijks.'

'Je kunt er nou wel de draak mee steken,' voerde Reina met een klaaglijke uitdrukking op haar gezicht aan, 'maar die psycholoog zegt dat het kind onevenwichtig is.'

'Natuurlijk,' liet ik mijn instemming blijken, en die was oprecht. 'Hoe zou hij anders zijn brood moeten verdienen?'

Mijn zusje sloeg zich met een machteloos gebaar op haar knieën voor ze opstond en zonder me aan te kijken aanstalten maakte om weg te lopen.

'Kom mee,' zei ze. 'Het lijkt me in ieder geval nuttig als je de rapporten bekijkt…'

Het lag in de bovenste la van Reina's bureau, en toch was het hetzelfde schrift, onherkenbaar van ouderdom, de rug kapot, los van de rest, het vilt versleten bij de hoeken, waardoor het kartonnen binnenwerk zichtbaar werd, een kinderdagboek met een groen stofomslag, dat leek op een Tiroler jasje met een heel klein groen zakje in een hoek.

'Je zult het zien, ze liggen hier…' Reina praatte vlak naast me, maar als ik op de andere helft van de aardbol had gestaan, had ik haar niet minder goed gehoord. 'En, nou ja, het spijt me wat ik daarnet gezegd heb, dat over die rechter, maar ik geloof echt dat het kind hier beter af zou zijn, bij ons.'

Ik strekte mijn hand uit en raakte het aan zonder dat zij het merkte. Het voelde nog precies hetzelfde en ik haalde het uit de la en sloeg het op goed geluk open, om vervolgens, zuiver instinctief, de pagina's op te zoeken die ik schreef in die gelukzalige tijd. Ik begon te lezen en mijn lippen krulden zich in de gulle, brede glimlach van toen, mijn hart klopte sneller, en mijn huid protesteerde en veranderde in kippenvel als reactie op de aanval van genot. Ik sloot mijn ogen en kon de geur van Fernando bijna ruiken. Toen ik ze weer opendeed, stuitte ik op de eerste aantekening met rode pen, een paar woorden die ik niet geschreven had.

'Bovendien beweer jij altijd dat je niet van kinderen houdt, en ik ben dol op ze, dus…'

Er waren een heleboel rode zinnen, sarcastische kanttekeningen bij mijn eigen schrijfsels, verbeteringen die venijnige alternatieve teksten bevatten, uitroeptekens in de kantlijn, vraagtekens en kreten, lachsalvo's die met de grootste zorg gespeld waren, ha, ha, ha, en ha.

'Wat lees je daar?' vroeg mijn zusje. 'Wat is dat?'

Ik draaide me met mijn rug naar haar toe en las verder, tot een scheut onversneden pijn, een verkorte, onvervalste dood, me midden op mijn borst trof, en om die het hoofd te bieden boog ik voorover en las verder, opnieuw ging ik dood aan die wrede dood die me al zo lang vermoordde, en ik onderging iedere klap als een liefkozing, iedere beet als een kus, iedere wond als een triomf, en ik las verder, en mijn mond vulde zich met zo veel bitterheid dat mijn tong van schrik wegdook, de weerzinwekkende adem van de verrotting die mijn tanden wegvrat, mijn tandvlees aantastte, mijn vlees deed rotten, ik zou hebben durven zweren dat ik niet huilde, al gloeide mijn huid, en ik las verder.

'Arme schat van me,' hoorde ik mezelf mompelen, mijn zieke stem, mijn lippen gescheurd, mijn ziel in doodsnood, bijna oplossend in het niets, 'je was pas twintig. En je vond jezelf al zo volwassen, maar uiteindelijk ben je er met open ogen ingestonken…'

'Je moet dat niet lezen, Malena,' mijn zusje stond tegenover me, haar hand uitgestrekt. 'Geef hier, dat is van mij, ik heb het gevonden.'

Me niet eens bewust van de wonderbaarlijke doeltreffendheid van dat afzonderlijke gebaar, vloerde ik haar met één vuistslag, en ik zag hoe ze op de grond viel, haar benen uit elkaar en haar gezicht vertrokken van angst, en hoe ze daarna weer snel overeind krabbelde en probeerde weg te komen, maar voor één keer was ik eerder bij de deur.

'Je bent een kutwijf,' zei ik, terwijl ik de knip op de deur deed.

'Malena, ik ben zwanger, ik weet niet of je het weet…'

'Een kutwijf!' herhaalde ik, en ik was niet in staat verder nog iets uit te brengen. 'Je bent…'

De woede had mijn lippen verzegeld, en zij besefte het. Ze begon achteruit te lopen, heel langzaam, en praatte liefdevol tegen me, op de hypnotiserende toon waarmee ze andere keren zo veel resultaat had geboekt, dezelfde woorden, hetzelfde ritme, dezelfde subtiele, broze uitdrukking op een bleek gezicht, dat nu echter eindelijk getekend was door regelrechte angst.

'Ik deed het voor jouw bestwil,' zei ze liefjes, haar armen onschuldig naar voren gestrekt, alsof ze dacht dat ze een afdoende muur zouden kunnen optrekken tegen mijn woede. 'En ik heb er geen spijt van, hij paste niet bij je, je leven was een hel geworden, dat weet ik zeker, hij kwam uit een andere wereld, alles wat ik deed, heb ik voor jouw bestwil gedaan.'

Ik begon in haar richting te lopen, ook ik bewoog me heel langzaam, maar ik liep vooruit, naar voren.

'Heb je het met hem aangelegd?'

'Nee, hoe kom je erbij! Je denkt toch niet…'

'Heb je het met hem aangelegd, Reina?'

'Nee,' ze was nu bij de muur, leunde daartegen en bleef onbeweeglijk staan, haar armen gekruist voor haar buik. 'Ik zweer het, Malena, ik zweer het.'

Ik stond zo dicht bij haar dat ik haar hoorde ademen, en mijn reukzin registreerde de paniek die uit haar adem opsteeg als een stille troost. Ik stond met mijn handpalmen tegen de muur, naast haar hoofd, en begon te huilen.

'Heb je het met hem aangelegd?'

'Nee.'

'Waarom?'

'Hij wilde niet.'

'Waarom?'

'Dat weet ik niet.'

Ik sloeg met mijn gebalde vuist tegen de muur, krap een millimeter verwijderd van haar hoofd, en even verkrampte ze volledig, waarna ze zich maar weer half ontspande.

'Waarom, Reina?'

'Hij zei tegen me dat hij mij niet leuk vond.'

'Waarom?'

'Ik weet het niet, omdat ik zo mager was, neem ik aan.'

'Dat is niet waar.'

'Hij zal wel heel erg verliefd op jou zijn geweest.'

'Waarom vond hij jou niet leuk, Reina?'

'Ik weet het niet.'

Ik sloeg opnieuw tegen de muur, en dit keer sloeg ik zo hard dat ik mezelf pijn deed.

'Waarom?'

'Malena, als je zo doorgaat krijg ik een miskraam, ik zal het meisje kwijtraken, jij bent ziek, niet ik…'

Haar blik bleef hangen bij mijn rechterhand en mijn ogen volgden haar tot daar, en keken vervolgens naar het dunne straaltje bloed dat uit een van mijn gehavende, geschaafde knokkels opwelde. Ik sloeg opnieuw tegen de muur en glimlachte toen ik een minuscuul rood vlekje zag op de onberispelijk witte verf.

'Ik zal je huis veranderen in één grote bende.'

'Laat me alsjeblieft, Malena, ik smeek het je, laat…' De dreun van een nieuwe vuistslag verhinderde dat ze haar zin afmaakte.

'Waarom vond hij je niet leuk, Reina?'

'Hij zei dat hij van me walgde.'

'Waarom?'

'Dat begreep ik niet goed, ik…'

'Wat begreep je niet?'

'Hij zei tegen me dat hij van me walgde.'

'Waarom?'

'Om hoe ik was.'

'En wat ben jij, Reina?'

'Een droogneuker.'

'Wat?'

'Een droogneuker.'

'Dat klinkt goed,' glimlachte ik. 'Zeg het nog eens.'

'Een droogneuker.'

Ik stapte opzij, en even stonden we naast elkaar, schouder aan schouder, onze rug tegen dezelfde muur. Ik liet me langzaam naar beneden zakken, tot ik op de grond zat. Mijn gezicht voelde als een compacte, uniforme massa zonder reliëf, en mijn huid voelde dood, ongevoelig geworden door het huilen. Ik was nog nooit zo doodmoe geweest. Ik trok mijn benen op en sloeg mijn armen om mijn knieën. Ik legde mijn voorhoofd erop en zelfs de aanraking met de stof deed pijn. Ik merkte niet dat mijn zusje naar de deur was gelopen tot ik haar stem hoorde.

'Ik werd tegelijk met jou verliefd op hem, Malena,' zei ze tegen me. Ik tilde mijn hoofd op en keek haar aan, en zonder me bewust te zijn van de uitdrukking op mijn gezicht, zag ik dat mijn blik haar angst weer deed oplaaien. 'Het was de eerste keer sinds ik...'

Ze durfde de zin niet af te maken, ik lachte.

Een halfuur later had ik mezelf weer volledig onder controle en liep de trap af. Toen ik op de veranda kwam, realiseerde ik me dat mijn zusje niemand ook maar iets van de scène verteld had. De buren waren gearriveerd, en mijn moeder ook, in het gezelschap van haar militaire vriend. Ze zaten vredig te keuvelen, en gedroegen zich onhandig alsof ze op een aangename dag van de zon genoten, alsof ze het niet steenkoud hadden. Mama stond op toen ze me zag, en gaf me een kus. Daarna groette ik een voor een alle aanwezigen, en Reina, die met haar rug naar me toe worstjes stond te grillen op de barbecue, draaide haar hoofd niet één keer om om naar me te kijken. Ik pakte Jaime bij zijn hand en deed een paar stappen in de richting van de deur toen ik plotseling begreep dat ik niet zo kon vertrekken, omdat mijn schouders inmiddels te veel verdriet op zich voelden drukken, te veel angst, te veel stiltes, en zo veel liefde, en zo veel haat, dat geen enkele wraak ooit genoegdoening zou schenken. Ik sloot mijn ogen en zag Rodrigo die uiteenspatte in een miljoen wormpjes, Porfirio die zich glimlachend van het balkon stortte, mijn zwijgende, altijd zo elegante grootvader, die met een straatklinker zijn hoofd kapotsloeg, Pacita, vastgebonden in haar rolstoel, Tomás, dronken, zijn tong als een leren lap, en Magda, alleen, gekleed in het wit, die langzaam naar het altaar liep. Ik kneep in Jaimes hand en riep mijn zusje vanuit de deuropening.

Zij draaide zich heel langzaam om, en veegde ondertussen haar handen af aan haar schort, en het duurde een eeuwigheid voor ze haar hoofd had opgetild en haar ogen de mijne vonden.

'Vervloekt ben je, Reina,' zei ik kalm, iedere lettergreep zorgvuldig uitsprekend, mijn stem en mijn hoofd fier geheven, 'en vervloekt zijn je dochters, en de dochters van je dochters, en moge door jullie aderen altijd een volmaakt transparante vloeistof stromen, schoon en helder als water, en moge geen van jullie ooit in je leven te weten komen wat het is om ook maar één druppel kwaad in je bloed te hebben.'

Vervolgens, zonder te wachten wat mijn woorden voor effect hadden gesorteerd bij degene voor wie ze bedoeld waren, deed ik een paar passen, vroeg mijn zoon vast vooruit te lopen naar de auto, en liet mijn stem dalen.

'Ramona, goor klerewijf,' mompelde ik, terwijl ik naar de lucht keek, 'nu staan jij en ik tenminste quitte.'

Terwijl ik naar Madrid terugreed, vroeg Jaime me vanaf de achterbank hoe ik dat voor elkaar kreeg. Ik zei dat ik hem niet begreep, en hij legde me uit dat het de eerste keer was dat hij iemand zag lachen en huilen tegelijk.

'Ja?' zei ik, toen ik de telefoon opnam.

'Malena,' stelde een man vast.

'Ja, daar spreekt u mee.'

Ik vroeg me net af wie zich op deze manier tot me kon richten en tegelijkertijd de eigenaar kon zijn van die stem die me volslagen onbekend voorkwam, toen ik iets hoorde waarvan de hoorn bijna spontaan uit mijn vingers glipte, alsof hij een eigen leven leidde.

'Ik ben Rodrigo. We hebben elkaar heel lang geleden gezien, ik weet niet of je je mij nog herinnert.'

Ik probeerde een ontkenning te formuleren, maar ik kon geen woord over mijn lippen krijgen. Ik keek naar mezelf in de spiegel tegenover me en mijn ogen weerkaatsten mijn blik vanuit een verbazingwekkend bleek gezicht, maar het duurde nog even voor hij de stilte verbrak.

'Ben je daar nog?'

'Ja.'

'Goed, ze hebben ons eens aan elkaar voorgesteld, op een bruiloft, maar…'

'Wat is je achternaam?' liet ik me plompverloren ontschieten, niet in staat de etiquette nog langer te respecteren.

'Orozco.'

'Aha!' en hij moest mijn zucht aan de andere kant van de lijn kunnen horen. 'De neef van Raúl…'

'Precies.'

'Ja, natuurlijk, nu weet ik het weer,' mompelde ik, terwijl ik bedacht dat die idioot het enige was wat er nog aan ontbrak. 'Juist ja. En waaraan heb ik de eer te danken?'

'Nou,' hij zuchtte, dat is een heel verhaal. Gisteravond was ik bij Santiago. Je zusje had me uitgenodigd voor het eten om me te vertellen wat er afgelopen zaterdag gebeurd is, ze leek nogal ongerust…'

'Jaja,' beaamde ik, op mijn ijzigste toon, 'ik begrijp het al, ik kan me precies voorstellen wat ze tegen je gezegd heeft.'

Ik voelde me uitermate tevreden over de juiste bitsheid van mijn woorden, maar hij reageerde met een vreemd lachje, dat erop duidde dat mijn waarschuwing geen enkel effect had gesorteerd.

'Als je me belooft discreet te zijn, zal ik je een geheim vertellen.'

'Dat je psychiater bent?' vroeg ik hem, ik was verontwaardigd. 'Dat weet ik al, en ik weet ook waarom je me ge…'

'Nee,' onderbrak hij me. 'Dat is het niet. Ik vind ook dat kinderpsychologen de galg verdienen.'

'O,' mompelde ik, en ik was niet in staat daar nog iets aan toe te voegen, want ik was met stomheid geslagen door deze voltreffer.

'Luister, Malena,' zei hij tegen me, en op een andere toon begon hij zich nader te verklaren, zacht en opgewekt, kalmerend bijna, hij valt nu terug op zijn praktijkervaring, schoot het door me heen, 'ik help geen junkies met aspirines van hun ontwenningsverschijnselen af, weet je, ik behandel geen neurotische huisvrouwen, of leidinggevende personen die impotent zijn geworden van de stress, zo een ben ik er niet. Ik ben alleen geïnteresseerd in criminele psychopathieën, ik ben volledig gespecialiseerd op dit terrein en, zoals je zult begrijpen, werk ik niet in de particuliere gezondheidszorg. Eerlijk gezegd verdeel ik mijn leven tussen de Carabanchelgevangenis en het Algemeen Penitentiair Hospitaal. Ik weet dat het niet zo fraai klinkt, maar in deze branche zit er niets anders op dan rechtstreeks door te dringen tot de wortels van het kwaad, je weet wel, en ik zie hier meer meervoudige moordenaars dan een filmcriticus in zijn hele leven…' Ik schoot onwillekeurig in de lach, en mijn lachen deed hem goed, want toen hij verder praatte leek hij me meer op zijn gemak. 'Ik kaart elke dag met een van hen. Na de lunch. Zeven vrouwen had hij al te grazen genomen toen hij gearresteerd werd, het bekende verhaal, hij begon met zijn eigen vrouw, en geleidelijk kreeg hij er steeds meer plezier in… Ik moest weer lachen en nu lachte hij met me mee. 'Ik vertel je dit allemaal zodat je aan de gedachte kunt wennen hoe vreselijk je zus mij moet minachten. Dat ze me gebeld heeft, is alleen maar omdat ik de enige psychiater ben die ze kent, en uiteraard is het geen moment in haar opgekomen mij te vragen een afspraak met je te maken, haar bedoeling was eerder dat ik haar een adres gaf waar ze hulp kon vragen, een consult bij een ander type psychiater, zoiets als een gezinstherapeut, al zei ze dat niet zo natuurlijk, waarschijnlijk kent ze de term niet eens.'

'Maar waarom?'

'Dat weet ik niet. Misschien is ze van plan om een beoordeling van jouw persoonlijkheid te vragen.'

'En waarom zou ze dat willen?'

'Ik heb geen idee, maar het is geen ongebruikelijk bewijs in sommige rechtszaken, ik geloof zelfs dat sommige familierechters er aardig opgewonden van raken. En ik zou mijn loon erom durven verwedden als dat niet precies degenen zijn die van mening zijn dat vervloekingen al eeuwen uit de mode zijn.'

'Oké,' zei ik een paar tellen daarna, zonder dat ik een goed antwoord had gevonden op zijn elegantie, 'maar eerlijk gezegd begrijp ik niet waarom je zo veel moeite voor mij doet.'

'Kijk, Malena, ik trof je zus gisteren woedend aan, helemaal door het dolle heen, ik meen het, ik heb op het punt gestaan haar voor een paar dagen plat te spuiten met een morfinecocktail. En ik heb geen enkel vertrouwen in mijn collega's uit de particuliere sector. Voor geen millimeter. Als ik je zou overlaten aan eentje die ik ken, zo, op goed geluk, en er zou iets... laten we zeggen on-rechtmatigs gebeuren, dan zou ik me daar vreselijk over voelen, vooral omdat het niet de eerste keer zou zijn dat zoiets gebeurt. Omdat ik gewoonlijk alleen met moordenaars omga, met meervoudige verkrachters, godsdienstwaanzinni-gen en dwangmatige automutilanten, kan ik me dit soort luxe met een aanbevo-len iemand als jij permitteren. Bovendien...,' hij liet een veelbetekenende stilte vallen en liet zijn stem dalen, 'heb ik je altijd leuk gevonden.'

'Mij?' Hij bevestigde dat met een nasaal mmm, en voor het eerst vroeg ik me af waar ik het belachelijke idee vandaan had gehaald dat deze man een zak was. 'Maar je kent me niet eens.'

Hij wilde mijn tegenwerping niet weerspreken, en de lijn werd even stil.

'Ik heb altijd gedacht,' ging ik verder, 'dat je me de dag dat we elkaar leer-den kennen heel dik vond.'

'Dik?' vroeg hij, en hij barstte in lachen uit. 'Nee, waarom?'

'Ik weet niet, omdat je de hele tijd naar me keek terwijl je met dat kleine mannetje stond te praten, en je wees naar me...'

'Ja, maar we vonden niet dat je dik was.'

'O,' zei ik, en zonder aanwijsbare reden schoot ik kort in de lach, 'nou, schijn bedriegt.'

'Meer dan je denkt. Vind je het goed als we voor overmorgen afspreken? 's Middags.'

'Goed. Waar?'

'Oef! Dat is minder eenvoudig... Nou, ik heb geen spreekuur, en je vindt het vast weinig aantrekkelijk om hierheen te komen, in de rij tussen de vrien-dinnetjes voor het vis-à-vis, dus misschien kunnen we bij mij thuis afspreken.'

Ik noteerde een adres in de Argüelleswijk en beloofde op tijd te zijn. Nadat ik had opgehangen, realiseerde ik me dat ik niet eens wist waarom ik een af-spraak met hem had gemaakt.

Hij zegt altijd dat mijn zintuigen onmiddellijk op scherp stonden, dat hij merk-te dat ze op scherp stonden, maar ik ben daar niet van overtuigd, en toch moet er een verklaring zijn voor wat er met me gebeurde toen ik hem aan de andere kant van de drempel zag staan, even lang en even zwaar, hetzelfde grove gezicht, die lijnen zonder één enkele kromming, hetzelfde verbijsterende voorkomen van een portier van een nachtclub die, tussen de ene en de andere matpartij in, boeken leest.

'Hallo,' zei ik, en ik wilde hem op beide wangen kussen, precies op het mo-ment waarop hij zich vooroverboog met dezelfde bedoeling, maar we kwamen er niet uit en besloten uiteindelijk op hetzelfde moment er maar van af te zien.

Hij had een zwart overhemd met korte mouwen aan en een ouderwetse spijkerbroek van een lekker ordinair merk in dezelfde kleur. Hij wil natuurlijk, zei ik in mezelf, terwijl ik me zonder speciale reden bij voorbaat behoedzaam opstelde, verhullen dat hij zelf wel een beetje dik is, maar daarna keek ik naar hem en moest mezelf corrigeren, want in feite vond ik hem niet wat je noemt dik, en bovendien had hij in dat geval, schoot het door me heen, het hemd over zijn broek gedragen en niet erin. Ik maakte er een potje van, maar ik kon geen definitief oordeel vellen want hij was al begonnen te praten.

'Het is een bende in huis,' zei hij, 'maar mijn hulp heeft afgelopen week een kind gekregen, en ik heb nog geen tijd gehad een ander te zoeken, aangezien ik hier slechts kom om te slapen, en dat nog niet eens iedere nacht... Als je wilt, kunnen we naar mijn studeerkamer gaan. Daar kom ik bijna nooit, daarom is het de enige kamer die min of meer op orde is.'

Toen welde er een onduidelijke herinnering op die jaren geleden in het allerachterste kamertje van mijn geheugen was opgeslagen.

'Maar was jij niet getrouwd?'

'Was, ja,' beaamde hij, en toen we bij de deur kwamen die op de gang uit-kwam, treuzelde hij met opzet om mij voor te laten gaan en ik merkte het, en een belachelijke rilling liep van boven naar beneden, van mijn nek tot mijn stuitje, over de hele lengte van mijn rug. 'Ze is tegenwoordig getrouwd met een andere psychiater. Een slimme vent. Miljonair. Ze hebben een zoon en ver-wachten een tweede kind. Ze willen alle twee een meisje. Het ideale stel.'

Twee muren waren van vloer tot plafond bedekt met boeken. Tegenover de derde, gedecoreerd met drie bijzonder eigenaardige schilderijen, stond een werktafel met aan weerszijden een stoel. In de vierde zaten twee ramen, en vlak daarbij stond, op een verhoging, een divan bekleed met kastanjebruin leer. Ik wees ernaar, en hij schoot in de lach.

'Het cadeau van mijn vader toen ik afstudeerde.'

'Is hij ook psychiater?'

'Nee, hij is vertegenwoordiger in drogisterijproducten.' Hij trok de stoel voor het bezoek bij de tafel vandaan en wees ernaar. 'Ga zitten, alsjeblieft. Wil je iets drinken?'

Ik knikte instemmend, wierp een nostalgische blik op de divan, en strekte mijn hand uit om een glas whisky aan te pakken.

'Het spijt me, ik heb geen ijs, en ik heb ook niets anders... Ik ben niet zo zorgvuldig in huishoudelijke aangelegenheden.' Hij ging tegenover me zitten en glimlachte. Ik vond dat hij leuk glimlachte.

'Heeft je vrouw je daarom verlaten?'

'Nee, al werd ze er natuurlijk wel zenuwachtig van, want zij was exact het tegendeel, maar nee, dat was niet de reden... Op een nacht, om ongeveer drie uur 's ochtends, werd ik opgebeld door een patiënt vanuit een telefooncel op de plaza de Castilla. Jezus, man, ik heb me niet aan de afspraak gehouden, zei hij, wat moet ik nou doen? Eerst belde ik zijn advocaat uit bed, daarna sprak ik met de rechter-commissaris, ten slotte ging ik hem halen, nam hem mee hier-naar toe en maakte een bed voor hem op de bank in de huiskamer. Mijn vrouw begreep het niet. De volgende ochtend bracht ik hem zelf terug naar de gevangenis, maar twee maanden later belde hij me weer 's ochtends vroeg, op dezelfde tijd, vanaf dezelfde plaats, het was een heel methodisch iemand. Hij had zich precies twaalf uur daarvoor weer moeten melden, en dus had hij zich weer niet aan de afspraak gehouden. Zij zei tegen me dat het moment was aangebroken om te kiezen, en ik koos.'

'Voor de gek?'

'Uiteraard, en het was geen verkeerde jongen, maar hij was ook niet wat je noemt briljant. Maar in die tijd leek iedere teruggevallen homoseksuele verkrachter met depressieve neigingen me een stuk interessanter dan zij, dus ik heb er weinig spijt van gehad, eerlijk gezegd.'

'Overdrijf je altijd zo?' vroeg ik hem lachend.

'Nee,' antwoordde hij, op zijn beurt lachend, 'ik kan nog veel erger overdrijven, en de natuur zal altijd erger overdrijven dan ik.'

'En vind je gekken nog steeds leuker dan vrouwen?'

'Nee, minder leuk, maar ze zijn aardiger voor me.'

'Dus je hebt geen vriendin.'

Ik dacht niet dat ik die vraag met een speciale bedoeling had gesteld, maar hij keek me vanuit zijn ooghoeken aan, vrolijk en scherpzinnig tegelijkertijd, en bestudeerde zijn handen voor hij antwoord gaf.

'Tja, ik heb een soort... laten we zeggen... zo ongeveer. Op Tenerife.'

Ik begon hartelijk te lachen, terwijl hij me geamuseerd in de gaten hield.

'En kon je er geen vinden die wat verder weg woonde?'

'Nee, jammer genoeg niet, maar ik zie haar iedere twee weken, vergis je niet. Ik heb daar een supermacho in de gevangenis zitten.'

'Een wat?'

'Een supermacho, een figuur met twee Y-chromosomen. En wat je noemt een buitenkansje. Ik probeer hem al maanden hierheen te halen.'

'Je praat over hem alsof hij van jou is.'

'Dat is hij ook. Niemand anders wil hem, het is een gevaarlijk type, moeilijk handelbaar, hij heeft een hele zeldzame genetische afwijking. De kroniekschrijvers hebben het het moordenaarsgen gedoopt, omdat ze extreem gewelddadig zijn als gevolg van de seksuele hyperactiviteit die voortspruit uit de abnormaal hoge productie van mannelijk hormoon. Bij vrouwen komt dat niet voor.'

'Tjee!' zei ik glimlachend.

'Ja,' voegde hij eraan toe, en hij gaf een juiste interpretatie aan mijn gedachten, 'dat heb ik ook vaak bedacht, dat moet een weergaloze wip zijn. Het enige nadeel is dat hij ze wurgt als hij klaarkomt, en daarna neukt hij het lijk een paar keer. Maar, afijn, niemand heeft ooit beweerd dat volmaakte liefde bestaat.'

We lachten een paar minuten in koor, en in een opwelling krabbelde ik met de nagels van mijn rechterhand in mijn decolleté, hoewel ik me niet kon herinneren daar een puistje te hebben gezien.

Ik kreeg mijn glas terug met opnieuw een flinke bodem whisky erin, en na de eerste slok besloot ik onaangekondigd het betoog af te steken dat ik had voorbereid, alsof ik aanvoelde dat ik nooit een geschikter moment zou vinden om me van die last te bevrijden.

'Reina wordt elke drie of vier jaar verliefd op iemand die bij haar past, weet je, en het is altijd de eerste keer dat haar dat écht overkomt. Ik ben maar één keer in mijn leven verliefd geweest, op een halve neef van me, een kleinzoon van mijn grootvader en zijn eeuwige minnares, en die paste helemaal niet bij me. Hij heette Fernando. Hij was achttien, ik vijftien. Het is me nooit meer overkomen, niet echt en niet zogenaamd.'

Ik was met gebogen hoofd begonnen, mijn blik gericht op de stof van mijn rok, maar langzamerhand tilde ik mijn kin op, bijna zonder het te merken, en ik verbaasde me erover hoe makkelijk de woorden over mijn lippen kwamen, want het kostte me geen enkele moeite te praten terwijl ik hem aankeek en hij mij aankeek, achterovergeleund op zijn stoel, zijn handen verstrengeld in zijn schoot, alsof we sinds het bestaan van de wereld niets anders hadden gedaan dan zo zitten, pratend en luisterend.

'In die tijd had ik een dagboek. Dat had ik gekregen van een tante van me, iemand die heel belangrijk voor me was, en ik schreef er elke dag in, maar plotseling, in een zomer, raakte ik het kwijt en ik wist niet hoe. Laatst vond ik het toevallig terug in een la, in het bureau van mijn zusje. Zij had het van me weggenomen, het gelezen, er aantekeningen bij gemaakt, en er vervolgens zelf verder in geschreven, alsof het van haar was. Dankzij die vondst ben ik er eindelijk achtergekomen waarom Fernando me heeft verlaten. In de familie van mijn moeder was iedereen geobsedeerd door de erfenis van mijn grootvader, weet je, omdat hij ontzettend rijk was, en ik hoorde alleen maar wat er aan mijn kant gebeurde, maar aan de andere kant, die van de bastaards, moet het nog erger zijn geweest. Reina was ook verliefd op mijn neef, maar dat heb ik nooit geweten, tot ze het me laatst zelf vertelde. Ze probeerde het met hem aan te leggen, maar voor deze ene keer mislukte dat. Toen heeft ze hem er met behulp van een paar van mijn wettige neven van overtuigd dat mijn grootmoeder, die al jaren dood was, een hele bijzondere clausule had laten opnemen in het testament van mijn grootvader, die daarentegen pas net dood was, met de strekking dat de beide takken die van hem afstamden zich onder geen enkel beding ooit mochten vermengen. Uiteraard was het allemaal gelogen, maar ze moeten hem zelfs papieren hebben laten zien, en ik weet niet waar ze hem verder nog mee gedreigd hebben, maar hij, hij was Duitser en geloofde eigenlijk dat de Inquisitie hier nog altijd de dienst uitmaakte, hij was er oprecht van overtuigd dat mijn zusje hem een dienst bewees, omdat wanneer hij bij mij zou blijven, zijn vader geen rechten meer zou kunnen doen gelden en geen cent van de erfenis zou krijgen. Mijn oom was naar Duitsland geëmigreerd omdat zijn trots hem verbood de confrontatie aan te gaan, en Fernando, die niet zoveel van hem verschilde, besloot drastische maatregelen te nemen wat mij betreft, maar hij vertelde me niet wat er aan de hand was, hij zei niets tegen me, ik denk zelfs dat hij er met niemand over gesproken heeft. Reina had er erg bij hem op aangedrongen dat de waarheid me te veel pijn zou doen, omdat ik ontzettend verliefd op hem was en er nooit overheen zou komen, en dus stelde ze hem een andere formulering voor, die volgens haar veel pijnlozer zou zijn, omdat ik hem daardoor onmiddellijk zou verachten en hem snel uit mijn hoofd zou zetten. Uiteindelijk zei hij tegen me dat je vrouwen had om mee te neuken en vrouwen om verliefd op te worden, en dat hij aan mij genoeg plezier had beleefd. Sindsdien heb ik mezelf alle dagen van alle maanden van alle jaren van mijn leven veracht, tot ik achter de waarheid kwam, afgelopen zaterdag, en toen, dat is waar, was ik een paar uur volslagen gek.'

Ik verwachtte dat hij onmiddellijk commentaar zou geven op wat ik verteld had, maar hij bleef me lange tijd zwijgend aankijken.

'En je hebt haar niet vermoord,' was het enige wat hij ten slotte zei.

'Nee,' beaamde ik, 'maar ik moet bekennen dat ik wel met de gedachte gespeeld heb.'

Hij stond op van zijn stoel en leek me groter dan ooit, kolossaal en geriefelijk, veel sterker dan ik. Hij pakte mijn glas, dat leeg was, en draaide zijn rug naar me toe terwijl hij het volschonk.

'Ik had haar vermoord.'

Op dat moment, terwijl mijn ogen tegen de muur van zijn nek botsten, van zijn schouders, van de enorme zwarte vlek van zijn overhemd, merkte ik dat ik mezelf nog altijd krabbelde, mijn decolleté liefkoosde met mijn nagels, mijn armen, mijn knieën, waarschijnlijk had ik dat de hele tijd gedaan tijdens het praten, en een warme trilling, voorbode van mijn verbazing, deed de grond, die ik vast onder mijn voeten waande, schudden toen ik me realiseerde waarom mijn uitgedroogde, dode, fossiele huid weer begon te kriebelen, terwijl ik mijn geheugen tot het uiterste inspande om de ervaring van dat onwaarschijnlijke fenomeen niet verloren te laten gaan, en ik durfde amper conclusies te verbinden aan wat ik zag, maar elk van mijn poriën explodeerde al, barstte open in kleine, kleurige vonkenregens, honderdduizenden gele, rode, groene, blauwe lichtjes, als een knipperende lokroep, een vloeibare schreeuw, een onweerstaanbaar, glanzendgepoetst wapen.

'Het is heel simpel…' zei hij tegen me terwijl hij zich langzaam omdraaide en gehoor gaf aan de wil van mijn huid, 'je maalt een glas fijn en lost de stofdeeltjes geleidelijk, avond aan avond, op in de soep, en op een dag, pats, sterft je slachtoffer aan een mooie embolie. Bij de autopsie is het niet te zien, er wordt een natuurlijke dood vastgesteld en… waar lach je om?'

Ik zat tegenover een man die er vrijwillig voor gekozen had de ochtenden achter tralies door te brengen, die iedere middag kaartte met een meervoudige moordenaar als partner, en die 's nachts af en toe verkrachters mee naar huis nam om die in de huiskamer te laten slapen. Geen enkele vrouw die zo rijk was als ik, die een rustig leven leidde, een eigen huis had, een jonge minnaar, en een gezonde, leuke zoon, zou zelfs maar een man die zo slecht bij haar paste kunnen bedénken.

'Nergens om,' antwoordde ik. 'Mag ik je iets vragen?'

'Natuurlijk.'

'Eet jij ingewanden?'

Hij schoot in de lach en haalde zijn schouders op voor hij antwoord gaf. 'Waarom wil je dat weten?'

'Dat is een geheim. Eet je ze of eet je ze niet?'

'Pens, niertjes, hersenen en dat soort dingen?' vroeg hij, en ik knikte. 'Ja, natuurlijk eet ik die. Ik ben er dol op, vooral op lever met uien, kalfsniertjes en zwezerik.'

'Ik wist het,' mompelde ik.

'Wat?'

'Nee, niks.'

'Alweer niks?'

'Ja... Mag ik je een gunst vragen?' ik stond op, pakte mijn glas van tafel, en keek hem aan. Hij knikte. Hij probeerde het te verbergen, maar hij kon zijn lachen bijna niet inhouden. 'Mag ik op de divan liggen?'

'Maar, waarom?' nu barstte hij eindelijk in lachen uit, in lange, nerveuze uithalen. 'Dat is volstrekt uit de mode, hoor.'

'Ja, maar dat lijkt me nou zo leuk.'

Nog altijd lachend, knikte hij instemmend.

'En wat ga je me nu vertellen?'

Zijn stem klonk heel dichtbij, vlak achter mijn nek, en ik draaide me loom op een zij om hem precies te zien zitten waar ik hem verwachtte, in een stoel.

'Wat doe je daar?'

'Tja, dat zijn de regels van het spel. Als jij op de divan gaat liggen, dan moet ik hier gaan zitten.'

'Maar,' glimlachte ik, 'dan zie jij mij wel en ik jou niet.'

'Dat is precies waar het om gaat,' hij liet zijn stem dalen. 'En ik waarschuw je dat ik straks met je moet afrekenen.'

'Ja?' vroeg ik, terwijl ik me rekte om zijn gezicht te kunnen zien.

'Uiteraard. Dat is de traditie. De klassieke school is wat dit punt betreft uiterst rigide,' en hij trok zogenaamd een ernstig gezicht voor hij begon te lachen. 'Je kunt me in ingewanden betalen.'

'Uitstekend,' lachte ik, 'dat is afgesproken.'

Toen ging ik weer op mijn rug liggen en begon te praten, en ik praatte heel lang, meer dan een uur, misschien wel twee, bijna de hele tijd alleen, af en toe met hem, en ik vertelde hem dingen die ik nog nooit aan iemand verteld had, ik goot alle geheimen die me jarenlang hadden gekweld in zijn oren, afschuwelijke waarheden die als bij toverslag op het puntje van mijn tong oplosten, en als een lege bel in de lucht uiteenspatten, lucht gevuld met lucht, en ik voelde me steeds levendiger, lichter, en onder het praten schopte ik mijn schoenen half uit en liet ze balanceren op mijn tenen, en ik tilde mijn benen beurtelings op om ze te bekijken, boog mijn knieën, strekte ze weer, één schoen viel op de grond en ik liet hem liggen, de ander bungelde in precair evenwicht op mijn wreef, en de stof van mijn panty's begon me te irriteren, maar het was bijna een prettig gevoel, warm, vermakelijk zelfs, ik vond mijn benen mooi en ik wilde er geen kreukels op zien, dus streek ik de stof glad met mijn vingers, heel langzaam, van boven naar beneden, en weer terug, nu de ene dij, dan de andere, en af en toe realiseerde ik me dat het een al te frivole houding was voor zo'n serieus betoog als het mijne, en dan lag ik even stil, maar vervolgens draaide ik me iets opzij om naar hem te kijken, en lachte hij naar me met zijn ogen, en dan tilden mijn benen zich als vanzelf op, en de plooien van de panty's vormden een onweerstaanbare verleiding voor mijn vingers, en weer streek ik ze glad zonder op te houden met praten, ze om de beurt optillend, eerst links, dan rechts, en ik liet ze even naast elkaar liggen in de lucht om ze daarna weer van elkaar te scheiden en de schoen die ik nog had van voet te verwisselen, totdat ik niets verschrikkelijks meer te vertellen had.

'Daarom heb ik een vloek uitgesproken over mijn zusje,' zei ik ten slotte. 'Ik weet dat het belachelijk lijkt, maar op dat moment voelde ik dat ik het moest doen.'

Ik verwachtte zijn stem te horen, maar hij zei nog niets. Toen kwam ik overeind op de divan en keek naar hem, en ik zag zijn blik, intens en geconcentreerd, zijn ogen die zich verwijdden door de starende blik waarmee hij naar me keek.

'Seks, dat is de vloek Malena,' zei hij heel rustig. 'Iets anders is er niet, is er nooit geweest en zal er nooit zijn.'

Toen we aanstalten maakten om afscheid te nemen, een kwartier later, voelde ik me een stuk verwarder dan toen ik kwam. De beslistheid van dat korte betoog, die paar woorden, had me tot op het bot geraakt, en de vreemde kracht die van zijn lippen vloeide terwijl hij ze uitsprak had me rillingen bezorgd en bracht me nog steeds in verwarring. Mijn lichaam duwde me onweerstaanbaar in zijn richting, maar mijn geest was moe, en het voorgevoel dat dit niet bij een avontuurtje zou blijven maakte me lui. Ik was de doortastendheid van mijn vijftien jaren voorgoed kwijt – pure onnadenkendheid, wees ik mezelf terecht – en daarvoor in de plaats had ik een hele berg hermetisch afgesloten veiligheidskleppen gekregen – de vlijtige machinerie van het gezond verstand, feliciteerde ik mezelf vervolgens – en ik probeerde mezelf ervan te overtuigen dat ik heel graag alleen wilde zijn, maar ik slaagde er maar niet in weg te willen.

'Ik zal mijn patiënt op Tenerife de groeten doen,' zei hij bij wijze van afscheid tegen me, terwijl hij met mij de drempel van zijn huis overstapte.

'Graag,' stemde ik in. 'En bel me als je terug bent om verslag uit te brengen.'

Ik draaide mijn hoofd om hem op zijn wang te kussen, en het zijne botste tegen het mijne toen hij hetzelfde probeerde te doen als ik, dus zagen we er weer op hetzelfde moment van af. Toen ik de liftdeur opendeed, vroeg ik me af wat ik nu precies wilde, weggaan of blijven, en ik antwoordde mezelf dat ik het enige juiste deed, maar toen, met de deur nog halfopen, protesteerde mijn lichaam, de stroom die alle gekleurde lampjes voedde die boven mijn huid schitterden, nam abrupt in sterkte toe en zorgde ervoor dat ik, met een maar half gemeende innerlijke grimas van ergernis, zag hoe boven mijn hoofd de ster in de top zojuist was opgelicht.

Hij deed een paar stappen in de richting van zijn deur, als met de bedoeling me te kalmeren, maar met één hand al op de deurknop, draaide hij zich naar me om alsof hij iets vergeten was.

'O ja, Malena…! En je hebt te gekke benen,' hij wachtte even en glimlachte. 'Veel beter dan die van je zus.'

Dat afscheid maakte me zo zenuwachtig dat ik mijn handen voor mijn gezicht sloeg en de deur van de lift zich vanzelf sloot. Terwijl ik afdaalde naar de hal, zonder er zelfs maar bij stil te staan dat ik op geen enkel knopje had gedrukt, vroeg ik me af hoe het mogelijk was dat hij die woorden had uitgekozen, precies die en geen andere, want als hij prachtig had gezegd in plaats van te gek en mooier in plaats van beter, dan zou alles anders zijn, en zou er misschien niet echt iets gebeurd zijn, zouden die uren in het niets zijn opgelost als een korte voorstelling van rook, maar hij had ervoor gekozen dat tegen me te zeggen, en door hem uitgesproken hadden de woorden plotseling al hun kracht herwonnen, al hun waarde, en ik het leven. De laatste last die ik van me af heb gegooid zal de eerste van de opgegraven schatten zijn, begreep ik, en toen kwam de lift tot stilstand en ging de deur open, maar ik bewoog me niet, ik bleef in mijn eentje lachend midden in de lift staan, mijn handen voor mijn gezicht, met brandende wangen, en een ondraaglijke jeuk in mijn hele lijf, van mijn kruin tot mijn tenen.

'Goedemiddag,' hoorde ik, en ik deed mijn ogen open.

Tegenover me stond een vrouw van in de dertig, met opgeknipt kastanjebruin haar met blonde plukken, een groenwollen, Oostenrijks jasje, een plooirok tot onder de knie en bruine penny-shoes met een platte hak, die me vriendelijk toelachte. Ze had twee knappe, blonde jongetjes aan haar hand, die beiden een jas droegen van Engelse wol en die er niets aan konden doen dat hun moeder zo op mijn zusje leek. Ik deed de deur met een beslist gebaar voor hun neus dicht, en drukte op het knopje van de vijfde.

Hij stond nog op me te wachten, naast de geopende voordeur, zijn hand op de deurknop, zijn rug tegen de muur geleund. Toen ik hem zag, ontsnapte me dat oude, gillende lachje dat me vroeger de ongewenste gelijkenis had verleend met een zwakbegaafde die in haar handen klapt omdat ze mee uit wandelen mag, en misschien alleen maar om dat te verhullen, of om hem een glimlach te ontlokken, zei ik het.

'Ach, wat kan het me ook verdommen!'